KB058008

止庸日記

일러두기

1— 이 일기 원고는 1940년부터 1984년까지 쓴 일기들로서
신문 · 잡지 등에 연재된 글이거나 미발표 원고로 구성되었다.

2— 원문에서 한자로만 표기되었던 부분에는 음을 병기하였으며,
의미 소통에 문제가 없는 부분은 한글로 바꾸었다.

3— 본문 중의 •표는 독자들의 작품 이해를 돕기 위해
편집자가 가려 뽑아 일일이 그 내용을 찾거나 번역하여
책 끝에 부기附記한 '편집자 주 1' 이다.

4— 일기 중 저자가 번역을 달지 않은 한시나 한문 문장은
독자의 이해를 돕기 위하여 대략적인 번역 및 뜻풀이를 붙여
'편집자 주 2' 로 책 끝에 부기附記하였다.
저자는 병중病中이라서 편집자가 이 일을 했다.
만약 번역 및 뜻풀이에 오역이나 오독이 있다면
그것은 편집자의 책임이다.

김구용 문학 전집

金丘庸 5

丘庸 日記

일기

솔

1940년대 초 금강산을 오르던 중의 필자

衛星에 갔더니 이런 사람들이
살고 있더라
一九七四
丘庸

때가 오거든

이 몸도 가을 잎처럼

별(回生)이게

하십시오

柔拙的

一九七九 冬

즈ᅀᅵ 살쯤 디니져
맛보웁디
지ᅀᅩ리
다봊굴 허혜
잘밤
이시리

慕竹旨郞歌

得烏

간 봄 그리매
아름 나토샤온
눈 돌칠 ᄉᆞ이예
郞여 그릴 ᄆᆞᅀᆞ미 녀올길
모든 것사 우리 시름

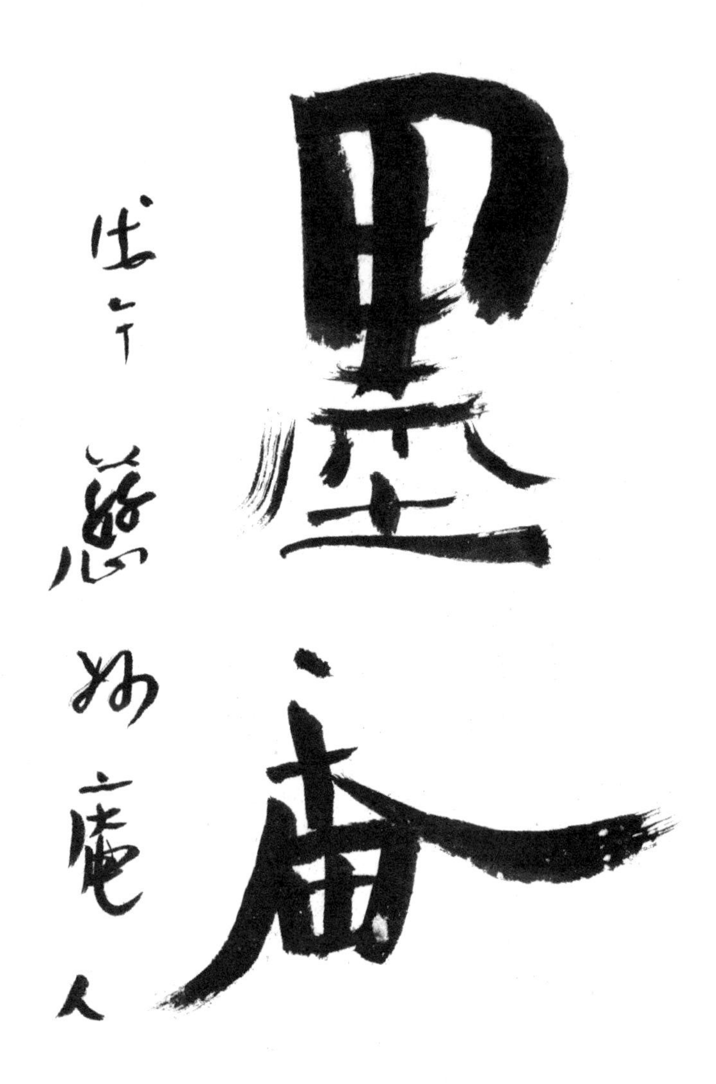

가난은 肥沃한 마음이 [illegible]은 땅에 씨를 심음이다

萬波息笛
丙辰元旦
金丘庸

空間에
비쳐진
自畫像

1974. 9

明月千佛

阮堂先生詩句

一九七〇年蓮華二日

明月千佛偈 五庸

인사말

그가 지금 전처럼 글을 쓸 수 있다면 무엇이라 인사말을 쓸 것인가 생각해본다. 그가 쓰고 싶은 생각, 하고 싶은 말은 전부 그의 글 속에 들어 있을 것이다.

그는 처음부터 끝까지 문학으로써 산 사람인가 한다. 그러한 그를 지켜보면서 괴로움과 슬픔을 잊어버렸다. 그 힘들고 어려운 과제를 두 손으로 치켜올려 좀더 아름다운 평화와 이상理想을 만들어내보려고 애쓰던 그 점을 높이 평가해주고 싶다.

그가 고민하고 노력하며 제시하려고 한 그 고통이 많은 사람들에게서 받은 사랑에 보답하고 또 그가 지은 모든 과오를 감소해볼 수 있으면 하고 바랄 뿐이다.

이 전집을 이루게 해주신 솔출판사 임우기 사장님께 감사한다. 그리고 편집부의 김소원, 김대환 씨, 교정에 참여해주신 김진호 선생에게도 감사한다.

2000년 5월

妻 具京玉

金丘庸

丘庸日記 구용 일기

1940년대

1940. 2. 24.

양력 정월에 붓글씨를 한 폭 써서 표구사에 맡긴 것이 있어 찾으러 갔다. 일본 노인은 아직 표구를 해두지 않고 있었다. "되도록 빨리 해주시오" 재촉만 했다. 잔소리를 하면 성의껏 표구를 않을 것이다. 무슨 일이고 참아야 한다. 사소한 일이라도 화를 내면 괴롭다. 고모부와 함께 산성 공원으로 올라갔다. 우람한 고목古木은 언제 봐도 보는 이의 흥미를 일으킨다. 저런 고목 같은 그림을 그리고 싶다.

1940. 2. 25.

오늘은 날씨가 어제와 다르다. 바람이 분다. 추워서 고목을 찾아가지 않았다. 저녁때 자전거를 타고 금강錦江으로 나갔으나 회색 풍경에 실망했다. 내일 날씨만 좋으면 자전거를 타고 멀리 가보리라.

1940. 2. 26.

어젯밤 꿈에 괴테와 만났다. 사진에서 본 그대로의 큰 눈이고 건강한 체격이었다. 생각하니 우스운 꿈이다. 큰형은 덕촌德村으로 떠났다. 복스(셰퍼드 종류인 강아지 이름)가 변소에 빠졌다. 곧 끌어내어서 다행이었다. 오늘부터 큰형수씨는 백일 기도를 시작한다고 한다. 생남 발원生男發願일 것이다.
어머니는 영천永川을 떠나 다섯 살 먹은 나를 보려고 월정月井으로 갔던 그 당시 일을 나에게 들려주셨다. 사람들은 자신이 괴상한 팔자를 타고났다고 생각하기 쉽다. 언제고 나도 자서전을 쓰고 싶다. 어머님에게서 들은 것을 요점만 적어둔다.
시월 보름날 아버지는 내가 가 있는 월정으로 떠났다. 어머니는 내가 보고 싶어서 실성할 지경이었다. 아버지는 시월 그믐께 월정에서 돌아와서 어머니에게 내가 잘 있더라고 전했다. 어머니는 나를 보러 월정으로 가겠다고 졸랐으나 아버지는 허락하지 않고 3일 뒤에 가을 일을 보러 덕촌으로 떠났다. 어머니의 실망은 이만저만이 아니었다. 동짓달에 아버지는 덕촌에서 돌아왔다. 어머니가 하도 졸라서 아버지는 월정에 있는 삼마*(나의 유모님)에게 편지를 냈다. 삼마의 답장은 어머니를 다녀가게 하라는 기쁜 내용이었다.
이듬해 정월 초아흐렛날 아침에 어머니는 준비를 서두르다가 미간에 상처를 입었다. 그날이 출발 날이고 너무나 기뻐서 어머니는 아픈 줄도 몰랐다고 하신다.
그날 밤 8시에 어머니는 영천을 출발, 밤 11시에 대구에 도착, 그날 밤으로 경성행 기차를 타고 이튿날 새벽 용산 역에 도착, 아침에 경원선 기차를 타고 월정 역에 내린 것이 오후 3시쯤이었다. 어린 아들을 보러 먼 곳을 혼자 오신 것이다. 물론 산 설고 물 선 초행길이다. 강경까지는 칠양화七兩話(칠양화가 뭔지 그때 어머니에게서 들은 이야기가 기억나지 않는다).
오후 5시쯤 해서 강경에 당도, 동네 사람에게 물어서 어느 초가집을 찾아갔더니 삼마가 군불을 때다 말고 좇아나와서 서로 반가워 마주

잡고 통곡하는데, 빨간 털 셔츠를 입은 내가 뒤따라 나와서 엄마를 우두커니 바라만 볼 뿐 아무 말이 없더라는 것이다.

"되름아, 여기가 어데라고 이런 데 와 있소. 에미가 왔는데 와 아무 말도 안 하오."

하고 말을 걸어도 종시 시무룩한 채 대답을 않더라는 것이다. 어머니는 그때 내 양쪽 볼에 살이 뽀얗게 쪘더라고 말씀하셨다.

나는 지금도 그때 삼마와 어머니가 서로 붙들고 울던 것이 기억난다. 또 하나 기억나는 것은 어머니가 어느 기차 정거장에서 여러 가지 고운 칠을 한 양철로 만든 조그만 가방에 사탕이 가득히 들어 있는, 그 당시로 말하면 고급 선물을 나에게 사주고 기차를 타고 떠나시던 모습이다. 그런 고급 물건을 받고도 나는 슬펐기 때문에 길이 기억에 남았나 보다.

"어무이, 지금 가도 그때 삼마와 내가 살던 곳이며 그 집을 알아낼 수 있겠습니까."

"조그만 초가집이었는데 방 하나를 얻어서 살고 있더군. 지금 가도 찾을 것 같구마."

"무슨 목표 될 만한 것이라도 있었나요."

"그 동네에 옛 궁터라는 것이 있었는데 바로 그 옆집이었지."

그 마을 이름이 '강경' 이라면 한자로는 무슨 자일까. 과연 그런 곳에 궁터가 있을까. 월정은 바로 철원 위의 첫 역 이름이니 혹 후삼국後三國 때 궁예弓裔가 도읍했던 궁터나 아닌지.

내가 그 동네에서 1년간 있었을 때의 기억으로는 두 가지가 더 있다. 어느 날이었다. 한 젊은 여자가 예쁜 옷을 입고 나귀를 모로 타고 논둑 길을 지나가면서 연신 손으로 눈물을 닦는다. 견마잡이 외에도 의관을 정제한 여러 사람이 걸어서 뒤따른다. 해토解土 무렵의 쌀쌀한 날씨였다.

나는 집으로 쫓아 들어가서 삼마를 데리고 나왔다.

"삼마, 저 여자 와 울고 가노."

"시집가는 기구마."

나는 시집간다는 말이 무슨 뜻인지 몰랐다. 그러나 그 대답을 잊지 않을 만큼 무슨 감명을 받았던 것 같다.

또 하나는 자다가 산바람소리를 여러 번 들었던 일이다. 그 집 뒤가 조그만 산이나 아니었는지, 그러나 자세한 건 모르겠다. 그 이듬해(분명 겨울은 아니었다) 나는 아버지와 삼마를 따라 내금강內金剛 마하연摩訶衍으로 입산했다. 그때 내 나이 다섯 살이었다.

1940. 2. 28.

일전에 고모부는 대전 윤한기尹漢基 씨 댁에 한번 가보자고 말씀하셨다. 내게는 공주도 아직 타관 같다. 새해를 맞이하고 나니 어디든 가고 싶다. 오늘 고모부와 함께 대전 윤한기 씨 댁에 갔다. 하룻밤 자고 내일은 서울로 갈 작정이다.

1940. 2. 29.

대전 시가에 나가서 책집을 돌아다녔다. 전번 대전에 왔을 때 어느 고본서점에 『소설연구십육강小說硏究十六講』이 있었다. 그 고본서점에 들렀더니 그 책이 팔렸는지 없다. 저번에 안 산 것을 후회했다(후결後缺).

1940. 3. 6.

나는 짐승만도 못한가. 짐승은 이런 괴로움이 없을 것이다. 나는 짐승만도 못한가. 관세음보살.

1940. 3. 7.

안정을 느끼지 못하는 기도는 무의미하다. 기도만이 자신에 대한 사랑의 손길이다.

1940. 3. 8.

나는 죽음을 무서워하는가. 무서워하는 한 이승에 낙원은 없을 것이다.

1940. 3. 9.

나는 위대하지 않다. 위대하고 싶다.

1940. 3. 10.

이상한 꿈이다. 나는 꿈에 '입오사入悟死'라는 제목을 쓰고 글을 짓고 있었다. 방학이 되어 영두永斗 형님이 일본에서 돌아왔다. 나는 고독한가.

1940. 3. 11.

방황이라는 성城 속을 거닐다.

1940. 3. 12.

『토정비결』을 펴놓고 금년 신수를 보고 작년 것과도 비교해봤다.

전번 경성 갔을 때 여관에서 착상한 작품을 오늘 기고起稿하다. 성공했으면 싶다. 영휴永烋 형님이 덕촌에서 가지고 온 레코드 베토벤 소나타 G장조 OP · 30 · NO. 3을 듣다. 밤이 무한 감동으로 변한다.

내일이 음력으로 내 생일이다. 아버지와 고모부가 나를 데리고 공주로 집을 사러 오셨던 것이 2년 전 일이다. 그때 이곳 여관에서 내 생일을 쇠었다. 그런데 이제 아버지는 안 계시다. 아버지 빈소 방에 촛불을 켜고 단술을 올렸다. 나스는 수원서부터 기른 셰퍼드 개 이름이다. 지금 아버지가 대문 밖에서 들어오신대도 나스는 짖지 않을 것이다.

1940. 3. 13.

새벽 3시, 어머니는 뜰에 음식상을 차려놓고 정화수를 바치고 소지燒紙를 올리고 절하신다. 오늘이 음력으로 내 생일이다. 이슬비가 내린다. 서쪽 하늘에 별 두 개가 유난히 반짝인다.

아침은 흐리더니, 10시쯤 해서 다시 비가 내린다. 적적해서 고모부댁으로 갔다. 고모부는 낮잠을 주무시고 있었다. 나는 비에 젖은 산과 들과 강변을 바라보며 아버지 산소로 간다. 하늘은 검고 자연은 선명하다. 전에 없이 마음이 침착해진다. 밭마다 보리, 마늘, 시금치가 매우 푸르다. 한겨울을 지난 소나무 빛도 떫지 않고 윤이 난다. 바람은 없다. 비만 촉촉이 내린다. 날마다 걷는 황톳길이지만 우산을 받쳐 쓰고 가니 오늘 따라 풍경이 그윽하다.

공동 묘지 잔디도 황금빛이다. 잠시 나 자신을 잊은 듯하다. 급한 비가 쏟아진다. 지곡止哭하고 곧 아버지 산소를 떠났다. 빗방울이 우산을 요란히 때린다. 빗발이 먼 산을 가린다. 안개가 끼기 시작한다. 바람이 분다. 나무들이 놀라 떠들어댄다. 우산이 뒤집어질 것만 같다. 급히 걸었다. 우레가 진동한다. 하늘이 계속 부르짖는다. 읍내가 보이는 고개에 올랐을 때, 비는 우박으로 변했다. 구슬이 마구 흩어진다.

고모부 댁으로 들어갔다. 아랫도리와 버선이 흠빡 젖었다. 고모부 댁에서 점심을 먹는데, 바깥에서 눈이 내린다고 한다. 미닫이를 열었다. 함박눈이 내린다.

오후 3시쯤 집으로 내려오는데 모든 산과 지붕이 청정淸淨하다. 순결하다. 파란 하늘에 구름이 굉장한 속력으로 집단 이동을 한다.

밤에 집안 사람들은 내가 문학을 하겠다는 데 반대했다. 나는 더 아무 말도 하지 않았다.

1940. 3. 14.

"아버지 대상大祥이나 나면 가까운 계룡산, 어느 적당한 절[寺]로 가겠습니다."

하고 나는 말했다. 오래 전부터 결심했던 것이다.

1940. 3. 15.

영두 형님은 일본에서 돌아오는 도중 금천錦泉 직지사直持寺에 들렀다. 아버지를 위한 지장• 불공地藏佛供을 올렸다고 한다. 이 달 음력 열나흗날이 직지사 삼천일 기도 회향回向•이라기에, 위패는 그때 태워달라 청하고 왔다는 것이다. 그래서 나는 열나흗날 직지사로 가게 됐다.

1940. 3. 17.

추사秋史 글씨를 연구하고 싶다. 그 글씨는 나의 무한 홍미를 일으킨다. 어머님은 대상이 나면 나와 함께 금강산에 가서 아버지 명복을 비는 불공을 드릴 예정이다. 마하연에 가서 내가 어렸을 때부터 보아온 추사 글씨 '花落有實 月去無痕'[1] 목각 현판을 탁拓해올 작정이다. 대상 날도 멀지 않다.

1940. 3. 18.

두斗 형은, 이번에 일본에서 올 때, 만주로 간다는 한 50세쯤 된 일본 사람과 경부선 기차 안에서 나란히 앉게 됐다는 것이다. 서로 여러 가지 이야기를 하다가 형님이

"당신이 세상을 살면서 깊이 느낀 처세훈處世訓이라도 있으면 들려줍시오."

하고 청했더니

"적을 만들지 말아요. 사람은 적을 만들면 볼장 다 봅니다."

고 그 일본 사람은 대답하더라는 것이다.

"만주로 뭘 하러 가는 사람이던가요."

"조선에 오기는 이번이 처음이래. 만주 어떤 큰 회사 중역重役이 되어 가는 길이라더군."

'적을 만들지 말라.' 일본 사람치고는 안목 있는 말이다.

1940. 3. 19.

아침 10시 40분 공주公州 출발, 12시쯤 해서 조치원鳥致院 도착, 12시 7분 경부선 기차로 바꿔 타고 직지사 역에 3시 20분 도착.

"직지사에 가려면 어느 쪽 길로 가야 합니까."

나는 그곳 사람에게 물었다.

어머님에게서 들은 바에 의하면 나는 두 살 때 아버지와 어머니와 삼마 등에 번갈아 업히어 직지사에 갔다 한다. 그러니 내가 세상에 나서 맨 처음으로 간 절이 직지사이다. 물론 그 당시 기억은 없다.

나는 혼자서 길을 물으며 직지사로 간다. 오늘 집을 떠날 때 "잘 다녀오라" 하시던 어머님 모습이 눈앞에 떠오른다. 어머님과 함께 왔으면 얼마나 좋을까. 어머님은 나와 함께 오고 싶어하셨는데……

동네마다 대밭이 나타난다. 신기하기만 하다. 이른 봄날, 밭에서 닭들이 싸운다. 삽짝 앞에 개가 누워 눈을 떴다 감았다 한다. 한적한 풍경이다.

마을 앞은 대개 실개천이 흐르고, 빨래하는 여자들이 지나가는 나를 쳐다본다. 물레방앗간이 보이는 곳, 어느 집에서 남인수南仁樹가 부른 레코드 소리가 들린다. 잠시 걸음을 멈추었다. 흐르는 물이 맑기도 하다.

직지사 산문山門이 보인다. 한 시간 동안 걸었으니 10리는 온 것 같다. 다리 밑 계곡에서 세수하고 양치질하고, 새로 신고 온 흰 양말이 구멍이 났기에 조치원에서 사온 검은 양말로 갈아 신고, 산문으로 들어섰다. 자하문紫霞門이란다. '황악산黃岳山 직지사直持寺' 라고 쓴 현판이 걸려 있다.

내가 세상에 나서 맨 처음으로 갔던 절을 다시 왔건만, 처음 보는 절 같기만 하다. 두 살이면 천진무사天眞無邪하였을 것이다. 지금은 어떠한가. 희망은 멀고 시간은 번개처럼 빠르다.

천불암千佛庵 선방에 가서 화주化主 스님을 찾아보고 온 뜻을 말했다.

"후모레 날이 삼천일 기도 회향이기 때문에 방마다 손님이 들어서 머물 곳이 없구려. 우선 이리로 들어가우" 한다.

그 방에는 스님 세 사람이 앉아 있었다. 방문이 열리며 바깥에서 한 스님이 들어온다. 보니, 수년 전에 금강산 마하연에서 나와 함께 한 철을 지냈던 스님이었다. 그 스님이 다른 스님에게 나를 소개한 것은 고마우나, 화주 스님이

"절에 많이 있었다면 잘됐군. 방이 없어서 어쩌나 하고 걱정이었는데…… 식사는 대중 공양으로 하고 밤엔 이 스님들과 함께 자든지 아니면 큰방에서 자면 어떻겠소."

하고 묻는 데는 도리가 없었다. 내가 금강산에서 알고 지냈던 스님은 직지사에 네 분밖에 없었다. 본사本寺가 금강산 장안사長安寺인 스님 안내로, 나는 아버지와 어머니에게서 익히 들었던 아기 부처님들을 모신 천불전千佛殿에 참배했다. 경내境內를 한바퀴 돌았을 때 저녁 공양을 알리는 종소리가 난다. 오랜만에 대중 스님들과 함께 발우 공양을 했다. 누가 나에게 저분이 이순호 스님(이번에 입적하신 청담淸潭 스님)이라고 일러준다. 40대의 근엄한 분으로 보였다. 음식을 빨리 먹어야만 하기 때문에 배탈이 나지 않을까 염려했으나 무사했다. 저녁에 예불하고 밤엔 법문이 있었다. 피곤해서 끝까지 듣지 못하고 밖으로 나왔다. 달이 밝다. 내 그림자가 분명하다. 산사山寺의 맑은 공기를 마신다.

1940. 3. 20.

막연한 생각이지만 불교는 개혁되어야 한다. 종무소宗務所에서 종이에 기념 스탬프를 찍고, 붓과 벼루가 있기에, 그 곁에다 '山麗水淸直指何處'[2]라고 써서, 이번 온 기념으로 삼았다. 벽엔 사중寺中에 목각 현판으로 걸려 있는 추사 김정희金正喜 선생 글씨 '山海崇深'[3] 묵탁墨拓이 붙어 있었다. 나는 어제부터 비로전毘盧殿• 현판과 그 현판을 유심히 보았다. 종무소 스님의 허락을 받고 그 묵탁을 다시 본떴다. 내 방에 붙여두고 보리라.

밤에 법문을 들었다. 이번에 입산하면 불경도 연구하리라. 법당 앞에 석유등이 켜 있다. 내가 마하연에서 명대明臺 노릇을 하던 때가 생각난다. 어제 일 같다.

1940. 3. 21.

내일이 회향이어서, 손님들이 연신 온다. 50세 가까운 부인들이다. 남자 손님이라고는 나 하나뿐이었다. 노장老丈님과 함께 있던 방도 내줘야만 했다. 방마다 초만원이었다. 나는 큰방에서 여러 스님과 함께 잔다. 부처님 탁자 밑에서 자는 것도 3년 만이다. 나는 전생에 스님이었을까.

1940. 3. 22.

큰방에서 잔 덕분에, 새벽 4시에 일어나, 여러 스님과 함께 두 시간 동안 좌선하였다. 비로전에서 9시부터 시작한 회향 불공은 12시 반에야 끝났다. 계속 영단靈壇에 시식施食이 진행 중이다. 아버지 위패에 아버지 얼굴이 선히 떠오른다. 어디에 살아 계시는 것만 같다. 동시에 다시 뵈올 수 없다는 생각이 든다. 한없이 외롭다. 17년 전에, 아버지는 두 살난 아들을 안고 이 절에 오셔서, 제불보살諸佛菩薩님께 '이 아이가 훌륭한 사람이 되게 하여줍소서' 하고 절하셨다. 그때 두 살이었던 아이가, 바로 아버지의 보람이었던 내가 이제 혼자 와서, 아버지의 명복을 빈다. 눈물만 흐른다. 아버지 영전에 거듭거듭 절하며 '훌륭한 사람이 되겠습니다' 하고 염한다. 비로전에서 점심 공양도 끝났다. 1시 10분, 여러 스님과 작별하고 자하문을 나왔다. 2시 반 직지사 역을 떠나 4시쯤 대전에 내려, 여관에 들었다.

1940. 3. 23.

10시 출발 자동차를 타려고 자동차부로 갔다. 만원이라면서 표를 팔지 않는다. 다음은 12시 반에 떠나는 자동차가 있다고 한다. 서점들을 돌아다녔다. 톨스토이 『안나 카레니나』 상 · 하권, 『홍루몽紅樓夢』 1권(암파문고岩波文庫*), 『걸작 시나리오 선집』, 『월간 야담月刊野談』을 샀다. 『월간 야담』은 어머님께 드릴 선물이다. 3시 반쯤 공주에 돌아오다.

1940. 3. 24.

윤한철尹漢哲이 보통학교를 졸업하였다. 아들을 진학 못 시키는 가난한 고모부님은 괴로운 모습이다. 돈이 무섭다. 언제나, 나는 돈을 생각하면 무서워진다.

1940. 3. 25.

한집안에서도 이처럼 처신하기가 어려울 바에야 바깥 세상은 더 말할 것도 없으리라.

1940. 3. 26.

내 얼굴이 나날이 검어진다. 입맛이 없다. 봄이 왔나 보다.

1940. 3. 27.

사람이란 보잘것없는 것이다. 세상은 이런 교훈을 우리에게 준다. 남는 것은 책임뿐이다. 좀더, 말없는 자연의 말씀을 듣는 연습을 해야겠다.

1940. 3. 30.

「문학 청년의 일기」는 지지부진이다. 한동안 중단했던 서사시 「백화白花와 그 선생」을 좀 쓰다. 요즘은 바쁘다. 원고 집필, 독서, 붓글씨 연습. 『효경孝經』 구절을 붓으로 써서 어제 표구옥에 맡겼다.

1940. 3. 31.

큰형님이 처남인 윤한기 씨에게서 얻은 돌 안경을 나에게 준다. 요즘은 많은 시간을 계속해서 독서하지 못한다. 대개 누워서 읽는다. 게으른 탓이라고 생각하지는 않는다. 마음은 늘 피곤하다. 건강도 좋지 못하다.

3월 중에 읽은 책. 『토마스 만 단편집』, 쉴러 작 『군도群盜』, 홍벽초洪碧初 작 『임꺽정』 1권, 『걸작 시나리오 선집』.

1940. 4. 1.

항상 조심해야 한다. 구시화문口是禍門이다. 나는 성자聖者가 되고 싶은 악마다.

1940. 4. 2.

지난날에 쓴 일기를 읽어보고 후회한다. 버리고 싶지는 않다. 톨스토이의 『안나 카레니나』를 탐독 중이다. 위대한 작가다.

1940. 4. 3.

우산을 받고 산보한다. 못물에 떨어지는 빗방울은 나를 무심하게 한다. 둑길을 무심히 걷는다. 비 오는 날의 산보는 외롭지 않다.

1940. 4. 4.

탈상脫喪하기 전에, 늦어도 입산하기 전에 「문학 청년의 일기」는 탈고했으면 싶다.

1940. 4. 5.

한식날이다. 날씨는 맑으나 때때로 흐리다. 아버지 산소에 갔다. 어젯밤 꿈에 아버지는 살아서 돌아오셨다. 아침 상식上食 때 더 서러웠다. 저녁때 서점에서 월간 잡지 『서지우書之友』에 실려 있는 안진경顔眞卿•의 『충의당첩忠義堂帖』 부분을 보았다. 무거운 감격을 받았다. 얄팍한 잡지인데 63전을 달라 한다. 도로 놓지 않을 수 없었다.

1940. 4. 6.

「백화와 그 선생」이 나를 간신히 지탱하고 있다.

1940. 4. 7.

두斗 형, 묵默 형과 여러 가지 이야기를 하였다. 화목한 날이다.

1940. 4. 8.

두 형이 학교로 가야 할 날은 다가온다. 두 형과 함께 빵과 과자를 좀 사서 들고 산성 공원에 올라갔다. 황혼의 숲 속 길이다. 서로 훌륭한 사람이 되자고 하였다.

1940. 4. 9.

이러면 편안할까, 저러면 편안할까, 따지는 자는 바보다. 집안에서 괴로운 자는 바깥에 나가도 괴롭다. 세속에서 수양이 안 되는 자는 산속에 들어가도 수양이 될 리 없다. 세상은 어디를 가도 마찬가지일 것이다. 문제는 인내와 사랑을 체득하는 길이다.

1940. 4. 10.

음력으로 3월 3일이다. 나는 건강이 필요하다. 제비가 돌아온다는 날이다. 나는 새벽에 기도하였다. 두 형은 일본으로 떠나갔다.

1940. 4. 11.

「백화와 그 선생」도 「문학 청년의 일기」도 마음대로 써지지가 않는다. 건강을 잃은 것 같다. 휴식도 피곤하다. 이러다가는 이대로 끝장이 날 것만 같다. 머리가 쪼개지듯 아프다. 눈도 아프고 물이 나온다. 종일 원고지와 싸웠다. 이런 무리는 참다운 의욕이 아니다. 병이 나에게 이런 무리를 시키는 모양이다. 나는 휴식해야 한다. 또 하나의 나는 '다시 읽어보게. 전혀 되어먹지 않았단 말이야. 고치지 않고 뭘 하나' 하고 매질한다. 잘 알면서도, 이런 악마의 소리에 유혹당한다. 전등 밑에서 일기를 쓰면서도 오늘 하루를 후회한다. 잠이 아니 와도 누워 있어야 한다.

1940. 4. 12.

영일이가 어제 꺾어 온 벚나무 가지에 꽃이 활짝 피었다. 꽃은 책상 위에서 떨고 있다. 요즘 아름답기는 수양버들이다. 공주에 책가게가 하나 더 생겼다. 셋이 됐다. 두 곳은 보잘것없다. 앞으로 사고 싶은 책을 살 수 있으면 좋겠다.

1940. 4. 13.

벚꽃이 만개하면 고모부와 함께 계룡산, 신도안新都案, 논산, 부여를 둘러 오기로 했다. 묵 형은 카메라를 빌려주겠다고 승락하였다. 노출계 보는 법과 사진 찍는 설명을 듣다. 등원의강藤原義江이가 부른 레코드 「황성荒城의 달」을 사오다.

1940. 4. 14.

요즘 날씨는 맑으나 바람이 차서, 벚꽃이 예년보다 늦게 필 모양이다. 아버지 산소에서 바라보니, 밭에서 사람들이 일을 한다. 한 폭 그림 같다. 저녁밥에 체했나 보다. 약방에서 주기에 신비단神秘丹이라는 환약을 사왔다. 지시한 대로 20개를 먹었다. 아무런 동정이 없다. 20개를 더 먹었다. 온몸이 저려들면서 차차 마비되어간다. 두통이 난다.
'이제 죽는구나' 하는 의식만 또렷하였다. 무서웠다. 오전 2시에야 혼수 상태에 빠졌다.

1940. 4. 16.

2월달에 써두었던 「백화와 그 선생」 한 부분을 읽어본다. 실망했다. 새로 써야 할 형편이다. 나는 분노하였다.

1940. 4. 17.

벚꽃도 거의 피었다. 19일날 고모부와 함께 계룡산에 가기로 했다. 전번에 두 형은 형수씨와 함께 계룡산을 다녀왔다. 신흥사新興寺 부처님은 좌복이 없었다고 한다. 어머님은 내가 가는 편에 보내려고 좌복을 만드신다.

1940. 4. 18.

오늘 묵 형도 동경으로 떠났다. 내 미지의 운명을 응시한다. 쓸쓸하다. 나는 형님들보다도 더 열심히 전공 분야를 공부하고 있지 않은가. 내가 외곬으로 10년만 공부하면 끝장이 날 것이다. 하늘이 주신 기회다. 허영을 버리고 착실히 닦을 일이다. 동서고금 문인文人들이 언제나 나를 격려한다. 서둘지 말고 쉬지 말고 나의 길을 가야 한다.

1940. 4. 19.

나와 고모부는 예정한 일을 그만두어야 했다. 여비를 주지 않으니 하는 수 없다. 어머니는 내놓으셨던 부처님 좌복을 도로 싸서 다락에 넣는다. 저녁 무렵 시장에서 영원사靈源寺 주지를 만났다.

"긴상, 우리 절에 초상화 잘 그리는 사람이 왔는데, 그림 구경 한번 해보."

"구경만 해도 괜찮나요."

"맘에 들거든 한 장 그려달라구려."

"얼마나 달라지요."

"10여 원은 줘야 할 거요."

아버지 생각이 난다. 아버지는 분명한 자기 사진 한 장도 남겨놓지 않으셨다.

1940. 4. 20.

내일은 삼마 유모 제삿날이다. 삼마는 대구 공동 묘지에 계시다. 대구에서 박무용朴戊用이 제사를 지낼 것이다.

1940. 4. 21.

내 손이 처음으로 카메라를 사용했다. 잘 찍혔는지 모르겠다. 내게는 삼마의 사진도 없다. 그분은 평생 사진관에 가본 적이 없으셨다.

1940. 4. 22.

일본말로 글을 쓰면 독자가 많을 것이다. 귀중한 것은 조선 문학이다.

1940. 4. 23.

영일이는 토끼 새끼 두 마리를 사왔다. 집안에서 영일이만큼 나스와 복스(개 이름)에 관심을 기울이는 사람은 없다. 묵 형이 동경으로 떠나기 2, 3일 전이었다. 묵 형과 나와 영일이는 카메라를 가지고 외출하였다. 시장 바닥 토끼장 앞에서 "사서 기르고 싶네요" 하고 영일이는 말한 일이 있었다. 마침내 영일이는 토끼를 사온 것이다. 영일이는 복스 집을 수선하고 풀을 뜯어 오고 토끼 새끼 보호에 열심이다. 그런데 저녁때, 토끼 새끼 한 마리가 죽었다. 나는 방안에서 원고를 쓰는 체하며 영일이의 태도를 엿보았다. 마당에서 영일이는 죽은 토끼 새끼 귀를 잡고 들어올려 가만히 본다. 동정과 분노가 엇갈린 표정이었다.

1940. 4. 24.

참으로 착하고 아름다운 분입니다. 그런데 그분은 언제나 근심 걱정에서 벗어나지 못하고 있습니다. 관세음보살.

1940. 4. 25.

우리 동포여, 눈을 떠야 할 때가 아니오니까. 뭣보다도 급한 문제는 무엇입니까.

1940. 4. 26.

나의 문학 그리고 장래, 생각만으로는 소용없는 자자부레한 일들로 요즘 괴롭다. 어떻든 동요가 심하다. 내가 미숙한 증거다.

1940. 4. 27.

황밀黃蜜을 그릇에 담아 불에 데우면 액液이 된다. 솥 밑에서 긁어낸 고운 검정을 거기에 넣고 젓가락으로 휘저으면 시꺼멓게 된다. 검어진 밀액蜜液을 찬물에 부어 굳기 전에 적당한 모양으로 매만져 크레용을 만든다. 목각 현판이나 비면碑面에 조선 종이를 대고, 그 크레용으로 문지르면 양각陽刻이건 음각陰刻이건 또렷이 탁拓할 수 있다. 고모부에게서 받은 황밀로 크레용을 만들었다. 오늘도 치과 병원에 가서 충치를 치료받았다. 마침내, 병원에 걸려 있는 추사 선생 글씨 목각 현판을 탁했다. 추사 선생 글씨라면 일본 사람 치과 의사는 감격 감격하는 중늙은이다. 그 현판은 걸어가는 소의 뒷모양을 그린 그림으로 시작한다.

惜此畵本 罕有傳於世者 幾爲烏有 良可太息也 阮堂[4](완당 도서가 찍혀 있고 글씨는 행서行書).

돌아와, 그 탁본을 내 방에 붙이고 즐긴다. 추사 선생의 예술은 서도사書道史의 일대 혁신이었다.

1940. 4. 28.

나는 걱정이 필요하다.

1940. 4. 29.

산성 공원에 가서 자전거 대회를 구경하였다. 그들의 건강이 부러웠다.

1940. 4. 30.

원고를 쓰고 책을 읽는 기쁨도 두렵다. 머리 열이 식지 않는다. 불길한 느낌이 든다. 마음이 혼란하다. 무섭다.

1940. 4. 31.

무감각이 나를 엄습한다. 그러면서도 어째서 내 눈은 장님일 수 없는가. 어째서 내 입은 벙어리일 수 없는가. 어째서 내 귀는 귀머거리일 수 없는가. 졸면서 생각하였다. 4월 중에 읽은 책. 톨스토이 『안나 카레니나』, 『임꺽정』 제2권.

1940. 5. 1.

남을 위해서 기도하는 이는 행복하다.

1940. 5. 2.

내가 찍은 사진은 생각한 것보다도 훌륭하였다.

1940. 5. 3.

고모님의 병환이 걱정된다. 물론 큰일은 없을 것이다.

1940. 5. 4.

『임꺽정』은 누구나 한 번 읽어야 할 책이다. 우리 나라 역사 소설은 으레 궁중을 취급한다. 그런데 임꺽정은 독자를 옛 일반 세태로 데리고 다닌다. 벽초의 세대가 아니면 쓸 수 없는 일을 벽초가 혼자서 하고 있다.

1940. 5. 5.

고모님은 얼굴도 얌전하려니와 조용하고 침착하시다. 고모님은 전번에 역산逆産하고 배가 붓기 시작하였다. 올라가 뵈었더니, 그 무서운 산후발이라는 배가 많이 내렸다. 고모님 얼굴의 고통과 인내는 아름다울 정도로 고요하다. 일종의 거룩함을 느꼈다. 고모님은 언제나 불심佛心이 대단하시다. 내가 집을 떠나야 할 날이 점점 가까워 온다. 장차 계룡산에 자리를 잡으려면, 공주에서 멀지 않은 거리지만 한 번 둘러보고 와야 할 것이다. 내일은 혼자서라도 계룡산에 가봐야겠다.

1940. 5. 6.

10시쯤 해서 사진을 찍으러 나가는 것처럼 보이려고, 입은 옷 그대로, 두루마기만 걸치고 카메라를 메고, 고모부 집으로 갔다. 모자는 두루마기 안에 감추었다. 고모님은 어제보다도 배가 부드러워졌다고 하신다. 점심을 먹었다. 고모부는 자동차부까지 따라 나와주셨다. "집에 들르셔서 어머님께 제가 계룡산에 갔다고 말씀하시고, 아무에게도 알리지 않고 가기 때문에 부처님 좌복을 못 가지고 가니, 미안하다는 말을 둘째형수씨에게 전합시오" 하고, 고모부에게 부탁했다. 12시 반 출발, 문암文岩이란 곳에서 차를 내려 10리 길이라는 갑사甲寺로 걸어간다. 계룡산으로 가는 꼬불꼬불 뻗은 길가의 촌 풍경은 한적하였다. 3시쯤 해서 갑사에 이르렀다. 계룡산에서 제일 큰 절이라 한다. 동네가 가까워서 그런지, 탈속한 기분이 나지 않는다. 우중충한 표충당表忠堂에 들어가 서산西山•, 사명四溟•, 영규靈奎• 대사의 영정影幀에도 참배하였다. 임란 壬亂 때 칼을 잡은 영규 대사는 갑사 출신이었다. 나는 갑사를 대충 둘러보고 산길을 따라 올라간다. 전번에 두 형 부부가 다녀온 신흥암은, 거처할 만한 방이 없었다. 석가모니불의 사리를 모셨다는 천진보탑天眞寶塔은 탑이 아니라, 법당 뒤에 솟은 큰 바위였다. 석굴石窟에 계룡산신지위鷄龍山神之位가 있었다. 부처님 좌복을 못 가지고 온 것이 죄송하였다. 밤 하늘에 솟은 앞뒤 산이 나한羅漢님처럼 부드럽지 않다. 별이 우수수 쏟아질 것만 같다. 바람은 훈훈한데 춥다.

1940. 5. 7.

새벽과 오午시, 두 번 불공을 올리고, 점심 식사하고, 12시 반쯤 신흥암을 떠났다. 주지 스님 말에 의하면 산을 넘어서 조금만 내려가면 남매탑男妹塔이 나타나고, 골짝을 따라 줄곧 내려가면 바로 동학사東鶴寺 앞에 나서는데, 한 30리 가량 될 것이라고 하였다. 계룡산을 올라간다. 천천히 올라가는데도 땀이 흐른다. 상제喪制인 나는 흰 두루마기를 벗어 어깨에 메고 가끔 걸음을 멈추고 지팡이로 풀을 헤치고 길을 찾아야만 했다. 목이 마른다. 산속은 풀 냄새뿐 적막하다. 겨우 산 위에 오르니 사방에서 맑은 바람이 불어 나의 피곤을 씻어준다. 비행기에서 보면 산천이 저러할까. 한쪽은 대전으로 가는 황토빛 신작로가 저편 고개에 걸려 있고 중간 골짜기에 인가人家와 산전山田도 보인다. 올라왔던 쪽으로 돌아서니 금강錦江이 넘으면 정도령鄭道令이 나온다는 도참圖讖의 곳, 무너미 고개(물이 넘는 고개)에서부터 일사천리지세一瀉千里之勢로 뻗은 논산 가는 신작로가 한 가닥 띠처럼 아련하다. 공기가 맑아서 조망眺望이 채색화彩色畵 같다. 무너미 고개를 바라본다. 어제 정기 자동차로 넘으면서도 생각했지만, 금강 물이 저절로 그리로 넘을 리가 없다. 불행한 백성들은 36국國으로부터 조공朝貢을 받는 꿈을 꾸고 있다. 유대 민족은 구세주를 기다렸다. 20세기 식민지 백성들은 성인聖人을 기다린다. 기막힌 일이다. 땀이 마르자 길을 따라 내려간다. 웬일인가. 산만 넘으면 남매탑 두 기基가 있다고 했는데 내려가도 나타나지 않는다. 녹음이 짙어서 지척도 분별할 수 없다. 길을 잘못 든 모양이다. 흰 구름은 연신 기이한 봉우리로 변한다. 어디선지 촌 부녀자들의 말소리가 들린다. 산채山菜를 따러 왔을 것이다.

"동학사로 가려면 어디로 가야 하나요."

하고 외쳤다.

"그리로 자꾸 내려가시우."

가까운 데서 굵직한 머슴애 소리가 난다.

"남매탑은 어디 있나요."

"남매탑은 이쪽 길이 아니야유."

"남매탑으로 해서 동학사로 간다던데."

"이 길로도 가유. 그냥 내려가면 천쟁이[天藏], 자작바위[自足岩]로 해서 가게 되유."

사람을 보지 못하고 고맙다는 감사만 하고 내려간다. 조그만 산골 동네 둘을 지나, 자동차가 다닐 만한 산간 길에 나섰다. 동학사로 가는 길이라고 한다. 나중에 알았지만, 남매탑으로 내려왔으면 바로 동학사로 나섰을 것이다. 그러나 다행한 일이었다. 자작바위 동네 앞으로 빠져 나와 동학사로 갔기 때문에 자연석인 금강문金剛門에서부터 경내境內 경치를 구경할 수 있었다. 양편 산은 온통 무성한 녹음이다. 녹음의 굴 속으로 길은 나 있다. 길 따라 계곡을 끼고 올라간다. 산보하기에 적당한 코스다. 무성한 수목樹木 사이로 숨바꼭질하는 수석水石이 반갑기만 하다. 육모정[六角亭] 주변의 울창한 거목과 반석에 흐르는 구슬구슬…… 나는 감사하였다. 기뻤다. 절은 크지도 작지도 않고 청정하고 고요하였다. 산은 높고 터는 깊다. 내가 거처할 방까지 마음속으로 정했다. 시계를 보니 3시 반이다. 신원사新元寺는 어떤지 모르나 가볼 필요가 없다. 지나는 나그네처럼 대웅전에 참배하고 곧 동학사를 떠났다. 한 10리쯤 걸어서 대전 · 공주간 신작로로 나왔다. 주막집 사람에게 물어보니 백정자라는 곳이다. 한자漢字론 무슨 자인지 모른다고 한다.

1940. 5. 8.

나는 참는다. 앞날을 믿기 때문이다.

1940. 5. 9.

영일이가, 나의 낡은 노트를 가지고 있었다. 작년에 일기 겸 일일일선一日一善을 쓰다가 만 공책이었다. '7월 15일. 사람들은 구렁이를 술독에 넣는 중이었다. 나는 그 구렁이를 구해줬다.' '1월 28일. 바케스 속 물에 떠 있는 개미 새끼들을 건져내어 양지짝에 옮겨놓다.' 거개가 이런 따위였다. 이런 글은 쓰지 않는 것이 낫다.

1940. 5. 10.

문학과 장수長壽를 바란다. 나는 이기주의자인가.

1940. 5. 11.

건강해야 한다. 외조모님이 오셨다. 나는 어머님의 어머님을 처음으로 뵈었다. 서먹서먹하기만 하다. 휴연休然 형은 외조모님을 대접하려고 닭을 사왔다. 우리 집에서는 전례 없던 일이다. 닭도 표정은 있었다. 살생을 하지 말아야 한다.

1940. 5. 12.

일기는 허영이 아니다.

1940. 5. 13.

일기는 감사며 고통이며 책임이다.

1940. 5. 14.

아버지는 북지北支• 사변이 일어나기 전부터, 우리에게 가끔 이런 말씀을 하셨다. "너희들은 중국말을 배워야 한다." 이제야 그 뜻을 알 것도 같다.

1940. 5. 15.

아버지의 별세와 나와 돈[錢], 이 정도로 해두자. 고소苦笑, 조소嘲笑, 비소鼻笑. 두려운 일이다. 돈이 무섭다. 어머님으로부터 대적大敵 35원을 받았다. 미안하다. 나 자신에 대한 질책은 복잡하다. 영일이를 데리고, 아침 9시 공주 출발, 오후 1시 반 경성에 도착했다. 영일이는 박람회 구경을 하겠다고 따라온 것이다. 날씨는 갤 줄 알았는데, 이슬비가 내린다. 밤에 종로 일대 서점들을 둘러보았다. 나는 영일이에게 "내가 쓴 책이, 이런 책집 벽에 꽂힐 날이 어서 와야 할 텐데" 하고 웃었다. 여관으로 돌아가며, 공허와 의욕을 동시에 느꼈다. 이젠 별도리가 없다. 이미 출발한 것이다.

1940. 6. 14.

나는 건강을 모르고 지날 것만 같다. 머리가 아프다. 매사가 힘에 벅차다.

오전 5시에 새벽 제祭를 올렸다. 탈상인 것이다. 3년 동안(만 3년이지만) 아침저녁으로 입었던 제복祭服을 벗고, 대나무 지팡이를 빼앗기다시피 내주고, 두루마기로 갈아입었다. 내가 나 같지가 않다. 없어진 나를 느꼈다. 그런데 나는 울고 있었다. 순서에 따라 묵 형이 술잔을 올리고 절했다. 다음은 응당 내가 술잔을 올릴 차례다. 그런데 나에겐 시키지 않았다. 고의로 그랬는지, 또는 미혼자는 술잔을 올릴 자격이 없다고 예문禮文에 나와 있는지, 그까짓 것은 나의 알 바 아니다. 예출어정禮出於情인데 무슨 놈의 법이 그렇단 말인가. 차별했다면 섭섭할 것이 없다. 누가 차별한대서 좌지우지할 나는 아니다. 내가 장가를 가지 아니한 총각이라서, 그들은 그랬나 보다.

조반도 끝났다. 마름인 안남식安南植이 아버지 혼백魂魄 상자를 내려 상床에 모셨다. 아버지 혼백 상자가 집을 나가신다. 어머님은 빈소 방 문턱을 짚고 우신다. 내 눈물에 가려 희미하게 보인다. 눈물과 햇빛이 어머님 모습에 엉킨다. 어머님 곡성哭聲은 어둡기만 하였다. 산소에 이르러 봉분 앞에 혼백 상자를 묻고, 일행은 집으로 돌아왔다. 혼백을 모셨을 때는 그래도 집에 계시거니 싶었는데, 빈소 방이 텅 비고 보니, 영영 가셨다는 생각이 새삼 든다. 어쩔 줄을 모르겠다.

'언제 다시 뵈올꼬' 눈물이 앞을 가린다. 어머님은 음식을 만지시면서도, 얼굴을 돌려 눈물을 씻으신다.
아버지가 남기신 의복과 우리의 제복祭服, 기타其他를 불에 사르러 금강으로 갔다. 값싸고 낡은 아버지 모자를 우두커니 본다.
이내 불길이 오른다. 저녁노을이 퍼진다. 마음 둘 곳이 없다. 다시 산소로 갔다. 나의 울음은 겨울 바람에 나부끼는 풀잎 소리 같다. '훌륭한 사람이 되겠습니다.' 이젠 상식上食도 없다. 담배 한 대 피워 올릴 곳도 없다. 어제까지도 아침저녁에 상식이 끝나면 내 손으로 상식 숭늉은 채소밭 판자에 부어졌다. 귀여운 참새들이 와서 밥풀을 먹으며 재재거렸다. 오늘도 참새들은 와서 재재거린다. 그러나 판자는 바짝 말라 있다. 앞으로 며칠이 지나야, 저 참새들은 오지 않을까.

노을은 타고 있었다. 노을은 손짓한다. 나는 따라갔다. 오른편은 조그만 솔밭이다. 조그만 고갯길을 사이에 두고, 왼편 쪽이 아버지 산소다. 언제나 마찬가지로 절을 했다. 저편 언덕에 황소 한 마리가 매여 있었다. 황소의 눈은 유난히 크다. 내 시선은 논 건너 황톳길을 따라 뻗는다. 추억을 더듬는다. 아버지는 웃고 계셨다. 나는 울고 있었다. 그러는 동안에 저편 언덕에 황소는 없어졌다. 금강은 허리띠처럼 아득히 흐른다. 서쪽 산들은 저물고 있었다.

1940. 6. 15.

'아버지 편히 주무셨습니까.' 산소에 다녀왔다. 두 형은 대상大祥에 참례하려고, 일본 고지高知•를 떠날 때부터 착잡한 심정이었다고 한다. 자식으로서 아버지 종신終身을 못했던 것과 방학 때 외에는 조석 상식도 못 드렸던 때문이란다. 두 형은 부산에 내리자 곧장 범어사梵魚寺로 가서 10원을 내고 아버지를 위한 지장 불공을 드렸다. 이튿날 경부선 기차를 탔을 때는 대전서 공주까지의 자동차 차비 2원밖에 남지 않았다. 기차는 정각대로 오후 6시 반에 대전에 도착했으나 그런데 전처럼 대전 7시 출발 공주행 자동차가 없었다. 휘발유 통제 때문에 왕복 횟수가 줄어서 공주행 자동차는 오후 5시가 막차였던 것이다. 형님은 대전에서 자야만 했다. 수중엔 2원밖에 없다. 형님은 팔목시계를 전당포에 잡히고 숙박비를 변통했다고 한다. 우리 두 형은 언제나 효성이 대단한 분이다.

1940. 6. 16.

그는 나를 모독하였다. 분한 생각은 점점 사라지고 불안하기 시작하였다.

어제 두 형에게서 들은 말을 어머니에게 여쭈었다. "오늘 떠날 때 학비를 좀더 주도록 주선해보시라" 고 했다. 묵 형도 떠났다. 먹구름이 몰려든다. 나는 우산을 들고 산소에 갔다. 비가 억수로 쏟아진다.

1940. 6. 17.

「백화와 그 선생」 1부도 끝났다. 2부는 산에 들어가서 쓰리라.

1940. 6. 18.

관세음보살님, 저를 도와줍시오.

1940. 6. 19.

산으로 들어갈 날도 한 열흘 남았다.

1940. 6. 20.

처신을 어떻게 해야 좋을지 모르겠다. 사태는 점점 복잡해진다. 거룩한 자비만을 믿는다.

1940. 6. 21.

타고르의 『한밤중』을 읽고 미닫이 밖을 내다봤다. 토끼 한 마리가 언제 나왔는지 마당에 돌아다닌다. 잡으러 가까이 갔다. 토끼는 겁이 나서 눈이 붉은 것 같다. 귀를 쫑긋 세우고 달아난다. '나를 무서워할 필요는 없다.' 겨우 양쪽 귀를 잡아올렸다. 겁에 질린 토끼는 연신 날뛴다. 토끼집에 넣고 풀을 줬다. 토끼는 안심하는 모양이었다. 아니, 내가 안심하였다.

1940. 6. 23.

산으로 가는 길가의 옹달샘은 맑기도 하였다. 고모부와 큰형님과 나는 목을 축이며 "시원하다"를 연발했다. 동학사를 가본 사람은 나 하나뿐이다. 무성한 녹음綠陰 사이로 계곡을 따라 뻗은 길을 걸어간다. 9시쯤 해서 동학사에 다다랐다. 우리는 법당에 참배하고 조실祖室채에서 주지 스님과 인사를 나눴다. 조남석趙南錫 스님이라고 한다. 나이는 한 40쯤 되어 보였다. 나는 은연중 걱정이었다. 거절당하면 낭패인 것이다. 주지 스님은 내가 와 있겠다는 간청을 듣고 대답한다.

"절에선 불공 오시는 손님만 받고 일반 손님은 여관에서 받기로 약속이 되어 있습니다. 약속을 지키기로 하고 여관으로부터 1년에 60원씩 받고 있어요. 그러니 불공 오신 손님도 아니고, 더구나 수양 오시겠다는 손님을 사중寺中에서 받아들일 수는 없는 형편입니다. 저 너머에 갑사도 있고 신원사도 있으니 그리로 가보시지요."

'그렇습니까' 하고 물러설 우리는 아니었다. 고모부는 주지 스님과 담소하다가 마침내 승낙을 받고야 말았다. 나는 내 일생을 좌우하는 엄숙한 순간으로 느꼈다. "음력으로 (5월) 스무엿새, 양력으로 (7월) 초하룻날 오겠으니, 그날 짐꾼 한 사람을 백정자百亭子로 내보내줍시오" 하고 부탁했다. 우리는 여관에 내려가서 점심을 시켜 먹고, 오후 3시쯤 해서 동학사를 떠났다. 험한 세상에서 나 하나뿐이라는 생각이 들었다. 전엔 아버지가 나를 금강산에 데리고 가셨다. 오늘은 고모부와 큰형님이 나를 따라와주셨다. 아버지 모습이 훤히 떠오른다. 세상은 나날이 변한다. 세월은 흐르고 이 지경에 이르렀다. 나의 앞날은 소원대로 이루어질까. 모험이 아닐 수 없다. 그러니 만큼 최선을 다해야 한다. 백정자에서 큰형님은 공주로 돌아가고, 고모부와 나는 대전으로 가서 윤한기 씨 댁을 방문했다.

대전에서 늦게 떠나 공주로 돌아왔다. 집에선 저녁 식사 중이었다. 저녁밥을 먹고 나니 바깥이 어둡다. 어제도 산소에 가지 못했다. 오늘은 어두워서 갈 수 없다.

1940. 6. 24.

목마른 삼천리 강산에 비가 내린다. 며칠 전만 해도 사람들의 주장은 각각 달랐다. '금년은 돌이 탈 것이라데.' '아니야, 금년은 작년과 달라서 풍년이 들 결세.' '자네가 어찌 그렇게 잘 아나.' '채전菜田을 좀 보게. 작년은 형편없었지. 그래도 금년은 꽤 잘됐거든.' 아침부터 비는 장대 같이 퍼붓는다. 고모부는 "사람은 하늘이 살리시지. 하늘이 살리시지" 하고 기뻐하신다. 그러나 오늘 내가 당한 모욕은 괜찮다. 나는 그래도 희망이 있다. 자신을 잃는다면, 산천 초목도 나를 비웃을 것이다. 서러울 것은 없다. 이만한 부작용은 따르게 마련이다. 참는 것도 전진前進이다. 신문은 불란서의 비참한 패전敗戰을 보도하고 있다. 비가 온다. 산소에 다녀와야겠다. 우산을 쓰고 집을 나섰다. 빗속의 산과 강물은 노래하고 있다.

1940. 6. 26.

머리가 아프다. 죽음은 편안할 것이다. 생명에 대한 애착은 떨고 있다. 힘없이 누워 천장을 본다. 나의 무능을 증명하는 험한 길이 나타난다. 땀이 흐른다. 산을 기어오르다가 쓰러진다. 눈을 감고 나를 잊는다. 나는 졸면서 어느새 장엄한 낙원에 있었다.

1940. 6. 27.

앞집 호주戶主가 죽었다. "결국 죽었구나." 내가 한 말에 스스로 당황하였다. 마치 죽기를 기다렸다는 말투다. 그런 뜻에서 말한 것은 아닌데…… 식사를 마치고, 대문 밖에 나갔을 때라든지, 또는 골목에서 만나면 인사했던 널찍한 몸, 쪼그라진 얼굴, 그 노랑 수염이 세상을 떠난 것이다. 아버지 대상 날에도 와서 술 마시고 이야기하고, 며칠 전만 해도 평소와 다름없었던 분이다. 그는 3일 전에 장질부사에 걸려 병원으로 붙들려 갔다더니…… 믿어지지가 않는다. 허무한 일이다.

두 형 편지가 왔다. 나의 입산을 격려하는 내용이다. 이런 구절도 있었다.

耐へ忍んで正しき自己に努め進む者は 地上の勝者なり。[5]

나는 주문 외듯 이 말을 되뇌었다.

1940. 6. 28.

입산할 날이 나흘밖에 남지 않았다. 네 살 때 금강산으로 떠나던 날은 어떠했던가, 이상하게도 기억이 선명하다. 오동나무와 그 큰 잎, 옛 기와집인 보통학교의 긴 담, 자동차와 신작로, 웬일인지 이런 것들이 겹쳐 떠오른다. 그런데 지금 마당에선 산속에서 먹을 환약을 만들려고 건재乾材를 찧고 있다. 세계는 언제 끝날지도 모를 전쟁 중이다. 앞날을 위해서 가야 할 길은 숨어서 공부하는 일이다. 나는 허약한 나를 보고 있다.

1940. 6. 29.

저녁때 아버지 산소에 갔다. 비가 내린다. '아버지가 기대하셨던 것처럼 그런 훌륭한 사람은 되지 못할 것입니다. 그저 힘껏 하겠습니다.' 뭐고 장담할 용기가 없다.

1940. 6. 30.

감나무를 지나 사랑채 부엌으로 들어가는 처마 밑에 나는 우두커니 섰다. '내일 집을 떠난다.' '그럼 언제 돌아오나.' 대답을 못한다. 비가 연신 내린다. '계속 비가 오면 어떡하나.' 나는 내일 동학사로 입산하는 것이다.

1940. 7. 1.

오전 3시. 캄캄하였다. 마구 쏟아지는 빗소리. 뜰에 차려놓은 기도상 밑에서 비를 피하는 참기름 등잔불은 아름다웠다. 비는 음식에도 내린다. 어머님은 비를 맞으시며 관세음보살을 부르신다. 나는 처마 밑에 피해 서서 기도 드렸다. 수원 형수씨가 어머님 곁에 서서 기도 드린다.

비는 새벽에 그쳤다. 다시 내릴 것만 같다. 검은 구름의 대부대大部隊가 북쪽으로 쏜살같이 이동 중이다. 나는 우산을 들고 아버지 산소에 갔다. 새벽 공동 묘지는 고요하였다. 아버지에게 절하고 하직했다.

9시 반, 버스가 떠날 때, 차창 밖에서, 고모님은 눈을 손수건으로 가리셨다. 울고 계셨다. 고모님은 산후 병으로 쇠약해 보였다. 버스 속에서, 빙빙 돌아 나가는 강산을 내다보며, 마음속으로 아버지를 불렀다.

나는 어머님과 고모부와 함께 백정자에서 내렸다. 나의 짐은, 비가 올 것만 같아서, 내일 큰형님이 가지고 오기로 되어 있다. 그래서 가방 두 개뿐이었다. 절에서 온 부목에게 가방 두 개를 지게에 지워 먼저 보내고, 우리는 양산 세 개만 가지고 동학사로 향하였다.

계룡산은 비가 오는지 어쩐지 구름과 안개에 뒤덮여 있었다. 아니나 다를까. 천연 바위로 된 해탈문解脫門으로 들어서서 고염나무 거리에 이르렀을 때였다(그 해탈문은 자유당 집권 당시 이승만 대통령이 온대서 자동차 통로를 넓힌답시고 폭파해버렸다고 한다. 그래서 지금은 없다). 비가 어찌나 세차게 쏟아지는지, 양산도 별로 도움이 되지 않았다. 산기슭으로 내려 미는 안개, 포효하는 계곡, 울창한 숲속 길. 모두가 장엄하고 신비하였다. 비는 무수한 빛이었다. 나의 티끌과 때를 씻어주었다. 고모부는 지난날의 나의 아버지와 함께 길을 가시다가 비를 만나든지 몹시 무더우면, 모시 두루마기를 벗어 잘 갠 후에, 양산 살에 끼워 얹어 가지고 다니셨다고 한다. 오늘 우리도 그렇게 했기 때문에, 고모부와 나의 두루마기는 많이 젖지 않았다. 그 대신 나는 원색 사진 수야방애狩野芳崖의 「자모관음慈母觀音」(『부인구락부婦人俱樂部』 부록으로 나왔던 것) 족자와 역시 원색 사진인 방애芳崖의 부동명왕不動明王을 한데 말아서 들었던 터라, 젖지 않게 하려고 애를 썼다. 백지로 여러 겹 싸 왔고, 우산대 안으로 깊숙이 넣었기 때문에, 조금도 젖지 않았다.

어머니는 빗발을 피하듯 눈을 가늘게 뜨고 연신 미소한다.

"우리는 기도를 드리려고 산이나 절을 찾아갈 때면 아무리 고생이 돼도 고생으로 여겨지지가 않고, 새 기운이 납디다."

고모부는 대답한다.

"뱀마느래(내 어머님 택호宅號) 참 그렇소. 아침에 한철(고모부의 큰아들, 6.25 직후 30 미만 나이로 세상을 떠났다)이 모母는 비가 올 것 같은데 우째야 할꼬 하기에, 함부레 그런 소리 말라고 했소. 오늘 같이 좋은 날에 사도四道가 입산하는데, 나는 일부러 비를 맞고 옷을 적셨으면 좋겠다고 했소. 다 그런 기 아니잖겠습니까. 우리가 이렇게 비를 맞고 가는 것도 여간 복으론 어림도 없소."

어머니는 나에게 말한다.

"너를 낳으려고 상주尙州로 가던 때에 비하면, 이건 가마 타고 가는 기다."

어머니는 아버지 생각이 나신 모양이다. 미소하지 않으셨다. 아버지는, 내가 입산할 때마다 데리고 가셨던 것이다. 어머니가 이제 나를 데리고 가신다.

동학사에 이르러 옷을 갈아입고, 저녁에 불공을 드렸다. 예정했던 대로 대웅전 앞 양철 지붕채 한적한 맨 끝에 방에 관음상을 걸었다 (그 방이 너무 후미져서 며칠 후 조실채로 들어가는 문 앞 방으로 옮겼다. 그 양철 지붕집은 내가 부산 피란 때 헐렸다).

1940. 7. 2.

무슨 꿈이라도 실현된 듯한 기분이다. 전생의 무슨 인연으로 나는 이곳에서 무릎을 꿇고 절하는가. 제불보살마하살諸佛菩薩摩訶薩, 나를 가호하소서. 점심때 큰형님이 짐을 가지고 왔다.

1940. 7. 3.

나의 희망은 무엇인가. 이승에서 어떤 과보果報를 받아야 하는가. 다시 한 번 탐貪 · 진嗔 · 치癡에서 벗어나야 할 기회가 주어졌나 보다. 큰형님은 공주로 돌아가다.

1940. 7. 4.

매미소리가 요란하다. 나무에 붙어 앉은 새끼 매미를 잡았다. 산속이라 순진하다. 놓아 보냈다.

장님도 태양은 있다고 믿는다. 종교는 기적이 아니다. 그러기에 종교를 믿는다.

「백화와 그 선생」을 계속 쓰기 시작하다.

1940. 7. 5.

육모정에 가서 앉았다. 후회는 괴롭기만 하다. 나는 불효한 사람인 것 같다. 세상을 떠나신 아버지를 생각하고 슬퍼하는 것도 거짓인 것 같다. 세상을 다 속여도, 자기 자신을 속일 수는 없는 일이다. 오늘 아침, 나는 어머님께 불손한 말을 했다. 홀몸이신 어머님을 편안히는 못해드릴망정, 괴롭혀드려서야 되겠는가. 그래도 어머님은 내색하지 않으셨다. 외로운 표정이시었다. 다시는 이런 일이 없도록 부처님께 빌었다. 고모부는 공주로 돌아가시다.

1940. 7. 6.

어머님은 며칠 더 계실 요량이었는데 집으로 돌아가셨다. 어제 저녁부터 속이 불편하다고 하셨다. 오늘은 조반도 안 잡수셨다. "또 속병이 동하는 것 같다" 하시고 떠나신 것이다. 어머님은 자꾸 "들어가라" 고 하신다. 백정자까지 모셔다 드렸다. 어머님은 나를 두고 가시는 것이 서운하신가 보다. 웃음도 힘이 없으셨다. 쓸쓸하셨다. 어머님은 말씀하셨다. "내, 초열흘께 꼭 올게." "가방도 빗도 다 두고 간다." "들어가거라, 백지(괜히) 나와쌀 것 없다." "내야 괜찮다. 속히 들어가거라." 나는 돌아섰을 때 치미는 슬픔에 당황하였다. 가다가 돌아보고 가다가 돌아보았다. 어머님은 여전히 비석 옆에 서서 나를 바라보고 계신다. 석봉石峯 동네 앞길을 틀어 돌면 백정자가 안 보인다. 돌아보았다. 아득하다. 하얀 옷을 입은 어머님이 나를 향하고 계신다. 내 팔자는 고독인가 보다. 이 고독에서 얼마든지 노력할 수 있는 자유를 얻는다. 미닫이 밖에 비가 계속 내린다. 어머님은 집에 편안히 가셨는지 궁금하다.

1940. 7. 7.

『레 미제라블』 제1부 제3편을 읽었다. 벌떡 일어나 앉아 팔을 뻗고 하품을 한다. "왜 점심상을 안 가지고 오나." 책상 위 회중시계는 11시 15분이다. 노곤하다. 정신이 흐릿하다. 창 밖의 빗소리가 우울하다. 시장하다. 어제 백정자에서 어머님과 작별한 것이 이맘때다.
오후다. 방학한 두 형은 곧장 집으로 가지 않고 나를 찾아왔다. 반갑다. 대상에 왔을 때보다 안색이 좋지 못하다. 학기 시험을 치르느라고 밤을 새며 공부했다고 한다. 그래도 나보다는 건강한 편이다. 형님은 교지를 내놓고 읽어보라 한다. 형님은 전번 대상 때, 『尨犬吠ゆ(삽살개가 짖다)』라는 소설을 한 편 써서 학교 교지에 넘겨주고 왔다는 말을 했었다. 그 작품이 실려 있었다. 특이한 문체와 내용에 감탄하였다. 형님에게 우리말로 작품을 쓰라고 격려했다.

1940. 7. 8.

저녁 식사가 끝났다. 이슬비가 계속 내린다. 산보할 생각으로 축대를 내려간다. 계란형 얼굴에 영양 부족인 상좌 아이가 갑자기 절 문

바깥을 향하여 합장하고, 허리를 굽혀 절한다. 누가 오나 보다. 상좌 아이는 곧 나를 알아보고 뭐라고 말한다. 잘 들리지가 않는다. '집에서 누가 온 게로구나' 하고 짐작했다. 급히 축대를 내려갔다. 절 문 안으로, 어머님이 활짝 웃으면서 들어오신다. 뜻밖이었다. 너무나 반가워서 "웬일입니까" 하고 말을 계속하지 못했다. 어머님은 등에 바랑을 메고 계셨다. 신심信心이 극진하신 어머님이 연전에 손수 만드셨던 그 바랑이었다. 어느새 두 형도 뛰어나왔다. 우리 형제는 어머님 어깨의 바랑을 벗겨드렸다. 무겁다. 어머님 저고리와 치마는 꼬옥 짠 빨래 정도로 젖어 있었다. 10리를 걸어오시는 동안, 불어난 냇물을 몇 곳 건너시느라고 맨발에 고무신이었다. 어머님 얼굴은 세수하고 수건질 아니 한 것 같다. 땀과 빗물이 섞였을 것이다. 머리카락도 약간 흐트러지셨다. 그래도 얼굴 가득히 웃으시며

"밤이면 모기에 뜯겨, 오직하고야 '어무이, 날이 샐라면 아직도 멀었소' 하던 말을 듣고 갔기 때문에, 밤이면 얼마나 고생하나 하고, 모기약과 반찬을 장만해 왔다."

하고 말씀하셨다.

1940. 7. 9.

내 방은 혼자 거처하기에 알맞습니다. 마음에 드는 방입니다. 북쪽 벽 들창을 열면 바로 뒷산 숲이 쳐다보입니다. 벽장도 있어 편리합니다. 책상을 놓은 앞 벽에는 지난날 집에 있었을 때처럼 수야방애의 「자모관세음보살」 족자를 모셨고, 책꽂이 위에는 소 그림이 있는 추사 대감 글씨 탁본을 붙였습니다. 날마다 책을 읽고 글을 쓰고 가끔 산보도 하며 물소리를 듣습니다. 세 분 형수씨는 괴로운 일이 있

을지라도, 말하지 않는 것이 좋을 것입니다. 그 대신 관세음보살께 말하시고 기도하십시오. 형수씨 세 분에게만 공개하는, 나의 체험이며 비결입니다.
세 분 형수씨 앞

(상략上略) 나는 희망을 가진 송장 같다는 생각을 합니다. 내가 죽는대도, 지금까지의 나를 희망 달성으로 보고 싶습니다. 바꾸어 말하면 최선을 다하고 결과에 맡기겠습니다. 결과가 빗나갈지라도 그것은 결과일 뿐, 나의 노력은 그만한 가치가 있다고 믿습니다.
큰형님 앞

묵 형에게도 편지를 써서 동봉하였다. 집으로 가는 두 형 편에 보냈다.

1940. 7. 10.

육모정에 앉았다. 내가 동양 산수화 속의 인물 같다. 두꺼비가 비를 맞으며 기어다닌다. 들은 바에 의하면 두꺼비는 뱀에게 일부러 잡아먹힌다. 그래야 뱀 마디마디에서 두꺼비 새끼가 생긴다고 한다. 산속 대자연도 때로는 생식욕生殖慾을 묵화默火시키기 위한 적막 같다.

1940. 7. 11.

점심때 밥상이 왔기에 어머님을 찾아 절 문을 나섰다. 어머님은 산보하고 돌아오신다. 어머님과 함께 들어서는데, 절 문에 그림으로 그린 수문장신守門將神 가슴에 잠자리 한 마리가 붙어 있다. 우리가 스칠 듯이 지나가도, 잠자리는 꼼짝 않는다. 이상하다. 잠자리를 잡아서 보았다. 가위 기진맥진이다. 겨우 다리만 꼬무락거린다. 무서운 거미줄에서 탈출한 것이나 아닐까. 어떻든 구사일생한 모양이다. 서늘한 그늘 축축한 잎에 놔줬다. 저녁 때 가봤다. 어디로 날아가버렸는지 없다. 여기저기에서 잠자리가 떼로 날아다닌다. 보이지 않는 거미줄이 어디서 노려보는 것만 같다.

어머님은 소싯적에 고생하셨던 이야기를 하였다. 어머님이 거룩하기만 하였다.

1940. 7. 12.

길을 따라 계곡 따라 산보한다. 식사 후면 고염나무 거리까지 갔다 오는 것이 버릇이 됐나 보다. 계곡에는 깨독나무가 많다. 처음 왔을 때는 나무 이름도 몰랐었다. 어머님은 그 나무를 보고 반색하며, 나에게 설명해주셨다.

"여기서 깨독나무를 보네. 우리 에릿을 때는 이 깨독 열매를 따다가 기름을 짜서 머리에 발랐구마. 그러면 머리에 이[蝨]가 없어지지."

어머님 출생지는 단성丹城이다(그 해에 어머님은 동학사 깨독과 산동백을 따다가 공주에서 기름을 짰다. 몇 병 갖다 주셔서 나도 바른 일이 있었다).

깨독나무에 잔뜩 달려 있는 깨독이라는 열매를 보는 동안에 어머님의 다른 말씀이 생각난다. 동학사에 온 후의 일이었다. 그날도 오늘처럼 금세 비가 내릴 듯한 날씨였다. 어머님을 모시고 시냇가에 산보하였다. 어머님은 한곳만 바라보신다. 나무와 덤불만 무성하였다.

"뭘, 그리 봅니까."

"저것 보래. 나무도 열매가 많으면 저리 꺾일 듯이 굽었네. 사람도 자식이 여럿이면, 저 나무매로 무겁고 고생이 많은가 보다."
어머님은 말씀과는 반대로 활짝 웃고 계셨다. 언젠가 어머님은 이런 말씀도 하셨다.
"전에 어린 자식들을 죽 눕혀놓고 보니, 이 세상에 무슨 꽃이 좋네좋네 해도, 자식같이 좋은 꽃은 없더라. 자식 두고 살러가는 년은 사람이 아니제."
나는 그때 말씀이 생각났다. 깨독나무는 가지가 휘어지도록 열매가 많이 열려 있었다. 산보 길에서 깨독나무를 바라본다. 점도(영일)가 왔다.

1940. 7. 13.

나와 영일이는 가방 손잡이에 막대기를 끼우고 함께 들었다. 훗긴 가볍다. 어머님은 백정자까지 앞장서서 가셨다. 오늘은 기운이 좋으신 편이다. 새삼 시골 풍경은 아름다웠다. 벌 떼처럼 엉겨붙은 햇빛이 쉴새없이 반짝이는 푸른 포플러 나무들 밑으로 맑은 물이 졸졸 흐른다. 조그만 풀들이 담뿍 자라나서 물에 비친 그대로 산들바람에 하느적거린다. 소는 큰 눈을 뜨고, 제 그림자에 부채질해주는 포플러 나무에서 시끄럽게 노래하는 매미의 합창을 듣는지 마는지, 목을 저을 때마다 방울소리가 덜렁덜렁 난다. 농부들은 잔디밭을 지나가며, 무슨 이야기인지 숙덕거린다. 비록 가난은 하나 조선 농촌은 시원하고 한적하다.
백정자 길가의 담배 파는 집에 가서 'コウア(고오아)' 한 갑 줍시오 했더니, 40여 세쯤 된 아낙네는 "고오아는 없고 홍아興亞밖에 없어

요" 한다. 영일이와 나는 빙그레 웃었다. 그러나 곧 나 자신을 꾸짖었다.

어머님은 10시 반 정기 버스로 공주로 돌아가시고 나는 영일이와 함께 대전으로 갔다.

일본 상점 처마에서 베짱이가 울어쌓는다. 풀집에 갇힌 베짱이는 자기 운명을 호소하고 있다. 도회지 사람들은 그 기막힌 울음을 노래로 듣나 보다. 5시 반에 대전을 출발, 동학사로 향하였다. 정기 버스 안에 이러고 가만히 앉아만 있으면 공주에 가서 내리게 된다. 슬며시 집이 그립다.

1940. 7. 14.

오전 중에 영일이는 집으로 돌아가고, 오후에 묵 형이 왔다. 어제 어머님도 잘 돌아오셨고 집안이 다 편안하다고 한다.

" '왔소' 새가 운다면서."

하고 묵 형은 묻는다. 나는

" '왔었소' 하고 울기도 한다."

고 대답했다. 밤이다. 온 산중이 울리도록 '왔소', '왔었소' 하고, 그 새들은 쩌렁쩌렁 울어댄다. 묵 형도 듣더니 과연 그렇게 운다고 머리를 끄덕인다. 나는 그제야 설명했다.

"주지 스님에게 무슨 새가 저러고 우느냐고 물었더니 '그런 게 아니지요. 귀촉歸蜀, 귀촉도歸蜀道 하고 우는 거라오' 하고 일러줍디다."

"그럼, 저기 두견새가 아니가."

하고, 묵 형은 말했다. 옛사람들은 망국한亡國恨을 피나게 운다고 표현했다. 왔소 · 왔었소 · 귀촉 · 귀촉도는 듣기 나름이다. 우리는 숙연하였다.

1940. 7. 15.

동학사에는 여러 가지 과일 나무가 있다. 석류 · 밤 · 감 · 대추 · 복숭아 · 포도 · 능금 · 자두 · 앵두 · 벚나무 외에도 두 가지나 더 있다. 종무소宗務所 앞 개울 건너에 과일은 아니지만 열매로 염주를 만드는 보리자나무도 있다. 한약방에서 복분자覆盆子라고 하는 산딸기는 동학사 앞산에 많다. 묵 형과 함께 양재기를 들고 산딸기를 따러 갔다. 새파란 덤불 사이로 산딸기 빛깔에 눈이 부시다. 험한 것도 무릅쓰면서 덤벼든다. 가시가 찌른다. 손가락 끝에서 터질 듯이 익은 산딸기빛 선혈鮮血이 솟는다. 이와는 반대로 부처님 모발을 산딸기 모양으로 조성하면 아름다울 것이라는 생각이 든다. 따 온 산딸기를 희디흰 사기 그릇에 옮겨 담고 수곽의 산속 물을 부었다. 형님과 나는 설탕을 타자 서로 권하며 연신 그 맛을 감심하였다.

1940. 7. 16.

자비여, 저에게 건강을 줍시오.

1940. 7. 17.

절간 반찬이 좋을 리 없다. 언짢아한다면 부끄러운 일이다. 절에 상좌上佐 아이가 셋이 있다. 그들의 얼굴을 보면 사찰 음식에 대해서 생각하지 않을 수가 없다. 제일 큰 아이는 얼굴이 흰 편이나, 윤이 없다. 영양 부족으로 핏기[血氣]가 없는 것이다. 성격은 무력할 만큼 좀 싱겁다. 다음 아이는 매부리코였다. 까부는 편이나, 붙임성이 대단하다. 검은 얼굴에 버짐이 돋았다. 제대로 먹지를 못한 때문이다. 셋째 아이는 성미가 차돌 같다. 당돌한 편이다. 얼굴이 황달병 든 것처럼 누렇다. 이마는 불쑥 튀어나오고 눈은 옴팍 들어갔다. 매사에 다부지다. 이 아이는 누가 있건 없건 간에, 혼자 중얼거리며

"一なり二錢なり十二圓五十七錢なり……"[6]

하고 돌아다니는 버릇이 있다. 돈이 없어서 따분한 모양이다. 세 아이는 다 열다섯 살 미만이다. 가엾은 생각이 든다. 많이 먹고 얼마든지 소화시킬 나이건만, 세 때 반찬이라고는 짠 김치 한 가지다. 그러니 제대로 자랄 리가 없다. 어른 스님들 중에는 마실에 집도 있으니 괜찮다. 부모가 먹여 키울 수가 없어서 절에다 떠맡기고 가버린 아이들이란다. 어린 마음들이 비뚤어지지 않게, 누가 보호할 것인가. 저 아이들이 절을 운영할 날도 먼 미래는 아니다. 그때는 어떻게 될 것인가.

1940. 7. 18.

묵 형을 전송하였다. 속옷가지와 수건을 빨려고 계곡으로 가다가, 경담鏡潭 노장님과 만났다. 경담 스님은 손에 비둘기보다도 작은 새를 들고 있었다.

"무슨 샙니까."

"매 새끼가 어딜 다쳤는지 풀 속에 쓰러져 꼼짝을 못하더군요. 애들이나 주려고 가지고 오는 길이에요."

"그럼 나 주십시오."

경담 스님은 두말 않고 허락하였다. 도로 방으로 와서 매 새끼 다리를 책상 다리에 매어놓았다. 검은 빛깔이 얼룩덜룩한 놈이다. 무슨

엄청난 꼴을 당했는지, 꼼짝도 못하는 상이다. 그러면서도 천성은 어쩔 수 없는지 눈알은 동글고 부리는 작으나마 날카롭다. 약한 놈을 잡아먹으려다가, 더 큰놈에게 잡아먹힐 뻔했나 보다. 똥구멍에 똥이 비죽이 나와 있다. 되게 혼이 났나 보다. 우선 깨끗이 닦아주고 좌복으로 덮어줬다.

다시 세탁물을 들고 계곡으로 내려갔다. 내 손으로 세탁을 하기는 금강산 이래 처음이다. 묘길상妙吉祥으로 가는 길 첫번째 계곡에서 서투른 빨래를 하다가 눈으로 구름을 헤쳐서 아득한 향수에 잠겼던 지난날들이 생각난다. 그러나 나이 든 때문인지, 손쉽게 씻어서 따뜻한 양지 쪽에 널었다. 반석에 누워서 담배를 피워 물고 물소리를 듣는다. 우거진 녹음 사이로 구름이 천천히 피어 오른다. 오랜만에 느낀 안정이다. 날씨가 좋아서 빨래는 곧 말랐다. 물가에 둔 비누를 가지러 갔다. 물위에 조그만 벌레가 떠 있다. 오랫동안 시달렸는지, 이놈도 녹초가 된 상이다. 얼른 건져냈다. 나는 어려서부터 부모, 형제와 집을 떠났고, 타관살이를 많이 했기 때문에, 마음이 약한가 보다. 산속이 약육강식의 도장道場 같아서 무서운 생각이 든다. 벌레는 바로 세워줘도 굴러 떨어지기만 한다. 조그만 곤충이다. 아니, 딱딱한 날개가 붙은 갑충甲蟲이다. 갑충은 거개가 검은 빛깔인데, 이놈은 짙은 갈색이다. 가만히 눕혀두는 수밖에 없었다. 담배를 새로 피워 물었다. 그 벌레가 고달픈 나를 알아줄 것만 같았다. 다시 벌레를 보니, 아주 뻗어버린 것 같다. 건드려봤다. 제발 그러지 말라는 듯이 발인지 손인지를 꼬무락거린다. 가엾은 생각이 난다. 어서 편안히 해주고 싶은 생각도 든다.

책상 다리에 매둔 매 새끼에게 무엇을 먹여야 한다. 내 나름대로 이

유가 분명히 선다. 결코 밥은 먹지 않을 것이다. 매 새끼를 살리려면 벌레를 잡아줘야 한다. 잘됐다. 직접 살생하지 않아도 된다. 벌레를 갖다 먹이자. 이미 살아날 가망이 없는 놈이다. 그런 적선積善 후에는 어떻게 하지. 생각은 꼬리를 물고 정반대 생각이 용솟음친다. 그래서 이래저래 귀찮은가 보다. 그럴 수는 없다. 사람이나 날짐승이나 벌레나 같은 생명이다. 사람이나 파리나 무엇이 다르냐. 매 새끼를 살리기 위해서 수많은 벌레를 잡아줄 수는 없다. 나는 벌레를 집어들고 벌떡 일어섰다. 저편 풀밭으로 힘껏 던져버렸다.

방으로 돌아왔다. 매 새끼는 회복되어 있었다. 노끈을 풀어주고 산에 날려 보내기로 했다. 그런데 날지를 못한다. 날개만 퍼두덩거린다. 떠나기 싫다며, 떼를 쓰는 것도 같았다. '날아갈 때까지 길러줘야겠는데, 그럼 뭘 먹여야 하나.'

주지 스님이 내 방문 앞을 지나다가 묻는다.

"어디서 올빼미 새끼를 잡았수."

"매 새끼라던데요."

"아니오. 올빼미 새끼요."

그래서 보니 겁을 잔뜩 먹고 쭈그리고 앉아 있는 상호다. 날짐승 눈앞에 손을 바짝 들이대고 손가락으로 위협했다. 과연 날짐승은 대낮의 장님이었다. 손가락으로 별짓을 다해도, 눈 한 번 깜짝 않는다. 암흑 세계에서만 앞이 화안히 보이는 눈이라니 참 묘하다.

"매 새끼치고는 어쩐지 부리가 작더라니."

밤에 날려 보내자. 어떻든 자유로이 날아갈 때까지 기르기로 했다. 놈이 워낙 시장하면 밥을 안 먹고는 못 견딜 것이다.

1940. 7. 19.

아침에 일어나 보니 올빼미 새끼는 마루에 그냥 앉아 있다. 밥도 그대로 있다. 날아갈 때까지 길러주려다가, 이거 없애는 거나 아닌가 싶었다. 이리저리 궁리한 끝에 놈을 모시고 산으로 올라가, 깊숙한 나뭇가지에 얹어놓았다. 아무런 뜻도 없이 「대방광불화엄경大方廣佛華嚴經」을 한 번 불렀다. 한시름 놓은 듯한 기분이었다.

식사 후면 산보한다. 그래서 날마다 세 번씩 계곡을 따라 오르내린다. 아랫절 미타암彌陀庵 돌담 밑을 지나다니게 마련이다. 들어가본 일은 없으나, 많은 승수좌님들이 사는 절 같았다. 산속은 배암이 무섭다. 그러나 계곡이 나 있는 산속은 좋은 경치였다.

처녀가 아랫절 앞 계곡에서 푸성귀를 씻는다. 승수좌님이 아닌 세속 처녀였다. 산속 옛 절간인 만큼 유심히 보였다. 돌아앉아 있어서 얼굴은 보이지가 않았다. 뒷몸매로 보아 얼굴도 예쁠 성싶었다. 머리는 땋지 않고 학생 모양으로 짤막하였다. 흰 저고리로 속살이 보인다. 검은 치마를 입어서 팔과 목덜미와 어깨가 더 흰 것 같았다. 여승방에 웬 저런 처녀가 있을까.

산보에서 돌아와 「백화白花와 그 선생」을 쓰는데 여자 목소리가 큰방 부엌께에서 났다.

"주지 스님 계시는가요."

아랫절 그 처녀인 듯싶었다. 주지 스님 방은, 내 방 맞은쪽에 따로 난 조실채 건물에 있다. 그 처녀였다. 내 방을 힐끔 보고는 조실채로 재빨리 들어가버렸다.

저녁때 도광道光 노장님에게서 들은 바에 의하면, 그 처녀의 어머니가 여스님이란다. 공암孔岩까지 걸어서 학교에 다니는 과년한 처녀란다. 대평리大平里에 우편소가 있기 때문에 체부는 동학사로 오가는 편지면 정숙貞淑(처녀 이름)이 편에 보내준다는 것이었다. 절에서 편지를 보내려 해도 처녀의 신세를 져야 한다는 것이었다.

1940. 7. 20.

「백화와 그 선생」이 나를 괴롭힌다. 약한 몸은 좋은 글을 쓸 수가 없나 보다. 원고지와 싸우노라면 두통이 난다.

'어디에 있나' 라는 말이 머리에 떠올랐다. 안개 속에서 방향 감각을 잃은 듯한 느낌이었다.

1940. 7. 21.

『레 미제라블』은 몹시 지루한 웅변이다.

저녁때 대전에서 큰형수씨 친정 오라버님인 윤한기 씨가 왔다.

1940. 7. 22.

어제 과로했나 보다. 몸이 개운치 않다. 이러고도 먼 앞날을 정확히 갈 수 있을까. 내 손바닥을 보는 버릇이 있다. 간혹 푸른 힘줄이 두드러지기 때문이다. 저녁노을이 짙어간다. 가슴속에서 무서운 전쟁이 계속한다. 그런 마음은 없애버려야 한다. 희망으로 빛나야 한다. 약으로 허약한 몸을 고칠 수는 없다. 어떤 성스러운 사랑, 말하자면 신념이 나를 건강하게 해줘야만 할 것 같다.

1940. 7. 23.

자살自殺을 정복한 사람, 그런 사람의 미소는 어떤 것일까.

1940. 7. 24.

젊음은 백 년을 계획한다. 글은 때로 칼이기도 하다. 평화를 사랑하는 사람에게는 그러할 것이다. 절간 종소리가 온 산속에 퍼진다. 조급할 필요는 없다. 차분히 예불禮佛하자. 역시 소원은 괴로운 것이다. 우리는 자신을 부정하면서 깊이 생각할 필요가 있다.

어떤 구라파 작가는 동양과 서양의 차이점을 지적하고 서양의 우월성을 내세웠다. 과연 그럴까. 동시 출발의 방향 차이가 서로를 못 보게 하는 담이 되어서는 안 될 것이다.

1940. 7. 25.

3년 동안이나 써온 「백화와 그 선생」을 처음서부터 다시 읽어보았다. 절망으로 말려들었다. 노트를 벽에 내던졌다. 다시 책상 위에 올려놓았다.

キップリングの『丘皐凡話』は二十歳の青年の 作として見る時驚嘆に値する。(中略) もしも彼が彼の年齢で長篇小説に筆を染めたとしたら何うであろう。讀書界はその幼稚さを一笑に付して顧みもしなかつたであろう。年少の作家には廣汎なる人生を全的に眺め度しでその錯綜した相關關係を具現して見せるの才能はない。(中略) 世界の有名な長篇小説は大抵その作家が四十歳以上になってから書いてる。[7]

이건 나를 풍자한 말 같다. 지금까지 쓴 서사시 「백화와 그 선생」은 너무나 유치하다. 자기 자신의 힘도 모르면서 한강을 건너려 든다.

가슴에 불이 붙는다. 「백화와 그 선생」 1부, 2부 노트와 쓰다가 둔 초고草稿마저 벽장 속에 넣고, 자물쇠로 잠가버렸다.

개울가에 나가서 우두커니 앉았다. 3년간이나 써온 미완성에 다시는 손을 대지 않을 작정이다. 그간 보람과 고생을 함께해온 만큼 여간 섭섭하지가 않았다. 거듭 생각해도 「백화와 그 선생」은 실패였다.

저녁 종이 울려 퍼진다. 예불을 드렸다. 새로운 생각이 떠오르지 않는 것은 괜찮은 편이었다. 나는 문학을 할 소질이 없나 보다고 회의했을 때가 견디기 어려웠다.

석유 호롱에 불을 붙였다. 벽에 유난히 큰 나의 그림자가 나타났다. 밤은 깊어간다. 잘 썼건 못 썼건 간에, 그만 것 하나도 끝내지 못하는 주제라면 무엇을 하겠다는 거냐. 처음 시작했을 때가 어제 같다. 어떤 맹서와도 비슷한 것이었다. 이제 와서 헤어질 수는 없는 일이다. 아니 이건 확실히 배신이다. 어느 쪽이 어느 쪽을 배신했건 간에 결과는 마찬가지다. 문학에 소질이 없다면야 새로 작품을 구상한댔자 별 수 없을 것이다. 다시 의욕이 날 때까지, 또 기다리기로 하자. 늘 그러하지 않았느냐. 아무 일도 말고 며칠 동안 푹 쉬기로 했다.

1940. 7. 26.

여관에 조도전대학早稻田大學을 다니는 학생 하나가 와 있다. 서로 인사를 한 후에 사귀게 됐다. 그의 결혼관은 대단하였다. 학문에 관한 이야기는 어려운 말만 골라 써서 알아들을 수가 없었다. 그는 웅변가다. 한도를 넘어서면 카페에 갔을 때 여급과 나눈 자기 문답問答을 무슨 사상이나 되는 것처럼 열심히 설명한다. 또 그 여급의 말을 싫증이 날 만치 자세히 분석해서 들려준다.

1940. 7. 27.

저녁 식사를 마친 다음 계곡을 따라 내려가 '동학사東鶴寺 경내境內' 라고 쓴 하얀 표목標木이 박혀 있는 곳에서 거닐었다. 날은 점점 어두워지는데 수목이 울창해서 큰 나무를 모신 성황당(말뿐이지 건물은 없었다)까지 내려갈 용기가 나지 않았다. 제법 어두워졌다. 슬며시 무서운 생각이 들어서 큰절로 돌아오려는데, 뒤에서 나를 부르는 소리가 난다. 어머님 음성이었다. 나는 착각이 아닌가 하고 돌아봤다. 어머님이 컴컴한 수목 사이로 뚫린 길을 오시고 있었다. 영조永祚(머슴 아이)가 지게에 무엇을 지고 뒤따라온다. 갑자기 대낮처럼 밝아 보인다.

"우짠 일로 이렇게 날이 저문데 오십니꺼."

"절깐에 반찬도 없는데, 우찌 있노 싶어서, 영조를 데리고 왔다."

영조가 지게에 지고 온 물건은 여러 가지 반찬이었다.

1940. 7. 28.

어머님이 4원어치나 사오신 국수로 점심때 대중 공양을 했다.

1940. 7. 29.

고모님 병환이 심상하지 않다고 한다. 산후발로 부은 배가 점점 더 하시다는 것이다. 어머님 말씀을 들으니, 한번 가 뵙고 싶은 생각이 배나 간절하다. 아침저녁 예불 때마다 고모님 병환이 낫도록 기도를 드렸다.

1940. 7. 30.

어머님과 함께 동학사를 떠나 공주로 갔다. 고모님 문병도 겸 다녀오고 싶었던 것이다. 어머님께 먼저 집으로 들어가시도록 하고, 정기 버스에서 내리는 길로 아버님 산소로 향했다.

지루하던 궂은비는 접때부터 끝났고, 햇볕이 따끈하다. 구름은 한가한데, 매미소리만 시끄럽다. 길가에 쌓아 올린 밀대 더미 그늘에서, 검은 개가 혀를 빼물고 더위에 헐떡인다. 닭들은 울타리 가에 모여 먹을 것을 찾는지 부지런하다. 아버지 산소에 이르러 오랜만에 절을 했다. 뫼 봉분에 풀들이 어지러이 자라서 짙푸르렀다.

집으로 돌아왔을 때, 나를 반가이 맞아주기는 나무 토막으로 정자형井字形을 만든

(노트는 여기서부터 뜯겨져 나가서, 나머지가 없다)

동학사에서 해방을 맞이하기까지의 기억나는 것 몇 가지만 적어둔다.

신사辛巳년이었다. 왜倭는 민간 사람들이 가진 금은 패물들까지도 강제로 거두어들였다. 어머님도 견디다 못해 시집 오실 때 받았던 황금 쌍가락지며 노리개 등 패물을 내줘야만 했다. 물건 가치에 비해 어느 정도인지는 모르나, 하여간에 돈이 나왔다. 내가 공주 집에 다니러 갔더니, 어머님께서 추연히 빈 상자를 보이시며, 나온 돈 전부를(1백20원이었다고 기억한다) 나에게 주시며 말씀하셨다.

"수십 년 동안 고이 간직했던 물건이 일조에 다 없어졌다. 내 시집올 때 받았던 패물들은, 네가 장가가면 며느리에게 줄 작정이었는데, 그것도 허사가 됐다. 이 돈을 줄 테니, 사고 싶은 책이나 사서, 어미가 전하는 것으로 삼아라."

나는 서울에 가서 그 돈으로 다 책을 사가지고 내려와 동학사에 쌓았다. 그뿐만이 아니다. 내가 동학사에서 소장했던 책은 어머님께서 거의 사주셨대도 과언이 아니다.
책 얘기가 났으니 생각나는 일이 있다. 여름 방학에 동경에서 나온 묵 형이 어느 날 영일이와 함께 동학사에 왔다. 대전 극장에서 좋은 영화를 상영하니(루이 주베의 「幻の馬車」가 아니었던지?) 관람하러 가자는 것이었다. 그 무렵은 일본 경찰과 헌병들이 눈에 독이 올라 젊은이면 검문하고 툭하면 잡아가던 때여서, 나는 산 바깥 출입을 삼가고 있었다. 하 좋은 영화라기에, 이튿날 일찍 삼형제가 함께 대전으로 가서 그 영화를 보았다. 영화관에서 나온 나는 일본 헌책집에 들렀더니, カンジイ(간디) 저서가 있기에 샀다. 공포에 쪼들리던 때여서, 우리는 약속이나 한 것처럼 파출소와 순사는 피해서 걸었다. 큰길을 건너가는 참이었다. 저편에서 노타이 셔츠를 입은 사람 둘이 온다. 일반 사람인 줄로만 알았는데, 그들은,
"오이, 젊은것들, 거기 서!"
일본말로 호령이다. 말 본새로 보아 고등계 형사였다. 하나는 일본 사람이고 하나는 우리 겨레였다. 나는 몸이 내려앉았다. 손에 든 カンジイ 저서가 나의 죽음으로 느껴졌다. 묵 형이 그들 앞으로 가서 먼저 수작을 걸고 검문을 받는 동안이었다. 나는 어쩔 줄을 모르는데 어린 영일이가 내 손에 든 책을 재빨리 낚아가지고 슬쩍 뒷짐을 지고, 천연스레 저만치 물러서는 것이었다. 사각모를 쓴 묵 형에 대한 심문은 곧 끝났다. 그들은 나를 부르더니, 왜 젊은 사람이 군대에 지원하지 않았느냐, 징용에도 가지 않고 용하게 피해다니는구나, 지금이 어느 땐 줄 아느냐, 너 사상이 불순한 놈 아니냐며 대들었다. 나

는 절에서 폐병을 요양 중이라고 대답했다. 묵 형이 곁에서 변명을 해줬다. 그들은 나를 꾸짖고 교훈하더니, 다음은 뒷짐지고 서 있는 영일이를 노려보는 것이었다. 나는 각오하는 수밖에 없었다. 그들이 영일이에게 뭐라고 말을 걸려는 찰나였다. 정오를 알리는 사이렌소리가, 내 귀에는 천지를 진동하였다. 그들은 감전된 것처럼 부동 자세를 취하고 머리를 푹 숙이고, 소위 그들이 말하는 바 '성전기원聖戰祈願' 을 드린다. 나와 형님과 동생은 진정으로 기도 드렸다. '이 위기를 모면하게 하여줍소사' 고. 1분 동안의 사이렌소리가 끝났다. 굶주린 그들은 뭐고 먹어야겠다는 생각이 간절했는지 '좀더 똑똑히 정신들을 차리라' 고 휘잡아 호령 한마디하고는 가버렸다. 나는 한숨을 몰아쉬는데, 영일이는 싱글싱글 웃었다. 보니 영일이의 두 손에 책이 없었다. 돌아서는 영일이의 뒤꽁무니에 책이 비죽이 꽂혀 있었다.

묵 형은 나에게 '주의하라' 고 꾸지람을 톡톡히 했다.

어느 해인가 『조광朝光』• 잡지 독자란에 시를 투고했더니, 실리지가 않았다. 시조를 한 수 투고했더니, 다음달 호에 실렸다. 내가 쓴 것이 처음으로 활자화된 것이다. 계속 세 편을 투고했더니 다 실렸다. 그러나 나의 목적은 시조가 아니기 때문에 더 이상 쓰지도 보내지도 않았다.

내가 일제 시대 때 동학사에 있으면서 만난 타사他寺 스님으로는 특히 조금포趙錦圃 스님과 남무불南無佛 스님이 있다. 내가 어린 나이로 금강산 마하연에 있었을 때였다. 조금포 스님이 붓글씨를 쓰시기에, 먹을 갈아드린 적이 있었다. 남무불 스님은 먼 지난날 금강산에서 어린 나를 봤었다며, 단번에 나를 알아봤다. 두 스님은 떠났다가는 간혹 다시 와서 동학사에 오래 계셨기 때문에, 나와는 친숙하였다.

조금포 스님은 호남 태생이라고 들었다. 성격은 활달하고 웃음이 쾌활하였다. 스님에게서 고독 · 적막 · 애수 따위는 눈꼽만큼도 본 적이 없다. 어쩌다가 출가를 하셨습니까 물었더니 그 빛나는 눈을 끔벅이며,

"세 번 상배喪配했어요. 아이들도 다 죽더군요. 세상에 염念이 딱 떨어집디다. 그래서 머리를 깎고 중이 됐지요, 하하하하하."

나는 스님의 옛 상처를 건드리지 않았나 하고 좀 죄송한 생각이 들었는데도, 스님의 웃음은 유쾌한 편이었다. 스님은 옛 조사祖師의 풍이 완연한 분이었다. 견성見性을 했느니 도통道通을 했느니 그런 말씀은 일체 하지 않았다. 내 방에 자주 오셨다(내가 아무 일도 않고 쉴 때면). 스님은 내가 하는 일에 대해서는 일체 언급하지 않았다. 주로 육조六祖, 황벽黃檗, 임제臨濟, 조주趙州, 남천南泉, 마조馬祖, 운문雲門 등 모든 옛 조사에 관한 말씀을 한없이 들려주셨다. 스님이 옛 조사들의 게송偈頌을 들려줄 때면 나는 반지半紙를 내놓고 먹을 갈아 드렸다. 스님은 기꺼이 붓을 잡고 옛 훌륭한 게송을 쓰기를 좋아하였다. 스님은 『염송拈頌』*, 『전등록傳燈錄』에 통달하셨고 불경 중에서는 특히 『능엄경楞嚴經』에 밝으셨다. 그러나 스님 방에는 책이 없었다. 소지품이라고는 가벼운 바랑 하나뿐이었다. 의복은 아랫절에서 보살펴드렸던 걸로 안다. 나에게 선禪을 일러주신 분은 마하연 주지로 계시던 때의 설석우薛石友 스님이셨지만, 내가 옛 조사祖師 어록語錄을 직접 읽고 불경을 읽으며 눈을 뜬 것은 조금포 스님의 영향이었다. 나는 남에게 글을 배우는 것을 무슨 수치로 알고 있었다. 스

님께 『능엄경』을 배우지 못한 것은 후회 막급이었다. 나 혼자서 『능엄경』을 읽었을 때는 스님이 없었던 것이다. 나는 어렸을 때 난생 처음으로 『통학경편通學經編』이란 책을 펴고 글자를 배웠는데, 그때 어린 나에게 글자를 가르쳐주셨던 어른은 현문玄門 스님(오늘날 혜암慧庵 스님)이시고, 금포錦圃 스님도 나에게는 잊을 수 없는 어른들 중의 한 분이시다. 어느 해인가 스님은 동학사를 떠난 후로 영영 돌아오지 않았다. 스님이 열반에 드셨다는 소문을 들은 것은 그 후의 일이었다. 아마 육순六旬을 채우지 못하고 시적示寂하신 걸로 기억한다. 스님이 내 방에 오셔서 옛 조사를 말씀하시며 계송을 쓰셨던 반지半紙를, 나는 지금도 보관하고 있다. 미타암 비구니 대은大恩 스님 영정影幀 찬讚은 금포 스님 글이다. 여기에 적어둔다.

形是大恩耶
影是大恩耶
華嚴法界
非男女相[8]

내가 알기로는 스님은 권위와 영리榮利를 벗어난 대선사大禪師였다. 일제 때 동학사에 와서 방학 때 공부하고 간 이로는 경성제대 학생 유동준兪東濬, 황학성黃鶴性, 강창구姜昌求, 김우열金宇烈 씨 등 수재들이 있었고, 서천舒川 사는 김용문金容文 씨는 수양차 와서 오래 있다가 갔고, 강경江景 사는 김석문金錫文 씨는 흰 눈이 쌓인 겨울에도 동학사에 들러, 내게서 놀다가곤 했었다. 백인성白仁性 씨는 한때 와서 상서相書를 연구하던 이였고, 서울 이동희李東熙 씨가 와서 만학晩學하였고, 이봉수 씨가 와서 있은 것은 해방 후였다. 경상도 고성固城 분으로서 강호윤姜顥崙 씨는 속인俗人으로 왔다가 마침내 출가한 재사才士인데 그 후로 소식을 듣지 못했다.

세상이 하도 무시무시해서 내가 일체 출입을 않고 들어박혀 있던 시절의 어느 날이었다. 내가 조반을 마치고 『법화경法華經』을 고성高聲 낭독하고 있는데, 바로 창 밖에 까치가 와서 계속 짖어쌓는다. 나를 찾아올 반가운 사람도 없었다. 경을 계속 읽었다. 웬일인지 까치가 기를 쓰고 짖는다. 참으로 반가운 누가 오려나? 하는 생각이 들기도 했다. 창 바깥에서 인기척이 났다.

"말 좀 물읍시다."

절간 조반은 이르기 때문에 아직 아침 햇살도 미닫이에 퍼지기 전이었다. 사람이 찾아오기에는 너무도 이른 편이다. 미닫이를 열고 내다봤다. 소위 국방복國防服을 입은 사나이가 빙그레 웃고 서 있었다. 나는 선뜻 짐작하면서도 물었다.

"누구를 찾습니까."

국방복은 내 이름을 대고는 징용 소집장을 내놓고, 받았다는 손도장을 찍으라 했다. 지금까지 피신했던 보람도 없이 걸려들고 말았다. 평소에도 '국방복이 온다' 는 소식이 아랫절에서 올라오기만 하면, 젊은 사람들은 산속으로 피해 달아났던 것이다. 산속으로 일단 들어만 가면 동 · 서 · 남 · 북 어디로든지 맘대로 통하는 산세山勢였다. 누구도 찾지 못하도록 수목이 울창했다.

공주 읍내로 가는데, 이인정李仁貞 노장님이 나를 위해 함께 가주셨다. 그 당시는 소위 목탄차木炭車란 것도 아주 희귀한 존재여서 60리 길을 걸었다. 가면서 생각하니, 다시 동학사에 돌아올 것 같지가 않았다. 저녁 무렵에야 집에 당도했다. 그날로 묵 형이 알아봤더니 이번은 구주九州 탄광으로 보내는 징용이라는 것이었다. 며칠 후, 나는 농업 창고에서 신체 검사를 받았다. 신체 검사에 떨어진 것을 알기는 바로 그 이튿날이었던 것 같다. 새옹지마塞翁之馬라고나 할까. 며칠 후에 혼자서 60리 길을 걸어 동학사로 날듯이 돌아왔다.

나날이 세상은 캄캄했다. 하루는 주지 스님이 난처한 표정으로, 나에게 말했다.

"배급 나온 콩깻묵 보셔서 알겠지요만, 사중 형편이 말이 아닙니다. 식량을 사다 주면 절에서 식사는 해드리지요."

그것은 집으로 가라는 뜻이었다. 무리도 아니었다. 돈으로 물건을 사는 시대는 아니었다. 아랫절에 내려가서 이인정 노장님께 사정을 말했더니, 끼니때마다 어린 홍식興植이가 음식을 큰절로 날라다 주었다. 국방복은 자주 나타나고, 끼니때마다 음식이 올라오고 받아먹기도 피차 번거로워서, 피신처로는 더할 나위 없는 아랫절 초가채로 아주 거처를 옮기고, 스님네들 글을 가르쳤다. 목숨은 안전하나 완전히 간힌 사람이었다.

*1946. (1)**

* 편집자 주 : 1946년 '일기'는 날짜를 확인할 수 없다. 노트에 기록된 대로 (1) (2)로 나누어 싣는다.

정반왕淨飯王•은 기대하였다.

"우리 싯달타悉達多 태자太子가 인도를 통일해줬으면……"

싯달타 태자가 어렸을 때였다. 선인仙人 아사타阿私陀•는 정반왕에게 말했다.

"태자는 전륜성왕轉輪聖王•이 되어 사천하四天下•를 다스릴 것입니다. 그때라야 온 세상은 편안합니다. 그러나 이 늙은 몸은 그때까지 살지를 못합니다."

정반왕은 대답을 않았다. 무엇보다 기뻤던 것이다. 정반왕은 정신세계를 존경하면서도 패기만만하였다.

그러나 싯달타 태자는 성장하면서 사성四姓 계급에 대한 무차별 평등을 생각하였다.

마침내 석가는 왕궁을 버렸다.

우류비라림優留毘羅林에서 밝은 별을 보아 깨달았을 때, 혼자소리로 말하였다.

"나는 불타佛陀를 만들지 않았다. 내가 깨달은 것이다. 이제 불타는 모든 불타와 함께 있다."

부처님은 수보리須菩提•에게 말하였다.

"수보리야, 불타의 안팎에 무엇이 있다고 하지 말라. 모든 생명은 불타에게서 자유를 얻는다. 그래서 고통에서 벗어나 편안하다. 불타는 너희들이 아는 것 이상으로 한이 없다. 누구나 소원하는 바를 이룰 수 있다. 그러므로 너희들은 네 자성自性을 믿어야 한다."

수보리는 샘 가에서 노래를 불러 찬탄하였다.

마음으로 돌아오라.
비로소 편안하니
불타의 자비는
우리들 모두의 기쁨이다.

"수보리야, 진실로 그러하다. 나는 불타의 자비로써 불타가 되었다."

부처님은 사성四姓의 계급을 없애도록 마하남摩訶男•에게 권했다. 그래서 각 방면으로부터 비난을 받았다. 마하남의 뜻은 자기가 전륜성왕이 되는 일이었다. 늘 전쟁 준비에 온 백성들을 노사勞使하였다. 부처님은 예언하였다.
"머지않아 석가족釋迦族은 사라지려는가."

"너희들은 부정하는 허무에 떨어지지 말며 또 긍정하는 일상에만 의지하지 말라."
"세존世尊하, 우리를 위해서 설하소서."
"중생은 그가 아는 것만 긍정하고 모르는 것은 부정한다. 안다는 것은 무엇인가. 자기가 안 것으로 잘못을 저지르는 자를 지옥이라고 한다. 너희들 비구에게 정녕 이른다. 너희들이 있는 곳은 다 실상이니 깨달아서 불타가 되라. 세상을 싫어 말라. 사람을 싫어하지 말라. 너희들 자신을 떠나서 세상을 떠나서 불법佛法을 찾는다면 아승阿僧 겁劫•을 닦아도 깨닫지 못한다. 내가 한 번인들 미워하며 성내며 싫어하며 탐내는 것을 보았느냐."
부처님은 바라문婆羅門과도 대화를 나누었다.
"그대의 소원은 무엇인가. 누구나 소원을 따라서 성취한다."
"세존하, 진리를 소원합니다."
부처님은 대답하였다.
"진리는 변하는 것이다."

목련目連•은 물었다.
"바르지 못한 생각은 버려야겠습니다. 숲 속의 꽃을 생각한다면 그

꽃보다도 못하지 않습니까."

부처님은 대답하였다.

"일체가 다 불법이다. 너는 늘 불법을 보면서도 자기 불타를 모르는구나. 그러고도 다시 무엇을 생각는가. 잘못된 생각은 버려야 한다."

목련은 죽었다. 목련의 시체를 불태우는 연기가 오른다. 부처님은 설한다.

"목련은 열반涅槃에서 와서 열반에 머물다가 열반으로 들어갔다."

유리왕琉璃王은 마침내 대군을 거느려 쳐들어갔다. 그리하여 석가족釋迦族은 용감히 싸웠으나 멸망하였다.

언젠가 유리왕은 부처님에게 청했다.

"세존하, 나를 용서하시라."

"대왕大王의 불성佛性은 한 번도 변한 일이 없습니다."

"세존하, 그 불성을 가르쳐주십시오."

"대왕이 바로 불성임을 아셔야 합니다."

일찍이 정반왕은 싯달타 태자가 도를 통일해서 전륜성왕이 되기를 바랐었다. 그러나 왕위를 버린 석가는 자기 당대에 석가족의 멸망을 본 인류의 부처님이었다. 한 거지의 일생이었다.

잊어서는 안 된다. 우선 잊으려는 것이 잘못이었다. 왜 믿으며 존경하는가. 존경할 줄 알아야 배우기 때문이다. 하지만 이러다가는 미약한 자가 무엇이 될지 모르겠다. 지식과 감정은 다른가. 어느 하나에 중점을 두어서는 안 될 것 같다. 더구나 재주가 없다. 그래서 두려움이 앞선다. 어떻든 결과가 있을 것이다. 변하지 않는 것은 없다. 그러므로 과거와 현재와 미래는 내가 있듯이 따로 있는 것 같지가 않다. 변화는 새롭지만 나의 일상에는 변화가 없다. 위기 의식은 고집인가. 의문은 용납에서 시작된 듯하였다.

불교는 종교인가. 아닌 것만 같다. 종교에 대한 재인식이 있어야 할지 모른다. 사찰은 종교적이다. 불교는 인생 문제에 불과한 것 같다. 종교라면 별로 흥미가 없다. 부처님은 분명 석가라는 사람이었다. 불경은 그가 이룬 예술이며 인생이며 세계였다. 그 세계에서 궁금했던 것, 미처 몰랐던 것, 상상도 못했던 것을 듣고 보았다. 필요했기 때문에 생각하지 않을 수가 없었다.

오산誤算이 불행임을 일본 사람들에게서 무섭게 보았었다. 그들의 탐욕에 우리는 진저리쳤다. 진정한 해방이란 무엇인가. 심한 필요를 느끼지 않는 일이다. 물론 혼자서 되는 일은 아니다. 대신 뒤에서 이간하는 경우를 생각한다. 책임을 지기 전에 타협한 거나 아닌지.
가능성을 모색한다. 가능한 가능성 말이다. 능력은 우선 차별이 없다. 잘은 모르지만 그런 출발은 찾아야 한다. 속단일까. 그런데도 잘될 것 같지가 않다면 야단이다.

파괴와 의욕으로 흔들린다. 상황이 자살하려는 몸부림 비슷하다. 지키는 일과 찾는 일이 한뜻이어야 할 텐데 서로들 충돌한다.

신神을 믿는다. 신을 모르기 때문이다. 그러기에 제 마음대로 신을 오해한다. 또는 선전, 이용한다. 누가 신을 알아서 판단할까. 분별은 미워하였다. 어부漁父는 이익을 노린다. 고통은 괴로운 일이다. 번뇌에서 벗어난 석가란 어떤 사람이었을까.

참는다. 연신 떠내려간다. 인욕忍辱이란 무슨 뜻인가. 그래서 무엇을 깨달았다는 말인가. 참아서 깨달았다는 말인가. 참거나 깨닫거나 그건 개인 문제이다. 정확성은 모두를 염려한다. 무엇이 숨어서 무슨 계산을 하는가. 또 속고 있는 것이나 아닌지. 그럴 리가 없는데도 아리송하다.

"그는 무無를 설說한다"고 누가 말한다. 누가 무無를 알기에 그런 말을 하는지 모르겠다. 무를 안다면 여래如來를 규정하지는 않을 것이다. 무는 대조가 아니다. 상대적인 부정의 무로 착각한 모양이다. 무는 구별이 아니다. 무는 무인데 누가 무를 안다는 말인가. 알았다면 그건 무가 아니다. 무가 생긴 것이다. 그렇다면 존재와 다를 것이 없다. 생겼다면 없어지게 마련이다. "그가 무를 설한다"니, 누가 무를 알아듣고서 하는 소리인가.

예수님은 신으로서 왔지만, 석가는 치명적 회의에서 부처님이 되었다. 예수는 피살되었지만 석가는 석가족의 멸망을 보았다. 슬픔은 우리들만의 것이 아니다. 그럼 영원한 것인가. 그것만은 아니라고 하겠다.

용납과 초탈은 다른가. 다르다면 관심할 바가 못 된다. 내가 임종臨

終한다고 생각한다. 고행苦行은 별다른 뜻이 없다. 좋거나 싫거나 간에 죽음은 저절로 이루어진다. 그러므로 죽음은 별다른 뜻이 없다.

독단에 사로잡히기가 첩경이었다. 남이 독단하니 나도 그러자는 식이다. 심지어는 남의 독단을 위해서 자기 자신을 버리는 자가 허다하였다. 얼음은 여름에, 불은 겨울에 귀중하였다. 판단은 독단에서 벗어나는 일이었다.
따라서 사상이란 그처럼 중요하지는 않았다. 더구나 체계화되어 굳어버리면 도리어 배신하는 수가 있었다. 잘한다면서 일을 망쳐서야 쓰겠는가.

오른편 뺨을 때리면 예수는 왼편 뺨을 내주라고 하였다. 그런 경우 공자는 상대에게 교훈할 것이다. 노자는 거들떠보지도 않고 코를 골 것이다. 그런 경우 석가는 어떻게 할까. 그것만은 알 수가 없다. 어떤 짐작도 가지 않는다.

누구나 행복해야 할 의무가 있다. 책임이란 그런 것이다. 그러나 의무니 책임이니 하는 말은 그다지 부드러운 어감은 아니다. 우리가 다르다면 무엇인가. 지식이 행동을 규제한다든지 존경할 수 있어도 존경받을 처지가 못 된다든지, 그런 차이는 있을 것이다. 하지만 어떤 경우에도 서로가 근본적으로 미워할 수는 없는 노릇이다. 서로란 동시대를 뜻한다. 우리가 옛사람들을 모르듯이 미래의 사람들은 우리를 잊는다. 그런 점에서 너와 나는 다르지 않다. 결국 다를 것이 없다. 그래서 각자는 각기 행복해야 할 의무와 책임이 있다. 그럼 각자의 특색이 서로를 돕는 방향은 어디로 나 있나.

사람은 법이 없으면 못 사는 것일까. 그래서 비범하다느니 출중하다느니 위대하다는 말이 생겼나 보다. 좋은 법은 법을 줄이는 일이다. 이런 말은 지구만이 알기 때문에, 암만 설명한댔자 천당은 그 뜻을 모를 것이다.

우리 나라에는 세계적으로 심각한 작품들이 있다. 그것은 한 사태요, 작가 정신과는 상당한 거리가 있다. 말하자면 장점이요 단점이다.

해방이 됐는데 어째서 모두 다 목이 터지도록 자유를 부르짖는지 알다가도 모르겠다. 자유는 어디서 왔으며 누구를 위해서인가. 태양은 빛난다. 모든 생명은 생명한다. 분열이 해방일 수는 없다. 필요는 간단 명료한데 골육상쟁이 계속한다.

내가 모르는 중에 잘못을 저지른 적은 없다. 지구의 불행은 각 개인에게 미친다. 사람마다 세계가 있기 때문이다. 이론만으로는 운행이 되질 않았다. '왜냐' 는 말은 비열한 유행어로 타락하였다.

사전에는 모든 말이 있으나 그것은 문학이 아니다. 사전은 필요할 뿐 통독하는 사람이 없다. 사전을 처음부터 읽는 사람이 없는 한 나의 글도 매양 무의미하지는 않을 것이다.

석가는 일체유심조一切唯心造라 하였다. 그럼 신은 누군가.

1946.(2)

지난 봄 일이지만 적어둔다. 제수씨가 신행新行을 온다니 체면상 집으로 가야 했다. 때마침 김구金九 선생이 공주에 오신다는 신문 보도였다.

그날 읍내 사람들은 선생을 환영하려 길 양쪽에 늘어섰다. 도착 시간이 지났는데도 선생은 오지 않는다. 들리는 말에 의하면 환영 나온 사람들이 도중에 모여 섰기만 하면 선생은 차에서 번번이 내려 인사를 받기 때문에 늦는다는 것이다. 영접 갔던 차들이 들어왔다 다시 나갔다 하더니 멀리서 환호소리가 일어나기 시작하였다. 그래도 좀체 선생은 나타나지 않는다. 다시 들리는 말에 의하면 강 건너에서 선생이 차에서 내려 금강 다리를 걸어서 오신다는 것이다.

어쩐지 황송한 마음이 들어서 사진에서 익히 보았던 선생 모습의 이모저모를 생각하며 기다렸다. 여간 지루하지가 않았다.

"만세!" 소리가 파도처럼 밀려오면서 신작로 한가운데로 여러 사람은 오고 있었다. 처음엔 김구 선생을 알아볼 도리가 없었다. 그것도 그럴 것이 특별난 데가 없었기 때문이다. 좀 앞장서서 걷는다든지 또는 손을 들어 흔든다든지 옷차림이 유별하다면야 곧 알았을 것이다. 그들이 가까이 왔을 때에야 선생을 나는 알아보았다. 선생은 온화한 미소를 품고 있었다. 뜻밖에도 행색이 너무나 초라하였다. 양복 바지가 짧아서 양말을 신은 발목까지 드러나 보였다. 중국에서도 몇 해나 입으셨는지 고물이었다.

임시 정부 김구 주석 환영 깃발이 펄럭이는 트럭 뒤를 따라 보통학교 운동장으로 갔다. 예정 시간보다 늦게 도착하셨기 때문에 쉬실 사이도 없이 곧장 강연을 하신다는 확성기소리였다. 운동장으로 뒤

늦게 들어오는 선생 승용차는 너무나 멋진 최신형이었다. 빈 차인 줄 알았더니 사람들은 조그만 노인 어른 한 분을 안아 내어 단 위로 모신다. 나는 곁사람들의 말을 듣고서야 그 한복 차림의 청수한 노인 어른이 이시영李始榮* 선생임을 알았다.

김구 선생이 단 위에 오르자 운동장은 조용했다.

"나는 중국에 있었을 때 이런 생각을 하고는 했소. 내가 죽으면 영혼이 되어 곧 조국으로 돌아가서 여러 동포 형제들의 집엘 일일이 찾아다니며 방에도 들어가보고 부엌에도 들어가보고 '그래 사시는 형편이 어떠하오. 그래 얼마나 고생들 하시오' 하고 물어볼 작정인데, 그럼 그때 동포 형제들이 내 말을 알아듣기나 할까 하고 생각했었소. 그러다가 이처럼 살아서 돌아와 동포 형제 자매들을 직접 만나 이런 소리를 하게 되니 하늘이 보우하신 덕분인가 하오. 내가 중국을 떠나오기 전부터 걱정한 것은 우리 동포들이 일본 사람들의 학정에 시달리다 못해 혹시 기운을 잃지나 않았을까 그것이 염려였는데, 비행기에서 내려 조국 땅을 밟고 서울로 들어오면서 차창 밖을 봤더니, 우리 젊은 학생들의 오고가는 걸음걸이가 이렇게 뚜벅뚜벅(흉내까지 내시면서) 매우 씩씩합디다. 그제야 나는 '됐다. 이만하면 아무 염려할 것이 없다' 고 안심하였소."

김구 선생의 말씀은 유머러스하기조차 하였다. 혼란과 회의에서 갈 길을 몰라 방황하는 동포들에게 지도자로서의 무슨 말씀이 있을 법한데 뜻밖이었다. 선생은 끝날 무렵에야 말한다.

"나를 이승만李承晩 박사보다 낫다고 생각하지 마오. 그분이 여러 동포를 위해서 잘 지도할 것이오. 우리 다 함께 나라를 위해서 힘씁시다."

다음은 이시영 선생의 강연이 있었으나 극 노인이신지라, 무슨 말씀을 하는지 들리지도 않았거니와 간단히 끝내는 것이었다. 해는 서산에 기울어 저녁 빛이 짙었다.

며칠 전에 신부를 맞이한 우리 집은 잔치 분위기가 가시지 않아서 저녁 밥상 반찬이 푸짐한 편이었다. 저녁 밥이 끝나자 나는 남 모르게 미리 준비해뒀던 물건들을 조끼 주머니에 챙겨 넣었다. 연후에 감색 세루 두루마기를 입고 집을 나섰다. 이번 경사로 고향에서 올라와서 유하고 있는 안남식安南植이 묻는다.

"어델 가오."

"바람이나 쐬다 오려네."

태연히 대답은 했으나 실은 긴장되어 있었다.

김구 선생 일행이 들어 있는 동명 여관으로 곧장 갔다. 아니나다를까. 행길까지 경계가 삼엄해서 여관이 있는 골목 안으로는 접근할 수가 없었다. 나는 나를 밀어내는 경찰에게 밀봉한 편지 봉투 하나를 내주며 연극을 시작하였다.

"난 심부름 온 사람인데 이 편지를 김구 선생님께 전해주오. 난 선생님의 말씀을 받아서 돌아가야 하오."

경찰은 백봉투를 앞, 뒤로 뒤집어 보더니 묻는다.

"어디서 누구 심부름을 왔소."

"그건 말하지 말랬으니 말할 수가 없소. 선생님이 이 편지를 보시면 무슨 말씀이 있으실 테니 그 말씀만 내게 전해주오."

경찰을 따라 여관 앞까지 갔으나 아무도 나를 제지하지는 않았다. 금테 모자를 쓴 경관이 그 편지를 받고는 나를 힐끔 노려보더니 안으로 들어간다. 그 봉투 속 편지는 대략 이런 내용이었다.

선생님을 존경합니다. 직접 가까이 뵙기가 소원입니다. 그리고 선생님께서 붓글씨를 한 폭 써주신다면 보배로 삼겠습니다. 먹물은 잉크병에, 그리고 따라서 쓰시도록 접시와 붓과 종이도 준비해왔습니다. 밖에서 선생님 분부만 기다립니다.

그리고 내 이름과 한 문학 청년임을 밝힌 것이다. 곧 금테 모자가 뜨락으로 나오더니 손짓해서 나를 불러들인다.
나는 미닫이를 조심히 열고 방안으로 들어갔다. 상좌上座를 보니 김구 선생이 아니었다. 보료 위에는 깨끗한 한복 차림으로 이시영 선생이 아기 부처님처럼 앉아 있었다. 단정한 품위가 어찌나 청수한지 귀태가 역력하였다. 처음엔 방을 잘못 들어온 거나 아닌지 하고 좀 떨떠름했다. 그런데, 김구 선생은 내가 들어선 미닫이 바로 곁에 모를 꺾어 책상다리로 앉아 계셨다. 아버님을 윗자리에 모시고 맨 아랫자리에 앉아 있는 아드님 같다고나 할까.
김구 선생께 먼저 절을 했다. 선생은 만면에 미소를 띠며 앉은 그대로 두 손을 짚어 머리가 장판 바닥에 닿도록 나에게 답례하신다. 이시영 선생께 절을 했더니 약간 허리를 숙여 나에게 답례를 하고는 엉거주춤 일어섰다가 앉으신다.
내가 말씀을 드릴 겨를도 없이 김구 선생은 자상히 계속 묻는다.
"본관은 어디요."
"월성月城입니다."
"나이 몇이오."
"스물다섯입니다."
"지금 어데서 사오."

"집은 읍내에 있으나 동학사라는 절에서 문학 공부를 합니다. 명색 없는 문학 청년입니다."
"절에 있다니 그럼 불교를 좋아하오."
"불교를 믿습니다."
"그럼 도호道號를 뭐라 하오."
"돌 석 자 달 월 자 석월 거사石月居士라고 한때 지어본 적이 있습니다."
이시영 선생이 윗자리에서 말참견을 한다.
"도호를 뭐라고 한답니까."
김구 선생은 이시영 선생을 향하여 좀 큰 목소리로 전한다.
"돌 석 자 달 월 자 석월 거사라고 한답니다."
김구 선생은 계속 묻는다.
"불가佛家에서 말하는 삼매三昧를 혹시 아오."
나는 주제넘게 안달 수도 없어
"제가 어찌 불가의 뜻을 알겠습니까."
했더니, 선생은 빙그레 웃으면서
"거 삼매란 이상도 합디다. 내가 중국에 있었을 땐데 참 이상한 삼매를 봤어요."
나는 얼떨떨하였다. 그저 몇 말씀 드리고 친필 글씨를 받으면 너무나 다행이요, 아니면 곧 물러나와야겠거니 하고 들어갔던 것이다. 그런데 선생은 나와 이야기나 하자는 태도였다.
"○○이란 곳에(지명은 들었으나 중국 발음이어서 기억이 나지 않는다) 여기로 말하면 시장市長 한 분이 있었는데……(이시영 선생을 향하여 좀 큰 목소리로) 그 ○○○시장 말입니다(이름도 들었으나 중국 발음이어서 기억이 나지 않는다). 그 이상한 삼매에 든다는 분 말입니다."

이시영 선생은 머리를 끄덕인다.

"알고 말고요. 우리들과는 가까운 사이였지요."

"내가 가끔 놀러가면, 어느 때는 하인이 나와서 (선생은 중국말로 말씀하시고 나서 번역을 해주셨다) '주인 어른은 삼매에 드셨습니다'고 하는데, 처음엔 그게 무슨 뜻인지를 몰라서 물었더니, 하인이 대답하기를 '우리 주인 어른은 삼매에 드시기만 하면 숨을 쉬지 않습니다. 며칠씩 죽으셨다가도 삼매에서 깨어나야만 숨을 쉬십니다' 그러는 거예요."

여기에 쓴 이야기는 김구 선생의 말씀을 요약한 것이다. 실은 자세히 재미나게 이야기를 하셨다. 나는 귀로 들으면서 김구 선생을 자세히 관찰할 수가 있었다.

선생의 낡은 양복 윗주머니에 꽂힌 만년필은 얼마나 오래 쓰셨는지 뚜껑 부분의 은빛이 벗어져서 노르끄름한 고색古色이었다. 허례 허식이라고는 찾아볼 수 없는 근검 질박한 어른이었다. 코 언저리가 약간 얽고 얼굴빛이 검추레해서 이시영 선생처럼 귀티가 나는 얼굴은 아니지만 뒷부분 목줄기가 철편鐵片처럼 두툼하셔서 인상적이었다. 70 고령이라고는 믿어지지 않을 만큼 건강한 50 남짓의 일가 어른을 뵙는 듯한 느낌마저 들었다. 내가 보기에는 무서운 분, 강직한 분, 죽음을 두려워 않는 분이 아니라, 자상하고 성실하고 평범한 어른이었다.

말쑥하게 양복을 차려 입은 비서인지 시중드는 분인지는 모르겠으나, 젊은이가 시종 나를 싫어하는 눈치였다. 나는 진작 눈치를 알아차렸으나 일어날 기회가 없었다.
"이상한 일도 다 있지요. 그래 그 후 다시 가면 삼매에서 깨어났다며 반가이 맞아주곤 했소. 그런 삼매도 있는지요."
"제가 어찌 알겠습니까. 글씨 한 폭 써주시면 보물로 삼겠습니다."
하고 주머니에서 준비해온 물건들을 내려니까, 김구 선생은 제지하면서
"내가 써서 이 집 주인에게 맡겨두고 떠날 테니 내일 와서 찾아가오. 지필묵은 여기도 있소."
하고 대답하셨다.
젊은이가 참다못했는지 김구 선생께 여쭙는다.
"사람들이 밖에서 기다리는 중입니다."
선생은 말없이 머리만 끄덕인다.
내가 일어서서 절을 하니, 선생은 앉은 그대로 두 손을 짚고 이마가 장판에 닿도록 답례하셨다. 이시영 선생은 약간 허리를 숙여 나에게 답례하고는 엉거주춤 일어서면서
"우리가 만난 것도 또한 인연인가 하오."
하고 말씀하셨다. 나는 "선생님께서도 글씨 한 폭 써주십시오" 청하고 싶었으나 목소리가 나오지를 않아서 그냥 물러나왔다.
장터를 지나 집으로 돌아가는 참이었다.
"김구 선생은 젊은 사람에게 교훈 한마디도 왜 하지 않으셨을까."
하늘을 쳐다봤다. 수많은 별들이 쫙 깔려 있었다. 그제야 나는 온 몸이 오싹하였다.
이튿날, 김구 선생 일행은 마곡사麻谷寺로 떠났다. 나는 동명 여관으로 선생 붓글씨를 찾으러 갔다. 무슨 말씀을 쓰셨을까가 궁금하였

다. 화선지를 받아보니 너무나 눈에 익은 문구였다.

有一物於此先天地而無其始
　丙戌春 金九(印)
　石月居士 正之[9]

내가 한때 애독했던 『금강반야바라밀경金剛般若波羅密經 오가해五家解』 첫머리인 우리 나라 함허* 선사涵虛禪師의 서설序說 중 한 구절이었다. 큰 개성이 넘치는 명필名筆이었다.
그날로 집을 떠나 동학사로 돌아왔다. 그 후로 산방에서 김구 선생 묵향墨香을 간혹 감상한다. 선생은 민족의 괴로움을 병 앓으신 어른이다. 생사일여生死一如를 대오大悟한 사람을 직접 본 것만 같았다. 내가 진실로 얼마나 나약한가를 느끼곤 한다.

*1947. (1)**

* 편집자 주 : 1947년 일기도 일부분을 제외하고는 날짜를 확인할 수 없다. 글쓴이의 의도대로 (1) (2) (3)으로 나누어 싣는다.

간디 옹이 물레를 돌린다. 그러나 물레를 비웃는 사람들이 있었다. 냉소는 할 수 있다. 그 외에 무엇이 있었나.
얼마든지 변하는 가변성이란 것 말이다. 바꾸어 말하자면 자유자재라는 뜻이고 싶다. 그럼 자유자재의 축軸은 무엇인가.

방에 가만히 앉아 있노라면 혼자가 아니었다. 등불 밑에서 귀뚜라미가 돌아다니었다.

서로가 이해해야 한다. 그들은 저들을 잘 알아야 할 것 같다. 약한 사람은 존경하지를 않았다. 약자로부터 멸시를 받는다면 반성해야 할 것이다. 기름이 끝날 때 빛을 구한다면 이미 늦다. 힘이 다른 비극으로 이어지지 않으리라고는 단언할 수가 없다.

인도의 간디와 타고르를 생각한다.
우리는 일찍이 조국을 떠났던 우리 망명객들을 안다. 이해할 힘이 있다면 누가 이해할 힘이 부족한가.

꽃을 해부한다. 해부가 꽃을 만들지는 못했다. 물론 꽃과 해부는 각기 다른 뜻이 있다. 과학이 싸움으로 자멸한다면 폐허와 잔해와 어둠에서도 동쪽 별은 반짝일 것이다.

"모두가 혼음混淫해야 한다"고 자신 있게 주장하는 사람이 있다면 한번 만나보고 싶다. "아비는 자식을, 자식은 아비를 죽이라"고 어떤 목적을 주장하는 사람이 있다면 누가 믿겠는가. 무슨 망측한 생각을 하는가는 별개 문제로 치고 자기 생각에 고민하는 여백마저 있는지가 의심스러웠다.

온화한 얼굴들은 밀려나고 대신 눈들이 살기를 띤 시대가 왔나 보다.
왜정倭政 때였다. 뉴스 영화에서 미국으로 망명한 아인슈타인 박사를 본 적이 있다. 그 동안童顔이 잊혀지지가 않는다. 험악한 풍토風土라도 그런 동안이 유지될 수 있을까.
해방 후였다. 보통학교 운동장에서 미국 뉴스 영화를 보았다. 화면 가득히 군중은 환호성을 지르고 있었다. 그러나 간디 옹은 깊은 산속을 걷는 한 은자隱者의 모습이었다. 영원히 잊혀지지 않을 순간이었다.
내가 직접 뵈온 김구 선생은 무서운 분이 아니라, 자상한 어른이었다.

이론은 필요인 듯하였다. 그러기에 완전 무결한 이론을 못 보았다. 분열하고 있었다. 분열을 실감나게 보았다. 그 원인을 막연하게나마 따져보았다. 이론이란 봄, 여름, 가을, 겨울처럼 변하였다. 과학의 수리數理는 정감情感이 없었다.

인류 역사는 오래됐다고 한다. 그러나 인간성은 한치의 진보도 후퇴도 없었다는 느낌이 든다. 역설力說하려는 것이 아니다. 어떤 직관력에 호소하려는 것이다.

부인하는 공空이 아니라, 용납하는 공이었다. 공이기에 일체가 있었다. 일체가 없다면 공도 없다. 그러기에 일체가 공이었다. 그러므로 공空과 일체가 다 깨닫는다.
발원發願하는 것이 아니었다. 온 산속은 제각기 성장하고 있었다.

재래在來의 불교에 추종하려는 짓이 아니었다. 부처님은 노예를 두지 않았다. 그러므로 경전經典에 맹목적으로 충실하려는 짓은 아니었다. 불佛이 각覺인 한, 중생에겐 신앙이 된다.
석가 당시의 역사적 시대성, 즉 옛 인도의 지리, 풍속과 풍토 조건에서 형성된 전통, 제도, 예술을 다 알 수는 없는 노릇이다. 그런데도 율장律藏을 찬앙讚仰한 나머지, 현대가 그 당시 계율을 그대로 모방하려 든다면 가능할까. 불가능한 일이다. 불가능한 것은 불교가 아니다.
기왕 말이 난 김에 분명히 해야겠다. 모든 종교의 공통된 특색은 이단異端을 미워하는 데 있다. 옳을지라도 그만큼 편협하였다.
따라서 불교는 종교일까 하고 간혹 회의하는 때가 있다. 아리송한 색즉시공色卽是空이니 불이문不二門이니 실상實相이니 하는 것은 접어두고라도 부처님에겐 적이 없었다. 불교는 이단을 두지 않았는데 그러고도 종교일 수 있을까. 그러므로 불교에 관한 한, 말할 수가 있으며 스스로 실천할 수가 있는 것이다. 불교라고 할지라도 불佛이 문제일 뿐 교敎는 필요한 조건에 불과하였다. 중생 제도衆生濟度니 위법망구爲法亡軀가 불교의 전부는 아닐 것이다. 불佛은 사람들의 자기 자신에 있는 것이 아닐까. 그렇다면 세속世俗과 출세속出世俗으로서 따질 필요가 없는 줄로 안다.

좋아하는 이가 있나 하면 싫어하는 이도 있었다. 과학과 음악도 그러할까. 과학과 음악은 다르지만 필요하기는 마찬가지였다. 다 똑같으란 법은 없을 것이다. 그런데도 강요한다면 한 진서珍書에 지나지 않는다. 진서란 한 번은 읽을 만하되 두 번 읽을 것이 못 된다.

상상해보았는가. 싸움과 소모가 어떤 결과를 가져다 줄지 염려스러웠다. 시체들은 산야山野에 가득하다. 승리는 만세를 외칠 힘도 없다. 아이들에게 폐허에서 건설하라며 운명한다. 이런 일이란 사실일지도 모른다. 싸움으로 자멸해서는 안 된다. 가만히 보면 광명은 바로 눈앞에 있는 성싶었다. 아니면 도박인가. 투기성을 못 면하는 것일까. 끝없는 싸움이어야 하는가.

원시 종교란 웃기는 이야기들이었다. 판단은 비바람 부는 날의 경마競馬처럼 엉망진창이었다. 강조는 요행수였다. 지성知性이란 신경쇠약자들이었다. 견성見性이란 사어死語가 된 지 오래 전이었다.

사찰에서 볼 때 사판事判은 이탈離脫하였고 이판理判은 무능하였다. 아직도 도인道人이니 견성 성불見性成佛했다는 사람들이 많아서 우습다. 사람들이 도인을 우상시하기 때문이다. 그래서 견성 성불하였다는 사람들은 권위 유지에 급급하다. 더구나 기성 도인들의 인정(인가印可)에 따라서 남을 존경하거나 스스로 비굴해하는 데 이르러서는 웃어 넘길 수만도 없다. 불상佛像 행세를 하려는 현대식 도인들을 믿는다는 것은 어떤 결핍 때문일 것이다. 무능한 사람들이 도인들을 만들어내고 있다. 그가 도인이면 그가 도인이었지 그 외는 별다른 관계가 없었다. 설혹 어떤 관계가 있대도 도구에 지나지 않았다. 무턱대고 존경할 대상은 아니다.

산속에 있느냐, 세상에 나가느냐가 대단한 문제는 아니었다. 위법망구보다는 세상에 나가서 대기대용大機大用하는 편이 바람직스러웠다.
남들이 이해 않는데, 혼자서 지킨다면 무엇을 지킨단 말인가. 병을 고치기 전에 약이 효능을 잃어가고 있었다.
성립이란 한 쪽의 상실을 뜻할 수도 있었다. 그래서 성실誠實은 고통을 수반하게 마련인가. 아니다. 모든 것은 다 다르기에 모든 생명은 같았다. 모두가 다 다르기에 같은 출발점이었다.
석가불 자신을 위해서는 불교가 필요 없었을 것이다. 그래서 출발과 도착은 동시였다.
교양과 분별이란 쉬운 일이 아니었다. 마음이란 주목할 만한 대상이었다. 알 수 없기 때문이다. 미지未知가 여기서 생겨나니 말이다.

북선은 6할이 민주주의요, 남선은 8할이 공산주의라니, 사실이라면 알다가도 모를 소리다. 둘 중에 하나가 없어진다면 그때 우리 민족은 반수 이상이 맞아죽거나 자살하거나 없어져야 한단 말인가. 알 도리가 없는 일이다.

계절과 화초뿐만 아니라, 광선光線과 물태物態의 작용에 관한 관찰은 그것이 나타나기 이전과 그것이 없어진 이후까지 투시해야 한다.
어린 아기가 방에서 똥오줌을 싼대서 미워하는 사람은 없었다. 사람은 사람을 무서워하였다. 너는 너를 떠나 너를 볼 때 웃기는 자였다.
그러나 아무도 자기 자신을 미워하지는 않았다. 그래도 사람은 사람을 존경할 줄 몰랐다.

서로 다투며 싸우는 한, 누구나 생명을 사랑해야 할 의무가 있다. 우리는 과거 왜정倭政 37년을 겪은 세대들이다. 오늘날 어린이들은 뒷날에 제 집에다 화초를 제 손으로 기를 것이다.
개성은 다 다르지만 그 가치는 다르지 않았다. 그러나 신을 외경畏敬하면 정서情緖에 냉담하였다.

불상 행세를 해서는 안 된다. 부처님이란 우리들 자신을 버리는 일이 아니었다.

1947. (2)

설상가상雪上加霜이란 말이 있듯이 인격과 오만은 같지 않았다. 오만은 수단이었다.
전지전능한 신도 어쩌지 못하는 불행이 허다하였다. 그러고서야 전지전능이란 말이 성립되지 않았다. 그럼 신의 전지전능이란 심판을 뜻하는가. 물론 한대寒帶 식물과 열대熱帶 식물은 다르다.
우주란 지구를 포함해서 하는 말이며 자아란 자기를 벗어나서 자신自身을 말하는 듯싶었다.

그녀는 해마다 베를 짰다. 놀러 온 친구가 좀 짜주겠다면서 반나절을 짰다. 점심밥을 먹으면서 친구는 말한다.
"아이, 그것, 어디 짜겠으라우. 현기증이 나고 골머리가 아파서."
아랫목에서 마님은 대답한다.
"그럴 때는 쉬어야지."
해마다 베 짜는 여자의 대답은 다르다.
"그렇다고 쉬면 일 년 가도 베 한치 못 짜게요. 눈에서 별이 쏟아져도 짜야지, 그러지 않으면 어디 되나요."
글을 쓰는 것도 그런가 보다. 뜻대로 안 되는 글을 생각하면 쓸 수가 없었다. 몸과 마음을 피로하게 하는 그 맛에 쓴다고나 할까. 글을 쓰면 세월 가는 줄을 모르겠다.

시나 소설이 비판 문학의 영향을 배제하지는 못했다. 그러나 비판적 태도로 읽었기 때문에 작품을 제대로 못 보는 수가 있었다. 어처구니없는 일이라 하겠다.

시체는 아무것도 모른다. 산 사람에게만 충격적이다. 예나 이제나 시체를 위해서는 좋은 재료를 쓴다. 수의도 널도 상여도 유택幽宅을 정하는 데도 정성을 다한다. 부귀富貴하는 집이면 더 말할 나위 없지만, 가난한 귀족들도 썩어가는 시체를 위해서는 좀더 좋은 재료를 못 써서 한을 한다. 쓸데없는 짓인 줄 알면서 낭비를 한다. 그런 아름다운 재료란 시체에 대한 예의에 지나지 않는다.
그런 아름다움이란 일반이 찾아야 할 아름다움은 아니다. 이와 마찬가지로 자칫하면 시인이 시를 쓰는 것이 아니라, 시가 시인을 부리게 된다. 그 지경이 되면 시는 귀신이 되고, 시인은 귀신에게 홀린 산송장이 된다. 그 귀신이 산송장에게 자꾸 아름다운 장식을 해준다. 시인이 송장을 위한 아름다움만 남긴다면 결코 바람직한 일이 못 된다. 인생을 위한다는 것은 자신을 위해서 남을 위한다는 뜻인 듯싶다. 만약 건전한 판단대로 행동할 수만 있다면 하고 생각해본다. 순수가 무엇인지 궁금해서 하는 말이다.

위기를 조장하는 물질이 어떤 정신에 의해서 구원받는다면 좋겠다. 승리란 정복이 아니었다. 행복과 평화를 실현시키는 일이었다. 우리는 아직도 행복과 평화를 창조해야 할 고민에 싸였다. 비극은 늘 반대면을 생각하게끔 마련이었다.

그가 모든 사상의 비조鼻祖들의 망령을 순방巡訪했을 때였다.
"나는 저 세상 사람들에게 살아갈 길을 가르쳐주고 왔었지. 그래, 저 세상은 내게 매우 감사하고들 있을 거야."
다들 똑같은 말버릇이었다. 그래서 그는 다른 망령들에게 대답한 대로 같은 대답을 하였다.
"천만에 말씀입니다. 그런 과대 망상을랑 맙시오. 덕분에 저 세상은 혼란과 싸움으로 살아갈 길을 잃어가고 있습니다."

어떤 작품이건 다소간에 가치는 있었다.
우리가 모르는 말을 쓰지 않았기 때문이다.
과학을 높이 평가하였다. 그러나 사람들은 동정해야만 했다. 지나치게 피로하면 눈에서 불똥이 날았다. 그 불똥들을 탐미하려는가. 물질과 대결해야 했다. 그런데 서로들 싸움만 늘었다.
욕망은 한이 없었다. 욕망은 생명력이었다. 그러나 무엇에고 한계가 있었다. 그래서 욕망도 여러 가지로 바뀌었다.
매질과 복종이 있었다. 그러다가 오만과 아첨으로 변했다. 결국은 그 이상도 이하도 아니었다.
과학이 전쟁을 위해서 발달한다면 파괴와 건설은 언제나 있을 것이다. 과학자를 존경하지만 살생殺生을 존경하는 자는 없었다.
일체를 긍정하거나 부정할 수는 없는 일이었다. 그럴수록 '깨닫는다' 는 말이 새삼 생각나고는 했다.

물질 문명이 상당한 대가를 요한대서 탄식할 것은 없었다. 그 사용 목적이 문제였다. 방화放火냐 방화防火냐의 차이였다. 남의 콧구멍에 물을 붓지는 말아야 했다. 행복은 판단에서 온다기보다도 행복을 규제하지 않는 편이 나았다.
도시 사람들은 어떠할까. 정직만으로 살아가기는 점점 어려울 것이다. 각종 사기, 협잡, 부정, 폭력, 공갈이 들끓을 것이다. 남의 일이 아니니 미워할 수만도 없을 것이다.
자성自性을 찾아야만 했다. 무엇이 되건 간에 바람직스런 결과는 아니었다. 자성이란 자각이 아닌가 싶었다. 자주 독립이란 말만이 빛났다.

석가가 오늘날에 있으시다면 『대장경大藏經』을 고대로 되풀이해서 설說하지는 않을 것이다. 병에 따라서 약을 주는 방편은 무한히 많았다. 석가가 오늘날에 계시다면 무슨 말씀으로써 우리의 고통을 치료할까.
고아원, 양로원, 병원, 과수원, 농원, 산림업, 요양소, 묘종원苗種園, 명산승지名山勝地의 안내, 약재 또는 화초 재배, 갖가지 교양 지도 등, 사찰에서 할 수 있는 일은 얼마든지 있을 것이다. 가만히 있는 것만이 공부가 아니었다.
대립에 염증이 났을 경우에는 새로운 방법을 찾아야 했다. 그것이 또 염증을 유발하면 다시 대립에 불과하였다. 무한에서 무한성을 찾을 수는 없었다. 차라리 생, 노, 병, 사에서 무한을 보아야 했다. 망각이 아니기 때문이었다. 존재가 절대이듯이 한 개의 목숨도 그러하였다.

신념은 남을 비난하지 않았다. 아무리 문학광일지라도 온 세상 사람이 다 문인이 되기를 바라지는 않았을 것이다. 그래서 문학을 할 수가 있는 것이다. 그러기에 어떤 목적에서 읽을 때와 아무 생각 없이 읽을 때의 감동은 사뭇 달랐다. 비평과 비난을 혼동해서는 안 된다는 이유가 여기에 있다. 말하자면 비난과 비평을 미리 설정하지 말아야 했다.

공부가 부귀 영화의 수단은 아니었다. 공부가 성공과 직결되는 줄로 착각하는 사람들이 있다.

불법佛法을 비난하는 사람들이 있었다. 불법을 자기 마음대로 규정한 때문이 아닐까. 불교는 당시 중생들을 위해서 무수한 방편을 설하였다. 옛 방편들을 현대적으로 따지면 불법을 오해하기가 첩경이었다.

옛사람들은 우상을 숭배하였다. 요즘은 위인偉人들 초상 사진을 파는 데가 있다. 그런가 하면 자기 사진을 액에 넣어 방에 걸어두는 사람도 있다. 우상은 사진이 없었던 시대에 생겨난 것이다.

전통은 무너지고 남의 찌꺼기를 답습하려 든다. 속력은 폭발로 치닫는다. 흐르지 않는 물은 썩기 시작하였다. 그럴수록 참신한 정신이 싹트기에는 유리한 때였다. 밤에서 먼동이 트듯이 말이다.

바늘구멍 사이로 보이는 하늘을
나는 비행기,
해는 산 너머로 들어간다.

정지도 동작도 아니었다. 스스로를 깨닫는 시간이었다. 후회하지 않으며, 괴로워하지 않으며, 두려워하지 않는다면, 그것은 도대체 무엇일까.

계곡은 살계장殺鷄場이었다. 소란을 피우더니 싸움이 벌어졌다.
잠을 깨자, 밤비가 오나 했다. 옆방 손님들이 마루에 서서 오줌을 깔기는 소리였다. 산속 옛 절에도 해방은 왔나 보다. 잃었던 그릇이 두 조각이 나서 돌아온 것처럼 말이다.
누구나 외출할 때는 잘 차려 입으려 한다. 남에게 잘 보이고 싶기는, 모욕에 민감하듯이, 피차가 마찬가지이다. 그런데 산속을 찾아온 손님들은 곧잘 추태를 부린다. 활발하고 명랑한 것은 좋다. 양복을 잘 차려 입은 신사들이 나무를 함부로 꺾는다. 돌을 마구 계곡에 던진다. 채소밭을 짓밟는다.

신도안新都案에는 한문 서당이 있는데 머리를 땋아 내리거나 상투를 쪄야만 글을 배울 수 있다는 것이다. 그들은 기차나 자동차를 타는 일이 없는지 궁금하다.
어떤 이는 불교를 적멸지도寂滅之道라고 하였다. 적멸과 활동이 깨달음을 막지는 못할 것이다.

새들은 의, 식, 주에 대한 걱정이 없으니 그럼 사람보다도 현명한가. 사람이기 때문에 새가 될 수는 없다. 새가 되지 못한 것을 탄식하는 사람은 없었다. 누가 살고 죽는 것을 모른다더냐. 그러기에 자살하거나 살생하지는 않았다. 평등에는 차이(개성)가 있지만 차별에서는 평등이 없었다.
큰 공로는 큰 비극이었다. 모든 전쟁이 그러하였다. 공로와 비극이

동시 형성임을 보았다면 새로운 정정訂正이 있어야 할 것이다.

내가 그가 될 수는 없다. 왜냐하면 각기 처지가 다르기 때문이었다. 처지나 전통을 벗어나기란 어려운 일이다. 우리들은 우리들을 알아야 했다.
눈물은 천하기만 했다. 자기를 위해서가 아닌, 비록 남을 위한 울음일지라도…… 살[肉]과 흙은 다르기에 공통된 점이 있다.

죽이지도 살리지도 못한 딱한 사정들이 있었다. 감정은 계속 신호하였다. 그대로가 다 행동일 수는 없었다. 그렇다면 이럴 수도 저럴 수도 없는 노릇이 아닌가.
친일파를 욕하는 사람들이 있다. 살기 위해서 오죽하고야 그랬을까. 그러고 보면 어느 정도까지가 친일파인지 잘 모르겠다. 37년간이 그처럼 사무치도록 아팠다면 해방 후의 태도들이 그러하지는 않았을 것이다.

깨달음은 누구에게나 있다. 그러나 창조는 개인이 한다. 개인을 제외하고서 누가 있는 것은 아니다.
지혜는 물질의 노예인가. 총명은 싸움인가. 옛말인 운명은 무장武裝을 뜻하는가. 기계화한 목숨이 구분을 지었다. 양계장養鷄場과 양토장養兎場을 보는 느낌이었다.
소성所成과 극치極致란 이상하기만 하였다.
소성은 각기 다르지만 극치에 이르러서는 동일하였다. 그러므로 어떤 방법으로든지 창조해야 한다. 그러므로 독특이란 감탄할 일이었다. 방법은 자유지만 극치는 다 생명이 있었다.

김생金生•, 안평대군安平大君•, 양봉래楊蓬萊•, 한석봉韓石峯•, 허미수許眉叟•, 이창암李蒼巖•, 김완당金阮堂•, 조눌인曺訥人• 글씨는 각기 다른 창조였다. 제각기 개성이 뚜렷해서 서로가 극치를 보여준다. 생명이란 참으로 다양하다는 느낌이 든다.

이를테면 김생의 백월비白月碑는 고건古健한 깃발이 철벽鐵壁에서 나부낀다.

안평대군의 몽유도원기夢遊桃源記는 인간 세상이 아닌 천상天上 선궁仙宮의 글씨인 듯하다.

양봉래가 쓴 蓬萊楓嶽 元化洞天[10]은 누가 퉁수소리를 희롱하면서 추는 춤인가.

한석봉의 해楷는 신라 곡옥曲玉처럼 건전하고 아담한 이 나라 고유미固有美의 다른 일면을 보여준다.

허미수의 전篆은 고등古藤이 둥근 달에 뒤엉키어 생동한다.

김완당은 격외선格外禪처럼 변화 무궁해서 한마디로 말할 수가 없다.

이창암 글씨인 동학사 목각 현판은 초중량급이다.

조눌인은 대단히 도저倒底하다.

소위 글씨를 잘 쓴다는 달필達筆, 능필能筆, 숙필熟筆 따위는 얼마든지 있다. 독특한 개성이 극치를 이룬 명필은 귀중한 것이다. 서도書道란 예술성을 뜻한다.

귀중한 명필은 단간 영묵斷簡零墨일지라도 원촌대原寸大로 영인影印해서 널리 전해야 한다. 그 실재實在 수효를 모르면 없어져도 알 수가 없기 때문이다.

1947.(3)

자기 자신을 속이지 않았다면 인조人造 인간주의였단 말인가.
약간만 충격을 받아도 눈물이 났다. 참으로 천한 버릇이었다. 그래서 평소엔 더욱 냉정한 표정이 됐다.
물질 외에는 아무것도 없는 사람, 과연 그런 사람이 있을 수 있을까.

구 · 미는 그들에게 없는 것을 동양에서 발견할 때가 있을 것이다. 그때를 위해서 준비를 해야 할 텐데…… 비평과 필요 사이엔 무엇이 있어야 하나. 그 무엇은 어떤 정형이 아닐 것이다. 섭화攝化와 강요가 본시 다르듯이 말이다.

한 가지 꽃을 찬탄하지만 화원은 한 가지 식물만으로는 아름다울 수가 없었다. 갖가지 꽃이 핀 화원이 좋을 것이다. 병든 꽃이 애처러울 따름이다.
사람은 물질이 아니었다. 물질은 그것일 수 있지만 생각처럼 모든 것일 수는 없었다. 결과는 새로운 시작을 유발하였다. 어떤 과학보다도 훌륭한 인간을 어느 정도로 기계화할 수 있을까. 그건 발동하지만 너는 생각한다. 물질 문명의 영향력을 아는 정도로 정신은 향상도 진보도 아니었다. 어느 시대에도 자각은 있었다. 있을 것이다.

누구나 두 눈으로 사실을 본다. 거부하는 자유는 하고 싶다는 자유였다. 그 외는 상실된 권속들이었다.

불법佛法으로써 불佛을 알 수 있을지 글쎄 미심쩍은 일이었다.

목이 마르지 않아도 물 생각이 나면 마신다. 목이 마를수록 마시지 않아야만 고행인가. 아니다. 자학이었다. 지난 37년 동안의 모든 소원은 자주 독립이었다. 그런데 신탁 통치를 지지하는 일은 아무리 이해하려도 알 수가 없었다. 5월 5일날 읍내에서는 반탁 시위 행렬이 있었다. 일반 참가는 1백 명 미만이었다. 해방된 민족으로서는 믿어지지가 않는 일이었다.

유교의 계급적 예법에 하 질려서인지 예절이 없어졌다. 예의란 말도 쓰지 않는다. 외어外語가 된 것이다. 그대신 신사적이란 말을 흔히들 쓴다.

정신과 육체는 다르다. 하지만 반드시 그렇지도 않았다. 나라가 없는 백성이 어떤가는 겪을 대로 겪었다. 그러니 개인이 바로 국가였다. 누구나 국가에 대한 본능이란 것이 있기에 말이다. 병이 들면 정신과 육체가 동시에 아팠다. 아픔은 다르지가 않았다.
어떻게 하는 것이 좋은가는 어려운 문제가 아니었다. 상식적인 것이었다.
남을 위해서 자기 자신을 버릴 수는 없다. 자각함으로써 협력하는 일이었다.
무력 앞에 약한 나라는 어쩔 도리가 없었는가. 정신만으론 어느 정도로 버틸 수 있었는가. 예수는 십자가에서 죽어야만 했는가. 그래서 인류는 그를 숭배해야만 했는가. 위기에 직면하였다. 야수적野獸的인 구렁에 빠진 것이다. 독한 술을 받아 마시며 음악에 맞추어 춤을 추면서 자기 자신을 잃어갔다.

2년 만에 어머님이 동학에를 오셨다. 어제 여운형呂運亨• · 안재홍安在鴻•이 암살됐다는 소문이다.

작품을 쓰는 일이 갈수록 어려움을 느낀다면 결국은 어찌 될까. 어렵다는 뜻부터 밝혀야겠다. 비난을 받아들이는 일이다. 웃음거리가 될지도 모르는 것이다. 독자가 없어도 좋다는 뜻이다. 자기 자신을 위한 글이 남에게 보다 유익할 수도 있다. 성공의 기준을 몰라서 하는 소리이다.

정열이 작업을 방해했다. 많은 낭비를 하였다. 모순의 함정에 빠져서 고생을 했다. 근기根氣가 일상화해야겠다. 정열은 속이기를 잘하였다. 어떤 정열은 계기도 지혜도 마련해주지 않았다. 정열이 좋은 경험이었다면 나를 괴롭혔다는 정도일 것이다.

붓글씨는 쓴 이의 마음씨가 잘 나타나는 예술이다. 붓글씨를 써서는 마음의 기복을 진단한다. 그러나 나의 붓글씨는 의욕에 비해서 유치하였다.
유년 시절을 생각하니 아득한 옛날만 같다. 그 당시 사찰들의 목각현판은 나를 매료하였다. 혹 흉내도 내고 쓰기도 하였다. 그러나 두 번째로 금강산에 갔을 때도 목각 현판 '花落有實 月去無痕' 추사 글씨가 어째서 명필인지는 알 도리가 없었다. 설석우薛石友 노장님이 즐겨 임서臨書하는 안진경 쟁좌위爭座位가 어째서 절찬을 받는지 알 도리가 없었다. 일우一愚 수좌를 따라다니며 화룡담火龍潭에도 가서 붓글씨를 익혔다. 솥 밑바닥 검정을 물에 풀어서 깡통에 담아

다녔는데, 칡을 짓찧어서 만든 대필大筆로 반석에 맘껏 써댔다. 일우 수좌의 설명에 의하면 그러는 것을 석필石筆이라고 하는데, 석필로 글씨를 익혀야만 득력得力한다는 것이었다. 먹 대신 솥바닥 검정을 풀어서 쓰기 때문에 물을 뿌리면 글씨는 잘 씻겨 사라져서 반석은 전처럼 깨끗해진다. 무더운 한낮에 반석에서 석필했던 당시를 생각하면 아득하기가 꿈만 같았다.

그 당시처럼 나는 밀짚모자를 쓰고 무더운 한낮이면 삼은각三隱閣 앞에 쓰러져 있는 비석에다 붓글씨를 연습한다. 삼은각 비碑를 세울 작정으로 마련했는데 왜倭가 허락하지를 않아서 글도 없이 그대로 누워 있다는 비석이다. 붓으로 찍어서 세숫대야의 물을 쓰건만, 오석烏石은 결이 고와서 자획이 분명히 나타난다. 햇빛이 강해서 금세 마르기 때문에 얼마든지 계속 쓸 수가 있다. 그러나 써놓고 보면 욕교반졸欲巧反拙이다. 대자연아 나는 어쩌면 좋으냐.

누가 그린 그림인지 모르나 매월당梅月堂• 김시습金時習 초상화에 김수증金壽增•이 예서로 찬讚을 쓴 옛 소폭 족자가 있었다. 간혹 내 방에 걸어두고 보다가는 사중에 도로 갖다두고는 했다. 별당 골방을 샅샅이 뒤져봤으나 그 족자가 없다. 누가 먹어간 것일까. 진작 임모臨摸해서 두지 못했던 것이 후회였다.

그래서 대청 마루 진영각眞影閣에 걸려 있는 완당 선생 친필, 두 족자를 뵈러 갔다. 그대로 걸려 있기에 공손히 물러나왔다.

(들은 바에 의하면 옛날에 만화萬化 스님이 금강산에서 동학사로 왔을 때 가지고 온 두 족자라 한다. 대필大筆 '虎峰' 은 글씨가 상형적象形的이며 만력천기萬力千氣로서 기품이 맑다. 방서傍書인 '차嗟

노호老虎 해인권속海印眷屬'은 전문全文이 아니라고 한다. 도둑이 붓글씨만 도려내어 훔쳐간 적이 있었는데, 경찰이 되찾았을 때는, 방서傍書 아랫부분 글씨가 없어졌더라는 것이다. '老果作 三十年後書'[11]로 끝나는데 도장은 찍혀 있지가 않다. 족자를 볼 때마다 마하연에 있는 호봉• 대사虎峰大師 붓글씨 열여덟 권『화엄경華嚴經』이 자연 생각나서 옷깃을 여미고는 했다.

또 하나의 족자는 대필 '용암대선사龍巖大禪師' 인데 방서는 '以慈悲觀 說不二門 其福德 如四方空'[12]으로서, 나의 기억이 정확하다면, 그 다음은 '舍利一粒 萬二千峰'[13]이었을 것이다. 왜냐하면 '舍利一粒 萬二千峰'은 당시 나의 애송구였다. 끝은 아마도 '老果幷題'가 아니었던가 싶다. 두 족자는 글도 뛰어나며 글씨체도 각각 달라서 늘 완당 선생을 존경하게끔 하였다.)

울적해서 방에 돌아와 초월初月 백동조白東照 스님(독립 지사로서 사형을 당하셨다고 한다)이 그린 난초 두 폭을 내어 감상하였다.

(미타암彌陀庵 방 벽 도배지에 묵화 비슷한 것이 내비치기로 칼로 도려내어 물에 불려 도배지를 벗겼더니 바로 백초월 스님 난초였다. 또 한 폭은 쌀 넣는 채독에 된풀로 바른 난초 폭이었기에 뜯겨나간 데가 많아 부분 화畵라고나 할까.)

견성암見性庵 승수좌님이 미타암을 다녀가거나 미타암 승수좌님이 가거나 하면 만공滿空 스님은 "그 머리 긴 사람(소문으로만 듣고서 나를 표현한 말)이 지금도 동학에 잘 있느냐" 고 물으셨다는 것이다. 만공 스님도 나를 한번 보고 싶어하셨던 것 같다. 나 역시 한번 뵈오려 했다. 두斗 형이 갔을 때는, 내가 사정이 있어 동행을 못했다. 이

인정李仁貞 노장님이 주신 가사, 장삼을 가지고 거사계居士戒나 받아볼 생각으로 떠났으나 장맛비에 교통이 두절됐대서 되돌아온 적도 있었다. 결국 인연이 없었던가 보다. 만공 스님이 열반하셨다는 소식이 사중에 왔다. 별반 마음이 내키지 않았던 거사계인 만큼 앞으로도 받지 않기로 파의했다. 아무래도 계를 지킬 자신이 없기 때문이다.
견성암에서 온 종현宗玄, 명순明順 두 승수좌님은
"만공 큰스님께서 김선생님 소식을 우리에게도 물으신 일이 있으시답니다" 며 지난날을 말한다. 소문으로만 익히 듣던 만공 스님은 어떤 분이셨을까.

변화는 영원하였다. 불변이 변화를 모를 리 없었다. 그래서 나를 믿기가 어려웠다.

누가 석가의 인생을 시로 써본댔자, 『대장경』이 있는 한 무슨 소용이 있겠는가.
법명法明 수좌가 신도안新都案에서 어떤 사람을 데리고 왔다. 서울에서 불교 서적만 전문으로 파는 사람이라는 것이다. 그는 불교에 관한 책이면 중국 책이건 일본 책이건 무엇이든지 구해주겠다며 장담하였다. 믿어지지가 않아서, 있는 책도 다 읽지 못했노라고 거절했다.

외세인 청국과 일본 관계, 내세인 민비閔妃와 대원군大院君 관계—그 당시를 상상해본다. 오늘날이 그 당시와 무슨 관계가 있대서 이런 생각을 하나.

경비대, 대동 청년단, 민족 청년단, 서북 청년단 간에도 알력이 심하다고 들었다.

불행과 불만을 말하려는 것은 아니다. 불행과 불만에서 내빼면 내빼질까.

민족을 위한 나라였다. 싸움을 위한 해방이었다.

악해서 그러는 것은 아니었다. 그럴 수밖에 없도록 세상이 돌아가는 데야 어떻게 하나.

제발 비극으로는 끝나지 말았으면 싶다.

모두가 자유를 외칠 뿐, 자유를 얻으려고는 않았다.

1947. 12. 30.

7년 만에 타는 기차였다. 그나마 연착이어서 오후 4시 대전을 출발 영남으로 향하였다. 밤 11시쯤 삼랑진三浪津에 도착했는데 기차 안에서 본 바는 일구난설一口難說이다.

삼랑진에는 웬 나그네들이 그리 많은지, 겨우 주막집 같은 데를 찾아 들어가서, 막 잠이 들려는 참이었다. 한 떼의 손님들이 들이닥치더니 버릇없이 내 몸을 막 넘어 들어선다. 그들의 대화를 들으니, 뒤쫓아 내려온 급행 열차에서 내린 승객들이었다. 자는 체하면서 귀로는 들었다.

"보아하니 학생 같은데 어데로 가는 도중인가."

노인의 목소리였다.

어딘지 절[寺]로 간다는 대답이었다. 노인은 계속 묻는다. 젊은 목소리는 집이 바로 절이며 아버지가 스님이란 것과 정치과에 재학 중이라는 대답이었다.

"그럼 동국대학 불교과를 다녀야지, 정치과는 해서 무엇을 하려나. 아는지 모르겠네만, 일본 불교학자 고남高楠이가 교감校勘했다는 『신수新修 대정대장경大正大藏經』을 보면 잘못된 데가 더러 있어. 앞으로 우리 나라에서 그런 잘못을 바로잡아도 주고, 또 우리 나라 불교를 위해서 해야 할 일이 어디 하나둘뿐인가."

마치 천둥 같은 소리였다. 귀가 번쩍하였다. 고남이를 책망할 정도라면 보통 어른이 아니었다. 나는 일어나 공손히 물었다.

"선생님 존함이 누구십니까."

노인은 검은 두루마기에 옥색 토시를 끼고 옥색 대님을 맨 어른이었다.

"난 이름을 내세울 만한 사람이 못 되오…… 글쎄 자넨 가만있게."

노인은 제지하는데 비서 비슷한 젊은 사람이 일러준다.

"국학대학國學大學 학장님이십니다."

정인보鄭寅普• 선생님이었다. 누가 노루 피를 먹으러 오래서 마산으로 가는 도중이라고 하셨다.

선생은 초면인데도 나에게 일일이 대답하고 일일이 일러주었다. 나그네들은 다 잠이 들었다. 삼랑진 달빛은 추웠다. 나중에는 주막 뜨락을 거닐면서 선생의 말씀을 들었다. 선생은 구담口談이 좋으신데다 때로는 해학적이었다.

들은 바를 몇 가지만 적어둔다.

"나 보기에는 장석상張石霜 화상和尙과 조만식曺晩植• 장로가 성격상 비슷한 데가 있습니다."

"언젠가 도산島山 선생과 조만식 장로와 함께 기자림箕子林을 산보하는데, 도산 선생이 앞서가는 조만식 장로를 가리키며 '조선생은 조선의 주인이오' 합디다. 그래 '어째서 조선생이 조선의 주인이냐' 고 물었더니 '조선을 자기 일로 생각하는 사람이면 다 조선의 주인이 아니겠소' 합디다."

"도산 선생이 대학 병원에 있을 때였소. 문병갔더니 선생은 '내가 산삼을 먹으면 살 것 같소' 그럽디다."

"단재丹齋(신채호申采浩)는 천재였지요. 대담무쌍한데다 천성이 하 괴팍해서 아무도 그 성미만은 못 맞췄어요. 다분히 승려가 될 사람이었다고나 할까요."

나는 선생에게 여쭈었다.

"제가 시골에서 듣기로는, 선생님이 상해에 계셨을 때 책집에서 진종일 이 책 저 책 뽑아 보는데, 그냥 책장을 술술 넘기기만 하셨다고 합디다. 선생님이 책집을 나올 때, 책집 주인이 '무엇을 찾으려 책갈피만 넘겼느냐' 고 묻자 '책을 읽은 것뿐이라' 고 대답하셨다면서요. 책집 주인이 그 중 한 권을 펴서 한 대목을 묻자, 선생은 그 다음을 줄줄 외우셨다는데, 그게 사실입니까."

정인보 선생은 웃으면서

"그런 거짓말이 어디 있소. 그건 귀신이나 할 짓이지, 사람이 할 짓은 못 되오" 하고는 계속 말하였다.

"송재誦才가 대단한 사람을 더러 보기는 했지만, 난 진진응陳震應• 화상和尙만한 이를 못 보았소. 어떻든 한 번 보면 다 외웠으니까요."

"호암湖岩•이야 온유溫柔한 사람이었지요."

어쩌다 인도의 타고르에 관한 이야기가 났다. 선생은 "타고르는 그다지 위대한 인물이 못 되오. 첫째 조국애가 부족한 사람이었소" 하기에 나는 내 나름대로의 의견을 말씀드렸다.
"한암漢岩* 화상이 왜정 때 종정宗正을 지낸 것은 매우 유감스런 일이오."
"석전石顚* 화상이 입적하는 날이면 우리 나라 불교의 교종敎宗은 맥이 끊어질 테니 탈이오."
"백범白凡 선생은 다른 분들과는 다르오. 무서운 어른이지요."
정인보 선생은 시종 나라 사랑에 중점을 두어 말씀하였다.

1947. 12. 31.

들어닿는 길로 냇물을 건너 산정山亭으로 올라갔다. 겨울 연못은 쓸쓸하기만 하였다. 별당別堂에 들어가서 큰아버님께 큰절을 했더니,
"너희들이 천릿길을 편안히 오르내리니 그게 뉘 덕인 줄 아나. 다 조상님들 덕분인 줄 알아야 한다."
며 여러 가지로 나를 훈계하셨다.
큰아버님을 뵈오니 아버님 생각이 저절로 났다. 큰아버님 얼굴이 검고 보다 남성적이라면 바로 아버님 얼굴인 것이다. 해는 짧은데다 늦게 도착해서 어느새 저녁이다.
덕연정德淵亭에서 잠시 쉬다가 "내일 오겠습니다" 하고 큰아버님께 여쭌 다음 물러나와 동산 집으로 갔다.
언제 기별이 갔던지 동산 집에서는 내가 온 줄 알고 있었다. 친애 종형從兄이 맞이하며 여러 가지로 묻는다. 큰어머님을 뵈오러 안으로 들어가기 전에, 우선 종형수씨가 어떤 분인지 궁금했다. 소문으로만 종형수씨에 관한 칭찬을 많이 들었기 때문에 어서 보고 싶었던 것이다.

안마당으로 들어섰을 때였다. 기다렸다는 듯이 큰방 문이 열리면서 여인 한 분이 대청으로 썩 나선다. 보니 얼굴은 웃음으로 가득 차 있었다. 급히 마당으로 내려서서 다가오며

"먼 길 오시느라고 얼마나 수고하셨습니꺼. 참 반갑습니더."

하고 나를 맞이한다.

"이제야 뵙게 됐습니더."

하고 나도 반가이 입 인사부터 하였다.

착하신 큰어머님은 많이 늙으셨으나 안색이 좋으셨다. 들어와서 나에게도 절들을 하는데, 모를 얼굴들이 더러 있었다. 그 동안에 장성한 사람들과 새로 태어난 아이들이라고 한다. 주안상은 빛깔부터가 먹음직스러웠다. 종형과 대작을 하는데, 술맛도 준하려니와, 대구알젓, 대구 내장 김치, 전과煎菓에 강밥하며 종형수씨 솜씨가 과연 듣던 소문 그대로였다. 종형수씨는 시어머님과 남편을 모시고 앉아 심심하지 않도록 나에게 말을 거는데, 내용이 심각하지 않은데다 품위가 있어서 대견하였다. 전문 학교 교육을 받은 신여성이라고 다 저럴 수 있을까.

1948. 1. 1.

동산에서 조반 먹고 산정에 가서 큰아버님께 문안을 드렸다. 곧 종형을 따라 바로 곁 치미산雉尾山 할아버님 산소에 성묘했다. 할아버님 장사 때 오고는 처음이니 몇 해 만인지 모르겠다. 내려오는 김에 바로 밑 숙구지宿龜池에 들렀다. 평생 술을 좋아하고 한때 동양화도 그렸던 오들 아재는 세상을 떠나서 없었다. 오들 아지매는 외로워 보였다. 점심 지을 테니 먹고 가라는 것을 담배 한 대 피우고는 뒷날

로 미루고 나왔다.
덕기 아재가 보낸 사람이 아침에 와서 "오늘 점심은 집에 와서 잡수시라 카십디더" 하는 전갈을 받았기 때문이다. 덕기 아재는 나보다 나이가 밑인 아저씨뻘인데 그새 장가를 들어서 분가해 있었다. 전에는 서로가 반말질하던 사이였으나 나는 새로 인사하게 된 아지매 체면을 봐서도 덕기 아재에게 존칭을 써야만 했다.

1948. 1. 2.

산정을 다녀 나오는 길로 무봉산舞鳳山 기슭 새터로 내려왔다. 새터는 아버님 어머님이 사셨던 우리 집이다. 내가 태어난 집은 아니지만 보잘것없는 초가草家이다.
우리 집 옆이 바로 큰집인데, 옛날은 어떠했는지 모르겠으나, 고래등 같은 기와집이 들어서 있다. 지금 큰아버님은 산정에서 거처하시며 식구들은 동산집에서 산다. 그래서 새터 기와집은 아랫것들이 지키기 때문에 가위 빈 집이라고 한다.
할아버님 장사 때였다. 원근 일가 친척과 인아 간이 다 모였다. 나병 환자들이 모여들어 앞산에 막幕을 치고 음식을 얻어다가 먹는 광경을 본 것도 그때가 처음이었다. 새터 우리 집에서 나는 난생 처음으로 어머님과 구평 고모님 사이에서 자게 됐었다. 그날 밤 교동 할머님은
"늬 이바구 잘 한다매, 하나 해라."
하고 조르시기에 하나 했더니 모두가 재미있다면서
"밤 이바구는 세 자루를 해야지 한 자루는 않는 법이란다."
고 해서, 나는 옛이야기를 세 가지나 했었다.

이제 와서 보니 그때가 옛이야기 같다. 새터 우리 집도, 옆 큰집은 아직 보지 않았으나, 역시 아랫것들이 지키며 살고 있다. 평소에 사랑채 방문은 자물쇠로 잠겨 있다는 것이다. 그러나 겉문은 열려 있었고 섬돌에 신발도 있었다. 내가 왔대서 군불을 때었을 뿐만 아니라 부체골 안남식安南植이가 내려와서 있었다.

오늘부터는 거처와 잠자리를, 이제는 식구가 없는 새터 옛 우리 집에서 하기로 하였다.

1948. 1. 3.

연동에 가서 무꼴 할매와 무꼴 아재 내외에게 인사를 했다. 무꼴 아재는 슬하에 딸 하나를 두었을 뿐 아들이 없어서 집 안은 적막해 보였다. 아버님 고향이라고 찾아왔으나 잘살면 잘사는 대로 못살면 못사는 대로, 걱정 없는 집이 없나 보다.

저녁 무렵 연동에서 돌아오다가 장터에서 안남식이를 만났다. 입맛에 맞을 찬이 없어서 혹 찬거리가 있나 하고 나왔다는 것이다.

오금들 논두렁길을 걸어가는데, 저편에서 오는 사람이 갑자기 옆 논두렁길로 가버린다.

"저것 보이소. 우리를 보고 피해가는 기구마."

"왜 누군데?

"누가 뭡니까. 전에 부리던 기지요. 해방 후론 허리 숙여 인사 드리는 기 위사시럽대서(창피하대서) 저리 외면들을 한다오. 세상은 변했지요."

"전에 잘해줬으면 설마 저랄까."

하고 나는 웃었다

새터 쪽으로 돌아들며 몇 집 동네를 지나는데, 찌들어든 집 안에서 늙은 여인이 쫓아나오더니 허둥지둥 내게로 달려든다.

"아이고, 절에되렴 아니십니꺼."

하며 반색을 한다. 총각인 나는 택호宅號가 없어서 어디서나 절[寺]에 도련님으로 불리는 처지이다.

"누고 난 모르겄는데……"

"판순이 아닙니꺼."

하며 계면쩍스레 웃는다. 판순이라면 영천永川 살 때 어린 나를 늘 업어주던 여종이었다. 무엇이 치미는 듯 가슴이 뿌듯해서 손을 덥썩 잡았다. 손이 거칠었다. 집으로 따라 들어가보니 사는 꼴이 불성모양이었다. 떠날 때 남는 여비는 판순이에게 주고 가리라.

1948. 1. 4.

산정에 들렀다가 동산 큰집에 가서 점심 먹고 새터로 돌아왔다.

나의 유모님 삼마의 큰아들 박을용朴乙用 씨가 밤골 송대목宋大木과 함께 단계丹溪에서 올라와 있었다. 박을용 씨는 내가 왔다는 소문을 듣고서 송대목과 함께 왔다며, 큰아들 성도를 나에게 큰절 시켰다. 나는 그들에게 자고 가도록 일렀다.

밤에 닭을 잡아 무를 숭숭 썰어 백비계탕白沸鷄湯을 끓여 내오게 했다. 화로 짚불에 올려놓고 술을 마시며 서로 이런 이야기 저런 이야기들을 하였다. 밤이 깊었나 보다. 코들을 골며 잘도 잔다. 대밭을 지나는 바람소리가 들린다.

어머님이 하시던 말씀이 생각난다. 어느 날 밤(달밤이나 아니었는지), 말방울소리가 들리더니 바깥 큰 마당에서 뚝 멈추더란다. 이내

"서울에서 배양培養 어른(내 아버님 택호)이 내려오셔서 방금 사랑으로 들어가셨다."
는 말이 나돌더란다.
한식경 후에야 누가 방문을 열고 들어서는데, 어머님은 어찌나 놀랐던지 까무러칠 뻔하였단다. 남편이 아니라 상투도 없는 중대가리더란다. 서울 가더니, 오랫동안 일자一字 소식 없다가 개화되어 돌아온 사나이가 야속하기만 하더란다. 그때는 분가分家나기 전이었으니 바로 옆 큰집 터에서 있었던 일이리라.
오늘 밤 같은 밤이었을까. 여전히 대밭을 지나는 바람소리다. 내 귀에는 말방울소리가 들리지 않는다.
아마도 서울에서 아버님이 백농白儂• 최규동崔奎東 선생 밑에서 신식 공부를 하다가 내려온 첫번째가 아니었을까. 물론 내가 세상에 태어나기 전 일이다.

1948. 1. 5.

아버님이 쓰셨던 유물이 남아 있나 하고 윗방을 뒤져봤다. 매화연梅花硯과 연자종緣磁鐘이 있었다. 벼루는 상한 데가 있어 애석하였다. 도자陶磁로 만든 종을 보기는 처음이다. 나로서는 놀라운 발견이었다. 종두鐘頭는 쌍룡雙龍(뿔이 약간 상한 데가 있다)이요, 돌아가며 유두乳頭가 튀어나왔고, 범자梵字 '옴' 다섯 개 외에도, '만력삼년萬曆三年', '건명乾命 전주이씨全州李氏', '곤명坤命 풍산홍씨豊山洪氏', '주한周漢', '자손창성子孫昌盛 발원發願', '안국사安國寺'가 음각陰刻되었는데, 보살 좌상은 부각浮刻이었다. 아래 테두리는 두 마리 용의 전신이 새겨져 있었다(진품인 줄 알았었는데, 정양모

鄭良謨 씨에 의해서 모조품임이 밝혀졌다).
“이 종은 운제 구하신 기고?”
안남식의 대답은 이러하였다.
“황매산黃梅山 밑 절터에서 파낸 긴데 일꾼들이 가지고 왔기에 배양 어른이 사두셨던기요.”
매연梅硯과 도자종陶磁鐘을 이번에 가지고 갈 테니 잘 싸서 두도록 일렀다.
건넛마을에서 돼지를 잡았다기에 한 다리 사오래서 뒀다가 밤에 술을 했다. 우리 나라 토종 돼지는 크지는 않았지만 맛이 좋았다. 전에 박을용 씨, 송대목, 안남식과 함께 넷이서 단계 밤절(율사栗寺)과 산청 심적사深寂寺를 둘러본 일이 있었기 때문에 다시 화제가 되었다.
밤골에서 사는 송대목에게 물었다.
“작년엔 벌꿀을 많이 떴는가. 그 진짜 토종꿀 내기 한 단지 안 줄래. 값은 줄게.”
“그렇잖아도 한 단지 가지고 올 낀데, 단계 장보러 왔더니 묘일(박을용)이가 가자꼬 해서. 다시 올라갔다가 내려올 수도 없기에, 맨손으로 왔구마. 이번에 가서 묘일이 집에 갖다둘 끼니, 갈 때 가지고 가소.”
“그때 함께 갔던 사람이 용하게도 이제 한자리에 모였으니 말이지만 밤절 대웅전 꽃문門은 지금도 그대로겠지.”
“하모, 거기 손댈 사람이야 천하에 없을 기요.”
옛날에 뛰어난 대목이 목침木枕들을 깎아 밤절 대웅전을 지었는데, 짓기 전에 세어보니 목침 하나가 없는지라 그냥 떠나려 했다. 그제야 중이 숨겨왔던 목침 하나를 내놓고 빌어서, 일에 착수하였다는 것이다. 더구나 빈틈 없이 꽃을 투각透刻한 대웅전 문짝을 밖에서 보면 안이 깜깜할 것 같지만, 들어가서 보면 안이 환히 밝으니 천하 명공名工이 아니고서야 어찌 그럴 수 있겠느냐. 대목인 송대목은 전에도 한 말을 또 신명지게 늘어놓았다.

"그 후 심적사에도 가봤는가."

다들 그 후론 못 갔다는데, 송대목은 두어 번 다녀왔다고 한다.

심적사는 아버님이 소싯적에 복약服藥하셨던 절이다. 아버님은 서울에서 친구들 따라, 시골 가산家産 다 버리고 대륙으로 갈 작정이었는데, 황달병이 걸려서 부득이 하향下鄕, 심적사에서 병을 치료하는 동안에 마음을 돌려잡수셨다. 아니었다면 나는 물론 둘째형님도 셋째형님도 세상에 태어나지는 않았을 것이다.

1948. 1. 8.

되지도 못한 축수祝壽 한시漢詩를 지어 붓글씨로 써서 큰아버님께 바쳤다. 큰아버님은 한참 만에 말씀하셨다.

"늬 아비가 자식들 학교 공부시킨다면서 각지로 이사를 다니더니 결국 객지에서 죽었다. 그러지만 않았더라도 우리 집안에서 학자가 둘은 났을 긴데…… 영두하고 늬 말이다."

큰아버님은 날마다 대하는 동안에 생각던 것보다도, 내가 제법 유식해 보였던 모양이다.

"그래 늬는 산속에서 뭘 하노. 무슨 공부를 하나? 도를 닦나."

문학을 한다면 문학이라니 무슨 문학이냐고 필시 물을 것이다.

소설 나부랭이도 읽고 언문 시를 쓴댔다가는 벼락이 떨어질 것이 뻔하였다.

"그저 닥치는 대로 책이나 봅니다."

"옛날 같으면 아이를 몇이나 뒀을 낀데, 산속에만 있으면 어쩔 요량이고. 난 너희들 하는 짓은 모르겠더라. 그래 중이라도 될 작정이가."

"아닙니다. 장가를 갈 생각입니다."

"우리 집안에서는 책보는 사람이라고는 나 하나밖에 없다. 새터 큰 집에 많은 책이 있지만 주인이 없구나."

하고 탄식하시었다.

손수 쓴 친필을 내어주며 보라고 하신다. 서두의 글은 길어서 생략하고 시 7편만 베껴둔다.

有感

天度重開六一辰 心前百感轉頭新

未將孝友先謨述 慚愧疎慵不若人[14]

述懷

耿耿孤懷淚自揮 白頭無聞竟何歸

往過難贖新痴又 惟夫戒競願莫違[15]

慕祖

亹亹王爺德業圓 傳家文物舊青氈

永言厥德而無忝 綏祚兒孫世世賢[16]

思親

父母降生是我躬 哀哀未報劬勞功

弄雛斑舞從何得 泣訴南山弗弗風[17]

憶弟

十年不讀棣華詩 中夜難堪隻鴈悲

瞻彼鴒原情獨苦 孔懷兪切又玆時[18]

戒子

回甲親沒又先忌 肯設孤筵供壽饋

道是稱觴皆子職 迺爺悲倍亦難爲[19]

祝國

國破君亡已卌霜 飜驚風雨正堪傷

願從聖德天休命 復睹吾邦端日長[20]

큰아버님은 남동생이 하나 여동생이 둘, 사남매뿐이다. '억제憶弟'라는 시 때문에 나는 말이 나오지 않았다. 큰아버님은 일만 가지 생각이 교차하는 듯 말씀이 없었다. 깊은 산속은 아니지만 인가가 멀어서 적연하였다. 바람소리에서 무슨 성盛 · 쇠衰 같은 것을 느꼈다.

1948. 1. 10.

순창댁이 차려주는 주안상을 먹으며 잡담하다가 영덕이 영채 형제를 데리고 내려와서 새터 큰집을 구경했다. 언제 지은 기와집인지 모르겠다. 기억에 없던 집이다.

돌층계를 올라가서 중문으로 들어서니 구ㅁ 자형 집 마당이었다. 안남식은 '옥금헌玉琴軒' 목각 현판을 가리키면서 설명한다.
"앞이 오금들[玉琴野]이래서 저렇게 써서 걸었을 끼요. 이 일대에서는 상답上畓이지요."
뚫어진 문틈으로 들여다보니 케케묵은 한적漢籍들이 있었다. 옛날에 산정山亭에서 서당을 했다니 당시의 사서四書 · 삼경三經이 대부분일 것이다. 방문들에 쇠가 채어 있어서 겉만 둘러보았다.
집에 돌아와서 안남식이에게 물었다.
"좋은 집을 비워 폐가로 만들면서 그만 못한 동산 집에서 산다니 이해할 수가 없는 걸."
"새터 집은 기왕에 있는 것이라 어쩔 수 없지만, 이젠 살림과 비용을 줄이기 위해서 비워두는 기라 합디다."
세상이 변하니 큰집도 흔들렸지 별수가 없나 보다.
"큰댁에선 원근 논밭을 속속 방매 중이랍디다."
'그럼 지금 우리 집 실정은 어떠냐' 고 물으려다가 귀찮아서 그만두었다.

1948. 1. 11.

동산 집에서 큰아버님은 환갑날을 맞이하셨다. 결국 뜻을 거스르지 못해서 잔치는 하지 않았다. 정성껏 차린 조반을 드셨다. 인아 친척들은 서운해서 쓸쓸하다 못해 숙연하기조차 하였다.
큰아버님은 곧 산정으로 돌아가셨다. 모여드는 인근 어른들과 한담하실 것이다.
종형수씨가 계속 차려 내보내는 술과 음식을 여럿이서 함께 먹고 어둡기 전에 산정에 잠깐 들렀다가 새터 집으로 돌아왔다.

옛날에 조상들이 기가起家했을 때 새터란 말이 생겨났는지는 모르겠으나 낡아빠진 집에 나만 혼자 누워 있다. 세상은 새로이 변화하는 중이다. 우리 집안은 어떻게 되는 것일까. 나만이 아니라, 모두가 제각기 이런 생각을 하면서도 도무지 말이 없었다. 산속 생활을 하는 나로서는 이곳에 와서야 그런 불안을 분명히 보았다. 누구보다 우리 집 살림을 잘 아는 안남식이가 일체 말을 않는다. 나도 끝내 묻지를 않았다. 그렇다면 눈치로도 알조가 아니냐.

1948. (1)

도덕과 법은 변할 수 있었다. 변하면 도덕과 법이 없어지는 줄로 알고들 있다. 제 귀를 틀어막고서 외치는 거나 다름없었다.

"動則迷 不動則死 恁麼時 如何오."[21]

"莫言 我當打碎 汝口하리라."[22]

가는 곳마다 사람은 있었다. 어디나 사람은 없었다.

문장이 유창해서 멋이 들면 좋을 수도 있겠지. 그러나 문학으로서는 손실을 보는 때도 있겠지. 재주를 절제해야 한다. 믿어지지 않는 기교들을 부린다.

인생은 대자연과 같아서 항상 새로웠다. 사랑이 없다면 과학 문명도 별것이 아니겠지. 목숨은 숫자만이 아니겠지.

기린麒麟이란 우신牛身에다 용龍머리를 붙인 것이었다. 그리고는 뿔을 하나만 남겨두는 일이다.

미운 사람이 없거늘 누가 누구를 해치겠는가.

타협하지 않으면서도 일체와 부합하는 영원—새로움과 불변은 같은 것일까. 지상은 천국보다 못한 곳일까. 그렇지는 않을 것이다. 존경하는 대상일수록, 평하기가 어렵기만 하였다.

1948. 2. 10.

동산 큰집에서 명절 제사에 참사했다. 젯상을 여러 개 차려놓고 큰아버님을 위시하여 몇 패로 나뉘어 한꺼번에 지낸다.

처음으로 이곳 새터에 자리를 잡으셨다는, 내게서 5대조 신위도 모셔 있었다. 어떻든, 대대로 고향인 경주를 떠나 여기까지 왔다면 5대조께서 매우 가난하셨던 것만은 사실일 것이다. 4대조께서도 형세가 별 수 없었을 것이다. 못사는 것이 한이 됐던지 증조부께서 평생 행상을 하셔서 살림을 일으켰는데, 어찌나 고생을 많이 하셨던지 만년엔 손발이 짓물렀다고 한다. 증조모님은 밤에 호랑이를 쫓아냈다는 여걸로서 총명했기 때문에 내조가 매우 컸다고 한다. 할아버님은 직접 뵈온 일이 있지만 친탁(아버님을 닮은 것)을 하셨을까. 인자하시고 몸이 조그만 어른이었다. 아버님 형제분들은 외탁을 해서 할아버님과는 전혀 다르게 풍신이 좋았다. 그처럼 할머님이 참 잘생기셨더라고 한다.

관상쟁이들의 말에 의하면 할아버님은 '들로 내려온 쥐 상이어서 재복이 많다' 고 했다는데, 과연 살림이 저절로 늘어났다는 것이다. 할아버님의 동생이 교동 할아버님인데 소시에 열심히 공부하더니 서울에 가서 참봉을 해왔으나, 30 미만의 나이로 세상을 떠나셨기 때문에 아버님이 양자로서 대를 이은 것이다. 다재 다능한 어른이었다는데 필적 하나 글 한 조각도 남은 것이 없었다. 교동 할아버님과 아버님을 제외하고, 조상님들을 대청에 모셔놓은 큰집 제사를 지내기는 나로서는 처음이었다. 상하 차례로 부산한 집안 세배도 끝났다. 모두 여럿이서 할아버님, 관동 할아버님, 친애형수씨 등 산소를 성묘하느라, 이산 저산 따라다니기에 하루 해를 보냈다. 법영이 골짜기 교동 할아버님 산소는 너무나 초라해서 윗대 어른들의 고향이 나에게는 타관임을 새삼 느꼈다.

1948. 2. 11.

세배하러 따라다니느라 바쁜 걸음을 했다. 한밭 아재 집을 경유 건늬(물 건너란 뜻) 할머님께 세배를 드리고 허현석許賢碩 형제와 주찬을 함께했다. 건늬 할머님은 우리 집안에서 대성大姓인 허許씨 댁에 출가한 어른이다. 옛 어른을 다시 뵈어서 감개가 무량했다.

1948. 2. 12.

뜻밖에 난처한 일이 생겼다. 제수씨 친정댁에서 초청이 왔다. 총각이 제수씨 친정댁엘 가도 괜찮은지 망설이지 않을 수가 없었다. 사장 어른은 옛날에 아버님과 서당에서 동문 수학한 사이란다. 이번 큰아버님 회갑날에 오셨기에 잠깐 뵈온 일이 있다. 어른이 부르시는데 세배 겸 아니 갈 수도 없었다.
심부름 온 사람을 따라나섰다. 숙구지와 옹기 굽는 전을 지나 한 10리 된다는 장대로 갔다. 어쩐지 쑥스럽기만 하였다. 사장 어른은 인근에서 일컫는 학자님이다. 집 안도 명문가답게 조촐하였다. 자상히 묻기도 하시고 대답도 하셨다. 어쩌다가 박연암朴燕巖•에 관한 말이 났다.
"저는 아직 『열하 일기熱河日記』를 못 봤습니다."

"그럼 내게 있으니 잠깐 앉아 있게."
하시고는 옆방으로 들어가 책 한 권을 내오신다. 활자본 『열하 일기』였다.
이런 시골에서 희귀한 책을 보다니 새삼 사장 어른이 돋보였다.
"끝이 좀 낙장落張됐지만 내가 주는 책이니 받아두게."
너무나 고마운 선물이었다. 이태섭李兌燮, 이섭李燮 형제가 좋은 친구가 되어주어서 포식飽食, 미취微醉하여 황혼 무렵에야 사장 어른께 하직하였다. 그들 형제분에게 나는 불원간에 떠날 작정이니 그 안에 새터로 한번 놀러오라고 초청했다(이태섭 씨는 시인 김종길金宗吉• 교수와 사돈간이다. 인연이란 멀고도 가까운가 보다).

1948. 2. 13.

구평 고모님이 시집을 사셨다는 옛 기와집도 둘러볼 겸, 인사도 드릴 겸 구평으로 내려갔다. 구평 고모님 조카인 윤한순尹漢舜 씨 댁에 들러 수인사하고, 구평 고모부님 아들로서 고향에 양자 와서 사는 윤한열尹漢烈 집도 찾아보았다. 큰형수씨 친정인 윤한기 씨 댁에서 대접을 받으며 일본 그림 족자 하나를 선사받았다. 때가 정초인 만큼 어디를 가나 술과 음식이 푸짐하였다. 해가 서산으로 기운다. 동네 아이들은 팽이를 치며 연을 날린다.
춘우정春雨亭에 올라가 냇물 건너를 바라보았다. 나의 유모님 삼마께서 어린 사남매를 데리고 혼잣몸이 되어 사셨다는 오리밭은 집도 몇 채 안 되지만 적막하였다.

1948.2.14.

몇 번이나 망설이다가 오늘 카메라를 싸서 들고 산정으로 올라갔다. 큰아버님은 병풍 앞에 은사隱士처럼 앉아 계신다.

"큰아버지."

"와."

"제가 이번에 남의 사진 기계를 빌려왔습니다. 큰아버지를 사진 찍어 가는 일이 제 목적의 하나입니다."

카메라는 묵 형 것이었다.

"난 사진을 좋아 않는다."

그 말씀은 사실이었다. 큰아버님 사진은 어디에도 없기에 말이다.

"오늘 사진을 찍게 해주십시오."

"네 아비도 남긴 사진이 없지?"

"소싯적에 서울에서 찍은 사진이 있는데, 화탁花卓에 맥고 모자와 가느다란 단장短杖 놓고, 깎은 머리에 두루마기 입고, 이상한 옷을 입은 두 다리에 구두 신고, 의자에 단정히 앉아 있는 사진입니다."

"그래, 그런 기 있드나?"

큰아버님은 반가운 듯 신기한 듯 웃으신다.

"또 한 장 있습니다. 구평 고모부와 함께 수원水原 서호西湖에 가셨다가 일본에서 우리 나라 구경 왔다는 일본 사람 내외가 기념으로 찍재서 서호 다리[橋]에서 찍은 사진이 있는데 거리가 멀어서 아버님 얼굴이 잘 나타나 있지를 않습니다. 분명한 만년 사진이 없어서 한입니다."

큰아버님은 머리를 끄덕인다.

"그럼 찍어보아라."

잘생기신 모습과 풍신을 어느 각도에서 찍어야 할지 벅차기만 하였다. 필름 한 권을 다 찍었다.
(카메라는 독일 자이스 이콘 제여서 나무랄 데가 없었으나, 그 당시에 산 필름이 오죽잖아서 결과는 엉망이었다.)
동산 큰집에 가서 사진 찍은 사실을 말했더니 모두가 놀라는 표정이었다. 큰어머님마저, "참으로 늬를 좋아하나 보다. 딴사람 같으면 어림도 없다" 고 하셨다.

1948. 2. 15.

산정에 올라가서 말씀을 드렸다.
"내일은 떠날랍니더. 거듭 말씀드립니다만 오늘은 고서화古書畵나 좀 보여주십시오."
"와, 벌서로 갈라 하노."
"온 지도 오래돼서 가야겠습니다."
"그럼 어디로 갈래?"
"산으로 돌아가야겠습니다."
"그래?…… 모레 가거라. 고서화는 새터 큰집에 있다. 내일 새터로 내려가마. 늬 추사 문집 말했제. 오늘은 그기나 가져가거라. 책이란 좋아하는 사람이 주인이니라."
활자본 『완당 선생 전집阮堂先生全集』 5권 전질함全帙函을 받았다. 벌써 작별의 정은 주는 어른이나 받는 수하자나 마찬가지였다.

1948. 2. 16.

큰아버님을 모시어 오려고 아침에 산정으로 갔다. 어느새 동산 큰집에서 친애종형과 한동이가 열쇠 꾸러미를 가지고 산정에 와 있었다. 우리가 새터 큰집 대청에 올라섰을 때, 큰아버님은 내색은 않으셨으나 감회를 견디느라 더욱 엄숙해 보이었다. 열쇠로 방문을 열고 다락에서 큰 고리짝들이 내려졌다. 빗자루로 쓸어야 할 만큼 먼지가 켜켜이 쌓여 있었다.

날마다 본대도 시일이 얼마나 걸릴지 모를 고서화였다. 주마간산走馬看山식으로 본 일부나마 일일이 적을 수가 없다.

"늬 가지고 싶은 것 있거든 골라놓으면서 보아라."

큰아버님은 미리 말씀해주셨다. 그러나 좌우 이목과 눈치가 살펴서 욕심을 부릴 수는 없었다. 내가 골라서 받은 고서화 목록만 적어둔다.

1. 완당 글씨 '노홍루묵묘첩老紅樓墨妙帖'.
2. 권돈인權敦仁• 글씨 '수산須山' 횡폭橫幅.
3. 노수신盧守愼•, 정철鄭澈•, 송준길宋俊吉• 서찰 각 한 장씩.
4. 이삼만李三晩 글씨 '경운耕雲', '조월釣月' 2폭.
5. 단원檀園• 묵화墨畵 '입승도笠僧圖' 족자.
6. 중국 미불米芾• · 동기창董其昌• 글씨 각 한 축이다.

명문가名門家에서 나왔다는 서첩書帖은 인仁 · 의義 · 예禮 · 지智 · 충忠 · 신信 · 효孝 · 제悌 8권으로서 첫째 권 첫장이 정몽주鄭夢周 글씨였다. 여덟째 권 맨 마지막이 김정희金正喜, 다음 민영환閔泳煥 간찰로 끝나 있었으니 놀랍기만 하였다. 또 한 가지 잊지 못할 글씨는 첩帖도 크려니와 녹빛 깁에 쓴 한석봉韓石峯 글씨 「귀거래사歸去來辭」 전문全文이었다. 좀더 보기도 전에 점심때가 되어서

도로 넣어야만 했다. 가짜도 있겠지만 무엇이 얼마나 있는지 궁금하였다. 이곳에 와서 좋은 기회를 두고도 그간 시간만 허송한 셈이다. 대실형 댁에도 가서 내일 떠난다는 인사를 했다. 모두가 정월 대보름이나 쉬고서 가라는 권이었다. 아버님이 나를 잉태한 어머님을 데리고 친척들에게 아이들을 업혀 고향을 떠나셨다는 그날 새벽은 어떠했을까. 나는 떠난다기보다 어서 이 고장을 벗어나고 싶다. 내일 가다가 단계 이사홍李四洪 씨 내외나 잠시 들러보리라. 안남식이 꾸려놓은 내 짐이 제법 무겁다.

1948. 11. 30.

어제는 궂은비가 내리고 지난밤에는 바람이 불었다. 오늘은 새파란 하늘이 춥다. 약을 사러 대전에 갔다. 도립 병원 들 무렵 길가에 40세 가량의 거지가 쓰러져 있었다. 송장처럼 움직이지 않는다. 신음소리가 대견스러울 정도였다.
30분 가량 뒤에 다시 그곳을 지나게 되었다. 거지는 그 자리에 그대로였다. 지나다니는 사람들과 마찬가지로 나도 그 불쌍한 사람을 보았을 뿐, 별도리가 없었다. 일시적 감상을 버리고 솔직해봤자 아무 소용이 없었다.

1948. 12. 1.

터무니없는 일이라도 좋다. 조금만 추켜줘도 눈을 감듯이 웃는다. 쭉 찢어지는 입이 착해 보인다. 그러나 그에게 남을 칭찬해서는 안 된다. 그는 이맛살을 찌푸리고 눈이 야릇하게 취해 오른다. 먼지가 눈[雪]처럼 내리는 공장이 있다고 생각해보라. 그럴 때 그는 그런 공장 안의 고장난 기계 같았다. 이런 일이란 어디서든지 얼마든 볼 수 있다. 비 오는 날 내가 우산도 없이 거닌다고 하자. 견딜 수 없는 적막에 쫓겨 문門을 찾아갈 것이다. 이해란 말은 어디에 내놔도 뜻이 변하지 않지만 상호 관계에 있어서는 매우 복잡해진다. 그런 경험은 불쾌한 일이다. 자기 자신에게는 관대하고 남에 대해서는 엄격하니 말이다. 더구나 자기 자신의 잘못을 곧잘 이해하는 일은 얼마나 아슬아슬한 곡예인가.

1948. 12. 2.

소문에 의하면 마을에서는 요즘 토지 분배가 화제라고 한다. 아직 정식 발표가 없기 때문에 추측이 구구하다. 소문이란 종잡을 수가 없다. 여수 · 순천 사건에서 사로잡은 8백 명을 유성 비행장에서 총살한다거니 했다거니 미정이라거니 소문을 들은 사람들이 소문을 퍼뜨린다.

1948. 12. 3.

용기가 없는 사람은 쓸 데가 없다. 과연 그럴까. 용기란 것이 뭣인데? 그런 사랑이란 아름다운 것인가. 사랑은 괴롭기만 하다.
하늘을 아드득 깨무는 뱀 한 마리, 생각이 한난계寒暖計처럼 혈관에 주르륵 오른다. 지구는 어둠 속을 비틀거리며 항해한다. 초만원이다. 위험 천만이다. 선객船客들은 호신용으로 두 눈썹 밑에다 칼을 달고 다닌다. 비좁고 불편하고 피곤하다. 칼들이 서로 독을 품어서 빛난다. 갑판에서 송장을 허공으로 내던지는 일은 유쾌한 모양이다. 몸을 꼼짝도 할 수가 없어서 서로가 늘어붙어 붙박여야만 하니, 여자들이 새 생명을 쏟아놓기에도 난감하다. 그들은 칼보다도 창백하다. 대낮에 지구는 별과 충돌할 듯하다가 겨우 피해 지나간다. 알아듣지도 못할 목소리로 일제히 부르짖는다. 무서운 소리가 산울림 한다. 선원들은 대답한다. "암초暗礁의 숲이다. 까불지들 마라!" "네 놈들은 소경만 모였느냐." "운전사를 죽여라." "바꿔 치워라." "무거워서 방향을 맘대로 잡을 수 없다." "곧 회의를 열고 대책을 강구하겠으니 그 동안만이라도 조용해주기를 바랍니다." 해가 떨어진다. 밤은 깊어간다. 모두가 칼보다도 창백하다. 긴급 회의가 끝난 모양이다. "식량이 절대 부족이란다", "죽여야 산다"는 고함소리에 지구가 터질 것만 같다.

성인聖人이 되려는 악마가 있었다. 악마의 노력은 비참할 정도였다. 악마는 괴로웠다. 그러나 고민은 성인이 될 수 없는 첫번째 원인이었다. 사랑이 행복을 가져오지는 않았다. 그 잘난 생각들을 부지런히 버려야만 했다.

1948. 12. 4.

이李군은 먼저 웃고서 말한다.

"영남嶺南에서는 이런 말이 떠돈대요. '미국 사람 믿지 말고 소련 사람에게 속지 말라.' 항용 쓰는 미친놈이란 아름다울 미 자 친할 친 자요, 호로아들놈이란 좋을 호 자 이슬 로 자요, 양반도 모르는 놈이란 양兩자 반反자도 모르는 놈이라나요."

1948. 12. 5.

"원하는 바 없음을 원한다." 그것은 잘못된 생각이다. 숲 속의 한 떨기 꽃을 찬탄한다면 그 한 떨기 꽃보다도 못한 것이다. 과연 잊을 수 있을까. 잊으려는 과오가 더 컸다.

부처님 말씀을 종교로서 생각한 일은 없다. 그것이 한갓 종교라면 벌써 버렸어야 할 것이다. 부처님은 나에게 강요하지 않는다. 나를 추호도 인정하지 않는다. 부인하는 공空은 아니었다. 내포하는 무량수無量壽였다. 원하지 않았다. 깨달은 자유였다.

불경을 이해하려면 인도의 옛 시대상을 알아야 할 것만 같다. 석가가 오늘날 설법하신다면 그 당시 설법을 그대로 하시지는 않을 것이다. 어느 정도로 다를까. 그것이 우리의 문제이다. 그런데 견성見性했다는 사람들 중에는 불상佛像 행세를 하려 드는 이가 있다. 석가는 우리의 자신불自身佛을 일러주셨다. 불법의 노예가 되지 말도록 간곡한 주의도 하셨다.

1948. 12. 6.

"영화 뉴스에서 보니까 길바닥에 송장이 늘비하니 깔렸더군요. 특히 어린것들이 죽어 있는 꼴은 차마 못 보겠던데요. 시체를 안고 통곡하는 부인네들도 나오더군요."

1948. 12. 7.

"소문에 의하면 어떤 자는 눈알을 부라리고 이를 갈면서 죽은 영혼이라도 원수를 갚겠더라며, 어떤 자는 함께 행동하지 않으면 죽인다기에 할 수 없이 한 짓인데 억울하다고 울더라며, 어떤 자는 어서 죽여라, 나는 일곱 놈이나 죽이고 죽으니 아무렇지도 않노라 발악하더라며 어떤 자는 만세를 부르고 어떤 자는 노래를 부르더랍니다."

방화로 구례求禮 화엄사華嚴寺가 다 타버렸다는 소문이다. 제발 헛소문이기를 바란다. 서로 죽이며 죽는다는 끔찍한 소문이다.

1948. 12. 8.

숭배할 만한 옛 어른이 있다는 것은 다행한 일이다. 그런 어른을 고르거나 찾기란 쉬운 일이 아니다. 언제부터인지 가슴속에 새겨진 어른이 있다. 그 어른은 내 메마른 심정에 향기를 불어넣어서 간혹 윤이 흐르게 한다. 맑은 복이라 하겠다. 뵈올 수는 없지만 세상에 남기심이 높다. 후학後學은 그것만으로도 자랑스럽다. 연전에 어떤 잡지에서 소치小癡• 그림인 추사 선생 초상 사진을 오려내어 벽에 걸어놓고 대했더니, 친히 모시기라도 하는 듯 옷깃이 바로잡혔다. 내가 존경하는 명현名賢은 바로 나의 스승인 것이다.

1948. 12. 9.

추사 선생은 서도사書道史의 경이驚異다. 선생의 예술은 모방이 아니다. 다른 사람이 추종할 수 없는 경지다. 서도書道로 또 하나의 진수를 제시하였다. 전무후무한 창조였다. 추사체秋史體란 말이 바로 이 점을 지적하고 있다. 수천 년 서도사에 대한 대결이요 고도의 예술이었다. 선생은 능필能筆도 달필達筆도 아니며 명필名筆이다. 제주도 10년 귀양 생활이 어떠하셨을까.

1948. 12. 10.

추사 선생을 뛰어난 천품을 타고난 재사才士로만 안다면 그것은 선생에 대한 잘못이다. 성실한 인격자며 깨달은 도인道人이며 독실한 홍유鴻儒며 과학적 고증 대가大家며 위대한 예술가며 놀라운 시인이었다. 그리고 불행한 반생半生이었다. 선생은 우리 나라의 보배다. 스승으로 모시기에 손색이 없다. 선생의 문집과 필적은 선생의 안팎이다. 기회 있을 때마다 선생 필적을 모사하거나 사진을 오려서 모으기를 즐기었다. 모아둔 것을 가끔 감상할 때마다 감홍이 유연히 솟아오른다. 세상에 전하는 선생의 필적을 다 보고 싶다. 선생의 필적을 모조리 사진으로 찍어 '추사 작품 전집秋史作品全集'을 몇 권이 되든지 간에 간행하여 널리 펴고 싶다. 예술은 국경이 없느니 만큼 함께 자랑으로 삼아야 한다. 예술이 작용하는 감화는 크다. 서화書畵는 본시 주인이 따로 없다. 선생 글씨가 각처에 흩어져 개인의 소장所藏으로 전하고 또는 목각 현판으로 전하기도 해서 기왕에 분실 또는 소실된 것도 허다할 것이다. 좀이 슬어 상한 것도 있을 것이다. 외국에 흘러 나간 것도 적지 않을 것이다. 앞으로도 무엇이 있고 무엇이 없어졌는가를 알려면 영인影印 출판은 시급한 일이다. 세상에 좋은 이익을 줄 이런 일에 발벗고 나설 출판사는 없는가. 물론 쉬운 일은 아닐 것이다. 소장한 분들의 적극 협력이 필요할 것이다.

1948. 12. 11.

비록 단간 영묵斷簡零墨이라도 추사 선생 친필을 한 폭 모셨으면 싶었다. 이것은 나의 오랜 숙원이었다. 자랑거리로 삼거나 장식으로 삼으려는 욕심은 아니다. 선생이 만지신 종이거니, 선생의 정신이 집중된 붓대가 지나간 그날의 흔적이거니, 선생을 친히 뵙듯, 내 손이 선생에게 닿듯 그런 심정을 실감하기 위해서였다. 말하자면 경모흠앙景慕欽仰하기 때문이다. 그러나 성력誠力이 부족하다면 자책이

나 하겠지만 돈이 없으니 깨끗이 단념하는 수밖에 없다. 마침내 염원을 풀 때는 왔다.

작년 겨울에, 회갑이신 백부伯父를 뵈오러 고향엘 갔다. 백부께서는 많은 서화를 보이시고 "네가 갖고 싶은 것이 무엇이냐" 하시기에 말씀을 드려 『완당 선생 전집阮堂先生全集』과 선생 서첩書帖을 위시하여 여러 가지를 받았다. 그때의 기쁨은 잊혀지지 않을 것이다. 서첩 표지는 누구의 글씨인지 노홍루묵묘첩老紅樓墨妙帖이라 적혀 있었다. 해서楷書인데, 전반 12자는 짙은 보랏빛 종이에 쓰셨고 후반 12자는 홍시빛 종이에 쓰신 작품이었다.

淨儿橫琴曉寒 梅花落在弦間
我欲淸吟無句 轉煩門外靑山
깨끗한 책상에 거문고는 놓였고 새벽은 싸늘한데
매화는 초생달 사이에 피었구나
내 맑게 읊고자 하니 말은 없어지고
고민을 문 바깥 푸른 산에 버렸노라.

중국 목각 보살상 이위二位 앞에서 선생 서첩을 보는 나는 복이 없지 않나 보다.

1948. 12. 13.

어젯밤 글을 다 가르치고 난 후였다. 글 배우는 수좌가 편지가 왔다면서 전해준다. 여동생 편지였다. 사연을 읽어내려가는데 뜻밖 소식이었다. 시집온 지 불과 1년 만에 꽃 같은 새댁이 세상을 떠났다니 아연한 일이다. 사실이라기에는 좀체 믿어지지가 않았다. 어머님께서는 신부가 신행新行 오는 날을 위해서 각가지 과줄과 음식을 고셨다. 첫 며느리를 맞이하는 고모부님 내외분은 돈이 없어서 쩔쩔 매셨다. 우리가 새댁을 보러 갔다가 내려온 것은 밤중이었다. 우리는 윤한철尹漢哲과 새댁의 앞날을 축복했다. 지나간 일들이 새로울수록 허황하였다. 여동생은 새댁이 죽은 지 한 시간 뒤에 떨리는 손으로 편지를 쓴다고 했다. 응당 가봐야 할 텐데 15일부터 21일까지 산림 기도가 있으니 난감하다. 아버지, 할머니, 삼마, 새댁 위패를 모시기로 했다. 산림 기도가 끝나는 21일 날 꼭 가마고 여동생에게 답장을 썼다. 여동생 편지에 의하면 새댁은 20여일간 앓다가 6일날 오후 7시 50분경에 세상을 떠났는데 병명도 아직 모른다는 것이다. '오빠, 불쌍하고 슬픈 마음 그지없습니다.'

1948. 12. 14.

내일부터 산림 기도회가 시작되는데 몸이 아프다. 걱정이다.

1948. 12. 15.

종일 신음하다. 염불소리, 징소리. 내게는 적막하기만 하다. 약질인 속한俗漢은 방에 누워 슬픔도 기쁨도 없다.

1948. 12. 16.

춥거나 덥거나 새벽마다 저녁마다 울리는 종소리. 산속에 들어온 지도 10년이 가깝다. 날마다 독서하고 썼다. 나는 종소리처럼 언제까지 이러고만 있어야 하나. 동학은 신라 성덕여왕 때 창건이라 한다.

그 후로 날마다 종은 이 산속에 울려 퍼졌다. 그러고 생각하면 근 10년이란 아무것도 아니다. 하지만 나는 언제까지 이러고만 있어야 하나. 한 톨의 쌀, 한 개비의 성냥도 사람들이 애써서 만든 것이다. 애써 일해서 생활하고, 서로 없어서는 안 될 존재가 되어 세상을 유지해온 것은 동서고금이 마찬가지다. 다르다면 방법이 변했을 따름이다. 나는 놀고 먹는 것만 같아서 괴롭다. 암만 공부해야 학벌도 간판도 되지 않는 처지다. 취직 한자리도 할 수 없게 됐다. 앞날이 걱정이다. 정직과 양심만으로는 밥도 먹을 수가 없다면 지난날은 오산이며 허비였을까. 내가 그렇지 않다고 우긴대도 믿어줄 사람이 없다. 후회 비슷한 결심이 들고 일어난다. 웬일일까. 종일 누워서 신음하였다. 어떻든 저 염불소리는 청정하구나. 청정은 일찍이 나의 꿈이었더니라.

1948. 12. 17.

세수하고 옷 갈아입고 기도에 참례하였다. 육체와 정신의 관계 및 작용은 갈수록 예민하고 복잡하기만 하였다. 3일 동안 누워 있었던 병석을 미워할래야 그럴 염치마저도 없었다. 참을 수 있는 육체의 고통보다는 쓸데없는 정신적 갈등에 방황했다. 어떠한 경우에 부닥칠지라도 지난 과거를 후회하지 말아야 한다. 앞날을 두려워 말아야 한다. 나는 그러한 사람이 되고 싶다. 내가 과연 그러한 사람이 될 수 있을까. 이런 어리석은 자문은 버려야 한다.

1948. 12. 18.

어떤 손님은 이런 말을 했다. "불안한 세상이야요. 생활에 쪼들리노라니 의식 걱정 없는 날짐승이 부러워요." 또 어떤 스님은 "구례求禮 화엄사華嚴寺, 청도淸道 운문사雲門寺, 밀양密陽 표충사表忠寺는 밤이면 놈들이 와서 식량, 의복 할 것 없이 막 털어가는 바람에 살 수가 없대요." 광주로 가야 할 여스님은 증명서가 나오지 않아서 떠나지를 못하고, 광주에서 올 여스님은 증명서가 나오지 않아서 오지 못하는 형편이다. 보람은 줄어드는 한편 탄식이 늘어나고 있다. 험한 세상을 어떻게 무사히 살아가느냐에 사람들은 쏠리고 있다. 마음이 어수선하면 어쭙잖은 일에도 신경이 날카로워지는 모양이다. 사람들은 날씨가 따뜻한 것까지도 변괴로 알고 있다. 금년처럼 춥지 않은 겨울도 드물 것이다. 아직 눈이 내리지 않았다. 어젯밤은 맨발에 고무신을 신고 소피를 보러 나갔다. 춥다는 느낌이 전혀 들지 않았다. 오늘 아침은 안개가 포근히 끼어 나뭇가지와 새소리들이 해동무렵처럼 싱그러웠다. 양말을 벗어버리고 싶다. 날씨가 영상 몇 도나 되는지 궁금하다.

1948. 12. 19.

빈 산에 물굽이 휘돌아 흐르는 듯한 염불소리, 누런 촛불에 황금빛 불상이 은은하다. 곁으로 켜진 남폿불이 진다홍 가사를 수한 스님들을 비춘다. 세상 사람으로서 저렇듯 청정할 수 있을까 의심이 난다. 밀을 담뿍 먹인 실마디가 내 팔 위에서 불을 달고 내려온다. 조그만 불이 살에 닿자 따끔하다. 순간 참회 진언懺悔眞言을 외우는 소리가 크게 들린다. 검추레한 재만 남는다. 눈을 감으니 불도 빛도 없다. 구름이 슬슬 춤추는 사이로 뚜렷이 돋아 오르는 달처럼 염불소리가 휘영청 밝다. 새벽은 아직도 멀었다.

좀 잘까 하고 방으로 돌아왔다. 잠이 오지 않아서 책을 보고 있노라니까 바깥에서

"흥, 그런 자유 독립 같은 소리는 하지도 말어."

"거 어디서 배운 말버릇이어."

"그런 것을 자유 독립 같은 소리라고 요새 사람들은 말한다네."

제각기 제멋대로 놀아나서야 독립이 되겠느냐는 뜻으로서, 다른 말까지 풍자하는 용어가 된 모양이다. 바깥을 지나가는 사람들의 대화를 듣고 나니, 불쾌하기만 하다.

1948. 12. 21.

연비燃臂 자죽이 내 팔에 다섯 개 더 생겼다. 산림 기도도 끝났다. 내일은 집으로 가야겠다.

1948. 12. 22.

집으로 갔다. 신풍新豊댁은 화장을 했다고 한다. 두 형은 갖가지 경經을 붓으로 써서 널에 넣어주었고, 금강에 뼛가루를 뿌릴 때 묵 형은 송경誦經을 하였노라고 어머님께서 그간 일을 소상히 말씀하신다.

1948. 12. 23.

묵 형 방에 국문 『사씨남정기謝氏南征記』가 있기에 들춰봤다. 아버지께서는 밤이면 간혹 한역漢譯 『사씨남정기』에 나오는 한문 '관음찬觀音讚'을 외우시고는 했었다. 국문으로만 봐도 아버지께서 한문으로 외우시던 목소리가 완연히 들리는 듯하였다.

1948. 12. 25.

처음엔 꿈 같기도 하고 생시 같기도 했다. 아슴프레 들려오는 노랫소리에 귀를 기울였다. 눈이 떠졌다. 캄캄했다. 이불 속에서 두 손을 가슴에 얹었다. 유리 속을 들여다보듯이 합창소리는 똑똑하였다. 고요한 밤, 거룩한 밤, 주 예수 나신 밤…… 눈을 감고 들었다. 나는 그들이 누군지를 모른다. 그들도 듣는 사람들이 그들을 알아주려니 하고 믿을 따름이다.

1948. 12. 26.

내년엔 결혼하겠다고 대답했다. 사람들은 나보다 박정한 것만 같다. 나는 일찍이 외금강外金剛 신계사神溪寺에서 온정리溫井里로 가던 도중, 이곳에다 여관을 짓고 과수원을 경영하면서 일생을 보내리라고 생각한 적이 있었다. 내가 거처할 서재는 초가집으로 별채를 짓고 책 만 권을 쌓으리라 꿈꾸었었다. 그 후로도 그것이 불가능하리라고는 생각하지 않았다. 남 · 북은 분단되고 갈 수도 없게 됐다. 세월은 흘러간다. 결혼하고 책집이나 경영할까 한다.

1948. 12. 28.

여동생은 전부터 자기 동창인 서徐양을 누차 말했었다. 나는 서양을 사진에서 보았다. 여동생은 내 청에 의해서 서양 집에 갔다 오더니 "내일 놀러 온댔어요. 실물을 보세요. 사람은 그만이에요" 하고 또 나에게 권한다.

1948. 12. 29.

사진은 세 가지나 보았다. 전번 극장에서는 똑똑히 볼 수가 없었다. 추운 할머니 빈소 방 상바라지 틈 사이로 어머니 방을 보았다. 짜고서 하는 짓이라, 서양은 잘 보이는 자리에 앉아 있었다. 사진에서 본 그대로였다. 심성이 착할 것 같다는 것이 일치된 의견들이었다. 그러나 어머님은 "고독해 보이는 상이라" 면서 미흡해 하셨다.

제법 어두웠을 때 큰형이 고향에서 돌아왔다.

"큰아버지와 고모부도 오셨다. 오늘 밤 유성儒城서 주무시고 동학사로 들어가실 텐데, 내일 아침에 일찍 가거라."

뜻밖의 소식이었다. 큰아버지께서 동학사부터 먼저 찾아주신다니 황송하다.

1948. 12. 30.

김과 여러 가지 과일과 건포도와 브랜디 한 병도 샀다. 기다려도 대전으로 가는 트럭이 없어서 초조했다(그 당시 왜 정기 버스가 없었는지 기억이 나지 않는다). 11시쯤 해서 말작고개 밑까지 가는 트럭 한 대가 있어서 나루터까지 타고 갔다. 거기서 공암孔岩까지 걸었다. 공암에서 백정자百亭子까지 차를 탔다. 짐을 지고 급히 걸어 동학에 이르렀을 때는 오후 3시 반이었다. 발 뒤가 벗어져서 따가웠다. 1년 만에 큰아버지께 절했다. 작년 섣달엔 내가 큰아버지 환갑 해를 넘기지 않을 요량으로 7년 만에(7년 전에 할아버지 대상大祥 때 갔었다) 고향엘 가서 뵈었다. 그런데 금년 섣달엔 큰아버지께서 금년을 넘기지 않고 할머니(아버지는 양자를 가셨기 때문에 큰아버지에겐 작은어머님뻘이다) 빈소를 뵙고자 공주로 가시던 도중, 동학에 있는 조카를 찾아주신 것이다.

1948. 12. 31.

큰아버지는 사시巳時와 저녁에 두 번 불공을 드렸다. 오늘이 큰아버지 진갑辰甲날이다. 산속 옛 절에서 고모부님과 나와 단둘이서 큰아버지 진갑을 모시는 것은 섭섭한 일이지만 운치 깊은 일이었다. 작년은 내가 고향 산정山亭에서 음력 과세過歲를 하고 정월 초하룻날 여러 위位 제사에 참례하고 두루 따라다니며 조상 어른들의 산소에 성묘도 하고 세배도 다니고 이곳 저곳 초청도 받았었는데, 금년은 큰아버지가 동학에서 양력 과세를 하시는 셈이다.

1949. 1. 1.

비가 와서 큰아버지는 공주로 떠나지 못하시다.

부쩍부쩍 끓는 물에
제주는 떴거만은
남저기(나머지)는 어찌할꼬.

요즘 경상남도 일부에 떠도는 동요라 한다. 이것이 도참圖讖인 바, '북쩍 북쩍 끓는 물은' 북쪽이고 '제주'는 제주도며 '남저기'는 남적南賊이니 남쪽은 도둑이 성할 것으로 사람들은 풀이하고 있다 한다. 큰아버지와 고모부의 대화에 의하면 사람들은 앞으로 살아갈 길이 난감하리라는 탄식이었다.

1949. 1. 2.

비가 계속 내린다. 방문을 열면 안개 속에 산과 숲이 그대로 수묵화다. 큰아버지는 옛 명현을 말씀하시고 나는 귀기울여 듣는다. 좋은 시를 듣는 맛이 책을 읽느니보다 낫다.

獨處閑居絶往還 只留明月照孤寒
願君莫問生涯事 數耕煙波數疊山[23]

큰아버지는 한훤당寒暄堂• 김굉필金宏弼이 지었다는 시를 읊고 차를 마신다. 단정히 앉아 계시는 큰아버지의 수려한 풍신이 선관仙官 같다. 산방山房은 조용도 하다. 흘러 여이는 물소리로 더욱 그러하다.

1949. 1. 3.

겨울로 접어든 이래 첫 눈이 흩날린다. 반갑다. 내리는 눈발에 계룡산이 일조에 하얗다. 계룡이야 석백石白이 될지 안 될지 나의 아랑곳할 바 아니다. 어떻든 자주 독립과 평화가 오기를 바라는 마음은 누구나 마찬가지다. 겨레의 목구멍은 죄어들다 못해 연기가 나올 지경이다. 눈바람이 산속 흥취를 발휘하고 있다. 큰아버지는 지으신 시를 부르시고 나는 붓방아를 찧으면서 받아썼다.

崎嶇一路自分明 萬壑松杉溪水聲
從此靈源知不遠 鷄龍山色望中靑[24]

또 한 수는

東鶴寺深特處存 鄕園南望夢猶煩
禪門俗客緣何事 祈禱無言拜世尊[25]

밤에는 큰아버지와 함께 『삼국유사三國遺事』, 『삼국사기三國史記』, 『고려사高麗史』, 『조선고금현전朝鮮古今賢傳』을 펴놓고 까마득한 옛 조상들을 찾으며 여러 가지 말씀을 들었다.

1949. 1. 4.

큰아버지와 고모부를 모시고 백정자에서 트럭을 타고 공주로 갔다. 백발이 성성한 큰아버지는 나의 할머님 빈소에서 슬피 우셨다.

1949. 1. 7.

나는 큰아버지를 모시고 일정 때 이장移葬한 아버지 산소로 갔다. 경천敬天에서 내려 서쪽으로 10리나 더 들어가는 곳이다. 큰아버지는 산을 두루 밟으신 후, 묏자리가 좋지 못하다며 매우 걱정하신다. 묏봉분을 의지하고 동생을 생각하심이 간절하신 듯 조용히 눈을 감았다 떴다 하신다. 좀체 일어서려 않으신다. 때마침 저편 하늘에 기러기들이 줄을 지어 날아간다. 나는 가슴이 뭉클하였다. 큰아버지는 의좋게 날아가는 기러기를 보고 얼마나 마음이 쓰라리실까. 점심때가 겨운 후에야 "가자" 고 하신다. 내가 산소에 절하는데 큰아버지는 울기 시작하였다. 어이, 어이가 아니라, 어린아이처럼 우셨다. 복받쳐 터지는 울음이었다. 어깨를 후들후들 떠시며 뜨거운 눈물을 흘리시는 울음은 형용할 수 없는 음향이었다. 나도 흐르는 눈물을 두 주먹으로 닦았다. 산고개를 넘어 경천으로 나오면서 큰아버지는 무료하신 듯 글을 외우신다. 선장강지부진羨長江之不盡이니 기어부유寄於蜉蝣니 묘창해지일속渺滄海之一粟이니 하는 글귀가 겨우 들릴 정도였다. 경천 주막에서 점심을 시켜 먹고 오후 4시쯤 정기 버스를 타고 5시쯤 해서 공주에 돌아왔다.

1949. 1. 8.

큰아버지는 어제 산을 다녀와서 지었다며 시 한 수를 부르신다.

憶弟空山白日陰 鴒原餘淚又多今
可憐南北孤飛雁 白頭吁吁望棣心[26]

1949. 1. 9.

고모부는 큰아버지를 모시고 떠나셨다. 대전서 급행 열차는 잘 타셨는지, 삼랑진三浪津에 잘 도착하셨는지 궁금하다. 큰아버지는 꼭 공주로 이사를 오실 생각이신지 또한 궁금하다.

1949. 1. 26.

음력 과세를 하려고 동학에서 공주로 왔다.

1949. 1. 28.

장판방이 차다. 화롯불이 정답다. 따뜻한 방은 식구들이 모여서 책도 읽을 수 없다. 아침에 지나가던 상여 소리는 눈처럼 맑고 차더니 저녁에 지나가는 상여 소리는 처량하다. 허다한 날 다 두고, 하필이면 섣달 그믐날에 마지막 길을 떠나는가. 어젯밤 라디오에서는 미국 국무 장관 애티슨이 미개지를 개발하여 인류 문제를 해결하겠다는 뜻을 보도하였다. 새해엔 세계 평화와 인류 행복을 믿고 기다려도 좋으랴.

1949. 1. 29.

오전 2시. 먼 닭소리. 별들도 조심스레 숨을 쉬는 듯하다. 세수하고 옷 갈아입고 단정히 앉아 염불을 외우다. 도탄에 빠진 사람들을 생각할 때 개인의 고민이란 얼마만한 가치가 있는가. 자주 독립하옵소서. 온 겨레가 복되소서. 새 옷을 갈아입어도, 내 청정하지 못한 마음은 썩어서 고름이라도 흐르는가, 괴로운 냄새가 난다. 어느덧 잠이 들었다. 새벽을 몰랐다.

아이들은 때때옷을 입었다. 제사의 위位는 늘고 나 혼자 남은 듯 아득하였다. 성묘도 하고, 철 아닌 꽃 같은 여자들의 각색 옷매무새도 보고, 바둑도 두고, 윷도 놀았다.

비 오는 소리를 들으며 얼어붙은 땅 밑에서 숨쉴 뿌리들과 씨앗들을 생각한다. 비는 밤에도 내린다. 따뜻한 소망을 품어본다. 오늘 밤 극장에서 연극하는 연극인들은 비 오는 타관에서 설날을 맞이한 셈이다. 비는 오는데 그들의 수입이 어떨지 모르겠다.

1949. 1. 30.

종일 윷 노느라 떠드는 소리다. 며칠 밤 동안 잘 들어오는 전등불 아래 혼자서 누워 있다. 낮에 윷놀이판에서 들리던 '삼팔선' 노래가 생각난다. 무심히 들었었다. 그런데 왜 다시 생각나는 것일까. 조금 전에 묵 형 방에서 본 LIFE 잡지 때문인 것 같다. 서두는 "Revolt in

Korea" 였다. 여수 사건 사진이 여러 장 나와 있었다. 총탄 구멍이 뻥뻥 뚫린 몸들, 이마에서 흘러내리는 피, 거적 밑으로 뻗어 나온 다리들, 땅을 치며 하늘을 우러러 우는 아낙네, 아이들 뒤에 서서 굽어보는 미군의 측은한 표정, 그런 장면들이었다. 연달아 책장을 넘겼다. 큰 사진이 나타난다. 흐늘어진 꽃가지를 잡고 여울물에 서 있는 미국 아가씨는 전신 나체이다.

너무나 아름다웠다. 들리는 바 소문에 의하면 해주海州에서도 피가 흐른다고 한다. 먼데서 개 짖는 소리가 난다. 밤은 깊어가는데 추워서 잠이 안 온다.

1949. 1. 31.

내 나이 스물여덟, 결혼을 하기는 해야겠는데, 결혼할 여건이라고는 한 가지도 갖추지 못했다. 묵 형 집 대문을 나오다가, 여동생을 찾아와서 놀다가는 두 처녀를 보았다. 파란 외투는 특히 문학을 좋아한다는 처녀가 분명하였다. 나를 쏘듯이 본다. 다갈빛 외투는 S양이었다. 나는 동시에 문학 소녀와 S양을 보았다. 사팔눈이 아니면 불가능한 일이다. 그런데 나는 사팔눈이 아니니 용하기만 하다. S양은 얼굴이 희다는데 몇 잔 마신 사람처럼 빨갛다. 함께 갔다가 저녁에 돌아온 여동생은 S양 집 음식이 맛나더라며 칭찬이 대단하다.

나는 못 들은 체하였다.

1949. 2. 1.

1년 신수가 궁금하대서 아낙네들이 너스레를 떨며 돌아다닌다. 치마에서 휘파람소리가 날 지경이다. 용한 점쟁이가 그렇게도 많다는 말인가. 어지러운 세상이라서 점쟁이가 한몫을 단단히 잡나 보다. 초저녁부터 북소리, 꽹과리소리가 이웃집에서 난다. 무슨 살풀이를 한다는 소문이다.

1949. 2. 2.

극장에서는 음악소리가 제멋에 홍청댄다. 극장으로 가는 나의 걸음은 거북 걸음이다. 내일은 동학으로 가야겠다. 눈앞에 원고지가 어른거린다.

1949. 2. 3.

절로 돌아왔다.

1949. 2. 4.

오랜만에 붓글씨를 쓰는 것 같다. 미타암 양쪽 대문에 나제금강那提金剛, 가야금강伽倻金剛을 써서 붙였다. 뒷방 기둥에도 좋은 게송偈頌을 써서 붙였다. 붓글씨가 천연히 흘러서 잡념을 벗어나기란 매우 어려운 일이다. 왕헌지王獻之• 글씨 중추첩中秋帖은 과연 상승上乘이라 하겠다.

1949. 2. 5.

전라도 분이 불경佛經을 번역하러 온다는 소문이다. 세전歲前에 큰 절에 왔던 분이라면 R씨일 것이다. 그때 R씨는 『금강경金剛經』을 출판할 작정이라면서 번역을 도와달라기에 나는 그럴 여가도 그럴 주제도 못 되므로 완곡히 거절했었다. R씨는 몽고蒙古 절[寺]에 오래 있었으며 거사계居士戒는 만주滿洲에서 받았노라며 계첩戒牒까지 보여줬었다. 나는 그곳 불교에 관해서 묻기도 하고 듣기도 하였다. 그리고 괘선을 친 선지鮮紙 한 다발, 중필中筆 세 자루, 대필大筆 한 자루를 선사 받았었다. 그럼 R씨란 분이 다시 오는 것일까.

1949. 2. 7.

두斗 형이 내게 권한 일이 있었기에 삼구외森鷗外•의 『아부일족阿部一族』을 읽었다. 마침 여관집 아들이 그 책을 가지고 있어 빌려 보았다. 석봉石峯 동네에서 온 사람 말에 의하면 그 노인은 이러고 말했다는 것이다. 소문이 꽤 퍼졌기에 나도 들었나 보다.

"흥, 미친놈들. 다 그 당시 중추원 참의 할 자격이 없어서 제 놈들이 못했지, 그래 중추원 참의를 떠다 맡겨도 마다할 놈 있었을까. 다 못난 놈이 그런 소리 하는 거여. 내버려둬."

그 노인도 세전에 친일파로 반민법에 걸려 서대문 형무소에 수감되었다. 『아부일족』을 읽고 나자, 그 노인이 했다는 말이 갑자기 생각난다. 도무지 알 수가 없는 일들이다.

1949. 2. 10.

R씨는 부자라고 한다. "우리 나라 불교를 일으킬 사람은 거사居士들이지요. 동지를 모아 거사림居士林을 세우고 이웃 나라들과 교류해야 합니다." 씨는 주장하면서 몸소 실천할 뜻을 밝혔다.

1949. 2. 14.

49재가 들어서 삼신불三身佛, 금란방禁亂榜 등 큰 붓글씨를 썼다. 큰 글씨는 많이 써본 적이 없어서 잘 되지가 않았다. R씨는 대마자大痲子와 양태콩을 법제法製해서 먹으면 굶어도 허기가 나지 않는다며 나에게 비방을 일러준다. 세상에 그런 일도 있을까.

1949. 2. 16.

하루에 원고 두 장, 독서 30분, 공부 한 시간씩 할 수 있는 그런 시간 여유가 있는 직업을 가졌으면, 웬만한 가게나 하나 차려 손님이나 기다리면서 책도 읽고, 공부도 하고, 쓰고 싶은 글이나 쓸 수 있다면 내 인생은 족할 것 같다. 장사나 하자. 그럼 무슨 장사를 할 수 있다는 말인가.

1949. 2. 19.

큰절에서는 49재를 올리느라 소란하다. 몸이 아파서 밤에는 가보지 않았다.

1949. 2. 20.

아침에 큰절에서 4백 원이 왔다. 삼신불 등을 쓴 데 대한 보시普施 돈이라고 한다. 재자齋者 손님이 수고했다면서 3백 원을 더 보내왔다. 도합 7백 원이다. 붓글씨를 써서 주고 대접받기는 처음이다. 선비가 붓글씨를 써서 돈을 받았으니 걸식乞食, 걸전乞錢하는 필객筆客과 다를 바가 없다.

저녁 공양을 하러 오래서 큰절로 갔다. 자정이 넘도록 금암錦庵, 제봉霽峰 스님, 김용문金容文 씨 재자 손님들과 함께 밤참도 먹고 놀았다. 절 안이 너무 밝아서 산속 밤 같지가 않다.

1949. 2. 21.

어제는 종일 보슬비가 내렸다. 봄이 오는 기별이었다.

"가라고 가랑비", "있으라고 이슬비" 창 밖에서 스님들은 말하며 킬킬 웃었다.

오늘 아침은 안개가 자욱하다. 김용문 씨가 떠난대서 고염나무 거리까지 전송했다(그는 왜정 때에도 와서 한동안 함께 지냈던 사이이다). 서로 작별하고 봉민奉敏 수좌와 함께 올라오는데, 안개 낀 산속은 그윽하다. 물소리는 맑다 못해 싸늘하다. 이끼가 놀랍도록 푸르다. 삼동三冬 눈바람에도 떨어지지 않고 남은 나뭇잎들이 안개에 젖어 있어서 이상스럽게만 보인다. 아니 운치를 더 돕는다. 해마다 제일 먼저 봄소식을 전해주는 계곡의 버들을 굽어보았다. 가지마다 은빛 버들강아지들은 추운지 털이 고왔다.

지난번에는 R씨 방에서 벌[蜂]소리를 들었다. 그때 모두는 버들강아지가 아직 피지 않았을 거라고 했다. 어제는 서울서 와서 공부하는 이동희李東熙 씨가 "며칠 전에 흰나비를 봤다"고 나에게 말했다. 나무가 많았던 지난날이 생각난다. 버들가지가 성근 것은 해마다 이맘때쯤 내가 꺾은 때문일까. 그런데 봉민 수좌는 몇 가지 꺾어 가자 한다. 좀 난처했으나 이러고 대답하는 수밖에 없었다. "그럼 부처님 앞에 꽂아두시지." 귀를 기울여도 새소리는 들리지 않는다. 사람들이 연신 내려온다. 서울로, 대전으로, 갈마리葛馬里로, 연기燕岐로, 군산群山으로 가는 사람들이다. 재齋가 끝나서 떠나들 간다. 안개는 개었다. 햇빛이 밝다. 방문을 활짝 열어 소제를 하였다. 벽에 고서화古書畵를 거니 향기가 나는 듯하다.

1949. 3. 2.

몇 날 동안 심하던 치통은 좀 그만하였다. 그 대신 목이 부어오른다. 낭패다.

오늘도 학인學人들은 글을 배우러 오지 않았다. 그들은 병중에 있는 나를 괴롭히지 않으려 하는 것이다. 산중에서 병이 들면 정적에 더 부대낀다. 내일은 대전으로 나가봐야겠다.

1949. 3. 3.

주장님과 함께 기어 나가듯 백정자百亭子에 이르러 트럭으로 대전에 당도하였다. 의사는 나에게 임파선이 부었다고 한다. 주사를 맞고 하얀 정제를 먹으며 산속에도 이런 것쯤은 있어야 한다고 가망 없는 생각을 하였다.

백화점 2층에서 여수 순천 사건 사진전을 봤다. 인간이 인간을 저렇게 죽일 수 있을까. 믿을 수 없는 사실이다. 분노보다 비애가 앞선다. 시체 앞에서 땅을 치며 하늘을 우러러 통곡하는 부인婦人, 그 뒤에 서서 이 광경을 응시하는 미군, 산방山房이 그리웠다.

1949. 3. 4.

어젯밤은 여관에서 잠을 편히 못 잤다. 목이 아파서가 아니다. 옆방에서 젊은 남자가 여자를 참으로 앙징스럽게 패는 모양이었다. 나중에 여자는 목을 매고 죽는다며 야단이었다.

아침에 눈을 뜨니 옆방에서 남자는 유행가를 부르고 여자의 신음소리가 들리었다.

아침도 안 먹고 트럭으로 대전을 떠나 백정자에 내렸다. 주막에 들렸다. 관상가라는 사람이 여러 사람의 술대접을 받으며 횡설수설하고 있었다. 웃지도 울지도 못할 세상이다.

나의 산방으로 돌아왔다. 목도 아프지 않다. 학인 스님들이 각기 쌀을 내어 떡을 하려다가 혹 내가 못 먹을까 하고 그 중 한 말로 아침에 내 생일 불공을 올리고 그 대신 콩을 모아 두부를 했다는 것이다. 나는 두부를 제법 맛나게 먹을 수 있었다.

내 나이 28세. 오늘이 생일이다. 오늘날까지 해놓은 것이 무엇인가.

1949. 3. 5.

요전 누이동생 편지에 의하면 5, 6 양일간에 어머니께서 동학東鶴에 가실 거라고 하였다.

자다가 소피를 보려 문을 열고 바깥으로 나갔다. 앞뒤를 분별할 수 없다. 비 오는 소리만 들린다. 아니 봄이 오는 소리다. 오늘 어머니와 누이동생이 못 오게 되지나 않을까 염려스러웠다.

그러나 아침에 비는 다행히 멈췄다. 햇빛이 퍼지고 하늘에 부드러운 구름이 흐른다. 날씨가 좀 쌀쌀하였다. 산속이니 그럴 테지, 마을은 따뜻하겠지. 지금쯤 어머니와 누이동생은 트럭을 타러 사거리에 나왔을까. 종일 기다렸다. 해가 저문다. 낮엔 까치가 계변溪邊 규목나무에서 여러 번 짖었다. 석유 등잔에 불을 밝혔다. 항상 어머니는 동학에 오고 싶어하신다. 전번에도 몇 번이나 동학을 말씀하셨다. 오늘 마침 차가 없었던가. 몸이 편치 못하신가. 또는 큰형이 못 가게 한 걸까. 내일 오시려나. 오늘 밤은 꿈속에서라도 어머니를 꼭 뵈올 것만 같다.

1949. 3. 6.

오전은 청명하였다. 오후부터 바람이 불더니 비가 뿌리기 시작하였다. 다시 목화송이 같은 눈이 내린다. 어머니를 기다리는 마음도 일기日氣여라. 몇 번씩 변하였다. 밤은 고요하다. 방엔 나와 나의 그림자뿐.

1949. 3. 7.

어떻게 하면 만족한 글을 쓸 수 있을까. 어느 날인들 생각 아니한 날이 있었으랴. 진정 초조하다. 문학에 천분과 소질이 없는 것일까. 그저 노력하자. 설마 까닭이 나겠지.

1949. 3. 9.

나물국이 밥상에 오르기 시작한 것도 오래되었다. 그러나 나생이 씀바귀 그 외에 여러 가지 봄나물을 대하기는 처음이다.
비벼 먹으니 입맛이 새롭다. 어김없이 해마다 봄 소식을 오장五臟에 전한다.

1949. 3. 13.

비가 오면 방이 어둡다. 불을 안 켜면 책이 잘 보이지 않는다. 윗절로 올라갔다. R거사居士와 함께 『금강경 오가해金剛經五家解』를 보며 담소하는데 경 속에서 종이 조각 한 장이 나왔다. 그리고 누가 지었는지 시 한 수가 적혀 있었다. R거사는 그 시의 운을 따서 한 수씩 짓자고 한다. 한시漢詩에 소양이 없으므로 나의 것은 그저 자字 무덤에 불과하였다.

1949. 3. 14.

지난날 이씨가 관음상을 한 장 모시고 싶다고 하였다. 그때 내가 한 장 드리겠다고 언약하였다. 그 후 내가 수집하여둔 불상 사진들을 뒤져보니 마땅한 게 없었다. 모두 다 희한하고 진기한 것이기에 주기 싫었던 것이다. 그렇다고 일단 언약한 걸 어길 수도 없었다. 결국 석굴암 관음상을 더구나 책에서 뜯어줄 때만 하여도 퍽 용기를 내었다. 오늘 벽장에서 책을 찾는데 이씨에게 불상 몇 장을 들켰다. 이씨는 그 사진판 불화佛畵를 보더니 무한 찬탄하였다. 곁에 있는 내가 도리어 감격할 지경이었다. "맘에 들거든 한 장 골라 가집시오" 하였더니 이씨는 무척 기뻐하며 인도 박물관에 있다는 보살상을 들여다보며 "이런 보물을 줍소사 할 염치가 없군요" 하기에 "이럴 때 복 좀 지어야겠소" 하고 거듭 사양하는 선남자善男子에게 주었다.

1949. 3. 15.

지프 차가 들어왔기에 유성儒城까지 타고 나갔다.

"일반 사람은 태우지 않기로 되어 있어서 대전까지 모셔다 드릴 수 없습니다. 조금 가면 헌병 검문소가 있으니 여기서 내려줍시오."

이렇게 나에게 말한 군인은 해방 후 북한서 나왔다는 분이었다. 그는 유성까지 오는 동안 부모와 고향이 그립다고 하였다. "차비라 생각 마시고 정표로 드리니 받아줍시오" 하고 돈을 주었더니 "우린 그런 사람 아닙니다" 하며 받질 않았다. 나는 남방 사람이요 그는 북방 사람이다. 나는 그의 강한 성격이 부러웠다. 멀리 사라지는 그 군인의 뒷모습을 보노라니 양단된 조국에 대한 고독이 스며들었다. 유성서부터 걸어 저문 후에야 대전에 이르렀다. 곧 약을 사가지고 여관에 들었다. 숙박기宿泊記를 가지고 들어온 여관 보이에게 싸가지고 온 떡을 권하며 함께 먹었다. 내 생일날 떡을 하려다가 그만두었던 학인 스님들이 오늘 팥고물에 설탕까지 넣어 파란 쑥떡을 만들었던 것이다. 참기름을 바른 쑥떡은 전등 불빛에 탐스럽게도 윤이 난다. 떡으로 저녁 식사를 대신하고 누우니 약간 피곤하였다.

1949. 3. 16.

비가 온다. 우산이 없으니 낭패였다. 여관을 나와 부슬비를 맞으며 책사冊肆를 한바퀴 돌았다. 신간도 몇 가지 있었다. 『고어 사전古語辭典』, 손소희孫素熙• 『이라기梨羅記』, ○○○ 『○○○ ○○○』 비싼 정가금을 달고 있는 위의威儀가 나의 손이 닿을 수 없는 민족과 같다. 정훈丁薰• 시집도 출간되어 있었다. 책이란 내용을 읽기 위하여 사는 것인데 나는 가격부터 들춰보게 되니 우습다. 150원짜리 고본古本 한 권을 사가지고 동학으로 돌아왔다.

1949. 3. 18.

점심 무렵 어머니와 누이동생이 왔다. 찹쌀 빵을 만드시고 갖가지 적을 부쳐가지고 오셨다. 향기롭고 감미로운 미나리와 파도 사가지고 오셨다. 먹으며 웃으며 이야기하며 일적막一寂寞하던 내 산방이 만개화滿開花처럼 명랑하였다.

1949. 3. 19.

수건, 양말, 책상보, 목도리, 내의 등 빨 것을 가지고 어머니와 누이동생은 고염나무 거리 계곡에서 세탁하였다. 태양을 가리는 구름도

1949. 3. 29.

계곡 물을 굽어본다. 어느덧 내가 한 폭 옛 그림으로 들어간다. 그림에서는 바람과 물소리가 나지 않듯이 나는 갈건 도복을 입은 신선도, 도인도, 선인仙人도, 은자隱者도 아니다. 검은 외투를 걸치고 피로를 풀려 걷는다.

대자연은 평화하지만 생명은 단순하지가 않다. 그래서 세상은 늘 변해왔다. 제각기 소망을 찾는다. 내 나름대로 바라고 피곤한 덕분에 산속 생활을 버티어간다. 인간이 나무나 바위나 돌이 될 수는 없다. 무능력은 회상한다. 때로는 햇빛에 반사되어 물이 보이지 않는다. 또는 흘러가는 소리를 듣기만 한다. 여기에도 저기에도 산동백이 피어 있다. 음지의 석창포는 영혼처럼 짙푸르다. 대자연은 피곤을 풀어준다. 대자연만이 나를 위로한다. 하지만 심심하거나 쓸쓸해지면 못 견딘다. 그러기 전에 일을 또 계속해야 한다.

방에 돌아와 외투를 벗어 걸었다. 외투 자락에 황금빛 꽃가루가 묻어 있었다.

1949. 3. 30.

다른 종교에는 『유마경維摩經』* 같은 경전이 없을 것이다. 이 경전에서 불타와 유마가 다르지 않다는 것을 알게 된다. 불이문不二門에 들게 된다. 『유마경』을 읽으면 중생이 불타와 다르지 않다는 믿음에 이르른다.

어느 사찰에서는 소작인에게 논을 팔려 무던히도 애를 쓰나 보다. 속인을 시켜 사중寺中 논 있는 곳을 한바퀴 둘러보게 했단다. 그 속인은 가서 사중 논을 꼭 사러 온 사람처럼 한바탕 연극을 했을 것이다.

1949. 4. 1.

날씨가 흐리다. 이인정 노장님과 함께 유성儒城까지 걸었다. 노장님 말씀은 이러하였다. 뒤쪽 추녀는 서까래가 썩어서 고쳐야겠는데 품삯은 삼시 세끼 먹이고 하루에 250원씩이며 손수 농사를 지으려 해도 작인들이 논을 내놓지 않으니 혼자서 북치고 장구까지 쳐야 할 형편이나 몸이 말을 듣지 않는다는 것이다. 그러니 정혜사定慧寺 승수좌님들을 오래서 선방禪房을 차려 어떻게 해서라도 농사를 지어야만 절을 유지할 수가 있다는 것이다. 대화가 끊어질 때마다 노장님은 관세음보살을 부른다. 앞으로 불교와 사찰과 스님들은 어떻게 될 것인가. 농부가 논을 간다. 됨을 내는 데도 있다. 사람들은 보리밭을 맨다. 해동解冬한 풍경이다. 자작농을 하려 해도 그나마 뜻대로 안 되는데다가 농사일을 시작해야 할 시기는 닥쳐왔으니 초조할 수밖에 없을 것이다. 비단 사찰만의 문제가 아니다. 국토가 양단된 백성들의 미래는 아리송하기만 하다.

유성 버스 정거장에는 유엔 대표단 환영의 이모저모를 찍은 사진 화보가 나붙어 있었다. 그들이 어떤 영향을 줄지 궁금하다. 삼팔선이 풀려야만 하겠다. 사진 화보를 우두커니 본다. 버스가 왔기에 탔다. 비가 온다.

그러나 대전에 내렸을 때는 날씨가 활짝 개었다. 서점의 신간들부터 둘러보았다. 『인간 김구 선생 논설집』이 있었다. 이광수李光洙 작 『이순신李舜臣』도 있었다. 발매 금지가 되어서 2차 대전 때는 구해 볼 도리가 없었던 책이다.

책 몇 권 사서 유성에 오니 오후 3시. 냇가에서는 여러 사람들이 세 패로 나뉘어 훈련을 받고 있었다. 벌써부터 도처마다 군인을 뽑는다더니 아마 거기에 뽑힌 사람들 같다. 목총을 들고 전진한다. 대열이 제법 정연하다. 호령이 내릴 때마다 동작이 민첩하다. 옷도 가지각색이다. 때에 전 조선옷이 대부분이요 양복을 입은 이도 간혹 있다. 가위 남루였다. 북선에서도 훈련을 시킨다고 한다. 서로 노리니 서로가 준비를 아니할 수 없는 모양이다. 다른 나라들은 외국군을 막기 위한 훈련을 할 것이다. 일본 사람들에게도 못 겨누어본 총을 어디로 돌려야 할지 국토가 어째서 두 조각이 났는지 모르겠다. 왜 두 조각을 냈는지 이해할 수가 없다.

수모자비受侮自卑란 말도 있을까. 말이란 하기에 달렸다. 세계 평화를 부르짖는 강대국들 덕분에 지구가 말이 아닌 것 같다.

1949. 4. 2.

메랏에 신동神童이 있다는 소문을 들었었다. 천문, 지리, 음양, 술수에 통달하여 제자도 많다는 것이다.

R거사님이 머리를 땋아내린 소년을 데리고 왔다. 소년은 행건까지 치고 있었다. 이 소년이 바로 그 신동이라 한다. 성은 윤尹씨, 나이는 열일곱 살이라는데 13, 4세밖에 안 되어 보였다. 윤소년은 상냥한 말씨와 단정한 태도가 몸에 배어 있었다. 사서삼경과 병가兵家 칠서七書를 읽었으며 천문天文 보는 법을 좀 배웠다고 한다. 『노자老子』는 보았으나 『장자莊子』를 못 읽었는데 책이 있으면 빌려달라는 것이었다. 하 대견해서 책을 빌려주며 불경도 읽어보라고 권했다. 동학에서 공부를 시키려 제자 세 사람을 데리고 왔다는 것이다. 그 제자라는 사람들이 30, 40된 나이라는 것이었다. 무엇을 가르치는지는 알 수 없으나 소년의 나이로는 자기 공부를 더 해야 할 때가 아니냐

고 했더니 지당한 말씀이라면서, 제 생각도 그런데 사람들이 찾아와서 조르는 바람에 부득이 끌려다닌다는 것이었다. 이해하기도 전에 주견主見이 앞서면 고집에 지나지 않으니 동서고금 책을 널리 섭렵하는 것이 어떠냐고 하였다. 윤소년은 제자들을 다 돌려보내고 다시 동학에 와서 공부하겠다며 대답이 공손했다. 무엇인가 비정상적인 것만 같았다. 그 타고난 재주가 아까웠다.

큰댁이 공주로 이사 오는 날이다. 종일 흐려서 걱정했는데 밤비가 내린다. 나무에 물이 오른다. 흙에서 새싹은 돋는다. 밤 공기가 완연한 봄 소식이다.

1949. 4. 3.

R거사님 방에서 『금강경』 번역을 보는데, 어떤 젊은 사람이 나를 찾아왔다. 공부할 각오로 왔다면서 글을 가르쳐달라는 것이었다. 모씨에게서 선성先聲을 듣고 서울서 왔다는 것이다. 나는 젊은 사람에게 공부를 하려거든 즉시 서울로 돌아가라고 가르쳤다.

1949. 4. 7.

집으로 가는 길이다.

보리밭 주위로 황토黃土가 타는 산골이다. 바위 틈에서 구름이 피어오른다. 목쉰 이리가 짖는다. 무서워하면 진짜 나올 것만 같다. 가난한 집에도 살구꽃은 피었다. 샘물이 구슬 같은 거품을 뿜는다. 하얀 달이 자꾸 떠내려간다. 어머니 등에 업힌 아가가, 됨 내고 내려오는 아버지를 바라본다. 산 그림자가 우산 모양으로 접혔다. 산전山田에서 멧돼지를 지키는 눈이 하나. 어디서 소쩍새가 계속 운다.

집에 잠시 들렀다가, 이사 온 큰댁으로 갔다. 할머님 제사에도 쓸 겸 동학에서 가지고 온 과줄 일부와 성냥을 사다 드렸다. 이사한 집에 성냥을 선물하는 풍속은 그 집안 재물이 불처럼 일어나라는 뜻이라지만 실은 값이 싸기 때문일 것이다.

고모님은 매우 수척해 계셨다. 밤에도 줄곧 앓으신다. 병 간호에 지친 고모부님은 코를 곤다. 나는 잠을 설쳤다.

1949. 4. 8.

문학을 좋아하는 이李양이 민敏이에게 나와 인사를 시켜달라더란다. 그 댁에 송나라 소동파蘇東坡• 친필이 있다기에 이양을 만나기로 했다. 민이의 수고로 이양은 권축卷軸을 가지고 왔다. 진가眞假는 모르겠으나 놀라운 필치였다. 사진판으로만 봤던 소동파 글씨와는 달랐다. 옛 글씨다운 향기가 물씬 난다. 오홍吳興 조옹趙雍, 대치도인大痴道人• 황공망黃公望, 하동河東 장원張源의 제문題文이 있고 도장이 도합 15개나 찍혔는데(녹빛 종이 바탕이었다고 기억한다) '紹聖二年 三月四日 詹使君邀予 遊於白水山佛跡寺'[27]로 시작되는 소위 소동파 글씨는 진가眞假 간에 나를 압도하였다. 이 글씨가 전해 내려온 내력을 물었다. 이양도 모른다는 대답이었다.

1949. 4. 9.

신문은 금세 세계 대전이라도 터질 것 같다. 소련과 이란은 전투를 시작하였다. 불란서의 점성사는 4월 중에 희랍에서 3차 대전이 시작되는 것으로 예언한다. 처칠은 미국에서 순회 강연을 한다. 미국은 원자탄 사용을 선언하였다. 파란에는 소련군 30만이 진주하였다. 국부군은 중공군의 요구를 거절했다. 들리느니 호국군護國軍의 훈련 소리이다.

1949. 4. 10.

딱한 사정을 말했으나 뜻밖에도 냉담하였다.

1949. 4. 11.

대답을 기다렸으나 말이 없다.

늦게야 큰댁에 제사를 지내러 갔다. 아버지의 친어머님 제삿날이다. 내가 전에 들은 바에 의하면 그 어른은 기가起家한 시어머님 밑에서 고된 시집을 살다가 세상을 떠났다. 큰아들(내 큰아버님)은 운명한 어머님의 손을 들어 보이며 "할무니 우리 오매 이 손 좀 보이소" 하고 울었다. 그러니 손이 오죽하였으랴. 큰손자에게 "오냐, 내 혼자 잘묵고 잘살려고 그리한 것 아니가" 이 한마디 대답을 남기고는 이만 말문을 닫았다. 시어머님은 목이 점점 부어 며느리가 세상을 떠난 지 3개월 만에 뒤따라가듯이 세상을 떠나셨다고 한다. 병든 구평 고모가 술잔을 친정 부모님 제상에 드린다. 절을 하는데도 괴로운 상이다. 어머니도 시부모님 제상에 절을 한다.

1949. 4. 12.

2, 3일 후라야 확답을 하겠다고 하더란다. 한 달 전만 해도 나 같은 처지의 사람이 소망을 이룬 사실을 알고 있다. 너무 잘 아는 사이기 때문에 일이 어려워지는 것이나 아닌지 내일은 내가 직접 찾아가서 만나봐야겠다.

1949. 4. 13.

고모님 병환이 심상치 않은 증세 같다며 걱정들이다. 그렇다면 이야말로 큰일이다.
그는 난처한 입장을 무슨 좋은 말로써 모면할까 애쓰는 모양이었다.
나는 가능한 한 도와달라고 했다. 그는 내일 교섭해보겠노라 약속하였다.

1949. 4. 14.

"전례가 없는 바는 아니나, 이후로는 안 하기로 결의가 돼서 난처하답니다. 그러니 몇 달만 기다려보라고 하더군요. 그러는 것이 어떨까요."
그 댁을 직접 찾아가보는 수밖에 없었다. 출타하고 안 계신다는 대답이었다. 밤늦게 또 찾아갔다. 아직 안 돌아오셨다고 한다. 나를 따돌리는 것이 분명했다. 누구 말에 의하면 돈을 쓰든지 아니면 하다못해 음식 대접이라도 해야 한다고 한다.

1949. 4. 15.

돈을 빌려주면 동학에 가서, 사두었던 쌀을 팔아서라도 갚겠노라 다짐했다. 그러나 현금이 그렇게는 없다는 대답이었다. 더구나 어머님은 속수무책이었다.

1949. 4. 16.

함께 산성山城을 산보하였다. 영은사靈隱寺가 내려다보이는 곳에서 간곡히 청했다. 그는 부러지게 거절은 하지 않았으나 될 것 같지가 않았다. 돌아오는 즉시로 어머님에게 양복을 한 벌 맞추어야겠다고 다시 청했다. 어찌어찌 돈 만 원을 마련하셔서 여동생과 시장에 가시더니 2천9백 원을 주고 윗도리 목자 한 감을 사오셨다. 양복점에 갖다 맡기느니 여동생에게 양복을 만들라고 일렀다.
두 곳이나 찾아가 또 부탁을 드리고 나니 이만 피곤해서, 또 산성 공원으로 올라갔다. 오늘이 토요일이라, 봄바람을 쐬는 남녀가 삼삼오오로 거닌다. 영은사 법당에 들어가서 예불하였다. 내가 죄 많은 중생으로만 느껴졌다. 슬며시 산방이 그리웠다.

1949. 4. 17.

두斗 형 집에서 잤다. 식전에 어머님이 올라오셨다. 어쩌면 좋으냐는 듯이 나를 보신다. 딱하다는 듯이 나를 보신다. 죄송하기만 했다.
L씨를 데리고 그분 댁으로 갔다. 그분이 초대에 응하지 않는다는 것이었다. 두 형을 데리고 왔다. 불과 몇 분 사이였는데, 그분은 출타하고 집에 없다는 것이다. 어쩔 도리가 없었다. 두 형과 L씨와 함께 영산瓔山 공원 박물관을 산보하였다. 어제 나더러 오늘 촌村에 간다던 분이 성당에 서 있었다.
내가 오죽하고야 저런 착한 분까지 난처하게끔 했나 싶어서 바라본 순간 얼른 외면했다. 수양버들과 반쯤 꽃핀 복숭아나무 중간에 파손된 돌부처님이 앉아 계셨다. 무상無常을 설하시는 듯했다. 옛 진열품들을 보면서 산란한 심사를 수습하려 애썼다. 조선 자기가 엄격한 권위와 차별로 보였다. 고려 자기는 전아典雅한 꿈이었다. 내가 아는 몇몇 사람이 옛 귀인貴人으로 변했다. 석기 시대 칼은 서양 칼처럼 양쪽에 날이 서 있어서 다시 놀랐다. 백제 유물들을 보는 동안에,

그 당시 생존 경쟁은 어떠했을까 알고 싶었다. 나를 감동시키는 물건은 역시 서화書畵였다. 현재玄齋•의 「운중심민도雲中尋敏圖」는 사진에서 이와 비슷한 그림을 여러 번 보았는지라, 수십 년 만에 만난 사람처럼 반가웠다. 예술가를 천대한 조선에서 오로지 한 길을 추구한 사람들을 보는 것도 같았다. 고통을 가치 있게만 하면 암흑에서도 광명이 나타날 것이다. 붓글씨는 단 두 점이었다. 왕탁王鐸• 의 필첩筆帖과 이광사李匡師• 글씨는 피차 접근할 수가 없는 먼 사이 같았다. 내 눈이 무딘 때문일까. 밤이 됐다. 기진맥진해서 드러누웠다.

1949. 4. 18.

찬 방에서 몸을 뒤치며 잤다. 아침에 어머님이 들어오셨다. 나는 어머님을 위로하기 위해서 또 거짓말을 했다. 영일이가 와서 여러 가지로 나를 위로했다. 아침밥도 먹고 싶지가 않았다. 어머님이 국수를 시켜다 주었다.

내일이면 양복이 다 된다고 한다. 모레는 동학으로 가야겠다. 이나마 안 될 바에야 서울로 가는 수밖에 없다. 그러나 돈이 문제이다. 세수도 아니하고 종일 누워서 책도 읽었다. 글도 썼다.

1949. 4. 19.

나의 우울보다도 가혹한 소식을 들었다. 구평 고모님 병환이 위암이라고 한다. 수술을 받기로 결정했다는 전갈이 집안에 왔다. 내일 입원하신다는 것이다. 불안은 삽시에 우울마저 덮어버렸다.

1949. 4. 20.

오늘은 병실을 소독한단다. 고모님은 다시 진찰을 받았다. 내일 입원하기로 수속을 마쳤다. 마지막 희망을 거는 수밖에 없었다. 우리 대소가大小家는 설레는 마음을 진정할 수가 없었다.

1949. 4. 21.

불과 15분 만에 면담은 끝났다. 모를 일이다. 첫번째는 안팎으로 실패했건만 두번째 소망은 받아들여졌다. 내가 하 딱했던 모양이다. 도리어 허전하다. 보슬비가 내린다. 산성으로 갔다. 하늘에서 좇겨나 이 세상에 왔다는 옛 이야기들이 있다. 비각 옆 누대樓臺를 서성거린다. 새도 울지 않는다. 바람이 차다. 무오戊午 중하仲夏에 관찰사 정주영鄭周永이 지었다는 제시題詩가 누각에 붙어 있었다. 그 중에는 '殘寺疎鍾雲過壁 淸江長笛月橫空'[28]이라는 시구가 있었다. 나 자신을 달래듯이 입 속으로 읊었다. 떨어진 꽃을 밟는다. 산이 첩첩이 가로막아서 보이지가 않는다. 저기 은빛 버스가 오는 길을 따라서 서울로 가야만 한다. 누가 크레용을 칠했는지 돌[石]거북은 코가 빨갛다. 비각의 추녀는 썩어서 곧 무너져 내릴 것만 같았다. 그간 염치없는 청을 해서 여러 사람을 괴롭혔나 보다.

도립 병원으로 갔다. 가슴이 두근거린다. 농교農校에 가서 두斗 형을 데려왔을 때는 벌써 수술 중이었다. 고모님의 처절한 신음소리가 복도에까지 들린다. 마지막 희망이요, 생사의 갈림길이다. 영일이가 흐느껴 울기 시작한다. 나는 내가 어디론지 없어진 듯했다. 착한 고모님만 살려준다면 무슨 짓이라도 할 것 같았다. 의사가 가족들 중에서 한 사람만 들어와보란다. 고모부가 다녀 나왔다. "아야! 아야!"

고모님의 날카로운 신음소리는 웬일인가. 위에 아기 머리만큼 한 암이 퍼져서, 손을 대지 못한 채, 도로 배를 기웠다는 것이다. 모두가 소리 없이 울었다.

1949. 4. 22.

고모부는 말씀한다.

"자네는 나보다 오래 살 것이라데. 병 덩어리를 도려냈으니 걱정 말게."

"내가 죽는 것을 무서워하는 사람인 줄 아는가베. 한시 바삐 떠나고 싶구마."

고모의 대답이었다. 큰댁 희동羲東이가 제 누이 등에 업혀서 혀가 잘 돌지 않는 어린 목소리로 "할무니" 하고 부른다. 고모님은 곱게 웃으면서 말씀한다.

"엄마 젖달라고 하지 마레이. 커단 기 젖을 먹어 쓰나."

종형수씨와 희동이가 간 뒤 고모님은 슬쩍 눈을 훔치신다. 오늘날에 이런 고모님을 뵐 줄은 몰랐었다.

유리창 밖에서 푸른 잎들이 살랑거린다. 간호부가 콧노래를 부르면서 지나간다. 고모부 말씀에 의하면 어젯밤 고모는 잠 한숨 못 주무시고 신음만 하셨다. 의사 욕만 하셨다는 것이다. 그들은 몽혼 주사도 하지 않고 약물만 칠하더니 수술을 하더란다. 어찌나 아픈지 몽혼 주사를 놔달라니까, 그들은 괜찮다고만 하더란다. 수술을 그렇게도 하는 법인가. 무서운 일이다. 고모가 그들의 실습용이 된 것만 같아서 분했다.

1949. 5. 20.

근 한 달 동안 일기를 못 썼다. 그새 바빴다. 서울도 다녀왔다.

음력 사월 초파일을 동학사에서 모셨다.

양력 5월 7일. 동학사를 일단 떠났다. 나에게서 불경을 배우던 승수좌님들은 백정자까지 따라와서 전송해주었다. 한참 젊은 시절의 고향이었던 곳을 떠나는 사람에게 눈물을 보이다니 질색할 노릇이었다. 집으로 왔으나 앞길이 태산이다. 고모님은 떠날 날만 조용히 기다리시는 모습이었다. 그 착하고 단아하던 얼굴이 말이 아니었다.

5월 13일. 어머님께 하직하고 두斗 형과 함께 출발, 비 내리는 수원역에서 우리는 작별하였다. 두 형은 수원 농대 교수로 부임해온 것이다. 다시 서울에 왔다.

1949. 5. 21.

이동희李東熙 씨 댁으로 학음鶴陰과 함께 내 짐을 찾으러 갔다. 맨발에 고무신이다. 궁상스런 양복에 륙색을 지고 전차에 탔다. 내 곁에 여대생들이 나란히 서 있는 것까지도 몰랐다. 돈암동敦岩洞 종점에서 내렸다.

"여학생들이 자네 뒷모양을 보며 웃더라."

학음이 나를 놀린다. 나는 오랜만에 웃었다.

1949. 5. 22.

일요일이다. 여천사與天寺 옆 산을 넘어 정릉貞陵을 지나 봉국사奉國寺를 거쳐 우宇(성우惺牛) 수좌님을 찾아갔다. 왜정 때 본 산천 그대로였다. 천향원天香園 들 무렵 거대한 은행나무는 달라진 데가 없건만, 내 나이가 그새 많아져 흘러간 셈이다. 우 수좌님은 정혜사定慧寺에 가서 이 절에 없다는 것이다. 희喜 노장님은 초면이지만 서로가 소문을 들어서 아는 터인지라 나더러 점심 공양을 하고 가란다. 왠지 쑥스러워서 다음날로 미루고 나왔다. 산수山水 사이를 거닐었다.

1949. 5. 23.

불교과 강의를 들어보니 필기가 주였다. 불교에 관한 서적을 읽는 편이 진도가 빠를 것 같았다. 다른 과 강의를 들어보니 혼자서 그 방면 책을 많이 읽는 편이 경제적일 것 같았다.

1949. 5. 24.

다시 시고詩稿를 끝내다.

1949. 5. 25.

유동준兪東濬 씨 댁을 찾아갔다. 걸어서 10분도 안 걸리는 곳에 댁이 있었다. 두 번을 갔으나 아직 안 돌아오셨다는 대답이었다. 우리가 동학사에서 헤어진 후 몇 해 만인가. 문학 평론가가 되었다니 얼마나 변했을까.

1949. 5. 26.

영일이가 집으로 내려간다기에 함께 역으로 가는 전차를 탔다. 도중에서 예배당 종소리가 들리었다. 그러니 기차 시간에 대어 가기는 틀린 일이다. 영일은 내일 떠나기로 하고 함께 우미관優美館을 경유,

진고개를 돌러 서울 극장에서 영화 「남국南國의 유혹」을 보았다. 을지로 4가로 빠져 거처로 돌아오다가 지나는 길에 유동준 씨 댁으로 갔다. 마침 유씨는 댁에 있었다. 대문을 나오는 분을 보니 서로가 초면이었다.

"경성 제대 나온 유동준 씨와 이름은 같습니다만 서로가 인사도 없는 사입니다. 그분 백씨伯氏와는 잘 아니 그분 백씨를 찾아가 보시지요. 주소를 가르쳐드리겠습니다."

그렇다면 왜정 때 동학사에 와서 고시 공부를 했던 유씨를 굳이 찾아갈 것까지는 없었다. 내가 간절히 뵙고 싶은 사람이란 바로 문단 분들이기 때문이다. 문학 평론가 유동준 씨는 친절한 분이었다(그래서 내가 소위 문인文人이 된 후로도 그분과는 각별히 지냈다. 내가 최초로 본 학자를 겸하지 않은 문인이었기 때문이다).

1949. 5. 27.

오후 1시에 만나기로 되어 있었다. 약속한 곳에서 두 시간을 기다렸으나 오지 않았다. 기다리다 못해서 돌아왔다. 나에게 돈을 좀 줄까. 그가 내 지금 처지를 잘 알기에 하는 말이다. 어디까지나 원망願望이지 원망怨望일 수는 없다.

1949. 5. 28.

12시 20분 정각에 기차는 움직였다. 나는 돌 난간에 붙어 서서 역 구내를 본다. 떠나가는 일이가 기차 승강대에 서서 연신 나에게 손을 흔든다. 기차가 사라진 후에도 돌아서지를 못했다.

1949. 5. 29.

역경원譯經院으로 갔다. 부처님이 설하신 법문이 듣고 싶어서였다. 적음寂音 화상은 사진에서 본 스님이었다.

일요일에는 법회法會가 있다기에 들으러 왔다고만 말했다. 도시락을 싸왔으나 반찬이 없어서 공양주 스님 방으로 갔더니 정혜사 승수좌님들이 있었다. 나를 알아보는 분들이 있어서 반가웠다. 전번 천향원天香園 승방에서 본 종현宗玄 수좌님도 다시 만났다. 왜정 때에도 몇 번 드나들었던 선학원禪學院이지만, 이제는 아는 스님이 없어서 어색하던 참이었다.

옛 글에 불교란 믿는 일이 아니요, 깨닫는 일이라고 했다. 과연 그럴까. 『팔만대장경八萬大藏經』은 믿을 신 자에서 끝나는 것이 아닐까. 初發信心便成覺[29]이 바로 그런 뜻이 아닐까. 그렇다면 석가는 무엇을 믿었나. 화택火宅• 자부慈父의 방편설方便說이기를 바란다.

1949. 5. 30.

손으로 뺨을 짚고 귀기울여 듣는 저 여자는, 어느 날 아침 전차를 탈 때, 내 앞에 섰던 여자이다. 내가 거처하는 동네 근방에 사는 여자일 것이다. 그녀와 만나면 나를 보는 듯하였다. 어떤 자일까, 궁금한 모양이다. 내 너절한 꼴이 무대에 나선 희극 배우로 보이나 보다. 그 여자를 만나면 썩 유쾌하지가 않다. 자격지심 때문일까. 그녀는 살결이 너무 희어서 체온이 없어 보인다. 말라서 뾰죽하다. 눈만은 이해심도 있어 보인다.

웬일인지 불안하리만큼 조용하다. 폐병을 앓는 거나 아닐까. 그러고 보니 엷은 눈 가장자리와 양쪽 관골 께가 연꽃빛이었다. 위험스럽다는 짐작이 들자 불쾌감은 슬며시 풀렸다. 이 무슨 심리 작용일까.

1949. 5. 31.

젊은이가 갑자기 눈이 멀었다. 처음에는 절망한다. 다음에는 체념한다. 나중에는 안정을 되찾는다. 그러자면 몇 해나 걸릴까. 내 그 젊은이라면 안정을 되찾을 수 있을까. 내 옆을 지나간 소경을 다시 뒤돌아보았다.

사고 싶은 책이 몇 권 있으나 내게는 비싼 값이었다.

1949. 6. 1.

일본 사람들이 남기고 간 돌 난간과 연대蓮臺들은 다 어디로 집어치웠는지 모르겠다. 불상들은 다 어디로 집어치웠는지 모르겠다. 유리창에서 내려다보이는 뒤곁 구석에 불상이 몇 개 놓여 있었다. 뒷산에 터를 닦는 신축 지대로 올라갔다. 내려다보니 덤불 속에 갖가지 일본 불상들이 함부로 쓰러져 있었다. 아니 내버려져 있었다.

좌우 앞뒤가 다 요릿집이다. 이 일기를 쓰는 거처도 스님네가 경영하는 요릿집 구석이다. 천장이 금세 둘러빠질 것만 같다. 2층에서는 떠들고 뛰고 야단들이다. 사방에서 노랫소리, 장고소리가 질탕하다. 오늘이 토요일도 일요일도 아닌데 웬일인가. 오오라, 오늘이 5월 단오날이란다. 남자 손님은 없고 다들 여자 손님이었다. 유부녀들인가. 또는 과부댁들인가. 노래들은 기생 뺨치게 잘도 한다. 배가 고프다.

1949. 6. 2.

오후에 돌아오니 민이의 편지가 와 있었다. 어머님이 내 편지를 보시면서 우셨다고 한다. 어머님의 말씀을 쓴 민이의 편지를 읽으면서 목이 메었다.
내일 밤이 아버님 제사이다. 작년에는 비가 왔었다. 제사를 모시려고 동학을 떠났던 날이 생각난다. 비만 오면 산속 물은 대번에 붇는다. 바지를 벗고 백정자百亭子 냇물을 건너다가 이만 혁대와 대님을 떠내려 보냈었다. 제사에 참석하지 못하기는 이번이 처음인가 한다.
6시에 성균관대학에서 매재梅齋와 만나기로 했는데 학음鶴陰과 함께 갔을 때는 7시가 넘은 뒤였다. 학장 댁으로 갔다기에 매재를 만나러 갔더니 김창숙金昌淑 선생은 출타하고 계시지 않았다. 생각던 것보다 초라한 댁이었다.

1949. 6. 3.

주소만 가지고 김동리• 선생 댁을 찾아간다. 가는 것이 아니라, 이 골목, 저 골목을 방황한다. 오전 중에 들었던 웅변 대회장의 웃음소리가 나를 따라다닌다. "남녀 동등권을 달라" 고 외치던 여자의 손짓에 다시 웃음과 박수가 일어난다.
연사는 몸짓이 지나쳐서 청중들을 웃긴다. 나는 연사처럼 가슴이 울렁거린다. 갑자기 사방이 고요해졌다. 햇볕이 쨍쨍 언덕바지를 내려쪼인다. 주소는 맞는데 성명 문패가 없었다. 우선 땀부터 씻고 둘러보았다. 경동 학교가 올려다보인다. 멀리 삼각산이 늘어섰다. 웬 집들이 저리도 많은가. "선생님 계십니까" 하고 대문을 두드렸다. 첫눈에 부인임을 짐작할 수가 있었다. 과연 김동리 선생 댁이었다. 선생은 아직 돌아오지 않으셨다고 한다. 부인은 나더러 무슨 일로 왔느냐고 묻는다. 할말이 없었다. 시詩 여섯 편을 쓴 원고를 계면쩍스례 내드리며 "시골서 올라온 문학 청년입니다. 다시 찾아뵙겠습니다" 하고 허리를 숙였다. 자상한 부인이었다. 자그만 집이었다.

1949. 6. 4.

오후 1시에 매재를 만나기로 했다. 접때 약속 시간을 못 지켰기 때문에 오늘은 학음과 함께 약속 시간 전에 갔다. 사진을 찍어준대서 갔는데 매재가 없어서 그냥 돌아왔다.

저녁밥을 먹어치우고 김동리 선생 댁으로 갔다. 부인과는 구면이다. "어서 오셔요. 선생님은 아직 안 오셨어요. 시를 보더니 잘 썼다고 하시더군요" 하며 자기 일처럼 기뻐하신다. 주저보다는 불만과 희망보다는 불안에 허덕이는 나로서는 잠시 어리둥절하였다.

1949. 6. 5.

집 앞에서 놀던 사내아이 둘이 나를 알아보고서 웃는다.

"아버지 계시냐."

"엄마만 있어요."

집에서 나오던 사내아이는 나를 보더니 되돌아 뛰어들어간다. 곧 부인이 나오셨다.

"어젯밤에 안 들어오셨어요. 사람을 시켜 기별이 왔는데 자기 형님이 편찮으셔서 못 오신다고 하더군요. 신문사(서울신문사) 출근은 늦게 하시니까 오전 중에 오면 만날 낍니다."

"그럼 내일 오겠습니다."

"이리 몇 번이나 헛걸음만 시켜서 미안합니다."

나는 되려 죄송했다. 반갑게 대해주는 부인이 고마웠다. 이젠 구면이 아니라 친척되는 부인 같기만 했다. 김동리 선생은 어떤 분일까. 일찍부터 선생 작품은 거의 다 읽었기에 더욱 궁금했다. 슬하에 아들들이 많은 듯했다. 동리 선생의 형님이라면 바로 범부凡父• 선생님일까. 전에도 해인사海印寺에서 온 스님으로부터 범부 선생님 선성은 익히 들어서 아는 터이다.

역경원(선학원禪學院)으로 갔다. 한 주일 동안 시달린 몸과 마음을 쉬려는 것이 목적이었다. 그런데 결혼식이 있어서 조용하지가 않았다. 음식상이 줄을 지어 놓여 있다. 빛깔 좋은 반찬들이 많기도 하다. 보기에 국수가 먹음직스러웠다. 컴컴한 구석에서 싸온 도시락을 먹으니 시장하건만 입맛이 없다.

해가 기울어질 무렵에야 거처로 돌아왔으나 요릿집은 온통 부어라, 마셔라이다. 남녀들의 떠드는 소리에 멀미가 날 지경이다. 하하, 나도 크게 취해서 고루高樓에 누워 장안長安을 굽어보고 싶었다.

저녁노을이다. 정릉에 갔으나 물이 귀했다. 겨우 손수건 두 개와 수건 두 개를 빨았다. 오른쪽 볼이 붓는 듯하다.

1949. 6. 6.

어젯밤에 다이야징을 사먹고 잤기에 이만 정도일까. 아침에 거울을 보니 오른쪽 볼이 보기 좋게 살이 쪘다. 이가 쑤신다. 피곤하다. 조반을 끝내고 동리 선생 댁으로 간다. 돈암동 전차 종점을 지나면서 보니 가겟집 시계는 9시였다. 오르막길을 올라가면 첫번째 집이 선생 댁이다. 사내아이들이 먼저 나를 알아본다.

"손님 오신다."

고 서로 외친다. 그 중 하나가 반갑게 뛰어와 내게 매달리면서

"아버지 있어."

하고 알려주었다. 또 하나는 부리나케 집으로 들어간다. 미리 알리려는 모양이다.

사내아이의 손을 잡고 대문 앞으로 갔다. 내가 사진으로 선생을 처음 뵙기는 왜정 때 조선일보사에서 출판한 『신인 단편집』에서였다. 요즘 출판된 평론집 『문학과 인간』에서 본 선생 사진이 내 머리에 가득 차 있었다. 대문을 통해서 서로가 볼 수 있었다. 선생은 세수하는 중이었다. 사진에서 본 인상과는 달랐다. 얼굴이 희고도 맑았다. 눈이 범상하지가 않았다. 키가 크지 않았다.

"저 방으로 들어가세요"

선생은 마루 건넌방을 가리킨다. 목소리는 틉틉하나 저력이 있었다. 방에는 양복바지가 하나 걸려 있고 한 쪽 벽에는(책꽂이도 없이) 책이 가득 쌓여 있었다. 책상도 원고지도 만년필도 보이지 않는다. 집필하는 방은 아닌 듯하였다. 선생은 세수를 마치자 들어왔다. 나는 인사를 드렸다. 내 내력을 간단히 말씀드렸다. 선생은 묻는다.

"바쁘지 않습니까."

"과히 바쁘지 않습니다."

"요즘 신인新人들 시 중에는 김춘수金春洙• 씨가 시가 괜찮습디다."

나로서는 처음 듣는 이름이었다.

"동학사가 어디에 있습니까."

"계룡산에 있습니다."

"경치가 좋겠군요."

"왜정 말기 때 왜병들이 나무를 많이 베어서 전만 못합니다. 충청도에 가보신 일이 있으십니까."

"없습니다."

"『완미설玩味說』은 부여를 배경으로 쓰셨던데요."

"그냥 썼을 뿐이지요"

하고 웃는다. 선생은 건넌방으로 가더니 내 시고詩稿를 가지고 왔다.

"발표할 만한 수준은 됩니다. 그러나 나는 이런 시는 그다지 좋아하지 않습니다. 말을 고르는 기교보다는 충격적인 사상이 더 중요하지 않을까요. 외국 시인으론 누구를 좋아합니까."

"폴 발레리•를 좀 읽었습니다."

"발레리보다는 릴케도 좋지 않을까요. 국내 시인으론 누구를 좋아합니까."

"한용운韓龍雲•, 이상李箱을 좋아하는 편입니다."

선생은 머리만 끄덕이더니

"한 달 후면 『문예文藝』•지를 낼 텐데 소설 추천은 내가 하지만 시는 서정주徐廷柱• 씨가 하기로 되어 있어요. 서정주 씨에게 말해서 추천하도록 해봅시다."

"발표보다도 잘 지도해주시면 고맙겠습니다."

"오후 3시쯤이면 나는 소공동 경향신문사 옆 플라워 다방에 있습니다. 여가 있거든 그리로 오세요. 문인들이 모이는 곳입니다."

선생은 조반 전인 듯했다. 오래 앉았는 것도 실례일 듯해서 "다방으로 찾아뵙겠습니다" 하고 일어섰다. 선생은 대문께서 "숙처宿處가 어디냐"고 물었다. 요릿집이란 말은 못하고 신흥사新興寺 바로 밑이란 것만 말씀드렸다.

볼이 욱신욱신 아프다. 맥이 탁 풀려서, 잘 걸어지지가 않았다.

1949. 6. 7.

밤새껏 고통이 심했다. 아침에 보니 볼이 더 부었다. 내 얼굴이 병신스러웠다. 과로하거나 쇠약하면 볼과 목이 붓는 버릇이 내 체질이다. 밤새 내리는 비가 그칠 줄을 모른다. 가만히 누웠노라니 목에서 열만 난다. 오후는 보슬비로 변했다. 우산도 없이 갔다.

플라워 다방은 찾기가 쉬웠다. 동리 선생은 어떤 분과 대화 중이었다. 인사를 드리고 그 옆자리에 앉았다. 뜻밖이었다. 동리 선생은 들가방에서 내 시고詩稿를 내더니 그분에게 보이는 것이었다. 그분은 원고지만 하나하나 넘겨 보고서 누구 시냐고 묻는다. 동리 선생은 대답 대신 나에게 말했다.

"인사하시지요. 시인 박목월朴木月• 씨입니다."

『청록집靑鹿集』에서 본 소묘素描와는 달랐다. 나이가 훨씬 많아 보였다. 여윈 편에 키가 컸다. 나는 일어서서 인사를 드렸다.

"대구서 언제 오셨습니까."

"놀러왔지요. 앉으십시오."

목소리가 부드러웠다. 경상도 사투리가 애운성이었다. 동리 선생과 목월 선생은 잡지에 관해서 말하는 모양이었다. 동리 선생은 나더러 묻는다.

"점심 안 했거던 함께 가입시다."

"먹고 왔습니다. 와 가십니까."

"우린 아직 안 갑니다. 점심 먹고 올 끼에요."

내 앞에서 잡지를 보던 분이 잡지를 탁자에 놓고 다른 자리로 옮겨 앉는다. 잡지 표지에는 '근정謹呈' 이라는 잉크 도장이 찍혀 있었다. 어떤 분은 기증 받은 책인지 신간新刊을 놓고 있었다. 잡지를 보는 분도 있다. 어떤 분이 나에게 담뱃불을 빌려달란다. 어떤 분은 목월 선생이 앉았던 의자에 와서 글을 쓴다. 간혹 연필을 멈추고 비 내리는 창 밖을 본다.

한 남성과 두 여성이 바로 내 옆 차탁茶卓에 와서 주고받는 화제가 하필이면 연애였다. 남성의 말씨는 좀 신파조였다. 두 여인은 수사修辭가 대단하였다. 남성은 가끔 나를 째려본다. 이 허름한 자가 누구냐며 묻는 듯한 눈이었다. 우산을 쓰고 지나다니는 사람들을 나는 창 밖으로 보거나 아니면 잡지를 보았다.

여류 문인을 여배우 다루듯 한 기사가 있어서 좀 뭣했다. 나로서는 난생 처음으로 들어온 다방이다. 커피 한 잔 값이 80원이란다. 비싸다면 시세를 모르는 시골 얼간이가 되겠지만 내게는 힘에 벅찼다.

그새 동리 선생은 돌아와 어떤 사람과 함께 저쪽에 앉아 계셨다. 시계를 보니 5시 반이다. 돌아갈 방향이 같기 때문에 동리 선생에게 가서 여쭈었다.

"안 가실랍니까."

"이만 갈랍니까."

"네, 이도 아프고 해서 가야겠습니다."

"난 의논할 일도 있고 해서 나중에 가야겠어요."

"그럼 내일 다시 뵙겠습니다."

누구인지는 모르겠으나 문인들을 한꺼번에 많이 본 셈이다. 보슬비를 맞으며 을지로 4가까지 걸었다.

1949. 6. 8.

플라워 다방에 들렀더니 김동리 선생이 계셨다. 나보다 몇 배나 미끈하게 입은 양반이 와서 "뭣을 드시렵니까" 고 묻는다.

"빵이나 한두 개 줍시오."

어떻든 값싼 것을 먹을 배짱이었다.

"빵은 없는데요."

하는 수 없어 홍차를 시켰다. 역시 80원이란다. 다방 냄새란 이런 거로구나. S여사는 매우 젊어 보였다. 다방은 사색이나 명상의 해저海底는 아니었다. 재주와 위트의 공원公園이었다. 바깥으로 나왔다. 우선 비용 때문에 다방 출입을 그만둬야겠다.

거처에 돌아오니 민이의 편지가 와 있었다. 곧 답장을 썼다.

1949. 6. 9.

일전에 동학사 이동희 씨가 내게 편지를 보내주셔서 그간 사중寺中 소식을 알게 됐다. 고마웠다. 그 댁에 소식을 전해드리려고 이동희 씨 부인에게로 가는 도중이었다. 진고개에서 여대생 K양을 만났다. 내게 반가이 인사를 건다. 작년 여름 동학에서 만난 후 처음이었다. 며칠 전에 올라왔다기에 K양 백씨伯氏의 안부를 물었다. K양은 내가 서울로 갔다는 소문을 지방에서 들었노라고 한다. 내 요즘 처지를 꼬치꼬치 캐묻는다. 대답이 잘 나오지가 않아서 곤란했다. K양은 내가 문학 청년임을 잘 안다. 나는 용기가 없었다. K양은 좀체 헤어지려 않는다. 아무리 서울이기로니 집이 없으면 타향이다. 아는 사람을 만났으니 반가웠을 것이다. 깨끗한 남녀들이 좁은 길을 오가는 가게 옆에서 내가 대화하는 꼴은 K양의 체면을 위해서도 피해야 할 것 같았다. K양이 고맙게 할수록 내 비굴감은 더했다.

이동희 씨 부인에게 가서 이동희 씨 소식을 전하고 돌아오는 길에 편지를 부쳤다. 플라워 다방이 멀지 않다. 들를까 하다가 곧장 돌아왔다.

1949. 6. 10.

문명의 여독과 의욕은 고민한다. 더우면 옷을 간단히 입는 법이다. 그러나 분독粉毒으로 창백해진 얼굴에 혈색 연지를 발라 가장해야만 했다. 무더운 날에 겨울옷을 입으라는 법은 없다. 그런데도 이권 앞에서는 변해야만 한다. 어떻든 우스운 일이다. 썩는 냄새가 지속한다. 모순은 생각하게 할 것이다. 고통은 새로운 방법을 찾을 것이다. 어떤 방법이건 간에 과오의 씨로서 성장할 것이다. 돌아보면서 앞을 측정하기는 쉽다. 지식은 마비 증상을 일으켜 졸도한다. 어떤 정신이 이런 사태를 치료한단 말인가.

물질이 정신보다 월등하다고는 생각하지 않는다. 정신이 물질보다 월등하지 못하기에 하는 소리다. 한없는 정신은 정밀한 육체에 있었다. 서로가 서로를 유지한다. 물질로써 부족한 점을 채울 수는 있으나 정신으로써 평화를 얻기는 불가능한 상태였다. 행복은 변질하지만 평화는 없어도 생각났다. 불행은 물질과 정신의 상반에 있지 않았다. 인습화한 굴종이었다. 도구들마저 색맹증이 걸려 판단력을 흐려놓았다. 몸은 수분이 줄어든다. 이것을 자각하는 증상은 무엇일까. 몸은 썩어서 정신이 없어진다는 결론이다. 남을 사랑하는 일이 자기 자신을 사랑하는 길이요, 자기 자신을 사랑하는 일이 남을 사랑하는 길이라야 할 텐데…… 그런 방향은 어디에 있을까.

나는 M과 R과 한 방에서 거처한다. 그들에게 얹혀 있는 셈이다. 시골서 M의 고모님이 올라오셨다. 어제는 주인에게 말하여 R과 함께 빈 방에서 잤다. 오늘은 M의 친척들이 모여들었다. 나는 갈 곳이 없다. H형이 자기 처소로 가자고 한다. H형은 어떤 댁에서 돈도 내지 않고 먹고 자며 신세를 지는 처지라니 가히 알조다. 나는 미안해서 "혹 형에게 폐가 된다면 아니 가도 됩니다" 했더니 H형은 마치 자기 집으로나 안내하듯이 괜찮다는 것이다.

성신 여학교 앞 비탈길을 넘어갔다. 조그만 집이었다. H형은 갑자기 기가 꺾였는지 가만가만 들어간다. 나는 죄송해서 조심스레 뒤를 따라서 게딱지 같은 방안으로 들어간다. 집 안에서 일어나는 언성이 심상하지가 않았다. H형의 설명에 의하면 이 집 주인 부부의 싸움이라는 것이다. 찔끔했다. 툭하면 싸운다는 것이다. 가난한 탓이려니 싶었다. 전쟁은 방안에서 손바닥만한 뜨락으로까지 확대했다. 서로가 주먹으로 결판을 내려는 모양이었다. H형이 나가서 뜯어말리는 소리, 싸우는 소리, 아이들의 목멘 소리, 대세는 사뭇 험악하였다. 모든 소리가 나더러 당장에 나가라는 호령으로만 들렸다. 바늘방석에 앉아 있는 듯해서 견딜 수가 없었다. H형은 방으로 들어온다. 난처한 기색이었다. "나는 다른 데로 갈 데가 있습니다" 하고 일어섰다. H형은 미안해하면서 얼굴을 붉힌다. 그 댁에서 달아나듯이 나왔다. 여관에서 하룻밤 자다.

1949. 6. 11.

식전에 여관에서 돌아오는데 H형이 온다.

"어젯밤 어디서 주무셨나 궁금해서 M에게 들러 오는 길입니다. 어디서 주무셨습니까."

세상에 이런 분도 있나 싶었다.

오후 2시, 전차 종점에서 K양과 만나 정릉으로 갔다. K양은 한하운韓何雲• 시집을 들고 있었다. 건달들은 우리가 서로 연애하는 사이인 줄로 착각한 모양이었다. 건달들의 하는 짓은 불쾌하였다. 산에 앉아 산과 산을 바라보았다. 산이 옛 조상祖上들로 보였다. 여대생 K양도 딱한 처지였다.

"학교에도 안 나가고 있어요. 시골집에서는 계집애가 대학은 다녀 뭣 하느냐며 모두가 반대들이에요. 어서 내려오라는 거예요. 그래서 등록금을 마련하려고 취직했어요."

불교 신자였던 K양의 어머니가 생각난다. 그 어머니가 살아만 계셔도 K양이 이렇지는 않을 텐데 하고 내 나름대로 한숨이 나왔다. 젊은이들의 어려운 사정이란 K양만이겠는가. K양은 앞으로 어떤 길을 택할까. 집으로 내려갈까. 서울에서 버틸까. 남의 일 같지가 않았다.

1949. 6. 12.

H형과 함께 장충단 공원을 배회하다가 다시 서울 운동장으로 왔다. 나무 그늘에서 축구 시합을 보며 캐러멜을 씹는다. 입 안에 다디단 향내가 번진다. 하얀 셔츠를 입은 내가 귀족 같다는 착각을 했다. 어제 H형과 약속만 하지 않았더라도 지금쯤은 역경원에 갔을 것이다. 이나 저나 간에 결정을 해야 할 때가 왔다. 그런데도 내 힘으로는 어쩔 수 없는 큰물에 휩쓸려 떠내려가는 것 같다.

1949. 6. 13.

일단 집에 가서 의논을 해봐야겠다. 서울에 올라온 지가 꼭 한 달이 지났다. 내 사정을 모르는 상대는 말씀이 매우 간곡하셨다. 웃음소리가 들린다. 들어가볼 기운이 없었다. 어쩐지 다시는 서울로 못 올 것 같았다. 한바퀴 두루 돌아다녔다. 장안을 굽어보니 앞이 아득하였다. 솔직히 말씀을 못 드린 내 형편을 마음속으로 사죄하였다. 복잡한 시가지로 내려갔다.

돌아와 보니 방문 앞에는 M의 고모님 흰 고무신이 놓여 있었다. 들어갈 수가 없어서 살그머니 나왔다. 정릉으로 갔다. 날씨가 덥다. 풀밭에 벌렁 드러누웠다. 저편 하늘은 맑건만 갑자기 비가 쏟아진다. 비를 맞으면서 능陵 옆을 지나는데 배가 고프다. 빵 파는 사람도 없다. 비스켓을 사서 씹으며 산으로 올라간다. 보슬비로 변한 것이다. 집으로 내려가야 할까. 그럼 가지 말까. 방황하는데 비는 끝났다. 민이의 전번 편지를 내어 다시 읽었다. 햇빛이 따갑기에 그늘에 누웠다. 뻐꾹뻐꾹 뻐꾸기가 운다. 얼마나 지났는지 또 볕이 들기에 일어났다. 우선 편지를 쓰기로 결심하자 산에서 내려왔다.

방문 앞에는 M의 고모님 하얀 고무신이 여전히 놓여 있었다. 요릿집 2층으로 가만가만 올라갔다. 어머님과 큰형에게 사연을 쓰는 참이었다.

뜻밖에 두斗 형이 왔다. 어찌나 반가운지 말이 잘 나오지가 않았다. 수원서 오는 것이 아니라, 집에를 다녀서 오는 길이라 한다. 볼일이 있어 왔다는 것이다.

"고모님이 대단하시다. 집에서는 수의를 만들더라."

반가움도 순식간에 사라졌다. 민이가 만들어 보낸 양복바지와 셔츠와 양말을 받았다. 양말 속에는 어머님이 보내신 돈 2천 원이 들어 있었다. 민이의 편지에는 고모님 널까지 짜는 중이라고 적혀 있었다. 이야말로 설상가상이로구나.

1949. 6. 14.

두 형과 함께 중앙청을 다녀와서 기차표를 사러 여행사로 간다. 두 형은 함께 집으로 내려가자고 권한다. 가고는 싶었다. 그러나

"난 집에 가서 말할 용기가 없으려니와 여기 있는 편이 유리할 듯하다."

며 응하지 않았다. 두 형은 계속 권한다.

"아니다. 가는 것이 네게 유리하다. 뿐만 아니라, 고모님이 안 될 성하니 가서 생면生面이라도 해야 하지 않느냐. 이번에 내가 올라올 때 고모님에게 웬만하면 너를 데리고 오겠다고 말했으니 나와 함께 내려갔다가 올라오도록 하여라. 내 말대로 해야만 너에게 유리할 테니 두고 보아라."

고모님이 세상을 떠나시면 나는 두고두고 오늘을 후회할 것이다. 개인 사정이야 아무것도 아니다.

"그럼 형님과 가겠습니다."

우리는 저녁에 만나기로 약속했다. 두 형은 친구들을 만나러 갔다. 나는 거처로 돌아왔다. 한 시간 가량 우두커니 앉아 있는데 안주인이

"전보 왔어요."

한다. 가슴이 덜컥 무너지는 듯했다.

'고모위급속내'

지급至急이란 인이 찍혀 있었다. 수신受信은 오전 9시 30분으로 되어 있었다.

12시 반 차로 내려갔다면 지금쯤은 공주에 도착했을 텐데…… 지금쯤은 들어갔을 텐데…… 그러나 M의 말에 의하면, 오후 3시쯤 돌아오니까, 그제야 전보 배달부가 다녀가더란다. 통행 금지 시간이 임

박했는데도 두 형은 오지 않는다. 어찌해야 좋을지 모르겠다.

1949. 6. 15.

혼자서 내려갈까. 기다려야 하나. 12시 10분에야 두 형은 왔다. 하이야(택시)를 타고 달렸으나 화신和信에서 그냥 내려버렸다. 5분 만에 역까지 갈 수는 없는 노릇이었다. 오후 5시 반 천안天安행 기차로 출발, 두 형은 부득이한 사정이 있어 뒤따라오기로 하고 수원에서 하차, 8시 반 종착역 천안에 도착, 여관에서 잔다. 잠이 안 온다.

1949. 6. 16.

오전 8시 반에 대전 도착. 전에 다니던 9시 출발 정기 버스가 없어졌다고 한다. 우선 유성儒城으로 갔다. 화물 자동차를 기다려도 매사가 꼬이기만 한다. 늦게야 지나가는 화물 자동차 위에 올라탔다. 앞으로 계룡산이 달려온다. 서울에서는 그리도 그리웠던 산천이다. 늘 내렸던 백정자를 그냥 지나면서 동학사 쪽을 바라보았다. 10년 독서가 아무 소용이 없구나. 신작로가 오는지 신작로를 따라가는지, 가지가지 추억과 여러 가지 일이 뒤죽박죽이 되어서 뭐가 뭔지 모르겠다. 산방山房에 대한 생각 위에 고모님은 어찌 되셨나 하는 궁금증이 먹구름처럼 덮였다. 와야동瓦也洞 다리에서 보이는 계룡산, 논산으로 가는 갈림길에서도 보이는 계룡산이다. 지날 때마다 그랬듯이 보이지 않는 경천敬天 산골 아버님 산소 쪽을 향해 마음으로 절했다.
읍내로 접어드는데 산에 선명한 상여가 보인다. 장례 하는 사람들이 보인다. 방정맞은 생각이 들었다. 트럭 위에서 자세히 보니 모를 사람들이었다. 급한 걸음으로 집으로 가다가 길에서 영일이를 만났다.

고모님은 위독하시지 않다는 것이다. 한숨을 몰아쉬었다.

고모님 댁으로 갔다. 고모님은 문자 그대로 피골이 상접하였다. 아버님도 세상을 떠나실 무렵 그러하셨던 것이다.

"뭣 하러 내려왔노. 나 죽는 걸 보러 왔나."

죄송해서 아무 대답도 못했다.

1949. 6. 17.

모든 것이 자연의 힘이라면 고모님도 어떤 힘을 암시하는 것 같았다. 고모님은 회생回生하실까. 생명은 병에 무능하다기보다도 이상하리만큼 순종하는 듯하였다.

1949. 6. 18.

아무 미련도 없이 벌써 단념한 줄로 알았었는데, 새삼 사진이 유심히 보여지다.

1949. 6. 19.

큰아버님께서 새로 지으셨다는 한시漢詩를 나는 받아쓴다. 오랜만에 붓대를 잡은 것 같다. 벼룻집 안의 복숭아 연적은 아담도 하여라. 욕심이 나서가 아니다. 한시를 잊고 싶어서 복숭아 연적을 보곤 또 본다.

1949. 6. 20.

글쎄 이루어질까. 한 번만 봐주면 결혼에 관해서도 물론이요, 다시는 신세를 지지 않겠으며 혼자 힘으로 살아가겠다고 장담했다. H가

들어주지 않으면 D에게 꾸어야겠다. 산방의 내 장서藏書를 넘겨주기로 하자. 그것도 싫다면야 팔아서 갚지. H는 대답이 없었다. 어쩌면 청을 들어줄 눈치 같기도 하였다. 내일은 동학에 가서 우선 좀 쉬어야겠다.

1949. 6. 21.

몸살이 났나 보다. 새벽에야 다시 잠이 들어 늦잠을 잤다. 마곡사麻谷寺에 갔다가 돌아오는 길이라면서 봉민奉敏, 정림貞林, 은복銀福 수좌가 집에 들렀다. 그들도 뜻밖에 나를 보게 되어서 기뻐한다. 집에서 그들과 점심 먹고 함께 동학으로 가기로 했다. 4시 반 대전행 버스 출발을 기다리는데, 갑자기 비가 억수로 쏟아진다. 비에 쫓겨 다시 집으로 돌아오다.

1949. 6. 22.

49일 만에 동학에 돌아온 셈이다. 큰절 장長노장님이 열반한 날 떠났으니 말이다. 장노장님 49재에 참례하다. 산을 보니 지저분한 일을 잊겠다.

1949. 6. 23.

숲 속 계곡을 산보하다. 생명의 고향에 돌아온 것 같다. 과거가 한숨처럼 사라진다.

1949. 6. 24.

고모님은 그새 어떠신가. 궁금하기로 말하면 집에 돌아가야만 한다.

피곤이 덜 풀리어서 하루 더 묵기로 했다. 그새 나에 관한 일은 일단락 졌을까. 집으로 가기가 두렵기만 하였다.

1949. 6. 25.

솔직히 말해서 떠나기가 싫었다. 조반 마치고 백정자로 내려왔다. 김구 선생이 공주에 오시어 강연할 날이다. 네거리에는 '김구 선생金九先生 내공중지來公中止' 라는 벽보가 나붙어 있었다. 고모님은 그냥 그대로셨다. 저녁 무렵이었다. 골목 건넛집 앉은뱅이 마나님이 갑자기 일어서서 펄펄 뛴다는 소문이었다. 믿어지지가 않았다. 동네 사람들이 가득 모여 있었다. 7년 동안 반신불수로 앉은뱅이였던 마나님이 길길이 뛰면서 패담 욕설을 퍼붓는데는 모두가 놀랐다. 동네 노인들은 "신이 지폈다. 굿을 해서 풀어줘야지 저대로 두면 미쳐버린다" 고 하였다.

1949. 6. 26.

골목이 떠들썩하기에 가보았다. 반신불수 앉은뱅이었던 마나님이 갖은 사설을 하며 덩실덩실 춤을 춘다. 훨훨 날듯이 방안을 넘나든다. 그저 이상하기만 하였다. 우리가 아는 것만으로는 도저히 알 수 없는 사실이었다.

저녁밥이 끝난 뒤였다. 방에 누워 있는데 일이가 허둥지둥 들어온다.

"김구 선생이 피살됐대요."

"누가 그런 소릴하대? 어디서 들었노?"

"라디오에서 방송하더랍니다."

그럴 리가 없다. 도무지 믿어지지가 않는다.

1949. 6. 27.

김구 선생은 동포의 총탄에 쓰러졌다. 예수를 판 사람은 제자였다. 예나 이제나 발전하지 않았다. 그래 겨레의 비통으로 교훈이 될까. 나라를 잃었던 국민이면 알 것이다. 우리 나라 없이는 세계 평화가 이루어질 수 없기 때문이다. 이런 조국과 동포를 두고 어떻게 떠나셨을까.

오후 6시 쌍수정雙樹亭에서 선생 추조회追吊會가 있다기에 두斗 형과 일이와 성이와 함께 갔으나 식은 바로 끝난 뒤였다. 모인 사람이라곤 50명도 못 되는 듯했다. 남 · 여가 반반씩은 되었다. 거개가 40세 이상들이었다. 수건으로 눈물을 닦는 부인도 있다. 눈이 벌건 남자 어른도 있다. 어제 선생이 오신다던 신작로가 금강 건너로 보인다. 젊었을 때는 탈옥하여 저 강을 건너셨다. 환국還國하사 맨 처음으로 오신 곳이 이 지방이었다. 선생은 다시는 저 강을 건널 수 없다. 퇴락한 쌍수정은 솔바람소리를 듣는지. 사람들이 북쪽을 향하여 재배再拜한다. 우리도 잔디밭에 엎드려 절했다. 해방의 감격은 갈수록 사라진다. 혼란만 더한다. 석양이다. 쌍수정 목각 현판의 시구詩句를 보다.

徘徊盡日還多感
倍憶當年靖亂功[30]

1949. 6. 28.

신문마다 김구 선생에 관한 기사로 가득하였다.

내게는 상경하라는 전보가 왔다. 그런데도 도무지 쾌한 대답이 없었다. 어머님만 중간에서 애를 쓰신다. 내가 어쩌다 불효한 자가 됐는지 모르겠다.

1949. 6. 29.

단념하는 수밖에 없었다. 밖으로 나왔다. 비가 내린다. 갈 곳이 없다. 고모님 댁으로 갈까 하다가 향교鄕校골로 갔다. 이리저리 서성거리다가 집으로 돌아왔다. 뜻밖에도 허락이 내렸다고 한다. 나머지는 어머님이 변통하기로 하셨단다.

이웃집에서는 귀신 쫓는 굿소리가 요란하다.

1949. 6. 30.

어머님께 하직했다. 대문 앞에 나오신 어머님은 울듯이 나를 보신다. 돌아보며 돌아다보며 떠나간다. 안 보일 때까지 어머님은 민이와 함께 서 계셨다. 둘째형수씨가 버스 정거장까지 나와줘서 미안하였다.

오후 2시 반에 서울에 도착, 비는 계속 내린다. 김구 선생 하세下世에 대한 하늘의 눈물인가.

1949. 7. 1.

치사스런 짓이었다. 그런 사람들도 없지 않으니 나도 했다고는 못할 것이다. 아침밥도 안 먹었건만 배가 고프지 않다.

1949. 7. 2.

창피한 일이다. 나의 자존심은 끝났다.

하 허전한 김에 경교장京橋莊•을 물어서 찾아갔다. 사람들이 끝없이 늘어서 있었다. 요행수로 뒷문으로 들어갔다. 조문이 끝난 남녀들도 잘 돌아가지 않고 있었다. 사람들이 줄지어 계속 현관으로 들어간다. 머리를 쓰다듬고 양복 단추를 살핀 다음 자세를 바로했다. 입구에 선 분들이 손으로 친절히 어서 들어가시라는 형용을 한다. 대학생들도 안내를 맡아 있었다. 방 입구에는 여자 중학생들이 서서 들어오는 손님들에게 일일이 허리를 숙인다. 나의 몸이 싸느랗게 식어드는 것 같았다. 참으로 불쌍한 자로 전락했기 때문인지도 모른다. 방에는 병풍이 둘러 있었다. 선생의 영구靈柩에는 국기國旗가 덮여 있었다. 양쪽 좌우에는 상복을 한 분들이 서 있고, 양복을 입은 이가 시중을 든다. 사진을 우러러 뵈었다. 선생은 웃고 계신다. 절을 하면서 더러운 나를 느꼈다. 계속 들어오는 사람들에게 밀려나듯이 나오다가 다시 돌아보니 창 너머로 김창숙金昌淑•, 정인보鄭寅普 옹의 만사挽詞가 있었다. 정원에는 돌려가며 천막이 쳐 있는데, 선생이 타시던 승용차만 호젓하였다. 텐트 밑에 앉아 경교장을 쳐다보았다. 2층 유리창에 총탄 구멍이 두 개나 있었다. 확성기에서 울려 퍼지는 조가弔歌였다. 바깥 전차 길 거리에서 뜨겁게 들리어온다. 경교장 지붕 위로 하얀 구름이 뭉실뭉실 피어 오른다. 남자, 여자, 노인, 어린이가 열을 지어 계속 들어온다. 직업의 귀천도 없다. 거지들도 보인다. 하기야 누가 오래서 온 사람들은 아니다. 모두가 이 나라 백성들이었다. 선생이 세상을 떠나신 지가 일주일인데도 저러하다. 말하는 음성도 조용하다. 웃는 사람이 없다. 교기校旗에 검은 띠를 드리운 학생 단체가 들어온다. 나오다 보니 정문에는 국기가 ×자형으로 두 개 서 있었다. 폭양에 검은 띠가 축 늘어졌다. 경관들과 헌병들이 둘러섰다. 조객弔客을 헤아리는 어떤 이가 연필로 연신 정正자를 써 넣는다. 경교장 앞 전차 길 거리는 사람들 때문에 걷기가 수월치 않았다. 국민장國民葬 위원회 본부 2층 건물 벽에는 선생을 애도하는 글이 깨알처럼 나붙었다. 조가도 붙었다. 확성기에서 흘러나오는 조가를 배우는 사람들은 움직이지 않는다. 가사를 베껴 들고 열심히 따라 부른다. 오늘날이 있을 줄이야 꿈엔들 생각이나 하였으랴. 시꺼먼 그림자는 돌아오는 도중에서 지칠 대로 지쳤다.

1949. 7. 3.

나에게 있어서 이런 타락이 또 있으랴. 아마도 없을 것이다. 다시 씻지는 못할 일이다.

1949. 7. 4.

직선을 그을 수 있는 무한이다. 어느 점으로 접근하건 간에 자유이다. 그저 넓어서 어렵다. 부감俯瞰해야만 했다. 그래야 기복起伏과 곡선曲線을 알 수 있다. 그런데 앞이 막혀서 보이지가 않는다. 시를 쓰기 위해서는 휴식이 필요하다. 여유가 없으니 답답한 노릇이다.

1949. 7. 5.

김구 선생이 경교장을 떠나시는 날이다. 하늘도 슬퍼하는가. 날씨가 흐리다. 나는 9시쯤 해서 나왔다. 집집마다 검은 띠를 드리운 국기가 드리워 있다. 전차 길 있는 데로 가는 부인들이 평소보다 많았다. 거개가 흰 옷으로 깨끗이 차려 입었다. 국기는 크기가 각각이었다. 색채도 일정하지가 않았다. 함부로 그린 태극기는 보기 사나웠다. 공휴일인데도 전차는 대만원이었다. 충무로 4가에서 내려보니 벌써 큰길 양쪽에는 사람들이 자리를 잡고 있었다. 사람들이 차도와 인도를 구별하는 선처럼 큰길 양쪽에 모여든다. 곳곳에 경찰국의 주의서가 나붙어 있다. 가게는 다 문이 닫혀서 담배 한 갑을 겨우 샀다. 말탄 헌병과 순경들이 오간다. 달리는 자동차들 중에는 전례부典禮部니 보도부報道部니 쓴 종이를 붙인 지프 차도 있었다. 차 안에는 양복에 두건만 쓴 사람도 간혹 보였다. 동대문으로 가는 동안에 하얀 두 줄의 선으로만 보이던 사람들이 금세 늘어나 차도를 제외하고는 넓은 폭으로 불어난다. 나는 선생 영구靈柩를 영접하여 운동장까지 뒤따라갈 작정이었다. 그러나 이대로 동대문까지 갔다가는 서서도 사람들 때문에 길이 보일 것 같지가 않았다. 이왕 자리를 잡을 바에야 맨 앞을 정해야 한다. 초교初橋 근처에서 땅바닥에 주저앉았다. 지나다니는 자동차들과 헌병과 순경과 계속 운동장으로 먼저 가는 각 단체들을, 길 건너 군중을 보다가 뒤돌아보았다. 사람들 외에는 다른 아무것도 보이지가 않았다. 영구의 뒤를 따라갈 사람들이 적지 않을 테니 나로서는 따라갈 가망이 없을 것 같았다. 경관들은 불어만 나는 군중을 정돈하기에 무진 애를 쓴다. 나중에는 긴 대나무 장대를 휘둘러 뒷사람도 볼 수 있게끔 앞쪽 사람들을 때린다. 앉히느라 야단들이다. 일반 자동차와 전차가 끊겼다. 군경軍警과 신문사 또는 장례와 관계 있는 차와 고급차들만이 왔다갔다 한다.

새로 1시에 서울 운동장에서 영결식이 있다는데 1시가 가까워도 영구차는 오시지 않는다.

"집들은 죄 비어두고 나왔나. 웬 사람들이 이처럼 엄청날까. 흥, 도둑깨나 맞겠다."

자전거가 장의葬儀 특보를 뿌리며 지나간다. 모두가 서로 한 장 못 얻어서 안달을 댄다. 사진을 보면서

"이 어른이시지. 돌아가신 어른이……"

"아이구 원통도 하지……"

부녀자들의 소리다.

"다 보거든 나나 주시구려."

부인네의 말에, 밀짚모자 쓴 청년은 장의 특보를 소중히 접으면서

"집으로 가지고 갈 겁니다."

하고 돌아보지도 않는다. 시간이 지나도 장의 행렬은 오지 않는다. 앞쪽에 앉은 사람들이 세 시간 이상을 기다린 때문에 지쳤나 보다. 어린애 우는 소리가 난다. 하늘은 선생을 영접하는 듯 구름이 말짱 걷혔다. 볕이 뜨겁다. 남자들 중에는 눈알을 희번덕거리는 자가 있나 하면, 아낙네들이 앙칼진 목청을 쓴다. 싸움하는 패도 생겼다. 물론 입으로 하는 시비는 곧 끝났다.

"아아, 저기 오시는 게로군."

뒤에서 소리가 났다. 일어서려는 사람들을 경관이 크게 꾸짖는다. 대나무 장대를 휘둘러 앉힌다. 다시 오랜 시간이 지나서야 이채로운 행렬의 선두가 나타났다. 중국 사람들이 운동장으로 앞서가는 깃발이었다. 영구가 지나시기 전과 지나가신 후에도 한없이 계속하는 각 사회 단체 행렬을 나는 다 보지는 못했으나, 오늘 중국 사람들이 차리고 나온 그런 행렬을 보기는 처음이었다. 그들은 형형색색의 만사挽詞를 들었다. 넓은 비단 바탕에 역시 색채 다른 비단으로 오려 붙인 글씨의 숲은 찬란하였다. 선생에 대한 경모景慕거나 애통이거나 극찬의 글귀였다. 동대문 앞을 돌아 나가는 광경은 수많은 돛폭이

항구를 나가듯 장관이었다.
중국 청년들과 바로 그 뒤를 따르는 중국 남녀 학생들은 다 검은 옷 차림이었다.
중국 인사人士들인 남녀노소가 따른다. 경건히 염주를 돌리는 노인도 있었다. 나이에 따라 어떤 이는 양복으로 또는 중국 옷으로 차려입었는데 태도가 다 숙연하였다. 일제의 침략이 한 · 중 두 나라의 우호를 굳게 한 것이다. 시간이 지루하기만 했다. 각 사회 단체들이 운동장 쪽으로 계속 간다. 말을 탄 경찰과 헌병이 총을 들고 수시로 돌아다닌다.
확성기를 단 트럭이 앞뒤로 김구 선생 초상을 붙이고 온다. 확성기는 열변을 토하면서 흐느껴 울었다. 여성 단체 중에는 상복을 입은 안노인도 있었다.
오후 1시가 지나서야 선생을 모신 행렬의 선두가 나타났다. 영화 촬영반, 사진반들이 바쁘게 따라다닌다. 다음은 기마대와 경관들이었다. 길을 덮듯이 큰 태극기가 온다. 보니 여학생들이 사방에서 국기 자락을 들었다. 그 뒤를 따르는 구슬픈 음악소리에 하늘과 땅이 적막하였다. 육 · 해군의 주악대와 군대와 각 대학의 대학생들이 잇달았다. 선생이 생전에 타셨던 고급 승용차가 주인 없이 지나간다. 운전사만 탔는데 머리에는 삼베 두건을 쓰고 있었다. 배종陪從과 학생들이 따랐다. 음악에 맞추어 끓어오르는 조가의 합창은 한스럽기만 하였다. 음악 대학 여학생들인가 보다. 다 긴 치마로 소복素服하였다. 흰 버선에 흰 고무신도 있나 하면 흰 양말에 흰 운동화도 신었다. 가난한 이 나라 딸들이니 선생께 죄송할 것이 없다. 백조 같은 처녀들은 조가를 부르면서 시름없었다. 고급 차들이 온다. 맨 앞차에는 장의 위원장이 탔다. 모시 두루마기를 입은 위창葦滄* 오세창吳世昌 옹은 기골이 근엄 준수하였다. 차창 밖의 군중을 내다보며 눈 한 번 깜짝 않는다. 몸도 끔짝 않는다. 무겁고 고요한 표정은 무슨 생각, 어떤 감회일까. 지나가는 행렬이 거의 답보 상태의 가장 느린 걸음이어서 오세창 옹을 자세히 볼 수가 있었다. 다음은 명정銘旌이었다. 붉은 바탕에 '대한임시정부주석大韓臨時政府主席 김구지구金九之柩' 하얀 글씨가 뚜렷하였다. 오세창 옹의 붓글씨인 것이다. 명정에 달린 무명베 줄을 잡은 호위들이 다 지나가기도 전이었다. 흰 바탕에 남색 끝동을 두른 영구靈柩의 높은 차일遮日이 보인다. 선생은 앞뒤로 호위되어 높이 오신다. 푸른 잎 백합꽃도 섞인 이름도 모를 흰 꽃들 위에 모신 영구는 국기를 덮고 계셨다. 관 주변으로 비어져 나온 흰 꽃들은 폭양에 시들어 고개를 숙이고 있었다. 호통을 치던 순경은 선생을 호위한 경관의 주의를 받고서야, 군중의 기립起立을 허락하였다. 관이나마 다시 뵈올 수 없는 마지막 길을 떠나가신다. 이 나라 사람들은 임의 사랑을 언제나 갚을지요. 호위대가 지나가자 상주喪主 김신金信 씨가 사람들에게 부축되어 따른다. 안상주는 보이지가 않았다. 유복 친척有服親戚과 그 외 친척은 거개가 짚세기를 신었다. 뒤를 따르는 각 사회 단체의 행렬은 끝이 없었다. 뒤따라 선생 영결식장인 서울 운동장으로 가려던 생각은 단념해야만 했다. 양쪽 인도가 초만원이라 움직일 수가 없었다.

가까스로 빠져 나와 돌아오는 길이었다. 라디오마다 영결식장의 중계 방송이 쏟아져 나온다. 엄항섭嚴恒燮 씨의 조사弔辭는 애간장이 내려앉는 듯한 울음이었다.

1949. 7. 6.

김동리 선생 부인께 시고詩稿를 드리고 왔다.

1949. 7. 7.

아무리 좋대도 내게는 좋은 일이 아니었다. 플라워 다방에서 동리 선생을 기다리다가 '못 뵈옵고 시골로 내려갑니다' 라는 쪽지만 써 두었다. 저녁 식사 후에도 행길에 나가서 둘째형수씨가 오나 또는 화원畵員 스님이 오나 하고 기다렸다. 민이는 왜 편지도 않는 것일까. 내가 돈이 떨어져 곤경에 있는 것쯤은 알 텐데 말이다. 둘째형수씨가 오늘 서울 온댔으니 아마도 그편에 보내려나 보다. 그럼 둘째형수씨가 서울 못 오게라도 된 것일까. 기다리다 못해서 별의별 생각이 든다.

1949. 7. 8.

내일이 둘째형수씨 친정뻘되는 처녀의 혼례날이다. 그러니 오늘은 둘째형수씨가 올 것이다. 신흥사에서 징 치는 소리가 들린다. 49재가 들었다고 한다. 법문을 들으러 갔다. 법사法師란 이가 법상法床에 오르더니 눈을 딱 감고 몇 분 동안 말이 없다. 자작自作인 듯한 가사歌詞를 역시 자작인 듯한 곡조로 노래하는 데는 놀랐다. 게송偈頌을 몰라서 저러는 것일까. 아니면 새로운 수법을 쓴다는 수작일까. 하는 말을 들어보니 불경을 본 사람 같지가 않았다. 우습다 못해 민망하였다. 해가 저문다. 둘째형수씨도 우편 배달부도 오지 않는다. 어찌된 일일까.

1949. 7. 9.

7일까지 보내줍소사고 부탁드린 돈이다. 돈을 마련 못해서 못 보내시나 보다. 그렇다면 어머님은 나보다도 더 초조하실 것이다. 어젯밤 꿈에 뵈온 어머님이 생각나고는 한다. M에게 차비 천 원을 꾸어 공주로 내려왔다. 민이는 7일날 전보 이체로 돈을 보냈다며 수령증까지 내보인다. 해가 저물었으니 내일 우편국에 가서 알아보기로 하자. 부슬비를 맞으며 고모부님 댁으로 갔다. 그간 고모님은 또 너무나 변하셨다.

"아지무니."

"누고."

하시며 눈을 뜨신다.

"납니다."

"잘 있다 왔나."

기진한 듯 다시 말씀이 없다. 고모님 손을 잡았더니 마른 손으로 나의 손을 꼭 잡으신다.

밤에 자려는데 고모부께서 내려오셨다.

"오늘 밤을 못 넘길 것 같다."

고 하신다. 모두가 고모부님 댁으로 올라갔다. 고모님은 겨우 대답도 하시며 약간 머리를 끄덕여 알아들었다는 표시도 하셨다.

1949. 7. 10.

어머님께서 외우시는 『금강경』을 들으시며 새벽 6시 반에 고모님은 운명하셨다. 모두가 목놓아 통곡하니 동네 사람들도 초상이 난 것을 알았으리라. 고모님은 인자하신 만큼 평생 남편의 사랑을 받았다.

하루도 불명호佛名號를 부르지 않는 날이 없었다. 금강산과 출생지에서 백 리도 안 되는 해인사海印寺 장경각藏經閣을 한 번 보기가 평생 소원이더니 결국 이루지 못하고 떠나셨다. 나의 아버님을 따라 내외분이 타관살이를 하신 지도 근 30년이다. 오라버님을 여읜 지 10여 년 만에 역시 공주에서 작고하셨다.

평생 욕설이나 악한 말씀을 하신 일이 없었다. 단아한 용모는 아는 사람들의 일컫는 바였다. 넉넉지 못하사 따로 외출복이 없었으나 자기 근심을 남에게 말씀한 일이 없었다. 유언은 자기가 독송하던 『금강경』과 『천수진언千手眞言』과 『고왕경高王經』을 품에 넣어달라는 부탁이었다고 한다. "서울서 언제 온다더냐" 고 몇 번이나 나에 관해서 물었다고 한다. 나를 위함이 친자식보다 더하면 더했지 못하시지 않았으니 어찌 친상親喪을 당한 거나 다르랴. 돈 때문에 서울에서 하루만 늦게 떠났더라도 종신終身을 못할 뻔했다. 참으로 세상 일이란 알 수가 없다.

1949. 7. 11.

자는 듯이 누워 계신다. 늘 조용히 웃으시던 입술은 움직이지 않는다. 인자한 눈을 뜨지도 않으신다. 내가 작년에 사다드렸던 주사朱砂판 『금강경탑다라니金剛經塔陀羅尼』와 백룡성白龍城 스님 번역본 『금강경』과 『천수진언』 책과 두 형이 일찍이 붓글씨로 써서 드렸던 『고왕경』 첩을 유언대로 어머님이 고모님 품에 넣어드렸다. 어머님처럼 『금강경』을 다 외우겠다며 애를 쓰더니 병 때문에 다 외우지 못하고 떠나셨다. 아니다. '若見 諸相이 非相이면 卽見如來' 라 하셨으니 마침내 성불成佛하신 것이다. 대렴大斂도 끝났다. 입관도 끝났다. 인간들의 곡성을 들으실 리가 없다.

1949. 7. 12.

교동 할머님 산소 가까운 곳에 구평 고모님을 장사지냈다(그 후 아들들이 면례緬禮해서 시가인 구평 근처 산에 고모부님과 합장으로 모셨다. 내외분이 다 60 미만에 작고하셨다). 교동 할머님이 세상을 떠나신 지 1년 뒤에 구평 고모님이 뒤따라 떠나실 줄이야 누가 알았으리요. 연소한 상제들의 곡성을 차마 들을 수가 없었다.

1949. 7. 17.

오늘이 고모님 졸곡卒哭날이다. 여동생 장례를 돌보신 큰아버님은 추연히 고향으로 내려가셨다. 내일은 서울로 가봐야겠다. 7일날 보냈다는 송금送金은 어떻게 된 것일까. 우편국에서는 수차 전보로 서울에 문의했으나 답신이 없다고 한다. M에게 받았느냐고 전보를 쳤으나 역시 답신이 없다. 이러고서야 우편 기관을 믿을 수가 있나.

1949. 7. 18.

서울에 왔다. M은 10일날에야 전보 송금을 받았다고 한다. 나에게로 회답 전보도 쳤다고 한다. 이래저래 걱정만 하게 마련인가 보다.

1949. 7. 19.

일단락이 난 셈이다. 서울을 떠나 저녁 무렵 대전에 도착. 유성서부터 걸었다. 동학사 내 산방에 왔을 때는 시계가 밤 10시였다.

1949. 7. 20.

진지박괘晋之剝卦는 이러하였다.

晋者 藺相如往秦完璧移來 剝者 群陰剝陽陰盡陽來 晋之剝者 寒谷回春 萬物始生 君子之心 淡淡如水 非禮不行 非言不答 心田種樹 晩來結實 君子安貧守古而待時 達人知命見機而出[31]

입맛이 씁쓸하였다. 억울한 자책이 또 고개를 드나 보다. 결심이 아니었다. 사면이 초가楚歌였다. 용기가 아니었다. 고양이에게 덤벼든 쥐였다. 악이었다. 겨우 백척간두百尺竿頭에 섰으나 갱진일보更進一步할 주제는 더구나 못 된다. 어머님께 많은 걱정을 끼쳤다. 그래서 어머님에게 감사한다면 더욱 불효가 된 셈이다.

시비에서 벗어나야 한다. 그러려면 잊어야 한다. 초가 산방에 누워 책을 본다. 돌담 너머로 물소리가 가끔 들린다.

1949. 8. 3.

목적을 위해서 분주하든지 아픔을 달래러 도피하든지 간에 형편 따라 다를 것이다. 죽지 못해서 사는지 살기 위해서 발악하는지 모르겠다. 사람이 기계를 조종하는지 기계가 사람을 부리는지 분간을 못하겠다. 구한대서 완전을 얻을 수는 없는 노릇이다. 모든 과거가 증명하는 바며 개인이 체험하는 바가 아니겠느냐. 우리는 이런 상태를 너무나 많이 보아왔다. 요구는 무한한 요구에 의해서 파괴되나 보다. 안정은 한없는 생각에 의해서 끝장이 나나 보다. 누가 욕망 때문에 움직이지 않는다더냐. 누가 안정을 위해서 고요하지 않다더냐. 집안이 기울어질수록 말썽은 많았다. 세상이 어지러울수록 의론意論은 속출했다. 제각기 절실한 필요를 주장하기 때문에 다 옳은 말인지도 모른다. 참된 소리인지도 모른다. 그렇다면 그러한 집안이 왜 망하느냐는 말이다. 그러한 세상이 왜 도탄에 빠지느냐는 말이다. 투지만이 앞서서 진짜 힘은 약화하였다. 돌아보며 검토할 기운조차 잃었다. 어쩌다가 이 지경이 됐는지 모르겠다.

1949. 8. 6.

누구를 위해서라고 한다면 나의 진정은 아닐지 모른다. 우선 자기 자신을 위해서라도 서로가 친근해야 할 것이다. 자라나는 아이들의 장래를 위해서라도 생각해볼 일이다. 복잡한 사정이야 누구나 있다. 누구나 자기 자신에게 잘해주기를 바란다. 자기 주장만 내세워서야 피차간에 잘해줄 도리가 없다. 신이 말하는 사랑과는 다르다. 신을 위한 사랑은 인간과는 간접적이기 때문이다. 신의 사랑을 교묘히 이용하는 자가 있어서 이런 오해를 받는지도 모른다. 목숨에서 본능적으로 반사하는 애정은 있게 마련이다. 그것이 자아에서 타아他我를 찾는 길인 것 같았다. 정당한 일이라면 죄악도 자책할 필요가 없지만 그런 경우란 매우 특수한 일이다.

그러니 함부로 말할 성질의 것이 아니다. 빛나기 위해서 더욱 어두워야 한다는 말을 아무도 해서는 안 된다. 그 대신 이만하면 밝은 빛이 그리울 때도 되지 않았을까.

1949. 8. 7.

동 · 서의 시집들을 이것저것 뒤적거렸다. 지난날에 참다운 홍취로서 읽었을까. 어설피 읽어서 희한한 보배를 유실하지나 않았을까. 다시 마른 입술을 축이려 더듬어 찾아다녔다. 어느덧 취해서 천지도 분별 못하겠다. 취중에도 질이 좋지 못한 선취船醉에 시달렸다. 머리가 아프다. 구역질이 난다. 안개를 헤치며 태양이 솟아오른다. '서울 가더니 타락해서 왔구나.' 태양이 덜덜 떨면서 말했다.

1949. 8. 8.

침략이란 말이 있다. 백범 선생이 생각나면 간디 옹이 따라서 생각난다. 두 분이 다 원수의 손에 쓰러지지 않고 동포의 손에서 생애를 끝냈다. 외국 사람들은 그 일생을 존경하지만 그들의 조국은 부끄럽기만 하다. 대전 길거리에는 미국 사람이 촬영했다는 김구 선생 국민장의國民葬儀 영화 개봉의 광고가 나붙어 있었다. 대전을 떠나 돌아오는 버스 속에서 불타는 듯한 저녁노을을 보았다.

1950년대

1951. 12. 3.

대전 역에 이르렀을 때는 차표를 사기도 전에 기차가 출발할 시간이었다. 소녀가 수줍은 웃음을 지으며 "어디까지 가느냐"고 묻는다. "대구까지 간다"니까, 차표를 사라면서 3천여 원짜리 차표를 만 원 내란다. 이런 암거래 차표는 많았다. 나는 최崔선생 댁에서 하룻밤 자고 내일 떠나기로 하였다. 폭격에 대합실도 없어진 역과 바라크 건물인 매표소와 전차표처럼 생긴 종이 조각 기차표가 다 내 마음을 언짢게 하였다.

댄스 홀에 나가는 여자는 무릎 위까지 벌건 살을 내놓고 술집 계집애는 젖통이 나와도 예사라고 K씨는 웃으며 말하였다. 젊은 친구는 신세를 지고 있으면서도 말마다 자형姉兄을 비난하였다. 그가 권하는 사업을 자형이 하지 않는대서 미운 모양이었다. 책 한 권을 샀다. 4천 원은 나에게 큰돈이다. 몇 번이나 망설이다가 샀다. 최선생에게 기차표를 사달라고 부탁했다. 최선생은 "이걸 먹으면 갈증이 나고 그래서 물을 마시면 배가 아프다"면서 연신 땅콩을 씹고 있었다. 모두가 딱한 처지였다.

1951. 12. 4.

기차가 한 시간 반이나 연착하였다. 사람들이 내리기도 전에 타려는 사람들로 혼란을 이루었다. 날카로운 외마디소리가 난다. 난데없는 불상佛像과 염주가 승강구 발판에 떨어진다. 나는 감전된 듯하였다. 초라한 노파가 "여보, 내리걸랑 타시오" 하고 반은 우는 소리다. 타려던 사람들 중에서 하나가 불상과 염주를 집어 노파에게 주었다. 빨리 내리라는 뜻이었다. 나는 노파가 점쟁이나 무당이 아니기를 바랐다. 사람들은 미친 듯이 오르려고만 한다. 고함소리, 모닥불을 뒤집어쓴 듯한 어린이의 울음소리, 금세 누가 죽어 나갈 것만 같은 무서운 생각이 든다. 자기 몸보다 큰 짐을 머리에 이고 아기를 안은 여인이 비명을 지르면서, 오르는 사람들을 비집고 내려오는 중이었다. 여인은 앞가슴이 나타나고 배꼽까지 드러났다. 한 손은 머리 위 짐을 잡고 한 손은 아기를 안았으니 벗어지는 옷을 치켜 입을 수도 없다. 그래도 사람들은 여인이 쉽게 내리도록 비켜주지 않고 올라만 탄다.

기차 안은 입추의 여지도 없었다. 기차는 출발하였다. 그러고도 타지 못한 사람들이 많았다고 들었다. 군인 한 사람이 나를 돌아보며 교통 지옥이란 말을 하였다. 기차 안은 서울서 오는 사람들의 서울 소식으로 한창이었다.

"글쎄 걸레감 하나 없더라니까요."

"사람이 자는 데도 빈 집인 줄 알고 도둑놈이 들어오지 않겠어."

여자들이 말하자 젊은 남자는

"서울 집엘 가보니까 정말 물건은 다 도둑을 맞아 없더군요. 쌀 뒤주가 남아 있기에 열어봤지요. 그 속에 죽은 갓난아이가 있습디다. 기겁을 했어요. 처녀가 애를 낳아서 그 짓을 한 걸로 생각되는데 자세한 거야 알 수 있나요. 혼났어요."

나무 없는 산과 산, 부서진 거리가 차창에 나타난다. 눈바람이 에어내는 듯한 작년 겨울에 숱한 피난민들과 제2 국민병들이 걸어갔을 신작로의 연속이다. 바로 옆에 서 있던 두루마기 차림의 사람이 조끼 주머니가 찢어지고 돈이 없어졌다는 바람에 나는 불안하였다. 낙동강 철교를 지날 때 승객들은 차창을 열고 저무는 강산을 내다본다. 벌써 격전의 자취도 없었으나 으스스하였다. 대구에 하차. 캄캄한 골목길로 들어서서 성聲이가 신세지고 있는 하숙집을 찾기까지 방황하였다.

1951. 12. 5.

혼자 남아 있기도 뭣해 성이를 따라 고대高大에 가서 조지훈趙芝薰• 교수의 강의를 도청하였다. 내가 그분을 보기는 처음이다. 땅바닥에 앉아서 공부하는 국민학교 어린것들이 불쌍했다. 점심도 굶고 성이와 함께 서세민徐世珉의 집을 찾아다니다가 결국 찾지 못하고 석양에 돌아왔다. 친구를 생각하며 객수客愁를 느끼다. 밤에 공주 출신 고대 학생들이 술과 오징어를 사가지고 나를 찾아와 놀다 갔다. 반갑고 고마웠다.

1951. 12. 6.

어머님이 살아 계시는 것만 같은 느낌이 든다. 검추레한 도시, 퇴색한 하늘에 멀건 달이 걸렸다. 제트기들이 연신 난다. 햇빛이 들지 않는 거리마다 짙게 화장한 여자들은 독버섯처럼 피어 있었다. 책집을 뒤지며 돌아다녔으나 사고 싶은 책이 없어서 다행이었다. 책값은 대전보다 비쌌다. 돌아와 동東이의 책상에 『장기長崎의 종鐘』이 있기에 읽는데 마루 건넌방에서 하숙집 식구들이 부르는 찬송가 소리가 들려온다.

유柳씨는 일곱 살 때 중국에 가서 8 · 15 해방 후 귀국했으며 작년 동란 때 팔공산八公山 전투에 출전하여 평안북도까지 진격했었다고 한다. 석錫이 아재의 소개로 인사를 하게 됐는데 유씨는 나의 시를 보여달라는 것이었고, 나는 일선一線 경험을 들려달라 청했다. 유씨의 전투 경험은 아슬아슬한 대목이 많아서 밤이 늦는 줄도 몰랐다. 성이가 대구 출신 고대 학생들에게서 알아온 바에 의하면 서세민은 UN군 통역관이 되어 지금 대구에 있지 않으며, 그의 본가도 대봉동大鳳洞에서 이사를 하여 알 수가 없다는 것이었다.

1951. 12. 7.

너무 일찍 내려온 것이나 아닐까. 그렇다면 탈이다. 전시戰時인 만큼 아무런 결정도 통지도 없다니 낭패다. 부산은 어떤지 소식을 들을 수 없다. 이러다가는 부산에 가서 근 20일 있어야 할지도 모른다. 내 주머니 사정으로는 그렇게 견뎌낼 능력이 없다. 뜻대로 안 되는 날이면 돌아갈 여비마저 부족할 것 같다. 내일이 토요일이라 일요일날 떠나기로 한 것은 부산서 머무는 기한을 되도록 줄일 생각에서였다. 점심을 굶으니 시장하다. 그러지 않아도 성이가 잠자리 신세를 지는 처지인데, 내가 얹혀서 공식空食을 하는 판이라, 석이 아재와 동이에게 미안하였다. 오늘 아침 동이는 학교 가기 전에 "의식주 근심 없는 짐승이 부럽다"고 하였다. 그 말이 생각나고는 한다.

1951. 12. 8.

"이년…… 죽일 년……"

"아이고 아이고…… 살려주이소……"

잠을 깨니 언제 전등불이 나갔는지 캄캄하였다. 마루 건넌방으로부터 꾸중과 비명이 들리어서 언짢았다. 부모는 작년 동란에 잃었고 오빠는 일선에 나가고 남의 집 드난을 산다는 계집애 울음이다. 문간채 방에 들어 있는 여자는 개성開城서 피난왔다 한다. 식구라야 어린 사내아이 하나지만, 그 여자가 고급 매음부란 데는 놀랐다. 밤에 소년이 와서 기별하면 외박하러 나간다는 것이다. 남편은 어디 있는지 모르지만 첩이란 소문이 자자하다고 하였다. 파란 세루 바지에 붉은 털 재킷을 입은 그 지적인 여자는 이 밤도 외박 중일까. 그 어린것이 혼자 불 없는 방에서 자고 있을까. 꾸중을 듣던 계집애의 흐느끼던 울음도 끝났다. 몇 시나 됐을까. 꿈에 어머님을 뵈옵다.

1951. 12. 9.

성이나 동이나 궁한 대학생 생활을 한다. 떠나는 마음이 마치 병자를 두고 가는 듯하다. 그들도 내 몰골에서 그런 느낌이 들었던 모양이다. 동이는 "이리 작별하니 안됐소" 낮은 목소리였다. 성이는 내가 조대를 물고 걷는 꼴이 측은했던지, 저도 불쌍한 처지건만 공작 궐련 담배 한 갑과 백조 궐련 담배 한 갑을 사준다. 4시 기차가 4시 반에 출발, 또 혼란을 치르며 겨우 탔다. 기차가 가는 것도 귀찮기만 하였다. 캄캄해야 부산에 당도한다면 초행이니 만큼 걱정이다. 통행금지 시간 후에 도착하는 경우도 있다 한다. 제일 값싼 여관이 어딘지도 모르려니와 나는 그럴 처지도 못 된다. 내 옆에는 훌륭하게 양장한 양洋사모님이 서 있고 바로 앞엔 동아대학 다닌다는 청년이 서 있다. 차 안이 콩나물 시루 같아서 붙어 가느라고 청년과 자연 알게 되었다. 조曺씨(학생의 성씨)는 원래가 부산 사람으로서 자기 형님들이 다 관계官界의 높은 자리에 있다는 것과 집안에서 경영하는 사업도 나에게 말하였다. 결국 부산까지 다섯 시간이 걸렸다. 조씨가 없었더라면 나는 지루해서 더 피곤하였을 것이다. 조씨는 내 형편을 알고는 두말할 것 없이 자기 집으로 가자 하였다. 그는 음식점으로 안내하는 것이었다. 나는 아침밥 먹다 남은 것을 싸왔으니 염려 말라 하였다. 그는 닭고기 곰탕과 정종 3잔씩 2인분을 시켜 내게 권하며 자기도 먹었다. 내가 회계會計하려니까 그는 굳이 말리었다. 그 집은 양옥이었다. 사람 일이란 알 수 없는 노릇이어서 조씨와 함께 다다미 방에 누웠다. 유리창 너머로 별이 보인다. 남쪽 항도港都는 춥지 않았다.

1951. 12. 10.

학교 연락 사무소를 찾아갔다. 반가워들 하신다. 교수님들은 그제야 일어나 세수를 한다. 피난 냄새가 물씬 난다.

"자네 어젯밤에 왔다면 어디서 잤나."

"앞으로 어쩔 작정인가."

고 물으시기에 지난 밤 조씨에게서 입은 은혜를 말했더니 교수님들은 "거참 부산서는 있기 어려운 일인걸. 친구 집이라도 하룻밤 신세지기가 쉽지 않은 것이 부산이지."

다들 감탄한다.

"아침 식사 못했지. 여기서 한술 뜨고 가게."

그러나 등록을 마치자 나왔다.

장송사長松寺를 찾아갔더니 절인데도 일부분에 국민학교가 들어 있었다. 주지 스님은 나의 간청을 받아들여 실비實費 유숙을 허락하였다. 절의 사람에게 대신동大新洞 가는 길을 물었다. 성이가 대학 입시 치러 부산 갔을 때 알아다 준 주소를, 나는 부적처럼 지니고 온 것이다. 김동리 선생이 뵙고 싶어서 견딜 수 없었다. 대신동 일대가 낯선 곳 같지가 않았다. 묻기도 하며 이 골목 저 골목 더듬어 그 주소 앞에 이르렀다. 사모님은 나를 보더니 깜짝 놀라며 친정 동생 맞이 하듯 하셨다. 선생은 계시지 않았다. 아침 식사가 끝난 후 문인들이 모이는 다방으로 나가셨다 한다. 새로 지어주시는 점심을 먹고 나니 비로소 허전하였다. 며칠 만에 점심을 먹어서인지, 아침 식사를 걸렀기 때문인지, 빈 속에 너무 많이 먹어서인지, 올 곳까지 왔기에 긴장이 더해서인지, 풀려서인지…… 작년 겨울 남하南下하던 때 고생하신 이야기를 들었다. 뜨락엔 모과나무가 한 그루 서 있었다. 모과가 단 한 개 달려 있었다. 내일 와서 선생을 뵙기로 하고 물러나왔다. 밤엔 신열이 나더니 땀을 약간 흘렸다.

1951. 12. 11.

1년 만에 동리 선생을 보았다. 다른 방에서 범부凡父 선생 목소리가 난다.

"그 사람 산에 있다던 김아무 아니가. 이 방으로 함께 오니라."

범부 선생은 음성만 듣고도 나를 알았다. 내가 적잖이 당황한 것은 그만한 까닭이 있다. 2년 전 서울에서였다. 어느 날, 동리 선생은 "형님에게 들러야 할 일이 있다" 며 나를 데리고 비원 담을 따라 골목으로 들어서서(담 너머가 낙선재樂善齋 근방이었으리라 생각된다) 어느 기와집으로 갔다. 그 집 대청에는 건강하면서도 여윈 분이 손님들과 담소하고 있었다. 형제분이 닮지는 않았지만 저분이 범부 선생이로구나 하고 나는 직감하였다. 동리 선생은 나더러 "인사 드리세요" 하고 나를 대충 소개하였다. 범부 선생은 초면인 나를 손아래 일가 친척 대하듯 하였다. 여윈 체격이지만 얼굴이 맑고 특이한 눈에 미소가 자상하였다. 잠깐 앉았다가 동리 선생을 따라 그 집을 나온 것뿐이다. 그리고는 2년이 지나 오늘이 두번째인데 범부 선생은 음성만 듣고도 나를 기억하였다. 그 방으로 갔다. 범부 선생은 내 꼴을 보자

"함부레 먹고 입는 것 걱정 마레이. 그저 하고 싶은 것만 해라. 사람이 먹고 입는 것 걱정하면 볼장 다 본 거다. 굶게 되거든 내게 오니라. 내 밥 둘이서 갈라 먹으면 될 끼고 벗게 되거든 오니라. 내 입던 옷가지가 있으니 그거 입으면 될 것 아니가. 먹고 입는 것 걱정하는 사람 치고 변변한 일 하는 자 없니라. 그러나 두고 보레이. 늬는 내한테 밥이나 옷 달라고는 오지 않을 끼다. 그러니 하고 싶은 것만 하면 되는 기다."

하고 말씀하였다.

동리 선생은 밖에 나가더니 손수 사온 브랜디를 나에게 권하면서

"그러잖아도 편지를 내려든 참이었는데 취직할 만한 자리가 몇 군데 있으니 힘써봅시다."

하였다. 거리로 나온 선생은 나를 취직시키려 반나절 동안 여러 곳으로 다녔다. 죄송하였다. 선생을 따라 녹원 다방이란 데를 들어가니 허백년許柏年 형이 있었다. 다재 다능한 허형은 서울서 나와 함

께 하숙 생활하던 때와 조금도 변한 데가 없었다. 그는 1년 연극 총평總評을 쓰면서

"김형 잠깐만 기다려요. 우리 점심이나 함께합시다."

하였다. 동리 선생은

"오늘로 연극 「붉은 장갑」 공연이 끝나는데 함께 가보면 좋을걸."

하고 나에게 묻듯이 말하였다. 나는 곧 가야 할 곳이 있었던 것이다. 커피를 마시는 동안 차 탁자에 『민족의 태양』이란 책이 있기에 펴보았다. 이충무공李忠武公이 어머님을 가서 뵈옵고자 이원익李元翼• 대감에게 말미를 청하는 편지 대목이 있었다. 감기가 들려는지 코끝이 찡하였다. 동리 선생과 5시에 다시 만나기로 하고 초량草梁을 물어서 갔다. 고등학교 학생들의 수업이 끝나기를 기다려 나까지 다섯 사람이 그 천막 안에 들어가서 피천득皮千得• 교수의 「로미오와 줄리엣」을 들었다. 내가 다방에서 든 커피 값은 누가 치렀을까. 1월 초순쯤 시험이 있을 것이라는 말을 들었으므로 어제 식비 2주일 분을 냈기 때문에 충청도로 돌아갈 차비 정도가 남긴 남았다. 점심을 걸러서 피곤하였다. 취직이 되면 요행이겠다는 생각을 하며 초량까지 걸어와 다방에 들렀다. 절간 식구들 틈에 끼여 자야 할 일을 생각하니 일어서지지가 않는다. 저녁때가 지났으니 누가 묻는다면 밥은 먹고 왔습니다고 대답할 수밖에 없다. 손소희孫素熙 여사는 얼굴이 깨끗하고 희어서 검은 옷이 선명했다. 어깨까지 드리운 머리칼도 윤이 나 보였다.

1951. 12. 12.

1시에서 1시 반 사이에 섭燮이와 만나기로 되었다. 우선 자유 시장

으로 갔다. 시간도 보낼 겸 헌책 파는 가게들이 있다기에 어떤 책들이 있나 하고 둘러보았다. 천 원으로 책 한 권을 샀다. 구하고 싶던 책을 싸게 산 셈이다. 부산서 차를 사먹지 않고도 내가 알 수 있는 곳, 약속할 만한 장소라고는 도청뿐이다. 섭이와 도청 정문 앞에서 만나 호떡집으로 갔다. 그는

"취직이 쉬운 줄 아나. 참 어려운 거다."

하더니 자기는 부두에서 통역을 하며 한 달에 20만 원씩 받는다고 하였다. 그는 내가 어제 동리 선생과 다녔던 일을 듣고는

"처음엔 쓸 듯이 말하지. 그래서 다음 번에 가면 자기네 어려운 사정을 여러 가지로 말하지. 쓸 것도 같고 안 쓸 것도 같지. 며칠만 더 기다려보라고 할 거야. 그럴 때 한 잔 내야 할 텐데 자네에게 그런 힘이 있나?"

나는 옳은 말이라고 생각하면서 아무 소리 못했다. 한참 만에야

"동리 선생은 또 한 곳 가볼 만한 데가 있다고 하시데."

하고 나는 엉뚱한 소릴 하였다. 그는 취직이 되어야겠다며 제 일처럼 나를 걱정해주었다. 3시에 다방엘 갔다. 동리 선생은 원고지로 한 50매 가량 될 것이라며 청서淸書할 일거리를 나에게 맡긴다. 어떻게 해서라도 나를 도와줄 생각인 것이다. 절간 사람들이 겨우 잠든 틈에 끼여 청서를 끝냈다. 어느새 닭은 홰를 울고 있었다.

1951. 12. 13.

2층 방에는 중국판 한적漢籍이 많았다. 범부 선생은 한시漢詩에 관한 말씀을 하다가 붓글씨 이야기가 나오자 화제는 오창석吳昌碩•이에까지 번졌다. 동리 선생은 벽에 걸린 오세양吳世讓의 탁본拓本 족

자에 대해서 의견을 말하였다. 동리 선생을 따라간 곳은 도청 2층 군경 원호 사업처였다. 기자가 한 사람 필요하다는 곳이다. 책임 직원 한 분이 나에게 악수하며 되도록 추진하겠다고 하였다. 동리 선생 안면을 봐서 하는 말일 게다. 그 말을 믿는 바는 아니나 되건 안 되건 그건 고사하고 애쓰시는 선생에게 죄송하였다. 다방에 들러 선생이 사주는 커피를 마시며 허백년 형과 한담하였다. 허형은

"난 도저히 결혼을 할 것 같지 않아요. 이런 불안한 세상에 어떻게 세대世帶를 가질 수 있습니까. 그리고 천하에 없는 절색이 있대도 두 번 만나면 싫어지니까요."

하고 나를 웃길 작정인 것 같았다. 그래서 나도

"이번에 내려오며 보니 입은 옷하며 화장한 것하며 좀 이상야릇한 여성들이 많습디다."

하였다. 허형은

"처녀말입니까. 그런 건 없어요. 없지요."

하며 우리에게 웃음을 권하듯이 웃었다. 동리 선생은 당황하는 듯

"그럴 리가 있나. 내 보기에는 아직 그렇지도 않던데……"

한다. 허형은 일부러라도 유쾌하고 싶은지

"김선생님이 다리고 다니는 그런 여자들은 성할 겁니다. 그렇게 못난 여자들을 거들떠보는 사람은 없을 테니까요."

하고 소리를 내어 웃었다. 허형의 위트는 기발하였다. 다방이 환하도록 함께 웃었다. 어떻든 웃음은 누구에게나 필요한 만큼 귀했다.

고개를 넘는다. 바다와 배들과 역 안의 열차가 내려다보였다. 천막을 다녀오는데 엎친 데 덮치기로 치통 때문인지 신열이 난다.

기운이 없다. 돌아왔으나 원고를 쓸 처소도 없다. 법당에서는 49재

가 들어 북, 꽹과리, 목탁, 요령, 염불소리가 요란하다. 그 법당 반은 대한 청년단이 쓰며 교실로도 사용되어, 밤이라 국민학교 어린이들은 없었지만, 군복 입은 사람들이 계속 드나든다. 방마다 여자 손님들로 만원이었다. 피난민이 들어 있는 방에까지 재바지군들은 밀려와 화제가 많았다. 글을 쓰기는커녕 앉았기도 거북해서 밖으로 나왔다. 달이 걸려 있었다. 영도 다리로 오가는 헤드라이트가 바라보인다. 몸은 열이 나는데 춥기만 하였다.

1951. 12. 14.

1시에 가기로 한 다방에 이르러 보니 3시였다. 허백년 형은 "범부 선생이 조금 전에 오셨다 갔는데 김형 나왔느냐고 묻습디다" 한다. 동리 선생은 어느 결혼식 피로연에 갔다는 것이다. 앉아서 기다리는데 월탄月灘• 선생이 들어오신다. 1년 만에 부산에서 뵈오니 감개가 무량하였다. 선생은 나를 알아보시며 악수를 하고 나서 편지는 받았으나 답장을 못했다는 것과 학교에 가봤는가 연락 사무소는 어디에 있다며 내가 이미 아는 것까지도 일러주셨다. 선생은 장안 대도를 사장 차로 달리던 때와 달리 누런 외투, 색 낡은 모자였다. 동인東仁• 선생도 떠난 이 땅에 몇 분 안 남은 대선배 중의 한 분이시다. 금강다방에서는 범부 선생이 젊은 문인들과 함께 차를 들며 계셨다. 유동준兪東濬 씨가 신간을 가지고 있기에 보니 『귀환 장정歸還壯丁』이었다. 범부 선생은 "치통이 심하고 잠자리가 편치 않거든 내 집으로 가자" 고 하시는 것을 나는 사양하였다. 거리로 나와 돌아가는데 다방으로 오는 동리 선생과 만났다. "시를 신문사에 줬으니 일간 나올 거예요" 한다. 청서한 원고를 드렸다.

1951. 12. 15.

옛 서양의 누군가는 1푼의 영감과 99푼의 노력으로 명작이 이루어진다고 하였다. 그러나 오늘날 문인으로 성공하는 방법은 사색보다도 타고난 재능에 의한 적당한 솜씨가 더 필요한 것 같다. 속력 시대의 특색인가 보다. 이름난 고전古典치고 독자가 많을 수 없는 형편이다. 한참 어려운 세상에서 어떻게 생계를 꾸려가며 작품들을 쓰는지 그저 고맙기만 하다. 혼란 속에서 가치란 현실적으로 가치가 있는 것도 아니다. 무능이 고민한다는 것은 그야말로 관심거리다. 무엇을 어리석은 짓이라고 비웃어야 할지 모르겠다. 자기 자신이 어리석다는 것을 깨달은 심정도 알 만한 일이다. 화려한 타락이 자주 눈길을 이끈다. 바늘 끝만도 못한 양심이 뭣 때문에 아픈지 견딜 수가 없다. 노력하는 힘이란 무엇일까. 누구나 경우에 따라 정당하였다. 무엇을 예찬해야 현명한가에서 방황한다.

다방을 나오니 춥다. 거리의 바람이 칼날 같다. 가려움이 괴로울 정도로 스멀거린다. 손을 내의 속으로 살며시 넣는다. 바로 그놈이었다. 조심스레 잡아내어 손가락뼈로 힘을 준다. 쌀 낟만한 이는 툭 터진다. 그 피는 나의 피인 것이다. 원고지에 붉은 점이 생겼다. 하필이면 친구의 이름 자에 묻었다. 일선의 포소리가 들리는 듯 착각하였다.

1951. 12. 16.

방송국에서 낭독할 것이니 25매짜리 수필을 쓰라고 한다. 수필을 썼다. 나는 그 방송을 듣지 못할 것이다.

1951. 12. 17.

천막을 나왔다. 산비탈에서 내려다보니 부산도 바다도 없다. 하늘과 땅이 나뉘기 전처럼 캄캄하다. 숱한 전등불과 별만 떠 있다. 나는 최초의 인류처럼 호젓하였다. 사람을 찾아야만 할 것 같았다. 초량서 영주동瀛州洞 고개를 넘는데 벌써 길 가는 사람들이 드물었다. 머물 수도 떠날 수도 없는 시간이다. 무거운 어둠을 뚫으며 신창동新昌洞으로 빠져 나가는 참이었다.

"호외요! 경향신문 호외!"

아우성소리가 앞을 스친다. 지나가는 차에서 하얀 종이 조각들이 날아 나온다. 사람들은 주우려 곤두박질친다. 나는 어디서 힘이 났는지 좇아갔다. 호외를 줍는데 갑자기 눈이 부시다. 헤드라이트가 달려온다. 나는 기겁을 하면서까지 왜 호외를 주워야만 했는지 모르겠다. '리지웨이 장군 전임'. 정전 회담停戰會談은 우리를 어디로 끌고 가는 것일까.

1951. 12. 18.

동리 선생이 『귀환 장정』 한 권을 준다. 이형기李炯基• 형은

"객지에서 고생 중이란 말을 들었습니다."

고 한다.

"이렇게 만나서 반갑습니다."

하고 나는 첫인사를 나누었다. 경향신문사의 유동준 씨는

"좋은 시를 줘서 고맙습니다."

고 한다. 나는 쑥스러워서 얼굴이 간지러웠다. 빌려온 노트를 밤에 정리하다.

1951. 12. 19.

이형기 형은 "점심 같이 합시다" 며 자기 하숙집으로 가잔다. 따라갔다. 그는 나에게 이런 말들을 하였다. "다방은 문인들의 직장이 됐어요. 문학이 정치의 도구여서는 안 될 겁니다. 시에 있어서 기교와 효과란 가벼이 볼 문제가 아니라고 생각합니다." 나는 '조달早達한 재사才士로구나' 하고 마음으로 감심하였다. 그는 나를 격려할 생각인 듯 이원섭李元燮 씨의 근황을 들려주었다. 외딴 섬에서 교편을 잡고 있다는 것이다. 주머니 사정만 좀 넉넉하다면 막걸리 병이나 꿰차고 이형과 함께 그 섬으로 가보고 싶은 생각이 불현듯이 들었다. 저녁 7시에 다방에서 다시 만나기로 하고 천막으로 갔다.

돌아와보니 다방 시계는 6시였다. 저녁밥 먹으러 갔다 올 시간이 없어서 그냥 앉아 있는데, 이형은 왔다. 또 하숙집으로 따라갔다. 일면여구一面如舊란 우리를 두고 한 말일 것이다. 이형은 먹다 남은 배갈이 있다며 병을 내놓는다. 깍지 잔으로 두 잔이 될 성싶지가 않았다. 좋은 벗님이 주는 인정이다. 시장한 판이라 술 생각이 없을 수도 없었다. 결국 하꼬방에 가서 빈대떡에 소주 두 잔씩을 시켰다. 이형은 술을 못한다며 내게로만 돌려서 혼자 마신 셈이다. 그나마 어한禦寒이 되어서 與君相見卽相親 聞道君家在孟津 爲見行再試借問 客中時有洛陽人[1]을 흥얼거렸다. 어느새 이형은 자고 있었다.

1951. 12. 20.

아침 일찍 나오는데 이형기 형은 나를 붙든다.

"오늘이 내 생일이니 아침 먹으러 갑시다."

"어디로 먹으러 간단 말이오."

"아는 집에서 내 생일을 위해 음식을 장만했답디다."

"불청객이 자래自來로 나까지 갈 수야 없지요."

"말해뒀으니 걱정 말고 갑시다."

식전 골목길을 이리 돌며 저리 돌아 맨손으로 따라갔다. 방은 작으나 모녀분이 사는지라 깨끗하고 잘 정돈되어 있었다. 밥상은 뜨끈한 대구국, 대구구이, 채소, 김, 찰밥 등 이야말로 훌륭하였다.

"이형은 생일이고 난 오늘이 환갑 잔치 같소."

하고 서로 웃었다. 식사 후 함께 돌아와 이형은 학교로 가고, 나는 그 하숙방에 눌러앉아 노트를 정리하는데, 강희康熙•, 건륭제乾隆帝에 이르러 겨우 흥미를 느꼈다. 영국의 인도 병합과 아편 전쟁에 이르러서는 새삼스레 이맛살이 찌푸려졌다. 담뱃불을 비벼 껐다. 오후, 천막으로 가다가 돌아오는 이형과 만났다. 오늘 밤도 와서 자라지만 어떻게 또 폐를 끼칠 수 있으리요.

1951. 12. 21.

묘심사妙心寺에 가서 주지 스님을 찾아보았다. 금강 다방에 들렀더니 『경향신문』에 시가 실려 있었다.

"일간 산으로 돌아가야겠습니다."

하고 동리 선생에게 여쭈었다. 동리 선생은

"보름에 4만 원씩만 주면 지금 있는 데서 쫓겨나지는 않을까요. 내일 원고료 4만 원을 받아줄 테니 갈 생각말고 있어보세요."

한다.

천막을 나오니 비가 내린다. 캄캄한 고개를 넘는다. 잠자리만 있으면 비지와 고구마로도 견딜 성싶다. 결국 이형기 형 하숙집으로 갔다. 이형은 나보다도 더 걱정을 한다.

"5만 원만 되면 이 집 안주인에게 교섭을 해보겠는데 동리 선생께 내가 의논을 드려보겠소."

"동리 선생인들 어떻게 하오. 힘껏 애쓰시는데 더 조를 수야 없지 않소. 그러니 아예 말하지 마오."

하고 사정하였다. 내일이 토요일이다. 일요일이나 월요일 양일간에 부산을 떠나든지 아니면 잠잘 처소를 구해야겠다. 창에 간혹 헤드라이트가 비친다. 그럴 때마다 이형 하숙방 안개 유리창에 산란한 나무 그림자들이 흐르다가는 연신 꺼진다. 창 너머가 바로 도청의 정원 구석인 것이다.

1951. 12. 22.

동리 선생은 전시판戰時版 『신천지新天地』•를 이형기 씨와 나에게도 한 권씩 주었다. 이씨와 나의 「교우록交友錄」이 실려 있었다. 원고료 4만 원도 받았다. 이것으로 15일간 생활을 해야 한다. 급한 건 면했으나 기쁘지 않았다. 앞이 더 아득하기만 하였다. 자유 시장에 들러 사고 싶었던 헌 책 한 권을 샀다. 천막으로 갔다. 첫째 시간부터 비가 쏟아진다. 물방울은 수주樹州• 변영로卞榮魯 선생 대머리 위에도 떨어진다. 선생은 자리를 조금씩 옮기며 강의를 한다. 웃음이 저절로 난다.

추기追記.

이 기회에 선생에 관한 추억을 적어두기로 한다.

서울에서였다. 선생이 흑판에 쓰는 영어 낱말이나 한자는 틀리는 수가 더러 있었다. 학생이 그 틀린 점을 지적하면, 선생은 꾸짖는다.

"틀리게 썼으면 너나 고쳐 쓰면 될 것 아니냐."

선생의 얼굴엔 추호도 악기가 없다. 한 번은 원서 한 권을 가지고 들어오시더니 학생용 책상 위에 올라앉아 혼자서 읽어대신다. 학생들은 알아들을 도리가 없다.

"프린트를 해줍시오. 그리고 해석해줍시오."

선생은 대뜸 원서를 메어친다. 원서는 깩 소리도 못하고 땅바닥에 나가떨어졌다.

"그럼 그렇다고 진작 말을 했어야 할 것 아니야. 이런 것 안 사도 되는 걸 공연히 구했군."

그럴 때도 선생의 얼굴은 초연하였다. 한번은 짓궂은 학생 하나가 선생의 박식을 떠보려고 질문을 하였다. 선생은 눈도 끔쩍 않는다.

"졸업할 때까지 배워야, 나 아는 것도 다 모르고 나갈 텐데, 그래 나 모르는 것까지 알아서 뭣에 쓸래."

선생은 강독講讀을 하다가 '술' 이란 말이 나오자 아무 소리 없이 일어나 어린아이 걸음으로 나가버리신다. 처음 당하는 학생들은 선생이 오줌이 마려워서 나간 줄로만 짐작할 것이다. 천만에, 선생은 술집에 행차하셔서 그 좋아하는 술잔을 드시는 것이다.

모某장관은 외국 사람과 연신 대화를 한다. 모교수가 수주 교수에게 농을 건다.

"이 사람아, 자네도 가서 저 사람처럼 영어 좀 해보게."

수주 선생은 돌아본다.

"자네가 나를 통역쟁이로 아나!"

선생은 초담超淡하기가 얼음같이 빛났다. 선생은 학생들을 곧잘 웃기되 결코 웃지 않았다.

오늘로 보강補講은 다 끝났다. 비를 노박 맞으며 진흙길을 걷는다. 앞이 잘 보이지 않는다. 헤드라이트에 눈이 부시다. 그럴 때마다 비는 수많은 은선銀線을 어지러이 긋는다. 바다의 외국 배들은 참으로 불빛들이 찬란하였다. 더구나 하얀 병원선病院船의 전등불들은 빨간 십자를 호화롭게 드러내고 있었다. 시장하다. 밟고 보면 진창이었다. 내일이 동지라고 한다. 절 식구들은 바쁘다. 방마다 안손님들이 모여 있어 앉을 틈도 없었다. 주지 스님이 축원문을 쓰기에, 나도 붓을 빌어 오늘 산 책 면지에 몇 자 써보았다. 슬며시 내 산방이 그리워짐을 어쩔 수 없었다. 피곤이 온몸에 파고든다. 밥 한술 먹기가 급하게 절을 나왔다. UN군이 들어 있는 양옥집 현관엔 크리스마스 트리가 있어 노랑, 빨강, 파랑 조그만 전등불들은 꿈처럼 깜박인다. 암내를 맡으려는지 외국 군인들이 서성거린다. 나의 발길은 이형기 씨 하숙집을 찾아가고 있었다.

1951. 12. 23.

묘심사妙心寺로 갔다. 주지 스님에게 4만 원을 드렸다. 15일간 숙식할 것을 허락받았다. 동학으로 돌아갈 것을 면한 셈이다. "내일부터 와 있겠습니다" 하고 나왔다. 장송사長松寺는 역시 안손님들로 초만원이었다. 목욕탕 집에 가서 목욕을 하고 나니 거뜬하였다. 내 내의는 다시 입기가 뭣할 정도지만 하는 수 없다. 내일이면 묘심사로 옮긴다. 언제 장송사의 음식을 또 먹어보랴. 동지 팥죽을 먹는 동안 정에 겨웠다. 다방으로 갔다. 수학에도 대가인 박용구朴容九 씨와 이

형기 씨와 함께 좀 잡담하였다. 『경향신문』에 졸시拙詩가 계속 발표되어 있었다. 조그만 소리로

"절엔 손님들이 많아서, 오늘 밤도 또 신세를 져야겠습니다."

하고 청했다.

"어렵게 생각말고 오입시오."

이형기 씨는 선선히 대답한다.

1951. 12. 24.

유동준 씨는 크리스마스 카드에다 낙서를 하고 있었다. 나는 나오는 하품을 겨우 참았다. 다방 안은 지쳐서 말도 없다. 모두가 따분하기로는 마찬가지다. 일본 잡지를 팔러 다니는 아해가 들어왔다. C씨가 한 권 뽑아 내용을 본다. 벗은 여자가 연신 나온다. 여러 가지로 형태를 노출한다. 요긴한 부분은 다 백회白灰를 칠해서 보이지 않았다. "악취미인걸." C씨는 경멸하는 말투였다. 나는 언젠가 미국 잡지에서도 이런 여자를 본 적이 있었다. 팔을 짚더니 공간에 몸을 묘하게 조립하였다. 아름다운 양감量感과 곡선으로 변하였다. C씨의 말을 듣고 보니 일본 것은 천하였다. 인공품에 쫓기다 보면 자연 생물로 달아나게 마련이다. 오늘날 우리와 그들의 처지는 왜 이토록 다른가에 이르렀다. '알 수가 없었다.' 다방을 나왔다. 이형기 씨 하숙집에 가서 점심 얻어먹고 장송사에 가서 하직하고 보따리를 묘심사로 옮겼다.

1951. 12. 25.

가는 날이 장날이라더니 오늘부터 점심을 안 먹기로 되어 있다는 것

이다. 2시까지 기다리다가 듣고서 실망하였다. 아침부터 내리는 비가 억수로 쏟아지기 시작하였다. 절을 나왔다. 외투를 입은 채 짐승처럼 툴툴 털었다. 머리에서도 빗방울이 뚝뚝 떨어진다. 금강 다방엘 들어갔다. 손님들이 줄기는커녕 여느 때보다도 많았다. 허백년 형은 반색을 하며

"어찌 이리 늦게 나왔어요. 김형 취직이 될 것 같아요."

하고 만면에 웃음을 띤다. 나는 맞은편에 김말봉金末峰• 여사님과 나란히 앉아 있는 처녀가 김여사님 영양인가 보다고 생각하였다. 허백년 형은 곽종원郭鍾元• 선생에게 나를 인사시켰다. 곽선생은

"자리가 하나 비었다는데 시간 강사가 될지, 전임이 될지는 모르겠습니다."

고 하였다. 나는 영문도 모르며

"잘 지도해주십시오."

하고 허리를 숙였다. 허백년 형 설명에 의하면 동리 선생이 전날 말한 취직 자리가 신신치 못해서, 동리 선생이 곽선생에게 부탁했던 바 모중학에 선생 자리가 있대서 이쯤 됐다는 것이다. 이형기씨와 한담하는데 맞은편 처녀가 나를 힐끔힐끔 본다. 내 수척한 꼴과 남루한 옷차림이 가관이었던 모양이다. 동리 선생께 인사만 드리고 비가 좀 뜸해진 길거리로 나왔다. 유리창에 지나가는 내 모양을 흘긋 쳐다보았다. 꼭 비 맞은 장닭이었다. 나는 내 꼴이 우스워서 실소하였다. 학교 접장은 나의 바라는 바가 아니었다. 잡지사 기자가 되는 것이 원이었다. 학교에서 나 같은 사람을 채용할 리도 없다.

1951. 12. 26.

전번에 박용구 씨는 "불경을 보고 싶어요. 생각할 수 있는 이상으로 한문이 필요하거든요" 하더니, 오늘은 『논어論語』를 끼고 착한 웃음을 웃으며 다방에 나타났다. 씨가 한문이 필요하다는 말은 역사소설을 쓰기 위한 재료 수집인 것이다. 서로 알면서도 누가 인사를 시켜주지 않으면 피차 모르는 체해야만 예의인가 보다. 서정태徐廷太 씨와 내가 그런 경우였다. 서로 차도 내고 주머니 사정이 웬만하면 사과 한 접시를 사서 권한다. 그러나 나는 한 번도 낸 일이 없으니 늘 얻어만 먹는 셈이다. (조대와 쌈지 담배는 있으나) 궐련이 없어서, 내 한쪽 다리를 내 무릎 위에 걸쳐놓고 삼가히 두 손을 마주잡고 묵묵히 앉아 있는 모양이, 남에겐 무슨 깊은 생각이나 하는 것처럼 보일지 모른다. 그러나 나는 아무런 생각도 없었다. 생각할 수가 없었다. 생각하면 공연히 골치만 아프기 때문이다.

"어디건 잡지사 기자 노릇을 하고 싶습니다."

"우선 형편이 절박하니까…… 나중에 그런 자리가 날 때 옮기면 돼요."

동리 선생은 나를 꾸짖지 않았다. 곽종원 선생은 보이지 않았다. 김말봉 여사님이 영양과 함께 들어온다. 나는 남자로서 비굴한 생각이 들었다. 이형기 씨는 뭘 하기에 오지 않을까.

1951. 12. 27.

문학이 이러니저러니, 아무는 어떻고 나는 이렇다느니, 좋으니 나쁘니, 이래야만 하느니 저래야 하느니, 그런 주장이란 부질없는 일이다. 문제는 작품을 쓰는 일이다. 최선은 작품을 쓰는 길이다. 문학에 관한 호변객好辯客이란 자기도 모르는 중에 오기傲氣로써 본의 아닌 뜻을 우기는 경우가 있다. 이건 남을 두고 하는 말이 아니다. 내 자신에게 타이르는 말씀이다.

1951. 12. 28.

산으로 올라가는 주택 지대는 계단식으로 되어 있었다. 손바닥만한 길을 남기고는 빈약한 집들로 꽉 들어찼다. 올라가도 집들은 연신 나타났다. 굽어보면 지붕들이 아찔하였다. 위험하기 짝이 없었다. 두번째로 K를 찾아가는 길이라, 방황하지는 않았다. 내가 여기서 산다면 아해들을 못 나가 놀게끔 문을 자물쇠로 잠글 것이다. 세상 없어도 밤엔 나다니지 않을 것이다. 한 발 잘못 디디면 밑의 집들 지붕 위로 추락하게 되어 있다. 그러고도 혼자만 죽지는 않을 것이다. 담이자 손바닥만한 길이다. 길 밑은 낭떠러지자 또 집들이었다. K는 없었다. 방안에 종이 쪽지가 있었다. 출타한다는 것, 누가 노트를 빌려갔다는 것, 노트가 돌아오면 빌려주겠다는 내용이었다. 그 집은 관사官舍라는데 더러워서 볼 수가 없었다. 하 엉망이라 손질할 염이 안 나는지, 하 소제를 않아서 그 모양인지 모르겠다. 다다미는 때가 절어서 좀 앉아 쉬고 싶지도 않았다. 창 밖으로 내다보이는 항구는 어수선하였다. 아침 햇살이 퍼진다. 회색빛 바다가 징그러운 괴물처럼 잔잔하였다. 연필 자루만한 방파제 앞에 한 점 배가 꼼짝을 않고 있다. 멀어서 그렇게 보이는 것일까. 나는 움직이기 시작하였다. 그 집을 나오는데 누구 하나 내다보지도 않는다. 도둑을 맞아도 아까울 물건 하나가 없나 보다. 다방에서는 오랜만에 나온 『문예』지를 나눠주고 있었다. 김윤성金潤成• 씨가 표지에 내 이름을 써서 준다. 달필이다. 서정태 씨와도 인사를 하게끔 되었다.

1951. 12. 29.

하루에도 몇 번씩 내 목구멍에서 도연명陶淵明•의 「귀거래사歸去來辭」가 저절로 새어 나왔다. 해가 저문다. 금강 다방을 나왔다. 잿빛 거리를 걸으며 '호불귀胡不歸아'를 거듭 뇌까렸다. 며칠 전이었다. 김성욱金聖旭 씨는 "취직 생활 내던지고 산속에라도 가서 독서나 하고 싶다" 하였다. 진정인 것도 같고, 나에 대한 충고 같기도 하였다. 오늘도 다방에서 조연현• 선생은 "피곤해요" 하며 여윈 손으로 얼굴을 가렸다. 서정태 씨는 "지루한 시간이라"며 다방을 나가버렸다.

나는 진정 산으로 돌아가고 싶었다. 내 산방은 비어 있다. 이럴 줄은 모르고 변변히 정돈도 않고서 떠나왔던 것이다. 종이 나부랭이와 책들이 나를 기다릴 것이다. 부산보다야 춥지만, 흰눈이 쌓인 산골은 고요할 것이다. 누이동생은 어떻게 지내는지. 이인정 노장님과 대중스님들은 오늘이나 내일이나 올까 하고, 나를 기다릴 것이다. 원고료 중에서 천 원 부친 편지는 오늘쯤 들어갔을까. 내가 오늘 아침에 떠났더라면 지금쯤은 산방에서 여독旅毒을 풀고 있을 것이다. 그들은 내 편지를 읽고들 있을지 모른다.

1951. 12. 30.

벼르기만 하던 책이었다. 큰맘 먹고 샀다. 그처럼 용기가 필요하였다. 남은 재산이라고는 산으로 돌아갈 여비가 좀 모자랄 정도였다. 다방으로 갔다. 군복을 입은 분이 들어서는 나를 쳐다본다. 내가 그리로 가자 그분은 자리에서 일어섰다. 악수하면서 "그간 어데 계셨습니까" 하고 서로가 똑같은 말을 하였다. 그분은 최인욱崔仁旭 씨였다. "어젯밤에 대구에서 왔습니다" 한다(최인욱 씨는 목소리가 좋아서, 그 경상도 사투리는 독특한 편이었다. 동리 선생만 보면 형님 형님 하는 처지였다. 얼근히 취하면 다른 사람들에겐 형님 노릇을 하고 동리 선생 앞에서만 참으로 동생처럼 굴었다). 곁에서 박용구 씨는 어젯밤 동리 선생『귀환 장정』출판 기념회 광경을 재미나게 말한다. 조연현 선생은 나더러 묻는다.

"어젯밤에 참석했습디까."

"못 갔습니다."

"왜요."

나는 대답 대신 좀 쑥스럽게 웃고 말았다. "회비 때문에……" 그러고 말할 수는 없었다.

법당에서 고별식告別式 목탁소리가 난다. 양장洋裝한 여자는 벽으로 돌아서서 전화 중이었다. 여자는 간혹 제2 국민병이니 서류니 하고 말하였다. 두 다리가 날씬하였다. 법당에서 상주들의 원통한 곡성이 터져 나온다. 담 너머에서 지나가는 자동차 소리가 빵빵 난다. 지저분하다는 생각이 들었다.

섭이 나를 찾아왔다. 그 동안 두 번씩이나 장송사에 갔었는데, 내가 없어서 허행虛行하였다는 것이다. 고마웠다. 그는 "그간 취직이 됐느냐"며 묻는다. 나는 버스 정거장까지 바래다주려 함께 걸었다. "점심을 먹었으니 그만두라"고 거절했건만 그는 굳이 나를 끌고 하꼬방으로 들어가서 단팥죽과 도넛을 샀다. 또 비가 부슬부슬 내린다. 길 가는 사람들의 걸음이 점점 바빴다.

"나도 실직했네."

그는 비 오는 거리를 추연히 바라보며 혼자말하듯 하였다.

"목이 달아났단 말인가. 언제?"

"내가 일보던 회사가 다른 회사에 밀려났다네."

"앞으로 어쩔려나."

"역시 통역 자리를 몇 곳 말은 해뒀네. 이번 탄 월급으로 학교 등록은 했네만은 공부고 뭐고 간에 우선 식생활 문제가 아득하네. 자네도 알겠지만, 학교 선생 월급이랬자 10만 원에서 15만 원 정도니. 그래 자네는 하숙비만 가지고 살겠나. 나 역시 통역 노릇을 한댔자, 그보다는 좀 나을까 말깐데, 그나마 자네처럼 취직이 돼야 말이지."

"하긴 그래. 그런데 날마다 다방에서 허튼소리로 시간을 보내는 태평太平들이 있더군. 문인들과는 딴판이지. 그런 사람들은 양담배만 피우니 무슨 조화일까 하고 이상한 생각이 들데."

"정직하고야 살기 어렵지. 진실이니 지식 따위는 굶게 돼 있어. 옳고 그르고를 따지지 않는 천재들일 거야. 알고 보면 양담배만 피우는 축들도 남의 돈으로 피우지, 제 재산 쌓아두고 쓰는 건 또 다른 족속들일세. 그러니 그런 사람들을 부러워는 할망정, 탓하진 말게. 누구나 양심이 어떻다느니 진실이 뭐냐느니 하다가는 볼장 다 보네. 그들이 우리보다는 오늘날을 정확히 안단 말이야. 자넨 수단 있거든 부잣집 딸이나 UN 마담이라도 하나 꿰차게. 그러는 것이 젊음의 권리요 소망이요 공상空想인 걸 아나. 그 쓰메에리•와 병정 구두부터 벗어버리게. 친구의 신사복과 구두를 빌어 쪽 빼고서, 그럴싸한 여자가 있거든 수작을 걸어보란 말이야. 여자가 병신이건 남자보다 억세게 생겼건 간에 돈만 많으면 절 백 번하고 결혼하겠다는 게 오늘날 총각들의 꿈이네. 아마 자네도 그럴걸."

나는 대답도 못하였다. 지프 차가 꽃처럼 화장한 여자를 싣고 지나간다. 길거리는 우울하였다. 사라져가는 지프 차의 뒤꽁무니만 바라보았다. 우리는 하꼬방에서 나왔다. 비를 맞으며 걸었다.

"동래東萊 가는 버스 정거장까지는 머니 비 그만 맞고 어서 들어가게."

학음鶴陰은 나를 뿌리치다시피 성큼성큼 걸어가버렸다.

돌아오다가 이형기 씨 하숙집엘 들렀다. 못 본 지가 이틀째이다. 역시 그는 없었다.

'내일 오후 11시쯤 해서 금강 다방으로 나가겠습니다. 만날 수 있으려는지요.'

쪽지를 써서 책상에 놓고 나왔다. 빗발이 점점 굵어진다.

1951. 12. 31.

양력으로 금년도 끝나건만 거리는 섣달 그믐 냄새가 없다. 신문이 1월 1일자로 하루 앞당겨 나와 새해 냄새를 핀다. 『민주일보』에는 춘곡春谷• 옹의 용龍 그림이 실려 있었다. 임진壬辰년은 용해다. 내게는 돌아가신 아버님의 회갑년回甲年이다. 문예 면엔 졸작이 실려 있었다. 아버님께서는 30세 때 나를 두셨고, 이제 나는 30세 고아로서 신문에 난 졸작을 본다.

"금년은 김형 시가 톱을 끊었군요."

허백년 씨 말에 나는 김윤성, 이형기 씨가 곁에 앉아 있어서 그런지 얼굴이 화끈하였다. 내 시가 나를 비웃는 듯하였다. 이형기 씨와 함께 안과 병원으로 갔다. 굴속 같은 복도를 지난 2층 방으로 올라갔다. 조연현 선생은 출타하고 없었다.

묘심사 뒤채에 이종욱李鍾郁 의원이 있음을 오늘에사 알았다. 원의범元義範 씨를 따라 방으로 들어갔다. 일정日政 때부터 선성先聲은 들었었다. 육순이 넘어서 확대경으로 신문을 읽고 있었다. 기력이 좋아보였다. "기회만 있으면 악착같이 달라붙고 불리할 때는 천만리라도 달아나야 성공한다"며 초면인 나를 훈계하였다.

1952. 1. 1.

금강 다방은 만원이었다. 동리 선생은 잡지사 경영주에게 "시인 김구용 씨"라며 나를 소개하였다. 나는 태엽이 감긴 기계처럼 40 남짓한 신사와 악수를 하며 속으로 웃었다. 차 한 잔 못 팔아주면서 의자에 공으로 앉아, 남들이 케이크와 차 드는 것을 보노라니까 시인이란 명색이 슬며시 창피스러웠다. 박용구 씨가 들어오더니 앉을자리가 없어서 난로 앞에 선다. 나는 자리에서 일어섰다. 선배님에게 의자를 권하는 예의쯤은 알고 있었다. "괜찮다"는 박용구 씨를 굳이 앉히고 그렇다고 곧 나올 수도 없어서 난로를 쬐며 서 있는데, "사과하나 드시지요" 하며 박용구 씨는 빛깔이 고운 사과를 준다. 참으로 싱싱하였다. 사과를 먹으면서 시 쓸 일을 근심하였다.

1952. 1. 2.

절간 식구들은 영화를 보러 간다며 함께 가자 권한다. 경제상 못 가겠다고 거절할 수는 없었다.

누구보다 영화를 좋아하는 나다. 전번에 장 콕토•의 「미녀와 야수」도 결국 못 보고 말았던 것이다.

과연 4천 원을 낼 만한 가치가 있느냐 없느냐는 별문제였다. 영화가 끝나기까지 초만원 극장 안에서 겪은 고통이란 오히려 4천 원을 받아야 할 판이었다.

오늘따라 추운 날씨였다. 입장료 3천5백 원에 5백 원을 더 얹어줘야만 했다. 암표를 사가지고도 바깥에서 약 한 시간 가량 떨었다. 전후戰後 프랑스 영화란 남녀가 기막히게 사랑한다. 그 남녀가 함께 시체로서 끝난다.

내가 전에 서울에서 보았던 것들과 마찬가지로 이번 것도 그 모양이었다. 그러나 죽지도 않는다. 그저 고생만 한다. 여자도 없다. 이런 전쟁 공포에서 본다면 영화란 웃기는 일들이다.

쇄도했던 관중들이 감격해서 밤길에 흩어진다. 나는 그들에서 감격하였다.

1952. 1. 3.

시 동인지 두 권을 읽었다. 시상詩想이 있어서 쓴 것들 같지가 않았다. 말을 다듬다 보니 그렇게 된 것 같았다. 인생을 여러모로 겪은 노인이 유심히 읽을 그런 시가 쓰고 싶다. 시는 젊은 사람들의 것만은 아니다.

나에겐 아니 우리 세대는 청춘이 없었다. 젊은 나이로 늙어버렸다. 많은 세상을 겪은 탓이다.

누가 내 어깨를 툭 친다. 내가 기차간에서 알게 되어 부산에서 그 첫 밤을 신세졌던 조씨였다. 매우 반가웠다. 거듭 감사하였다.

이형기 씨와 함께 다방을 나왔다. "시청에 가서 K군에게 점심이나 사라고 합시다" 한다.

나는 K씨와 인사한 일이 있지만 이씨처럼 숙친한 사이는 아니었다.
싫대도 자꾸 가재서 따라갔더니 마침 K씨는 없었다.
우리는 영도影島 구경이나 하다가 돌아오는 길에 다시 들러보기로 하였다.
부산에 온 후로 바다를 이처럼 가까이 보기는 처음이다.
다리 밑은 조수潮水가 검푸르렀다. 갈매기가 점점이 날았다. 잿빛 흰빛 검은 선박들이 무겁게 떠 있다.
"바다를 보니 울적하다"고 이씨는 말하였다. "난 그렇지 않소. 미스터 리가 이쁜 여자가 아니어서 유감이오" 하고 서투른 익살을 깠다. 이씨를 위로하기 전에 내 심정부터 달래기 위해서였다. 이씨는 몹시도 웃었다.
영도로 들어서서 지향 없이 가는데 '이천년전二千年前 주민지住民地'라는 낡은 표목이 서 있었다. 우리는 서로 맞쳐다보고 말없이 씩 웃었다. 이씨는 어느 날 밤에 영도를 한 번 돈 일이 있었다고 한다.
조용한 곳에서 서로 이야기나 할 작정이었는데 돌아다녀도 조용한 곳이 없어서 돌아섰다.
영도 다리를 건너면서 콧노래를 흥얼거렸더니
"거 무슨 노래를 다 하오."
하고 이씨는 괴이하다는 듯이 묻는다.
"두고 온 산이 생각나는군요."
이씨는 누구를 위로하려는지 몹시 웃었다.
시청엔 K씨가 있었다. 밥과 빵을 사줘서 먹고 나니 다리에 힘이 난다.
금강 다방으로 돌아왔다. 조연현 선생은 나에게 커피를 사주면서 "곽종원 씨가 그 후 뭐라고 합디까" 묻는다.

"오늘 동리 선생 말씀이 학교가 방학 중이니 좀 기다려야 한다고 하시더군요."

1952. 1. 4.

노트를 사서 시를 베꼈다. 4백 원짜리 노트에다 5천 원을 줘야 살 수 있는 일역日譯 서구시西歐詩를 빌려다가 옮겼다.

다방에서는 원고와 고료를 맞바꾸고 있었다. 문학을 위해서가 아니라 원고료를 위해서 뭐건 쓰고 싶다.

천 원 주고 호도胡桃보다 좀 큰 중국 만두를 다섯 개 먹고 나니 더 시장하다. 3천 원짜리 자장면을 먹었다.

주머니 속엔 다 떨어진 백 원짜리가 서너 장 남았다. 하기야 양담배를 피우지 않는 사람은 나밖에 없는 것도 같다. 오영수吳永壽• 씨는 "고료만 가지고 어떻게 삽니까. 피를 말려가면서 써야 발표할 지면이나 있습디까."

하며 나더러 취직이 돼야 한다는 것이다.

1952. 1. 5.

그 야릇한 산비탈 주택 지대로 K를 찾아갔다. 너무 일렀나 보다. K는 세수 중이었다. 그는 내게 '노트'를 빌려주면서 돕겠다고 하였다. 돌아오는 길에 영일의 편지를 받으러 도청으로 갔다. 이섭이 내주는 영일의 편지에는

형님의 편지 읽었습니다. 형님이 부산에 오셨다니 꿈만 싶습니다. 그간 얼마나 고생하시는지요. 부모 없는 형제만이 이러한지 참으로

부모 없는 것만이 한스럽습니다.
하필이면 이런 말을 썼을까. 어머니 아버지라는 낱말을 보거나 듣기만 해도 몸이 죄어든다. 온 천하가 한 조각 낙엽처럼 보이는 것이다.

음陰 12월 5일엔 무슨 일이 있어도 제弟가 부산에 갈 것입니다. 5일 오후 6시 반쯤, 서면 전차 종점에서 만나도록 약속합시다.

오늘이 음력 9일이다. 이섭은 7일날 왔단다. 내가 만난 것은 어제였다. 편지는 오늘 받았다. 음력 12월 5일은 벌써 지났다. 서면은 가본 적이 없다. 여기서 20리라 한다. 말은 하지 않았으나 서면까지 갈 차비가 없는데…… 오히려 요행이다.
노트 정리를 하다 보니 오후 2시였다. 거리로 나갔다. 주머니에 돈이 없어서인지 몸은 거뜬한 것만 같다. 김말봉 여사와 영양이 지나간다. 두 모녀분이 나왔을 금강 다방으로 들어갔다.
"프랑스 실존주의자들이 쓴 시가 있는지요."
나의 물음에 대해서 양병식梁秉植 씨는 "있다는데 아직 못 봤습니다"고 한다. 씨는 내가 불문학에 흥미를 가졌대서 기뻐하였다. 일본서 전시했다는 피카소의 그림, 공예, 조각을 찍은 사진 책을 보여준다. 원색이 없어서인지 평범하였다. 한 장 한 장 넘기는데 어지러웠다. 그림, 다방 벽, 의자가 돌기 시작한다. 몸이 흔들리는 것이 아니라 밑바닥이 내려앉는 것 같다. 저편에서 K씨가 안경 너머로 나를 힐끔힐끔 본다. K씨는 전번에 동리 선생 소개로 나와 인사한 분이다. 그때처럼 동리 선생은 또 K씨에게 뭔가 청하는 모양이었다. 나는 얼굴이 화끈 달아올랐다.

내 취직에 관한 교섭이라고 직감하였기 때문이다. 나는 외면을 했다.

"날마다 보기에 쓸쓸하시더군요. 무슨 근심이라도 있습니까."

"머릿속이 여러 가지로 어수선합니다."

나는 양병식 씨에게 억지로 웃어 보였다. 양씨가 다방을 나간 지 조금 지나서였다. "김구용 씨" 하고 동리 선생이 부르는 것이었다. K 씨는

"모레 월요일 날 오전 9시 반에 도청 안의 군경 원호회에 나와서 일해줍시오. 기사도 만들고 원고도 청탁하고 받아와야 하고 조판소도 다녀야 하고 교정도 봐야 하는데, 싫은 일이 많을 줄 압니다. 한 달에 22, 3만 원 정도밖에 못 드리겠는데 그래도 할 생각입니까."

"앞으로 잘 지도해주십시오."

나는 머리를 숙였다.

다방 문이 열리면서 김말봉 여사와 영양이 들어온다. 영양은 자리가 없어서 나와 맞바라보이는 저편 자리에 앉는다. 조용히 『문예』지를 펴든다. 금반지를 낀 손이 예뻤다. 얼굴에 분가루가 없었다. 학생일까. 동리 선생 옆에 손소희 여사, 그 옆자리에 한무숙韓戊淑• 여사가 앉아 있어서 나는 매우 거북하였다. 김말봉 여사는 앉을자리가 마땅하지 않아서 선 채로 동리 선생과 말한다. "앉으십시오." 나는 자리에서 일어나 양씨가 앉았던 의자에 가서 그들을 등지고 기대었다.

결국 군경 원호회 기관지에 취직이 되는 모양이다. 웬일인지 허전하기만 하다. 시험과 근무를 혼자서 어떻게 감당한단 말인가. 닥치는 대로 살아가는 수밖에 없다. 계획과 보람 따위는 없다. 20세기는 자유와 평화를 부르짖는다. 개성과 목적 따위는 잠꼬대였다. 막연하다. 난리가 언제 어떻게 끝날지 무섭다. 뭔지 억울한 생각이 든다.

밤에 원의범 씨와 함께 거리로 나왔다. 원씨는 저녁을 먹었건만 배가 고프니 밥을 사먹자는 것이다.

"돈이 있어야지."

"내게 5천 원이 있으니까."

한다. 하꼬방으로 들어갔다. 우리는 술병을 보자 시장은 하지만 밥 생각이 없어졌다. 막걸리 한 되를 거냉去冷시키고, 나는 호주머니를 털어 오징어를 샀다. 원씨는 월남해온 분이다. "비 오는 날이면 멍하니 창 밖을 내다보는 버릇이 생겼다"며 웃는다.

나는 이 나이에 천애의 고아이다. 그러니 서로가 술에 범연할 수 없다. 권커니 작커니 어한禦寒해서 돌아오는 길에 원씨는 엿과 눈깔사탕도 샀다. 우리는 어린애처럼 희희덕거리며 묘심사로 돌아왔다.

책을 보는데 누가 나를 찾아왔다고 한다. 유리창 밖에 영일이가 서 있었다. "내요" 하고 웃는다. 나는 쫓아 나갔다. 영일은 "음력 5일날 못 왔기 때문에 서면서 만날 생각은 않았다"면서 "그간 돈이 잘 되지 않아……" 하더니 내 손에 10만 원을 쥐어준다. "이제 취직도 된 듯하니 아예 내 걱정은 말고 도로 가져가라" 했으나 굳이 듣지를 않았다. 그는 처자까지 거느려 넉넉지 못한 처지인데, 못난 형을 위해 먼 곳에서 온 것이다. 내 마음이 기쁠 리 없다.

1952. 1. 6.

복사꽃 한참인 향교골은 박첨지에 관한 화제가 나돌았다. 상처喪妻한 지 1년도 못 됐는데 수염이 반백인 박첨지는 딸 같은 여자를 얻었다. 그 여자는 남편이 전사한 과부였다. 서울서 친정살이를 하다가 피란 왔노라 자칭自稱하였다. 이리하여 박첨지의 외아들 성호는 나이가 네 살 아래인 계모繼母를 두게 됐다. 새로 들어온 이 집 안주인과 성호의 아내는 동갑인데 고부 사이가 됐다. 허리가 가는 계모는 늘 입술을 불타듯이 화장하였다. 그리고는 곧잘 한숨을 쉬었다. 성호는 살림을 꼭 들켜 쥐고 있는 아버지를 미워하기 때문에 늘 우울하였다. 그러한 성호의 눈과 마주치면 계모는 늘 생글생글 웃었다. 성호는 그러는 계모가 싫었으나 밉지는 않았다. 전부터 아내가 싫었다. 어느 날이었다. 성호가 뒤껻 변소에 들어갔을 때였다. 계모는 뒤따라 들어와서 성호의 목에 매달렸다. 성호는 분노와 애욕을 동시에 느꼈다. 계모를 끌어안아 입술을 빨았다. 피가 나도록 물었다. 계모는 아파서 몸을 떨었다. 그러는 성호가 더 좋기만 했다.

계모는 "조용한 데 가서 보약으로 몸이나 튼튼히 하세요" 하고 박첨지를 내쫓듯 절간으로 떠나 보냈다. 그날부터 예쁜 계모는 아들뻘 되는 성호와 터놓고 배가 붙어 지냈다. 순한 성호 아내는 혼자서 울어야만 했다.

1952. 1. 7.

기다린 지 약 30분 뒤에야 K씨는 출근하였다. 또 내 이력서를 유심히 보더니

"가족이 몇입니까."

한다.

"아내와 어린것이 하나 있습니다."

또 거짓말을 하였다. 부양 가족이 많아야 월급이 많다는 사실을 모두가 일러줬던 것이다. 나는 아내와 어린것이 한꺼번에 생긴 셈이다. 속으로 쓴웃음을 웃었다. 다음은 직원들에게 나를 인사시켰다.

채용된 모양이었다. J국장은

"이렇게 약해서야 되겠소."

하며 K씨를 쳐다본다. 나는 숙였던 허리를 미처 펴기도 전에

"병은 없습니다."

하고 대답하였다. K씨는 주를 단다.

"문학 공부를 한 때문이지 병은 없을 것입니다."

J국장은

"이 일이 여간 바쁜 게 아니며 줄곧 쏘다녀야 하는데 몸이 약하면 수고로울걸. 어떻든 잘해봐요."

하며 큰 의자에 등을 기댄다. 그 벗어진 이마와 굵은 안경테가 인상적이었다. 어떻든 K씨의 소개로 인사한 분이 근 20명은 되니 근 스무 번이나 허리를 숙이고 악수를 하고 내 이름을 주워섬기기는 난생 처음이었다. 키 큰 분이 '수속 절차'라고 쓴 종이를 한 장 주면서 되도록 빨리 제출해달란다. 그 종이에는 수속 절차 1, 이력서 2통, 사진 2장, 신원 보증서(유력자 × 2명 ×연대 보증) 1, 부양 가족 조서 1, 신원 증명서(경찰서장) 1이라 적혀 있었다.

"자, 오늘부터 일합시다."

K씨는 격려하듯 말한다. 한 달 20만여 원에 완전히 묶인 셈이다. 허나 언론계에 이바지한다는 내 자신이 싫지는 않았다. 불안하였다. 도대체 기자 생활이란 어떤 것일까. K씨와 함께 국제 시장 붐비는 골목을 지나 조판소에 들렀다가 다이제스트 사로 갔다. K씨의 침식처가 바로 다이제스트 사였다. 그곳에서 인사한 분이 10여 명, 어떤 분은 내가 유명한 문인이나 되는 줄 알고 이름을 거듭거듭 묻는다. 께끄름하였다. 그러나 원고 청탁을 드려야 할 분을 거기서 만났으니

다행이었다. 다시 K씨와 함께 시청 사회부에 가서 전번 좌담을 원고로 써서 줍소사고 청탁했다. 덕분에 몇몇 사람들에게 허리를 굽신거렸다. 출근하지 않은 사람과 출장 간 사람과 외출한 사람이 있으니 다시 찾아뵈어야 한다는 것이다. 또 와야 한다니 기자란 바쁜 직업이구나 싶었다. 조판소에 와서 교정 보고 또 사회부에 가서 헛걸음만 했다. 길에서 조영암趙靈岩 시인을 만나 원고 독촉, 경향신문사에 가서 원고 받아 그 2층의 다 떨어진 다다미 방 구석에서 신문 소설을 쓰는 김광주金光洲• 씨에게 원고 청탁을 했다. 일은 대충 끝났다. 금강 다방에 와서 앉으니 피곤하다. 아니 시장해서 못 견디겠다. 병정 구두를 신었기 망정이지 아니면 한 달에 한 켤레씩은 조겨내야 될 성싶다. 김동리, 조연현 선생, 박용구 씨 등 여러분은 나의 취직을 기뻐해주었다.

1952. 1. 8.

식전에 K를 찾아가 노트를 빌렸다. 오늘도 시청 사회부, 조판소, 경향신문사, 다방 등을 왕복한 거리가 10여 리는 될 듯하다. 금강 다방 구석에 쭈그리고 앉아 교정을 보는데 선배 제씨들은 "수고한다"며 위로한다. 내 초라한 심정이 자꾸 공허해진다. 배가 고프다. 무슨 음식이 제일 값싸고 양이 많을까. 부산 온 후로 꾸준히 연구한 바이다. 걸으면서 유의한다. 내게는 벅찬 음식들뿐이다. 한 개 백 원짜리 풀떡 다섯 개를 사서 노점 헌책 진열을 보는 척, 돌아서서 먹었다.
묘심사 주지 스님이 동학사에서 왔다. 다들 무고하시다니 반갑다. "이인정 노장님이 곧 올라오라며 10만 원을 줍디다"며 나에게 돈을 전한다. 주지 스님이 갑자기 떠났기 때문에 민이는 편지 쓸 여가도 없었나 보다. 촛불 아래서 노트를 보는데 자꾸 잠이 온다. 다리가 뻐근하다.

1952. 1. 9.

돌아다닌 일은 일기에 쓰지 않기로 한다. 일일이 죄 쓸 수도 없다. 써 봤자 흥미 없는 일들이다. 나는 담배가 없는데 옆에서는 피우지도 않으면서 생담배를 태운다. 골머리가 아프다.

박용구 씨는 "난 짐승이 싫거든요" 한다. "사람도 살려고 발악을 치는 판국인데 짐승들까지 살려는 욕망을 가졌으니 딱하다는 말씀이에요. 개니 닭이니 할 것 없이 짐승을 보면 앙증스러워서 미워요." 이러고 말하면서 웃는 박용구 씨는 누구보다도 착한 얼굴이었다. 내일부터 시험이다. 노트를 세밀히 살필 여가가 없다. 나는 거의 완벽에 가까우리만큼 내가 없다. 세상은 나에게 완전한 기계가 되기를 강요한다.

1952. 1. 10.

새벽이다. 안개가 잔뜩 끼었다. 길 가는 사람도 드문데 영일은 떠났다. 그는 내 양복과 바꿔 입고서 초라한 꼴이 되어 떠나갔다. 덕분에 나는 감색 신사복 웃저고리에 다갈색 줄무늬 머플러를 두르고 흑록黑綠빛 양복바지를 입고 있다. 남부럽잖은 몸차림이 됐다. 단화만 신었다면 기자로서는 과분한 복장일 것이다. 넥타이와 와이셔츠는 없지만. 그러나 단화가 욕심나지는 않는다. 지금 생활로는 병정 구두가 제격이기 때문이다.

나는 영일이 손에 6만 원을 쥐어줬다. 굳이 안 받으려 하기에 작별

말도 못하고 나는 도망치듯 달아났다. "정월에 꼭 한 번 덕촌 오이소" 한다. 나는 뛰다 말고 뒤를 돌아보며 머리만 끄떡끄떡해보였다. 그리곤 숨어서 영일이가 안 보일 때까지 바라보았다. 전차 길을 따라 동생은 안개 속으로 사라져갔다.

"우선 명함부터 배기고 시멘트 포장지 한 장을 사오우. 반드시 영수증을 받아와야만 지출 보고를 할 수 있소."

K씨는 나에게 만 원을 준다. 시멘트 포장지를 2천 원에 사고 영수증을 해달라니까 가게 주인은 "적당히 써넣으시오" 하고 도장만 찍어준다. 내가 써넣은 3천 원 영수증을 K씨에게 드리면서 사실대로 말했다. 그리고는 "담배 살 테니 천 원은 저 줍시오" 했더니 K씨는 상냥스레 웃으면서 천 원을 준다. 담배를 사서 우선 김동리 선생에게 한 개비를 드렸다. 동리 선생은 담배를 안 하건만 받아서 피우는 체만 한다.

K씨는 근엄한 기독교 교인이어서 금연파였다.

"하루에 차 두 잔씩 시켜서 들고 다방에서 일하오. 찻값은 마담이 표를 해두었다가 사社에 청구하기로 했으니까 우선 차나 한 잔 시켜 드우."

나는 씨의 말에 얼떨떨하였다. 다방에서 하루에 차 두 잔씩을 든다면 나로서는 손복損福할 일이었다. 날마다 돈으로 2천6백 원씩(차 두 잔 값이다) 준다면 천 원으로 점심에 풀떡이나 사먹고 나머지 1천6백 원은 저금이나 하는 것이 내 분수에 맞기 때문이었다. 그래도 체면상 커피 대신 현금으로 달라는 말은 나오지가 않았다.

비가 몹시 온다. 고향으로 돌아가는 영일이가 생각난다. 시청 사회부에서 돌아와 비 맞은 외투를 툴툴 털고 차 한 잔을 시켜 마셨다. 5

시 반부터 시험이다. 교수 수효가 절대 부족해서 시험 시간표에 나와 있는 과목이면 정치, 경제, 법률 할 것 없이 학점을 마구 따야 한단다. 생전 듣지도 못한, 글씨도 잘 알아볼 수 없는 다른 과의 두 과목 노트를 보는데 안정이 되지 않는다. 초조할 지경이었다. 동리 선생이 봉투를 준다. 봉투엔 '김동리 선생 20,000' 이라고 적혀 있었다. 뒷면에는 민주일보사 문화부가 인쇄되어 있었다. 졸시拙詩 한 편 원고료를 받아서인지 그나마 진정이 되는 것 같았다. 비를 맞으며 갔으나 시간표가 바뀌어 시험 볼 과목이 없었다.
이형기 씨 하숙으로 갔다. 함께 하숙하기로 오늘 낮에 이씨와 상의하였기 때문이다.

1952. 1. 11.

어젯밤에 못다 본 교정을 다 봐가지고 조판소로 갔다. 연세도 많으신 어른이니 앞으로는 K씨라고 하지 말아야겠다. 김편집장님이라고 해야겠다. 김편집장님은 나더러 원고지 한 장 반을 써서 지면 '스페이스' 를 채우란다. '가두소견街頭所見' 이라는 잡문을 단숨에 썼다. 나도 본격적인 '저널리스트' 가 되나 보다.
내 속필速筆이 서글펐다. 이러다가는 내 글마저 망치는 게 아닌가 싶었다. 김편집장님은 원고를 한참 보더니 아무 말 없이 조판공에게 넘긴다. 인쇄소에서 갓나온 사社의 원고지 중 약간을 나누어 들고 다방에 가서 김동리, 조연현 선생, 박용구, 김윤성 씨 등에게 선사했다. 김윤성 씨 시고詩稿 「상면相面」을 받고 문인 주소록부터 꾸몄다. 2시쯤 박용구, 김윤성, 이형기 씨와 함께 뉴서울 다방에서 김환기金煥基• 화백 개인전을 봤다. 훌륭한 작품들이라고 느꼈다. 김향안金鄕

岸 여사보다는 고희동高義東 옹이 우스운 소리를 곧잘 해서 김화백과 함께들 웃었다. 벌써 2시 반이다. 약속 시간에 늦을까봐 서둘러 시청 사회부로 갔다. 소위 '인터뷰' 라는 것을 하는데 그 관리는 요점만을 말하는 재주가 없었다. 1시간 20분 동안을 중얼대는 것이었다. 받아쓰기에 화가 나서 몇 번씩이나 집어치우고 싶었다. 외국 사람이 오자 관리는 큰 자랑이나 되는 듯이 제 말을 받아쓰는 사람을 손가락으로 가리키며 "히 이저 매거진즈 라이터" 라고 눈웃음하였다. 겨우 끝나자 "지면 관계로 많이 커트할 테니 그런 줄 압시오" 했다. "좀 대통령 강연 같지요" 하며 애교 있게 웃는데는 대답도 안 나왔다. 일어서니까 내 손을 잡고 흔들면서 "아임 쏘리" 를 연발한다. 기자 성미가 있다더니 날마다 이런 접촉을 한다면 내가 변할 것만 같아서 두렵기조차 하였다.
배가 고프다. 아니 두통까지 난다. 김편집장님을 졸라 빵집에 들어갔다. '박스' 에 앉으니 착 늘어진다. 빵 3개를 먹고 시청서 초량 천막까지 황혼의 거리를 뛰다시피 갔다. 시험이 시작된 지 5분이 지났다는 것이다. 뛰어 들어가서 답안지를 썼다. 깜깜한 밤거리는 추웠다. 이형기 씨 하숙에서 저녁밥을 먹었다. 내일 보따리를 옮기기로 하고 묘심사로 돌아왔다. 민이의 편지가 와 있었다. 나는 여러 가지로 매인 몸이라 떠날 수가 없다. 산속이 눈앞에 선히 나타난다. 묘심사 주지 스님에게 "내일은 다른 곳으로 옮깁니다" 고 미리 하직을 했다.

1952. 1. 12.

식전 새벽에 보따리를 들고 길거리로 나왔다. 바람이 제법 차다. 내가 묘심사에 눌러 있지 못한 이유를 자세히 말할 수는 없다. 4만 원에 보름 동안을 있었으니 신세를 많이 진 셈이다. 사중寺中 일에도 애쓰는 원의범 씨가 한 달에 15만 원씩을 내고 있는 처지이다. 그러니 내게는 1일 2식에 한 달 11만 원을 받는다는 이형기 씨 하숙집이 유리할 수밖에 없다. "마침 이불이 두 채 있으니 하나를 쓰라"는 이형기 씨의 고마운 말이다. 다다미 방이라 춥긴 하지만 다 피난 생활들을 하는 처지인데 나라고 괴로울 것 없다. 이형기 씨의 따뜻한 우정이 뭣보다 고맙기만 하였다. 다방에서 교정을 미처 다 못 보고 시험 시간 때문에 천막으로 가다가 굉장한 발견을 했다. 풀떡 5백 원어치를 먹으면서 걷다가 문득 본 것이다. 내 손바닥만큼씩 큰 찰떡을 파는 장사가 있었다. 1개면 풀떡 5개보다 요기가 될 것 같았다. "얼마냐"니까 1개 5백 원씩이란다. '내일부터는 저런 찰떡을 사 먹으리라' 결심하였다. 태반은 노트도 없다면서 응시하였다. 우리 반 24명 중에서 시험을 보러 온 사람은 K와 나뿐이었다. 그들은 어디에서 각기 뭣을 하고 있을까. 다들 죽지나 않고 살아 있을까. 늦게야 다방에 돌아와 교정을 보았다. 차 한 잔 마시고 또 조판소로 갔다. 거리는 깜깜하였다.

1952. 1. 13.

오늘은 지형을 떠야 하니 마지막 교정을 봐달란다. 반쯤 보다 보니 12시 20분이었다. 지형이야 어찌 되든 간에 이젠 가야 한다. 도중에서 찰떡을 샀다.

천막에서 두 과목 시험을 치르고 나니 짧은 하루 해가 저문다. 괴로워서 견딜 수가 없다. 김편집장님은 나의 비밀을 모른다. 내일 나는 큰 질책을 당할 것이다. 육체적 고통은 어느 정도로 견딜 수 있을까.

마음의 고통은 쓰러질 것만 같다.
내일은 무슨 일이 있어도 김동명金東鳴• 선생을 찾아가서 시를 청탁해야겠다. 아니 내일은 무슨 일이 있어도 사표를 내야겠다.

1952. 1. 14.

눈물은 유치하다. 나를 위해서 울지는 않으리라. 내가 천사처럼 웃는다. 그럼 나는 내가 좋아서 눈물이 흐를 것이다.
사社에 가서 기자 신분증을 받았다. 조판소에서 김편집장님과 만나 함께 교정을 끝냈다. 김편집장님, 아니 이 노인 어른을 나는 아직 잘 모른다. 김편집장님도 나에 관해서는 마찬가지일 것이다. 나를 대하는 태도는 어제와 다름없었다.
김동명 선생을 보러 세계서림 2층으로 찾아갔다. 사환 아이는 안경을 쓴 뚱뚱한 분을 가리키며 "저기 계셔요" 한다. 시인형이 아니었다. 저런 분도 시를 쓰나 보다. 명함부터 내놓고 인사를 드렸다. 그는 굵은 목소리로 "난 김동명 선생이 아니오. 들어오면 말을 전하리다." 엄숙하기가 추상 같았다. 나중에 안 일이지만 그분은 전前 재무장관 김도연金度演이란다. 딴은 김동명 김도연 하면 언뜻 듣기에 음상사音相似할 것이다.
과장이란 분은 나를 죄인처럼 불러 세워놓고 자기 글의 교정이 엉망이라며 경찰처럼 야단이다. 조판소에 가서 김편집장님과 함께 전번 교정지와 원고를 일일이 대조해봤더니 글자 하나가 탈락하였고 한자가 하나 국문으로 표기된 것뿐이었다. 나는 기계도 신도 아니다.
김편집장님은
"2시에 들어가서 과장과 따집시다."

한다. 나는 2시부터 시험이다.
“내일 가지요. 오늘은 바빠서 못 가겠습니다.”
김편집장님은 나를 쳐다보며
“무슨 일이 있소.”
한다. 나는 서투른 웃음을 웃으며
“원고 청탁을 받은 게 있어서 써야겠습니다.”
하고 둘러댔다. 다방에서 쉬는데 조연현 선생이 묻는다.
“어떻습니까. 할 만합니까.”
나는 바빠서 난처한 형편임을 말했다. 조선생은
“그런 것으로 수필을 하나 써서 나를 주세요.”
한다. 천막에 갔다. 사제간이 오랜만에 만난 이번 기회에 간친회懇親會를 17일날 할 테니 5천 원씩 내란다. 시험이 끝나자 오늘 중에 김말봉 여사 댁에 갔다 오라던 김편집장님 말씀이 자꾸 떠오른다. 날은 저문다. 집을 어떻게 찾는단 말인가.

교정을 본다. 교정지에 거미줄은 점점 늘어난다. 난선亂線에 혼선混線이 겹친다. 더 이상 써넣을 빈틈도 없다. 김말봉 여사 연재 소설 『계승자繼承者』의 초교이다. 화가 치밀어 오른다. 김편집장님은 점심 먹자는 약속이 있다면서 내게만 쓸어 맡기고 일어선다.
“오늘 2시에 사社에 갑시다.”
“못 가겠습니다.”
“왜요.”
“바쁩니다.”
“무슨 일이 있소…… 바른 대로 말하시오.”

오후면 없어지는 나를 날마다 의심했을 것이다.
"2시부터 시험을 봐야 합니다."
나는 털어놓았다. 사실을 말하면 취직이 안 되기에 속였노라고 고백했다.
김형식金亨湜 선생(김편집장)은 기독교인이었다. 한동안 말이 없더니
"그럼 내일 갑시다."
한다. 쉽게 이해해주셔서 더 화가 났다. 김형식 선생을 나의 공범으로 끌어넣은 것만 같아서 짜증이 났다. 12시가 지났는데 교정엔 계속 선들이 뒤엉킨다. 매수가 잘 줄지 않는다. 시험 시간은 닥쳐온다. 노트를 한 번 더 봐야겠는데 그럴 여가가 없다. 조판 책임자를 불렀다.
"이거 사람을 생으로 잡을 작정이오. 오자誤字, 탈자脫字투성이니 세상에 이런 데가 또 있겠소. 자, 이 교정지 좀 보시오. 당신들 생각엔 어떻소."
하고, 나는 누가 누구에겐지도 모를 화풀이를 했다.
"다방에 가서 문인들에게 이 교정지들을 전시하고 광고를 돌려야겠소."
이 말만은 목구멍까지 나왔으나 차마 내뱉지는 못했다. 책임자는 나 같은 자에게도 굽신굽신하였다.
"그러잖아도 이걸 짠 눔을 혼을 냈습니다. 선생님 한 번만 용서합시오. 이런 일이 종종 있다면야 모르지만 이번이 처음이 아닙니까. 선생님 다음엔 특히 주의해서 이런 일이 결코 없게끔 하겠습니다. 선생님, 그눔이 어젯밤 12시까지 일을 하느라 자연 거칠어진 것이랍니다. 이해해줍쇼. 선생님, 용서합시오."

연신 선생님 소리를 들어도 나는 개운하지가 않았다. 어떻든 잔인한 일이다.

시험 시간이 닥쳐온다. 천막까지 가려면 한 시간은 걸어야 한다. 활자가 흔들린다.

1952. 1. 15.

안계 전개眼界展開. 찻잔은 위태롭게 놓여 있다. 노란 목조 탁자가 절벽이었다. 반원선半圓線을 침식한 각도는 기괴하였다. 시멘트 바닥은 ×의 연속. 연속선에 버려진 담배 꽁초가 외국으로 떠나는 기선 연기를 뿜는다. 중국에서 자랐다는 어딘지 중국 사람처럼 보이는 김광주 씨가 구둣발로 똑똑똑 시멘트 바닥을 두들긴다. 무던히도 따분한 모양이다. 소설가 김씨의 구두는 진흙투성이였다. 앞에서도 옆에서도 손님들의 말소리가 들린다.

황순원* 선생은 약속한 날에 원고를 내게 주었다. 그래서 무척 고마웠다. 박용구 씨가 "여기 또 좋은 원고가 있습니다"며 원고 뭉치를 내게로 내민다. 오영수 씨는 "안 된다"며 한사코 빼앗으려 든다. 나는 원고를 받아 아랫주머니에 쑤셔넣었다. 오영수 씨는 어이가 없다는 표정이다. 모두가 웃는다. 오씨는 무안한지 얼굴이 붉어진다. 착한 얼굴들이다. 외로운 얼굴들이다.

베에다 기름을 먹인 담배 쌈지와 시대에 뒤떨어진 조대로 담배를 피운다. 그래서 남들은 나를 한 번 더 보거나 확인하나 보다. 그러나 담배 쌈지는 때가 절어야 태가 나고, 조대는 모양보다 튼튼해야만 가지기에 만만하다. 더구나 이 담배 쌈지는 고모부께서 쓰시던 것을 물려받은 것이니 내게는 귀중품이다. 언젠가 G씨는 "담배 쌈지가 좋군요" 하였고 인쇄소 사람은 "조대가 멋있군요" 하였다. "별난 체 말라" "궁상 떨지 말라"는 뜻일 게다. 나는 남보다 유표有標하려고 어디서나 이것을 사용하는 것은 아니다. 뭣으로든 담배를 피우면 그만이었다. 만부득이한 사정일 따름이다. 이러는 나를 멋으로 본다면 실은 나를 조롱하는 것밖에 안 된다. 아니면 실용적 가치보다도 지나치게 색다른 것을 찾는 사람들일 게다.

1952. 1. 16.

관청 변소에서 뒤를 보며 도덕이랄까 윤리랄까 막연한 생각을 하였다. 불결하기로는 마찬가지였다. 낙서들은 거짓이 없었다. 그림들도 진실하였다. 적나라한 소묘에는 '인생지고락人生之苦樂 개유어차皆有於此'란 화제畵題가 있었다. 과연 그럴지도 모른다. 아니 옳은 말씀이다. 하지만 누구나 다 아는 일이 아닌가. 세상을 조롱하고 나를 야유하는 것만 같아서 유쾌하지가 않았다.

고약한 것, 고약한 것, 아니 고연 놈이었다. 자동차는 경적도 없이 휙 돌아 바로 내 앞에 바짝 와서 급정거하였다. 나는 기겁을 하고 뒤로 물러섰다. 이놈이 도대체 무엇인가. 자동차가 사람을 농락하다니 기계가 무엇이란 말인가.

기계가 사람을 이처럼 멸시하다니 기가 막혔다. 기계에게 무시를 당하고서야 망하지 않을 세상이 없다. 그러나 기계를 더 미워할 수는 없었다. 왜냐하면 자동차 안의 단 한 사람은 그러고도 무표정하였다. 한꺼번에 번쩍 들어 메어치고 싶은 분노를 참으면서 나는 발작적으로 미소하였다.

황순원, 곽종원, 박용구 선배님들에 휩쓸려 하꼬방으로 갔다. 술을 얻어 마시자니 자연 조심이 됐다. 화제는 길거리에 범람하는 퇴폐적인 일본 잡지에 관해서였다. 점점 우리 나라 문화를 염려하는 데로 기울어졌다. 저들은 퇴폐에 물들어간다는 것이다. 그러나 우리의 퇴폐는 전시戰時의 부작용 정도이다. 현해탄 건너 저들은, 각종 잡지에 의하면 탕아들의 세상 같았다. 접시 물만한 동해를 사이에 두고 어쩌다가 우리와 저들은 이처럼 다른지 알다가도 모를 일이다. 어떻든 술과 꽃은 좋다. 옛사람들은 기분이 좋아서 술을 마셨을 것이다. 오늘날은 그렇지도 않다. 얼근히 취한다. 유일한 도피처 같기만 하다. 선배님들과 헤어져 어두운 골목을 돌아오면서 주덕酒德을 칭송하기에 이르렀다.

1952. 1. 17.

작품과 평론은 서로 영합할 필요가 없다. 싸울 필요가 없다. 작품이 평론에게 불평한다면 자신이 없기 때문이다. 평론이 변명을 한다면 문학 정신의 결핍이다. 작가는 자기 작품에 대한 칭찬 앞에서는 무능하다. 평론가는 가혹한 일격을 가하고는 권위가 되려 든다. 작가나 평론가의 싸움으로 발표된 작품이 변질하지는 않는다. 훌륭한 명작은 역사로도 변형되지 않듯이 소수의 독자는 언제나 현명하다. 우리는 훌륭한 양옥을 좋아한대서 훌륭한 한옥을 못 알아볼 만큼 어리석지는 않다.

1952. 1. 18.

김형식 선생은 점심을 살 테니 함께 먹잔다. 내가 그 동안 고구마에서 풀떡으로 다시 찰떡으로 옮긴 사건보다도 그 녹두죽은 큰 발견이었다. 시장하던 배가 한 그릇으로 흡족하였다. 하지만 김선생이 녹두죽 두 그릇 값으로 치르는 2천 원을 보고는 무서운 발견으로 끝났다. 내가 녹두죽으로 비약할 수는 없는 노릇이다.

태어났듯이 언젠가는 아버님 어머님처럼 떠날 것이다. 나는 참다운 시가 무엇인지 모르기에 찾아 헤매는 방황을 쓴다. 조금도 위대할 필요는 없다. 세상은 변덕쟁이, 나를 기대할 수가 없다. 어디에 너의 기쁨과 웃음이 있나 하고 내가 찾아 헤맬 따름이다.

1952. 1. 19.

시계는 10시 20분, 사무실은 바쁘다. 약간의 여가를 이용, 시고詩稿를 청서淸書하는데 사이를 막은 저편 칸막이 안에서 세계 뉴스가 돌아간다. 거기가 공보처 시사장이다. 음악은 다시 변한다. 계속되는 해설, 간혹 외국말도 들린다. 천장이 울리도록 또렷하다. 갑자기 일어나는 총소리 총소리…… 내 발바닥 밑에서 포성은 터진다. 나는 만년필을 놓았다. 해설도 음악도 끊어졌다. 저승처럼 고요하다. 무엇이 폭발하기 직전인 것만 같은 긴장에 쓸 수가 없다. 전선戰線 뉴스 상영이다. 미 · 영 양거두兩巨頭 회담, 정전 분열停戰分裂이면 중국 국토 폭격, 신문은 외친다. 일선에는 전투가 한창이다. 미그 기 편대의 폭음은 사무실을 삼킨다. 돌연, 감미로운 선율이 흐른다. 남쪽의 정열적인 곡조가 어지러이 춤을 춘다. 다들 말없이 사무를 보고 있다.

돌아다니다 보니 3시 반이었다. 어중간하였다. 저녁이나 먹기로 했다. 다방에 앉았는데 신열이 난다. 머리가 아프다. 날씨가 추워서 나가기가 싫다. 하숙집에 돌아간대야 썰렁한 다다미 방이 다방만 못하다. 어서 해가 저물었으면 싶다. 두 손으로 머리를 짚고 있는데 허백년 형이 나가자며 권한다. 점심을 먹었느냐기에 머리만 흔들었다. 빵집으로 가자는 것을 거절하였다. 신열이 난다. 오한이 난다. 이제야 내 몸은 탈이 나려나 보다. 병이 나서는 안 된다. 무슨 일이 있어도 병이 나서는 안 된다.

1952. 1. 20.

박용구 씨, 김윤성 씨와 함께 잡담을 한다. 만년필이 화제가 됐다. 만년필로 낙서를 하는데 누가 앞자리에 와서 앉는다. 김훈金薰 씨였다. 나는 염치 불구하고 종이와 만년필을 밀어주며 "한장 그려줍시오" 했다. 김훈 씨의 손가락은 가늘고 길다. 순식간에 재미나는 그림을 그려 나에게 주었다. 언젠가 남관南寬• 화백이 김동리 선생 프로필을 그리던 때가 생각났다. 이번엔 김윤성 씨가 자진해서 그림을 그리는데 그림이 말[馬]다리와 무슨 풀줄기 같아서 모두 다 웃었다. "기왕이면 시구詩句나 한 줄 써넣어서 달라" 고 했더니, 커튼이 반쯤 가린 창 같은 것을 더 그리고는 그 밑에다 '태양처럼 또렷한 의식意識!' 이라고 쓰는 것이었다. 달필이었다. 맞쳐다보며 다시 파안일소破顔一笑하였다.

박용구 씨는 나간 지 오랜데도 돌아오지 않는다. 집으로 갔나 보다. 김윤성 씨는 들어가야겠다며 일어선다. 집이 다대포이기 때문에 일찍 나가는 편이다.

금강 다방 안이 갑자기 텅 빈 것 같았다. 갈 데가 없다. 둘이서 맞바라보고 앉아 있었다. 김훈 씨는 묻는다.

"보들레르•의 데생을 본 일이 있나요?"

나는 도미에•가 보들레르의 그림에 관해서 한 말이 생각나기에 대답 대신 그 말을 인용하였다.

"졸라•의 『제자弟子』를 읽으셨나요?"

"못 읽었는데요."

씨는 졸라가 『제자』를 쓴 후로 세잔느•와 절교하게 된 경위를 나에게 일러주었다. 그리고는 계속 말한다.

"서양에서는 화가와 문인 사이가 매우 밀접하지요. 일본에서는 문인화文人畵가 발달했어요."

우리 나라 그림에 대해서는 서로가 언급하지 않았다. 김훈 씨가 새로운 길을 개척한 예술가들을 말하며 미술의 어려움과 자기의 고민을 들려주는 데는 남의 일 같지가 않았다.

불빛 아래 다방은 손님이 별로 없었다. 벌써 바깥은 어두웠다.

1952. 1. 21.

피곤하다. 육체에 대한 정신의 참을성도 한계에 이르렀나 보다. 함부로 달리던 육체가 고장이 난 것이다. 그래서 정신은 위험 신호를 받은 것이다. 몸은 열이 나는데 춥기만 하다. 난로 옆에 앉아도 역시 춥다.

며칠 전부터 감기 기운이 있더니 몸살까지 겹한 모양이다. 남에게 괴로운 태를 보이기가 싫었다. 꼼짝없이 참아야 한다. 살기 위한 육체와 정신의 분열이다. 육체를 위한 노력도 정신을 위한 활동도 아니다. 생활을 위한 정신과 육체의 싸움이었다.

"나하고 나갑시다."

조연현 선생은 일어서더니 어서 일어서라는 듯 기다린다. '나는 다 알고 있다' 는 표정이었다.

조선생을 따라갔다. 빵과 죽 같은 것을 2인분 시키더니 함께 먹자고 한다. 시장하나 조선생처럼 빨리 먹혀지지가 않았다. 맛난 음식이지만, 구미口味를 잃은 것이다.

"이 음식 이름이 무엇입니까?"

"오트밀이라고 하지요. 난 이걸 좋아합니다. 『문예』 고료를 드려야겠군요."

원고료를 받기도 쑥스러웠다. 많은 문인들에 비해서 지면은 너무나 좁다. 나 같은 사람의 글을 사준 마음을 알기 때문이다. 남보다 먼저 고료를 주는 뜻도 알기 때문이다. 내가 쓴 글을 내가 모른다면 누가 곧이 듣겠는가. 어디서건 원고료를 받을 때마다 역시 어색하였다.

다방에 돌아와서도 고통은 계속하였다. 주머니에 고료가 들어 있다는 의식이 아픈 몸을 위로하지는 못했다. 배가 부르건만 몸은 쑤셨다. 두 손을 맞잡고 의자에 가만히 앉아 있건만 손바닥은 신열을 전한다.

"비가 오는군."

들려오는 소리였다. 그제야 둘러보니 손님들도 얼마 없었다. 다방을 나왔다.

두통이 나서 천천히 걸어가다가 약방에 들러 원고료에서 천 원어치 아스피린을 샀다. 비가 싸락눈으로 변하나 보다.

1952. 1. 22.

부산에 이러고 있는 것이 기적 같기만 하다. 여러분에게 신세만 지는 것 같아서 신경이 쓰인다.

1952. 1. 23.

오영수, 박용구 씨와 함께 영주동 고개를 간다. 박용구 씨는 불쑥 말한다.

"우리 집에 가서 저녁이나 먹읍시다."

나는 달아나다가 돌아보았다. 박씨는 오씨의 손을 꽉 잡고 나를 부른다. 가족과 함께 피난살이하는 방안은 서로가 안 보는 것이 예의였다. 오씨는 박씨에게 끝내 사절謝絶하고 나와 함께 고개를 넘으면서 작품의 난산難産을 말한다. 나는 좋은 강의를 듣듯 귀담아들었다. 오씨와 헤어져 김말봉 여사 댁에 가서 원고료를 드렸다.

돌아오는데, 사社에서 나와 함께 일을 보는 박씨와 만났다.

"우리 담배나 한 대 피웁시다."

하기에 워낙 소탈한 분이라 길가에 쭈그리고 앉아 서로 궐련을 태우는데,

"요 위가 우리 집이니 저녁이나 함께합시다."

한다. 나는 얼른 일어나 달아나다가 천천히 걸으면서 생각하였다. 서로가 피난살이에 쪼들리면서 반대로 인심은 왜 후한가. 여러 가지로 설명할 수야 있겠지만 아리송하였다. 그래서 막연히 떠오르는 생각을 입으로 중얼거려보았다.

"우리 나라기에 그러하지."

1952. 1. 24.

문단文壇이란 작품들이 있을 뿐 정책이란 있을 수 없다. 사적인 미움도 있을 수 없다.

길을 가는데 트럭 옆에 뚜껑 없는 만년필이 떨어져 있었다. 신형은

아니지만 펜촉이 말짱해서 글씨가 잘 쓰였다. 어제 만년필을 소매치기 당했다는 김윤성 씨에게 줘야겠다.
이러고도 사람일까. 사람은 대답할 능력이 없다.

세 사람의 시론詩論이 그처럼 다를 수 있을까. 놀랍기도 하지만 당연한 것으로 여겼다. 내가 다방에서 말한 시론은 즉흥적인 데가 없지 않았다. 강조하기 위해서였다. 내게 소위 시론이란 것이 있는가. 실은 없다.
김형식金亨湜 선생은 나더러 모레 진우도眞友島에 가서 방문기를 쓰라 한다. 출장비를 청구해야 하니 배 떠나는 시간과 뱃삯을 알아오라 하였다. 그 방면의 부두를 물어서 다리 밑으로 내려간다. 돌계단마다 점쟁이 사주쟁이들이 잔뜩 있어서 딴 세상인 듯싶었다. 그들 중에는 소경들도 있었다. 관상쟁이 앞에는 거개가 길흉화복 판단, 광고가 놓여 있었다. 가난에 찌든 그들이 모든 사람의 미래를 안다는 것이다. 허다면 오늘날 실정을 더 잘 알 테니 세상을 위해서 뭐고 한 말씀 있어야 하지 않나. 강태공姜太公, 황석공黃石公•, 수경水鏡• 선생을 그들과 함께 앉혀두면 가관이겠다. 머리 위 영도 다리를 달리는 차들과 검은 연기를 내뱉는 배들을 외면할까. 그래 바다와 갈매기만 보며 길이 탄식할까.
연한 비린내가 코를 찌른다. 창고에선 많은 어물을 통들에 넣는다. 겨우 마산馬山·진해鎭海행 배표 사는 곳을 찾기까지, 내 주머니에 대한 주의를 게을리 않았다. 어쩐지 소매치기를 당하고야 말 것만 같은 예감이었다. 복잡한 골목들이었다. 어디를 보나 죽은 고기들이었다. 사람들이 그물 속에서 아우성을 치며 들끓는 것으로 보였다.

어느새 내게는 청년 릴케가 노대가老大家 로댕과 대화하는 장면이 떠올랐다. 여기가 부산이란 강박 관념이 밀어닥쳤다.

'우리는 일하며 참아야 한다. 좌우를 돌아봐서는 안 된다. 모든 생활을 이 초점에 바쳐야 할 뿐, 이런 생활 이외의 것이라면 그 무엇도 가져서는 안 된다.'

어디선지 로댕의 말소리가 내 귀에 분명히 들리어왔다.

1952. 1. 25.

여자의 얼굴은 초[臘]를 깎아서 만든 듯하였다. 검은 외투를 입고 있었다. 글을 쓰는 K씨의 어깨가 여자를 반쯤 가렸다. 그래서 내가 보기에는 여자의 눈은 하나뿐이었다. 코도 없었다. 여자의 얼굴 반 이상이 떨어져 나간 것이다. 그런데 저 여자가 왜 나만 보는 것일까. 하기야 내가 보기 때문에 여자가 나를 보는 것도 알 수 있긴 하다. 눈 한 번 깜짝 않는다. 이윽고 K씨는 그날치 연재 소설을 다 썼는지 어깨를 펴면서 하품을 한다. 여자는 완전히 가려져 없어진다. K씨의 쩍 벌어진 입 속만 보였다. 그제야 나는 그 여자가 B씨인 것이 생각났다.

원고 청탁을 하고 신문사를 나와 돌아오는 길이었다. 세무서 다니는 R씨를 만났다. R씨가 나를 데리고 들어간 밀크 홀에서는 주인이 우리에게 연신 머리 숙여 절했다. 몽환적인 음악을 들으며 밀크를 마신다. 나는 소젖을 마시면서 어머님이 생각났다. 텅 빈 위장에서 우유가 온몸에 퍼진다. 남에게 신세를 지기 때문일까. 그래서 돌아가신 어머님이 생각나는가. 그러나 어머님이 보시면 언짢아하실 것이다. 나는 돈이 없는 게 아니다.

R씨의 호의를 받아들인 것뿐이다. R씨가 돈을 내니까 주인은 "그만 두시지요" 하며 어리손이를 친다. R씨는 "식사하러 갑시다" 한다.
들어간 음식점에는 접대부가 6, 7명 화롯가에 둘러앉아 있었다. R씨를 보자 환성을 지르며 대환영이다. 우리를 자리에 모신다. 무릎이 닿자 접대부는 싱긋 웃는다. 내 팔에 어렵지 않게 손을 감는다. 화로 가장자리에 버선발을 올려놓는다. 치마가 말려 올라가도 예사다. R씨가 괴상한 소리를 해도 천연스레 받아넘긴다. 가엾은 계집아이들이다. 꿈을 가질 수가 없기 때문이다. 그러므로 타락한 것은 아니다.
배부르게 먹었다. R씨는 회계도 않고 음식점을 늠름히 나간다. 접대부들은 "또 오시라" 고 합창을 한다. 한 달에 월급 3, 4만 원짜리 세무서 나리지만 조금도 궁한 데가 없다.

1952. 1. 26.

세상에 태어난 후로 처음 받아보는 월급이었다. 그러나 뜻밖이었다.
김형식 선생은 분명히 말하기를 "한 달에 22, 3만 원밖에 안 되지만 몇 달 후면 하불시 30만 원 가량 나올 테니 그래도 하려거든 하라" 고 했던 것이다. 그래서 가족 수당금까지 합치면 하다못해 25만 원 정도야 주려니 믿었다.
그런데 어떤가. 월급 봉투에 붙은 쪽지를 보니 봉급 3만1천9백80원, 가족 수당 14만6천5백 원 도합 17만8천4백80원이었다.
'나는 처자가 없습니다' 고 솔직히 말했더라면 월급이랍시고 3만1천9백80원밖에 못 받았을 것이다. 너무하는구나 싶어서 아무 소리도 못했다.
김형식 선생이 하 나타나지 않기에 다이제스트 사로 전화를 걸었다.

원고 뭉텅이를 가지고 오라는 대답이었다. 미국 보급선이 정박한 바닷가 다이제스트 사 건물 벽에 오줌을 깔기고서 들어갔다. 전날 김 선생은 거기 외에 소피 볼 곳이 없다고 나에게 일러주었기 때문이다. 중간 기사를 쓰고는 다방으로 가는 길이다.

오늘이 음력으로 섣달 그믐날이다. 동학과 공주가 연신 생각난다. 서점에 들어가 첫 월급에서 1만 원을 내고 단기 4285년도 『자유 일기自由日記』 책을 샀다.

해가 저문다. 금년이 저문다.

"나갑시다. 우리 약주나 한잔 합시다."

박용구 씨는 나더러 일어서란다.

하꼬방에 들어가서 소주 한 병을 권커니 작커니 하였다. 맥주병 크기의 소주 한 병을 둘이서 다 비우고 나니 피차 혀가 잘 돌지 않을 지경이었다.

신문은 '이중 과세過歲를 맙시다' 며 떠들지만 어디로 가는 선물인지 청주淸酒병과 달걀 꾸러미들 또는 쇠고기를 싼 신문지에 피가 벌겋게 내밴 뭉텅이를 들고 가던 사람들도 이젠 없다. 평소 바글바글 끓던 자유 시장은 오늘 밤따라 쓸쓸하다.

박씨와 내가 서로 갈림길까지 왔을 때였다. 박씨는 한 손으로 내 손을 꽉 잡더니, 다른 팔로 내 어깨를 안으면서

"우리 집으로 갑시다."

한다.

"당토않은 말씀 맙시오. 섣달 그믐밤이에요. 제사도 모셔야 할 텐데 어쩌자고 가자는 겁니까."

"거 무슨 케케묵은 소리야. 왜 못 데리고 갈 게 있어. 그러지 말고 나

와 갑시다."

결국 영주동 고개를 넘어 방송국 아래까지 어떻게 갔는지 알 수가 없다. 내가 따라간 것은 아니다. 박씨에게 붙들려 간 것이다. 그러기에 방송국 쪽으로 내려가다가 못 가겠느니, 왜 이러느냐느니, 끝내 실랑이를 치다가 함께 진흙 바닥에 쓰러졌던 일이 기억난다.

"선생님, 조금도 어렵게 생각 마세요. 어서 올라오세요."

부인이 손바닥만한 마루까지 나와서 흔연히 영접하는 데는, 조금 전까지만 해도 못 들어가겠노라 버텼던 힘이 그만 탁 풀렸다. 나는 "예, 예" 하며 곱신곱신 방으로 따라 들어갔다.

"저희들 집엔 안 주무시고 가신 분들이 별로 없으실 겁니다. 미미 아버지가 여간 선생님 말씀을 많이 하시지 않았어요."

부인은 내가 어려워할까 봐 여러 가지로 친절히 대해주셨다. 미미는 박씨의 딸이다. 예쁜 미미는 쫓아와 내 무릎에 앉는다. 박씨는 어서 편히 앉으라며 야단이다. 온 가족이 손님을 반기는 가풍이었다. '섣달 그믐날 밤에 이런 실례를 하는 사람도 나 외에 있을까.' 자리에 누웠으나 송구하기만 했다.

얼마나 잤는지 모르겠다. 개 짖는 소리에 잠이 깨었다.

부인과 심부름하는 소녀는 제사 준비를 하는 성싶었다. 마음은 동학과 공주에 가 있다. 거기서도 내 얘기들을 할까. 지금쯤은 무엇들을 할까. 개 짖는 소리가 요란하다.

"복조리 사이소! 복조리 사이소."

벌써 날이 샌 게로구나. 새해로구나.

1952. 1. 27.

박용구 씨가 피난 사는 단칸방은 다다미 방이었다. 천장이 몹시도 낮다. 박씨 말에 의하면 외풍이 없어 좋으나 낮이면 어두워서 탈이라고 하였다. 이 집 구조가 어떻게 된 것일까. 일본식인지 아니면 중국집 같은 덴지, 아무래도 한국식 건물은 아닌 듯하였다. 세수하려 뒷문을 열었더니 시커멓게 낡은 목재 건물의 내부였다. 무슨 광 속 같았다. 도대체 이 집에 몇 가구나 사는지도 알 수가 없었다. 명색이 2층인 모양인데 계단은 금세 무너질 듯 위태했다. 쳐다보니 검은 굴뚝 같은 층계 위에서 중년이 넘은 부인네가 꺼멓게 나타나 뭔지 하고 있었다.

아직 덜 팔린 『문예』지와 나눠주기 전의 『문총 월보文總月報』를 치운 다음, 빨래 비누통 같은 궤짝 세 개를 맞추어 제상을 꾸민다. 그 위에 백지를 깔아 제물을 차린다. 제수祭需가 피난살이치고는 훌륭하였다. 부인이 정성껏 차린 음식임을 알 수가 있었다. 박씨는 제사를 드리면서도 곧잘 우스운 소리를 하다가 부인에게 가벼운 핀잔을 받고는 했다. 가장 친한 동반同伴이요, 보기 드문 금슬이었다.

제사가 끝나자 아침 술을 권커니 작커니 하였다. 거나하니 취한다. 떡국을 먹는다. 나는 타관 객지에 있는 것 같지가 않았다. 일가 집에서 과세過歲하는 것 같았다.

웃다가도 아버님, 어머님 제사는 끝났을까, 지금 뭣들을 하고 있을까, 생각은 단숨에 천리에 가 있었다. 나는 집 생각을 않기로 애를 썼다.

박씨는 나에게 양담배 럭키 스트라이크 한 갑을 준다.

"미미나 주지 그만두십시오."

하고 굳이 사양했으나 떡과 약밥을 백지에 싸서 준다. 박씨와 함께 길거리로 나오는데 부인은 거듭거듭 또 오시라는 것이었다. 뭔지 죄스러운 생각이 들었다.

금강 다방엔 황순원, 조연현 선생과 김윤성 씨가 나와 있었다. 오영수 씨 댁에서 초대했으니 가자는 것이었다. 그러나 조선생은 고향 함안咸安엘 가야 한다며 떠났다.

부산진에서 버스를 내렸다. 허윤석許允碩• 선생이 기다리고 있었다. 오씨 댁은 뜨락의 나무들이 보기 좋은 일본 건물이었다. 깨끗한 서재는 바다가 바로 보여서 부러웠다. 책만 있나 했더니 자기磁器들도 있고 화구畵具에 악기樂器까지 있었다.

기름진 음식이 계속 나온다. 말소리와 웃음소리가 가지가지로 꽃을 피운다. 술이 거나하니 취한다. 부인이 나와서 일일이 시중을 든다. 화제는 무진장해서 자연스레 풀린다. 황선생의 선명한 해학, 박용구 씨의 착한 풍자, 김윤성 씨의 점잖이 사람을 웃기는 태도, 허선생의 진지한 말씨, 다 특색이 있었다. 술이 계속 나온다. 오씨의 만돌린 병창倂唱 「목포의 눈물」은 주인의 아량雅量이었다. 허선생의 묵직한 성량을 제외하고는 글이나 썼지 노래와는 인연이 멀었다. 웃음은 간혹 폭소로 변했다. 굳이 청해서 부인까지 노래를 하게 하고는 모두가 다 감사해 하였다.

8시가 지나 깜깜한 골목길로 나오자 서로 약속이나 한 것처럼 오줌을 깔겼다. 또 비가 내린다. 나도 언제면 여러 문인들을 모셔다가 대접할 수 있을지. 그런 생각이란 보이지 않는 무슨 별나라 이야기 같기만 해서 쓸쓸했다.

시청 앞에서 자동차를 내려 허선생과 함께 비를 맞으며 걸었다. 허

선생의 문학관은 자기 자신에 대해서 엄격하였다.

1952. 1. 28.

금강 다방 문에 종이가 나붙어 있었다. '금일 휴업' . 이만 갈 곳이 없어졌다. 음력으로 정월 2일이다. 아버님이 살아 계신다면 환갑 잔치를 해야 할 임진壬辰년이다. 아버님은 내가 열일곱 살 때 세상을 떠나셨다. 피란지에서 싫어도 31세라는 어처구니없는 훈장을 달게 되었다. 세상에 안 계시는 부모님 생각이 난다. 갈 곳이 없어 다방 문 앞에 멍하니 섰다.

김대영金大影 씨는 오더니 다방 문을 쳐다보며 빈정거린다.

"흥! 헛걸음들 많이 했겠군."

"피차 다 마찬가지지."

하고 대꾸했다. 박용구朴容九 씨가 온다. 우리를 보자 반갑게 웃는다. 무턱대고 다방으로 들어가려 든다.

"앞이나 좀 보고 들어가시지."

"이런, 이걸 가지고 나왔는데."

박씨는 외투 주머니 속에서 가만히 내 보인다. 손바닥에는 담배꽁초보다 조그만 네 개의 윷[柶]가락이 의좋게 놓여 있었다. 우리는 비로소 미소하였다. 박씨는 권한다.

"내게로 가서 이거나 합시다."

우리는 박씨의 뒤를 따라갔다.

부인과 미미는 출타하고 없었다. 우리는 황혼 무렵까지 윷도 놀았다. 화투도 했다. 저무는 골목은 더러웠다. 아해들의 각색 때때옷이 더욱 선명해 보였다. 부모님의 자정慈情이 아해들의 옷에 스며 있었다. 바다는 죽은 듯이 고요했다. 북쪽보다 춥지 않은 길거리에서 김대영 씨와 헤어졌다.

1952. 1. 29.

김동리 선생에게 세배 가서 김범부 선생님께도 세배를 드렸다. 술상이 나온다. 떡국도 먹었다. 김동리 선생과 함께 미취微醉하여 다방으로 갔더니 김윤성 씨는 "술 마셨군" 하며 웃는다. 나 혼자만 마신 것 같아서 미안한 생각이 들었다.

잠깐 사社에 들렀다. 오는 길에 허백년 씨를 만나 금잔디 다방으로 갔다. 황순원, 허윤석 선생이 한담 중이었다. 싸늘한 피란살이보다도 더 뜨거운 연애를 하는 사람들이 있다. 역시 지구는 돌고 있나 보다. 저편 차탁茶卓에서 사랑하는 남녀가 침울한 얼굴로 앉아 있다. 누구나가 다 아는 그들 사이다. 역시 지구는 돌고 있다는 사실을 실감하였다. 지구에서 삐이걱 삐이걱 마찰소리가 들리었다.

허백년 씨의 호의에 귀를 기울였다.

"앞으로 언론지가 하나 나올 테니 나하고 일합시다. 17만 원 월급으로 어떻게 살아갑니까. 주간지인 만큼 주일에 한 번씩 교정만 봐주면 돼요. 물론 월급도 그보다야 훨씬 많이 나오지요."

여러 가지로 감사하였다. 보수에 대해서는 묻질 않았다. 한푼이 아쉬운 판이다.

밤거리는 추웠다. 하숙집으로 돌아가는데 외투 주머니 속에서 손이 나오질 않는다. 외투 주머니 안에서 손은 수첩만 만지작거린다. 김동리 선생이 오늘 나에게 선물로 주신 금년도 수첩이다. 수첩에서 받는 감촉이 부드럽기만 하다.

민아
묘심사 주지 스님이 동학에 간다기에 부산 온 후로 쓴 일기를 보내니 서실書室에 잘 두어라. 여기서는 시 한 편에 2만 원, 산문이면 2백자 원고지 한 장에 2천 원씩 준다. 왜 이런 소리를 하는지, 내 요즘 생활을 읽어보면 짐작이 갈 것이다. 나의 숙처宿處는 부산시 부용동芙蓉洞 2가 16번지이다. 너의 답장을 기다리기로 하고 이만 줄인다.

1952. 1. 30.

건물 벽은 성명서를 뜯어버린 자국만 남았다. 붙이는 편이 있나 하면 뜯는 패가 있어서 오늘은 종이 네 귀만 너펄거린다. 신문을 보니 '한 달 안에 환도還都한다' 는 대통령 담화가 나 있었다. 그러나 쉽게 피난 생활이 끝나리라고는 아무도 믿지 않는다.
사社에 가려고 다시 걷는다. 내가 본 광경은 참으로 우연이었다. 한쪽은 서면西面행 버스를 타러 손님들이 줄지어 서 있었다. 남녀들이 오가는 행길 옆이다. 40세 남짓한 거지가 아래옷을 벗고 앉아 있었다. 똥투성이가 된 아래옷을 원통하다는 듯이 들여다보고 있었다. 얼굴은 금세 소리를 내어 울 것만 같았다. 살자니 먹어야 했고 먹었으면 누구나 배설하게 마련이다. 그런데 그 꼴을 보니 내가 추워서 떨릴 지경이었다. 더구나 기찬 일은 거지의 ××가 빳빳이 서 있었다. 너무나 솔직했다. 나는 외면했다. 좀더 빨리 걸었다. 등뒤에서 확성기소리가 점점 크게 따라온다. 그야말로 불을 뿜는 듯한 목소리였다. 국회 출마자의 이름을 쓴 백포白布를 휘감고 자동차가 앞질러 간다. 자동차가 고래고래 외치면서 달아난다.
"남북 통일과 민족의 행복을 위해서 이 사람은……"

그 다음은 잘 들리지가 않았다. 골목길로 들어섰다. 아이들이 연을 날린다. 아이들이 갑자기 와아 고함을 지르며 다리 있는 쪽으로 뛰어간다. 새파란 하늘에서 줄 끊어진 연이 선녀춤을 추면서 내려오다가 전깃줄에 걸려버렸다. 아이들은 닭 쫓던 개 울 쳐다보듯 침을 삼킨다.

오후 1시, 쌀쌀한 술이 내장에 번진다. 서근배徐槿培 씨는 나더러 "한 잔만 더 하라"며 권한다. "얻어먹는 것 같아서 좀 치사하다"며 웃고 한 잔 더 했다.

오후 5시 반, 고향에서 돌아온 이형기 씨가 나를 데리고 그 집으로 갔다. 그들은 나를 위로하듯 음식을 권했다.

우리 나라 떡국을 먹고 일본 정종을 마시고, 미국 커피로 입가심까지 했다. 밤거리를 거닐며,

"우정의 포만증飽滿症을 느낀다."

고 이형기 씨에게 말했다. 서근배 씨나 이형기 씨나 고독하지 않은 체를 한다. 그러나 그들도 술맛만은 아는 축들이다.

단 한 줄의 글에도 정신이 스며 있는 사물을 만들어야 할 것 같다. 시는 감정이 아니다. 멋진 묘사만도 아니다. 살아가면서 변형하는 생명이다. 외적인 계절과 내적인 생각에서 느릿느릿 일어나는 빛이다.

1952. 1. 31.

세계서림 2층이 자유평론사였다. 유리창 밖을 내다보았다. 세상에서 보기 드문 광경이었다. 그 여자는 환상에 취하였는지도 모른다. 그러나 내가 본 여자는 현실이었다. 가로街路는 벽돌 건물인 역까지 뻗어 있었다. 행인들이 모여들기 시작하였다. 여자는 차도 한가운데

태연히 서 있었다. 여자는 입고 있던 남자 양복 웃옷을 훌렁 벗더니 길에 메어꽂는다. 32, 3세쯤 되었을까. 넓은 어깨였다. 큰 젖이 축 늘어져 있었다. 여자는 모여든 사람들을 좌우로 돌아보며 애교 있게 웃는다. 바로 뒤에서 화물 자동차가 경적을 울린다. 여자는 들은 체도 않는다. 화물 자동차가 겨우 비켜서 지나간다. 여자는 야릇한 교태를 부리면서 어깨를 우쭐거리더니 쓱 빙그르르 돈다. 두 팔을 연신 올리며 내리며 엉덩춤을 춘다. 그래도 홍이 안 난다는 표정으로 시무룩해진다. 필시 사람들을 놀라게 해줘야만 만족할 모양이었다. 눈 깜짝할 사이에 몬베이를 벗어 내린다. 몬베이는 무릎 아래로 흘러내렸다. 국부가 노출했다. 여자는 유연히 두 손으로 허리를 끼더니, 엉덩이를 흔들면서 여봐라는 듯이 생글생글 웃는다. 그런데도 그 몸짓은 사람들에 대한 증오로만 보였다. 모여든 사람들을 모욕하는 짓으로만 보였다. 미친 여자의 온몸이 세계를 비웃고 있었다. 나는 아래로 뛰어내릴 것만 같았다. 유리창에서 물러섰다. 남편은 전사했을까. 혹은 학살당했을까. 가족은 폭사했을까. 달리는 열차 지붕에서 귀여운 아들은 졸다가 아래로 떨어졌을까. 딸아이는 부산까지 다 와서 동사하였을까. 이런 일이란 쉽사리 상상할 수가 있다. 흔히 있었던 일이기 때문이다. 어떻든 여자는 미친 것이 확실하였다. 고칠 수 없는 웃음을 성취한 것이다. 아래층으로 내려가면서 그 여자와의 사이가 가까워짐을 느꼈다.

1952. 2. 1.

시골에서 온 시인 R씨가 "사회란 한낱 HP에 지나지 않는다" 고 말함으로써, 나를 놀라게 하였다.

다방에서 김성욱, 이형기 씨와 함께 문학을 말하다가 김성욱 씨 거처로까지 자리를 옮겼다. 우리는 저녁 식사를 대접받았다. 좋은 장서藏書도 구경했다. 김성욱 씨는 주로 발레리와 릴케에 관해서 말했다. 유치환柳致環• 선생이 지으셨다는 영羚이란 외자 이름 어린이는 아버지인 김성욱 씨 문학담을 가끔 방해하면서 우리에게 꽃 같은 웃음을 제공하였다. 밤늦게 이형기 씨와 함께 하숙집으로 돌아와서야 나는 담배 쌈지와 골통대를 김성욱 씨 거처에 두고 왔음을 알았다. 그래서 잠이 잘 오지가 않았다.

1952. 2. 2.

박용구 씨가 나의 어깨를 툭 친다.

"내일 이경순李敬純 씨가 간다는데 한 잔 하러 갑시다."

"불감청이언정 고소원이지요."

하고 따라나섰다. 우리는 황순원 선생과 함께 하꼬방에서 소주를 마셨다. 마침 『신천지』에서 원고료 받은 것이 있었으므로 술값을 치르려는데 모두가 나를 바깥으로 밀어낸다. 날마다 공짜 술만 얻어 마시다 보니 돈이 없으면 공짜 술을 바라는 때도 없지 않다. 어쩌다가 이 지경이 됐는지 모르겠다.

거나하니 취해서 허영숙 산부인과 병원을 지나는데 사방이 고요하다. 날마다 두 번씩, 어떤 날은 그 이상, 이 병원 앞을 오가게 된다. 하숙집으로 돌아가는 밤길이다. 이곳에서 곧잘 피아노소리를 듣는다. 어느 눈 오는 밤이었다. 취한 발걸음을 멈추고 산부인과 병원에서 흘러나오는 피아노소리에 귀를 기울였다. 춘원春園 선생도 이 나라에 태어나서 기구한 일생을 걷는 셈이다. 또 어느 날 밤은 지나다가 전등 불빛이 화안한 안개 유리창에서 피아노를 탄주하는 한 그림자를 보았다. '이 댁 사람들은 어떤 심경으로 저 음색에 젖어 있을까' 하고 역시 생각하였다. 그런데 오늘 밤은 아무 소리도 들리지 않는다. 지나가는 사람들마저 적막하다. 이처럼 추운 밤에 춘원 선생은 어디에서 무슨 생각을 하고 있을까. 혹시 피아노소리가 그분의 머릿속에서 떠오르는지도 모를 일이다.

1952. 2. 3.

밤새도록 유리창은 덜거덕거렸다. 바깥에서는 혹독한 바람이 분다. 사정없는 음악으로 다다미 방에서 우리는 소라처럼 자꾸 오므라든다. 뜨뜻한 자묘 산방慈妙山房 흰 눈 쌓인 산속이 그립다. 이틀 밤을 연달아 두斗 형이 꿈에 보였다.

사社에 들렀다가 다방에 갔더니 레지가 신문지에 싼 물건을 준다.

나중에 안 일이지만 김성욱 씨가 조연현 선생에게, 조선생이 다방 레지에게, 레지가 나에게 전한 물건이었다. 신문지를 펴니 김성욱 씨 거처에다 두고 왔던 담배 쌈지와 골통대가 나왔다. 한 대 붙여 물고 다시 길거리로 나왔다.

1952. 2. 4.

도무지 시시비비에는 흥미가 없다. 누가 옳으며 누가 그르다면 그래 어쩔 수 있다는 것인가. 묵묵히 책만 읽었다. 만사가 영화라도 보는 듯 별로 충격을 주지 않았다. 표정과 음성들이 촬영기 앞에서 연기하는 배우들처럼 싱겁기만 하였다.

그 주간지는 경향신문사에서 조판되었다. 허백년 씨의 우정으로 교정을 보게 됐다. 생활을 위해서 두 가지 출판물을 돕는 셈이다. 그러나 끝내 '보수를 얼마나 줄 테냐' 고 묻지는 않았다. 사는 데까지 살아보자. 어떤 희망이라든가 기대를 갖기에는 자기 자신으로부터 흥미를 잃었다. 윤전기의 소음이 뒤를 따라다닌다. 조판부터 2층으로 오르락내리락, 교정이 몇 차례 갔다왔다 하는 동안에 시계가 7시 반을 가리킨다.

일을 중단하고 허백년 씨와 함께 과자점에 들러 빵과 차를 들었다. 비로소 피곤이 풀리는 듯했다.

모든 일은 나의 본 뜻과 서로 어긋나는가. 그렇다면 문학도 기계화하는가.

오늘도 밤은 왔다. R형과 K양의 권에 못 이겨 뒤따라 하숙 근처 다방에 갔다. 싫어도 거절 못할 만큼 멋없이 앉아 있는 나 자신을 웃었다. 두 남녀가 나간 후, 음악만 듣는다. 뿌리를 박은 듯 몸이 움직여지지가 않는다. 김동리, 허윤석 선생이 웃으면서 들어왔다. 또 차 한 잔을 더하게 됐다. 등불 밑에서 인형처럼 예쁜 레지가 기둥에 기대어 서서 눈을 깜박인다. 그래서 저 여자는 어딘지 불행할 것이라는 생각이 들었다.

1952. 2. 5.

바람은 손끝에 시리다. 궐련이 다 타 들어오건만 손가락은 가만히 있다. 급히 걸으며 숫제 쑥 빨았다. 궐련 불은 손끝을 칼로 오려내는 듯하였다. 순간, 오줌이 마려웠다. 관청으로 들어가서 곧장 2층으로 올라갔다.

"전날 청탁 드린 원고 주시면 감사하겠습니다."

"잠깐만 기다립시오."

비서는 나에게 앉을자리를 권하고는 딴사람과 잡담만 한다. 궐자는 내 존재를 잊었는지 돌아보지도 않는다.

"원고는 됐습니까?"

"저, 미안합니다. 내일 옵시오."

이런 대화를 한 지가 이틀 전이었다.

어제는 우연한 장소에서 궐자와 우연히 만났다.

"원고는 다 됐겠지요?"

"내일 오후 꼭 오십시오."

그래서 지금 나는 장관의 비서실 문을 열고 들어선 것이다.

"원고 줍시오."

"잠깐만 기다립시오."

궐자는 손님과 담소를 계속한다.

"어떻게 된 겁니까?"

"나도 잘 모르겠어요."

"잘 모르겠다니 무슨 소립니까. 그럼 원고도 쓰지 않고서 날마다 오라 가라 했군요."

"요즘 몹시 바쁩니다. 이러면 어떨까요. 귀사貴社에서 원고를 써 옵시오. 장관님께서 읽어보신 다음, 괜찮으시다면 장관님 이름으로 발표해도 됩니다."

그러마고 하기는 싫었다.

"내일은 틀림없겠지요."

뭐라고 대답하나 꼴을 보았더니, 궐자는 여우처럼 웃는다.

한 대 후려갈기고 싶은 충동 대신에 용하게도 나는 내 자신이 미웠다. 부리나케 길거리로 나왔다.

그 길로 조판소에 갔다. 한잔 먹이지를 않아서인지, 조판공들은 친절하지가 않았다. 일이 거칠었다. 시켜도 듣지를 않았다. 그들은 나를 관상 보듯이 곁눈질하며 대답도 잘 않았다. 나는 누구를 향한 목표도 없이 조소하고 냉소하였다.

1952. 2. 6.

아침부터 다방은 손님이 많았다. 영도影島 국회 의원 보선에 당선된 전錢씨가 주로 화제였다. 다음은 조씨, 윤씨의 각축전이 벌어진 공주가 화제에 오르내렸다. 공주가 문득 생각난다. 어른들의 산소와 동학사가 가깝기 때문이다. 영도 7백 호 전소全燒의 이재민에게 국회 의원 출마자들은 투표 전날까지만 해도 의衣 · 식食을 배부하며 갖은 아양을 떨었다. 투표가 끝난 이튿날은 출마자들의 코빼기마저 볼 수가 없었다는 것이다. 이런 이야기들로 웃음소리가 다방에서 그치지를 않았다.

조판소로 가다가 길거리에서 이형기 씨와 만났다. 내게로 급히 오더니 "큰일났어요" 한다.

"왜요?"

"부민학교府民學校에서 불이 났답니다."

부민학교 바로 옆에 이씨와 내가 함께 하숙하고 있는 집이 있다. 그런데도 놀라지 않는 나 자신이 이상스럽기만 하였다. "어서 가봅시오. 난 바빠서 못 갑니다" 하고 달아나듯이 가는 이씨도 역시 이상하지 않은가. 일부러 시청 쪽으로 걸어가면서 나는 바쁘지 않음을 의식하였다. 그 동안 사서 모은 몇 권의 책들, 가방 속에 있는 일기책,

그리고 걸레 조각 같은 내의, 나의 온 소지품들이 한꺼번에 불덩어리로 변한다. 이제야 모든 것을 청산한 것처럼 거뜬하였다. 목욕한 알몸뚱이 같기도 하였다. 이를 옥물면서도 웬일인지 유쾌했다.

일을 끝내고 다방으로 돌아왔다. 이형기 씨가 앉아 있었다.

"하숙집은 괜찮습니다. 부민학교는 한 채만 남고 다 타버렸어요. 2층 환자들은 한 명도 구출하지 못했대요. 그러니 생화장生火葬을 당한 셈이지요."

부민학교는 미군 병원으로 사용되어왔다.

웬일인지 울고 싶었다. 내가 왜 이러는지를 나도 알 수가 없다.

허백년 씨와 함께 경향신문사에서 주간지 교정을 끝냈다. 다방 한구석에 앉아 있는 김형식 선생은 내가 뭣을 하고 왔는지 모른다. 김 선생은 내가 조판소에 갔다 왔거나 아니면 부지런히 원고를 받으러 다니다가 온 줄로만 알 것이다.

딴 일을 하고 왔건만 미안한 생각이 들지 않았다. 생활이 안 되는 월급 때문에, 결국 생활도 되지 않는 몇 푼을 더 벌기 위해서, 비밀이 필요하였던 것이다.

사람은 굶지 않아야 할 권리가 있다면 그러므로 언제나 죄인이었다. 그래서 아직도 굶지 않아 하나님께 감사 드린다.

허백년 씨가 사주는 빵을 얻어먹고 금강 다방에서 차를 얻어 마시고 김동리 선생과 함께 금잔디 다방에 가서 황순원 선생과 합류하여 하꼬방으로 가서 술을 얻어 마시고 휘황한 불빛 밖에서 쏟아지는 눈을 본다. 김동리 선생과 허백년 씨와 함께 돌아오다가 새집 다방에 들렀더니 R형과 H형이 있어 코코아 한 잔을 얻어먹고 허윤석 선생과 잡담하다가 10시 가까이 하숙집으로 돌아왔다. 얻어먹은 음식이 하

많아서 밥 생각도 없다.

1952. 2. 7.

이가 슬슬 기어다닌다. 몸이 가렵다. 하나님께 이런 신경 작용을 호소할까. 이는 나의 피를 빨아야 살 수 있다. 그러다가 손톱에 압살壓殺당한 이는 무엇을 호소하는 형태였다.

전번에 허윤석 선생은 "얘길 잘 하니 시보다 소설을 써보라" 고 하였다. 오늘 김동리 선생은 "남들이 소설을 쓸 수 있을 거라던데 소설을 써보세요" 하고 권한다. 글쎄 내가 어느 정도로 만족할 수 있는 소설을 쓸 수 있을지. 소설에 관한 한 나의 성미는 까다로운 편이다. 한 사십이 넘은 뒤에 한번만 써볼까. 나는 숙명적으로 시에 관한 매력을 저버리지 못할 것 같다.

남자는 좋아하는 여자를 감시하였다. 나는 그들 중간에 앉아 있었다. 나는 벽에 비스듬히 기대어 서 있는 여자를 예쁘다고 생각하였다. 그 남자가 좋아하는 그 여자를 말이다.

1952. 2. 8.

나는 그들을 미워하지 않는다. 그들이 나를 비꼬여진 심사로서 본다면 어쩌나! 그들을 미워하고 싶지 않기 때문에 참으로 견딜 수가 없다.

D사 바깥은 바다였다. 오가는 차들의 소음만 없으면 파도소리를 들을 수 있을 것이다. 뜻밖이었다. 한낮이다. 여기저기에서 닭소리가 들린다. 교정을 보다 말고 문밖으로 나가보았다. 바다를 넘어다볼 수 있는 시멘트 벽 담 위에서 닭 한 마리가 꼼짝을 않는다. 한 소년이

시멘트 담 밑에 가만히 숨어서 닭을 쳐다보며 연신 염소소리를 한다. 닭은 어디서 염소가 우는지를 몰라서 목을 길게 뽑아 사방을 두리번거린다. 닭과 소년을 보며 미소하는데, 내 등뒤에서 많은 닭들이 일제히 운다. 이번에는 내가 어리둥절해서 뒤돌아보지 않을 수 없었다. 선창의 소년들이 늘어서서, 닭소리를 하고 있었다. 그러나 시멘트 담 위의 진짜 닭은 계속 사방을 둘러볼 뿐 화답하지는 않았다. 철선鐵船을 등지고 선 미군들이 빙글빙글 웃는다. 내가 닭처럼 당황하였다.

그 조판소에는 D사 사원들이 사용하는 책상들과 의자들밖에 없었다. 우리를 싫어하는 그들의 눈치볼 것 없다고 김형식 선생과 나는 이 골목 저 골목 돌아다니며 조용한 다방을 찾는다. 낙원이란 다방에서 나는 중간 기사를 쓰고, 김선생은 편집에 바쁘다. 2층 창 밖으로 풍경이 내다보인다. 바깥으로 나가볼 수 없는 다방 레지의 눈은 울고 난 듯한 표정이었다. 어느 다른 나라에 팔려온 소녀처럼 신판新版 왕소군王昭君•이라고나 할까.

김동리 선생이 일어선다. 서근배 씨는 기다렸다는 듯이 "우리 나갑시다" 며 앞장서 나간다. 서씨는 우리를 술집으로 안내하더니 "정종 한 되, 빈대떡 두 장, 찌개까지 가져오라" 분부한다. 결국 서씨는 가진 것이 부족해서 동리 선생이 가산加算하였다. 나는 좀 쑥스러웠다.

"서형…… 내일이면 내게 돈이 좀 생길 것 같소. 그러니 김선생이 보탠 술값은 내일 돌려드리기로 합시다."

"내 입고 있는 양복이 12만 원짜리란 걸 알아야 합니다, 하하하하하……"

돈이 없어도 서씨는 자기 가슴을 툭툭 치며 호기를 뽑는다. 일면 그런 성격이 부럽기도 하였다.

돌아오는 길에서 허백년 씨를 만나 시 고료를 받았다. 돈이 없어야 돈이 생기니 알 수 없는 노릇이다. 참 재미나는 일이다. 이런 경험이 한두 번이 아니다. '어떻든 굶지 않을 팔자' 라고 웃었다.

1952. 2. 9.

11시서부터 오후 3시까지 줄곧 걸었다. 같은 길을 몇 번씩 지나도 다녔다. 짜증이 난다. 기자란 언제나 이런가 보다. 그날도 돌아다녀야만 했다. 홍차 한 잔을 마시고 일어서는데, 일찌감치 다방에 나온 박용구 씨가 묻는다.

"어디 가우."

"또 세계 일주랍니다."

"또 부산 일주입니까."

박씨는 나를 위로하듯 웃었다.

그러던 박용구 씨가 오늘은 저편 의자에서 외투 자락을 헤치더니 손수건으로 목덜미의 땀을 연신 훔친다. 나는 말을 걸었다.

"아직 추운데 땀까지 흘리니 복도 많군요."

박씨는 숨을 몰아쉰다.

"아침부터 문총文總 회의에 나가서 3시까지 필기를 하느라 혼났어요. ……힘껏 하고도 좋은 소리 못 듣는 건 내 탓이라 하고, 도무지 이해할 수 없는 말들을 하는 데는 질색이거든요."

3시까지 줄곧 걷기만 하다가 겨우 다방으로 들어선 내 심정을, 박용구 씨는 대변해주듯 말하였다. 그러나 박씨는 나와는 반대로 기꺼이 웃으면서 말하였다.

김성욱 씨가 다방으로 들어온다.

"우리 산에나 올라가서 놉시다."

며 함께 가자고 한다. 기왕 많이 걸었으니, 산엔들 못 올라갈 게 뭐냐는 오기에서 일어섰다. 바다를 앞에 두고 산밑을 돌아 뻗은 부산에 온 뒤로, 산에 한번 올라가봤으면 하던 생각이 전부터 있기는 있었다. 벌건 산으로 오르는 길은 급한 경사였다. 따닥따닥 붙은 하꼬방이 산 중복으로 치달았다. 사람이 사는 집이라고는 믿기 어려울 정도였다. 늘 보는 풍경이지만 가까이 와서 보니 어처구니가 없었다. 미국 물품을 포장했던 상자갑이거나, 또는 어느 외래품도 그런 따위로는 포장되지 않았을 널판지 조각으로 지은 거처들이었다.

"언제나 우리도 남의 나라 부럽지 않게 잘살아볼까요."

하고 탄식했다.

"잘살아볼 때가 있을까요."

하고 김씨는 되묻는다. 올라갈수록 부산 시가는 납작해지면서 바다가 멀리 바라보였다. 선조 임진壬辰에 왜倭의 전선들이 이 바다로 몰려왔다. 금년이 바로 임진이다. 그 당시 한양의 임금은 북으로 달아났다. 오늘날 우리는 부산으로 쫓겨와서 산다. 우리가 앉아 있는 산에도 옛사람들은 하얗게 올라와서 적선敵船들을 바라보았을 것이다. 부산은 상하가 발칵 뒤집혔을 것이다. 그 당시를 상상하면서 지금 생존 경쟁에 응혈이 진 시가지를 굽어본다. 김씨는 사가지고 온 곶감을 나에게 준다.

"산 위까지 올라가보입시더."

"그라입시더."

나도 구수한 영남 사투리로 대답하며 일어났다. 산 위로 올라가다가 보니 뜻밖이었다. 철조망이 우리의 앞을 막는다. 철조망 안에서 미병이 총을 잡고 서 있다. 푸른 눈이 우리를 노려본다. 말이 없다. 우리는 슬슬 딴 곳으로 피해가서 바위 밑에 자리를 잡았다.

안계眼界에 저 멀리 영도가 중간쯤 위치하여 있다. 거대한 외국 배들이 여기저기, 작은 배들은 방파제 밖으로 나가는지 들어오는지 분간하기 어려울 정도로 점점이 흩어져 있다.

"저기 보입니까. 저게 통영統營으로 가는 오늘의 마지막 뱁니다."

김씨는 멀리 가리킨다. 새까만 배 한 척이 영도 다리 밑을 방금 지나 하얀 물살을 뒤로 남기면서 제법 알아볼 정도로 간다.

"참, 청마靑馬 선생이 오늘 가신다고 했는데, 그럼 혹 저 배에 타시지나 않았을까요."

"아닙니다. 청마 선생과 아내와 어린것은 1시 배로 떠났습니다."

"그럼 부인도 고향에 가셨군요."

"예, 산월産月이 돼서……"

김씨는 통영으로 가는 배를 아득히 바라보며 자라난 고향과 산월이 가까웠으므로 친정 아버님을 따라간 부인과 어린 영이를 생각하는지도 모른다. 부산 역 시꺼먼 구내를 굽어보았다. 충청도 지하에 묻혀 계시는 부모님과 할머님과 구평 고모님과 윤한철 내외와 그 외의 살아 있는 혈연들이 갑자기 생각나서 어찌할 바를 몰랐다. 알고 보니 김성욱 씨는 나보다 8개월 늦게 태어난 해 동갑이었다. 김씨 말에 의하면 자기와 한 고향인 김춘수 씨도 같은 동갑이라고 한다. 가정을 이루었을 뿐만 아니라 문학으로도 나보다 월등한 두 분이다. 이들이 슬슬 기나 보다. 몸이 가렵다.

"객지에서 고생 많이 하십니더."

김씨는 나를 위로한다. 그저 고맙기만 하였다. 검추레한 시가지가 악착스럽기만 하다. 자유 시장을 중심으로 사람 머리가 바글바글 들끓는다. 산[生]다는 일이 가장 거룩한 나라 같았다.
파란 보리밭이 이어진 뒤편 산 고개를 은빛 버스가 장난감처럼 넘어간다. 어디로 가는 것일까. 해는 서쪽으로만 기울어진다. 우리는 부산 거리로 내려온다.

1952. 2. 10.

바람 부는 영도 바닷가는 추웠다. 모래사장의 생다시마 조각을 씹으니 비린내가 먼 나라처럼 풍겼다. 수평선에 걸린 섬[島]들이 고왔다. 흙산 기슭 좁은 길을 따라간다. 드문드문 하꼬방들이 나타난다. 짙게 화장한 여자들이 들락날락 하였다. 여름이면 음식집들이 즐비하게 들어선다는 것이다. 이 길로 젊은 남녀들이 비좁게 왕래한다고 한다. 바위 모퉁이에서 살갗이 벌건 여인들이 불을 쬔다.
"저게 해녀들 아닌가."
황순원 선생은 걸음을 멈추며 말한다. 바다에 해녀들이 떠 있다. 보기만 해도 추워서 소름이 끼친다.
"생활이란 참 무섭군요. 여자가 남자보다 독하군요."
하고 나는 말했다. 머리부터 들어간다. 굽은 등이 번쩍, 두 다리가 하늘로 솟는다. 해녀는 사라졌다. 머리가 솟아오르며 길게 내뿜는 휘파람소리는 애수哀愁롭다 못해 몸서리가 쳐진다. 해녀의 남편과 그 자녀를 생각해본다.
"비가 오거나 바람이 심한 날은 바다 속도 먼지가 끼어서 잘 보이지 않는대요. 그래서 일을 못한다더군요."

제주도를 경유해서 부산으로 피란왔다는 박용구 씨 말이다. 황순원 선생, 박용구 씨를 따라 하꼬방 옆에 쪼그리고 앉았다. 바다는 적막 그대로였다. 하꼬방에서 술 파는 여자의 노래가 한창이다. 죄 '바다' 가 나오는 유행가였다. 나는 허전해서 "막걸리라도 한잔 합시다" 했더니 "이런 데 잘못 들어갔다가는 바가지 씁니다" 며 박용구 씨가 일러주었다. 세 사람은 말없이 걸었다. 오늘이 음력으로 정월 대보름이다. 꽹과리소리가 난다. 음식을 차려놓고 여자가 망망한 바다를 향해 연신 절한다. 소경이 두드리는 꽹과리소리는 더욱 신명지다. 반쯤 벗은 해녀가 이리로 온다. 해가 저문다.

박용구 씨와 막걸리 두 잔씩 하고 헤어졌다. 역시 갈 곳이 없다. 하숙집 다다미 방으로는 갈 맛이 나지 않는다. 배가 고프다. 선창가 하꼬방에서 2천 원짜리 저녁 식사를 했다. 그새 달이 뜨지 않았나 해서 전차 길로 나왔다.

예배당 지붕 옆에 큰 달이 솟아 있었다. 다방으로 천천히 걸어가면서 불경을 외웠다. 금강 다방에는 아무도 없었다. 금잔디 다방으로 가는데 누가 뒤에서 어깨를 건드린다. 김대영 씨가 웃으며 묻는다.

"어디 가."

"금잔디."

나도 웃으면서 물었다.

"어디 가."

"집에."

'집' 이란 말이 매우 다정스럽게 들리었다. 모두가 셋방이건 하꼬방이건 간에 그들의 '집' 으로 간 것이다. 하숙집으로 가는 도리밖에 없다. 달은 점점 황금빛으로 무르익는다. 어느새 달은 전깃줄에 묶여 있었다. 나는 암회색으로 젖어든다. 산에서 달집을 태우는 불들이 꽃밭처럼 아름다웠다. 필시 서양 깡통에 불을 넣어 달을 향해 휘두르나 보다. 또 한 번 달을 쳐다보았다. 3천만이 보는 달, 온 동양이 보는 달을 내가 항가港街에서 보고 있었다.

새집 다방에 들어가서 차 한 잔을 시켰다. 김동리 선생이 혼자서 들어온다. 내가 그래서 그렇게 보이는지 쓸쓸한 표정이었다. 어쩌다가 홍구범洪九範• 씨가 화제에 올랐다. 김선생은 갑자기

"허! 홍구범인 죽었지! 구범인 죽었지……"

목이 칵 메어 말씀을 못한다. 양미간에 주름살이 깊다. 눈물이 글썽글썽 금세 떨어질 것만 같다. 그 눈물은 나에게 이렇게 말하는 것 같았다.

"그 사람, 우리 때문에 죽었지, 아니 나 때문에 죽었을지도 몰라. 우린 이렇게 살아서 달을 보는데 말이야."

환도還都한 지 얼마 안 되어서다. 충무동에서 산다는 홍구범 씨 부인이 동리 선생 댁에 와서 며칠 묵어간 일이 있었다. 나는 홍구범 씨를 본 적이 없다. 김선생 댁에서는 그 부인을 꼭 일가 친척처럼 반기시었다. 그래서 홍씨는 어떤 인물이었을까 하고 나는 좀더 궁금했었다. 부산 임진년 정월 대보름날은 우울하기만 하다. 온 겨레에게는 슬픈 명절일지 모른다.

1952. 2. 11.

이형기 씨는 말하였다.

"목욕 좀 하세요."

"……"

"그리고 이 좀 잡아 입읍시오. 나까지 가려워서 견딜 수가 없군요."
나는 겨우
"그러지요."
하고 미적지근한 대답을 하였다. 결국 듣고야 말 말을 들었다. 한동안 어색한 침묵이 흘렀다. 갈아입을 내복이 없으니 목욕을 하고 이를 잡아 입는대도 도로 마찬가지이다. 아직 날씨가 춥다. 그러니 속내의 없이 홑껍데기 양복만 걸치고 다닐 수는 없다. 난처한 일이다. 한 달 이상 신고 보니 양말이 아니라, 위만 덮은 발싸개가 되고 말았다. 그래서 남의 집 마루에는 올라가지도 못하는 주제이다. 이는 아래위 내복에 서캐[卵]를 슬고 알은 날마다 이가 되어 번식하고 나는 그들의 조물주가 되고…… 그렇대서 감각이 없느냐 하면 도리어 예민한 편이다. 벗어버리자니 춥고 입고 있으려니 한 하숙방에 있는 이씨에게 미안할 따름이다.
그래서 그 이상 대답할 말이 없었다. 왜 가렵지 않으랴. 나도 사람이다. 그러기에 오늘날까지 말없이 참아준 이씨에게 감사드리고 있지 않는가. 훈훈한 다방 난로 곁에서 남 몰래 내 살을 꼬집지도 않는가. 견디다 못하면 슬며시 변소로 들어간다. 아무도 이 목적만은 모른다. 밤거리를 걷다가도 담 모퉁이나 또는 전주에다 짐승처럼 등을 문지른다. 실은 추위가 나를 돕고 있다. 추위를 몹시 타면서도 뜨뜻한 곳에 가면 온몸이 가려워서, 이만 나오고 만다. 어떻게 할 도리가 없다. 굶지 않는 것만 만행萬幸으로 알아야 할 형편이다.
겨울이지만 문자 그대로 녹원 다방 안은 춥지 않아서 손님들이 많았다. 원고 청탁을 하고 담배 연기 속에 앉아 있다. 다방 문을 반쯤 열고 들어온 거지는 사람인가. 우리의 동포인가. 어찌나 더러운지 사람 같지가 않았다. 내가 앉은 의자가 천천히 무너진다. 신사, 숙녀들의 자세가 삐뚤어진다. 시계視界가 흔들린다. 다방 보이가 거지를, 아니 나를 밀어낸다. 거지는 사라졌다. 신기하게도 나는 그대로 남아 있었다. 하 수목樹木이 그리운 때문인지, 사진만도 못한 유화의 녹음綠陰이 이상한 광채를 발한다. 담배 연기로 혼탁한 공기, 사람들의 입에서 쏟아지는 입김, 피곤하기만 하다. 저편에서 차를 마시며 곁의 사람과 말하는 노천명盧天命• 여사를 멍하니 바라보았다. 글을 쓰면 종이에서도 향토鄕土 냄새가 나는 노여사의 지난날 시들을 생각하였다.

다방 안은 향토적인 것을 볼 수가 없다. 차를 마시는 노여사는 차디찬 사슴이었다. 복도로 통하는 문이 열릴 적마다 선정적인 음악이 몰려 들어온다. 바로 천장 위 2층에서는 외국 군인들만이 아가씨들과 춤을 춘다. 창 너머 골목길이 어두워진다. 사람들은 꼬리를 물고 여전히 좌우로 지나간다.

석유 등불 밑에서 원고를 쓰는데, 누가 창을 톡톡 두드린다. 며칠째 와서 있는 K씨와 오래 전부터 사랑한다는 그녀가 서 있었다.

"K선생 아직 안 들어오셨나요."

"아마 새집 다방에 있을 것입니다."

"미안하지만 가서 K선생 좀 들여보내주세요."

"다방에 가서 직접 만나는 것이 좋지 않을까요."

나는 그들의 방해물이 안 되려고 권했다.

"선생님, 내일 찻값 드릴 테니, 다방에 가서 K선생 이리로 보내고, 차나 한잔 잡숫고 계세요."

나보다 한 수 위였다. 누구나 사랑을 하면 천재가 된다더라. 당해낼 도리가 없다. 쓰던 원고를 집어치우고 다방으로 갔다. K씨는 없었다. 돌아와서 보니, 그녀는 참으로 외로이 방안에 앉아 있었다.

"K형이 없습디다. 난 어딜 좀 가야겠으니 그냥 기다리세요. K형은 곧 돌아올 것입니다."

실은 가야 할 곳이 없었다. 그들을 위해 다시 다방에 가서 시간이나 보낼 작정으로 나가려는데

"아니, 제가 갈 테니 들어오세요."

그녀는 나와서 구두를 신는다.

"프레젠트입니다."

그녀는 웃으며 깜깜한 마루 구석에서 뜻밖에도 도시락과 주전자를 내놓는다.

"K선생 오거든 함께 잡수세요."

그녀가 가버린 뒤에야 조심스레 뚜껑을 열어보았다. 삶은 계란, 덴뿌라, 불고기가 가득 들어 있었다. 주전자에는 떡국이 가득하였다. K씨는 어디를 갔는지. 이형기 씨도 오늘 밤 따라 돌아오지 않는다. 또 한 번 침을 삼켰다. 식욕도 애욕 못지않나 보다. 창피한 생각도 사라지려 한다. 책상 위 도시락과 주전자를 간혹 돌아보는 동안에 나는 점점 기진氣盡하였다.

1952. 2. 12.

허백년 씨로부터 받은 원고료에 마술이 붙었나 보다. 돈 쓴 것을 계산해보았다. 바닥이 났어야 할 텐데 봉투 속에 돈이 남아 있었다. 다른 사람에게로 가야 할 원고료가 내게로 잘못 온 것 같았다. 허씨를

만나자 물었다.

"이번 달 허백년 씨 월급이 줄게 된 거나 아닙니까."

"왜요."

"내게 준 시 고료가 2만 원 이상인 것 같습디다. 한번 알아보세요. 더 온 돈은 돌려드려야지요."

"그것 말입니까. 그건 잘못된 것 아니에요. 돈 많은 곳이라, 다른 데보다 많이 줍니다."

"세지 않고 써서 잘 모르겠는데 그럼 얼마나 주셨나요."

"한 3만 원 될 겁니다."

시 한 편에 3만 원, 나는 얼떨떨하였다. 내 본봉 3만1천9백80원에 육박하였기 때문이다.

오전 중에 사社의 일이 끝났다. 어둡기 전에 하숙집으로 돌아오기는 처음이다. 생각도 정리하고 퇴고推敲도 하고 원고도 써야겠다는 정열 비슷한 것을 느꼈다. 날씨가 풀린 때문일까. 이상스럽도록 따뜻하다. 다다미 방도 춥지 않을 것이라는 짐작이 나를 유혹하였다.

그러나 다다미 방에 돌아와서 무엇을 했나. 지난날 일기를 원고지에 베끼는 데 남은 하루를 보냈다. 조용한 여가를 낭비했다. 한 달 뒤에 시험을 치기 위해서는 등록금을 마련해야 한다. 한푼이라도 아껴 저축해야 한다. 나의 우편 저금 통장은 아직도 등록금이 미달이다. 산속에서 일기를 쓸 때는 10년이 지난 일기라야 발표하겠다던 생각도 이제 생각하니 우습기만 하다. 불과 두 달 남짓 사이에 이처럼 변했는가. 청탁도 받지 않고 일기를 베끼면서 돈이 되어줬으면 하고 바랐다. 남들은 가족들까지 부양한다. 홀몸 하나를 꾸려가기가 이다지도 어려운지. 참으로 못난 사람이 분명하다.

'시는 밥벌이가 안 된다', '그래서 현대는 소설 시대다', '소설을 쓸 만한 재주가 없으니까 시를 쓰는 것이다' 그러고 말하는 분도 있을 것이다. 그러나 소설가는 반드시 시를 쓸 만한 역량이 있는 것도 아니다. 오늘날 생산되는 시가 반드시 모든 소설보다 못하라는 법도 없다. 시인이나 소설가나 서로가 후회하지 않을 작품을 쓰도록 노력해야 할 것이다. 소설가가 어느 정도의 시를 쓸 수 있다면 시인도 그러한 정도의 소설은 쓸 수 있을 것이다. 그런데 흔히들 원고료와 문학은 현대와 문학이란 명제로 착각한다. 무서움증이 심해졌다. 돈을 생각할 때마다 이러다가는 나의 문학이 망하지나 않을까 두려웠다. 남들을 위해서도 창피한 이야기는 그만두자.

1952. 2. 13.

결말을 짐작하면서도 헤어나지 못할 때 이지적일수록 문제는 심각하였다. 남들이 충고할 말까지도 다 알고 있었다. "운명이다!" 그러는 데야 더 할말이 없었다. 너무나 잘 알기 때문에 두뇌의 작용은 곤란하기만 하였다. 옛사람의 운명이거나 오늘날 사람의 부조리거나 표현은 다르지만 썩 좋은 뜻은 아니다.

전차 길을 횡단해야 한다. 건너갈 때마다 신경이 쓰인다. 저편 길로 건너가서 몇 걸음 걸었을 때였다.

"사람 죽었다"는 고함소리가 들렸다. 사람들이 뛰어간다. 돌아보았다. 사람들이 모여들어서 차도가 보이지 않았다. 가지가지 차량들이 늘어선다. 교통이 차단되었다.

"차에 사람이 치었어."

"눈 깜짝 사이였는데."

"어떻게 됐어."

"배가 터지고 창자가 꿰져 나왔으니 될 게 뭐야."

불안은 사라지면서 허망하기 시작하였다.

1952. 2. 14.

일부만 타버린 자유 시장에서 사람들이 잿더미를 뒤적거린다. 의복 조각들이 타다 남은 사람 같았다. 여인은 계속 울상을 한다. 보는 것마다가 비참하였다. 도망치듯이 다방으로 들어갔다. 차를 마시는데 앞에서 누가 일본 신문을 본다. '파리의 아프레게르, 철학을 말하면서 살인, 강도! 에펠 탑의 대폭파까지 노리는 사르트르의 실존주의 일탈' 이란 표제 아래, 가지가지 지식에서 오는 무용無用, 절망, 난행亂行, 광태狂態의 실례가 늘어놓였다. 일본 신문을 돌려주고 남은 차를 마셨다. 우리 나라의 해나 프랑스의 해나 세계 어느 곳의 해나 해는 하나밖에 없다. 그런데 내용은 너무나 달랐다. 뭐가 뭔지 알 수가 없다. 알 수 없는 것뿐이다. 그 외에 무슨 말을 할 수 있을까.

1952. 2. 15.

"좀 구경하겠습니다."

"예, 봅시오."

한글로 된 책이었다. 나로서는 난생 처음 보는 우리말로 된 호화본이었다. 하나는 『미국 이야기』라는 책이었다. '캐바니 지음, 할렌드 그림, 1945년 특허, 국제판권연맹 판권 소유, 랜드 맥날리 회사 이 책에 관한 모든 권리를 소유함, 1951년 판' 으로 되어 있었다. 또 하나는 『째스프와 노새』라는 책으로 역시 미국에서 발간한 책이었다.

장정과 지질은 더 말할 나위 없었다. 한글 활자의 아름다움을 비로소 알았을 지경이다.

"큰일이군요. 우리 나라 잡지와 출판물은 어떻게 될까요."

"글쎄올시다."

K씨는 다음 호 영문 번역 잡지 교정을 보느라 귀찮다는 듯이 대답한다. 가장 많이 팔린다는 영문 번역 잡지에 종사하는 K씨의 월급은 어느 정도일까. 조판공이 내 앞에 우리 사 잡지 교정지를 여러 장 갖다놓는다. 주머니에서 만년필을 내어 교정을 보다가 '우리 나라 문학은 우리 나라 사람만이 쓸 수 있다'는 생각이 들어서 담배 한 대를 불 붙여 물었다. 유치한 소리라면 그만이다. 믿지 않으면 가치마저 잃는다. 불신 시대라고들 하지만 사람은 믿지 않으면 못 산다. 속는 맛에 산다 해도 관계가 없다.

1952. 2. 16.

문학관文學觀은 일치할 수가 없다. 얼굴이 각각 다르듯이, 또는 처지와 생활이 각기 다르듯이 같을 수는 없다. 문학에 대해서 독특한 소신이 있다면 그 문학을 위해서는 축복할 일이다. 문학관이 다르대서 상대를 멸시한다든가 실망한다면 이야말로 섭섭한 일이다. 남들의 작품을 이해할 것, 그리고 자기 문학에 열중할 것, 이 외의 논쟁은 듣거나 읽을 일이지 글로 쓸 필요조차 없다. 미워할 경우라도 상대의 작품을 미워할 수는 없다.

H씨는 차를 마시다가 말했다.

"난, 인간이 나타나면 싫습니다. 작품은 어디까지나 작품이 되어야지요."

나더러 들으라고 한 말이다. 분명히 말하지만 H씨와 내가 같으란 법은 없다. 그러나 H씨가 말한 뜻만은 알 수가 있었다. H씨는 평소 진지한 분이며 더구나 확언했기 때문이다.
일반적으로 악과 선은 분명히 구별되지는 않는다. 자기 마음을 자기 마음대로 할 수 있는 자유가 문학에서는 가능하다는 것이다.
잠이 안 온다. 밤은 깊다. 시계는 오전 1시 7분. 벽 너머에서 귀신 같은 소리를 지르며 소방차가 지나간다. 이 밤에 어디서 불이 활활 타오르나 보다. 사람들이 대답 없는 하늘을 원망하나 보다.

1952. 2. 17.

매우 춥다. 유리창이 연신 덜거럭거린다. 유리창 밖으로 보이는 도청 굴뚝에서 연기가 용틀임친다. 종횡으로 마구 나부낀다. 풍속風速을 알겠다. 일어나기가 싫다. 하루 종일 누워만 있으면 좋겠다. 오늘은 교정을 얼마나 보아야 하나. 남의 글을 몇 번씩 읽으면서 잡지를 만들어야 하니 나로서는 정확한 시간 낭비였다. 이형기 씨가 먼저 하숙방을 나갔다. K는 나더러 "뒤에 나가겠다"고 한다. 바깥은 더 추웠다. 거리를 걸으면서 'K는 그녀가 오기를 기다린다. 곧 오겠지' 하고 생각했다. 슬며시 부러워서 쓴웃음을 웃었다. 어젯밤도 우리는 그들 남녀를 위해서 방을 내주고 새집 다방으로 피해갔었다. 남녀는 우리에게 그래주기를 바랐다. 우리로서는 다방에 앉아 있는 편이 훨씬 편안했기 때문이다.
바람이 심하다. 그래도 갈매기들은 난다. 조판소를 겸한 D사 책상에는 교정지가 상당히 놓여 있었다. 김형식 선생은 가까이 오더니 "여기 10만 원 있습니다. 남포동南浦洞 뒷골목에 가면 참고될 만한 책들이 있을 테니 골라서 사오시오" 한다.

남포동 뒷골목에서 쓸만한 책 8만 5천 원어치를 샀다. 내 목소리는 어느새 익숙해 있었다.

"영수증에는 9만 5천 원으로 써줘요."

"예! 예!"

책 파는 사람은 머리를 굽신거리면서 내가 하라는 대로 금액을 쓴다. 그런 순종이 밉살스럽기도 했다. 부산 와서 배운 일반 상식이 피차간에 불쌍하기만 했다. 나는 남은 돈 만 원을 서슴지 않고 안 주머니에 넣었다.

유유히 걸어서 D사 사무실로 돌아왔다. 뚱뚱이는 즐거운 듯이 일어선다.

"교회에 갔다 와야겠군."

"나도 교회에 가야겠는데."

저편 의자에서 홀쭉이는 응구한다.

"나도 곧 갈 테야."

키다리는 맞장구를 친다. 모두가 선량한 신자인 것을 과시한다. 나는 돈 만 원을 속였기 때문에 그러한 그들이 비위에 거슬렸다. 그들보다 내 비위가 약함을 새삼 알았다. 위선이 위안일 수만 있다면, 그런 단순성쯤은 묵인해도 좋지 않은가. 교정을 보는 데도 힘이 들지 않았다. 유쾌했다. 빵에는 본능의 꿀이 들었나 보다. 재수가 있었다는 것은 우연을 받아들인 도량에 불과했다. 조판공은 사무실에 들어오더니 "전기가 나가서 일을 못한다"고 선언한다. 시계는 오후 2시 반이다. 나는 가벼이 D사에서 거리로 나왔다. 남몰래 웃었다. 유쾌한 일뿐이라고 생각했다. 길 옆에서 음식 파는 곳으로 갔다. 천장도 없다. 길 가는 사람들이 밥 사 먹는 나를 볼 수 있듯이 나는 밥을 먹으며 지저분한 항구를 볼 수 있었다. 밥그릇과 국그릇을 올려놓은 판자가 때와 간물에 썩어서 거멓다. 그래도 먹을 때마다 2천 원이면 제일 싸다고 감사한다. '다른 곳보다 더 주는군. 늘 여기 와서 점심을 먹으리라' 새삼 결심했다. 특히 두부와 무와 가오리를 썰어넣은 찌개가 맛났다. 매연 검정이 드문드문 묻은 날 두부를 보면서도 구미는 왕성했다. 창고 앞에서 파수하는 미군 MP가 물끄러미 나를 바라보고 있다. '군침이 도는가. 좀 줄까.' 나는 말하고 싶은 충격을 받았다. 그러나 미군은 '저런 비위생적인 데서 저런 비위생적인 음식을 먹고도 병들지 않는 이유를 연구해야겠다'는 표정이었다. 사기 조각을 쪼아먹는 닭을 신기스럽게 생각하는 것과 다르지가 않았다.

"천 원어치만 밥을 줄 수 없소."

바다에서 일하다 올라온 늙은 노동자가 청한다. 북한 사투리를 하는 아주머님은 쉿된 목소리로 거절한다. 늙은 노동자는 계면쩍스레 가버렸다. 엿장수가 밥을 먹는 내 곁에 와서 누구에게 약을 올리려는 짓인지 가위로 시끄럽게 소리를 낸다. 미군 MP가 창고에서 나오는 노동자들의 몸수색을 한다. 어디선지 뱃고동소리가 어렴풋이 들린다. 등에 푸대를 걸머진 사람이 시근벌떡거리면서 나타났다.

"아주머니 5천 원만 꿔줍시오. 금세 배[船]값이 올랐다는구만요. 내, 담에 드릴게."

"그 배 못 타건 들어와서 주무시고 가시라요."

음식 파는 아주머님은 야릇한 웃음을 웃는다. 5천 원을 내준다. 내게는 배[船]란 말이 배[腹]라는 뜻으로 들리었다. 유쾌하다. 보다시피 세상에는 악마도 신도 없다. 모두가 사람들뿐이다. 속여서 생긴 만

원에서 요기대療飢代 2천 원을 치르니 역시 유쾌하다. 하늘을 우러러 지그시 웃고 싶었다.
금강 다방에서 차를 마신다. 월말이면 사社에서 지불해주는 찻값이라 내 돈은 아니건만 그래도 아깝기만 하다. 오영수 씨 소장인 시집과 바꾸기로 약속이 되어 있어서 모파상 단편집을 레지에게 맡겼다. 모파상 단편집을 사오면 시집을 주겠대서 겨우 구한 책이다.
금잔디 다방에서 유치환 시 · 박생광朴生光 그림, 시화전을 보았다. 김동리 선생이 이번에 나온 『문학 개론』 책에다 붓으로 내 이름을 써서 준다. 나는 그 붓으로 시화전의 축祝을 썼다. 붓글씨가 별로 잘되지는 않았다. 그런대도 미스 J가 내 붓글씨를 놀라운 눈초리로 본다. 하여간에 유쾌하다. 다음은 녹원 다방에 들러 백영수白榮洙 화백의 개인전을 보았다. 갈 곳도 할 일도 없다. 완전 자유이다. 그저 춥기만 하다.
"오오라 암, 가야지."
곧장 극장으로 갔다. 속여서 생긴 돈에서 다시 3천5백 원을 뽑아 입장권을 샀다. 쓸수록 가벼워지는 돈이 매우 유쾌했다. 앙드레 지드 작품 『전원 교향악』은 옛날 옛적에 읽었으니, 영화로 어떻게 요리했느냐가 궁금할 따름이다. 영화를 흥미 있게 보는데 감촉이 말랑말랑했다. 진짜 여자가 내 앞으로 비집고 들어섰다. 영화 장면이 잘 안 보인다. 무슨 여자가 이리도 뻔뻔한가. 아니, 싫지 않았다. 여자의 몸이 분명한 윤곽으로 온몸에 전해졌다. 워낙 대만원이어서 뒤로 물러설 수가 없었다. 엄연한 사실이 구실도 되려니와 무방도 하였다. 지드가 쓸데없는 장난만 하다가 간 신경병 환자 같아서 측은해졌다. 발광하지 않았다는 것만으로도 그는 대견했다. 물론 소설과 영화는 같지 않았다. 하필이면 눈먼 여자와 성직자를 끌어내서 악의에 찬 짓을 하는지 모르겠다. 어둠에서 얼굴도 보이지 않는 여자가 나에게는 보다 절실했다. 여자가 영화에서 무슨 진실을 느꼈는지 갑자기 훌쩍훌쩍 운다. 이것만은 질색이다. 이것만은 견딜 수가 없었다. 소위 지성이 초래한 결과가 그 꼴이었다. 어느새 지드처럼 골머리가 아팠다.

극장에서 나오니 거리는 회색으로 저문다. '그러하다' '그러하다면 어쩌라는 말이냐' 조판소의 일이 어찌 됐나 궁금했다. D사로 가는 도중에서 김형식 선생을 만났다. 내가 극장에서 오는 줄이야 모른다. 김선생은 자상한 웃음을 웃는다.

"오, 잘 만났군. 사회 사업가들을 불러 좌담회를 열었으니 갑시다."

나는 어진 상전을 만난 다행을 다시금 느꼈다. 그러나 좌담회라니 반갑지가 않았다.

"내가 필기를 해야 합니까."

"아니, 속기사를 불렀어요."

중국 음식집 2층에는 사회 사업가들이 모여 앉아 있었다. 나이 많은 이들은 고아원을 10년 혹은 20년씩 경영했단다. 해독 청량제라도 먹은 듯, 그들의 경력에 감탄했다. 그러나 좌담회가 진행됨에 따라서 그들의 조리 정연한 이론과 흥분한 정열에는 웃음이 났다. 말하자면 고아가 도망한 이유에 대해서는 반성이 없었다. 내뺀 고아만을 혹평한다. 좌담회가 진행될수록 정열과 정신에 대해서는 흥미를 잃었다. 그렇다면 지드는 인간을 보는 데 충실한 편이었다. 그러나 사회 사업가들을 찬탄하지 않을 수가 없었다. 왜냐하면 우선 세탁비 2천 원, 아래 내의 한 벌에 1만 5천 원, 목욕료 1천3백 원, 이발료 2천 원, 디디티 2천 원, 세발액 5천 원, 합계 2만 7천 원은 써야만 나를 괴롭히는 이[蝨]들로부터 탈출할 수 있으니 말이다. 만 원은 고사하고 10만 원이라도 속여먹을 수만 있다면 좋겠다. 월급날까지 점심을 굶지 않으려면 4만7천 원도 있어야겠으니 말이다. 사회 사업가들은 히틀러 같은 정열로 성자聖者 같은 정신만 말한다. 그저 암담하고 막연하기만 했다.

1952. 2. 18.

마스트와 기旗와 생철 지붕이 어둠에 사라진다. 전등불이 들어왔다. D사에서 늦게까지 교정을 보았다. 만 원을 속여먹고도 유쾌했으니 10만여 원을 삼킨 사람은 얼마나 먹어야 유쾌할까. 슬며시 존경하고 싶었다.

만나면 반갑다. 못 보면 허전한 문인들과 밤마다 모여 앉는 다방이 내 안식처인가 보다.

1952. 2. 19.

속을 들여다볼 수가 있었다. 말은 사람을 표현한다. 희비극은 말의 장난이었다. 번역을 해서 잡지를 만드는 신사가 나더러 들으라는 듯이 말한다.

"머리를 빗질 않거나 옷을 깨끗이 입지 않는 사람은 속도 공산주의야."

경조 부박한 말에 나는 꿈틀했다. 사무실 구석에서 교정을 보는 나 외에 이 말에 해당할 겉모양은 없기 때문이다. 생사람을 당장 때려잡을 수 있는 무서움을 모르고 한 말일까. 가짜 영수증을 써서 장사꾼의 진짜 도장을 받아 오라는 것만이 자유는 아닐 것이다. 너는 부양해야 할 가족이 많다. 나는 홀몸이다. 그래서 모든 것을 이해했었다. 농담일지라도 말이 얼마나 무서운가를 알았다. 먹고 살기 위해서 목숨을 걸어야 한다면 짐승과 다른 것이 뭔가.

그러고 보니 내가 사람 노릇을 못한 지도 오래이다. 뭐고 참는 힘밖에 없다.

1952. 2. 20.

김대영 형이 나를 어떻게 봤는지 아래 내의 한 벌을 준다. 그래서 목욕하고 이발까지 했다. 하숙으로 돌아오자 낡은 내의를 벗어 던졌다. 김형에게서 받은 새 내의가 청승맞게도 몸에 맞았다. 걸음걸이도 제법 가벼이 다방엘 들어갔다. H형과 K형은 이발한 나를 보더니 "웬일이냐" 고 놀라며 놀리며 기뻐해줬다.

해가 저문다. 저녁노을이 바닷물처럼 짜릿하게 스민다. 황순원, 허윤석 선생과 함께 판잣집으로 갔다. 점심을 못 먹어서 우선 밥부터 한 그릇 시켜 먹었다. 두 분 사이에 끼여 앉아 술을 톡톡히 받아 마셨다. 내가 먹은 밥값을 내려는데 황선생이 내 멱살을 움켜쥐더니 "구용! 이게 무슨 짓이야, 응!" 하고 눈을 부릅뜬다. 허선생은 점잖이 나를 흘겨보며 "난 김형이 그런 줄 몰랐지" 하며 핀잔을 준다. 돈을 도로 주머니에 넣는 수밖에 없었다.

과도히 취했나 보다. 밤거리를 걷는데 천한 눈물이 흐른다. 반 거지 같은 선배들의 술이나 얻어 마시면서 홀몸인 나는 시켜 먹은 밥값도 못 내리만큼 동정을 받았다. 세상만큼이나 내가 미웠다. 더러우리만큼 인정이 고맙기도 하였다. '우는 것은 술이 취한 때문이다' 고 나를 연방 위로했다. 차디찬 등불들이 저처럼 아름다운 줄은 처음으로 알

왔다. 이런 경험은 태어난 밑천을 뽑는 일이라면서 눈물을 닦았다.

1952. 2. 21.

궁하면 통하나 보다. 이런 일은 처음이었다. 내 발로 ○○사를 찾아 갔다.

"활자화된 지도 오래됐으니 시 고료를 좀 주셨으면 감사하겠습니다."

얼굴이 간지러워 속까지 가렵기에, 어느새 주먹을 쥔 내 손을 다른 내 손으로 꼭 잡았다. 받은 원고료 봉투에서마저 손바닥이 가려워 올랐다. 얼마나 기쁘고 부끄러웠던지 받은 고료를 호주머니에 넣고, 편집장을 미안스레 쳐다보며 하품처럼 웃었다.

1952. 2. 22.

벌써 일에 싫증이 난다. 조판소나 인쇄소나 사람을 생으로 잡으려 든다. 조판공에게 부탁을 해야 그들은 대답도 않는다. 일을 얼렁뚱땅해서 넘겨버리려고만 든다. 몇 번이고 부탁하면 "염려 맙시오" 다. 대답만은 시원하다. 대답과는 반대로 번번이 기일과 약속과 부탁을 어긴다.

이 방면에 경험이 있는 박용구 씨에게

"조판소, 인쇄소는 자고로 사람을 골려먹기로 되어 있느냐."

고 물어봤다. 박씨는 웃으면서

"글 쓰는 사람은 편집자의 눈치를 봐야 하고 편집자는 조판공, 인쇄공에게 눌려 지내야 하고 출판사는 서적 도매상에게 골탕을 먹게 되어 있다."

는 것이다. 평범사 허윤석 선생은

"지금은 어디나 다 마찬가집니다. 피난 중이라 더욱 혼란 상태지요. 요는 한잔 멕이는 길밖에 없어요. 그러지 않으면 일을 망칩니다."

하고 나에게 일러주었다. 저임금 때문인가. 과로 때문인가. 외국의 경우는 어떤가. 한번 시찰이라도 가보고 싶다. 이렇게 골탕을 먹고서야 문화 사업이란 것을 할 사람이 있겠느냐 말이다. 역정이 난다. 모두가 우울해 보인다.

모씨가 모씨에게 귓속말로 속삭인다. 잘 들리지 않는다.

"……"

"……사느냐, 죽느냐 그야말로 신껭[眞劍]이지……저러다가 깻닥 잘못하면 폐병에 걸리지……"

겨우 토막토막 들린다. 나를 두고 하는 대화였다. 못 듣는 척 외면했다. 계산대에 서 있는 레지를 바라보았다. 그러면서도 귀를 기울였다. 아무 말도 들리지 않는다. 모씨는 묻는다.

"김형을 모델로 소설을 써도 괜찮습니까."

"네, 써도 좋습니다."

나는 무표정을 꾸미면서 돌아보고 대답했다.

1952. 2. 23.

고관 부인에게 인치引致되어 내방內房에서 구타를 당한 김광주 씨와 소설 『나는 너를 싫어한다』가 가는 곳마다 화제였다. 내가 생각하는 것 이상으로 많은 사람들의 많은 의견을 들었다. 참으로 복잡하였다.

1952. 2. 24.

상대편을 만족시키려면 내가 귀찮다. 이용당하기가 싫어서 거절하면 상대편의 감정을 사게 마련이다. 사람과 사람 사이의 관계는 어렵기만 하다.

나를 늘 준절히 꾸짖는 스승이 있다. '무지無知' 라는 이름의 스승이시다.

날씨가 따뜻해지면 되도록 다방에 나가지 말아야겠다. 이러다가는 내 글이 될 성싶지가 않다.

레지가 "무엇을 드실랍니꺼" 하고 세번째 와서 물었을 때, 우리는 견디다 못해 그 다방을 나왔다. "차 한 잔 살 돈이 없어서 쫓겨 나오다시피 했으니 문인이란 거지지" 하고 동리 선생이 대로상에서 웃는다. 나도 김동리, 곽종원, 허백년 씨 사이에 끼여 밤거리를 초라하니 걸었다. 아무도 말을 하지 않는다.

현실적으로 아무 가치도 없는 선善을 고집하는 사람은 자기 고독을 높이 평가하는 버릇이 있다. 그래서 놀랄 만큼 선은 대견스러운 것이었다. 피차 그의 잘못은 따지지 말자. 우리도 인간임에는 다름없다.

1952. 2. 25.

무엇이냐! 어떻게 해야 되느냐…… 등, 이런 말을 들으면 웃을 것이다. 옛날처럼 이런 말을 따질 여유가 없다. 각박한 현실에서 살기 위해 허둥지둥이다. 사람들은 제 몸 하나를 주체 못해서 쩔쩔맨다. 결혼이란 보다 비참한 결과를 끌어들이는 거나 같아서 감히 생심生心도 못한다. 너무나 잘 알아서 서로를 차단하고 있다. 그날 그날을 살아가는 일이 묘하기만 하다. 변함 없는 것은 사람의 본능이다. 젊은 사람들은 지칠 대로 지쳤다. 공허감에 사로잡혔다. 갖가지 남녀의 난행을 비난하기에는 진실로 인간인 만큼 시비보다도 다시 이해해야만 했다. 그래서 모두가 불합리하였다. 무모한 책략과 우연의 요행은 혼란만 더했다.

1952. 2. 26.

사社에서 3월호 교정을 잘못 봤다고 나에게 야단이다. 벌써 이런 일이 있을 줄 알고 증거물로 두었던 완교完校 교정지를 죄 서랍에서 내어 보였다. 조판소에서 끝내 바로잡아주지 않았으니 어떻게 하느냐고 밝혔다.

"교정이야 어떻게 보았건 결과가 이 지경이니 어쩔 텐가. 조판공의 태만을 왜 꾸짖지 못하는가. 일이 잘못된 책임은 누가 져야 하느냐."

는 것이다. 조판공을 꾸짖다가는 참으로 일을 잡친다는 것을 모르고서 하는 소리일까.

"한잔 멕이지 않으면 별도리가 없다."

고 몇 번이나 일러줬지 않았는가. 나는 대답할 의욕마저 잃었다.

사를 나와 원고를 받으러 줄곧 걸었다. 3일째 연달아 세 곳을 찾아갔다. 간 곳마다 "아직 원고를 못 썼다"는 대답이 세 사람의 입버릇이었다. 원고 청탁이나 있을까 하고 다방에 나와 있는 문인들과는 딴 세상 사람들이다. 피곤하다. 배가 고프다. 무거운 다리를 옮겨 금강다방까지 왔다. 우두커니 의자에 앉아서 쉬는데 D여사가 들어왔다. 원고를 준 지 일주일도 안 되는 D여사는 내 앞에 앉더니 대뜸 시비조다. "죽고 난 다음에 고료를 주면 뭘 하느냐"는 둥 "왜 도장은 찍어가고 돈은 아직 안 주느냐"는 둥, 심지어는 야릇한 눈빛으로 싱글

싱글 웃으면서 유도 심문을 하듯 "무슨 사기나 협잡이 붙지 않았느냐"는 둥 듣기에 기막힌 소리만 한다. 아무 대답도 하지 않았다. 누구에게 실컷 얻어맞고 의식마저 죄 잃고 그냥 뻗어버리고 싶었다. 죽어도 감정의 낭비만은 하기 싫다는 상대에 대한 반항과 멸시였는지도 모른다. 내게는 침묵 이상의 좋은 방도가 없었다.
문인들은 정치에 관한 대화를 한다. 아무런 흥미도 느끼지 못했다. 이 꼴이 된 나 자신을 보는 눈으로써 글을 쓰는 일에 골몰해야 한다. 그 외는 아무런 관심도 없다.

1952. 2. 27.

영도 다리 밑 계단을 내려가면 바로 바다에 접한 진흙 골목길에 J목사의 사무소가 있다. 사무실 2층에서 처녀가 골목길의 엿장수를 내려다보고 수작 중이었다. 처녀가 오는 나를 보더니 알은체를 하며 생긋 웃는다.
"물론 바쁘신 목사님이라 오늘도 안 계실 거고, 그래 원고나 받아뒀소."
나는 2층을 쳐다보고 바닷바람에 상을 찌푸리며 소릴 질렀다. 대답이 가관이었다.
"못 쓰시겠대요. 바빠서……"
두 번이나 연기했는데도 K목사가 못 쓰겠다더니, 오늘은 J목사마저 이 모양이다. 경험에 의하면 목사님들은 누구보다도 몇 배나 바쁜 분들이어서 쓰겠다 하고 안 쓰기로 일급이다. 목사도 인간임에는 틀림없다. 그 이상 기대할 것도 실망할 것도 없다.
"한 장이라도 써야 한다고 해요. 못 쓰겠으면 애초부터 못 쓴다고 거절했어야 할 것 아니오."

나는 침을 뱉었다. 그곳을 떠났다. 김선생은 목사님들에게 원고 청탁을 해놓고 날마다 가서 받아오라며 나만 들볶는지 모르겠다.

다음에 간 곳은 국회 의원 사무실이었다. 무슨 직공 같은 사람들이 이 방 저 방 모여 있었다. 그 정치가와는 초면이었다. 남루한 외투를 입은 국회 의원에게 정중히 원고 청탁을 했다. 국회 의원은 너털웃음을 웃는다. 내 어깨를 필요 이상으로 툭툭 치며 정답게 군다. 된장 투바리처럼 구수한 익살을 까며 털털거린다. 표리 부동한 듯한 인상이 그의 정치 역량인지도 모른다. 그 연기를 감상하노라니 무슨 만화를 보는 것만 같았다. 왜정 시대에는 말단 관리로서 귀축鬼畜 미 · 영 격멸을 부르짖었다. 8 · 15 해방이 되자 애국자로서 사면 팔비의 활약을 했다. 6 · 25 사변 중에는 김일성 만세를 외쳤다. 9 · 28 수복이 되자 적마 타도 조국 통일을 위해 온힘을 기울인다. 그는 누구일까. 그런 사람이 어찌 하나뿐이랴. 그 이상도 그 이하도 아닌 인간이었다.

김동리, 황순원, 김말봉 선생과 오영수, 박용구 제씨가 추렴을 내서 판잣집으로 간다. 따라가서 또 백수건달로 술을 얻어 마셨다. 서로들 얼근히 취해 전차 길에서 헤어졌다.

모某씨와 모씨를 따라 새집 다방으로 갔다. 모씨는 나를 단편 소설 ○○○에 나오는 주인공과 흡사하다고 한다. 모씨는 "내가 지금 쓰는 작품의 주인공이 구용 씨 성격일 거야" 한다. 남들이 뭐라든 간에 이제는 진정 나를 모르겠다.

어떤 유명한 분의, 자기가 유명한 사람이라고 자처할, 그런 유명한 분의 방송 원고를 써야만 했다. 시간이 아까워서 부아가 났다. 더구나 빌려다 둔 책을 읽어야 할 날이다. 오늘까지 돌려주기로 약속이 되었다. 그래 그런지 남의 원고를 쓰는 일이 눈곱만큼도 자랑스럽지가 않았다.

금강 다방에 갔다. 『나는 너를 싫어한다』로 구타당한 김광주 씨를 위한 문단 성명서에 서명을 하란다. 내 빈약한 이름을 써보았다.

김성욱 씨 소개로 통영에서 올라온 청마 선생께 길에서 인사를 드렸다.

서화전을 보는데 여사가 나타났다. 지난날 여사에게 빌린 책을 그만 취중에 잃어버린 일이 있었기 때문에 여사만 보면 나는 한 수 꺾인다.

"참 잘 만났어요. 부탁이 있는데요."

듣고 나니 곤란한 부탁이었다. 잘라서 말 못하는 내 성격도 곤란하였다. 결국,

"그러지요."

하고 대답해버렸다. 나의 대답은 나도 모를 대답이었다. 싫어도 반대하거나 거절하지 못하기 때문이다. 언어는 의사를 표시하는 방법이라 한다. 반드시 그렇지도 않았다. 간혹 본의 아닌 대답을 하고서는 그 점을 또렷이 의식하는 자신에 염증을 느낀다.

어제 20여만 원의 본봉을 받았다. 전달보다 확실히 많다. 그간 해둔 저금과 합쳐 등록금을 냈다. 하숙비 12만 원이 부족하다. "아침만 먹고 잠만 자겠노라" 며 하숙집 안주인에게 사정했다. 돈을 받는 안주인 안색이 냉담했다. 내 나름대로 이유가 있다. 점심을 굶고는 견디기 어려운 내 체질이다. 점심, 저녁 겸 한 2천 원 정도의 식품을 사 먹

으면 한 달에 6만 원이면 된다. 그러나 생활이란 계산대로 되지는 않았다. 이런 신념을 얻기까지는 체험이 필요했다. 내가 말하고 싶은 신념이란 '돈이 없어야 돈이 생긴다'는 뜻이다. 돈이 없으면 그날부터 굶었는가. 독신인 때문인지 하루를 굶은 일도 눈뜨고 밤을 고스란히 새워본 적도 없다. 굶는 일도 여간 복으로는 되지 않는다는 것이 체험이었다. 이런 일을 감사하기에는 생활 자체가 괴로웠다. 그렇다고 이런 고통을 분노하기에는 내가 창피하였다.

국회 의원의 원고와 김광주 씨 소설은 오후 5시에 준댔으니, 그때 가서 J목사도 찾아보기로 했다. 일단 다방을 나와 하숙집으로 갔다. 몇 자 끄적거리는데 또 염치없이 배가 고프다. 나가서, 나오기 싫어하는 돈을 끌어내어 군고구마 천 원어치를 사서 돌아왔다. 방문을 여니 하숙집 아들아이가 활개를 치면서 팽이를 돌린다. 외투 주머니 속에 들어 있는 따뜻한 군고구마를 애무하며 '저 아이가 없어야 먹을 텐데' 하고 화가 난다. 책상 앞으로 돌아앉아 책을 읽는 체했다. 방안이 갑자기 조용했다. 책을 보는 시선이 얼어붙은 듯 움직이지 않는다. 군고구마 냄새가 코끝에서 춤을 춘다. 어린아이가 내 등뒤에 와서 가만히 붙어 서 있는 것이다. 약간만 움직여도 침묵이 무너질 것만 같았다.

내가 가증스러워서 견딜 수가 없었다. 어린아이에게 몰려나듯 밖으로 나왔다. 먹을 만한 장소가 없다. 뒷골목으로 접어들면서 군고구마를 한입 덥석 씹었다. 조금도 슬프지가 않았다. 그런데 두 눈이 축축했다. 하숙비도 2만 원을 더 줘야 셈이 끝나는데 전 재산은 5천 원뿐이다. 돈이 없으면 참말로 돈이 생길까.

1952. 3. 1.

가야 할 길만 있다면 어디든지 가야 한다. 거울을 보면 나는 두 다리가 없다. 위험 신호였다. 미치거나 비웃기는 쉬운 노릇이다. 뭣보다도 우선 움직여야만 달아나기라도 하겠다. 땅바닥이 둘러빠지거나 날개라도 생겨나서 하늘로 오르지 못하는 한, 팔다리로 움직여야 한다. '단념' 이란 말이 내포한 뜻을 여러 가지로 생각해봤다. 실은 '단념' 이란 자아에의 총집중 상태였다. 자기 자신을 어떻게 발견하느냐가 문제였다. 절박감 없이 단념과 친할 수 있을까. 혹 이런 경우를 생각해본 적이 있는가. '그가 착하지 않았던들 자살하지는 못했을 것이다.' 생각하라는 것이 아니다. 요는 이런 생각을 말라는 것이다. 그러면 하다 못해 손가락 하나쯤은 움직이겠지.

1952. 3. 6.

어젯밤 김내성金來成• 선생 『청춘 극장靑春劇場』 출판 기념회에 간 것은 서근배 씨가 회비 5천 원을 대신 내줬기 때문이다. 간뻥• 하나만으로는 회만 동했다. 눈치를 봐야 술이 더 나올 성싶지가 않았다. 끝나기도 전에 나와서 다찌노미• 한 잔을 하고 하숙집으로 돌아왔다. 그런데 오늘 박용구 씨 말에 의하면 어젯밤 내가 나온 후에 많은 술이 나와서 모두가 크게 취했다는 것이다. 듣고 나니 좀 섭섭했다. 그런데 나는 부드럽게 웃었다. 그럼 그렇지, 김내성 선생이 그럴 리가 있나 하고 생각했다.

영주동 고개에서 걸음을 멈추었다. 어떻게 할까. 철학을 들으러 갈까. 약속된 원고를 받으러 갈까. 혼자서 두 가지를 동시에 해치울 수는 없다. 밥을 먹게 해주는 사社의 일에 태만할 수 없다는 생각이 앞

선다. 그것만도 아니다. 그 사람이
"원고는 다 됐는데 약속한 시간, 약속한 다방에 기자가 나타나지 않으니 웬일이지요."
하고 사에 전화를 걸 것만 같았다. 아니 꼭 그럴 것이다. 그렇다면 야단이다. 그 사람은 문인이 아니기에, 일생에 몇 번 받을까 말까 한 원고 청탁을 받았으니, 부지런히 썼을 것이다. 다방에 와서 그런 유치한 짓을 저지르고야 말 것이다. 고개 위에서 발길을 돌려 부산 역으로 내려간다. 약속된 시간까지 약 한 시간 가량 남았기에 이형기 씨도 만날 겸 평범사로 들어갔다. 선배 문인들이 모여 있었다. 이형기 씨는 나를 보자
"오늘은 웬일인지 내빈들이 많군."
하고 웃는다. 잡담 듣다가 다방으로 갔다. 원고를 주겠다고 약속한 사람은 약속한 장소에 보이지 않았다. 정확히 한 시간 동안 기다리다가 다방을 나왔다. 혼자서 두 가지 일을 동시에 할 수는 없다. 그런데 어느 한 가지도 못했다면 웬일인가. 이런 피곤과 공허감에서 시드나 보다.
"먹고 죽으나 굶어 죽으나 마찬가지니 우리 좌우간에 술이나 한잔 하러 갑시다."
박봉 이형기 씨가 거세게 나를 끌어 일으킨다.

1952. 3. 7.

우산도 없이 비를 맞으며 영주동 고개를 넘는다. 부산 시가지보다도 바다에 널려 있는 전등불들이 더 휘황찬란했다. 희한한 꽃밭이었다. 얼굴로 흘러내리는 빗물을 연신 훔친다. 싫어도 가야 한다. 진흙이

병정 구두에 마구 엉겨붙어서 발이 잘 떨어지지가 않는다. 걸은 지근 한 시간 만에 기다시피 미끄러운 비탈길을 올라간다. 왜 이런 짓을 해야 하는지 모르겠다. 천막 사이로 불빛이 새어 나온다. 아무도 없었다. 흑판의 '휴강' 이란 두 자가 깜짝 놀라 나를 빤히 본다. 곁에 천막을 지나다 보니 손우성孫宇聲 선생님이 학생 5, 6명 앞에서 강의를 하고 계셨다. 비가 와서 그런지 오가는 사람도 천막 주변에 서성대는 사람도 없었다. 시계는 7시. 하숙집까지는 또 근 한 시간을 걸어야 한다. 눈에 흘러내리는 빗물을 손등으로 연신 훔쳤다. 외투가 내 어깨를 무섭게 내리누른다. 진흙이 병정 구두를 잡아당기면서 '너, 어딜 가느냐. 못 간다' 고 외친다. 어둠이 지구 끝 같았다.

1952. 3. 8.

어제는 G읍 상이군경경원호회장 K씨를 길거리에서 만났다. 오늘 아침에는 영덕이가 찾아왔다. 오후에는 임종권林鍾權 거사님이 다방으로 나를 찾아왔다. 봄이 가까워온다. 시골의 아는 분들이 항도 부산에 나타나기 시작했다.

저녁이 되어도 김동리 선생은 다방에 나타나지 않았다. 좀 서운했다. 오늘 아침에 대구에 가셨다. 단 하루라도 좋으니 아무데나 갔다 왔으면 좋겠다. 무엇엔가 결박된 것만 같아서 일부러 몸을 흔들어 본다.

1952. 3. 9.

나를 괴롭히는 적이 있다. 싸우기가 싫어서 싸움을 되풀이한다. 그 적이란 바로 나 자신인 것이다. 자기 자신과 싸우면서 살아야 하니,

무슨 꼴인가. 미워도 버릴 수가 없어서 나와 싸운다.

1952. 3. 10.

밤늦게야 하숙집으로 돌아왔다. 방으로 들어가니 누워 있던 K가 나를 쳐다본다. K는 급히 손가락 하나를 들어 제 입술 앞에 세운다. '침묵하라' 는 암시였다. K는 '좀 가까이 오라' 는 눈짓을 한다. 눈치로는 알겠는데 왜 이러는지를 모르겠다. K는 머리맡의 원고지에 갈겨쓴다. '내 곁에 그 여자가 누워 있습니다. 싸웠습니다.' 그제야 K가 덮은 이불의 기복起伏을 보니 숨어 있는 그녀의 몸매가 완연하였다. 나는 점잖이 머리를 끄덕이면서 K에게 아저씨뻘쯤 되는 웃음을 소리 없이 웃어 보였다. 미안하지만 딴 도리가 없었다. 윗목에 자리를 펴고 누웠다. 미안하기는 어느 쪽인데? 싸움이 끝났으면 빨리 뒷수습을 했어야 하지 않는가. 곧 이형기 씨가 돌아올 것이다. 왔다가 어디로 가버렸는지도 모른다. 하기야 갈 데가 있으니 말이다. 통행금지 시간이 임박하지 않았다면 산꼭대기라도 갈 것 같았다. 그러나 그건 불가능한 일이다. 추워서 어림없는 소리다. 방문이 열린다. 이형기 씨인가 했더니 뜻밖에도 B가 기어서 들어온다. 하룻밤 자고 가야겠단다. 손짓도 눈짓도 통할 리가 없다. 술이 잔뜩 취한 B는 혀 꼬부라진 소리로 홀아비 신세 타령을 늘어놓았다. "돈이 있어야 완월동玩月洞엘 가지 않겠느냐" 며 좀 꿔달라는 말투였다. 이불 안에서 숨어서 들을 K의 애인을 생각하며 나는 웃음을 참느라고 입술을 물어야만 했다. 사이렌소리가 악머구리처럼 울어댄다. B는 쓰러지기가 급하게 코를 곤다. 왜기름불을 훅 껐다. 돌아누웠다. 잠이 깊이 들지 않는다. 그녀가 부스스 일어나는 모양이었다. B의 코고는 소리뿐이다. K는 자는지 어쩐지 모르겠다. 그녀의 한숨소리가 분명했다. 흐느껴 우는 것 같기도 했다. 꿈인지 생시인지 모르겠다. 머리 위 유리창을 열고 누가 바깥으로 나가는 소리가 난다. '하아아, 이거 어쩌려구 저러나. 통행 금지인데. K가 붙잡지 않고 왜 저러지.' 잠꼬대 같은 걱정을 하면서 깊이 잠이 들었다. 추워서 새벽에 눈이 떠졌다. 그녀는 없었다. K는 연신 담배를 빨면서 천장만 쳐다보고 있었다. 잔인한 짓 같아서 B를 깨우지 않았다.

1952. 3. 11.

한마디로 전달할 수 있는 뜻을 너털웃음과 잔소리와 필요 이상의 친절로 질질 이끄는 사람. 그 사람의 얼굴 피부가 곤충 빛깔로 꿈틀거린다. 차마 더 볼 수가 없어서 시선을 아래로 숙였다. 저래야만 보다 잘살 수 있나 보다.

1952. 3. 12.

육군 기술 학교로 편집실을 옮긴 지도 일주일이 지났다. 도청 본부까지 걸어서 왕복 30분은 걸린다. 윗사람은 아랫사람에게 "일에 좀 더 성실하시오" 한다. 윗사람은 그 윗사람으로부터 "일에 좀더 성실하시오"를 듣는다. 화풀이하듯 많은 입들이 "일에 좀더 성실하시오"를 합창한다. 나는 그런 말을 해야 할 아랫사람이 없어서 오늘은 편안했다.

1952. 3. 13.

김인승金仁承• 화백의 표지 그림을 받으러 갔다. 여자 대학교 직원실에서 내다본다. 별로 아름답지가 않았다. 여대생들만이 있어서 뜻밖에도 썩 좋지가 않았다. 웬일인지 모르겠다.

밤비가 목줄기로 스며든다. 자동차의 헤드라이트가 앞에서 걸어오는 두 남녀를 눈부시게 비췄다. 참으로 아름다웠다. 한 우산을 받고 남녀가 꼭 붙어 지나간다. 돌아보았다. 그들은 금세 사라졌다. 사방은 깜깜한데도 황홀하였다.

1952. 3. 15.

하꼬방마다 만원이었다. 김동리 선생과 허백년, 서근배 씨와 함께 이 골목으로 휘어들며 저 골목으로 돌아 나갔다. 어느 판잣집에서 겨우 자리를 잡았다. 빈 속에 소주를 마셨다. 몸이 풀린다. 청구 다방에 들러 커피를 한 잔씩 청했다. 마침 김광주 씨가 있기에 원고 독촉을 했다. 역시 만취해 있는 이한직李漢稷• 씨와 함께 시란 뭐이냐느니 암유법暗喩法이 어쩌느니 하다가, 취기에 맡기듯 앉아 있었다. 얼굴이 병을 앓는 분 같았는데 군복을 입고 무거운 듯이 단장을 짚는다. 다른 분들과 악수하고는 나간다.

"누굽니까."

"최태응崔泰應 씨입니다."

동리 선생은 나에게 대답했다.

다시 화제는 다방 벽에 붙은 붓글씨 횡액과 R화백의 그림으로 옮았다. 나는 입으로 중얼거리면서 속으로도 중얼거렸다. '어서 일어나서 다방을 나가야 한다. 노트를 빌려줄 수는 없으니 와서 보라는 것만도 여간 고마운 일이 아니다.' 나는 졸려서 먼저 간다며 다방을 나왔다. 걸을수록 술이 깬다. K형 집으로 어두운 골목을 한없이 올라간다. 산 중복에 있는 K형 집을 겨우 찾아냈다. 앏은 찬바람이 썩 잘 들어오는 유리창이었다. 다다미 방이었다. 단 하나인 군대용 침대에는 단 하나의 이불뿐이었다. 화로도 물론 없다. K형은 떨어진 외투 주머니에다 손을 찔러넣고 벌써 노트를 파는 중이었다.

"취했군. 한숨 자는 게 어때. 내가 먼저 보고 깨워줄게."

"늦어도 1시까진 깨워줘야 하네."

나는 침대에 누워 이내 잠이 들었다. K형도 남의 노트를 빌려 보는 처지이다. 나를 깨운다. 눈을 떠서 보니 1시 10분이었다. K형은 침대에 눕고 나는 남폿불 밑에서 친구가 친구에게서 빌려온 노트를 본다. 직접 쓴 놈도 잘 못 알아보리만큼 글씨가 난잡했다. 더구나 나 같은 놈이 '법철학'을 알 게 뭔가.

갈피를 잡을 수 없는 시선이 험한 항해를 한다. 어둠은 점점 새벽으로 나아간다.

시간이 얼마나 지났을까.

후수마* 너머 옆방에서 부스럭대는 소리가 난다. 신음소리가 들린다. 한숨짓는 소리가 감미로웠다. 남자와 여자가 자다가 잠을 깬 모양이었다.

필시 K의 형과 형수일 것이다.

군용 침대의 위에서 잔뜩 오므리고 죽은 사람처럼 자는 K형이 불쌍했다.

아니 불쌍한 K형은 물끄러미 보는 내 꼴이 우스웠을 것이다. 노트를 보는 눈이 아프다.

부부가 잠꼬대처럼 도란도란 얘기하는 소리가 들린다.

잘 들리지 않는 남녀의 음성과 분명하지 않는 노트 내용이 뒤죽박죽이 된다. 뭔가가 탈선한다.

4시가 지났다.

다다미에 벌렁 드러누웠다.

외투는 입은 그대로이다.

추워서 못 배기겠다.

어제 저녁에 마신 술 때문인지 목이 마르다. 눈을 떴다 감았다 한다. 맨발이어서 뱀처럼 제 몸을 감아 붙인다. 또 남녀의 음성이 도란도란 들린다. 피란을 하면서도 저러니 애정이란 참 지독한 목숨이로구나 싶었다. 내 잠마저 앗아버렸으니 환장할 노릇이다. 발로 노트를 밀어내면서 벌떡 일어났다.

담배에 불을 붙여 물었다.

"바로 저것이 삶이로구나."

길게 담배 연기를 뿜었다.

잠을 청했다.

사방이 고요하기만 하다.

시간이 또 얼마나 지났는지 모르겠다.

산밑 거리에서 갑자기 절간 종소리가 일어난다.

유리창에 핏빛 먼동이 트면서 지옥의 문이 열리는 소리가 들리었다.

1952. 3. 16.

시험을 마치고 나오니 어둡다. 배가 고프다. 하숙집까지 10리가 좀 먼 편이다. 두 다리를 끌었다. 영주동瀛州洞 고개를 넘어 거리로 나왔다. 뒤에서 누가 나의 어깨를 친다. 일전에 입사해서 요즘 교정을 보고 있는 R형이었다. R형은 작년 겨울에 평양서 서울까지 걸어서 남하해 온 문학 청년이다. 이북에서도 교정을 본 일이 있다고 한다. R형은 나보다 나이 어리다. 그는 고향을 미워했으나 부모를 잊지 못해서 날이 흐리면 얼빠진 사람 같았다. 나는 그가 일일일식一日一食한다는 것과 밤이면 아는 친구들 집을 찾아가서 잔다는 걸 안다. 참으로 R형은 불쌍한 사람이다. 나보다 불쌍한 사람이다. 나보다 건강한 사람이다.

"내 하숙집으로 같이 갔으면 좋겠지만 거기도 방 하나에 여러 사람이 있어서 권하질 못하겠소. 오늘이 15일 방공 연습 날이구려. 불 꺼지기 전에 가서 잘 곳이나 있소?"

R형은 "잘 곳은 있으니 염려 맙시오" 하면서 명랑하게 웃었다. 그렇게 웃을 처지가 못 되는 사람이 그렇게 웃어 보이고는 나와 반대편 쪽으로 걸어가는 것이었다. 그 거짓 웃음이 아프도록 아름다웠다.

배가 고프다! 배가 고프다! 아름다운 불을 켜고 비행기가 내 머리 위를 지나간다.

'언제나 배부르게 먹어볼까.'

죽지 않으니까 사는 것이다. 암만 살고 싶어도 죽게 되면 어쩔 수 없듯이……

요즘 또 목에서 피가 넘어온다며 R씨가 나에게만 보여준 손수건—객혈喀血이란 두 글자가 가슴에서 떠오른다. 아버지는 40 미만에 세상을 떠나셨다. 7년 전부터 자기도 각혈을 한다는 것이다. 나는 그를 끌어안아주고 싶었다. 고향에는 홀어머님이 계시며 누이동생이 단 하나란다. 중학교만 마치고 직장에 나간다는 누이동생이 보낸 편지도 보여준다. 그는 피 묻은 손수건을 무슨 비밀 문서처럼 접어서 주머니에 넣는다. 나는 어떻게 위로해야 좋을지 몰라서 미안했다.
"너무 과로한 탓일 거요."
"과로하지 않고야 우찌 삽니까. 그런 직장이라도 버리면 뭘 먹고 삽니까."
나는 아무 대답도 못했다. 우리는 앉아 있는 자기 그림자만 지켜보았다.
민이의 편지가 왔다. 나를 '난세의 시인, 빈곤한 기자' 라고 지적했다.

오시면 갈아입으실 옷 다려놓았습니다. 잎 떨어진 나뭇가지 사이로 어렴풋이 내려다뵈는 길입니다. 가는 눈으로 바라보니 황혼에 싸인 희미한 길에 나무꾼들만 급급히 제 집으로 돌아가는 삶의 뒷모양, 무심한 좁은 길은 꼬불꼬불, 나의 마음 아는 듯 모르는 듯 산골 잎 떨어진 나뭇가지도 차고 공허합니다. 저 산 너머 누워 계시는 어머님 생각…… 바람만 따갑게 뺨을 찌르니 머리카락은 미친 듯 휘날립니다.

읍내 집에서는 논, 밭 팔고 이사할 모양이란다—대소가大小家가 병과 돈 때문에 갈팡질팡이란다—집으로 가야 할지 동학사에 그냥 있어야 할지? 그나마 영산靈山 노장님이 주지 스님에게 쫓겨나서 글도 못 배운다는 내용이었다. 부모 없는 민이의 편지를 읽는 동안에 내가 먼저 지쳐버렸다. 여덟 살 난 화연이의 편지는 '부산 가시더니 안 오십니까' 가 첫 서두였다. 이인정 노장님은 닷새 동안만 왔다가 다녀가라 하였다.
해가 저문다. 김내성, 김동리 선생, 손소희 여사, 허백년, 서근배 씨와 함께 술집으로 갔다. 오랜만에 대하는 좋은 안주와 좋은 술이다.

아니 또 얻어먹었다. 자꾸 마셨다. 세상 만사 다 잊고 싶었다.

"구용은 숙명적인 사람이야."

못 들은 척 술만 마셨다.

1952. 3. 17.

김동리 선생과 허백년 씨와 함께 돌아가는 길이다. 자유 시장 안을 지나는 참이다. 나는 저녁을 사 먹고 하숙집으로 가야만 한다. 함께 가다 말고 나 혼자만 딴 데로 빠질 수는 없었다. 뒤처지려 천천히 걸었다. 기회를 보아 할머니에게 천 원 한 장을 내주고 찰떡을 샀다. 신문지 조각에 찰떡을 싸는 할머니 솜씨는 느리기만 하다. 김동리 선생과 허백년 씨가 돌아서서 내 하는 꼴을 바라보며 기다린다. 허백년 씨에게서 무슨 말을 들었는지 김동리 선생은 걱정을 한다.

"저녁을 하숙집에서 안 먹는다니 날마다 떡이나 사 먹고 어떻게 지내요."

"이달은 좀 옹색하지만 다음달부터는 괜찮을 것입니다."

"거, 큰일인데……"

김동리 선생은 이마를 찌푸린다.

"막걸리나 한잔하자."

선생은 싫다는 나를 데리고 하꼬방으로 들어가서 막걸리와 오뎅을 사준다.

"예산은 넉넉지 않고 배가 덜 찰 때는 막걸리를 한 잔 시켜 먹으세요. 그럼 요기가 돼요."

나는 선생의 귀중한 체험을 듣는 듯싶었다.

하숙집으로 돌아오니 이형기 씨가 말한다.

"어떤 사람이 공주에서 왔다면서 다녀갔소. 내일 대항大港 여관으로 와달랍디다."

누구일까.

1952. 3. 18.

비가 온다. 편지는 '부산 가는 사람 편에 30만 원을 보낸다'는 내용이었다. 기쁘지 않았다. 다음 번 등록금을 위해서 25만 원을 저금했다. 우편 저금 통장을 만진다. 세상에 안 계시는 부모님 생각이 난다. 답장을 썼다. 부산 온 후 읍내로 보내는 처음 편지이다. 생각과는 반대로 '감사합니다'라고 썼다.

1952. 3. 19.

김동리 선생과 함께 하꼬방에서 막걸리 한 되를 나누었다. 어느 조용한 다방으로 들어갔다. 선생은 비교적 자세히 자기 작품에 대해서 말씀하셨다. 내가 잘 모르는 점을 물었기 때문이다.

1952. 3. 20.

젊은 여자 다섯은 각색 크레용처럼 선명하였다. 미군 다섯 사람과 쌍쌍이 팔을 끼고 미군 부대가 사용하는 국민학교로 들어간다. '내가 저 여자들의 아버지라면?' 문득 그런 생각이 떠올랐다.

어떤 사람이 강아지를 끌고서 골목길을 내려온다. 그 사람이 등에 걸머진 광주리 속은 소란하였다. 지나치며 그 사람의 광주리 속을 넌지시 넘겨다보았다. 병아리들이 들어 있었다. 강아지와 병아리들이 사람보다도 귀여웠다.

저 여자는 분명히 옷을 입었는데 꼭 벗은 몸으로 보인다. 봄바람이 분다. 꼭 벗은 듯이 옷을 입고 서 있다. 천재가 아니고야 저럴 수 있을까.

1952. 3. 22.

"구용은 고아 기질이야."

소설가 S선생이 말한다. 나는 무심히 술을 마시다가 총에 맞은 짐승이 돼버렸다. 한마디 포효도 없이 술잔을 놓았다. 사실인가 아닌가를 판단하려는 초침소리만이 들리었다. 도무지 반응이 없다. 내 자신이 미안해서 S선생에게 미소를 보였다. 여러 분과 함께 마시는 술자리 분위기를 어색하게 아니한 것으로도 내가 고아 기질은 아닌 성싶었다.

하숙집은 다 잠들었다. 누워서 유리창을 본다. 도청 건물 위에서 별이 반짝인다. 잠이 안 온다.

1952. 3. 23.

김동리 선생, 박용구, 서근배 씨와 함께 하꼬방에서 '멍게'를 먹었다. 나로서는 난생 처음 먹는 해물海物이었다. 바깥은 점점 어두워진다. '못 먹는 사람도 있다', '맛은 좀 형용하기 어렵다'는 말을 들은 적이 있었다. 궁줄이 들어서 입까지 천해진 것은 아니다. 술안주로는 천하 일품이었다. 두서너 곳 돌아다니며 약주에 소주에 정종에 '멍게'만 청해서 먹었다.

서로 헤어졌을 때는 근배가 취증醉症을 시작했다. 만취한 근배를 끼고 자동차가 오가는 큰길을 주의해서 건넜다. 근배는 무겁기만 하다. 술이 취하는 동안에 뼈가 다 빠져 달아난 모양이다. 군인과 근배의 어깨가 딱 맞부딪쳤다.

"이놈아 눈알이 없느냐!"

근배의 대갈일성에 놀란 사람은 나뿐이다. 군인은 두 눈에 불을 켠다. 내가 나서지 않을 수 없었다. 어떻게 했느냐고? 근배를 위해서 열심히 빌어 올렸다. 중량重量을 끼고 다시 걷는데 이번에는 "아이그머니" 하고 다급한 소리가 났다. 여자가 근배 팔에서 벗어나간다. 돌아보지도 않고 달아나버린다. 덕분에 빌어 올리지 않아도 됐다. 그 대신 지나가는 사람들이 멸시에 찬 눈으로 나까지 흘겨본다. 참을 수가 없어 근배의 뺨을 가볍게 때렸다. 근배는 자동 장치처럼 유쾌한 웃음을 껄껄 웃는다.

"구용아…… 내 춘화春畵 내놔라!"

근배는 고함을 지르기 시작한다.

"나 너하고 형기와 함께 잘 테다. 내 집으론 절대 안 갈 테다."

'처치 곤란'을 어두운 골목길로 겨우 끌어들였다.

"구용아…… 내 춘화 안 주면 안 갈 테다."

근배는 땅바닥에 주질러 앉는다. 가까스로 끌어 일으키는데 무거운 몸이 일어서지 않으려 용을 쓴다. 그 바람에 근배의 등이 이동식 오뎅집을 떠다밀었다. 안에서 오뎅 장수 아주머니의 비명이 일어났다. 근배를 앞으로 끌어당겨 겨드랑이에 꼈다. 진흙길을 뛰어 달아난다. 어디서 이런 힘이 나는지 나도 모르겠다. 오뎅 장수 아주머니의 쉿된 욕설이 똑똑히 들리었다. 겨우 숨을 몰아쉬고 천천히 걸었다. 근배는 면도도 아니한 턱을 내 뺨에 비비대며 뭐가 좋은지 킬킬댄다. 정신이 번쩍 나도록 아팠다.

"너 부인한테 못할 짓 많이 했겠다."
하고 쏴줬더니 "하하하하하하" 근배는 호걸 웃음을 웃는다. 겨우 하숙집에 왔다. 근배는 현관으로 들어서면서 팔을 휘두른다. 발로 바닥을 찬다. "이놈, 내가 왔다" 며 악을 쓴다. 이형기가 급히 나오고 하숙방 사람들이 나왔다. 근배의 사지를 들어서 방으로 들어갔다. 근배는 곧 나비처럼 잠이 들었다. 진흙투성인 양복을 벗겨도 깨지 않는다. 아기처럼 귀여웠다.

1952. 3. 24.

근배는 이불을 감고 눈만 깜박인다. "어젯밤 그게 무슨 취중이냐" 고 꾸짖었더니 "전혀 기억이 없다" 며 얌전스레 웃는다.
사社에 들렀다가 조판소에 가서 원고 넘기고 금강 다방으로 왔다. Y씨가 사진 아닌 춘화 한 장을 보여준다. "옛날 궁에서 소장했던 춘화를 R화백이 원색 그대로 묘사한 것입니다." 조선 시대 춘화는 일본 것과는 달라 예술품이었다.
시간이 되었기에 취재하러 고등 기술 학교로 갔다. 2층 강당에는 벌써 학생 2백여 명이 착석해 있었다. 유가족인 여학생들은 저편 창 밑에 앉아 있다. 말이 여학생이지 젊은 미망인들이다.
"나라를 위해 성스럽게도 목숨을 바친 용사와 불구가 된 여러분은 역사에 깊이 빛날 것입니다. 지금 이 시각에도 우리 국군은 나라를 위해 겨레를 위해 악독한 공산군과 싸우고 있습니다. 유가족 여러분은 고인의 뜻을 받아 씩씩하게 자활의 길을 개척해주십시오. 정부는 여러분이 자활할 수 있도록 힘닿는 데까지 도와드릴 생각입니다. 오늘 상이군인 고등기술학교 개교식을 보게 됨을 축하하는 동시에 당로자當路者 여러분께 심심한 감사를 드리는 바입니다."
축하 소리가 장내에 쩌렁쩌렁 울려 퍼진다. 젊은 미망인들은 머리와 허리를 숙이어 듣는다. 유리창 가득히 태극기가 바람에 일렁인다.
다방에 와서 기사를 쓰는데 서근배 씨가 말쑥이 차려 입고 나타났다.
"바쁜가."
"아니, 다 끝났어."
하고 나는 대답했다.
"갈매기 집이나 가지."
"갈매기 집이라니."
"여름에는 그 술집으로 자주 몰리지. 나는 갈매기가 뵌대서 누가 갈매기 집이라고 했다더군."
갈매기 집은 도떼기 시장 바닷가에 있었다. 멍게를 사서 들어가 동동주 한 되를 시켰다.
앉아서 마시면서 날아오며 날아가는 갈매기를 본다.
"여름에는 좋겠는데."
"아직은 철이 이르긴 해. 이런 데서 먹기란."
서로 약속이나 한 듯이 지난밤 일은 말하지 않았다.

1952. 3. 25.

원고를 받으러 갔다. 신학교는 하느님을 찾기보다 어려웠다. 이 일대가 왜정 때 유곽 거리란다. 피난민 수용소가 된 건물 옆 골목을 올라가서 마침내 신학교를 찾기는 했으나 원고는커녕 사람도 못 만났다.
물어보니 여기가 소문으로만 들었던 완월동이란다.
내려다뵈는 부산만이 반쯤 산에 가려 호수 같았다.

김성욱 씨 방에서 고깃국에 저녁 식사 대접을 받았다. 씨가 말하는 릴케, 발레리, 카로사•를 경청하다.

1952. 3. 26.

K목사란 분이 영문 프린트로 된 슈바이처 박사의 글을 가지고 있대서 그 글을 빌리러 김해행 버스를 탔다. 부산 시가를 벗어나 해토解土하는 농촌 풍경을 볼까 해서 기뻤다. K목사가 있다는 가야리伽倻里란 어떤 곳일까. 그런데 차비가 겨우 1천3백 원인 데는 섭섭했다. 먼 곳은 아닌 듯하다.

부산진을 지나면서부터는 처음 보는 풍경이었다. 지난날 내가 부산역에 내린 것은 밤중이었기 때문이다. 그저 어디건 한없이 가고 싶었다.

"여기가 어딥니까."

"서면西面입니다."

"저 길로 가면 어디로 가나요."

"동래東萊로 갑니다."

"범어사梵魚寺에 가려면 저리로 가야겠군요."

"네."

말로만 듣던 범어사나 가봤으면 싶다.

"여기서 가야리까지는 얼마나 더 가야 하나요."

"한 5분이면 갑니다."

달리는 차창 밖을 내다보며, 오늘의 여정이 너무나 짧은 데 실망했다. 차장인 소녀가 "가야리, 내릴 손님 없습니꺼" 하고 손님들을 향해 묻는다. 은빛 버스에서 내려 사방을 둘러보니 도시의 교외인 데 지나지 않았다. 가난은 할지언정 도시보다 단순해야 할 그런 농촌은 아니었다.

교통 순경에게 K목사를 아시느냐고 물었다. 순경은 저 피복 공장에 가보란다. 마침 똥똥한 신사 한 분이 내게로 가까이 오더니 묻는다.

"어디서 오셨나요. 내가 그 공장에 있습니다."

K목사님을 만나러 왔다면서 김형식 선생과 내 명함을 내주었다.

"네, 제가 바로 K입니다."

슈바이처 박사 글을 번역해서 다음달 잡지에 싣기 위해 왔다고 용무를 말했다.

"거 참, 안됐습니다. 일부러 오셨는데…… 그 프린트는 일전에 대구 있는 친구가 빌려가서 없는데요."

용무도 간단히 끝나버렸다. 두루 허행虛行만 한 셈이다.

"저도 지금 시내로 들어가는 길인데 함께 서면까지 걸으실까요. 여기선 차 타기가 힘듭니다."

"좋습니다. 건겠습니다."

철로를 따라가는 편이 빠르대서 함께 침목枕木을 밟으며 걸었다. 몸은 도시를 향해 가는데 마음은 반대로 벌써 먼 산속에 가 있었다. 뒤돌아보았다. 철길은 끝이 없었다. 아지랑이가 아른거린다. 향수가 핏줄을 타고 온몸에 명멸한다.

"저기가 어딥니까."

"범일동凡一洞입니다."

K목사는 대답했다. 동학사에 있었을 때 이수좌가 사중寺中에 보낸 편지 봉투에서 흔히 보았던 범일동이란 데가 저기로구나. 그럼 반야사般若寺는 어디쯤에 있을까. 산이 그립다. 책들이 기다리는 산방 정

창淨窓이 그리워서 못 견디겠다. 문명도 역사도 20세기도 내게는 의미가 없다. 나는 뭣을 하면서 있는가. 겨우 하숙비를 벌기 위해서 기계가 되어 돌고 있다. 나는 사람이 아니었다. 어떤 기계에 말려들어 어느새 기계가 되어 고장 직전의 비명을 지른다. 시청 앞에서 K목사와 헤어졌다. 부산은 녹슨 소음을 지르면서 출렁대는 미로였다. 문명 이전으로 돌아가서 나를 회복하는 길밖에 없었다. 오랜만에 시외에 나갔다가 향수병에 걸려 돌아왔다. 배가 고프다. 팥죽을 사 먹으러 시장 안으로 들어갔다. 먹고 살기 위해서라면 어디에 간들 굶으랴.

1952. 3. 27.

이런 날이 오리라고는 생각했었다. 그러나 갑자기 왔다. 김형식 선생은 말한다.

"구용! 나 이 짓을 그만두갔소."

"네?"

"호의 아닌 간섭을 받으면서 이 이상 어떻게 잡지를 만들갔소."

"앞으로 생활은 어떻게 하시구요."

"제주도로 가갔소. 산에 가서 나무나 하겠소."

김형식 선생의 가족은 제주도에서 피난 중이었다. 자세히는 모르겠으나 김선생은 나이 50이 넘어 보인다. 나는 정확히 말해서 공허와 신록新綠을 동시에 느꼈다.

"나도 그만두겠습니다."

하고 싶던 말이 기회를 만난 셈이다. 그러니 결심이랄 것도 없었다.

"왜, 구용은 그냥 계시오."

"실은 벌써부터 그만둘 생각이었습니다."

서로가 한동안 말이 없었다.

"하숙은 구했소."

"안주인은 나가라지만 바깥주인이 2, 3일 내에 부산으로 전근되어 오는 건 아닌 모양입니다."

"내가 전날 말한 대로 상이군인 기술학교로 오시오. 구용도 봤지만 방은 아니야. 비록 오시이레•지만 학교 선생과 둘은 있을 수 있소. 어쩌면 식사도 한끼쯤을 얻어먹을 수 있을 거요. 방세는 없으니까."

"아닙니다. 저도 부산을 떠나야겠습니다."

하고 나는 대답하였다.

허백년 씨는 나에게 말하였다.

"나하고 대구로 갑시다. 머지 않아 국립 극장이 생긴다니까 거기서 나와 함께 일합시다."

허윤석 선생은

"가만 있자. 가면 뭘 합니까. 나 있는 평범사로 옵시오."

하였다.

서근배 형은

"내가 알아볼 곳이 있는데 중학교 선생 짓을 하는 게 어떨까."

한다. 다 고마운 말씀이었다.

김동리 선생, 허백년, 박훈산朴薰山 씨와 함께 멍게랑 해삼이랑 사서 들고 갈매기 집으로 갔다. 어두워서 갈매기는 안 보였다. 갈매기소리와 함께 먼 등댓불이 깜박인다. 사양 않고 술잔을 들었다. 동학사에 돌아가면 부산이 생각나겠지. 한참 술들을 마시는데 손소희 여사와 금잔디 다방 마담 최여사가 왔다.

"우린 위스키를 하고 왔어요."

하는 최여사는 젓갈로 대폿잔을 치면서 나직이 노래한다.

보고지고 보고지고
우리 님이 보고지고

최여사는 엔간히 취해 있었다. 딱한 사정을 알아서 그런지 노랫소리는 구곡 간장에서 퍼져 나와 남의 애를 끊는 듯했다. 누가 "엔간히 됐군" 하고 웃었다. 최여사는 갑자기 노래를 멈추더니 "바다에서 자살이라도 하고 싶다"면서 해삼을 씹는다(금잔디 다방 최기현 여사는 우리가 서울로 환도하기 전에 부산에서 결국 음독 자살한 몇 분 중의 한 분이다).
그 말에 모두가 웃었다. 그러나 최여사를 웃은 것은 아니다. 최여사를 위로하는 동시 술자리를 명랑하게 하려는 노력이었다. 누구나 우울하였기 때문이다.

나는 가네, 나는 가네
산 넘어 물을 건너
나는 간다.

최여사는 다시 노래를 부르면서 조용히 일어나 치맛자락을 얌전히 감아 붙인다. 가슴에 핸드백을 안고 밖으로 나간다. 바다 앞에 우두커니 서 있는 최여사의 뒷모양은 잡지 표지 그림 같기도 하였다.
"빠지기라도 하면 존경이라도 하게."
"하하하…… 어서 시집을 가야지, 하하."

나는 가네, 나는 가네

노랫소리가 다시 들어와서 우리가 앉아 있는 뒤를 한바퀴 돈다.

"안 빠지고 오셨군."

"빠지면 내가 제일 먼저 쫓아가려 했는데……"

다시 웃음소리가 터졌다.

나는 가네, 나는 가네
산 넘어 물 건너
나는 간다.

최여사는 들은 성도 않는다. 차분한 음성으로 같은 말만 노래하면서 서성거린다. 얼마 동안이나 마셨는지 모르겠다. 술자리에서 일어섰을 때는 최여사가 언제 가버렸는지 보이지 않았다.

나는 가네, 나는 가네
가도 있도 못할 몸이
첩첩 산속으로
이제사 가네

어느새 나는 최여사 흉내를 내며 깜깜한 골목 구석에서 오줌을 깔겼다. 큰길에서 손소희 여사만 돌아갔다. 그 외는 새들 다방으로 들어갔다. 저편에 앉아 있는 김대영 씨 얼굴이 「테네시 왈츠」에 따라 금세 커졌다가는 금세 줄어들고는 했다. 부산의 다방에서 트는 음악이란 다「글루미 선데이」가 아니면「테네시 왈츠」냐고 불평을 하고 싶으나 꾹 참았다.

1952. 3. 28.

"구용, 우리 이번 편집이나 해놓고서 나갑시다."

"그러십시다."

우리는 단숨에 일을 해치웠다. 비교적 가벼운 걸음으로 사社를 나왔다.

금강 다방으로 갔다. 김말봉 선생이 우리의 속마음을 알 리 없다. 차를 사라며 농을 한다. 김형식 선생은 웃으면서 문인들에게 차를 냈다. 아무도 없는 나 혼자만의 송별회에 나온 것 같아서 커피를 마시며 김형식 선생처럼 미소했다. 전등불이 들어왔다. 대구에서 고대에 다니는 영성이와 한동이가 나를 찾아 다방으로 왔다. 반가워서 동생과 조카의 손을 자꾸 만졌다.

취해서 하숙집으로 돌아온 이형기 씨는 가지 말라며 조른다.

"외로워 못살겠다. 당신 가버리면 나도 시골 가서 면서기나 살란다."

모두가 우울하고 외로워서 죽건 살건 함께 있잔다.

1952. 3. 29.

이명성李明星 씨도 사를 그만두겠다고 한다. 다방에서『사랑의 세계』 4월호 기증본을 나눠주는데 임종권 거사님이 왔다. 어제 동학사를 떠났다는 것이다. 동리 선생에게는 "허윤석 선생께 평범사 취직이나 부탁하고서 다시 오건 못 오건 간에 떠나겠습니다" 하고 말씀을 드렸다. 동리 선생은 이맛살을 찌푸리며 "되도록 속히 다녀오세요" 하고 머리를 끄덕이었다. 내 말은 구실에 지나지 않았다. 어서 부산을 떠나고만 싶었다. 김형식 선생은 사에 가서 대담 기록도 정리하고 신학교에 가서 원고 독촉도 하란다. 따님 학교 졸업식에 간다면서 김형식 선생은 나갔다. 세상이 내 몸만큼이나 귀찮았다. 하숙집에 돌아와 여비나 하려고 '일기'를 원고지에 옮겨 썼다. 다음달에 게재할 『야사취野史聚2』도 썼다. 좋게 말하면 사화史話요, 나쁘게 말해서 야담野談이다. 이런 걸 쓰다니 한심한 노릇이었다. 쓰지 않겠다면서도 하는 수 없었다.

먼 신학교를 다녀서 다시 다방으로 왔다.

"왜 이리 우울하고 괴롭고 외로운지 모르겠어요."

하면서 동리 선생은 몸을 의자에 기댄다.

"그러세요."

나는 잠자코 있기가 뭣해서 말했다.

"지금 사람치고 안 그런 사람이 있을까요."

김동리 선생은 나를 교훈하려는 고백 같았다. 김동리, 김형식 선생과 함께 불고기 안주로 술을 했다. 서로가 말은 않으나 작별을 위한 건배였다.

1952. 3. 30.

서근배 씨와 갈매기 집에서 한잔했다. 인쇄소를 다녀오는데 누가 나를 보고 웃는 듯하기에 옆을 돌아봤다. 김동리, 조연현 선생이 나란히 지나간다. 동리 선생은 여전히 웃으면서 "왜 그렇게 기운이 없어 뵈요" 한다. "벌써 들어들 가십니까." "아니라"고 한다. 나는 수일 안에 이 거리를 떠날 것이다. 그 동안 두 분 선생에게 너무나 많은 신세를 져서 죄송한 생각이 들었다.

1952. 3. 31.

동리 선생 댁에 가서, 작년 서울에서 빌려드렸던 륙색을 찾아와 짐을 꾸렸다. 은행에 가서 수표를 현금으로 바꿨다. 김말봉, 황순원 선생, 조병화• 씨 등에게 줄 원고료를 이명성 씨에게 부탁했다.

"나 떠난 후에 원고료를 나눠드리세요. 난 모레 떠납니다. 떠나기 전에는 김형식 선생에게도 말 맙시오. 누구에게도 알리지 않고 떠날 작정입니다."

백영수• 화백에게 내 얼굴을 소묘해달래서 그림을 받아 금강 다방을 나왔다. 아무도 만나기가 싫었다. 하숙집으로 돌아왔더니 김동욱 씨가 들어서면서 나가자는 것이다. 우리는 하꼬방에서 권커니 작커니 했다. 좀 취했던 모양이다. 나는 돌아오면서 찔끔찔끔 울었다.

저녁때 이형기 씨가 돌아왔다. 운동화를 사려고 그간 모아뒀다는 만원을 끌어낸다. 이형기 씨에게 끌려 갈매기 집으로 갔다. 마셔도 소용이 없었다. 술이 모든 생각을 잊게 한다면 거짓말이다. 잘 걷지를 못했다. 얼룩진 헤드라이트들이 수많은 무지개를 편다. 다시 오므라들면서 순간 우리를 어둠 속으로 끌어넣는다. 바닷고기 같은 감촉이었다. 팔이 내 목을 휘감는다.

"내, 가는 사람을 슬퍼함이 아니라. 나를 두고 가는 사람을 슬퍼함이라."

이형기 씨는 울고 있었다. 시를 낭송하듯 계속 속삭인다.

"내 멀쩡한 눈이 이 거리에서 나날이 멀어가는구나."

우리는 서로를 꼭 붙들며 십자가十字街를 무사히 지났다.

"구용 가면 내 외로워서 우찌 살꼬. 내 듣기에는 일주일이나 열흘 있다 온다지만 가면 못 올 것을 나는 안다."

입술을 옥물었으나 소용이 없었다. 왜 눈물이 흘러내릴까.

1952. 4. 1.

내일이면 부산을 떠난다. 이명성 씨가 발설하지나 않았을까. 염려가 됐다. 김형식 선생이 하숙집으로 찾아올 것만 같아서 아침 식사를 마치자 나왔다. 아는 사람과 만나기가 싫어서 뒷골목으로만 걸었다. 언젠가 김형식 선생과 함께 원고 보따리를 풀어놓고 잡지 와리쓰께•를 했던 낙원 다방으로 들어갔다. 워낙 궁벽한 곳이라, 그때처럼 손님은 없었다. 앵무새처럼 생긴 그 레지가 나갈 수 없는 창 밖을 그때 모양으로 바라보고 있었다. 김동리, 김형식 선생에게 우송할 편지를 썼다. 시 한 편을 청서했다. 창 밖을 굽어보니 뜻밖에도 김윤성 씨가 지나간다.

해가 저문 후에야 낙원 다방을 나왔다. 약속한 장소에서 영성이와 만나 저녁밥을 사 먹었다. 되도록 늦게 하숙집으로 돌아왔다. 담배를 한 대 피워 물었을 때였다.

"김선생 계십니까?"

하며 미닫이가 저절로 드르륵 열린다. 이명성 씨였다. 바로 뒤에 김형식 선생이 서 있었다.

"들어오십시오."

하고 발딱 일어서는데, 김선생은

"나갑시다, 구용."

하며 자상한 웃음을 웃는다.

"오늘 김선생님은 11시서부터 6시까지 금강 다방에서 기다리다가 이리로 오셨습니다. 황순원 선생도 오늘이사 이형기 씨로부터 구용 씨가 내일 떠난다는 말을 들었노라며, 늦게까지 다방에서 기다리다가, 오거든 신문사로 꼭 데리고 오라 하고 갔어요. 김동리 선생도 가기 전에 꼭 봐야겠다면서 기다렸어요."

이명성 씨는 변명하듯이 말했다.

"죄송합니다."

하고 나는 김형식 선생을 따라 밖으로 나갔다.

"아니, 내가 구용의 마음을 잘 알 수 있소. 술도 한 잔 나누지 않고 헤어지면, 내가 섭섭해서 되갔소."

이때 앞에서 오던 사람이 내 어깨를 툭 친다. 앞을 가로막는다. 처음에는 어두워서 군인인 것만 알았다.

"김형!"

서세민徐世珉이었다.

"이게 웬일인가!"

"지금 김형 거처를 찾는 중이야."

반가운 학우가 왔다. 내가 부산 있다는 소식을 졸업반 학생에게서 듣고 주소를 알았다는 것이다. 즉시 대구를 떠나 조금 전에 부산에 내렸다고 한다. 김선생에게 서세민이를 인사시켰다. 함께 중국집으로 갔다. 여러 가지 고기 안주가 나온다. 배갈이 나왔다. 준한 술이 온몸의 피를 달음박질시킨다. 모두 다 취했다.

"난 구용을 잘 안다고 생각하오. 내가 구용을 타산적으로 대하지 않았다는 것만은 알아주오."

"그게 무슨 말씀이십니까."

"나는 외롭고 유치한 사람이오."

"선생은 너무나 착하신 분이십니다."

술병은 점점 늘었다. 합계 5만 6천 원이라고 한다.

"이게 무슨 소리야."

김선생은 나를 밖으로 밀어냈다.

"그럼 다시 뵙겠습니다."

내 목소리가 약간 떨렸다. 김선생은 나를 덥쑥 끌어안더니

"늙은이를 보내면서 젊은이가 우는 건 무슨 짓이야."

하면서 울었다.

"구용을 하숙집까지 데려다 주고 갈 테야."

하숙집까지 온 김선생은 이명성 씨가 모셔다 드리겠다는데도 뿌리쳤다. 어둠 속으로 사라져가신다.

"으우우…… 우우……우."

김선생의 괴상한 울음소리가 들리지 않을 때까지 우리는 우두커니 서 있었다. 50이 넘은 선생은 울면서 갔다. 사람이 세상을 울어주는 소리로 들리었다.

1952. 4. 2.

이형기, 서세민, 이명성 씨는 부산 역까지 가겠다면서 따라 나왔다. 그러나 임종권 거사님이 택시를 타고 와서 나를 맞이했다. 나와 영성이는 조그만 보따리를 각기 들고 임거사님이 탄 택시에 탔다. 세 친구는 전차 길까지 따라왔다. 그들은 사라져가는 나를 우두커니 서서 바라주었다. 택시 뒤창으로 세 친구는 점점 멀어져간다. 손을 흔들어 그들에게 행복과 영광이 있도록 염했다.

(그때가 서세민과의 마지막 이별이었다. 그의 본명은 서창석徐昌錫이다. 그도 시를 썼으며 학교 다닐 때 청천• 김진섭金晋燮 선생의 촉망을 받던 수재였다.
그는 사변 때 UN군에 소속했다가 그 후 대구 육군대학교에서 통역 장교로 있었다. 그가 미군 장교와 함께 일선 시찰을 하다가 지뢰 폭파로 치명상을 입기는 뒷날의 일이다.
비행기에 실려 서울로 온 그는 숨을 거두면서 자기의 모든 유고遺稿를 김구용에게 전해달라고 유언했다는 것이다. 이상은 서울로 환도해서 전 하숙집 아주머니에게서 들은 말이다.
서창석은 대구 출생이며 그 당시 그의 집은 대봉동大鳳洞이었다고 기억한다. 서창석의 형제뻘 되시는 분을 아시거든 나에게 연락해줍시오. 그의 향년享年은 20여 세, 서울에 애인이 있었다고 들었다.)
오전 8시, 기차는 부산 역 구내에서 움직이었다.
영성이와 나란히 앉아 지나가는 시가市街를 내다보는데 '다시 만날 때까지……' 누구에겐지도 모를 말이 떠올랐다. 봄바람을 헤치며 기차는 달린다. 오후 5시 반에는 대전에 도착할 것이다.
(환도 후 김형식 선생은 미국으로 이민을 가셨다. 어디에서 잘 계시는지 간혹 생각이 나지만 소식을 알 길이 없다.)

1952. 4. 3.

동네 사람들이 밭에서 조용히 일들을 한다. 마침 자작바위로 가는 소 구루마가 있어 짐을 실을 수 있었다. 내가 한가히 걷기는 몇 달만에 처음이다. 덜거덕거리며 돌아가는 구루마 바퀴소리가 신경에 거슬리지 않는다. 나는 내 그림자를 따라간다. 노랑나비가 꿈처럼 앞서간다. 산을 넘는 구름이 맑다. 나무마다 물이 올라 윤이 난다. 시냇가의 버들강아지만 늙어 있었다.

"아이 아저씨 오시네."

미나리를 캐던 홍식이가 흙투성이의 손을 치켜들고 나에게 매어 달리기라도 할 듯이 좇아온다. 만나는 사람마다 반가이 좇아온다. 내가 왔다는 소문이 좁은 산속에 퍼진다.

오랜만에 쳐다보는 하늘이다. 별이 반짝인다.

"왜 조석 예불을 안 하시오."

하고 나는 물었다.

"다 소용없는 일이지요. 해야 한다니까 형식적으로 할 뿐입니다."

하고 젊은 승려가 나에게 대답하였다. 젊은 승려는 형식이란 데까지 도달한 모양이다. 나는 겨우 분별에서 벗어났다는 것만으로 어떤 휴식을 느꼈다. 어제까지는 악착스러운 허영의 거리에서 먹고 살기 위한 아귀餓鬼였다. 이제 나는, 허무에서 신음하는 젊은이를 보았다. 되도록 이 순간을 위해서 아무 생각도 말자.

1952. 4. 8.

누이동생을 데리고 공주로 갔다. 내일이 큰집 할머니 제사다. 신작로에서 버스를 기다리는데 제철을 잊지 않고 제비들이 날아다닌다. 집…… 별로 가고 싶지 않다. 귀찮다. 메스꺼운 증세가 일어난다. 내가 이래선 안 되겠다고 생각하였다.

1952. 4. 9.

자살하기에 심심하지 않을 만한 일기다. 산성 위로 Z기가 남쪽으로 날아간다.

"저걸 타면 몇 분 만에 부산에 도착할까."

그는 나의 제2 국민병 통보인이 되는 걸 거절하였다. 그는 우는소리를 하였다. 나는 속으로 웃었다.

1952. 4. 10.

이 비극의 일 역役인 나는 동인同人들의 연기를 관람한다. 모든 배역들의 하는 꼴들이 참 재미있다. 나는 그들의 대사와 이야기 줄거리를 미리 알고 있기 때문에 그들의 괴로워하고 슬퍼하는 것이 우습기만 했다.

1952. 4. 11.

"그 사람, 버린 사람일세."

이러고 말하는 사람은 '얼마나 된 사람일까'.

1952. 5. 8.

오랫동안 일기를 쓰지 않았다. 공주에서 동학사로 돌아온 후 오늘 처음으로 붓을 든다. 일기를 쓰는 것이 천근 무게를 드는 것 같다. 작년 1년 동안 써두었던 일기책이 없어졌다. 작년 겨울 부산으로 갈 때 나는 일기책을 소중히 두고 갔다. 그런데 시를 청서淸書해둔 노트만 있고 일기책이 없어졌다. 지난 사흘 동안 나는 장서를 모조리 들어내보았다. 방 속을 샅샅이 뒤졌다. 다락도 궤짝도 뒤져보았다. 누가 가져갔을지라도 다 읽었으면 도로 갖다놓을 법한 일이다. 그런데 없다. 써둔 일기책 한 권이 없어졌대서 일기가 써지지 않는 데엔 스스로 놀랐다.

1952. 5. 10.

"내일 유성 좀 다녀왔으면 하는데 수양 어머니에게 승낙 좀 받아주."

하고 누이동생이 말한다.

"유성은 왜?"

"온천도 하고 점도 쳐보고 하게요."

갓골에 점 잘 치는 할멈이 있다는 말을 기선이에게서 들은 후로 누이동생은 "일기책이 어디에 있으며 누가 가지고 갔나 점이라도 한번 쳐보고 싶다"는 말을 나에게 여러 번 했었다. 그럴 때마다 나는 "남의 이목에 좋지 않으니 그만둬라" 하고 귀담아 듣질 않았다.

그런데 누이동생은 꼭 가보겠다는 것이다.

"혼자 어떻게 가."

"삼수좌와 같이 가기로 했어요."

"말이 새지 않을까."

"그건 염려 없어요."

"그럼 바람도 쐴 겸 한번 갔다 오지."

하고 대답하였다.

세민이에게서 편지가 왔다. 내가 동학사로 돌아온 데 대해서 여러 가지로 억측들을 한 모양이다. '형기는 그 이유를 자기만이 안다' 고 하더라며 세민이도 '형과의 우정에서 미루어볼 때 분명히 알겠습니다' 라고 썼다. 나도 모르는 이유를 그들이 서로 안다니 놀랍다. 그리고 세민이는 나를 '약하다' 고 꾸짖었다. 편지를 접어 넣고 '나는 약하다' 고 생각하였다.

1952. 5. 11.

막차에 돌아오랬는데 6시가 넘어도 누이동생이 돌아오지 않아서 저녁 먹고 고욤나무 거리까지 나갔다. 점점 어두워지자 답답하였다.

밤마다 오는 고중원高重遠 씨가 책을 끼고 들어왔다. 등잔불 밑에서 『육도 삼략六韜三略』을 가르치는데 그제야 누이동생이 돌아왔다.

고씨가 간 후 누이동생은

"삼수좌가 자기 친정 사람 신수까지 점을 치느라고 늦었어요."

"일기책은 뭐래든고."

"임씨 성인 오십 넘은 할머니가 가지고 갔는데 이 달 중에 갖다줄 것이래요."

하고 누이동생은 웃었다. 나도 하 어이가 없어서 웃었다. 그런 사람은 없다.

"내일 공주로 갈 테요."

누이동생은 종일 짐을 챙겼다. 쌀 소두小斗 한 말에 5만여 원씩 한다. 쌀값이 없어 집으로 가려는 누이동생의 마음을 내가 모를 리 없다. 우리 남매의 앞길이 그저 망연하기만 하다.

밤에 고중원 씨에게 글을 가르치고 났을 때였다. '선생님' 하고 고씨가 신중한 어조로 나를 불렀다.

"신도안新都案에 피난 와서 그냥 눌러 사는 제 처갓집이 이번에 미국으로 이민 가게 됐답니다. 처가에선 저까지 이민 신청을 해버렸더군요. 가는 게 좋겠습니까, 안 가는 게 좋겠습니까."

상의조로 묻는다. 고씨는 38선을 넘어온 사람이다. 6 · 25 때 그는 산속에서 숨어 지냈다. 그 당시 우리 형제가 산속 바위틈에 숨어서 지낼 적에 고씨는 어디서 숱한 표俵를 갖다준 일도 있다. 우리는 고씨의 은혜를 잊을 수 없다. 그는 힘이 세고 날쌔기 때문에 치안대에게 들켰으나 산속에서 잡히지 않고 구사일생으로 달아난 사람이다.

"나 같으면 가겠소. 그러나 잘 생각해서 하시오."

"아무리 처가를 따라간다기로서니 혼자 가긴 싫습니다. 선생님 저와 함께 가실 의사가 있으신지요."

"나 같은 외토리 밤이야 뭣이 걸릴 게 있겠소. 그러나 나같이 약한 사람은 가고 싶어도 이민으로 받아주지 않을 것이오."

"제가 일간 신도안에 넘어가서 한번 알아보고 오겠습니다. 꼭 가시겠지요."

"우선 알아나 보고 오구려. 그 전엔 뭐라고 대답할 수 없구려."

1952. 5. 12.

나는 누이동생에게 전날 밤 고씨에게서 들은 말을 하고

"오늘 가지 마라. 내가 이민을 가게 되나 안 되나 하회下回나 보고 가렴."

누이동생은

"나도 같이 가겠소. 말 좀 해주. 부모도 안 계시고…… 여기 있으면 뭘 하겠소."

"나는 아직 아무 작정도 없다. ……얼마 후 한번 부산이나 댕겨와야겠다."

나는 자기에게 말하듯 중얼거렸다.

1952. 5. 13.

젊은이들에게 불경을 가르치고 난 후 상문수암上文殊庵 절터로 산책을 갔다. 고추밭에서 김을 매다 말고 고씨가 일어나 인사한다.

"내일 신도안으로 넘어가겠습니다."

"그럼 밤에 글을 배우러 오우."

이형기 형의 편지가 와 있었다.

―제弟도 낙향할까 합니다.

―슬픔은 숙명적인 것, 거기에 반항한다는 것은 오히려 부질없는 작란作亂에 지나지 않을 것 같구려. 외로워 죽겠다 하시는 형의 말씀 그대로 뼈에 저려옵니다. 행복은 하나의 아름다운 허영이었습니다.

이 세상엔 자기의 기쁨이나마 알려주는 친구도 없다. 그는 그렇지 못하지만 그런 친구가 더러 있었으면 좋겠다.

요즘 산중도 공기가 제법 험악하다. 윗절에선 피난민이 득실대는 아래채 집을 헐어버린다는 것이다. 이건 윗절 주지가 피난민을 아랫절로 몰아내려고 하는 수작이다. 피난민은 피난민대로 아랫절은 아랫절대로 윗절 주지에게 반대다. 윗절 주지는 윗절 주지대로 감언이설에다 공갈 협박까지 섞어서 쓰고 있다. 윗절 사람들, 아랫절 사람들, 피난민들 사이에 갈등이 심상하지 않다. 산천초목은 고사하고 다람쥐나 뱀이나 산새를 보기에도 창피한 일이다. 어딜 가나 피할 곳이 없고나. 참말이지 이민이라도 가고 싶다.

1952. 5. 15.

내일 오겠다면서 아침에 신도안으로 넘어간 고씨가 밤에 돌아왔다.

"벌써 이민 수속이 끝나서 선생님 같은 분은 안 된다는군요."

"수고했소."

뭔지 아쉬운 것 같기도 하고 무방한 것도 같았다.

1952. 5. 16.

윗절 주지에게 갔다. 주지는 도임해온 지 반년도 안 된 사람이다.

"아랫절 미타암彌陀庵이란 현판이 6 · 25 사변에 없어졌습니다."

그리고 주지실 문 위에 걸려 있는 자묘암慈妙庵 현판을 가리키며 말을 계속하였다.

"그러니 저 자묘암 현판을 내려다가 아랫절에 걸었으면 좋겠습니다."

사실 아랫절 미타암 현판은 공산군이 와서 떼어 팽개친 걸 그 후 주워다 사중寺中 광 속에 두었는데 새로 온 주지가 그걸 알 리 없었다. 주지는 피난민들을 아랫절로 내쫓기 위해 아랫절 환심을 사려고 급급한 참이다. 나는 이 기회를 이용한 데 불과하였다.

아니나다를까 무식한 주지는 자묘암 현판을 떼어 사람을 시켜서 아랫절로 내려보냈다.

나는 볼 때마다 늘 욕심을 냈던 그 현판 먼지를 털었다. 추사 예서인 것이다. 선생의 글씨가 다 범상하지 않지만 그중에서도 일품이다. 분粉이 낡고 나무가 상한 걸로 보아 원각原刻일시 분명하다.

나는 후일 이걸 모사模寫 전각轉刻해서 사중에 주고 원각판은 내가 가질 생각이었다.

그래서 나는 제법 내 물건 맡겨두는 셈치고 아랫절 큰방 위에다 자묘암 현판을 걸었다.(그 후 그 당시 주지는 죽고 다시 새로 도임해온 주지가 자묘암 현판을 윗절로 도로 찾아가버렸다.)

1952. 5. 16.

오수좌가 동네에 갔다 왔다며 마루에 앉는다.

"석봉石峯에 갔더니 구장區長이 말하길 미국 이민이란 헛소문이라고 그럽디다. 신문에 그러구 났드라는데요. 글쎄 그 동안 대전선 야단들이 났다는군요. 이민 신청을 한 사람들은 이제 미국으로 간대서 세간 살림을 헐값으로 막 팔아버렸다지 뭐요. 그래 쫄딱 망한 사람들이 여간 많지 않대요. 한편 그걸 싼값으로 산 사람들은 운이 틔어서 한몫 단단히 잡았다는군요."

밤에 고씨가 글을 배우러 왔다.

"미국으로 이민 보낸다는 것이 무근지설無根之說이라고 하는 걸 들었소. 하 살아갈 길이 막연하니까 누가 이런 헛소문을 편 것 아닐까요. 이런 헛소문도 참말처럼 믿어지기 쉬운 절박한 세상이니까요. 한번 자세히 알아보고 준비를 하우."

"그럴 리가 있을라구요. 처가가 속았다면 모르지만 처가에서 나를 속일 리는 없을 텐데요."

"어쨌건 난 들은 대로 전할 뿐이오."

1952. 5. 17.

오늘 공주로 갔다. 읍내도 '미국 이민' 이란 바람이 한때 거세게 불었지, 하고 묵 형이 말한다.

어딜 가나 사람들의 고민과 불안은 마찬가진 모양이다.

1952. 5. 20.

제2 국민병 신체 검사는 25, 26 양일 동안에 한다더니 또 무기 연기가 되었다. 도무지 대중을 할 수 없다.

읍장도 귀찮아 못살겠다는 것이었다.

"이젠 미국 이민이란 말만 들어도 골치가 아파요. 대체 공문서를 어떻게 봤기에 이런 말이 났는지 귀찮아 못살겠어요. 미국으로 이민을 지망하는 사람이 얼마나 되나 조사해서 보고하라는 거지 이민시켜 준다는 건 아니거든요."

"어떤 촌에선 이민 신청서까지 받았다는데요."

"이민시켜준다 하고 무슨 협잡을 하거나 그렇지 않다면 무식한 탓이겠지요."

1952. 5. 21.

이형기 형에게 편지 답장을 썼다.

—낙향하지 마오. 이곳 촌사람들은 밥만 먹여준다면 무슨 짓이라도 하겠다는 사람들뿐이오.

—푸른 소나무가 백송白松으로 변해가는 걸 내 눈으로 보고 있소.

—나는 불경을 가르쳐주고 얻어먹고 있는 셈입니다.

—도시에서 참고 견디오.

서세민에겐 간곡한 우정을 감사하는 답장을 냈다.

수개월 후 미국으로 이민한다는 젊은 장정이 밤이면 『육도 삼략』을 옆구리에 끼고 와서 내게 배우고 있소. 이 재미나는 이야기는 다음에 만나서 하기로 하겠소.

오후 공주 사대師大로 놀러 갔다.

"언제 가십니까."

"내일 동학으로 갈 요량입니다."

"공주 농업에 계시는 선생님 한 분이 있는데 시를 열심히 공부하지요. 오늘 연락을 해둘 테니 내일 서로 인사나 하고 하루 더 놀다 가시지요. 이왕이면 아주 시회詩會를 내일로 댕겨서 해도 좋고요."

하고 이원구 교수가 말하였다.

1952. 5. 22.

내일쯤 동학으로 갈 요량인데 누이동생이 왔다.

"고씨는 신도안을 댕겨왔는데 이 달 말이나 내달 초에 미국으로 간다고 장담하던데요."

공주 사대로 갔다. 시를 공부한다는 김선생이란 분과 인사를 하였다. (이 김선생이 바로 시인 김상억金尙億 씨다.) 곧 시회가 시작되었다. 대학생들의 자작시 발표가 있은 후 시에 관한 강연이 있고 좌담회 비슷한 합평合平이 끝났을 때는 저물 무렵이었다.

시 애호가들과 함께 이원구 교수 댁에서 저녁 식사 대접을 받았다.

돌아오는 길에 김상억 씨는 내일 자기 집에 와달라고 내게 말하였다.

1952. 5. 23.

한 쪽만 송엽장松葉杖을 짚고 쩔룩거리며 군인이 무대 위로 나왔다.

"여러분은 저속한 외국 영화의 연애 장면이나 좋아하고 우리 나라 작품이라면 무조건 멸시하는 경향이 있습니다. 앞으로 우리 나라 문화를 위해 좀더 예술적이며 철학적인 우리 영화를 감상해야겠습니다."

그 군인은 지리한 열변을 토하였다. 나갈 때에는 한 짝 다리를 절기는커녕 손에 송엽장을 들고서 가벼이 막 뒤로 사라졌다.

그리고 곧 「성불사成佛寺」가 상영되었다. 그 군인이 다시 나와서 변사辯士처럼 간혹 설명을 하는데

"이 장면으로 말할 것 같으면 감독이 가장 고심한 것입니다."

"저 연기는 권위자들에게 가장 호평을 받은 대목입니다."

"이 촬영한 수법을 유의하십시오."

"저 걸음거리야말로 무용가가 아니면 표현할 수 없는 것으로서 특히 주목할 점입니다."

이런 설명을 듣기란 난생 처음이다. 아무도 나가는 사람이 없다. 나도 끝까지 앉아서 보았다. 우리는 참으로 따분하다.

오후 4시. 임강빈 형과 만나 김상억 씨 집으로 갔다. 푸른 산골 아래 아담한 초가였다. 뒷산엔 한 그루 노송이 섰고 바깥엔 실개천이 흘렀다. 국수 상이 나왔다. 그리고 김상억 씨의 시를 여러 편 구경하였다. 김씨는 자고 가라며 우리를 붙들었다. 씨는 어두운데도 거리까지 우리를 따라 나왔다. "술이나 한잔합시다" 하며 뒷골목 으슥한 집으로 우리를 데리고 갔다. 밤이 너무 늦어서 가까운 봉황동鳳凰洞 종형 집에서 잤다. 나는 장차 어떻게 될 것인가. 머릿속에서 일선—

線의 포소리가 일어난다.

1952. 5. 24.

꿈에 어머니를 뵈었다. 어머니는 하얀 옷을 입고 계셨다. 그 외는 기억이 나질 않았다. 돌아눕다가

'오늘이 초하루 삭망이로구나' 하는 생각이 그제야 났다. 급히 일어나 세수도 않고 종형 집을 나와 큰형 집으로 갔다. 아직 밥도 푸기 전이었다. 상식상을 올리고 우리 형제는 마루에 늘어서서 곡哭하였다. 왜 이렇게 눈물이 흐를까.

"어제 학교에서 봤는데 『사랑의 세계』에 네 일기초抄가 실려 있더라."

하고 묵 형이 말하였다. 『사랑의 세계』 한 권을 샀다. 편집 후기부터 펴보았다. 김형식 선생과 이명성 형의 글에서 목소리가 들리는 듯하였다.

오후 3시 공주 사대 시회에 참석하였다. 창 밖은 원근遠近이 없었다. 한 바다에 앉아 있는 것만 같다.

1952. 5. 26.

내가 고깃국이라도 한 그릇 먹고 싶다니까 영성이가 쇠고기 한 근을 외상으로 사다가 끓여준다. 외상 고기가 되어서 살보다 기름이 더 많았다. 오랜만에 고기 맛을 봤다.

1952. 5. 27.

왜 자꾸 감상적이 될까. 고약한 일이다. '극동 이민법이 미국 국회

통과'. 보던 신문을 접었다.

1952. 5. 28.

아침부터 점심도 굶고 사대에서 하루를 보냈다. 영성, 한종漢鐘, 한동漢東이가 제2 국민병 신체 검사를 받는다. 만 28세까지 본대서 나는 구경만 했다.

1952. 5. 29.

새벽에 아버지 제사를 모셨다. 아득하다.

1952. 5. 30.

사대 시회에 나가 여러 사람의 작품을 구경하였다.

1952. 5. 31.

사대에 가서 두 형의 강의를 듣다. 내일은 동학사로 가야겠다.

1952. 6. 1.

나는 영일, 영민이와 함께 1시쯤 백정자에 도착하였다. 동학사로 가는 도중에서 전주환全周煥 씨를 만나 조연현, 오영수 두 분의 편지를 받았다.

조연현 씨 편지부터 폈다.

(상략) 인사도 없이 그대로 사라져버린 깊은 뜻을 상상할 도리는 없으나 충분히 이해할 수는 있는 것 같습니다. 이곳에 있는 우리들이

부족한 탓입니다. 사정이 좋아져서 같이 일할 수 있는 날이 오기를 기다립니다. (하략)

다음은 오영수 씨의 편지다.

(상략) 사람이 살아간다는 건 참말 어려운 대사업인가 보오. 그나마 상놈의 세상에 자본 없는 대사업인가 보오. 정말 괴롭군요. (하략)

내 산방 책상엔 김말봉 씨와 홍윤선洪允先 씨 편지가 놓여 있었다.
홍윤선 씨 편지는 자기 직장에 자리가 났으니 곧 와달라는 것이었다.
석유 호롱불 밑에서 답장을 썼다.
'순일 내에 진배進拜하겠습니다' 하고 김동리 선생에게도 편지를 썼다.

1952. 6. 2.

고향으로 떠나는 영일이 편에 부산으로 편지를 붙여달라고 부탁하였다. 나와 영민이는 자작바위까지 영일이를 전송하였다.
수일 후에 나는 부산으로 영민이는 집으로 우리는 동학사를 또 떠나야 할 것만 같다. 부모도 안 계시고 정처도 없다.

1952. 6. 3.

부산으로 가야 할까. 솔직히 말해서 가고도 싶고 동시에 가고 싶지 않기도 하다.
되도록 단정히 책상 앞에 앉아 그간 써뒀던 시를 청서했다.
그저 모르는 중에 시간이 흘러갔으면 좋겠다.

1952. 6. 4.

누이동생은 쌀값이 없으니 집으로 갈 수밖에 없다면서 짐을 꾸린다. 나는 내 방으로 돌아가서 시를 청서했다. 망각하기 위한 방법인지도 모른다.

그런데 '진순' 이가 울면서 내게 작별을 하러 왔다. 여섯 살 먹은 여자아이이다. 부모는 죽었고 할머니가 먹일 것이 없어서 남에게 청을 넣어 절[寺]로 보낸 아이이다. 내가 부산서 왔을 때 들은 이야기다. 그런데 사중寺中에서도 먹이고 입힐 것이 없어서 오늘 돌려보내는 것이다. 나는 진순이의 눈물을 훔쳐주고 약간의 돈을 주머니에 넣어줬다. 진순이는 조그만 손을 합장하고 내게 절했다. 진순이는 데리러 온 사람을 따라 훌짝훌짝 울면서 떠나갔다. 사방에서 매미소리가 요란하다. 나는 방으로 돌아가서 계속 시를 청서했다.

오늘도 황혼이 아름답게 타오른다.

"그것이 말작고개까지 40리 길을 어떻게 걸어갔을까."

주장님은 가버린 진순이를 못 잊어하는 모양이다.

나는 진순이가 삭발하면 속명俗名의 음音은 그대로 두고 진순眞純이란 승명僧名을 지어줄까 하고 생각한 일이 있었다. 여섯 살된 여자아이는 의식衣食 때문에 울면서 이리저리로 끌려다닌다. 그 아이의 죽은 아버지는 어떤 사람이었을까.

우리 부모님도 저세상에서 우리 남매를 보고 계실까.

등불을 돋우고 시를 청서했다.

1952. 6. 5.

권태와 공허…… 신문 한 장 얻어볼 수 없다. 그 후 정전停戰 회담은 어떻게 됐나. 또 국내 정세는 어떠한지. 식생활만 해결된다면……
나는 장님과 귀머거리를 생각해봤다.

1952. 6. 7.

김동리, 조연현 선생과 홍윤선 씨에게 편지를 냈다. 그 내용은 갈 수 없다는 것이었다. 아직도 부산까지 갈 수 있는 차비는 있다. 이번에 보낸 시 두 편은 언제쯤 고료가 나올까. 진주로 갔다는 이동기 형에게도 답장을 냈다.

1952. 6. 8.

내일 누이동생은 집으로 간다. 심란한 모양이다. 오후, 누이동생은 내 머리를 이발해줬다. 첫솜씨건만 내가 염려했던 것보다는 훌륭했다.

1952. 6. 9.

누이동생의 조그만 이불 짐을 지고서 백정자까지 갔다. 누이동생이 타자 버스는 곧 떠났다. 부옇게 먼지를 일으키면서 사라져가는 버스가 안 보일 때까지 신작로에 우두커니 섰다가 걸음을 옮겼다.
못자리 물이 말랐다. 보리와 채소가 탄다. 하늘이 무섭도록 새파랗다. 상봉上峰에 있는 포신砲身이 장난감처럼 바라보인다. 저 산 너머에 계시는 아버지와 어머니 산소, 그리고 떠나간 누이동생을 생각하며 홀로 걷는 내 그림자를 밟아보려고 장난조로 걸었다.

1952. 6. 10.

지켜야 할 마지막 선— 독자에게 아첨해선 안 된다.

1952. 6. 11.

양심은 건강에 해롭다. 찬미할 것이 없다는 것은 참으로 몽상도 못할 일이었다.

1952. 6. 12.

속필형速筆型과 지필형遲筆型이 있다는 건 듣기도 했지만 몇몇 사람에게서 보아도 왔다. 체질에 따라 다른 줄로 안다. 요즘은 웬일인지 경묘輕妙한 문장보다 난삽한 내용이 읽힌다. 내가 끈적끈적한 수레바퀴처럼 방황하고 낭비하고 있기 때문인 것 같다.

1952. 6. 13.

시냇가 나무 그늘에 앉아 땀을 돌렸다.

"꼬아락 꼬악."

첨엔 어디서 이런 소리가 나나 하고 주변을 둘러봤다. 가냘픈 풀잎 한 오라기도 움직이지 않는다. 천상 꽈리소리 같았다. 아무것도 없는데 또 소리가 난다. 일어나 풀이 짙은 곳으로 다가갔다.

"꼬아락 꼬악."

섬뜩한 생각이 든다. '혹 뱀이라도 있지 않을까.'

순간 주춤 물러섰다. 백열한 돌 위에 청사靑蛇 한 마리가 전신을 감고 있었다. 뱀 입에 조그만 금개고리가 반쯤 물려 있었다.

"꼬아락 꼬악."

예쁘장한 금개고리가 입을 딱딱 벌린다. 그러면서 열심히 나를 쳐다본다. 뱀과 금개고리가 내 눈치를 살피는 것만 같다. 가까이 가기는 싫고 그렇다고 막대기가 있는 것도 아니다. 맞아도 다치지 않을 정도의 돌을 주워 뱀에게 던졌다. 빗나갔다.

온 산속이 필사적 침묵으로 나를 덮어 누른다.

다시 시냇가의 가벼운 돌을 주워 던졌다. 심산深山 적막寂寞이 약간 진폭振幅을 일으켰다.

금개고리가 깡충깡충 내 앞으로 튀어온다.

그제야 꼼짝 않고 있던 구름이 다시 흐르기 시작했다. 금개고리는 조금도 다친 데가 없었다. 신기한 생각이 들면서 기뻤다.

그러나 뱀은 백열한 바위에 그냥 그대로 있었다. 나를 원망하고 있었다. 나는 무서웠다. 시냇물소리가 갑자기 멈췄다.

나는 무엇에 쫓기듯이 산방으로 걸었다. 산속 모든 나뭇가지가 다 뱀으로 나타나 보였다.

1952. 6. 15.

미사여구를 나열한 시집 책장 위에다 사루마다에서 긁어낸 서캐를 늘어놓고 손톱으로 일일이 처형해버렸다. 똑! 똑! 터지는 소리가 명료하다. 체험에 관한 부단한 주의, 파도는 지침指針을 삼켜버렸다.

나는 내 자신에 관한 진단서를 들고 히죽히죽 웃었다.

나의 작년도 일기장을 누가 가지고 갔을까. 악의로 훔치진 않았을 것이다. 내 사생활에 관해서 혹 무슨 비밀이라도 씌어 있지 않나 하고 누가 어떤 호기심에서 가지고 갔을 것이다. 그러기에 남의 일기장을 읽는 것은 실례로 되어 있다. 또 남에게 자기 일기책을 보이지 않는다.

그러나 나의 경우는 그렇지 않다. 나는 남이 읽어서는 안 될 내용은 애당초 일기책에 쓰지 않는다. 남이 들어서는 안 될 말을 한다는 것부터가 실례이기 때문이다. 이건 내가 공명정대하다는 신념이 아니다. 오히려 이것과의 반대의 경우가 많다. 나는 이런 경우를 숨기려는 것이 아니다. 즉 나는 내 체험을 표현할 뿐이지 꼭 사실만을 기록하려고 하진 않는다. 사실이란 것은 비교적 그 당자에게만 중대할 따름이지 남이 볼 때엔 그다지 중대한 것이 못 된다. 일기도 또한 글인 이상 나는 그러는 것이 옳다고 생각해왔다.

이런 의미에서 나의 작년도 일기장을 가지고 간 사람은 읽고 나서 실망했을 것이다. 그는 일기장을 도로 내 방에 갖다 둘 작정이었는데 그러기 전에 내가 먼저 일기장이 없어졌다고 여러 사람에게 말을 해버린 거나 아닌지.

'당신이 내 일기장을 가지고 가시지나 않았는지요' 하고 한 사람을 지목한다면 사실 가지고 갔을지라도 그 사람은 시침 딱 떼고 펄펄 뛸 것이다. 그렇다고 그냥 잠자코 있으면 그 사람은 나를 딱하게 생각은 할지언정 일기장을 내게 갖다 주진 않을 것이다.

그럼 내가 공연한 사람을 의심하는 것일까. 내가 부산 가 있는 동안 아무도 내 방에 들어간 사람이 없다는데 그럼 일기책이 왜 없어졌을까. 모를 일이다.

구름이 유난히 희다.

"유성서는 장터를 냇물 건너로 옮겼드군요."

"왜 옮겼을까요."

"비[雨] 오시라구요."

1952. 6. 16.

어제는 사중 스님들이 보리를 베어들였다. 오늘은 모심기에 한참 바쁘다. 그래서 어제 오늘은 불경 배우러 오는 사람이 없었다.

오전 동안은 책 좀 읽고 오후에 아랫동네로 어슬렁어슬렁 내려갔다. 해가 저물 무렵까지 못줄을 잡았다. 사중 스님들과 함께 절로 돌아가려는데 동장이 와서

"편지 왔어요."

한다. 누이동생의 편지였다.

지난날 봉황동 종형 댁에 쌀 한 가마니 맡겨둔 것 장에 내다 팔아서 돈으로 마련해두라고 부탁했으니 아마 그걸 얼마에 팔았다는 기별이거나, 아니면 부산으로 부치라는 편지를 오는 길로 즉시 부쳤다는 그런 정도의 내용이겠지 짐작하고 우선 개울에 가서 흙 묻은 손을 씻고 천천히 봉투를 뜯었다.

그런데 편지는 내가 고모부 댁에 맡겨뒀던 귀중품을 Y가 훔쳐가지고 달아났다는 내용이었다.

'부모가 내게 남겨주신 유일한 것으로 생각했었는데…… 그래서 아무리 아쉬워도 팔지 않고 두어뒀었는데……'

산길로 돌아가며 쓰디쓴 웃음을 웃었다.

1952. 6. 17.

우리는 어째서 살아야 하는가.

지난날이었다. 누이동생이 길 밑 소沼를 굽어보고 말했다.

"물위에 꽃이 핀 것처럼 참 곱네요."

깨독꽃이 떨어져 소 전면에 하얗게 떠 있었다.

"무슨 꽃인지 아니."

누이동생은 모른다면서 머리를 흔들었다.

"깨독꽃이라는 거다. 저 나무에 가득히 조랑조랑 달려 있는 파란 열매가 깨독이다. 그러니까 내가 동학사에 처음 들어오던 해였다. 그때 어머니는 한 달에도 몇 번씩 음식을 갖다 주시고 오실 때마다 빨래도 해주셨지. 그때 어머니는 계곡에서 빨래를 하시다가 '아이고 깨독나무가 많기도 하네. 우리 에릿을 때만 해도 단성丹城 뒷산에서 참 많이 땄구마. 저 열매를 따가지고 기름을 짜서 머리에 바르면 이[蝨]가 없어지지' 하고 가르쳐주셨다."

"어느 해인가 한번은 어머니가 동학사에서 동백과 이상한 열매를 따가지고 오셔서 기름방에 주어 기름을 짠 일이 생각나는데."

나는 말없이 머리를 끄덕이었다. 나도 그때 어머니가 머릿기름을 한 병 갖다 주셔서 바른 일이 있었다.

그 소는 내가 심심하면 가서 발도 씻고 수건도 빨며 쉬는 곳이다. 그 후 나는 그 소에서 여러 번 깨독꽃을 제재題材로 시를 한 편 썼으면 하고 생각했다. 그러나 두고두고 쓰질 못했다. 그런데 오늘 웬일인지 단숨에 그 시가 만들어졌다.

1952. 6. 18.

이슬비가 내린다. 언제나 마찬가지로 산골짝마다 안개가 피어오르고 모든 산과 수목이 담수묵화淡水墨畵로 변하였다. 이윽고 섬돌에 낙숫물소리가 들린다. 나는 오랜만에 20세기에 살면서 신선이 된다. 사람과 대지가 기갈증飢渴症을 내던 비다.

쏴아—비바람이 몰아친다. 앞산 나뭇잎들은 거대한 파도로 기복한다. 뜰 밑 화초와 담 너머로 뵈는 아욱과 상추밭에서 대뜸 생기가 돈다.

비바람소리에 섞여 큰방 쪽으로부터 요령소리와 목탁소리가 희미하게 들린다.

늙은 안부인이 와서 죽은 며느리 제사를 지낸다고 한다.

아들은 6 · 25 사변 때 치안대에 들어가서 사람을 많이 잡으러 다녔기 때문에 9 · 28 수복 후 행방을 감췄다고 한다. 아들은 죽었는지 살았는지 없어졌고 그 후 며느리는 어린것 둘을 두고 폐병으로 죽었다고 한다.

변소로 가다가 큰방 쪽을 봤다. 하 비가 많이 쏟아져서 불단에 절하는 늙은 안부인의 뒷모습이 낡은 필름처럼 분명하지 않다.

1952. 6. 19.

일기책은 없어지고 귀중품은 도난당하고 문자 그대로 불가항력이다. 내가 평소에 신뢰하던 사람들이다. 그들은 나쁜 사람이 아니다. 나도 경우에 따라서는 그럴 수 있을 뿐이다. 그저 두렵기만 하다.

1952. 6. 20.

정돈할 것은 정돈하고 챙길 것은 다 챙겼다. 앞으로 이 산방은 또 주인 없는 방이 될 것이다.

불경 한 권과 단주短珠와 어머님 사진과 시고詩稿와 갈아입을 속옷 몇 벌을 륙색에 넣었다. 방안을 한 번 휙 둘러봤다. 내 장서들은 표정이 없다.

학기 시험을 치르고 돌아오기까지 나의 심신은 앞으로 또 지칠 대로 지쳐버릴 것이다.

1952. 6. 21.

공주로 갔다.

"부산으로 가야겠습니다."

모두 가지 말라고들 한다.

—언제 부산에 폭격이 있을지 아느냐.

—비결秘訣에도 흥어興於부산 망어亡於부산이란 말이 있다. 네가 간다는 것은 지극히 위험한 일이다.

"지금 쌀 한 말에 5만 8천 원씩 하고 비가 안 와서 야단들인데 산속에선 돈 한푼 구경할 수 없으니 어떡합니까. 부산서 올라온 후 지금까지 동학사에서 공식空食한 것만 해도 다 수양어머니 덕분이었지요. 사중 젊은 수좌들에게 불경을 가르쳤지만 그게 오늘날같이 궁한 세상에서 무슨 공식할 만한 구실이 되겠어요. 장차 부산이 불바다가 된대도 당장 이러고 있을 순 없으니 가봐야지요. 이왕 학교도 댕기던 것이니 가서 시험도 쳐야겠고요."

모두 다 검다 쓰다 말이 없었다.

담배 연기가 악마의 춤으로 보인 일이 있는가. 나는 다른 사람도 그렇게 보인 일이 있는지 물어보고 싶다.

공주 사대로 놀러 갔다. 사대 시회에서 많은 학생 작품을 구경했다. 학생들은 시 한 편을 쓰기 위해서 남몰래 각기 노력했을 것이다. 그 노력이 귀중한 것으로만 생각됐다. 밤늦게까지 사대 교수들과 문학 애호가들과 함께 술을 마시고 오랜만에 얼근히 취해서 고모 댁으로 갔다.

"의복이 필요하듯이 비밀은 필요한데."

나는 밤 골목으로 올라가면서 나도 모를 소리를 하고 있었다.

1952. 7. 5.

목욕탕으로 갈까 하다가 금강으로 나갔다.

폭파되어 처박힌 철교 옆을 자동차가 배를 타고 건너온다. 비가 와야겠다. 금강에서 투신 자살이란 불가능한 일이다. 무더워서 모든 사람이 다 강에 나온 것 같다.

옷을 벗고 물 속에 들어가 앉으니 하늘이 내 가슴에 찰랑댄다. 모래사장이 몇 배나 넓어 뵌다. 어디선지 하모니카와 노랫소리가 들린다. 돌아보니 저편에선 청년들이 체조를 하고 있었다. 반토막이 물속에 박힌 철교 옆으로 배에 탄 사람들이 꼭 개미 떼 같다. 붉은 탱크의 잔해가 물위 여기저기에 상반신을 드러내놓고 있다. 청년들이 그 위에 동상처럼 앉아서 일광욕을 하고 있다.

내일 부산으로 떠나자. 미리 계획을 세우지 말자. 닥치는 대로 살아갈 수밖에 없다. 풀잎 하나가 강물 따라 내 앞을 흘러간다. 주워 올릴까 하다가 반사적으로 그만뒀다. 구름이 강물을 거슬러 올라간다.

옷을 입고 형무소 옆 긴 둑을 걸어가는데 뒤에서 염소 우는 소리가 들린다. 돌아보지 않고 걸었다.

그러나 내 기억에 염소는 녹음되어 있었다. 내일 저녁때면 부산에 도착할 것이다.

1952. 7. 6.

정기 버스는 7시 반 정각에 출발했다. 백정자 앞을 지나면서 동학사로 갈려 들어가는 촌 길을 내다본다. 내 산방이 있는 깊은 산골을 목을 돌려서까지 눈대중으로 바라본다. 나는 이곳을 지날 때면 어머니가 계시는 곳을 그냥 지나가버리는 듯한 아들의 심정이다. 바로 내 곁에 앉은 영성이도 일부러 나에게 말을 걸지 않는 것 같았다. 버스는 삽재 고개를 접어 오르면서부터 비명을 질렀다.

대전 11시 반 출발 급행 열차는 몹시 붐비었다. 굴속을 지나갈 때마다 모두 코를 틀어막아야만 했다. 유리 없는 차창이 하나둘만도 아니다. 연변沿邊 초가집들 돌담 위로 등불 같은 석류꽃들이 지나간다. 유하榴夏의 차창 풍경은 역시 날씨가 가물어서 걱정이다. 농부가 밭에서 괭이로 흙덩어리를 깬다. 흙가루가 연기처럼 일어난다. 영남嶺南도 목이 말라 애타는 모양이다.

능금이 네 개에 천 원이라고 한다. 손님들은 기차 창 밖을 내다보고 사과 파는 아해들과 거래하기에 바쁘다. 갑자기 능금 팔던 아해들이 갈가마귀 떼처럼 흩어져 달아난다. 철경鐵警이 지나가자 또 모여든다. 제법 과피果皮가 탐스러워서 네 개를 샀다. 그러나 성이와 나는 눈을 감으면서 서로 더 먹으라고 권하며 사양했다. 여기에 그 사과 맛을 쓴다는 것은 실례일 것 같아서 그만두기로 한다.

열차는 남단을 향하여 달리고 해는 서쪽으로 기울어지고 황혼이 질을 무렵에야 부산에 당도했다.

거리로 나가서 얼마쯤 걸었을 때였다. 버스 안에서 사십 넘은 사람이 황급히 뛰어나오고 군복 입은 사람이 뒤따라 쫓아나왔다. 군복 입은 사람이 먼저 뛰어나온 사람의 뒷덜미를 움켜잡기가 무섭게 한

번 걷어차니 붙들린 사람은 허깨비처럼 나가자빠졌다. 대뜸 사람들이 모여들었다. 우리도 걸음을 멈췄다. 군복 입은 사람이 군화 신은 발로 쓰러진 사람의 목덜미를 차니 퍽! 하고 소리가 났다. 나의 등골이 오싹했다. 쓰러진 사람의 입에서 피가 흘러 나온다.

그제야 헌병이 왔다.

"이게 무슨 짓이냐!"

"이놈은 따개꾼입니다."

군복 입은 사람의 대답은 재빠르고 똑똑했다. 쓰러진 사람은 죽었는지 눈을 꽉 감고 있었다. 연신 입에서 피가 새어 나오기만 한다.

"따개군이면 경찰에 넘길 것이지 이런 짓을 하라는 법이 어디 있는가."

헌병은 주먹으로 군복 입은 사람을 후려갈겼다.

"가자."

나는 성이의 팔을 잡아당겼다.

다시 얼마쯤 걸었을 때였다.

"형님. 저거 좀 봅시오."

성이가 길 건너편을 가리킨다.

고층 석조 건물 밑에 배가 올챙이처럼 부른 젊은 거지 여자가 누워 있었다.

"모든 것이 예사로 보이질 않으니 너나 나나 시대에 뒤떨어진 시골뜨긴가 보다."

영성이와 동창이며 동급인 최종채崔鐘彩 형의 거처하는 곳을 찾은 것은 밤 9시경이었다.

1952. 7. 7.

허름한 하꼬방에 가서 아침 식사를 했다. 우리 형제는 백반 두 그릇에 만 원을 지불했다.

좀 이른 편이어서 아무도 나와 있지 않을 줄 알면서도 금강 다방으로 갔다. 뜻밖에 황순원 선생과 천상병 형이 반갑게 맞이해준다. 몇 달 만에 보는 마담도 레지도 반가웠다.

김동리, 조연현, 남관, 김환기 선생이 계속 다방 문을 열고 모여들기 시작했다. 영성이가 토지 보상금을 찾아왔기에 돌려보내고 오후는 김동리, 황순원 선생과 함께 박용구 씨 거처로 가다가 김동리 선생은 볼일이 있어 '성림聖林'에 들르고 황순원 선생과 함께 평범사에 가서 허윤석 선생을 데리고 박용구 씨 거처로 갔다.

이미 박용구 씨는 하한수 씨와 대작하고 있었다. 다시 막걸리 병이 들어왔다. 나는 몇 달 만에 선배와 친지들과 함께 술을 마셨다. 저녁 무렵, 황, 허 두 선생과 함께 나오다가 박용구 씨에게 붙들려 그냥 눌러앉아 있는데 김동리 선생이 와서 다시 술이 시작됐다. 저녁 식사까지 하고 거리에 나가서 각기 차 한잔씩 마시고 헤어지는데, 나는 다시 박용구 씨에게 끌려들어가 식구들도 비좁은 피난살이 단칸방에서 하룻밤 신세를 졌다. (이 일기를 베끼니 자연 그 당시가 회상된다. 이젠 고인이 되신 박용구 씨 부인을 생각함에 지난날에 입은 그 많은 은혜를 갚을 길이 없어 한이다. 부인은 언제나 나를 친정 동생처럼 아껴주셨다. 어찌 그 많은 은혜의 가지가지 일을 여기에 다 기록할 수 있으리요.)

오늘 만난 사람마다 선배와 친지들은 "아주 있으려 왔는가. 또는 다시 산속으로 돌아갈 테냐"고 나에게 물었다. 그럴 때마다 나는 "여기서 밥이 먹게 될지요" 하고 대답했다.
황순원 선생은 답장 대신 나에게 우송하려던 것이라면서 이번에 출판된 단편집 『곡예사曲藝師』를 주었고 박용구 씨는 나에게 우송하려고 포장까지 해두었다면서 『문예』지 5 · 6호를 내주었다.
김형식 선생도 이형기도 서근배도 없는 부산에 내가 다시 왔다.

최종채 형 거처로 갔더니 성이는 식전에 대구로 떠났다고 한다.
장송사長松寺에 가서 "한 3일간 잠만 좀 재워줍시오" 하고 낯간지러운 청을 하고서 금강 다방으로 갔다.
오늘도 또 조연현 선생이 권한다.
"금융 조합으로 홍윤선 씨를 찾아가봅시오."
"사무소가 옮겼으니 나하고 같이 가지."
박용구 씨가 나를 위해 동행해주었다. 거리에서 김말봉 선생을 만났다.
"요즘 외출을 안 하시던 박선생은 얼굴이 맑아지시고 김구용 씨는 산중에서 수도하시느라고 살이 이찌— 온스 내리시구" 하며 웃는다.
"그래 어디로들 가십니까."
"찾아가볼 곳이 있어서 가는 중입니다."
박용구 씨가 나 대신 대답했다.
"예, 그러믄요. 막걸리 집을 찾아가셔야 합니다. 오래간만에 만나시면 빈대떡에도 인사를 드려야 합니다."
김선생은 언제나 능변이시다.
'협동' 사무소는 자유 시장 안에 있었다. 홍윤선 씨가 편지 답장을 봤느냐기에 나는 머리를 흔들어 받지 못했다는 뜻을 표했다. 가족이 몇 명이나 되느냐기에 총각이라니까 대뜸 어려운 얼굴을 한다. "가족이 없으면 월급이라야 불과 2, 30만 원밖에 안 될 테니 어떡허누" 하고 걱정을 한다.

"없는 가족이니 하는 수 없지."

"좌우간 다방에 나가서 얘기합시다" 하며 일어들 섰다.

"어디서 동장이 증명만 하나 해주면 되는데" 하고 홍윤선 씨가 군소리를 하니까

"그건 조연현 선생에게 말해보면 될 도리가 있을지 몰라."

박용구 씨가 대답했다.

"경찰서장 신원 증명은 또 어떡허구" 하고 내가 가망 없다는 어투로 말하니까

"걱정 말어. 하면 어떻게 되겠지" 라고들 하였다.

홍윤선 씨가 술맛 좋은 데가 있으니 다방으로 갈 것 없이 한잔하러 가자는 것이었다.

우리는 통술집으로 들어갔다. 곽종원 선생이 누구를 기다린다면서 앉아 있었다. 조금 후 이진순李眞純, 임만섭林萬燮 씨가 들어왔다. 안주도 담담하고 정종빛도 고왔다.

1952. 7. 8.

조연현 선생은 거주 증명원에다가 나의 처와 두 머슴애와 한 계집애 이름과 생년월일을 척척 만들어 기입했다. 박용구 씨는 곁에서 빙글빙글 웃고 홍윤선 씨는 다섯 사람 이상 써서는 안 된다고 주의를 시키고 나는 무슨 이상한 것이나 들여다보듯 조선생이 휘두르는 만년필 끝만 우두커니 봤다.

김동리 선생과 이한직, 박용구, 홍윤선 씨와 함께 이한직 씨 거처로 갔다.

양복집 이층 셋방은 신접 살림이라기보다는 피난민의 곤궁한 분위기였다. 내놓은 좌복만은 너무나 훌륭해서 방 속과 어울리지 않았다. 이한직 씨가 거처하는 집 옆집에서 만드는 술이 마침 떨어지고 없대서 다시 음식점으로 갔다.

거나하니 취해서 청구 다방으로 갔다. 다방 문이 열리면서 손소희 여사가 들어오자 순간 바깥 거리를 달리는 불빛들이 내다보였다.

김동리 선생이 내 이름 석 자를 쓴 봉투를 준다. 고료稿料?

"웬 것입니까."

"손여사와 좀 관계가 있는 잡지사에다 「나비」 한 편을 줬지."

"교정 볼 때 좀 돌려줬으면 감사하겠습니다. 몇 자 고쳐야겠습니다" 하고 손여사에게 말했다.

갈림길에서 헤어져 혼자 돌아가는데 김동리 선생이 뒤에서 부른다.

"여름에 대한 시를 한 편 쓰지. 권두卷頭에 게재할 것인데 여름 기분이 나도록 써야 한다는 것이 저편 주문인 모양이야. 오늘 밤에 쓰시오. 내일 오후 2시까지 과수원 다방으로 갖다 줘야 합니다."

숙처宿處로 돌아가서 새벽 3시까지 잠 한숨 못 잤다. 나에겐 하룻밤 사이에 시를 쓸 재주가 없다. 몇 자씩 적어보다간 찢어버렸다. 잡지사의 주문이 머리에 떠올라서 쓸 수 없었다.

1952. 7. 9.

김동리 선생 댁에 가서 아침 식사를 먹는데 선생은 밖에 나가서 브랜디 한 병을 사왔다. 조반 후 찾아볼 곳이 있어서 대신동 꼭대기로 올라갔다.

도랑엔 물이 흐르고 수목은 푸르르고 산이 있어서 살고 싶은 곳이라고 생각했다. 더구나 때마침 이슬비가 촉촉이 내려서 살포시 안개 낀 산록山麓은 더욱 은은했다. 나는 부산서 이만큼 맘에 드는 곳을 못 봤다.

돌아오는 길에 학교를 찾아가 등록금을 냈다. 이정규李丁奎 선생이 "월탄 선생이 늘 자네 말씀을 하시더군. 학교 사무라도 보게 해서 밥 좀 멕여주라고 자네 걱정을 많이 하시데."

박종화 선생이 보잘것없는 자를 생각하여주심이 어찌 이렇듯 간곡하고. 나 같은 후곤後昆은 그저 송민悚悶하기만 하다.

겨우 기억에 떠오는 3년 전에 지은 시를 써서 과수원 다방으로 갔다. 발표할 만한 것이 못 되건만, 창졸간에 신작은 쓸 수 없고…… 스스로 내가 얄미웠다. 시고詩稿를 손여사에게 전하고 거리에 나와서는 문학을 하려면 독해야 한다고 몇 번이고 중얼거렸다. 그러다간 결국 허전한 웃음을 웃었다.

이명성 씨와 함께 주간문학예술사로 갔다. 박남수朴南秀 씨가 주는 『주간 문학 예술』 창간호를 받았다. 월남 문인 여러 선생들의 성력誠力과 의욕엔 배울 바가 많았다.

거리에서 B씨가 "그간 어디 갔다 오셨습니까" 하고 묻는다. 여러 가지로 설명하기가 뭣해서 그냥 "고향에 갔다 왔습니다" 했더니 "갈 수 있는 고향이 있는 분은 행복하겠군요" 하는 것이었다. B씨도 월남 문인이다. 그러나 내가 그 대답을 듣고 마른 한숨을 짓는 것은 몰랐을 것이다.

갈매기 집에서 자유 시장으로 옮겨가며 술을 마셨다. 나 혼자서 먹은 저녁 식사 값을 치르려니까 곽종원 선생과 박용구 씨가 그러지 말라고 막무가내였다. 박씨는 나에게 자기 거처로 가자고 야단이고 곽선생은 다 함께 자기 집으로 가자고 야단이었다. 자기와 함께 가서 자려고 않는다고 대성 질타大聲叱咤하던 박씨는 곽선생이 다 함께 자기 집으로 가자는 데엔 그만 찔끔해서 나만 끌고서 살살 내빼려 들었다. 곽선생이 어둠 속에서 오줌을 누는 동안에 박용구 씨는 동쪽으로 뺑소니를 치고 나는 서쪽 옆 골목으로 달아났다. 오줌을 다 누고서 곽선생은 우리가 없어진 걸 알고 어떤 표정을 했을까.

1952. 7. 10.

사랑의 세계사에 가서 인사를 드렸다. 김형식 선생이 제주도로 간 후 그 후임으로 편집장이 된 임인수 씨와 기자 이명성 형이 전날 다방에서 나에게

"전번에 월급을 덜 찾아가지고 가셨더군요. 내일쯤 회사로 한번 오세요."

"그렇던가요."

하고 나는 쓴웃음을 웃은 일이 있다. 그래서 회사로 갔던 것이다.

김동리, 황순원, 허윤석, 세 분이 작품 평들을 한다. 나는 가만히 듣기만 했다. 모두 보는 눈들이 날카롭다. 그러나 먹은 술값이 부족해서 내가 내려는데 모두 굳이 말리고 결국은 황순원 선생이 시계를 끌러놓고야 술집을 나오게 됐다.

1952. 7. 11.

레지가 나를 부른다. 신문지에 싼 것을 내준다. 펴보니 30만 원이었

다. 종이 쪽지엔 이명성 형이 갈겨쓴 몇 마디가 적혀 있었다. 전번 내가 덜 찾아간 월급이란 것과 『주간 문학 예술』 2호에 내 시가 들어갈 예정이란 것이었다.

가족 거주 증명서도 될 성싶지 않고 경찰서장 신원 증명서도 용이하지 않은 모양이다. 홍윤선 씨는

"하면 되지 안 될 게 어디 있어. 아예 산속으로 갈 생각은 말래도!"

하는 것이었다.

"절망할 것 없어요. 어디서 이런 글을 읽었는데 '아무리 각박한 세상이라도 그것은 우리가 생각하는 것처럼 절망적인 것은 아니다.' 일리 있는 말입니다" 하고 조연현 선생은 나를 위로하듯 말했다.

손여사가 시 고료를 나에게 전해준다. 두 편씩이나 팔아주는 것은 옹색한 나를 도와주기 위함이리라.

"글이 변변치 못해서 미안합니다."

"아니야요. 잘 썼습니다. 그런데 다른 사람들이 좀 어렵다고 하더군요."

어쩐지 허전하기만 하다.

1952. 7. 12.

우리는 가끔 이런 말을 듣는다.

"약해선 안 된다. 뭣보다 용기 있게 싸워야 한다. 즉 노력해야 한다."

이럴 때 그들의 말투는 약간 흥분하고 있다. 나의 눈이 동결凍結했나 보다. 흥분한 어조를 들으면 우습다. K씨도 이런 투로, 오늘 나에게 연설했다. 아니 연설이 지나쳐 설법이었다. 그러나 나는 웃지 않았다. 오늘 따라 웬일인지 미안하기만 했다. 나는 나대로 풀이했다.

'유유히 기다릴 줄 알아야 강할 수 있는데…… 이런 처지에 있으면서도 괴로워하지 않아야 용기라고 하겠는데…… 그래도 중단하지 말아야 노력일 수 있는데……'

따뜻한 인정에 눈[眼]이 해빙하나 보다. 하품이 나온다.

김동리, 황순원 선생, 박용구, 홍윤선 제씨를 따라 도떼기시장 갈매기 집으로 갔다. 술안주는 소라, 전복, 조개였다. '내가 눈을 감고 먹으면 이 해물 맛을 각각 분별할 수 있을까.'

천상병 씨와 작별하고 김성욱金聖旭 씨와 단둘이서 구덕산九德山 위로 올라갔다. 우리는 바다에서 불어오는 바람을 쐬었다. 하늘엔 별들이 깔렸다. 그러나 전등불들이 더 휘황찬란했다. 우리는 사가지고 온 아이스캔디를 빨았다. '갈매기 집' 에서 마신 술이 아직 덜 깨었는지 시원하다.

"결혼할 생각은 없습니까?"

김성욱 씨가 느닷없이 묻는 말에 나는 좀 당황했다. 나는 마음이 약하다. 남이 뭐고 간에 나에게 말을 걸면 나는 하기 싫은 대답을 하느라고 어색해진다. 대답을 않으면 상대에게 실례라고 생각하기 때문이다.

"오려는 여자가 있을까요."

하고 겨우 얼버무렸다.

"여자를 생각하는 일은 없습니까?"

곤란한 질문이었다.

"없으니까 단념된 게지요."

"30대에 여자를 단념한다는 건 좀 이르지 않을까요."

나는 며칠 전 일이 생각났다. 모某여사가 나에게 물었다.

"김구용 씨 결혼 안 하십니까."

그때 나의 대답은 의외로 명확했다.

"안 하겠습니다."

"왜요?"

"연애나 했으면 싶습니다."

내가 왜 그런 대답을 했는지 모르겠다. 대답을 하지 않을 수 없으니까 입에서 나오는 대로 말한 데 불과했다. 결국 또렷한 대답을 갖지 못했다는 증거였다. 그래서 나는 김성욱 씨에게 "그렇겠지요" 하고 되도록 무의미한 대답을 했다.

1952. 7. 13.

김동리 선생의 안내로 좋은 곳을 알았다. 함께 갈비를 뜯으며 정종을 마셨다. 우선 값이 싸서 좋았다.

도장방에 갔다. 고료 영수증에 찍기 위해서 처음으로 김구용이란 도장을 새겼다. 지금까지는 본명 도장을 써왔다. 불편한 때가 많았다.

범일동凡一洞 시장에 들렀다가 고본古本 책집에서 아놀드의 『아시아의 빛』을 샀다. 단돈 5천 원에 호화판을 샀다는 것은 재수 좋은 일이다.

1952. 7. 14.

"이젠 산속으로 갈 생각 말고 함께 일해요. 경찰 신원 증명과 거주 증명은 어떻게 될 테니 아예 갈 생각 말아요."

오늘도 홍윤선 씨는 나에게 말했다. 고마운 일이다. 그러나 이미 나는 산으로 돌아갈 것을 결심한 후였다.

1952. 7. 16.

아침부터 다방에 나갔다. 천상병 씨가 잡지 『신예술』에 싣겠대서 어제 일기를 원고지에 쓰는 중이다. 군의관 K씨가 나의 초라한 모습에 동정을 느꼈는지 "참, 고생하십니다" 한다. 그 말을 듣고 나니 치사스럽다기보다는 창피한 생각이 들었다.

C씨…… 전날 나는 그 사람 명함을 본 일이 있다. 물론 나는 그 C씨가 누군지 몰랐다. 조연현 선생이 "이 사람 좀 만나주세요" 하고 홍윤선 씨에게 명함을 내주는 걸 마침 곁에 앉아 있었던 관계로 잠깐 봤을 뿐이다. 다방 문이 열리더니 어떤 사람이 홍윤선 씨 앞으로 성큼성큼 걸어와서 "오래 기다렸나? 나가지" 한다. 나는 조그만 소리로 홍윤선 씨에게 물었다.

"누구요?"

"C씨."

나는 전날 명함에서 본 이름이기에 그럼 어서 가보라는 뜻에서 머리를 끄덕였다. 그런데 C씨란 사람이 나를 빤히 내려다보더니 "아…… 이게 누구야!" 하고 대뜸 반말질이다. 나는 얼떨떨해서 C씨를 쳐다봤다.

"나, 몰라?"

나는 한참 만에야 C의 얼굴에서 그의 어릴 때 모습을 찾아냈다.

우리는 중국 요리 집으로 갔다. C는 날카롭게 나의 아래위를 훑어본다. 그러면서 연신 웃고 있었다. 나의 옷차림은 두루마기를 뜯어서 만든 세비로와 허름한 국방색 바지였다. 내가 신고 있는 고무신 뒤로는 떨어진 양말 구멍이 나와 있었다.

"왜, 이 꼴이야!"

C는 취조하듯 나에게 물었다. 나는 쓸쓸히 웃었다.

"전엔 잘살았지 않아. 자넨 학교 때도 문학했었지. 참 자네는 조숙했었어. 나는 가끔 '그 사람 뭣 하고 있을까' 하고 자네를 생각했었네. 나는 자네가 퍽 출세했을 줄 알았어. 그런데 전혀 나타나질 않지 않어! 그래, 이 자가 북한으로 가지 않았나 하고 생각했었네."

나는 다시 대답 없이 웃었다.

"그래 뭘 하고 있었나?"

"산속에서 문학 공부 한답시고 허송 세월 했지."

"거짓말 말게. 내가 보기엔 자네가 무슨 큰 사건이라도 겪은 사람 같은데."

곁에서 홍윤선 씨가 내 말이 거짓이 아니라고 변명해줬다. C는 나를 멸시하는 눈치였다. 그 웃음은 조소嘲笑를 견제하고 있었다.

"그래 그간 자넨 뭘 했나" 하고 이번엔 내가 물었다.

"일본 가서 그림 공부했네. 해방 후 신문 기자 생활하다가 지금은 ××사 출판부에 있지."

"그림이나 한 장 주게."

"화필畵筆 꺾은 지 오래야."

"왜."

"안 그리는 게 아니라, 못 그리지. 생활에 쪼들리니 예술이 제대로 되나."

"결혼했나."

"응, 어린게 셋이나 있어."

"귀엽겠군."

"……금년 자넨 몇 살이지?"

"서른이야, 자넨?"

"자네와 동갑일세."

우리는 맥주를 마시고 저녁 식사를 마쳤다. 헤어질 때 C는

"여가 있거든 나 있는 사무실로 놀러와. 우리 사무실에도 문화인들이 가끔 오네."

"또 만나세."

나는 C의 손을 잡고 가벼이 흔들었다.

1952. 7. 17.

학교에 가서 몇몇 학우와 만나고 여행 증명을 받았다.

"취직을 기다리며 낭비하느니보다는 산에 가 있다가 다음 학기 시험 때 경제상 곤란을 당하지 않도록 하는 것이 현명한 일이라고 생각했습니다. 취직보다도 좀더 공부해야겠다는 생각입니다. 읽고 싶어하던 책 몇 권 샀습니다. 산방에 돌아가서 책이나 읽을 작정입니다. 방학이 끝나는 월여月餘 후에 다시 오겠습니다."

여러 선배와 친구에게 이런 내용의 편지를 썼다. 통행 금지 시간이 가까울 무렵 해서 금강 다방에다 편지를 맡겼다. 참외를 하나 사서 신미新味하며 걸었다. 머지않아 통행 금지 사이렌이 울려 퍼질 것이다.

1952. 7. 18.

6시 50분발發 진주행 버스는 정각에 부산을 떠났다. 구포龜浦를 지나는데 일제 때 판매 금지를 당한 「낙동강」이란 노래가 머리에 떠올랐다. 김해에서 계란 네 개를 사서 조반 대신 요기했다. 무덥고 지리한 여행이다. 퇴락한 정문旌門과 비각碑閣과 기우듬한 비석이 간혹

차창 밖으로 지나간다. 떠들썩한 영남 사투리가 제법 소박하게 들린다. 시인 이형기 형이 집에 있을까. 한시 바삐 만나보고 싶다. 마산에서 아이스케이크를 사먹었으나 소용없었다. 이마에서 노상 땀이 흐른다. 연신 푸른 논밭이 지나간다. 멍하니 문산 일대를 내다본다. 지난날 우리 집 전답은 어디에 있는가. 지금은 다 남의 소유가 되어버렸다.

오후 1시 반에야 진주에 당도했다. 불볕이 내리쬔다. 턱에서 땀이 뚝뚝 떨어진다. 전에 들은 일이 있어서 형기 형이 사는 동네를 대충 짐작은 하고 있었다. 두 손에 보따리를 들고 대밭 위 둑길로 접어들었다. 바람 한 점 없다. 하얀 구름이 바라보이는 둑길 저편에서 어떤 사람이 걸어오고 있었다. 상당한 거리였다. 나는 그 사람이 바로 이형기 형이란 걸 알았다. 나는 보따리를 놓고 뛰었다. 동시에 저편에서도 뛰어오고 있다. 평소에 우정이 지극하지 않았다면 우리는 그 먼 거리에서 어찌 동시에 서로 알아보았으리요. 우리는 서로 달려오는 상대를 향해 더운 줄도 숨 가쁜 줄도 모르고 뛰었다. 반가워서 어쩔 줄을 모르겠다. 우리는 한참 만에야 잡았던 손을 놓았다. 그런데 알고 보니 우리는 피차에 짐이 있었다.

나는 물었다.

"어데 가는 것 아닌기요?"

"지금 부산 간다고 집에서 막 나오는 길이구마."

"그럼 하마터면 못 만나볼 뻔했네."

"제2 국민병 신체 검사 받으라는 통지가 왔거든. 전에 하숙하던 집에서 거류계居留屆를 떼오지 않았기 때문이지요."

참으로 다행한 일이다. 형기 형은 나 때문에 부산행을 하루 연기해주었다. 우선 우리는 남강에 내려가서 목욕을 했다. 형기 자당님은 초면이건만 나를 친정 식구처럼 반가이 맞이해주었다. 점심때도 지난 지 오래다.

형기 형은 나를 데리고 시내로 들어가서 점심 식사를 시켰다. 다방에 들어가서 차를 마셨다. 그제야 오는 도중 도처마다 검문을 받았던 피곤이 일시에 풀리는 것 같았다. 내가 진주에 왔다는 것이 꿈 같기만 하다.

형기 형 집에서 저녁 식사를 마치고 서로 대취大醉하였다. 우리는 남강 모래사장에 나가서 나란히 누워 하늘을 쳐다봤다. 우정이란 이다지도 눈물겹고 반가운 것인가. 남방의 여름 밤 별은 아름다웠다.

1952. 7. 19.

"이젠 절에 가지 마이소, 그라고 어서 장가드이소. 사람이 저렇게 궁기가 끼고 홀아비 냄새가 나서야 되겠소. 그리고 저리 빼짝 말라가지고 우짤라요. 어디 촌에라도 가서 취직을 해가지고 돈이라도 벌어야지 나이 삼십이 넘어가지고 절에 그라고 있으면 나종에 우짤라요. 우리 형기도 은제나 세때 밥거리라도 벌게 될지 속이 답답해서 못살겠구마."

형기 자당님은 나의 돌아가신 어머님과 본本이 같다. 단성丹城 이씨다. 형기 자당님은 자기 일처럼 나의 걱정을 하셨다.

나는 보따리를 들고 뜰로 내려가서

"오데 좋은 데 있거든 중신이나 해줍시오."

웃고 하직 인사를 올렸다.

그 우람한 촉석루矗石樓는 간 곳 없고 빈터만 바라보인다. 남강 다리도 폭격에 가운데 토막이 날아가버려서 옛 모습과는 딴판이었다. 한여름인데도 스산하기만 했다. 단계丹溪행 자동차는 오후 4시 반에나 있다고 한다. 형기 형도 오후 4시 반에 부산 가는 차를 타게 된다. 우리는 은전銀殿이란 다방으로 갔다. 아담한 내부 장식이 기적처럼 놀라웠다. 창 밖은 모두가 폐허였다. 다방에서 나는 이형기 형의 소개로 시를 쓴다는 방인영方仁永 씨, 평론을 한다는 서병일徐丙一 씨와 만났다. 방인영 씨는 나에게 차를 여러 잔씩이나 권했고 음식집으로 데리고 가서 비빔밥을 시켜주었다. 4시 반이 되려면 아직도 멀었다.

우리는 의곡사義谷寺에 가서 소요逍遙했다.

방인영 씨는 하루만 더 쉬고 내일 떠나라며 자꾸 나를 붙든다.

"형기도 부산 가는데 나 혼자 남으면 뭘 합니까" 하고 사양했다.

이번엔 서병일 씨가 "내일 새벽 첫차로 부산으로 떠나라"며 형기 형을 조른다. 형기 형은 내일이 신체 검사다.

그러니 떠나야만 한다. 그런데 형기 형은 하루라도 나를 더 놀다 가게 하려고 응낙하는 것이었다. 우리는 서병일 씨의 대접으로 저녁 식사도 했고 술도 마셨다. 모두가 마음만 간절할 뿐 서로 다 가난한 신세들이다.

나는 서병일 씨 집에서 하룻밤 신세를 지기 위해 그들과 함께 따라갔다. 가는 곳마다 남의 폐만 끼치게 되니 미안하다. 모두들 취한 김이라, 문학이 어떠니 저쩌니 하고 화제가 난만爛漫하다.

그런데도 왜 이리 공허한지 모르겠다.

1960년대

1964. 12. 16.

어젯밤은 웬일인지 잠이 잘 오지 않았다. 『퇴계 전서退溪全書』를 뒤적거리다가 1시 반에야 잠이 들었다. 눈을 떴을 때는 염려했던 것과는 반대로 새벽 4시 반, 벽에 걸려 있는 퇴계 선생 글씨를 새삼스레 쳐다봤다. 임인壬寅년에 이가원李家源• 교수에게 간청해서 얻은 소폭小幅이다. 근 5백 년의 거리처럼 막연한 중에서 언제부터였는지 나는 '도산 서원陶山書院에 가보고 싶다'는 염원을 품어왔었다. 형광등을 껐다. 이제부터 숙원이던 도산 서원으로 떠나는 것이다. 외등이 밝은 전주 밑에 아내가 그냥 서 있다. 나는 손을 흔들어 아내에게 날씨가 추우니 집으로 들어가라는 시늉을 했다.

서울 역 대합실에 우리 일행은 모였다. 6시 50분 안동安東행, 차창에 무수한 전등불이 천천히 지나간다. 이명구李明九 교수는 연전에 미국 사람 더글러스 씨와 함께 도산 서원과 순흥順興 소수 서원紹修書院을 다녀온 일이 있다. 이우성李佑成• 교수는 도산면陶山面 계남리溪南里의 진성眞城 이씨李氏 댁이 처가妻家이다. 최진원崔珍源, 강신항姜信沆• 교수와 나와 학생들만이 초행初行이었다. 그 당시만 해도 농암聾巖• 이현보李賢輔 선생이나 퇴계 이황 선생은 한강변에서 배를 타고 고향으로 내려갔다는 기록이 있다. 가도가도 꺼칠한 사방

산, 발 벗고도 건널 만한 물줄기가 숨바꼭질을 한다.
좌우로 치악산이 기복起伏한다. 운곡耘谷• 원천석元天錫 선생 산소가 이 산 어디에 있을 것이다. 고려가 쓰러지자 선생은 치악산에서 산전山田을 갈며 아버지를 봉양했다. 신라가 기울 때도 고운孤雲• 최치원崔致遠 선생은 솔권率眷하고 가야산에 들어가서 常恐是非聲到耳 故敎流水盡籠山[1]이라고 했다. 경술庚戌년 이후는 많은 지사志士들이 대륙으로 망명길을 떠났다. 옛일과 선인先人들에 관해서 말이 없다. 운곡 선생은 '우왕을 공민왕의 아들이라' 기록했지만 후손은 그 유고를 태워버렸다. 사실이라면 나는 그 후손의 불안에 친근감을 느낀다. 태종대太宗臺는 각림사覺林寺 근처에 있다는데 물어볼 만한 사람도 없다. 겨울 풍경은 적막하고 권태롭고 불편했다. 착하고 가난한 사람들, 그러면서도 용하게 견디고 서 있는 열차 안의 다리[脚]와 다리들, 바지 속에서 치마 속에서 메말라 있을 다리들, 나 혼자 자리에 앉아 있는 것만 같아서 송구스러웠다. 낮잠을 청하려고 눈을 감았다. 소용이 없었다.
차창 밖으로 언젠가 캘린더에서 본 도도삼봉島嶋三峰이 지나간다. 산이 비켜 나가자 옥빛 강물은 열차의 소음을 뚫고 어느새 반대쪽으로 달아나버렸다. 퇴계 선생의 『단양산수가유자 속기丹陽山水可遊者續記』가 생각난다. 지명은 단양丹陽이건만 백회白灰투성이였다. 흐르는 물도 젖빛이었다. 은혜 있기를 바란다.
죽령竹嶺 굴속을 벗어나자 하늘이 가까웠다. 굽어보니 방금 지나온 철로가 산밑을 휘감고 뱀처럼 번쩍인다. 이우성 교수가 시 한 수를 읊었다.

明宵泊近驪江月

竹嶺横天不見君[2]

여조 때 이담李擔의 시라고 한다.

희방사喜方寺 역 주위도 붉은 산이었다. 희방사는 『월인석보月印釋譜』 중판목重版木을 소장했던 절로서 유명하다. 6·25 동란 때 그 판목이 다 타버렸다. 아무도 과거를 돌이킬 수는 없는 노릇이다. 오래된 일이라 나의 착각인지 모르나 2차 대전 때 연합군과 독일군은 로마를 비켜놓고서 싸운 걸로 안다. 『월인석보』는 나羅·여麗 때부터 내려온 불교 세력이 쇠망하기 직전의 빛이었다.

세종, 세조의 관중신불官中信佛은 무너져가는 불교 세력의 마지막 성루城壘였고 대신大臣들의 강경한 척불斥佛은 결정적인 유교의 신흥 세력이었다. 죽령을 지난 것이 마치 한 쪽은 불교로 한 쪽은 유교로 솟아오를 무슨 정점頂點을 넘은 듯한 느낌이다. 가는 곳마다 좁은 차창에 나타나는 십자가들……

우리는 시멘트 제製 십자가를 헤치고 과거로 돌아가서 지난날을 더 듣어보려는 것이다. 앞날을 위한 회고에 많은 재료가 필요한 것도 아니다. 옛 명현들이 거닐던 산천과 일목 일초에서도, 필적한 조각에서도, 요는 그것을 대하는 우리 자신과 시간이 문제인 것이다. 허전할 때마다 두렵고 부러운 것이 교차했다. 점심때가 지났나 보다. 죽령 이남부터는 의외로 산세가 부드러워졌다.

익히 듣기만 했던 풍기豊基 역에 당도했다. 고적 명승 안내판엔 영주榮州 부석사浮石寺와 순흥 소수 서원이 서로 정답게 소개되어 있었다. 신흥 도시 영주 역에 도착했으나 사 먹을 것이 없었다. 지난날 여행할 때면 흔히 보았던 김밥 파는 촌부인네와 과일이나 달걀이나 물 팔러 다니던 소년도 없었다. 그들은 실직한 것이다. 우리는 30원씩 주고 차 안에서 도시락을 샀다. 먹어도 먹은 것 같지가 않았다. 구내에선 갓쟁이가 지나가고 하이힐이 이쪽으로 걸어온다. 열차 안은 시대별 의복 전시장 같았다. 먹물 누비 두루마기를 입은 젊은 스님이 있는가 하면 갓과 탕건을 받쳐 쓴 노인 양반이 있고, 노랑 저고리 남색 치마에 나일론 여름 장갑까지 낀 새댁이 있는가 하면 중절모자에 고무신을 신은 촌사람이 있다.

오늘의 목적지인 안동시도 멀지 않았다고 한다. 우리 앞에 앉은 노인은 주로 난리와 피란만 말한다.

"비결에 보면人種求於榮豊之間[3]이라고 했지요. 저 산속으로 들어가면 피란지라고 찾아와서 사는 사람이 많다마다요. 그런데 그기 대부분 이북 사람입니더. 전엔 세상이 불로 망할 끼라 하더니 요샌 물로 망할 끼라고 합니다."

"난리가 언제 난다고 합니까" 하고 나는 물었다. 달리는 열차에 연신 흔들리면서 노인이 대답한다.

"병오년, 그러니까 내후년이지요. 정월 보름날 자시子時만 무사히 넘기면 된다는데…… 그땐 말캉 높은 산으로 내빼야 하는데…… 그런데 특히 짐승을 주의하라고 그러지요. 물이 세상을 뒤덮으면 짐승들도 말캉 산으로 올라올 것 아닙니까!"

더 묻지 않고 영주에 설 현대 도시를 상상했다.

노인이 들어보라는 듯이 혼자말로 중얼거린다.

"우뜨튼 씨[種]할 자손 하나는 남겨놔야겠는데…… 낭패지요."

겨울 해는 짧다.

문득 차창으로 옛 탑과 옛 기와집이 사진에서 본 법흥탑法興塔과 임청각臨淸閣이로구나 하고 짐작했다. 왼편으로 다리와 백사장을 내다보는 동안에 오른쪽 산이 밀려 나가면서 안동시가 나타났다.

3시 15분. 서울을 떠난 지 여덟 시간 만에 우리는 안동에 도착했다. 학생 권오철權五澈 군의 자형 되는 주규석朱圭錫 씨가 나와서 숙소를 정해주었다. 우리는 짐만 놓고 숙소를 나와 아까 차창에서 본 법흥전탑으로 찾아갔다. 법흥전탑은 한갓 유해에 지나지 않았다. 황혼이라서 사진을 찍어도 잘 나타날 것 같지가 않았다. 임청각을 위시한 옛 기와집들이 주인도 없는 듯 썩고 있었다. 하필이면 이 앞으로 철로가 나 있는 것이다. 전통도 잃었고 새로운 주체도 없는 오늘이었다. 신라도 조선도 이렇듯 끝났다는 것뿐이다. 우리는 길게 뻗은 교도소 밑을 묵묵히 걸었다. 조선 중세 이후로 안동 일대는 독특한 양반문이 이루어졌던 고장이다. 영남에서 유생들이 들고일어나면 팔도 강산이 흔들렸다.

영남에서도 안동 일대가 바로 그 중심지였다. 시가市街를 걸으면서 둘러봐도 한옥도 양옥도 아닌, 가난하고 무력하고 천박한 양기와집이 거의 들어차 있었다. 지나면서 본 서점이라고는 하나뿐, 크리스마스 카드를 파는 조그만 서점 비슷한 것이 그 곁에 하나 더 붙어 있었다. 의외로 탕건방宕巾房을 봤다. 내가 생각했던 것과는 모든 것이 의외였다. 그럴 것이 6·25 사변 때 폭격으로 옛 안동은 깨끗이 없어졌다고 한다. 밤에 주규석 씨의 호의를 거절할 수 없어 술집으로 따라갔다. 우리는 술잔을 드는 체만 하고 냉수만 청해 마셨다. 술집 여자가 '이런 손님은 처음 본다' 며 마땅찮아한다. 너희들이 뭘 알겠느냐. 우리는 피곤하다. 잠이 온다. 그저 졸립기만 하다.

1964. 12. 17.

오늘 우리는 도산 서원으로 간다. 나는 휴식을 찾는 도망자에 불과했다. 사방은 쌀쌀한 암회색이었다. 버스를 타고 7시 30분에 출발. 장갑 낀 손으로 허옇게 얼어붙은 차창을 긁으면서 지나가는 풍경을 내다봤다. 나무도 없건만 조그만 산들이 부드러웠다. 근 5백 년 전 퇴계 선생 당시의 풍경에 가깝다고 할 것이다. 그럼 그간 촌락은 얼마나 발전했을까. 어디서나 마찬가지로 게딱지같은 집들이 간혹 지나간다. 느는 것은 신작로 폭과 인구요, 준 것은 수목과 하천의 수량水量일 것이다. 버스는 멀리 와룡면臥龍面 주재소 앞에서 잠시 정거했다. 이우성 교수가 "이곳 주촌周村이란 데서 『훈민정음訓民正音』 원본이 나왔다"고 일러준다. 버스는 멀리 낙동강 지류를 끼고 달린다. 퇴계, 도산 서원, 분천汾川에서 내려오는 물줄기라고 한다. "청량산淸凉山은 어덴가요?" 하고 나는 좀 성급히 물었다. 아무도 대답이 없다.

버스는 예안면禮安面에 이르러 약 20분간 정거했다. 오줌을 누고 선성宣城 현아문이란 현판이 붙은 옛 문으로 들어가서 용각송龍角松이란 걸 봤다. 최민남, 김태수 군은 설명문을 베끼고 있다. 선성은 예안의 고호古號로서 조그만 고을이다. 마침 안개가 덜 걷혀서 천연天然 성城처럼 두른 뒷산에 제멋대로 자세를 취한 고목古木들이 담묵淡墨빛 그대로였다. 그 산밑으로 촉촉이 젖은 옛집의 푸른 기와골들이 정연했다. 겨우 옛날로 들어선 듯싶었다. 버스는 다시 도산을 향해 달린다. 안동을 중심한 이 지방 일대만이라도 옛모습을 살렸으면 싶다.

현대를 거부하라는 것도 아니고 계급을 확립하라는 것도 아니다. 관청도, 여관도, 역도, 관광 안내소도, 고유한 전통과 아름다운 특색만을 살려서 지었다고 하자. 외국 사람들도 "이 나라의 평화는 분석하기 어렵다" 면서 머리를 갸웃거린다고 하자. 우리 나라 도처마다 옛 유물은 그대로 중수重修되고 잘 보관되어 있다고 하자.

비판할 역사의 계승이 없으면 창조도 있을 수 없다. 버스가 기울어지면서 갑자기 몸은 쏠렸다. 일전에 신문에서 본 교통 사고처럼 백 미터 벼랑으로 굴러 떨어지는 거나 아닌가 하고 아찔했다. 그러나 험한 곳은 없었다. 버스는 다시 자세를 바로잡고 달린다. 이우성 교수는 "여기서 내려야 한다" 고 말했다. 우리는 부지런히 차에서 내렸다.

분천동이다. 「어부사漁父詞」로 유명한 농암 이현보 선생의 출생지요, 선생이 만년에 벼슬을 버리고 90 평생을 마친 곳이다. 신작로 오른편에 분천은 흐르고 왼편 산밑 동네와 집이 바라보인다. 그 뒷산이 바로 영지산이라고 한다. 그렇다면 이 영지산을 기점起點 해서 동쪽으로 뻗어 나간 산줄기의 어느 곳에 도산 서당陶山書堂이 있을 것이다. 이우성 교수는 이곳 일대를 잘 알기 때문에 이미 편지로 각처에 연락이 되어 있었다. 우리는 조용한 기와집 사랑채 방으로 들어갔다.

아랫목 벽엔 양각陽刻 목판에서 찍어낸 '사무사思無邪', '무불경無不敬' 이란 주자朱子 글씨 두 폭이 붙어 있었다. 우리는 농암 선생 16대 종손 이용구李龍九 옹의 안내로 『농암집聾巖集』과 도산육곡陶山六曲 판목版木이 있는 긍구당肯構堂(현판은 상촌象村 신공申公의 아들 신잠申潛이 쓴 전서라고 한다)을 둘러보고 뒤편 사당으로 올라갔다. 우리는 농암 선생 위판에 절하고 당 안을 살펴봤다. 무상한 일이다. 떼어놓은 분강 서원 현판이 있었다.

농암 선생은 퇴계 선생보다 39세 연장年長으로서 문집文集에 의하면 生而穎邁 骨相不凡[4]했고, 어려서는 爽宕無拘檢 好戈獵 不專力於學業[5]하다가 발분 면학한 것은 약관弱冠에 들어서부터라고 했다. 벼슬은 숭정대부崇政大夫 행지중추부사行知中樞府事에 이르렀고 89세에 세상을 떠났다. 인종仁宗은 선생을 선소宣召한 교서敎書에서 忠孝雙全 年德俱邁 天下大老 當世元龜[6]라고 했다. 그러나 자고로 수壽와 복福을 겸한 사람은 선생 외에도 없지 않다. 오히려 우리는 다음 구절에서 선생의 일단一端을 엿볼 수 있다.

惟我聾巖先生年逾七十 投紱高邁 退閑汾水之曲 屢召不起 等當貴於浮雲 寄雅懷於物外 常以小舟短棹 嘯傲於烟波之裏 徘徊於釣石之上 狎鷗而忘機 觀魚而知樂則 其於江湖之樂 可謂得眞矣.[7]

선생이 찬정纂定한 「어부사」에다 퇴계 선생이 쓴 발문 중의 일절一節이다.
열쇠로 영정을 모신 문을 연다. 그 당시 승僧 옥준玉俊이 그린 농암 선생은 허리에 금서대金犀帶를 띠고 손에 주미麈尾를 들고 궤상几床 앞에 앉아 있다. 비록 그림은 낡았으나 선생을 친히 뵙는 듯하였다. 원화 그대로 모사한 열정이 또 한 폭 있었다. 한마디로 말해서 농암 선생은 골격이 거대하고 청수한 어른이었다. 우리는 이용구 옹이 사진 촬영을 허락해준 데 대해서 감사한다. 방으로 와서 이용구 옹은 우리에게 유물을 보여주었다.

1. 금서대 내사품內賜品. 선생의 거구를 짐작하게 한다.

2. 『애일당 구경첩愛日堂具慶帖』. 당시 인물들이 선생 양친兩親 수석壽席에 와서 지은 시폭詩幅들이다. 그 중엔 퇴계 선생이 쓴 축하시도 있었다. 또 「기묘계추 화산양로연도己卯季秋花山養老宴圖」(화산花山은 안동의 고호古號, 선생 부모님의 수연壽宴 광경), 「무진 한강음전도戊辰漢江飮餞圖」(한강변 청천정淸川亭에서 당대 인사들이 하향하는 선생을 전송하는 광경), 「병술중양일 분천헌연도丙戌重陽日汾川獻燕圖」(선생이 선비들과 함께 분천에서 선유船遊하는 광경)가 들어 있다.

3. 『애일당 구경별록愛日堂具慶別錄』. 전부가 농암 선생 친필이다. 내용은 「화산양로연시花山養老宴詩」(2폭), 「농암애일당시聾巖愛日堂詩」(2폭), 「애일당 희고록愛日堂戱顧錄」(3폭) 「애일당 구로회愛日堂九老會」(2폭)와 그리고 잇달아 '귀전록歸田錄' (6폭)이란 제題 아래 역시 선생 자작인 시조 3수와 그것을 짓게 된 동기가 있다. 시조 3수만 원형대로 옮겨본다.

효빈가效嚬歌

귀거래귀거래歸去來歸去來 말뿐이오 가리 업싀 전원田園이 장무將蕪하니 아니 가고 엇절고 초당草堂에 청풍명월淸風明月이 나명들명 기드리나니.

농암가聾巖歌

농암聾巖에 올라보니 노안老眼이 유명猶明ㅣ로다 인사人事이 변變한달 산천山川 딴가샐가 암전巖前에 모수모구某水某丘이 어제 본 닷하예라.

생일가生日歌

공명功名이 그지 이실가 수요壽夭도 천정天定이라. 금서金犀띄 구분 허리에 팔십봉춘八十逢春 거 몇 해오 연년年年에 오낫나리 역군은亦君恩ㅣ샸다

고색古色 짙은 종이에 농암 선생의 맑고 단아한 글씨가 생생했다. 첫 절은 국문 친필 글씨로는 연대가 가장 오랜 것이 아닌가 한다.

4. 『당음비사棠陰比事』 내사본內賜本.

5. 『선오당일고善迃堂逸稿』란 책에 시조 3수가 있었다. 별로 뛰어난 작품은 아니라고 한다.

학생들이 낱낱이 사진을 찍느라고 부산하다. 홍시와 밤을 놓은 칠상漆床을 들여온다. 손제기 하는 영남嶺南의 범절凡節이리라. 나는 대청에 나서서 앞 경치를 바라봤다.

壁上畵歸去來圖 以寓歸田之意[8]라고 한 명농당明農堂 건물은 이제 없지만 그 옛날에 선생이 항상 사랑했던 풍경이다.

비록 겨울이지만 정남향이라 다정하도록 다양多陽했다. 한길 건너 솔밭 사이로 분천은 번쩍인다. 그곳에서 무슨 살아 있는 것이 꿈틀거리는 것만 같았다. 초가 지붕들 사이로 물 건너 백사장과 평지가 내다보인다. 먼산들은 담청淡靑빛 윤곽을 겨우 유지하고 있었다. 어떻든 선생에게는 「어부사」에 나오는 문자 그대로 万事無心一竿竹이요 三公不換此江山[9]이었으리라. 매사가 제대로 되어간다면 이런 곳에서 과수원을 경영하는 사람도 있을 법하다. 세상이 각박하기 때문인가. 아무도 그런 처지가 못 되나 보다.

각처에 연락이 되었기 때문에 계남리에선 우리가 예정대로 오는 줄 알고 점심 준비를 하고 있을 것이다. 그런데 이용구 옹이 우리 일행을 만류하면서 점심 식사를 준비 중이라고 한다. 나는 무엇보다 도산 서원을 봉심奉審하는 데 시간이 넉넉지 못할까 두려웠다. 또 이용구 옹 댁에서 우리 일행 17명이 신세를 진다는 것도 생각할 일이었다. 농촌 실정은 옛날과 또 다르다. 옛 아름다운 마음씨만을 받아들이기란 괴로운 일이었다. 그러나 이용구 옹의 점잖은 말씀을 과도히 사양할 수도 없었다. 짐은 두어두고 홀가분히 분천으로 나갔다. 산천은 더욱 아담하고 밝았다. 이명구 교수는 손을 들어 "저기 산이 약간 들어간 데가 있지 않소. 바로 그 안이 도산 서원이야" 하고 가리켜준다. 일목一目에 모든 걸 짐작할 수 있었다. 즉 농암 선생 고택故宅 뒷산인 영지산靈芝山은 동쪽으로 멀리 뻗어 있다. 이와 반대로 물은 먼산 밑을 끼고 도산 서원 앞을 지나오다가 산세를 따라 안으로 휘어들면서 분천동 앞에 이르러 비로소 영지산과 작별하고 갑자기 남쪽으로 방향을 돌려 유유히 사라져간다. 지난날 책에서 보고 궁금해하던 풍경이 바로 여기다.

점심 식상食床은 의외로 성찬이었다. 아마 이용구 옹이 우리를 위해서 미리 준비해두었던 것 같다.

간고艱苦한 세상에서 베푸는 분은 정이지만 받는 편은 송구했다.

우리는 식사를 마치고 분천동을 떠나 도산 서원으로 향했다. 길가에 있는 농암 선생 신도비神道碑에 들러 보고 길 위에 있는 애일당愛日堂으로 올라갔다.

애일당은 농암 선생이 46세 때 양친을 위해서 지은 것이다. 선생 연보에 堂在家東一里 聾巖之上 有江山勝致 自先生先世 常欲置亭而不果

至是先生以親年益高 不勝喜懼之情 遂作是堂 扁以愛日[10]이라고 한 것이 바로 이 정자이다. 애일당에서 굽어보면 바로 길 밑 물가에 농암 바위가 있다. 이용구 옹은 손을 들어 "물 가운데 있는 것은 점암簟岩이고 저것은 상암象岩이고 이편 것은 사자암獅子岩이라" 고 일일이 일러준다.

강호江湖 문학을 전공하는 최진원 교수는 우리 일행 중에서 가장 감개무량한 표정이었다. 문집에 보면 巖在家東一里許 高數丈餘 上可坐二十人 前臨大川灘激則 響音聒人耳 聲語不聞 意者聾巖 其以此而得名歟[11]아라고 하였다. 선생은 이 바위 이름으로 자호自號한 것이다. 최진원 교수는 혼자 농암 바위에 올라 사방 경개를 둘러본다. 좀체 이곳을 떠나기 싫은 모양이었다. 우리는 도시에서 하늘을 잃고 있었던 것이다.

여름이면 녹음 속에서 꾀꼬리가 날고 강물도 유유히 흐를 것이라고 나는 상상했다.

우리는 이용구 옹과 작별하고 산기슭을 따라 물 위쪽 길로 걸어갔다. 24세의 청년 율곡 이공이 퇴계 선생을 뵈오러 갔던 옛 길이다. 32세의 장년 고봉高峰• 기공奇公이 퇴계 선생을 뵈오러 갔던 길이다. 우리가 지금 그 길을 걸어가고 있다. 서울서 왕의 소명召命이 이곳에 몇 번이나 내렸던가. 그러나 농암, 퇴계 두 노선생老先生은 영지산을 떠나지 않았다. 산에 소나무가 많아진다. 우리보다 서울을 늦게 떠났다는 윤치용尹致龍, 김원길金源吉 군이 어느새 도산 서원 어귀에 와 있었다. 둘 다 시를 쓰는 학생들이다.

역시 겨울 해는 짧았다. 길에서 도산 서원을 쳐다보니 햇볕 든 곳이 별로 없었다. 여기가 율곡 이공 선撰인 유사遺事에 明廟末 召命累下

固辭不至 明廟至以招賢不至爲題 命近臣賦之 又命畵工 畵所居陶山 爲圖而進之 其景慕如此[12]라고 한 바로 그곳이다. 천천히 올라가면서 사방을 둘러봤다. 아담한 산맥이 서원 뒤에 이르러 평퍼짐하게 솟아 있었다.

앞은 양편으로 죄어든 산기슭 사이로 흐르는 물이 굽어보이고 물 건너로 백사장과 평지와 솔밭이 열렸고 안산案山은 적당히 물러서 있다. 조용한 한 폭 족자 같다. 규모가 크지 않고 평범하고 아늑하고 아담해서 암자庵子라도 있음직한 터였다.

나는 이기설理氣說이니 사단칠정四端七情이니 하는 것을 모른다. 따라서 선생의 학문을 말할 자격이 없다. 선생이 하세下世한 후에 세월이 흘러갈수록 심했던 파별派別과 당쟁을 좀 들어서 알 뿐이다. 이러한 내가 선생을 존경하고 도산을 그리워하다가 기회를 얻어 온 것이다. 물론 독단이지만 나대로 느낀 바가 있다면 그것은 퇴계 선생의 시였다. 나는 선생을 우리 나라 시성詩聖의 한 분으로 생각한다. 누가 무지無知한 단정이라고 나를 비웃는대도 하는 수 없다. 선생의 시와 비교해서 보다 더 기교적이고 시대적이고 자극적인 작품은 허다하다. 그러나 선생의 시와 비교하면 그런 작품들은 격이 낮다. 나는 선생의 시에서 나대로 선생을 뵈올 수 있었다. 예나 이제나 천재는 기라성좌綺羅星座처럼 있다. 그러나 태양이 뜨면 모든 별은 사라지고 아무리 잘 입은 비단옷도 대자연 속에선 쑥스러워진다. 선생을 시성詩聖이라고 한 것은 선생의 시에서 내가 순수한 한 인간의 체온을 느꼈기 때문이다. 선생의 어떤 시구詩句에서도 안정과 신뢰를 느낄 수 있다는 것—나는 그것을 설명할 만한 힘이 없다. 그래서 선생을 찾아온 것이다. 선생이 나와 동시대라면 뭣을 생각하며 계실까 하고 찾아온 것이다. 그러므로 나의 목적은 선생이 거처하던 암서헌巖栖軒•이었다. 그 위에 세워진 도산 서원엔 별로 흥미가 없었다. 그러나 보통 집에 가도 주인부터 찾아보듯, 우선 선생 위판에 참배하는 것이 순서일 것이다.

우리는 바로 도산 서원 안으로 들어갔다. 동쪽 건물 박약재博約齋엔 선생의 14대 종손 이원곡李源穀 옹을 위시하여 이윤덕李潤悳, 이종호李從鎬, 이동춘李東春 옹 외에도 여러 분이 의관을 갖추고 우리를 기다리고 있었다. 법령에 의해서 서원을 위한 토지는 있을 수 없고 지금까지 내려온 9천 평도 개인 명의로 변경을 해야 한다고 하니 앞으로 건물들이나마 건사하기가 어렵다는 것이다. 어디를 가도 마찬가지였다. 이곳에도 심각한 문제가 있으니 말이다. 이 모든 건물에 현대적 시공도 범犯할 리 없지만 그렇다고 비바람에 이 건물들이 썩어서 내려앉는 일도 없을 것이라고 나는 확신한다. 그렇게 되는 날엔 볼장 다 보는 것이다.

갓 쓴 사람의 안내를 받아 사액賜額 도산 서원陶山書院이 붙은 전교당典敎堂 대청 위로 올라갔다. 선조왕宣朝王의 명命을 받고 석봉石峰 한공韓公 호濩가 사액을 쓴 것이라고 한다. 석봉 한공 수脩의 글씨를 모르지만 내가 보기에 석봉 한공 호의 글씨는 아니었다. 갓 쓴 안내인은 우리에게 유건儒巾과 도포와 검은 띠를 내준다. 나는 좀 당황했다. 양복 위에 그대로 입으라고 한다. 우리는 시키는 대로 입고 쓰고 대청에 나란히 앉았다. 뜰 아래서 학생들은 우리를 쳐다보며 웃음을 참느라고 표정이 굳어진다. 갓 쓴 안내인은 대청 아래 내려서서 두 손을 들어 우리에게 읍하며 "알묘謁廟 아뢰오!" 하고 외쳤다. 그 소리에 나는 다시 한 번 당황했다. 우리는 전교당 대청에서 내려와 안내인을 따라 바로 뒤에 있는 상덕사尙德祠로 들어갔다. 우리는 일제히 무릎을 꿇고 선생에게 두 번 절을 드렸다. 안내인이 독櫝을 열어 보인다. 퇴도退陶 이선생李先生 다섯 자뿐이었다. 월천月川• 조공趙公 단 한 분이 배향配享되어 있었다. 내게서 근 5백 년이란 거리가 사라졌다. 쇠로 만든 등잔이 양쪽에 한 개씩, 그리고 꿩 꼬리로 만든 먼지 터는 것이 걸려 있었다. 선생이 손수 쓰던 물건이다. 여자는 누구나 이 사당 안에 못 들어오는 법이라고 설명한다. 근 5백 년이란 세월이 앞을 가로막는다. 나는 다시 한 번 당황했다.

우리는 상덕사에서 물러나와 동광명실東光明室로 갔다. 규약대로 책임자 다섯 명이 상의, 입회하에서 문이 열렸다. 선생이 보시던 책이 쌓여 있었다. 철제 캐비넷을 열고 차례로 목함木函을 들어내어 보여준다.

1. 『어제선정간첩발문御製先正簡牒跋文』 1책冊. 정묘어필正廟御筆.

2. 『사문수간師門手簡』 8책. 선생이 제자 월천 조공 목穆에게 준 편지와 시폭詩幅만을 모은 것이다. 조공 목의 자字는 사경士敬이니 선생을 가장 오래 모신 제자이다. '기조사경寄趙士敬' 이라고 제題한 시폭에서 잠시 손을 멈췄다.

滿潭風月樽無綠
拄腹詩書面有黃[13]

월천 조공은 매우 가난한 선비였다. 가난한 제자를 생각하는 선생의 시심詩心이 먹빛에서 들린다. 입 속으로 거듭 음미했다. 쓸쓸한 아름다움에 가슴속이 맑아진다.

3. 『선생수적先生手蹟』 7책. 이 일곱 권 속엔 선생이 가력家曆 빈틈에서 넣은 일기日記 조각도, 습자習字한 조각까지도 수집되어 있었다. 대부분이 고치고 써넣고 지우고 한 초고였다.

선생의 일상 생활을 곁에서 보는 듯했다. 이상 선생의 친필을 모은 책장 사이엔 간혹 잎담배가 들어 있어서 그 부스러기 때문에 지질紙質과 먹빛이 흐렸다. 좀을 막기 위한 것이라고 한다. 이런 줄 알았더라면 흔한 나프탈렌이나 사가지고 왔을 걸 하고 생각했다. 이후에 도산 서원에 가는 분은 나프탈렌을 사가지고 가기 바란다.

4. 매화연梅花硯. 선생이 쓰던 벼루다. 벼룻집 속엔 문진文鎭와 나뭇가지로 만든 책꽂이가 있었다. 역시 선생이 만지던 유물이다.

좁은 건물 안이 점점 어두워진다. 안타까운 일이었다. 마음 놓고 천천히 보기는커녕 친필을 모은 책장을 넘기기에 바빴다. 벼르고 별러서 왔건만 이런 곳에서도 시간에 몰리는 내 자신이 우스웠다. 더구나 강신항 교수는 희귀본을 발견한 듯 바깥에서 열심히 사진을 찍고 있었다. 『논어論語』, 『대학大學』, 『중용 언해中庸諺解』였다. 책마다 '만력萬曆 십팔년十八年(선조 23년) 칠월七月 일日 내사內賜 예안禮安 도산 서원陶山書院' 과 책명과 언해일건諺解一件이란 글씨가 적혀 있었다. 강신항 교수는 "이것 보세요. 사성四聲 방점傍點이 분명하고 내용도 깨끗하지요. 주자본鑄字本인 것 같아요. 국어사國語史 자료로는 매우 귀중한 것입니다. 이곳 책을 모조리 뒤져봤으면 좋겠는데 시간이 있어야지요. 언제고 다시 한 번 와야겠는데요" 하고 나에게 설명해주었다.

해가 퇴색하는 산천은 적막했다. 『퇴계집退溪集』과 『도산십이곡陶山十二曲』, 기타 판본이 있는 장경각藏經閣만 잠깐 둘러보고 가위 뛰다시피 암서헌으로 내려갔다.
암서헌은 선생이 거처하던 그 당시 집이었다. 선생은 50세 때 여기에 터를 잡았다. 내가 참고로 적어온 선생의 「도산잡영 병기陶山雜詠幷記」는 아무런 도움도 되지 않았다. 생각했던 것보다도 모두가 평범하고 초라했다. 우리 나라가 원래 가난 탓일까 아니면 선생이 워낙 검소했던 때문인가. 둘 다 원인이 되었을 것이다. 방은 좁고 서가書架도 목가木架도 볼품이 없었다. 나는 이 나라의 빈곤과 선생의 큰 덕을 동시에 느꼈다. 이런 모순은 설명으로 풀이될 수 없었다. 선생을 이해하기 위해서 나는 나를 부정하려고 애썼다. 방 속과는 어울리지 않는 현대 유리장 안에 선생의 유물이 잘 보관되어 있었다.

1. 전화등梅花登. 녹색 도제陶製. 걸터앉는 것이라고 한다.
2. 선생이 짚고 다니던 단장短杖.
3. 투호投壺.
4. 자기磁器 하나.
5. 방 쓰는 빗자루.
6. 등잔경燈盞檠.
7. 종이를 발라서 만든 혼선기渾璿機.
8. 궤상几床.
9. 선생이 깔던 돗자리.

거의 원시적原始的으로 검소했다. 所居之室 僅蔽風雨[14]라고 한 제자의 기록이 생각났다. 물론 기와집이었다. 그러나 巖栖補簷 近易以瓦 殊非先生之本意[15]란 제자의 기록이 있다. 그렇다면 애초의 건물은 마루도 없었다고 하니 지금 것보다도 더 형편없었을 것이다. 오늘날 농촌에서 볼 수 있는 그런 초가집이었을 것이다. 그럼 선생은 뭣에서 만족을 구했는가. 나는 선생의 기쁨을 상실喪失했다.
우리는 암서헌을 나와 공工 자 형으로 지었다는 농운정사隴雲精舍로 갔다. 제자들이 공부하던 집이라고 한다. 시간이 늦어서 방엔 들어가보지도 못했다. 여기서 서애西崖• 유공柳公 성룡成龍도 학봉鶴峯• 김공金公 성일誠一도 공부했다. 이공 율곡도 여기서 머물렀는지 모른다. 그러나 우리는 여기서 임란까지 생각할 필요는 없었다. 선생 당시에 영천군수 허시許時가 嘗歷謁曰 隘陋如此 何以堪之 先生徐曰 習之已久 不覺也[16]라 했다. 그렇다. 나는 선생과 반대로 많은 것을 얻었고 그 대신 소중한 것을 잃었다. 나는 보잘것없는 한 인간으로서 나 자신에 대한 향수를 느꼈다. 나는 도산 서원이 없는 걸로 생각하고서 그 당시를 상상하며 다시 사방을 둘러봤다.
선생은 초상肖像을 남기지 않았으나 선생의 일상 생활이 선히 보이는 듯했다.

未明而起 (중략) 終日觀書 或焚香靜座 常提省此心 如日初昇.[17]
晩卜地於陶山 築室藏書 地在於江上 冬日甚寒不能居 春夏則常處其中 每於花朝月夕 獨乘小艇 沿洄上下 興盡而反 玩心經籍 寄興於溪山 頹然 若無當世之念矣.[18]

또 선생은 數偶吟一絶 一句一字 必精思更定 不輕示人[19]. 시상詩想에

잠긴 선생의 모습이다. 산천과 위치와 건물이 그대로 선생을 반영하고 있다. 나도 선생이 거닐던 곳을 수일간 거닐고 싶었다. 그러나 해가 저문다. 선생은 客到雖年少必下階迎之 送亦如之[20]하였다.

우리는 천천히 한길로 내려왔다. 다시 돌아보니 동서로 뻗은 산은 침병枕屛 같고 그 한가운데에 도산 서당이 들어앉은 격이었다. 선생이 동취병東翠屛 서취병西翠屛이라고 명명한 것을 알겠다. 더 이상 이곳을 자세히 봐둘 필요는 없었다. 보이지 않을 때에 내 가슴에 남을 것이다. 아주 잊었을 때 언제고 내 마음에 살아날 것이다.

우리는 계남리를 향해 걸어간다. 배가 고프다. 해는 저물고 바람이 차다. "산과 물이 잇닿아서 경작할 땅도 넉넉지 못하군요. 이 지방 생활이 말이 아니겠는데요" 하고 강신항 교수는 말했다.

우리는 어느 옛 기와집에 당도했다. 연하각烟霞閣이란 현판이 붙어 있었다. 역시 퇴계 선생 후손 댁으로서 바로 이우성 교수의 처가이다. 저녁 식사를 마쳤으나 피로를 풀 여가도 없었다. 달이 떠올랐다. 학생들이 들어 있는 농가에 가서 이명구 교수는 민요 채집을, 강신항 교수는 방언方言 조사를, 최진원 교수는 전설반에게 자료 정리를, 이우성 교수는 민속반에게 자료 정리를 지도하기에 바빴다. 도산 서원에서 인사한 이윤덕 옹이 일부러 하계동下溪洞에서 와주었다. 다음 책들은 이윤덕 옹의 소장으로서 필자가 보지는 못하고 듣기만 한 것이다.

1. 『퇴계집退溪集 이야순李野淳(정조 시대) 주註』. 『퇴계집』 책장마다 세주細註를 단 것으로서 퇴계 연구에 귀중한 자료가 될 것이라고 한다. 그 중에서 네 권이 분실.

2. 『이가순 일기李家淳日記』(정조 시대. 관지홍문관응교官至弘文館應教). 약 40년간 가력家曆에다 기입한 일기로서 도합 4권.
3. 『이휘준 일기李彙濬日記』(철종哲宗 시대. 관지대사성官至大司成). 약40년간 가력家曆에다 기입記入한 일기로서 도합 4권.
4. 『이만도* 일기李晩燾日記』(고종高宗 시대. 합병 후 식음食飮을 끊고 24일 만에 순절殉節했다.). 역시 40년간의 일기로서 도합 3권.

조재화趙載花, 박찬소朴贊昭 군은 생소한 밤 동네를 돌아다니면서 『사본 가사寫本歌辭』 2권을 빌려왔다. 통행 금지를 알리는 사이렌 소리가 없었다. 별유 천지別有天地 같았다. 달은 중천에서 한참 밝다. "퇴계 선생 산소가 어데쯤 있나요" 하고 나는 동네 젊은이에게 물었다. "저 산 바로 옆입니더" 하고 위쪽을 가리킨다. 과히 멀지 않은 것 같았다. 자정이 넘어서야 우리는 달빛을 밟고 연하각으로 내려갔다.

1964. 12. 18.

우리는 오후 1시에 들어오는 정기 버스를 타고 1시 30분 출발, 도로 예안면으로 나가야 한다. 산소와 선생이 출생한 온계동 태실胎室까지는 갈 수 없다는 것이었다. 그러나 나는 『퇴계 전서』에서 읽은 이곳 일대를 다 둘러볼 작정으로 온 것이다. 미안한 일이었다. 1시 반까지 돌아오겠으니 그 동안만은 나 혼자서 개인 행동을 취하겠다고 청했다. 세 분 교수가 쾌히 응낙해줘서 고마웠다. 조반이 늦는 것 같아서 초초했다. 이우성 교수가 열어 보이는 연하각 마룻방으로 들어갔다. 현판이 죽 걸려 있었다.

1. ‘쌍취雙翠’ (예서隸書). 노석육십수老石六十叟(대원군大院君 글씨) 쌍취는 경주부윤慶州府尹을 지낸 이만운李晩運의 호라고 한다.
2. ‘지산芝山’ (완당阮堂 김공金公의 글씨). 뻗어온 영지산은 이곳에 이르러 지산芝山이 된다.
3. ‘황潢고’ . 「도산가陶山歌」에 있는 ‘황지潢池로 소신 물이 낙천洛川이 말가세라’ 고 한 황潢이다.
4. ‘농와聾窩’ . 이참吏參을 지낸 이언순李彦淳의 호.

조반을 마치고 우리는 연하각을 떠났다. 나는 1시 반까지 돌아와야 하기 때문에 선생 산소가 있는 곳을 물으면서 급히 걸었다. 얼마 안 가서 선생 산소가 있는 건지산騫芝山이 쳐다보였다. 조그만 도랑물을 가벼이 뛰어 건넜다. 이 도랑물 줄기가 바로 퇴계라고 한다. 오늘날은 산에 나무가 없고 모래가 밀려서 물이 줄어든 건 사실이다. 더구나 우리는 겨울 나그네였다.
분천동과 도산 서원 앞으로 흐르는 물도 선생 당시처럼 선유船遊할 정도는 아니었던 것이다. 그럼 이 도랑물 줄기가 선생 당시에는 계溪라고 할 만했던가. 오른쪽 낮은 산에 보이는 산소가 선생의 부인 산소라고 한다. 물어봐도 부인 허許씨 산소인지 부인 권權씨 산소인지 아는 사람이 없었다. 그 산 너머가 시인 이육사李陸史 형제의 고향이라고 한다.

지금 눈 나리고
매화 향기 홀로 아득하니
내 여기 가난한 노래의 씨를 뿌려라.

다시 천고千古의 뒤에
백마 타고 오는 초인超人이 있어
이 광야에서 목놓아 부르게 하라.

사랑하는 조국 땅에 무덤도 남겨놓지 못하고 가버린 시인 이육사의 목소리다.
급경사 진 건지산으로 올라갔다. 중간에 조그만 산소가 있었다. 나중에 안 일이지만 선생 자부子婦의 산소라고 한다.
이제야 나는 홀로 선생 산소 앞에 섰다. 보잘것없는 후생後生이 드리는 절이다. 선생은 광야를 방황하는 이 사람을 민망히 생각하실 것이다.
솔바람소리뿐이었다. 산소는 선생의 유지遺志와 달랐다. 경오년 12월 4일 병중病中인 선생(70세)이 조카에게 유계遺戒한다.

一, 勿用禮葬 該曹循例請用 必稱遺令 陳疏回辭.[21]
一, 勿用油蜜果.[22]
一, 勿用碑石 只以小石 書其前面云 退陶晩隱眞城李公之墓 其後略書鄕里世系志行出處 大槪家禮中所云 此事若托他人製述 相知如奇高峰必張皇無實之事 以取笑於世 故嘗欲自述所志 先製銘文 其餘因循未畢草文藏在亂草中 搜得用其銘可也.[23]

그런데 선생 무덤 곁엔 소석小石이 아니고 훌륭한 비석碑石이 서 있었다. 비문碑文도 기고봉奇高峰 근기謹記였다. 좌우에 석인石人도 서 있었다. 나라에서 치산治山한 것이다. 싸느란 비면碑面의 '퇴도

만은진성이공지묘退陶晩隱眞城李公之墓' 란 글씨 바로 곁에 선생이 생전에 친히 지은 묘갈명이 새겨져 있었다. 소리 없는 말씀이었다.

生而大癡 壯而多疾

中何嗜學 晩何叨爵

學求猶邈 爵辭愈嬰

進行之跲 退藏之貞

深慚國恩 亶畏聖言

有山嶷嶷 有水源源

婆娑初服 脫略衆訕

我懷伊阻 我佩誰玩

我思古人 實獲我心

寧知來世 不獲今兮

憂中有樂 樂中有憂

乘化歸盡 復何求哉

나서는 크게 어리석었고, 자라서는 병이 많았다.

중년에 어이하여 학문을 즐겼으며, 늦게야 어이하여 벼슬을 외람되이 했던고.

학學은 구할수록 오히려 아득한데, 벼슬은 사양할수록 더욱 부르시는도다.

나아가니 발길이 어지럽고, 물러서서 지키니 곧은지라.

깊이 나라 은혜에 부끄러우며, 다만 성인의 말씀에 두렵도다.

산은 있어 높고 높고, 물은 있어 주야로 흐름이라.

야복野服을 입고 표연한 후로, 모든 비난을 버려두었도다.

누가 나의 회포를 알아줄거나, 나의 패물佩物을 누가 보아주리요.

내 옛사람을 생각하니, 실로 내 마음을 얻음이라.

어찌 후 세상 사람이라고, 이를 못 얻으리요.

근심하는 중에 즐거움이 있고, 즐거운 중에 근심이 있도다.

조화와 더불어 영원으로 돌아가니, 다시 무엇을 바랄손가.

솔바람소리뿐이었다 나는 선생의 소리 없는 말씀을 거듭 들었다. 시간이 나를 독촉한다. 바람에 쫓겨 하계동으로 내려갔다.

옛 기와집에 우리 일행이 와 있었다. 바로 이윤덕 옹 댁이었다. 방에 들어가서 노인장에게 인사하고 보여주는 소장을 구경했다.

1. 『선조 유묵先祖遺墨』. 내용은 「정사精舍」, 「인지당仁智堂」, 「석문오石門奧」, 「지숙료止宿寮」, 「은구재隱求齋」, 「관선재觀善齋」, 「한서관寒栖館」 이상 7편의 주자 시를 쓴 것. 선생의 인격을 대하는 듯한 해서였다.

2. 『선조 유묵』. 자손을 위해서 쓴 천자문千字文 전부. 역시 해서.

3. 『십삼대조문순공 유묵十三代祖文純公遺墨』. 「회재 행장晦齋行狀」과 「○○ 묘갈명」의 초고草稿.

나는 따라나서는 조정자, 김원길 군만 데리고 이윤덕 옹 댁을 떠났다. 바로 옆 와가瓦家들도 다 퇴계 선생 후손 댁이라는데 그 중엔 수졸당守拙堂이란 현판이 붙은 집도 있었다.

김종길 교수 매씨가 이 동네에 출가出嫁했다가 2년 전에 산후발로 세상을 떠났다는 것과 김교수가 내앞(천전川前) 의성義城 김金씨란 것과 씨의 본명이 김치규金致逵란 것도 이곳에서 듣고 비로소 알았다. 이윤덕 옹의 영식令息 이부 군에게 이가원 교수의 살던 곳이 어디냐고 물었다. 내가 지금 가는 상계동 위쪽 동네인데 길에서 보이지 않을 것이라고 한다. 전에 온계동 태실까지 가본 일이 있었다는 김원길 군을 앞세우고 나는 상계동 퇴계 선생 종손댁으로 향했다.

상계동 종가宗家에 당도한 나는 어제 인사한 퇴계退溪 선생 14대 종손宗孫 이원의 옹을 따라 추월한수정秋月寒水亭 대청에 올랐다. '도학연원장道學淵源場' 이니 '산남궐리山南闕里' 니 하는 현필이 걸려 있었다. 물론 선생 당시의 건물은 아니다. 퇴계 선생은 도산陶山에 자리잡기 전과 또는 그 후에도 겨울이면 주로 이곳에서 거처했다. 쓸쓸한 산골이어서 무슨 절간 같았다. 퇴계 선생은 46세 되던 그 해 2월에 서울서 내려왔고, 7월엔 부인 권씨가 세상을 떠났고, 11월엔 예빈시정禮賓寺正 벼슬이 내렸으나 서울로 가지 않았다. 是年 是假寓于退溪之下數三里 於東巖之傍 作小庵名曰養眞[24]이란 것이 바로 저 건너편이라고 한다. 그때까지 시냇물을 속칭 토계兎溪라고 했는데 선생이 퇴계退溪로 고치고 스스로 자기 호號를 삼은 것이다. 이원의 옹 자제가 쇠를 채우고 갔기 때문에 나는 종가 댁에서 아무런 유물도 보지 못했다.

직장直長 이안도李安道 처妻 안동권씨지여문安東權氏之閭門 앞으로 갔다.

안동 권씨는 선생의 손부孫婦로서 소생 없이 과거寡居했다. 그래서 若不立嗣면 死無以見亡人이라 하고 只飮煮粟汁 不粒食 不梳頭 不解帶者 二十二年而終 萬曆丙辰 事聞旌閭[25]란 기록이 남아 있다. 처연한 일이다.

종가 댁에 조정자曺靜子를 머물러 있게 하고 나는 김원길金源吉 군만 앞세우고 총총히 상계동을 떠났다.

시간이 나를 채찍질한다. 허둥지둥 쫓겨가는 나의 이마에서 땀이 흘렀다. 퇴계를 거슬러 산골 안으로 휘어들자 갑자기 백설이 휘날렸다. 앞이 잘 보이지 않을 정도였다. 산바람이 몰아친다. 나는 여기서 감기가 드는구나! 하고 각오했다. 庚午十一月九日 先生以時享上溫溪齋 宿宗家 始感寒疾[26]이란 대문이 생각났다. 뽀얗게 눈을 맞으며 다시 산모퉁이를 돌아 나가자 시냇물 왼편에 무슨 산신각山神閣 같은 토계 정사兎溪精舍란 건물이 나타났다.

그곳에 퇴계 선생의 숙부 송제공松齊公의 영정이 걸려 있었다. "언제 그린 영인가요" 하고 나는 물었다.

그곳 젊은 사람이 대답한다.

"두 벌이 있는데 하나는 도산 서원에 있습니다. 이 영은 이 어른 당시에 그린 거지요."

믿어지지가 않았다.

"색채가 너무 선명하군요."

"몇 달 전에 새로 채색을 입혔습니다. 이런 데는 옛 빛이 좀 남아 있지 않습니까."

나는 내 귀를 의심했다.

"누가 새로 채색을 입혔나요."

"그건 잘 모르겠습니다. 서울서 해가지고 왔으니까요."

이런 과오쯤은 범하지 않을 만도 한 제법 능란한 필치筆致였다. 도시에서 가난하면 기꺼이 짐승이 된다. 도산 서원에 있다는 것이 원화原畵이고 젊은이의 말이 착각이기를 바랐다.

그렇게 몹시 휘날리던 눈이 그새 멈췄다. 우리는 토계 정사를 떠나 급히 걸었다. 가도가도 옛 와가瓦家는 없었다. 길가의 초가집에 들러 알아본즉 예안면으로 빠져 나가는 길이라고 한다.

길을 잘못 든 우리는 부리나케 다시 되돌아섰다. 김원길 군은 본 지가 하 오래여서 길을 잘 모르는 모양이었다. 김군은 길 가는 사람에게 삼백정이 어디냐고 묻기만 한다. 나중에 짐작한 일이지만 삼백정엔 김군의 왕고모 되는 분이 있다고 한다. 김군은 그곳으로 나를 데리고 가서 점심 대접을 할 작정이었던 것 같다. 나는 모르는 곳엔 갈 필요가 없다고 태도를 밝혔다. 다시 길 가는 사람에게 알아본즉 이번엔 온계동溫溪洞을 지나왔다는 것이었다. 농부가 "저편 산밑 동네에 보이는 기와집이 바로 노송정老松亭이라" 면서 가르쳐준다. 우리는 오던 길로 다시 허둥지둥 돌아갔다. 노송정에 이르렀을 때는 12시 50분이었다. 1시 30분까지 돌아가기는 틀린 일이다.

옛 기와집은 상당히 크고 우중충했다. 언뜻 보기엔 사람이 살고 있지 않는 것 같다. 성림문聖臨門 문간채에 들어 있는 사람에게 안내를 청했다.

나는 인기척 없는 음침한 안으로 따라 들어갔다. 바로 안[內] 대청 앞에 붙어 있는 방이 태실胎室이었다. 이 태실만은 선생이 탄생한 그 당시 그대로라고 한다. 정방형의 조그만 방이었다.

네 벽에 각각 문이 나 있고 대청 쪽 말고도 삼면으로 툇마루와 난간이 둘러 있다. 터와 방은 5백 년 전 그 당시 그대로겠지만 체목體木과 툇마루와 난간은 그 당시 것으로 믿어지지가 않았다. 선생이 탄생한 그 당시 집이 이 큰 집과 어울릴 만큼 첫째 이런 재목材木이었을 것 같지가 않았다. 건물이야 어떻든 간에 이곳에서 태어난 선생은 두 살 때 아버지를 여의었다. 선생은 어머니 박씨묘갈朴氏墓碣 중에서 夫人痛念多男而早寡 將不克持門戶 益修稼穡 蠶桑之務[27]라고 하였다.

露草夭夭繞水涯
小塘淸活淨無沙
雲飛鳥過元相管
只怕時時燕蹴波[28]

이곳에서 선생이 18세 때 지은 시다.
다음 시도 역시 이곳에서 선생이 19세 때 지은 것이다.

獨愛林廬萬卷書
一般心事十年餘
邇來似與源頭會
都把吾心看太虛[29]

이 두 편 시에 이미 선생의 천품, 그 일생이 나타나 있다. 선생은 20 미만 때 자득自得 자각自覺한 바를 시종일관한 어른이다. 사방은 그저 평범한 농촌이었다. 돌아갈 길이 급해서 노송정 정자엔 들러보지도 못하고 나왔다. 우리 일행은 나를 기다리다 못해서 예안면으로 떠났을 것이다. 나는 오늘 안으로 예안면 오천동烏川洞을 찾아가서 일행을 만나야만 한다. 나와 김군은 급히 걸어 상계동 종가 댁으로 돌아갔다. 그 동안에 우리 일행은 종가 댁까지 와서 점심을 먹고 4시 30분 차로 떠난다면서 약 한 시간 전에 내려갔다는 것이었다. 4시 30분에 차가 있는 줄만 알았더라도 천천히 둘러보고 왔을 걸 하고 나는 생각했다.

종가 댁에서 점심 대접을 받고 이원의 옹과 작별하고 김군과 함께 계남리로 내려갔다. 1시 반 차로 떠나지 못한 일행이 연하각烟霞閣에서 나를 기다리고 있었다. 미안한 일이다.

4시 30분에 우리는 계남리를 떠났다. 버스 창 밖으로 어제 본 도산 서원이 지나간다. 퇴계 선생은 성인聖人이 되기를 원했던가. 그렇다면 성인이 따로 있을 리 없다. 언제나 전위前衛는 불행하게 마련이다. 눈바람 속에서 조정암趙靜庵• 선생은 피를 쏟고 쓰러졌다. 연후에 조선의 봄이 왔다. 서화담徐花潭•, 조남명曺南冥•, 성청송成聽松•, 이회재李晦齋• 선생 등 도학 군자道學君子와 거유 석학巨儒碩學이 때를 다투어 만발했다.

다 퇴계 선생과 동시대였다. 시대를 잘 타고나는 것도 중요하지만 제자를 잘 두는 것도 부러운 일이다. 『도산급문제현록陶山及門諸賢錄』• 5권에 나타나는 퇴계 선생의 그 많은 제자 중에는 재주에 뛰어나고 이론에 밝고 경세 제민經世濟民에 역량 있는 분이 적지 않았다. 기묘사화己卯士禍를 거울삼아 독선기신獨善其身했다고 선생을 평하는 이도 있다. 그러나 선생은 본질에 충실한 일생이었다. 그러므로 선생은 유교 말폐末弊에 책임이 없다. 도산 서원이 암서헌巖栖軒을 누르고 있을 뿐이다. 이렇듯 조선의 봄은 너무나 짧았다. 잇달아 임진왜란이 터졌던 것이다. 지난날은 이미 끝났지만 선생 재세在世 때처럼 절우사節友社 터에 매화를 심어 시대와 더불어 변하지 않는 선생의 높은 정신을 찬양해주기 바란다.

70 노인인 선생은 회복할 가망이 없었다. 그 당시 제자의 기록을 펴보기로 하자.

十二月三日 痢泄 盆梅在其傍 命移于他處曰 於梅兄不潔 心自未安耳.[30]
四日 午後 欲見諸生 子弟請止 光生曰 死生之際 不可不見 邃加上衣 引語諸生曰 平時以謬見 與諸君終日講論 是亦不易事也.[31]
八日 朝命灌盆梅 是日晴 酉初忽白雲紛集宅上 雪下寸許 須臾先生命整臥席 扶起而坐逝 卽雲散霽.[32]

나의 시성詩聖다운 최후의 모습이다. 오늘이 음력으로 며칠인가. 지금처럼 겨울이었을 것이다. 버스가 분천동 앞을 지나간다. 농암聾巖 선생이 늘 바라본 「귀거래도歸去來圖」와 「어부사漁夫詞」와 시조 3수는 퇴계 선생의 암서헌과 「도산 십이곡陶山十二曲」에 적지 않은 영향을 끼쳤을 것이다. 그러나 전문가가 아닌 나 같은 사람으로서 이 이상 용탁할 바는 아니다.

다시 예안면으로 나온 우리 일행은 강신항 교수의 제자 권영설 군의 초청으로 그 백씨 되는 권영택 씨 댁에 가서 저녁 식사 대접을 받았다. 우리는 의자에 둘러앉아 난롯불을 쬐며 오랜만에 커피를 마셨다. 대원군 때만 해도 고려조인高麗朝人 우탁禹倬• 선생을 모신 역동易東 서원이 분천동 남쪽에 있었다고 한다. 지금도 그곳 정자에 우탁 선생의 필적인 부라원浮羅院이란 현판이 붙어 있다고 한다. 『퇴계전서』를 보면 퇴계 선생은 역동 서원 낙성에 참석했고, 역동 서원에서 강講을 한 일도 있고, 역동 서원 제군諸君에게 준 글도 있다. 그런데 올 봄에 우탁 선생 후손들이 역동 서원 터에 비석을 세우러 왔다가 뜻을 이루지 못하고 쫓겨갔다는 것이다. 세상과 인심이 많이 변한 것도 사실이다.

옛날에 오천일리烏川一里 무비군자無非君子라고 한 오천동을 향해 우리는 밤길을 걸었다. 예안면에서 10리라고 한다. 하늘에 옛 달이 떴다. 우리는 달빛으로 오천烏川을 굽어보며 산 중복 길을 수차 감돌아 삼천년불입병화지지三千年不入兵禍之地라는 오천동으로 들어갔다. 오천동은 깊숙하고 조그마하고 아늑한 동네였다. 어느 집에선지 개가 짖는다. 이곳도 이우성 교수가 미리 편지 연락을 해두었기 때문에 광산光山 김金씨 종손 김종구金鍾九 옹은 우리 일행을 기다렸다면서 반가이 맞이해주었다. 우리가 기와집 사랑채로 들어갔을 때 벽종 시계는 밤 10시 반을 가리키고 있었다. 미리 준비해두었는지 주안상이 나왔다. 김종구 옹이 우리에게 술과 안주를 권한다. 나는 김원길 군과 이부 군을 따라 어느 호젓한 농가로 갔다. 마련된 잠자리에 누워 눈을 감았다. 김종구 옹 댁 사랑채에서 연신 구슬픈 민요소리가 들려온다. 모두가 피곤을 모르고 민요 채집에 열심인 것이다. 콧물이 흐르고 머리가 아프다. 감기가 든 모양이다.

석유불을 끄면서 시계를 보니 12시 5분이었다.

1964. 12. 19.

어젯밤 민요 채집에 큰 성과를 거두었다고 한다. 조반 전에 김종구 옹의 안내로 후조당後彫堂에 들어가봤다. 당 안엔 퇴계 선생 글씨인 후조당 현판이 쌓여 있고 한적漢籍이 쌓여 있었다. 하루쯤 쉬면서 한적이나 뒤져보면 필시 기서奇書 진본珍本이라도 나올 것만 같다. 김종구 옹의 선조요 퇴계 선생 제자인 후조당은 김공金公 부필富弼의 호니 세한연후歲寒然後에 송백松柏은 후조後彫란 구절에서 딴 것이다. 『퇴계 전서』를 보면 生有異質 早遊先生之門下[33]라고 나와 있다. 김종구 옹이 세전지물世傳之物을 보여준다.

1. 편전片箭. 임란 때 쓰던 화살.
2. 홀笏. 상아로 만든 것.
3. 「별시첩別詩帖」. 후조당의 부친 김공 연緣이 영주군수榮州郡守로 부임해갈 때 그 당시 장안 명사들이 지은 친필 송별시폭이었다. 조정암, 성덕송, 이회재 선생 시폭詩幅도 들어 있었다.

우리는 조반 대접을 받고 김종구 옹에게 감사 드리고 오천동을 떠났다. 신작로로 나가기까지 어젯밤에 본 달 대신 줄곧 청량산淸凉山을 바라볼 수 있었다. 산은 옛 산이로되 옛 어른을 뵈올 길이 없다.
신작로에서 예정대로 버스를 타고 다시 안동시로 나갔다. 안동에서 점심 식사를 하고 우리 일행은 또 버스를 탔다. 임하면臨河面 내앞(천전동川前洞)으로 가는 것이다. 우리는 그 무엇엔가 쫓기고 있다. 나는 확실히 그 무엇엔가 쫓기고 있다는 느낌이었다.

우리 일행은 임하면 내앞에 당도했다. 하루의 해가 조용히 기울어지고 있었다. 한 쪽은 마을이요 한 쪽은 신작로인데 그 너머로 반월천半月川이 잘 보이지 않았다. 우리가 들어간 옛 기와집은 상당히 크다는 것이 첫인상이었다.
이번 여행에서 본 가장 큰 민가民家였다. 기둥과 대청 사방 벽에는 대륙에서 독립 운동을 하다가 국내에서 옥사한 의성義城 김씨 일송• 지사一松志士의 건비建碑 준비에 관한 표제標題와 많은 명단이 붙어 있었다. 이 집 주인인 의성 김씨 청계공淸溪公 15대 종손 김시우

金時雨 씨는 편지 연락을 받았다면서 이우성 교수와 우리 일행을 반가이 맞이해주었다. 의성 김씨인 동네분들이 와서 우리에게 여러 가지로 참고 자료를 들려주었다. 나는 이곳에서 10여 년 만에 동학同學 김구익金九益 형과 만났다.

우리는 서로 시간과 인생을 새삼 느꼈다. 이 종가는 우리 나라 옛 민가 중에서 그 규모가 가장 크며 5백 년 이상 된 고가古家라고 한다. 원래는 99간이었는데 앞에 있었던 30간은 임진왜란 때 타버렸고 나머지 69간이 현존 건물이라고 한다. 청계공이 지은 건물로서 그 아드님 5형제가 다 퇴계 선생 제자였는데 그 넷째 분이 유명한 학봉鶴峰 김공金公 성일誠一이다. 이 건물의 특색은 회자형回字形이고 많은 방이 다 채광이 잘되서 밝고, 한 번만 신을 벗으면 다시 신을 신지 않아도 모든 방을 일주할 수 있다는 것이다.

계단이 있는 복도가 있고 예전엔 수십 필의 말을 비끄러매뒀을 마구간 비슷한 헛간이 건물 밑에 뻗어 있고 여러 곳에 광 비슷한 것이 닫혀 있고 내정內庭을 들여다보는 것은 실례지만 지나면서 엿본 바에 의하면 수백 명의 손님이라도 치를 수 있는 감방坎方 마루가 있었다. 왜정 때 총독부에서 간행한 『조선의 취락聚落』이란 책에 이 고가古家의 구조가 상세히 조사되어 있다고 한다. 이 방면에 뜻 있는 분은 그 책을 참조하기 바란다. 종손 김시우 씨는 국가에서 이 큰 건물을 돌봐주지 않으면 앞으로 건사할 길이 막연하다고 했다.

저녁 식사가 끝나고 융숭한 밤참 대접까지 받으면서 '민요반'과 '방언반方言班'은 각 방을 차지하고 취재했다. 너무나 폐를 끼치는 것만 같아서 죄송했다.

동네 농부 두 사람이 와서 부르는 「김매기 노래」의 후렴은 착하건만 불행하고 노력해도 가난하기만 한 이 나라 백성의 정서가 굽이굽이 넘쳐 흘렀다.

후우후후야 자로하리
훌 후후야 자로한다.
우리야 허허러 자루한다
우야 후후 자로한다.
흐르르 후루야 자로하세

세상에 이다지도 착한 백성들이 있을까. 세상에 이다지도 박복한 백성들이 있을까. 알고도 모를 일이다.
더 이상 참고 견딜 건덕지도 없는 체념과 자위의 가락이었다.
불행한 사람만이 서로 느낄 수 있는 아름다운 정서인지도 모른다.
피도 두뇌도 없는 녹음기 테이프가 무심히 돌아간다.
오늘도 자정이 넘어서야 우리는 잠자리에 들었다. 우리 일행이 동네 농가로 분산하지 않고 한 집 안에서 자기는 처음이다.

1964. 12. 20.

아침 식사를 마치고 우리는 종가 댁 이웃에 있는 김종해金鍾海 씨 댁으로 갔다. 그 기와집 주인 김종해 씨와는 어제 인사한 사이었다. 씨는 학봉 김공의 둘째형님인 귀봉龜峰 김공의 15대손이다. 씨는 우리에게 쾌히 세전지물을 보여주었다.

1. 신라 경순왕敬順王 고적古笛. 나무 갑 속에 옥적玉笛이 보관되어

있었다. 경순왕이 국가에 전한 것이 지금 경주박물관에 있는 옥적이고, 또 하나 자손에게 전한 것이 이 녹색 흑반黑斑의 이 옥적이라고 한다. 아깝게도 삼절 사편三折四片이 나 있었다.

2. 문장검文章劍. 경순왕 때부터 전해 내려오는 칼인데 감정하려고 서울로 올려보냈다가 6 · 25 사변이 터져서 잃었다고 한다. 혹시 이 글이 인연이 되어 그 고검古劍이 다시 나타난다면 만행萬幸이겠다.

3. 매죽연梅竹硯. 퇴계 선생이 쓰시던 도산 서원 벼루보다 크다. 중국에서 상사품賞賜品으로 내린 용연龍硯, 구연龜硯, 매죽연梅竹硯 중의 하나라고 한다.

4. 벽력금霹靂琴. 거문고는 벼락을 맞은 오동나무로 만들어야 최상품이라고 한다. 현재는 없다. 옛날에 없어진 듯하다고 한다.

5. 연하침烟霞枕. 어느 조상 되는 분이 금강산 만폭동萬瀑洞 담潭 속에서 캐낸 나무 뿌리로 만든 것이라고 한다. 나무 뿌리가 물 속에서 썩지 않으면 침향沈香이 되고 천 년을 썩지 않으면 침석沈石이 된다고 한다. 이것은 거의 침석에 가깝다고 한다. 煙霞一夢 萬二天峰이란 글이 새겨 있었다. 또 萬瀑洞 盤石間得此 或憑或枕[34]이란 글도 새겨 있었다.

이상 다섯 가지를 의성 김씨 5보물이라고 한다.

6. 『옥산진적玉山眞蹟』. 옥산은 율곡栗谷 이공李公의 형님이다. 글 내용은 백운정白雲亭에 관한 것.

7. 『필첩筆帖』. 정재定齋• 박공朴公, 약천藥泉• 남공南公, 미수眉叟 허공許公의 필찰筆札도 들어 있었다.

8. '백운정白雲亭' 1폭幅. 백운정 현판의 진필眞筆이다. 구십노인서九十老人書라고 씌어 있었다. 미수 허공의 독특한 과두체科斗體.

9. 『양현유묵兩賢遺墨』. 퇴계 선생과 그 제자 월천月川 조공趙公의 필적을 모은 것.

10. 『학봉선조진주수성鶴峰先祖晋州守城』. 첩帖으로 표구되어 있다. 그 당시를 기록한 학봉 김공의 진필.

11. 『운천선조호종일기雲川先祖扈從日記』. 역시 첩으로 표구된 수필. 귀봉 김공의 장자가 운천雲川• 김공 용涌이다. (관지병조참의官至兵曹參議 증이조판서贈吏曹判書) 계사년癸巳年 8월부터 12월까지 쓴 일기로서 도합 3첩.

12. 『운천공선경연대도雲川公先經聯對圖』. 역시 첩으로 표구된 수필. 을묘년乙卯年 것이 2첩, 병진년丙辰年 것이 1첩, 도합 3첩.

분천, 도산, 오천에서도 그러했지만 나에게 그 흔한 사진기 하나 없다는 것이 안타까웠다.

그러나 사진기가 있다고 해도 무슨 소용이 있으리요. 우리는 쫓기고 있지 않은가. 주안상을 차리는 중이라고 만류하는데도 우리는 지체할 시간이 없어서 사양하고 떠나야만 했다. 나는 이왕 이곳까지 온 김에 백운정을 가보기로 했다. 백운정은 청계공이 지은 정자다. 백운白雲이란 망운지회望雲之懷니 멀리서 부모를 생각한다는 뜻이다. 분천동의 애일당愛日堂도 우리 부모님 오래오래 사시라는 뜻이다. 옛사람은 누구나 부모에게 효성이 지극했다. 오늘날이라고 해서 그 누가 부모를 생각하지 않으리요. 나 같은 사람도 세상을 떠나신 부모님을 잊을 수 없다. 그러니 옛 어른의 효성을 둘러보고 싶다는 것은 인지상정일 것이다. 김구익 형의 안내로 몇몇 학생과 함께 급히 걸었다. 그러나 곧 버스가 올 것이라는 전갈을 받고 우리는 도중에서 백운정을 바라만 보고 돌아왔다. 역시 그 무엇에 쫓기고 있는 것이다. 청계공이 지은 백운정시白雲亭詩를 소개한다.

鑿壁開亭翠軒頭
江山明媚拂人眸
日臨鏡面魚紋動
雲掃天心雁字稠
百里遊歌曾物色
一區花草亦光休
樽前知有無窮樂
祇恐兒孫醉似劉[35]

버스가 터덜거리면서 왔다. 우리는 신작로에서 의성 김씨 여러 분에게 감사하고 작별 인사를 드렸다. 나와 김구익 형은 잡았던 손을 한참 만에 놓았다.
버스는 초만원이었다. 우리는 짐짝처럼 마구 뒤흔들리면서 다시 안동시를 향해 달렸다.
우리가 분천, 도산, 오천에서 인사한 분은 다 노인이었다. 젊은 사람을 거의 보지 못했다. 그 대신 내앞(천전동)에서 인사한 분은 거개가 40대였다. 안동시가 가깝기 때문일 것이다.

다시 안동시로 나간 우리는 김기업金基業 씨 댁에 초대되어 점심 식사를 했다. 벽에 서애西厓 유공柳公의 필찰筆札이 걸려 있었다. 이제 남은 노정은 하회河回뿐이다.

그러나 여관으로 돌아간 우리는 예정을 바꿔야만 했다. 가면假面이 서울에서 내려오지 않았다는 것과 다년간 하회 탈춤을 연구한 유한상柳漢尙 씨가 지금 안동시에 있다는 기별이 온 것이다.
그래서 하회는 내년에 가기로 하고 그 대신 여학생 강석란姜錫蘭의 영주榮州 본댁本宅 초청에 응하기로 하고, 겸하여 소수 서원과 부석사浮石寺를 둘러보기로 일정을 바꾸었다. 다방에 나가서 난로 곁에 자리를 잡고 마담에게 부드럽고 아름다운 음악을 청했다. 유행가 곡조만 흘러 나온다. 의자에 등을 기대고 눈을 감았다. 피곤이 풀리면서 스르르 잠이 온다. 굳이 창 밖을 내다봤다. 모레 새벽이면 서울에 도착한다. 짧은 시일에 너무나 많은 것을 봐서 소화 불량에 걸린 것이다.
유한상 씨가 모조품 가면을 가지고 여관에 와서 하회 탈춤에 관한 설명을 자세히 해주었다. 고마운 일이다. 저녁 식사 후 강신항 교수와 함께 영화관에 가서 「벙어리 삼룡이」를 봤다. 객지에서 1920년대의 재현을 본 셈이다. 밤늦게야 또 주규석朱圭錫 씨의 호의를 뿌리칠 수 없어 우리는 아늑한 술집으로 끌려갔다. 술이 먹히지 않았다. 여관에 돌아가는 즉시로 나는 감기 약을 먹어야만 했다.

1964. 12. 21.

새벽에 열차로 안동을 떠나 영주에 도착한 것이 10시 10분. 우리는 강석란 본댁에서 영접 나온 사람에게 밤 12시발 서울행 차표를 부탁하고 짐을 실어 보내고 자동차부로 갔다.
버스는 10시 반에 있는데 오늘이 부석면浮石面 장날이라 오후 3시 반 막차로 돌아오려면 몹시 복잡할 것이라고 한다. 자동차부 사람이

"자, 단체 손님부터 먼저 타이소!" 하고 우리 일행을 위해 촌사람들을 마구 밀어낸다. 덕분에 우리는 자리를 잡고 앉았다.
이런 특전이야말로 이만저만한 횡포가 아니다.
촌사람들은 아무도 항의하지 않았다. 그들은 우리를 양반으로 착각한 것인가. 부끄러운 일이다. 초만원 버스 속에서 갓 쓴 노인과 조그만 곡식 자루를 든 할머니가 쩔쩔맨다.
학생들이 자진해서 노인들에게 자리를 내드린다.
영주를 떠난 우리는 풍기豊基를 지나면서 소백산小白山을 바라볼 수 있었다. 소백산은 인간 세상사를 알 바 아니라는 듯 초연하다기보다는 무표정했다. 순흥順興을 지나 좀더 가다가 버스에서 내렸다.
길 건너 우거진 솔밭 사이로 소수 서원이 나타났다. 소수 서원은 신재愼齋• 주세붕周世鵬 선생이 세운 우리 나라 최초의 서원이며 퇴계 선생이 풍기군수로 있었을 때 사액賜額을 받았다는 건 누구나 아는 바이다. 옛 숙수사宿水寺 빈터에 서원이 서 있었다. 불교 전성 시대의 흔적으론 이끼 낀 석조石造 당간 지주幢竿支柱만이 국보로 남아 있고 유교 전성 시대의 소수 서원은 쓸쓸하기만 했다. 『죽계별곡竹溪別曲』•으로 알려진 죽계수竹溪水만이 예나 이제나 꾸준히 흐르고 있는 성싶었다. 백운동白雲洞이란 현판이 붙은 건물만은 새롭고 깨끗했다. 그 안에 '명묘어필 사액소수서원明廟御筆賜額紹修書院'이 걸려 있었다. 그 외는 의외로 처량했다. 서고書庫는 쇠가 채워 있지 않았다. 소위 국보 111호라는 문성공•묘文成公廟 안으로 들어갔다. 이만저만 퇴락한 것이 아니었다. 오리梧里 이공李公의 초상은 낡아 빠져서 불원간에 남아날 것 같지가 않았다. 주신재周愼齋 선생 화상畵像은 벽에 걸려 있었으나 역시 보기에 괴로웠다. 차라리 어느 외국 박물관에 잘 보관되었으면 싶을 정도였다. 퇴계 선생 홀기笏記와 신재 선생 홀기는 봉투가 뒤바뀌어 있었다. 철제 캐비넷 속에 걸린 문성공文成公 안유安裕 선생 초상만은 잘 보관되어 있었다.

안선생 위판 뒤로 '문성공文成公' 이란 족자가 걸려 있고 그 좌우로 '道德博文曰文', '安民立政曰成'[36]이란 족자가 걸려 있었다.

주지번朱之蕃•의 글씨라고 한다. 우리 일동은 문성공 회헌 안유 선생 위판에 절했다.

우리가 상상도 못하리만큼 선구자의 일생은 적막하고 고독했을 것이다. 소제를 하려면 이만저만한 큰일이 아니겠다.

연전에 미국 사람 더글러스 씨가 이곳을 다녀갔다는 것이 마음에 걸린다. 언필칭 '세익스피어' 의 집을 가보니 어떻고, '파리' 의 거리에 문인文人 조상彫像이 섰는 걸 보니 어떻고, '베토벤' 의 무덤이 어떻고 하면서 남의 나라만 칭찬할 때가 아니다. 우리에게도 있긴 있으나 외국 것보다 자기 나라 것을 잘 모르는 실정이다. 도산 서원은 앞으로 유지할 길이 막연하고 소수 서원은 이 꼴로 방치되어 있다. 학생들이 우리 나라에 대해서 자랑을 느끼지 못하는 것도 무리는 아니다. 도로 행길로 나와 조금만 걸어가면 담이 둘러진 빈터에 '유명조선 단종조충신 금성대군 성인신단지비有明朝鮮端宗朝忠臣錦城大君成仁神壇之碑' 가 서 있다. 금성대군錦城大君• 유瑜가 단종을 복위시키려고 모의하다가 의사義死당했던 일을 말해주는 비석이다. 『대동기문大東奇聞』엔 그 당시의 順興府人 多緣坐死 竹溪水盡赤[37]이라고 나와 있다. 참이건, 거짓이건 살아가기 힘든 세상이다. 아니 무서운 일이다. 우리는 명색보다 훨씬 못한 죽계제월교竹溪齊月橋란 다리에서 버스를 기다려 타고 부석면으로 갔다.

태백산맥이 바라보이는 부석면은 과연 가는 날이 장날이었다. 우선 국밥으로 요기부터 했다. 3시 반 막차를 타고 돌아갈 수 있도록 10리나 된다는 부석사까지 다녀와야 한다. 시계는 2시. 남은 시간은 90분밖에 없다.

갈 사람은 가고 그 외는 남아 있기로 했다. 그야말로 마라톤이었다. 갈수록 태산이란 말이 있듯이 내 체질로는 무리지만 천천히 뛰었다. 점점 숨이 턱에 찬다. 기를 쓰고 뛰면서도 우습기만 했다. 내가 돌았나 보다. 이러기 위해서 온 것은 아니다. 이건 운동도, 욕심도, 구경도 아니다. 김호식 군이 내 양복저고리를 받아가지고 앞질러 간다. 백재자白才子가 남학생들과 함께 아득히 선두를 달린다. 최진원 교수가 꾸준히 뒤따라온다. 강신항 교수는 나를 위해 일부러 천천히 뛰었다. 부석면을 떠난 지 40분 만에 봉황산 부석사 현판이 걸려 있는 정면 누각 밑에 당도했다. 땀을 닦을 여가도 없었다. 천지 조판 이래의 모든 시간이 나를 휘몰아친다. 돌층계를 뛰어 올라갔다.

가운데 다락에 붙은 부석사 현판은 초대 대통령 이승만 박사의 필적이라고 한다.

근 천 년 전 목조 건물인 무량수전에 쇠가 채워 있기에 학생을 보내어 문을 열도록 교섭시키고 그길로 조사당祖師堂을 찾아 가파른 산길을 다시 뛰어 올라갔다. 도둑놈처럼 문틈으로 응진당應眞堂의 나한님과 자인당慈忍堂 고석불古石佛 3위位에 참배하고 허둥지둥 내려오는데 강재곤 군이 옆으로 난 길을 가더니 "여기에도 건물이 있다" 고 외친다. 나는 응진당, 자인당을 조사당으로 착각하고 그냥 내려올 뻔했었다. 아무리 생각해도 내 정신이 아닌 것 같다. 문을 여니 한 가운데에 조상이 안치되어 있고 벽 좌우로 서산, 사명 대사를 위시하여 여러 대사의 영정이 걸려 있었다. 아마 가운데 조상이 개산창건주開山創建主 의상• 조사거니 하고 생각했다. 안을 둘러봐도 있어야 할 근 6백 년 전 고려 벽화가 없었다. 참배하고 뛰어내려오면서 바로 지척간에 있는 석탑에도 가보지 못하고 창건 당시에 만든 신라 석등石燈도 제쳐놓고 곧장 무량수전으로 들어갔다. 아무도 없었다. 우리 나라에서 가장 오래된 목조 대불大佛에 참배하는데 바깥에서 떠난다고 독촉이다. 검은 보를 일일이 제쳐보니 큰 나무 갑마다 유리 안에 사천왕, 보살상 등 고려 벽화가 빈틈없이 잘 보관되어 있었다. 일인日人이 6폭 벽화를 이처럼 잘 보존해놓고 간 것이다. 국경과 은수恩讐를 넘은 그 무엇이라고 간단히 생각할 일만도 아니다. 바깥에서 독촉이 성화 같다. 다 가고 학생 몇 사람만 남아 있었다. 나는 단 20분 동안에 부석사 아래위를 둘러본 셈이다. 이 놀라운 신기록에 웃음이 저절로 났다. 무량수전을 등지고 본 층계를 뜀박질해서 내려갔다. 남은 시간이라곤 30분밖에 없다. 그 안에 부석면까지 돌아가야 한다. 이종성李鍾聲, 최박광崔博光, 윤치용尹致龍 군이 나를 격려하듯 구호를 외치면서 나란히 뛰어줬다. 우리 앞에서 최진원 교수가 학처럼 뛰어간다. 부석면이 가까웠을 때 자전거 한 대가 우리를 앞지른다. 최박광 군이 교섭해서 자전거 뒤에 나를 타게 해줬으나 도랑물이 있기에 뛰어내려 건너가다가 그만 첨벙 빠졌다. 앞에서 옛날 이야기 같은 가마가 온다. 가마 속 신부의 얼굴은 보이지 않고 붉은 치마빛만 짙었다. 선묘善妙• 여인의 얼굴은 어떠했을까. 부석면 들 무렵인 다리 곁에서 농악 소리가 요란하기에 잠깐 걸음을 멈추고 천막 속을 삐끔 들여다봤다. 꽃 같은 남장 처녀들이 줄지어 서 있다. 전라도에서 온 농악대의 순회 공연이라고 한다. 나에게도 입장권을 살 만한 돈은 있다. 그러나 다시 뛰어야만 했다. 눈앞에 남장 처녀들이 떠오른다. 중국에서 의상 조사를 따라 신라로 왔던 선묘도 또한 여자였다. 선묘 여인이 乃現大神 變於虛空中 化成巨石[38]했다는 것이 부석사의 유래인 것이다. 내가 본 남장 처녀처럼 선묘는 용으로 화했던 것이다.

3시 반 출발 영주행 막차는 떠나지 않고 있었다. 그러나 초만원이 된 버스는 우리에게 문을 열어주지 않았다. 더 태울 수 없다는 것이었다. 남아 있었던 분들에게 미안하다. 우리가 좀더 일찍 돌아오지 못한 때문이었다. 영주에서는 밤 12시발 서울행 차표를 사놓고 우리를 기다리고 있을 것이다.

하는 수 없이 우리는 빙 둘러가기로 하고 반대 방향인 봉화奉化행 버스를 타고 부석면을 떠났다. 나는 부석사에서 뭘 봤던가. 꿈보다도 더 아리송하다. 봉화에 내려 '귀로歸路'라는 다방에서 쉬고 6시 반에 다시 버스를 갈아타고 캄캄한 영주로 들어갔다.

여학생 강석란의 부친 강신호 씨는 강신항 교수와 동본이요 같은 항렬이어서 각별했고, 또 이명구 교수의 동창인 김우순金遇舜 씨가 와 주었고, 밤참으로 주안상이 나오는데 떡도 고여 있었다. 학생들을 대접하기 위해서 일부러 떡을 했다는 것이다. 배가 부르자 다시 제정신이 드나 보다. 나는 "부석사에 갔으나 부석浮石도 못 보고 왔다" 면서 웃었다. "내가 올라갔던 무량수전 옆 큰 바위가 바로 부석이었다" 면서 최진원 교수가 일러준다. 자세히 보지는 못했으나 대충 기억이 난다. 나는 피곤해서 학생들이 들어 있는 방으로 갔다. 김호식 군이 나를 안마해준다. 강석란은 "의상 조사가 꽂아두었다는 지팡이 나무를 보셨습니까" 하고 묻는다. 그제야 나는 퇴계 선생의 부석사 시구가 생각났다.

杖頭自有曹溪水
不借乾坤雨露恩[39]

나는 무엇에 쫓기다가 그처럼 정신을 잃었던가. 그것이 무엇인지를 모르겠다. 우리는 왜 쉬지도 못하고 짧은 일정에 그 많은 곳을 둘러봐야만 했던가. 우리는 가는 곳마다 많은 신세를 졌다. 그분들은 아직도 아름다운 옛 유풍遺風을 지키고 있었다. 퇴계 선생은 客來에 常設酒食 必豫敎家人以供俱之 未嘗對客言하였고 선생은 飮食只以朝夕 非賓客則雖飢渴 未嘗設不時之饌하였고 선생은 其接客 必設酒又設食物 終日談論 無倦色而已也 客來不絶 未嘗或怠 由是歲用累乏 多貲於公債焉[40]을 하였다. 옛날과 오늘이 다르지만 아직도 가난하기는 마찬가지다. 이번 여행 중에서 만난 분들은 다 아름다운 마음씨였다.
그러나 그 아름다운 마음씨만큼 생활에 여유가 있어 보이지는 않았다. 암만 생각해도 모를 일이다.
우리는 12시발 서울행 열차를 타고 영주를 떠났다. 열차가 한밤중을 뚫고 달린다. 학생들도 다 앉을자리를 잡았다고 하니 안심이다. 나는 점점 멀어져가는 차 바퀴소리를 들으면서 잠이 들었다.
몇 시나 됐는지? 나는 잠에서 깨었다. 내 앞에서 곤히 자는 이명구 교수 무릎 위에 신문 한 장이 놓여 있었다.
실직 면도面刀 자살, 생활고 집단 자살, 실연 철도 자살…… 나는 신문을 접어버렸다. 농암 풍경이, 도산 서원이, 부석사가 차 바퀴소리에 말려들어 빙글빙글 돌며 어디론지 총알처럼 사라져간다.

차창에 먼동이 트기 시작한다. 청량리 역이 가까워오나 보다. '누가 시간을 창조할 수 있나?' 하고 나는 막연히 생각했다. '해야 한다'는 것과 '한다'는 사이를 가르면서 아직도 열차는 달리는 중이다.

1965. 4. 19.

종일 비가 오는데 창 앞에 포도나무는 아직 봄 소식이 없다. 속아 산 것이 분명하였다.

1965. 4. 20.

강신항 교수가 내 방에 왔다.

"언젠가 현충사에 가보고 싶다고 하셨지요. 이번에 고장故庄에 다녀올까 하는데 함께 갑시다."

예외 없이 숙원은 우연히 이루어지나 보다. 한 · 일 국교 문제로 학교는 쉬는 중이다. 서울을 떠나 시골에 가서 충무공을 뵙기에는 좋은 기회였다. 나는 현충사를 경유 수덕사修德寺와 완당 선생 고택故宅까지 두루 들러 오기로 하고 이우성 교수와 함께 일정을 짰다. 이명구 교수는 이사할 일도 있고 해서 내일까지 동행 여부를 알려주겠다 한다. 최진원 교수에겐 전화로 연락을 취하기로 했다.

1965. 4. 21.

누가 불쌍한 동양이라고 한다면, 그것은 축복 받을 동양이라는 뜻도 될 것이다.

1965. 4. 22.

오전 10시 온양溫陽에 도착, 온양 역 옆에 있는 '이충무공 순신 기념

비각李忠武公舜臣記念碑閣' 앞에서 우리는 기념 사진을 찍고, 바로 아산군牙山郡 염치면鹽峙面 백암리白岩里(뱀밭)를 향해 출발했다. 8킬로라 한다. 이명구, 최진원 교수와 함께 못 온 것이 섭섭하였다.

긴 둑을 따라서 가는 동안에 방화산芳華山은 점점 가까워졌다. 행장行狀에 의하면 충무공께서 사십분상어아산四○奔喪於牙山(부친상父親喪)이란 대목이 있다. 정유丁酉년 4월에 공公이 옥에서 풀려나와 남쪽으로 내려가다가 들렀을 때의 산천山川이다. 가물어서 개울 바닥은 말라붙고 걸음마다 답답한 먼지가 폭삭폭삭 일어난다. 기생 비슷한 여자들과 신사 차림을 한 사람들이 자동차 두 대로 달려온다. 우리는 황급히 둑 밑 길로 내려서서 누런 먼지를 피했다.

동구 어귀에 있는 낡은 건물이 바라보인다. 첫눈에, 사진으로 봤던 기억이 난다. 덕수德水 이씨李氏 사충신四忠臣 일효자一孝子를 표창한 정각旌閣임을 알 수 있었다. 실물과 사진, 이것이 내가 본 차이였다. 초행이 아닌 강신항 교수의 뒤를 따라 올라갔다. 우리는 현충사 안내소에 자물쇠가 채여 있는 걸 보자 낙심했다. 나는 오늘 중으로 충무공 산소까지 갈 작정이었다. 여기까지 와서 공公의 유물을 못 보고 돌아선다면 슬픈 일이다.

(四月) 十一日 辛未 晴, 曉夢甚煩 心懷極惡 思戀病親 不覺淚下 送奴探聽消息 都事歸溫陽.[41]

『정유 일기丁酉日記』의 일절一節이다. 우리는 퇴락한 고택으로 갔다. 사랑채 섬돌에도 신발은 없었다.

택방宅傍 유쌍행수有雙杏樹 즉卽 공사단公射壇이라는 은행나무 밑에 가서 수액樹液이 순환하는 숨소리를 듣는 동안에 공의 후손 한 분이 왔다. 14대 종손 이응렬李應烈 씨는 오늘 아침에 출타했다 한다. 마침 그 후손 되는 분이 쇳대를 가지고 있어서 우리는 가묘家廟에 참배하고, 3백 년 전 체목體木으로서 두 개만 남았다는 사랑채 기둥을 보고, 공이 잡수셨던 옛 우물물로 목을 축이고, 다시 현충사로 올라갔다.

우리는 엎드려 영정에 절했다. 누구에게나 다 우리의 충무공이시다. 영정을 보고 공을 짐작할 필요는 없다. 엎드려 눈을 감으면 그 어른이 바로 앞에 계시는 것이다. 공의 생전은 어떠했던가. 나는 사후死後의 공에게 찬사를 드릴 자격이 없다.

근자에 지었다는 건물 문이 열린다. 지난날 익히 봤던 사진 대신에 진열된 실물들이 나타났다. 『난중 일기亂中日記』의 먹빛은 어제 쓰신 듯했다.

(四月) 十三日 到興伯家 有頃 奴順花 至自船中 告天只訃 奔出擗踊 天日晦暗 卽奔去蟹巖 則船已至矣 慟裂不可盡記.[42]

공이 배 위로 올라가 어머님 시체 앞에서 통곡하는 소리가 귓전에 들린다. 우리는 일주쌍용一鑄雙龍 앞으로 나아갔다.

三尺誓天 山河動色
一揮掃蕩 血染山河[43]

존경과 동정과 부끄러움과 공포가 나를 휩쓸었다. 춥다. 을사년乙巳

年은 공이 나신 해니 금년이 바로 을사년이다. 머지않아 공의 생일이다.
현충사 앞마당에 서서 사방을 둘러봤다.

(四月) 十六日 丙子 陰雨. 曳船移泊中方浦 靈柩上轝 行還本家 望里慟裂 如何可言 至家成殯 雨勢大作 南行亦迫 呼哭呼哭 只待速死而已.[44]

공의 산소까지 25리라고 한다. 차를 전세 내지 않는 한 걸어갔다가 걸어와야 한다는 것이다. 나는 이우성 교수의 의견을 따라 고불古佛 • 맹사성孟思誠 고택故宅을 찾아가보기로 하고 예정을 변경했다.
동네 어느 초가집에 들어앉아 점심밥을 시켜 먹고 나왔을 때, 참배객을 싣고 온 차가 있기에 떠나면서 다시 뱀밭을 내다봤다.

(四月) 十九日, 早出登程 哭辭靈筵 天地安有如吾之事乎 不如早死也.[45]

공이 이곳을 떠나던 날의 일기이다. 그 후 아들 면葂이 왜병倭兵과 싸우다가 죽음을 당한 곳도 이곳이다.

(丁酉 十月) 十四日 辛未 晴, 失聲痛哭痛哭 天何不仁之如是耶 我死汝生 理之常也 汝死我生 何理之乖也 天地昏黑 白日變色 哀我小子 棄我何歸 英氣脫凡 天不留世耶 余之造罪 禍及汝身耶 今我在世 竟將何依 號慟而已 度夜如年.[46]

결국 공은 살아서 이곳을 다시 보지 못하고 죽어서 돌아왔다. 공의 일생은 그 공훈에 비해서 불행했다.
온양으로 나온 우리는 남의 말만 듣고 천안행 버스를 타고 가다가 쑥고개라는 곳에서 내렸다. 맹꼴[孟谷]을 찾아가다가 도중에서 잘못 온 걸 알았다. 맹사성 고택이 있는 맹꼴은 이곳 맹꼴이 아니라 한다. 우리는 다시 온양행 버스를 타고 삼거리라는 곳에서 내려 10리 남짓하다는 아산군牙山郡 배방면排芳面 중리中里를 물으면서 걸었다. 하늘은 납으로 봉한 것 같다. 금세 한 줄기 쏟아질 듯하다.

이 몸이 한가하옴도 역군은亦君恩이샷다.(맹사성)
어디서 일성호가一聲胡笳는 남의 애를 끊나니.(충무공)

문정공文貞公(맹사성)과 충무공은 이렇듯 대조적이다. 태어난 시대가 달랐다. 「강호사시가江湖四時歌」만으로도 짐작할 수 있을 것이다. 산골에 아늑히 들어앉은 마을은 거개가 돌담이며, 돌담 위로 살구꽃이 한참이어서, 문자 그대로 행화촌杏花村이었다. 봄 버들 사이로 보이는 몇몇 기와집은 깨끗하고 한적하였다. 강호江湖에 봄, 여름, 가을, 겨울로 시작해서 다 '역군은이샷다'로 끝나는 문정공의 「강호사시가」 그대로였다. 우리는 골목에서 나오는 국민학교 4, 5학년쯤 되어 보이는 소년에게 "맹정승이 사셨다는 옛 집은 어디지" 하고 물었다. 그 소년은 우리를 쳐다보며 진정 '모른다'는 표정이었다. 웃지 못할 일이었다.
40대가 넘어 보이는 마을 사람에게 물었다. 손을 들어, 산밑에 늙은 은행나무 한 쌍이 솟아 있는 집을 가리킨다.
문정공 21대 종손 맹주석孟柱碩 씨는 정침正寢을 수리하는 데에 있었다. 문화재로 지정된 그 건물은 보수가 끝나갈 무렵이어서 우리는 서장西藏 라마교 문화의 민간식民間式이라는 건물을 볼 수 있었다. 최영崔瑩 장군의 손서孫壻인 문정공에게 준 기와집으로서 터와 건물 양식은 그 당시 그대로라 한다. 한 쌍 은행나무도 문정공이 손수 심은 것이라 한다. 나는 맹주석 씨에게 물었다.

"하필이면 이곳을 배방면이라고 하나요."

맹주석 씨가 웃으며 설명한다.

"옛날엔 방方씨가 많이 살았기 때문에 산 이름을 배방산拜方山이라고 했다지요. 그 후 배방산排方山이라 고쳐 부르다가 일제 때 배방산排芳山으로 낙착됐다나 봐요."

우리도 따라 웃었다.

나무도 별로 없는 급경사진 산에 새로 개간한 밭이 드문드문 바라보인다. 산 형세를 따라 검은 흙터처럼 길게 뻗어 나간 성지城趾가 바로 복부성覆釜城이라 한다. 고려 태조를 도와 후백제後百濟 군사와 싸워서 연승連勝한 유검필庾黔弼• 장군이 쌓은 옛 성이다. 그러나 오늘날 문제는 가난을 쳐 물리치는 일이다.

6 · 25 동란 때 이곳에서는 남녀노소, 심지어는 젖먹이 아기까지 8백40여 명이 살해됐다 한다.

'술 익자 체 장사 돌아가니 아니 먹고 어이 하리' 라는 시조를 남긴 익성공翼成公(황희黃喜)과 '태평 시대에 나서 높은 벼슬을 살고 뜻을 이루고 70수壽 하고 태평 시대에 죽으니 여한이 없다' 고 한 문경공文敬公(허조許稠)•과 서울서 온양으로 근성覲省할 때면 관아官衙에 들르지 않고 평민 복색으로 소를 타고 내려왔다는 문정공, 이 세 분이 함께 놀았다는 삼상당三相堂 터는 산골짜기를 따라 올라가면 있고, 그곳에는 삼상三相이 기념 식수植樹한 괴목槐木 아홉 그루가 지금도 서 있다 한다. 그들 삼상은 다 여조麗朝 때 문과文科 하고 조선조에 벼슬을 산 분이다. 참으로 재상이 걱정이 없어 풍류를 즐긴다면 그런 세상에 한번 태어나보고 싶다.

맹주석 씨는 우리를 아래채 처소로 안내하였다.

"이 뒷산에 기린騎麟 고개라는 고개가 있어요. 문정공께서 소를 타고 소요하던 고개랍니다. 밤이면 퉁소를 부셨다는 그 옥적玉笛이 이것입니다."

그 백옥적白玉笛은 죽절형竹節型이고 토막이 나 있었다. 일본 사람 학자가 이곳에 와서 옥적을 보다가 떨어뜨려 토막이 났을 때 벼루까지 상했다는 것이다. 그 일본 사람 학자는 자기 경솔을 뉘우치고 울고 갔다 한다. 문정공이 쓰던 검은 벼루는 경질이었으나 품위가 있고 포도송이와 덩굴과 잎, 원숭이, 개구리, 벌(일인日人 학자 때문에 벌의 날개 한 쪽이 약간 상해 있었다) 등, 조각이 정교했다. 이 이외에 문정공 부인 최崔씨의 옥비녀와 조그만 나무 표주박과 만산명월萬山明月 일단화풍一團和風 두 글귀 사이에 죽관竹觀이라 새긴 네모진 도장이 세전지물世傳之物이었다. 우리는 맹주석 씨가 저녁 식사를 준비한다기에 굳이 사양하고 그럼 막걸리라도 사러 보내겠다는 걸 역시 사양하고 나왔다.

날이 저무는지 검은 구름 때문인지 하늘은 무거웠다. 동네를 빠져나오는데 길가에 보잘것없는 잡화를 파는 구멍가게가 있었다. 이교수가 막걸리를 한잔씩 하고 가자 한다. 젊은 남편은 북어를 뜯어 마루에 놓고 그 아내는 젖먹이 딸을 등에 업고 좁은 부엌에서 고추장 보시기와 술잔을 내놓는다. 비록 가난하나 부부의 의가 좋아 보였다. '님만 있으면 어느 곳에서도 살 수 있다' 면서 강교수는 그들을 행복한 사람이라 했다. 그들은 착해 보였다. 그래서 그런지 막걸리 맛도 한결 부드러웠다. 빗방울이 떨어지는데도 우리는 걱정을 하지 않았다. 끝 잔을 비우고 비닐 우산을 사서 쓰고 구온양舊溫陽으로 걸었다.

구온양에 다다랐을 때는 비가 멎었다. 관가官家인 듯한 기와집은 학교로 사용하고, 낡은 누각은 파출소로 들어가는 정문 구실을 하고 있었다. 막차도 지나갔대서 우리는 다시 걸었다. 온양 온천에 이르렀을 때는 전등불이 휘황했다. 5년 전에 신혼 여행이랍시고 아내와 함께 처음으로 왔을 때 차부 사람이 현충사까지는 20리며 택시를 전세내야만 갈 수 있다기에 단념했던 그때 일이 생각난다. 대중 식당에 들어가서 식사를 하는데 또 비가 온다. 길 건너 전등불은 추억처럼 젖고 있었다.

9시 20분 열차를 타고 강교수의 고장으로 향했다. 선장仙掌 역에서 내려 잠시 비를 피한 후 우산으로 바람을 막으면서 도곡면道谷面 기곡리基谷里로 걸었다. 만일 회중 전등을 가지고 영접 나온 사람이 없었더라면 이교수와 나는 촌보도 걷지 못했을 것이다. 상당한 거리를 걸은 것 같았다.

강교수는 우리를 상당히 큰 사랑방으로 안내했다. 정양완鄭良婉 여사가 물을 떠다 준다. 우리는 세수하고 발 씻고 살펴봤으나 초가집인지 기와집인지 함석집인지 지척도 분별할 수 없었다. 자리에 드러누우니 피곤하다. 오늘 밤이 강교수 조부 기제忌祭란 것과 모레 밤이 선친 기제란 것을 비로소 알았다.

"오늘 얼마나 걸었을까요."

"50리는 착실히 걸었을 거요."

빗소리인지 바람소리인지 모르겠다. 바깥은 캄캄 칠야漆夜이다.

1965. 4. 23.

밤중에 일어나 제삿밥을 먹고 다시 잠이 들었다. 미닫이를 여니 새벽이었다. 솔솔 뿌리는 다디단 비에 숲이 은은하였다. 강교수의 설명을 들으며 뒷산 소나무 숲을 거닐면서 과수원 쪽도 바라봤다. 이슬비를 맞고 내가 젊어진다. 강교수는 수목을 잘 가꾸고 훌륭한 농장을 이룰 것이다. 더구나 모범 농촌으로서 표창을 받은 곳이라 한다. 동네 돼지는 시멘트 벽돌로 쌓은 우리 속에 있었다. 흐뭇한 일이다.

오후부터 비는 멎고 저녁에야 날씨가 갠다는 라디오 방송이 있다. 조반이 끝나자 우리는 우산을 쓰고 기곡리를 떠났다. 선장 역에서 기차를 타고 삽교揷橋에 내린 것이 10시 30분. 수덕사修德寺행 합승차 안에서 나는 지난날의 여자 제자를 만났고 강교수는 남자 제자를 만났다. 그들 쌍쌍은 같은 일행이었다. 어엿한 청춘 남녀들이었다. 11시쯤 해서 수덕사 어귀에 내렸을 때는 염려했던 비가 개였다. 졸업생 맹인호孟麟鎬 군은 입대하고 없었다. 점심 식사를 하고 여관을 나와 천천히 수덕사 정혜사定慧寺 견성암見性庵 전월사轉月舍까지 올라갔다. 소문으로 익히 들었던 곳이다. 자연만도 못한 인공적인 것이 많았다. 금선대金仙臺 안에 留贈 叟山滿空 雲月溪山處處同 叟山禪者大家風 慇懃分付無文印 一段機權活眼中 甲辰二月十一日 天藏禪室中 鏡虛[47]라 쓴 소폭小幅이 있었다. 내가 소장하고 있는 경허• 선사鏡虛禪師 수필본手筆本 2책(내용은 『고문진보古文眞寶』를 필사한 것)을 생각하며 필체를 살펴봤다. 천축天竺의 영향을 받았다는 수덕사 대웅전 건물은 설명 글을 읽고야 다시 봤지만 옛 벽화 오불도五佛圖는 저렇게 보관해도 괜찮을지 걱정이다. 적어도 부석사 벽화 정도로는 보호해야 할 것이다. 정밀한 사진 기계로 내부의 낡은 그림과 단청을 원색대로 찍기란 어려운 일이 아닐 것이다.

밤은 깊다. 나는 여관 마루에 나가서 단정히 앉았다. 소나무 숲 위, 바다 같은 하늘 한복판에 둥근 달이 마음껏 밝다. 수덕사 대웅전 안 대들보에서 퇴색한 금빛 용의 눈은 지금이 바로 무문인無文印이다. 뭣을 보고 있는가. 딱한 일이다.

1965. 4. 24.

완당 선생 고택을 찾아가는 날이다. 우리는 아침 식사를 마치고 마침 들어온 합승차를 타고 벚꽃 만발한 숭덕산崇德山을 떠났다.

강교수가 "저기가 윤의사尹義士• 집이군요" 한다. 급히 돌아봤다. 뒤 차창으로 길가의 하얀 판목이 멀어져간다. 글씨가 안 보일 정도였다. 신문을 못 본 지도 이틀이 지났다. 서울 소식이 궁금하다. 덕산德山은 마침 장날이었다. 한 소년이 자동차부 앞에 서 있었다. 윤의사도 소년 때는 저러했으려니 싶었다.

우리는 버스를 타고 예산禮山으로 갔다. 호수 다방이라는 데에 들러 혹 시인 한성기韓性祺• 씨를 아느냐고 물었다. 마담은 곧 전화로 연락을 해주었다. 몇 해 동안 건강을 조섭하던 씨氏가 재기하여 약 반년 전부터 예산에 와서 중도일보中都日報 총국장總局長으로 있다는 소식을 나는 몇 달 전에 시인 김상억金尙億• 씨와 학교 학생 편에 들었었다.

한성기 씨의 손이 따뜻해서 고마웠다. 나는 씨에게 "완당 선생 고택에 가서 함께 반나절을 보냅시다" 하고 청했다. 그러나 씨는 교육 관계의 회합에 참석해야 한다는 것이었다. 우리는 씨의 소개로 중도일보 기자 이우성李愚盛 씨와 이곳 동인지同人誌를 주재主宰하는 박창도朴昌道 씨와 시집을 두 권이나 낸 서창남徐昌男 여사와 인사했고, 강교수의 소개로 예산 세무서 직세과장直稅課長 박호현朴鎬炫 씨와 인사했다. 은행 앞에 서 있는 윤봉길 의사 비를 보았고 시인 성찬경成贊慶• 씨와 인태성印泰星 씨가 이곳 출신이란 것도 들어서 알았다. 박호현 씨는 세무서의 3인승 오토바이로 우리의 편리를 봐주겠다고 했으나 한성기, 이우성 씨의 주선으로 경찰서 지프 차를 타게 됐다. 우리는 예산 경찰서장 박순도朴順道 씨에게 가서 감사한 뜻을 표했다. 우리와 동행해준 이우성 씨의 말에 의하면 박순도 씨는 교육계 출신으로서 문화재에 이해가 깊은 분이라 한다. 나는 한성기 씨와 함께 가지 못하는 것이 섭섭했다. 지프 차는 줄곧 시골 신작로를 달린다. 운전을 하는 경찰 최금종崔金鍾 씨가 "종이를 사가지고 가시지요. 가면 완당 선생 도장이 많이 있습니다" 하고 일러준다. 최금종 씨가 일러주지 않았더면 우리는 아무도 이런 생각을 못했을 것이다. 뿐만 아니라 최금종 씨는 차를 멈추고 지서支署에 가서 인주印朱까지 빌려 왔다. 이윽고 강진康津 가는 신작로에서 갈려들어 촌길을 꼬불꼬불 틀어가다가 겨우 언덕 산을 넘었다. 처음 가는 사람이면 찾아가기 힘든 노정이었다.

언덕 산을 넘고 지프 차에서 내려 논둑 길을 걸으면서부터 조망眺望은 일변했다. 바로 신안면新安面 용궁리龍宮里인 것이다. 터가 넓고 순탄하고 조용하고 밝았다. 논길에서 맞바라보이는 용형龍形 대지라는 용궁산龍宮山은 육중하고 부드럽고 의젓하였다. 기계로 깎은 듯이 나무가 없었다. 수목이 무성하면 얼마나 좋았을까 하고 상상했다. 선생의 고택은 용궁산 기슭에 있었다. 화순 옹주和順翁主의 정문旌門이 서 있는 외딴 채 초가집이었다. 선생이 세상을 떠난 지 백여 년, 너무나 변했다. 선생의 4대 종손 김석환金石煥 옹(72세)은 출타해서 없었고 6대 종손 김완호金阮鎬 씨(32세)만 있었다. 그래서 자세한 이야기를 듣지 못했다. 옛날 어느 날 밤에 원인 모를 불이 일어나 옛 건물은 모조리 타버렸다 한다. 그래서 선생의 필적과 유물이 많이 타버렸다 한다. 애석하고 애석하다.

초가채 문 위에는 어필御筆(영조英祖 어필일 것이다) '매죽헌梅竹軒'과 주인옹主人翁 '농상실農祥室'과 승연노인勝蓮老人 '무량수无量壽'와 노완老阮 '일금육경一琴六經' 목각 현판이 걸려 있었다. 나는 선생 진상眞像을 뵈오려 왔노라고 청했다. 그제야 족자를 내온다. 족자는 펴지면서부터 권돈인權敦仁 근술謹述인 「추사선생진상찬秋史先生眞像贊」이 나오고 늘 사진으로만 보아온 선생이 착색 세화著色細畵로 나타났다. 나는 지금까지 이 선생 진상이 소치小癡 허련許鍊의 화畵인 줄로만 알았는데 실은 끝에 8년 정사丁巳 전 감목관前監牧官 이한철李漢喆 모摹라 적혀 있었다. 구겨진 그대로 말아 둘 것이 아니라 잘 봉안奉安할 수는 없을까. 언제나 쉬운 일을 하기가 어려운 법이다. 나는 내 방에 선생을 모시려고 사진을 찍었다. 선생 유물로는 '가정유예家庭遊藝' 첩帖과 흰빛과 주빛을 섞어서 꿴 단주短珠와 수정 백팔 염주水晶百八念珠가 있었다. 나는 싸늘한 염주를 돌리며 선생의 따듯한 손을 느꼈다. 우리는 선생이 만지던 많은 인印을 하나씩 종이에다 찍기 시작했다. 조급해진다. 떠나야 할 시간이 사정없이 닥쳐오기 때문이었다.

經經緯史, 隨齋鑒賞, 金正喜, 秋史, 髯, 率眞, 吟自小詩, 阮堂, 東方有士, 長宜子孫, 金正喜, 楊柳當年, 正喜, 秋史, 未詳(20자를 세서細書한 음각陰刻) · 守香牋記 · 古雞林人, 謹封, 烏山讀畵樓 · 士大夫堂有秋氣, 沈思翰藻, 海棠花下戲兒孫 · 子孫永寶, 三十六鷗艸堂, 一丘一壑 · 我念梅華 · 遣閒, 珏泉 · 不計工拙 · 老阮 · 言情, 守拙山房

상기上記 인문印文 중에는 우리가 잘못 판독한 것도 있을 것이다. 그러나 『추사공인보秋史公印譜 임오일壬午日 동준근제東駿謹題』라는 책자에 있는 해자解字와 대조해볼 여가도 없었다. 급한 걸음으로 언덕에 올라가서 선생이 손수 심었다는 두 백송白松 나무를 먼 빛으로 바라만 보고 고택과 지척간에 있는 산소로 갔다. 묘비에는 '정효김공지묘 화순옹주부좌 망칠지년 문체이사貞孝金公之墓和順翁主祔左望七之年抆涕以寫' 라 각해 있었다. 영조 어필이다. 정효 김공은 완당 선생의 증조부인 부마駙馬 김한신金漢藎이다. 정효공의 부인은, 즉 영조의 제2녀인 화순 옹주이다. 정효공은 39세로 세상을 떠났다. 무자無子한 옹주는 음식을 끊은 지 10여 일 만에 남편을 따라 세상을 버렸다. 이 슬픈 소식을 듣고 영조는 친히 붓을 들어 '70을 바라보는 나이에 눈물을 씻으며 이 비碑를 쓴다' 고 하였다. 이 용궁산 일대는 나라에서 부마 정효공에게 별사전別賜田으로 내린 땅이다.
우리는 얼마 걷지 아니하여 완당 선생 산소 앞에 나섰다. 비면碑面엔 '완당선생 경주김공휘정희묘阮堂先生慶州金公諱正喜墓' 라 각해 있었다. 우리는 구두를 벗고 무릎을 꿇고 절했다. 『완당 전집』 권7

「상량문조上樑文條」에 나오는 오석산烏石山 화엄사華嚴寺가 필시 이 근처일 텐데 물어볼 데도 없다. 진달래꽃은 피었는데 새소리 하나 들리지 않는다. 비문을 훑어볼 시간도 없다. 언제고 한가한 틈을 타서 다시 와서 수일 머물기로 하자. 오늘은 이대로 떠나는 수밖에 없다.

우리는 총총히 예산에 돌아가서 몇몇 분에게 식사 대접을 하려다가 도리어 식사 대접을 받았다. 여러 분에게 많은 폐를 끼쳤다. 나는 타관에서 한성기 씨와 만나 반나절도 담소하지 못하고 작별한 셈이다.

1965. 4. 30.

사진기로 찍어온 완당 선생 진상眞像을 확대 인화하여 서재에 걸었다. 완당 선생 전집에 있는 사진 진상과 등총린藤塚隣의 설명이 있는 사진(일제 때 일문日文 잡지에 게재된 것)은 다 이한철 모摹를 찍은 것이다. 내가 이번에 찍어온 사진과 비교해보고야 전기前記 두 사진이 분명치 않다는 것을 알았다. 선생의 얼굴 부분만을 확대했기 때문에 면목을 소상히 대할 수 있다. 이 이외에 내가 본 일이 있는 선생 초상肖像으로는

1. 위초의정爲艸衣淨 송誦의 『반야바라밀다심경般若波羅蜜多心經』 백양사판白羊寺板에 있다는 목판 양각 완당 선생 진영眞影.

2. 윤희구尹喜求• 배제拜題가 있는 허소치許小癡 필筆 완당 선생 초상.

3. 위창葦滄 제題 완당 선생 해천일립상海天一笠像(이가원李家源 교수 장藏)

4. 시아역아是我亦我 비아역아非我亦我의 자제소조自題小照가 있

는 초상(조윤제趙潤濟• 박사 장藏)이다.
그러나 상기上記 4폭은 (종가의 선생 진상은 관골 언저리에 마마 자국이 분명히 나타나 있다) 그런 정도로 핍진逼眞한 세화細畵는 아니었다. 더구나 「추사선생진상찬秋史先生眞像贊」에 '정사丁巳 초하初夏 우인友人 권돈인權敦仁 근술謹述'이란 것과 또 좌우左偶에 있는 '팔년八年 정사丁巳 전 감목관前監牧官 이한철李漢喆 모摹'라고 한 것을 보면 정사년에 이루어진 것이 분명하다. 선생은 병진년에 71세로 하세下世했으니 그 다음 해가 정사년이다. 선생 만년의 청고호매淸高豪邁한 기상과 순진 무사純眞無邪한 얼굴이 미미소微微笑하고 있다.
일찍이 선생은 백파• 대사白坡大師 영찬影贊을 짓기를 '(상략) 以有差別 入不二門 流水今日 明日前身'[48]이라 하였다.
선생을 바라보는 동안에 시간 가는 줄을 모르겠다.

1965. 12. 5

일기장을 샀다. 부피가 너무 두텁다. 역시 쓰다가 말다가 할 것이다. 이젠 이런 것쯤은 염려하지 않아도 좋을 때가 아닌가. 한 줄이라도, 또는 쓸모 없는 글이라도 쓸 수 있다면 족하다.
지난 한글날, 영릉英陵을 경유 신륵사神勒寺까지 갔었다. 웬만한 마을에는 십자가가 솟아 있었다. 지금도 솟아 있을 것이다.

1965. 12. 6.

영하 11도. 아내는 뜰 아랫방에다 난로를 놓고 빈틈 없이 문풍지를 달았다. 밤, 시험 감독을 마치고 돌아와 옮겨진 아랫방으로 갔다. 옛 선비의 서재를 생각한다. 바깥은 동사凍死라도 생김직한 바람소리. 잠이 안 와서 『송강집松江集』을 뽑아 보다.

1965. 12. 7.

어느 정도의 잘못이 없다면, 그 정도라는 것이 없다면 세상에 사는 보람은 없다. 심심하지 않다. 도무지 알 수가 없다.
단호한 말을 하는 사람을 보면 나는 막연해진다. 따분한 시간이 지나가버리기를 바란다. 흔히 사람들은 신숙주申叔舟보다 성삼문成三問을 높이 평가한다. 성삼문보다 이성계李成桂는 어떠한가. 대답은 정확하지 않다. 이런 생각을 한다는 그 자체가 중요하다면 중요하다. 사람들은 신문에 보도되는 조그만 부정과 범죄를 흔히 미워한다. 그러나 문학에 나오는 이상 상태나 심지어 영화에 나오는 불행한 주인공을 멸시하는 사람은 흔하지 않다. 무관심하기보다는 이해를, 동정하기 이전에 걱정한다. 법은 간단하지만 천당의 문은 좁지 않을 것이다.

1965. 12. 15.

아무개가 아무개를 욕하며 다닌다. 아무개가 없으면 아무개는 그 자리를 차지할 수 있다. 서로 미안한 일이다. 라디오의 폭음, 제미니• 6호 발사를 중계 중이다. P는 커피 잔을 놓았다.

1965. 12. 18.

학교 버스 안에서 비준서 교환 중계 방송이 나온다. 모든 사람은 무표정하였다. 내 종이 봉투에 들어 있는 여학생 논문 「이상李箱과 태재치太宰治」는 흥미 있는 제목이다. 차창에 비원 숲이 돌아나간다. 시험도 끝난 학교는 바다 밑 같았다. 내 조갑爪甲이 평소보다 3배는 커보였다.

1965. 12. 20.

북쪽 바다였다. 교미기를 맞이한 물개들은 모여 있었다. 성 불구자는 해에 머리를 조용히 쳐들고 있었다. 종교는 해에 첨탑을 꽂고 있었다. 『공사견문公私見聞』•은 전 · 후, 두 권인 필사본으로서 첫 장 서문엔 A씨의 인印 세 개가 찍혀 있고 바로 밑에 또 백서인白書印이 찍혀 있는데 인문印文은 알아볼 수 없도록 일부러 지워져 있었고 그 다음 장에도 백서白書, 주서朱書의 인 두 개가 또렷이 찍혀 있었으나 그 반을 도려내고 종이로 때웠기 때문에 역시 전해온 출처를 알 수 없었다.

금상今上 27년 신사辛巳 맹하孟夏 절충장군折衝將軍 첨지중추부사僉知中樞府事 정지현鄭之賢이 쓴 서문과 정행원鄭行源의 발문에 의하면 동평위東平尉 정재륜鄭載崙이 아홉 살 때부터 근 50년 동안 대궐에 출입하면서 노당老璫, 노궁인老宮人, 선배先輩, 장로長老들로부터 들은 과거의 일과 직접 목격한 일 3백16단을 기록한 것으로 채정린蔡廷獜이 문장을 다듬고 정지현이 수정한 것이라 했다.

여余가 아홉 살 때 처음으로 대내大內에 들어갔었는데 그 당시만 해도 광해光海 때의 늙은 궁인宮人이 많았다. 그녀들은 여가 어리기 때문에 말뜻을 못 알아들을 줄 알고 숨김없이 지난 일을 이야기하고 있었다. 그녀들은 다 다음과 같은 말을 했다. '광해주光海主는 여색을 삼가셨지. 후궁에 듭시는 일은 한 달에 불과 15일 정도였어. 그렇건만 세상에선 이 사실을 모르고 광해주가 호색했다고 하지 않는가. 참 당신으로서는 억울한 일이야. 자고로 태자와 왕들은 아보阿保의 손에서 자라나셨기 때문에 색色이 목숨을 줄인다는 걸 모르고 전혀 절제하지를 않아서 일찍 세상을 떠난 분도 많기는 했지. 세상 사람들은 뭐고 짐작만으로써 사실인 것처럼 말하는 거야.'

나는 일제 시대 때 태어났고 자라난 만큼 우리 나라를 잘 모른다. 그런 의미에서 『공사견문』은 한 번쯤 읽을 만한 책이었다.

1965. 12. 22.

나는 출생지에 대한 기억이 없다. 세상에 태어난 지 두 달 만에 그곳을 떠났다는 것이다.

집 안은 고요했다. 바깥은 비교적 따뜻한 겨울 날씨였다. 아버지께서 세상을 떠나신 이후이고 나는 3년 거상居喪 중이었다. 어머니는 따뜻한 아랫목에서 뜨개질을 하고 계셨다고 나는 기억한다.

"어무이, 내가 난 데가 상주尙州 어데라고 했습니꺼."

스무 살을 바라보는 나이에 나는 무슨 말끝에 어머니에게 이렇게 여쭈었다.

"백화산白華山 밑인데 지금도 눈에 선하구마."

"어무이, 언제고 함께 내 난 데를 가보입시더."

"가고 말고. 그렇잖아도 잊히지 않는 곳인데 그 집이 지금도 있는진 몰라도 가면 곧 알고 말고."

그러던 어머니는 6 · 25 사변 때 피난지에서 세상을 떠나셨다. 함께 가보자던 어머니와 아들의 약속은 끝난 셈이다.

어머니에게서 들은 백화산 밑이라는 것만으로는 아득하였다. 저 하늘 밑 어디에 있다는 것과 다를 것이 없었다.

그런데 그 당시 백화산 밑에까지 와서 갓난 나를 보고 간 어른으로는 '구평九坪' 고모부 내외분이 계셨다.

나이 30이 넘은 나는 어느 날 고모부에게 여쭈었다.

"구평 아저씨, 내가 났다는 상주 백화산 밑이란 데가 어딥디꺼."

고모부는 상배喪配하신 지 1년도 지나기 전이었는데 갑자기 늙으셨다. 고모부는 내가 따라드린 술잔을 들어 자시고는 나에게 술을 따라주시면서

"그기 바로 백화산 밑인데 그 동네에 정포은鄭圃隱 선생 서원이 있고 그 서원 바로 가까이 있던 보잘것없는 오막살이 집이었지."

몇 해 뒤 고모부는 수십 년 만에 자기 고향인 '구평'으로 돌아가시어 이내 세상을 떠나셨다.

다시 10여 년이 지났다.

그 동안 나는 기회 있을 때마다 상주 출신 학생들에게 여러 가지로 알아보았다. 거의가 모른다는 것이었다. 아니면, 정포은 선생 서원은 없다는 것이었다. 그럴 때면 나는 미지의 나라 어느 곳을 그리워하는 동화童話가 되고는 했다.

오늘은 교수 회관 식당 유리창에 햇빛이 자애롭다. 비원秘苑 숲이 끝난 곳에 서울 거리의 일부가 바라보인다.

마침 정진鄭鎭 교수가 나왔기에 함께 차를 마시며 여러 가지로 알아봤다. 정진 교수의 고향이 상주라는 걸 나는 요즘에야 알았던 것이다. 정진 교수는 나의 오랜 궁금증을 풀어주었다.

"간단합니다. 백화산 주위에는 서원이 하나밖에 없으니까요. 그건

방촌厖村 황희黃喜 정승의 옥동 서원玉洞書院입니다. 내가 그곳 보통학교를 다녔기 때문에 잘 압니다."

"황간黃澗서 거기까지는 몇 리나 됩니까?"

"지금은 버스가 다니는 신작로도 있지만 한 20리 될 겁니다."

"그곳 동네 이름은 뭐라고 하나요?"

"상주군 모동면牟東面 수봉리壽峰里지요."

거의 만삭이 된 어머님께서는 아버지를 따라 유모와 함께 어린 세 아들을 데리고 기차를 타고 황간 역에서 내려 줄곧 걸어가셨다. 몹시 바람이 불고 매우 추운 날씨였다고 어머님은 여러 번 말씀하신 일이 있다.

나기 몇 달 전에 가서 난 지 두 달 만에 떠났다는 나의 출생지를 이제야 알았다.

이젠 도리없이 나 혼자 찾아가봐야겠는데 그러나 그날이 언제일지.

1966. 1. 2.

O선생은 말했다.

"항일 운동의 선구자요, 일인자는 보재溥齋* 이상설李相卨 선생이시지. 그러나 선열先烈을 우열로 따지는 건 잘못이야. 민중 앞에 내세우면 도산島山만한 이가 없고, 지하 운동이야 백범白凡을 당할 사람이 있나. 그러므로 애국 지사를 등급으로 매긴다는 건 잘못일세. 그분들의 애국 정신에는 빈부 귀천이 없었지. 누구 하나 보수나 지위를 바란 것도 아니요, 다 목숨을 내걸고 한 거니깐. 동서고금에 사람이 합친 일은 있어도 종교가 합친 일은 없었네. 그런데 기미년 만세를 보게. 유교구, 불교구, 기독교구, 천도교구 다 합쳤지 않나! 세계에 우리 나라만큼 우수한 민족이 없다는 걸 알아야 하네."

B선생은 말했다.

"이번에 해남 강진으로 학술 답사를 간다지요. 나도 따라가보고 싶은데, 다산茶山 선생의 방대한 저서가 그곳 초당草堂에서 거의 다 이루어졌지. 서울서 벼슬 살고 어느 여가에 공부하겠소. 다 불운한 중에서 위대한 업적을 남겼지요."

R선생은 말했다.

"나도 만학이지요. 서른다섯 살에 대학을 나왔으니까 말이오."

세배를 마치고 집으로 돌아왔다. 그새 학생 두 사람이 다녀가고 젊은 부부 한 쌍이 다녀갔다 한다. 그들과 만났으면 나는 무슨 말을 했을까.

1966. 1. 9.

저녁 6시 반쯤 강신항 교수 부처夫妻가 내 집에 왔다. 나는 저녁밥을 서둘러 먹고 함께 역으로 갔다. 학생들은 모여들고 최진원 교수는 기다리고 있었다. 개찰 후에야 정여사는 강교수를 전송하고 호젓이 돌아간다.

열차 안은 혼잡하였다. 자리를 잡은 것은 학생들 덕분이었다. 서 있는 승객들은 곧 체념하는 모양이다. 내 몸이 연신 흔들린다. 열차가 시종 달리는 것이 분명하다. 바깥은 하늘도 땅도 없었다. 불빛이 지나가지 않으면 정지했는지 가는지도 모르겠다. 내 얼굴은 검은 차창에 떠 있다.

논산論山부터는 난생 처음 길이다.

따분하면 또 바깥을 내다본다. 나를 노려보던 나의 눈이 또 사라진다. 어디까지가 자신이며 어디까지가 외계外界인지 캄캄하다. 역시 몸만 흔들린다. 차 안의 불빛이, 달리는 바깥 기복起伏에 간혹 희미한 빛을 긋기도 한다. 지명도 모를 역의 불빛이 차창의 내 얼굴을 삼켜버린다. 그런 역들은 사람이 없는 세상 같았다. 눈을 감았다. 자야 한다.

"만경들[萬頃野]인가 본데 참으로 넓지요."

누군가가 말한다. 나는 초행이라, 보이지가 않는다. 차 바퀴 소리가 한없이 지루하다.

"날씨가 흐린 모양이지요. 달도 안 뵈는군요."

하고 나는 다시 눈을 감았다. 지쳤나 보다. 꾸벅꾸벅 졸면서, 어딘가 숨어 있는 샛별처럼 나를 의식하였다.

'여행은 떠날 때와 돌아왔을 때가 기쁘다.'

'그래도 기억은 지난날의 고생을 미화美化한다.'

졸면서 나는 자문자답하고 있었다.

1966. 1. 10.

낯선 광주光州에 도착했다. 겨울 6시면 새벽이다. 해동기解冬期 같은 비가 내리고 있었다. 역전驛前 음식점 김치가 어찌나 짠지 남방南方다웠다. 비를 맞아도 싫지가 않다.

우리는 해남海南행 버스를 타고 8시 30분 광주 시가를 빠져 나간다. 민가가 거개 양기와집들이고 고가古家는 보이지 않는다. 서정주 작 「무등無等을 바라보며」가 자연 생각나서 혹시나 하고 사방을 둘러봤다. 광주 일대는 안개에 덮여 있었다.

빗발이 차창을 때린다. 운전대 앞에 나타나는 대밭이 얼룩진다. 대밭을 보는 것은 여러 해 만이다. 하룻밤 사이에 여러 해 전과 만난 것 같다.

나주羅州 비료 공장은 첫눈에 알아볼 수 있었다. 임백호林白湖•가 출생했던 곳이 이 지방일 텐데. 영산강榮山江으로 접어들면서 작가 오유권吳有權•을 생각한다. 초행이 아니라도 그냥 지나갈 수는 없는 노릇이다. 버스는 영산포榮山浦에서 몇 분이나 정거할까. 우체국은 가까이나 있는지. 염려했던 대로 버스 정거장에서 우체국까지는 상당한 거리였다. 물으면서 뛰었다. 나는 우체국 안으로 들어섰을 때, 돌아앉은 사람의 뒷모습만 보고도 오유권임을 알아냈다. 상주喪主인 오유권에게 인사도 변변히 못했다.

"나, 지나는 길에 들렀소. 댁은 이곳 어디 쯤에 있나요."

"돌아갈 때 버스 정거장에서 내게로 전화만 하입시오. 꼭 전화하입시오."

우리가 말을 나눈 것은 1분도 못 된다. 다시 뛰었다. 등에서 땀이 흐른다.

버스는 나를 기다렸다는 듯이 곧 떠난다. 옛사람과 오늘날 사람을 비교할까마는, 호남에서 배출한 허다한 옛 문인 소객騷客들도 이렇게 만나 이렇게 총총히 헤어진 일은 없었을 것이다. 비가 때마침 멎었기 때문에 그나마 만나볼 수 있었던 것이다.

다시 이슬비가 온다. 비에 젖은 산과 들이 흐뭇하다. 대밭과 연푸른 채소밭. 서울로 말하면 첫봄이다. 강신항 교수는 감탄한다.

"들이 넓군요. 인가는 드물고요. 비옥하지요. 참 좋은 곳인데요."

어젯밤에 만경들은 지나면서도 얼마나 넓은지는 보지 못했으나 서부극 영화에 광야가 나타나면 부러워했던 마음을 이제 좀 위로할 수 있다. 넓은 풍경이 수시로 나타난다. 그러나 착한 자는 박복薄福한가. 아니면 '가난하나니' 인가.

먼 하늘에 연봉連峰이 떠오른다. 안개가 하반신을 가리고 있다. 나는 김수성金琇成 조교에게 청한다.

"저 산이 영암靈巖 월출산月出山인가 여차장에게 물어보오."

과연 월출산이라고 한다. 영암은 생각던 것보다도 조그만 고을이었다. 신라말 도선• 국사道詵國師의 출생지이다. 영암을 지나 월출산 밑을 굽이굽이 돌아 나가면서 도갑사道岬寺는 어디쯤 있나 하고 궁금했다. 김극기金克己•가 월출산을 읊은 시에 蒼崖紫壑聳萬朶[49]니 또는 客興貪奇忘嶮難[50]이라 한 것은 과장이 아니다. 오히려 海商百口昔超海 山上神光遙望之[51]는 그럴싸한 시구詩句이다. 선조宣祖 때 금남군錦南君 정충신鄭忠臣•이 나막신을 신고 아침마다 월출산을 한 바퀴씩 돌았다는 야사野史 비슷한 말을 언젠가 들은 듯하다. 길가에 옛 탑塔이 섰다. 버스에 올라타는 그 지방 사람에게 물어봤으나 무슨 탑인지 모른다고 한다. 월출산의 기봉 괴암奇峰怪岩을 차창 밖으로 내다보는 동안에 비가 다시 멎었다.

고개에 오르니 이 나라 남단 일대가 아득히 펼쳐진다. 하늘은 검은 구름으로 덮였다. 저기 어느 곳에 우리가 찾아가는 윤고산尹孤山• 고택故宅도 대흥사大興寺도 다산茶山 초암草庵도 있을 것이다. 고개 아래 강진 방면, 해남 방면, 광주 방면으로 갈리는 삼거리 길가에 옥봉玉峰• 백광훈白光勳 신도비神道碑가 문득 지나간다. 근년에 세운 것 같다. 내가 아는 옥봉에 관한 지식은 그의 붓글씨 정도이지만 반가웠다. 차창 한구석으로 멀리 바다가 잠깐씩 지나간다. 이순신 장군이 대첩大捷한 명량鳴梁 바다가 어디에 있을 것이다. 최진원 교수는 제의한다.

"되도록 시간을 내어 이번에 우수영右水營까지 가보기로 합시다."

강신항 교수는

"어떻게 할래요."

하고 묻는다. 빤한 예산에 시일은 촉박하다.

"아무래도 좋습니다."

하고 나는 대답했다.

12시 25분, 광주를 떠난 지 네 시간 만에 해남읍에 당도했다. 옛날 미암眉巖• 유희춘柳希春의 고향이라 알고 있다. 혼자 왔다면 매우 쓸쓸한 곳이리라. 지금은 서울에 있지만 이동주李東柱•, 박성룡朴成龍• 두 시인도 해남 땅 출신이다. 우리 일행은 서둘러 장국밥으로 점심 식사를 마치고 연동蓮洞을 물으며 간다. 서울에서 듣던 것보다는 멀다. 대흥사로 가는 도중 신작로에서 맞바라보이는 곳에 연동은 있었다. 그러나 동네에서 내다보는 경치가 더 좋았다. '善殖貨 富甲一國'[52]은 『고산 유고孤山遺稿』에 나오는 말이다. 뒷산은 절간[寺] 주봉主峰처럼 높고 앞 전답은 기름지고 붓[筆] 같은 봉우리가 조용한 안산案山 너머로 솟았고 규모가 묘하고 허술한 곳이 없다. 명지名地가 따로 있는 것이 아닌가 보다. 보기 훌륭한 곳이 바로 명당明堂이다.

고산 13대 종손 윤영선尹泳善 씨 댁은 동네의 지배격支配格인 옛 기와집이었다. 씨는 우리가 올 것을 전혀 모르고 있었다. 편지를 받지 못했다고 한다. 사랑채 헌 간에 '녹우당綠雨堂', '정관靜觀'(이광사李匡師 글씨) 등 현판이 붙었고 완당阮堂 서書 '노학암老學庵' 현판도 볼 수 있었다.

"보길도甫吉島엔 지금도 낙서재樂書齋, 무민당無悶堂, 정성당靜成

堂, 세연정洗然亭 등 건물이 있습니까."

"건물은 없고 터만 남았지요. 그 당시 연못은 전번에 내가 손질했지요."

"그럼 문소동聞簫洞과 금쇄동金鎖洞엔 회심당會心堂 수휘정手揮亭이 남아 있는지요."

"역시 터만 있지요. 금쇄당엔 나의 고산 선조 산소가 있는데…… 물론 자개가 생전에 친히 잡은 자리지요. 여기서 한 20리 될 걸요."

고산은 효종 산릉山陵을 정하려 간산看山했고 송시열宋時烈• 등의 반대 때문에 수원水原에 쓰지 못했고, 그 후 정조正祖는 『홍재 전서弘齋全書』에 고산의 산릉의山陵議를 수록했고 그래서 『고산 유고』를 상재上梓시켰다. 음양 지리陰陽地理에 능통한 고산이 자리를 잡은 보길도의 부용동芙蓉洞은 겨울이면 풍랑이 심해서 갈 수 없고 생전에 친히 잡았다는 금쇄동 묘소는 걸어가야 한다는 것이다.

"신작로에 나가서 지나가는 6시 합승을 타야 하니 유물을 좀 보여줍시오."

하고 청했다. 그러나 우리는 고산의 증손이며 시서화詩書畵 3절三絶로 알려진 공재恭齋• 윤두서尹斗緖의 작품을 많이 보았다.

1. 『가전 보회家傳寶繪』(공재 화첩恭齋畵帖). 대부분이 선면화扇面畵이고 서書도 있는데 맨 끝장에 세재기해歲在己亥 팔월八月 장우백련곡裝于白蓮谷 편면범이십유이엽便面凡二十有二葉 액삼엽額三葉이라는 기록이 있다.

2. 『윤씨 가보尹氏家寶』(역시 공재 화첩). '화주청완畵廚淸玩' 이라는 공재 글씨와 '필묵정묘筆墨精妙' 라는 윤덕희尹德熙 글씨가 붙어

있고 그림은 달마도達磨圖, 백마도白馬圖, 신선도神仙圖를 위시하여 기마騎馬, 산수山水, 풍속, 과물果物, 춘경春耕, 화조花鳥 등 다양다색이다. 맨 끝장에 기해구월己亥九月 장우백련동裝于白蓮洞 화범사십육폭畵凡四十六幅 액삼폭額四幅이라는 기록이 있다.

3. 『가전 유묵家傳遺墨』 상 · 중 · 하(다 공재 서). 상첩上帖은 주로 전篆 · 예隷이고, 중첩中帖은 주로 초草이고, 하첩下帖은 주로 해楷 · 행行으로 분류되었고 이 외에 화畵 두 폭이 붙어 있다.

4. 「동국여지지도東國輿地之圖」(공재恭齋 필筆).

5. 「일본 지도日本地圖」(공재 필).

6. 「서총대친임연회도瑞葱臺親臨宴會圖」(공재의 장자長子인 낙서駱西 윤덕희 필筆).

7. 『은사첩恩賜帖』 상 · 하. 궁宮에서 고산에게 내린 물품 명단 조각을 모은 것. 고산은 일찍이 효종의 사부師傅였던 만큼 봉림대군방鳳林大君房이라고 쓴 것도 있고 품목 중에는 자첩선自貼扇, 호초胡椒, 홍소주紅燒酒, 증편 1기器, 표피豹皮, 건문어乾文魚, 감자, 점약, 생치生雉, 생록후각生鹿後脚, 황모필黃毛筆, 진묵眞墨, 삭지朔紙 등 외에도 여러 가지가 있었다.

8. 『금쇄동기金鎖洞記』(고산 수필첩手筆帖).

9. 『금쇄동집기金鎖洞集記』(고산 수필첩).

10. 『산중신곡山中新曲』(고산 수필첩).

이상 세 첩의 내용은 다 발표된 것이다.

오늘날 고산은 문학으로 유명하지만 그 일생은 열렬한 당쟁의 정치의욕이었다. 늘 극언 항소極言抗疏하고 투쟁하여 정적의 미움을 샀고 전후 18년이나 귀양을 살았다. 그 일생을 통한 정치 의욕에 비해 그 가사歌詞는 상당한 차이가 있다. 생애와 작품과의 차이란 비단 고산에게만 한한 것이 아니고 이는 옛 국문학 전반에 나타나는 특색이기도 하다. 정적의 공격에 견디다 못해 한때 양주楊州 고산孤山에서 초사草舍를 짓고 머문 일도 있었으니 그것이 고산이라는 호의 유래이다. 정계에서 불굴의 실패를 하고 부용동芙蓉洞에 은퇴한 고산은 부호富豪요 시인이었다.

강호江湖 문학을 전공하는 최진원 교수는 아직 발표되지 않은 『고산 유고』를 보기가 원이었다. 최교수는 혼자 남아서라도 그 유고를 조사하기 위해서 온 것이다.

"아직 정리를 못했고, 그것을 찾자면 졸연한 일이 아니라, 참 미안합니다."

하고 윤영선 씨는 끝내 난처해한다. 그러는데야 최교수도 주인을 더 괴롭힐 수는 없었다. 우리는 주인이 권하는 배주杯酒를 몇 잔 들고 녹우당綠雨堂 뜰로 내려가 귤나무와 종백柊柏나무를 보고 뒷산에서 따서 깨를 입혔다는 비자榧子를 맛보았다. 5시 반이다. 우리는 황혼에 고산 고택을 떠나 큰길로 나갔다. 일행은 합승을 타고 두륜산頭輪山 대흥사로 달린다. 산속으로 접어들면서부터 수목이 빽빽하다. 이처럼 무성한 산림을 보기는 쉬운 일이 아니다.

여관을 정하자, 나는 김수성 조교와 함께 절로 올라간다. 해는 저물고 안개가 자욱이 끼었다. 사방 산이 얼마나 높고 깊은지 짐작도 못하겠다. 큰 용연龍淵으로 빠져 들어가는 느낌이다. 해탈문解脫門을 들어서자 갑자기 산속이 엄청히 넓고 깊어서 장엄하다 못해 신비하였다. 문자 그대로 별유천지別有天地이다. 아마도 밤 안개의 조화리

라. 시커먼 여러 채의 건물이 유난히도 커 보인다. 천불전千佛殿과 대웅전大雄殿에만 등불이 켜 있기에 예불했다. 가람伽藍*은 적연하고 사람이 살고 있지 않는 것 같다. 이곳 출신인 옛 고승 대덕高僧大德들이 다시 돌아와 본다면 한심해할 것이다.

유선 여관으로 내려와 담배 한 대를 붙여 물었을 때이다. 바깥에서 누가 나를 찾는다. 마루로 나가자 낯모를 사람이 섬돌 위로 썩 올라서며

"전화 왔습니다."

한다. 산후産後의 아내와 갓난것이 순간 머리에 떠올랐다.

"서울에서 장거리 전환가요."

"조금 전에 왔어요. 영산포 우체국이라면서 오유권이란 분이, 돌아갈 때에 꼭 전화를 걸어달라는 부탁이더군요."

놀란 가슴이 일시에 풀린다. 대흥사에 들른다는 말도 미처 못했었는데 어떻게 알고 전화를 걸었을까. 옛날에 완당阮堂은 이곳 초의艸衣*와 서찰 왕래가 많았었다.

1966. 1. 11.

아침이다. 숲이 우거진 계곡에서 양치하고 세수하다. 그립던 곳에 온 것 같다. 기념품 파는 가게에서 보리자 염주 두 벌을 사는데 강신항 교수가 나에게 선사하겠다면서 값을 대불해줬다.

우리 일행은 대흥사로 올라가다가 부도浮屠 거리에서 걸음을 멈추었다. 옛 고승 대덕의 비와 부도가 많다. 김완당과 교분이 두텁고 범서梵書도 쓰고 그림도 그리고 정통 교리精通敎理하고 회척 선경恢拓禪境했다는 초의대종사비艸衣大宗師碑는 신헌申櫶*의 글이었다.

비문에는 초의가 강진에서 귀양사는 정다산한테서 유서儒書와 시를 지도받았다는 구절도 있다.

초의는 몸이 풍석豊碩하고 범상 기고梵相奇古하여 옛 존자尊者와 같은 모습이었다고 적혀 있다. 함월대사비涵月大師碑에는 사師의 임종게臨終偈인 自與白雲來幻界 心隨明月向何方 生來死去惟雲月 雲自散兮月自明[53]이 새겨 있고, 대화엄사연파대사비大華嚴師蓮坡大師碑는 정다산의 글이었다. 연파蓮坡는 혜장惠藏•이니 다산의 시에 자주 나오는 스님이다. 이 외에도 월저月渚, 상월霜月, 철선당鐵船堂, 환성喚醒, 호암虎巖, 풍담楓潭, 청호당淸虎堂, 보제 대사普濟大師 등 비가 있었다.

우리는 시간 관계상 곧 기념 사진을 찍고 절로 올라간다. 어젯밤, 안개 낀 대흥사만은 못했다. 터는 웅장하고 대찰大刹은 퇴락하고 사방산에 수목은 가득하고 사람이 드물었다. 그 많은 건물이 거의 폐방廢房인 것 같았다. 옛날에 12대종사大宗師, 12대강사大講師가 났던 곳이다.

다리를 건너 대웅보전大雄寶殿에 참배하고 침계루枕溪樓로 올라간다. 연담蓮潭•, 초의가 제시題詩한 현판과 임백호, 백광훈이 제시한 현판도 볼 수 있었다. 임백호의 시를 적어둔다.

長春洞裏古仙府

十二瓊樓人到稀

溪流淸淺白石出

竹路高低紅葉飛

山風凄凉落桂子

海雨飄簫沾艸衣

頭崙峯頂八千仞

仞得麻姑笙鶴歸[54]

완당의 유명한 현판이 있다더니 바로 '무량수각無量壽閣' 이었다. 이것이 원각原刻이고 다른 곳에서 흔히 볼 수 있는 무량수각은 다 모각模刻이라 한다. 응진당應眞堂으로 돌아나가면 자장• 율사慈藏律師가 석가 사리를 봉안했다는 조그만 탑이 있으나 도무지 믿어지지가 않았다.

젊은 스님의 안내를 받아 천불전으로 가서 경주 옥돌로 조성했다는 수많은 아기 부처님을 다시 친견했다. 도서실이라는 건물 앞에 이르자 젊은 스님은

"열쇠를 가진 스님이 출타해서 문을 못 열어드려 미안합니다."

고 한다. 우리는 유리창 너머로 정조어필正祖御筆 쌍폭雙幅 금자金字 병풍과 서산 대사의 전통箭筒과 유명한 탑산사塔山寺 동종銅鍾을 엿보았다. 금자金字 금강경金剛經과 은자銀字 동자경童子經이 있다 하나 뭐가 뭔지 잘 보이지 않는다.

"우리는 서울서 여기까지 왔는데 서산 대사 유물을 좀 보여줍시오."

하고 간청했다.

"네, 그것은 금십자가와 함께 금고 안에 있는데 주지 스님이 서울 가고 없어서 보여드릴 수 없습니다."

"주지 스님은 열쇠를 가지고 다니시나요."

"가지고 다닙니다."

그러는데야 별 도리가 없었다. 서산 대사 비碑에는 이런 유언이 있다.

師臨沒 囑其徒曰 我死 衣鉢之託 必以海南爲歸 是州之地 有山曰頭輪 有寺曰大芚 南瞻達磨 北瞻月出 東有天冠 西有仙隱 吾誠樂之 且海南 荒陬也 王化未霑 氓俗愚迷 吾之爲此 冀其有觀感而興於忠也.[55]

서산 대사의 뜻이 이러했다면 차라리 유료 관람이라도 시키는 것이 옳을 것 같다. 젊은 스님은 우리를 표충사表忠祠로 안내한다.
서산 대사를 중심으로 좌 · 우에 사명 대사, 뇌묵* 대사雷默大師가 종향從享되어 있었다. 뇌묵(처영處英) 대사는 서산 대사의 격문檄文을 보고 호남湖南에서 의군義軍을 일으킨 스님이다. 서산 대사 위位 뒤로 둘러 있는 신관호申觀浩 글씨 표충사보장록表忠祠寶藏錄 병풍에 대사의 유물 목록이 적혀 있었다. 금다라니金陀羅尼, 포화布靴, 벽옥발碧玉鉢, 금란 가사錦闌袈裟, 칠보주七寶珠, 백초 장삼白綃長衫, 연거유리배璉琚琉璃杯 등이었다. 서산대사화상당명西山大師畫像堂銘, 병서幷序 현판은 이서구李書九* 글씨이고, 건사사적비建祠事蹟碑에 의하면 정조正祖 때 사祠를 짓고 사액賜額한 것이다. 만일암挽日庵 전설을 듣고 해탈문에서 다시 대홍사를 돌아본다. 해동선海東禪, 교종원敎宗院이라고 자랑한 것은 옛일이다. 장차 뭣으로 이 큰 절을 유지할 것인지, 과거 전통을 어떻게 계승해야 할 것인지, 아니면 벅찬 문화재를 이대로 썩일 것인지, 대흥사만의 문제가 아니다.
여관에서 점심 식사하고 합승을 타고 출발. 동백 꽃송이를 들고 있는 학생들도 있다. 머지않아서 필 것이다. 다시 해남읍으로 나온 것이 2시 반, 다방에 앉아 아내에게 보내는 엽서를 썼다. 4시 15분 정각, 여수麗水행 버스는 초만원 정도가 아니었다. 오늘이 장날이어서 그런지 그 많은 사람이 탔다는 것부터가 기적이다. 고개를 넘으면서 차가 이리저리 기울어진다. 아래는 낭떠러지였다. 외나무다리 위로 저승을 건너가는 느낌이다. 무모한 짓임에 틀림없다. 강진군 개나리라는 곳에서 내린 다음에야 한숨을 몰아쉬었다. 그 지방 사람에게 물으니 귤동橘洞까지 10리라 한다. 석문石門이란 기험奇嶮한 산 사이로 나 있는 신작로를 지나 10리쯤 가서 행인에게 물으니 10리를 더 가야 한다는 것이다. 해는 저무는데 가도가도 촌 길 10리는 끝이 없다. 조그만 고개에 올랐을 때 우리는 걸음을 멈추었다. 저편 산 사이로 바다가 마치 큰 호수 같았다. 다산 시에 이런 것이 있다.

康津野老能好奇
爲言浦水如湖陂
潮來滿前天地濶
微風破碎青玻璃[56]

사방이 점점 어두워진다. 김수성 조교와 남학생만 귤동으로 먼저 보냈다. 서울서 한 편지가 안 들어갔다면 윤재은尹在殷 옹은 우리가 오는 것을 모르고 있을 것이다. 오늘 밤에 우리 일행 21명이 잘 곳이나 있는지 초행인 만큼 걱정이다. 간혹 동네 불빛이 보인다. 어둠 속에서 소리만 오고 간다.

"귤동요? 좀더 가야 하는데요."

교수들은 여학생들을 데리고 길을 더듬듯 걷는다. 멀기만 하다.

귤동 윤재은 옹 댁을 찾아 들어갔을 때는 지척도 분별할 수 없었다. 윤재은 옹과 윤재정尹在正 씨 형제분은 우리를 반가이 맞이해준다.

아니나다를까, 편지를 받지 못했다고 한다. 남학생들 반은 윤재청尹在靑 씨 댁으로 가고 여학생들은 내실로 들어앉고 저녁 식사를 마쳤다. 갑자기 찾아와서 폐를 끼치니 미안한 일이다.

촛불을 밝히고 밤이 깊도록 주인 노인과 우리는 여러 가지 옛일을 이야기하며 정다산을 추모했다.

정다산이 강진으로 귀양 온 것이 40세 때였다. 강진읍에서 9년, 이곳 다산에서 10년 귀양살이를 했다. 고산孤山의 증손曾孫인 윤두서尹斗緖는 다산의 외증조뻘이니 다산과 해남海南 윤씨는 여러 가지로 인연이 깊다. 김응남金應南•의 후손인 김수성 조교도 이곳 해남 윤씨가 먼 외척外戚뻘이라 한다. 윤재은 옹은 족보를 내어보고 확인하더니 특히 반가워한다. 윤재은, 윤재청 두 분은 이곳 다산 유적을 수호하는 공로가이다. 전에 두 분은 다산 필적을 영인影印한 『사경첩四景帖』이라는 것을 펴낸 일이 있다. 나는 그 여분이 있으면 살 작정이었는데 매진됐다고 한다.

지난날 내가 본 다산 시 중에서 기억나는 것이 있다.

十一月六日 於茶山東庵淸齋獨宿 夢遇一妹來而嬉之 余亦情動 少頃辭而遣之 贈以絶句 覺猶了了 詩曰

雪山深處一枝花

爭似緋桃護絳紗

此心已作金剛鐵

縱有風爐奈汝何[57]

그래서 나는 윤옹에게 물었다.

"다산 선생이 초암草庵에서 10년을 계시는 동안 전혀 소실小室을 두지 않았던가요."

윤옹은 웃고 대답한다.

"있었지요. 선생이 고향에 돌아가셔서 이곳 해남 윤씨에게 부탁 편지를 보낸 것이 있는데, 그 후 그것은 다른 사람의 소장所藏이 됐습니다. 내가 연전에 그 편지를 사려고 사람을 보냈더니 그 가졌던 사람은 죽고 편지도 없더랍니다. 그 편지를 보면 정鄭씨 여자라는 것과 소생으로 딸 하나가 있었다는 것을 알 수 있는데 그 내용은 내가 그들 모녀를 거둘 처지가 못 되니 잘 보살펴주라는 것을 우리 윤씨 문중에 부탁한 것이었지요."

"그 모녀는 그 후 어떻게 됐나요."

"알 수 없어요."

다산은 떠나고 오늘날은 정씨 모녀를 말하는 사람도 거의 없나 보다.

養疾山阿側
蕭然一草堂
藥爐留宿火
書帙補新裝
愛雪愁乃渙
憐松悶不長
玆丘可終老
何必丐還鄉[58]

다산이 이곳에서 그 심정을 읊은 시이다. 밤은 깊어 간다.

1966. 1. 12.

아침에 윤재은 옹 소장인 다산의 『다신계茶信契』를 봤다. 윤옹은 『목민심서牧民心書』에 현토懸吐한 것을 내놓으며 번역 출판하여 그 팔린 돈으로 옛 터에다 동암東庵, 서암西庵도 재건할 작정인데 이가원李家源 씨에게 번역을 부탁할까 하나 아직 인사가 없으니 교섭해 달라 한다. 우리는 교섭 결과를 편지로 알려주기로 했다. 식사를 마치고 윤옹의 안내로 다산 초암으로 올라가다가 도중 길목에 있는 윤재청 씨(금계琴季의 현손玄孫) 댁에 들렀다.

사랑채 헌간에는 완당 글씨 '보정산방寶丁山房' 현판과 김상희金相喜(완당의 동생) 글씨 '귤송당橘頌堂' 현판이 붙어 있었다. 방에 들어가 윤재청 씨와 인사하고 창 밖을 내다보니 앞 경치가 바로 구강포九江浦 바다이다. 윤재청 씨는 흔연히 모든 유물을 보여준다.

1. 『안상첩案上帖』.
2. 『견월첩見月帖』(연파 혜장에게 서증書贈한 것).
3. 『품석정첩品石亭帖』.
4. 『사경첩四景帖』(연전에 출간한 사경첩은 이 첩을 원촌대原寸大로 영인한 것이다).

이상은 다산의 친필이다.

5. 『시헌첩時憲帖』(다산의 아들인 서당西堂의 서찰도 있다).
6. 『현친 유묵賢親遺墨』.
7. 『군현 유묵群賢遺墨』(이상 두 첩은 다산이 손수 꾸민 첩으로서 솜

씨가 꼼꼼하고 튼튼하다).

8. 「주문박약朱門博約」(퇴계가 행당杏堂(이름은 복復. 해남 윤씨의 선조)에게 준 서書).

9. 『완당 서찰첩阮堂書札帖』(「장하음병찰長夏吟病札 등 수폭數幅이 들어 있으나 그 중에서도 산공목탈 소사무차찰山空木脫所思無遮札과 일우보편 천리동택찰一雨普遍千里同澤札은 일품逸品이었다).

10. 『완당 작품첩阮堂作品帖』.

가. 「노규황량사露葵黃粱社」. 예서隷書 횡폭橫幅이다. 내가 들은 것을 요약하면 금계(윤종진尹鍾軫의 자字이니 다산의 제자)가 완당에게 가서 그 득의작得意作을 받아온 서폭書幅이라 한다. 완당은 회심작會心作을 주면서 그 대신 사리 2개를 구해 보내라고 했다. 금계는 그러기로 하고 글씨는 받아왔으나 사리란 구할 수 없는 것이므로 보내주지 못했다는 것이다. 그런데 지금 윤재청 씨 소장인 완당의 「일우보편 천리동택一雨普遍千里同澤」 서찰이 금계에게 보낸 편지라면 위의 이야기는 달라질 수밖에 없다. 그 편지에 이런 구절이 있다.

間遭李房 病姪慘境 情理與他特異 老不死 又見此不忍之景狀 直欲筋斗先倒而已 二圓古物 塔中舊藏無異 非有有心 如左右何以得之 感切感切[59]

이원고물二圓古物이 무엇인지 적확히 알 수는 없으나 완당이 사리를 구해달라고 그런 무리한 청을 했을 리는 없다. 도리어 이원고물을 우연히 얻었기에 완당에게 선물로 보낸 것 같은 느낌이 든다.

그건 고사하고 완당이 이 「노규황량사」라는 걸작을 쓰기까지의 이야기라는 것은 이러했다. 완당은 제주도로 귀양가던 도중 강진에 이르러 대구면大口面(연전에 고려 때 요지窯地가 발견된 곳)에 있는 일속 산방一粟山房 주인 황호원黃扈園은 정다산이 강진읍에서 귀양 살던 때의 제자들 중 한 사람이니 다산 친필 『다신계茶信契』에 나오는 바로 황상黃裳이다. 황상은 가난한 선비였다. 그날 밤중에 완당은 절구질하는 소리를 들었다. 새벽에 창문을 여니 노부인이 이슬 젖은 아욱[露葵]을 따고 있었다. 아침 밥상이 들어왔다.
개다리 소반 위에는 아욱국과 어젯밤, 절구에 닦은 노란 좁쌀밥뿐이었다. 반찬은 없으나 완당은 가난한 선비 집안의 조촐한 마음씨를 높이 평가했을 것이다. 그 후 완당은 제주도에서 10년 귀양살이를 하고 돌아온 후에도 「노규황량사」를 많이 썼으나 마음에 드는 것이 없었다. 社는 二人同心曰社[60]이다. 마침내 어느 날 완당은 득의작得意作을 썼으니 그것이 바로 이 「노규황량사」인데 스스로 아끼던 바라 한다. 이야기의 사실 여부는 그만두고 부서금계付書琴谿라는 조각이 붙은 것을 보면 완당이 금계에게 준 것이 분명하다.
『완당 선생 전집』에는 다산의 아들인 유산酉山 노인을 애도하고 그 죽음을 황상에게 알리는 서찰과 황상 시고詩稿에 써준 후서와 황상에게 준 시가 수록되어 있다. 옛 어른들의 마음씨를 뵈옵는 듯해서 옷깃을 여미지 않을 수 없다.
나. 「고향古香」. 예체隸體 횡서橫書. 즉과도인卽果道人이라고 자서自署한 완당 글씨.
다. 「보정 산방寶丁山房」. 예체 횡서. 현간에 걸려 있는 완서阮書 현판은 이 친필을 모각模刻한 것이다.
라. 「용구초려容鷗草廬」. 완당 작作 고예古隸.

마. 「다성각茶星閣」. 완당.

바. 「간다위관동심우揀茶爲款同心友 탁실인장선본서拓室因藏善本書」. 금계琴季, 두 자가 있고 금심 거사琴心居士라 자서自署한 완당 해서楷書.

윤재은 옹과 재청, 재정, 재찬在讚 씨가 우리를 다산 초암草庵으로 안내한다. 정다산이 떠나고 김완당이 지나간 지도 백수십 년이다. 다산으로 올라가며 나는 책꽂이를 하려고 다엽茶葉 하나를 따고 산길에 흩어져 있는 댓가지를 하나 주워들었다. 학생들은 다엽 밑에 굴러 있는 열매를 주으며 올라간다.

옛터에 옛 초암은 없고 중건重建한 기와를 올린 건물이 대밭을 등지고 서 있었다. 소나무는 성글고 동암, 서암은 터만 남았고 동백나무는 짙푸르러 못[池]이 춥지 않다. 다산이 손수 각刻하셨다는 정석丁石은 벌써 검은 바위와 한 빛깔이었다. 일찍이 서학西學에 유의留意하셨기 때문에 18년간 귀양살이가 바로 구사九死요 일생一生이었다.

網巾一歲纔三次 菲履三年始一更[61]

그 당시 다산이 지으신 시구를 거듭 가슴속으로 읊어봤다. 흰구름이 넘어간다. 다산은 「자찬 묘지명自撰墓誌銘」에 있는 5백8권의 저서를 거의 이곳에서 집필하셨다. 비록 감시와 제약을 받고 전전긍긍 보신명保身命해야만 했던 다산의 불행은 그러나 우리 나라 광고曠古의 큰 수확이었다. 그 저서는 이제 전질全帙을 볼 수 없다. 아프고 아픈 일이다. 정다산의 저서와 김완당의 예술이 없었다면 강산은 더 적막할 것이다. 손수 심으신 그 많은 화초는 없고 빈터는 쓸쓸하나 바라보이는 천관산天冠山과 구강포九江浦의 바닷물과 죽도竹島와 가우도駕牛島와 굽어보이는 귤동 농가는 그 당시나 지금이나 마찬가지일 것이다. 아니, 한참 간척 공사 중인 둑이 바라보인다. 다산 유적이 손상되는 것만 같아서 민망하다.

나는

"동암, 서암을 다시 세울 때는 옛 모습대로 초암으로 지읍시오."

하고 권했더니

"이왕 짓는 바에야 기와집으로 튼튼히 세워야지요."

한다. 다산의 정신은 실사구시實事求是 경세택민經世澤民에 있었다. 그 정신을 추모하기 위해서 이곳만은 옛 모습 그대로 복원 보호하고 싶다.

세상은 학자 다산은 알지만 '我是朝鮮人 甘作朝鮮詩'[62]라고 한 시인 다산을 말하는 분은 별로 없다.

'蘆田少婦哭聲長'[63], '自恨生兒遭窘厄'[64], 또는 '破書萬卷妻何飽 有田二頃婢乃潔'[65], '苦雨苦雨雨不休 烟火欲絶巷人愁 廚門水生深一尺 稺子還來汎芥舟'[66] 또 '黨禍久未已 此事堪痛哭 (중략) 恙羊死不號 豹虎尚怒目 (중략) 千甕釀爲酒 萬牛臠爲肉'[67] 이 외도 「해남리海南吏」, 「기민시飢民詩」, 「애절양哀絶陽」 등 다산 시를 논하는 인사가 나올 줄로 믿는다.

강신항 교수가 학생들에게 타이른다.

"이제부터 만덕사萬德寺를 경유 강진읍으로 가야 하니 점심은 굶는 걸로 알아야 해요."

우리는 다산을 넘어 만덕사로 간다. 절까지는 정다산의 산보 길이었으니 초암에서 과도히 멀지 않을 것이다. 다시 고개에 올라서자 저편 산밑에 퇴락한 절과 동백나무 숲이 굽어보인다. 어찌나 무성한지 짙푸른 물이 부글부글 끓어오르는 것 같다. 한겨울에 이런 풍경을 보기는 처음이다. 새빨간 꽃이 가득히 피면 꿈나라일 것이다. 윤재찬 씨가 산을 내려가면서 설명한다.

"저 산이 백련봉白蓮峰이고 절 일대를 사시장철 푸르대서 장춘동長春洞이라고 하지요. 지금은 저렇게 퇴락했지만 예전에는 더 큰 절이었더랍니다."

정다산 시에 나오는 백련사가 바로 만덕사인 것이다. 약물이라는 산골 물로 눈을 씻고 경내로 들어섰다. 과연 장춘동이라고 할 만하다. 동백나무는 말할 것 없고 대나무 밭과 귤나무와 비자榧子나무도 보인다. 절을 중신重新했다는 고려 원묘圓妙• 스님의 비는 없고 임진왜란 때 불탔다는 귀질龜趺위에 중건비重建碑가 섰는데 신라 때 창건이라 나와 있다. 내가 알기로는 일찍이 홍양호洪良浩•가 보았다는 김생金生 글씨 '만덕산萬德山 백련사白蓮寺' 현판이 있었던 절이다. 윤재은 옹의 말에 의하면 옛날에 양녕대군이 이 절에 와서 오래 머물렀다고도 한다. 또 옛날에는 제주도로 귀양을 가자면 반드시 강진으로 내려와 이 앞 남창이라는 곳에서 조그만 배를 타고 완도莞島로 나가서 큰 배에 갈아타고 가기 때문에 풍랑이 심하여 떠나지 못하면 구경 겸 이곳 백련사에 와서 여러 날씩 머물렀다고 한다. 송우암宋尤庵도 김완당도 제주도로 귀양갈 때, 이 절에서 여러 날 묵었다는 것이다. 김완당이 백련사에 들렀을 때 일이라 한다. 그 당시 연담蓮潭(유일有一)이 이 절에 있었다. 거만하고 인색한 연담은 완당을 알아보지 못하고 홍시 한 개를 내놓고 공公 자로 호운呼韻했다.

완당은 즉시 蓮潭謂余曰多食衛靈公[68]이라고 응구첩대했다. 연담은 다시 까다로운 춘春 자를 내놨다. 완당은 즉시 皮薄刀無用肉濃齒不春[69]이라고 받아넘겼다는 것이다. 장난 같은 재담이다. 그런 일이 있었을 리 만무하다. 다산 전서에는 연파 혜장에게 준 시가 여러 편 수록되어 있다. 그러나 나는 정다산과 혜장에 관한 이야기는 종시 듣지 못했다.

다산이 쓴 친필본 『백련사지白蓮寺誌』가 있었는데 지금은 없다는 것만 듣고 대웅전에 참배하고 최진원 교수와 함께 먼저 만경루萬景樓로 올라갔다. 대밭과 동백 숲 위로 산과 바다가 바라보인다. 절은 퇴락했으나 앞 경치는 다산의 시 그대로였다.

蓮寺樓前水一規 春湖如雪上門楣[70]

다락에는 고려팔국사합高麗八國師閤 상량문上樑文만 걸려 있고 김생 글씨도 서산 대사의 만덕산백련사중창萬德山白蓮寺重創 모연문募緣文도 물을 길이 없다. 점심때가 지난 지도 오래이다. 시장하다. 우리는 절을 떠나 대밭을 끼고 내려간다. 오늘 수고해주신 약천藥泉 윤재찬 씨(기승旗升의 현손玄孫)와 논길에서 작별하고 큰길로 나섰다. 강진읍까지 걸어야 한다. 남창에 이르렀을 때, 좀 늦더라도 점심을 먹어야 한다는 의견이어서 바닷가 주막에 들어가 식사를 시켰다. 기러기 떼가 줄을 지어 바다 남쪽으로 날아간다. 막걸리 맛이 맹물이다. 식사를 마쳤을 때 마침 강진으로 가는 트럭이 있어서 일제히 올라탔다. 우리는 윤재은 옹에게 거듭 감사하고 작별했다. 달리는 트럭 위가 몹시 춥다. 더구나 황혼이다. 걸었으면 큰일날 뻔했다고 서로 기뻐한다.

우리는 강진읍을 구경할 겨를도 없이 광주光州행 버스를 타고 떠났다. 시인 김영랑金永郎•이 살던 집은 어디쯤 있나. 해가 저문다. 월출산은 달이 없다. 깜깜한 영산포에 도착 전화를 걸었으나 오유권은 퇴근하고 없었다. 술 한잔 못 나누고 떠나니 서운하다. 9시에 광주에 도착, 학생들이 여관을 정하러 간 동안 낯선 밤거리에 섰노라니 레코드 상점에서 유행가가 한참이다. 저녁 식사를 사 먹고 여관에 짐을 풀고 우리는 다시 밤거리로 나갔다. 충장로는 서울 명동 거리와 다른 것이 없었다.

1966. 1. 13.

우리는 이번 여행에서 지방 사람들이 말하는 이수里數를 믿지 않기로 했다. 가도가도 10리인 것이다. 버스 한 대를 전세내어 광주를 떠난 것이 10시 반, 오늘 목표는 창평昌平 정송강鄭松江 유적과 기촌企村 면앙정俛仰亭을 찾는 일이다.

크고 장한 무등산無等山을 줄곳 바라보며 달린다. 삼거리에서 달려가다가 다시 좁은 촌길로 접어들어 가고 간 것이 고작 무등산 뒤편이었다. 운전수도 잘 모르는지라, 묻고 묻다가 결국 동네 소년들을 길 안내로 태워가지고 산골 지곡芝谷에 당도했다. 차를 돌려세워야 한대서 우리가 내린 곳은 취가정醉歌亭이 마주 바라보이는 길가였다. 단번에 모든 것을 둘러볼 수 있는 경개景槪이다. 우리는 우선 개울을 건너 취가정으로 나아간다.

시인 권석주權石洲•의 꿈에, 죽은 충장공忠壯公• 김덕령金德齡 장군이 나타나서 부른 「취시가醉時歌」가 조그만 현판에 새겨 있었다. 바람이 세차게 분다.

醉時歌

此曲無人聞

我不要醉花月

我不要樹功勳

樹功勳是浮雲

醉花月也是浮雲

醉時歌

此曲無人知

我心只願長劍報明君[71]

현판을 쳐다보는데 뺨이 시리다. 충장공이 역죄逆罪에 몰려 혹형酷刑을 당하고 옥사獄死한 것은 임진왜란 때 잘 싸웠고 신용神勇했기 때문이다. 장군을 살리려던 김응남金應南, 정탁鄭琢•의 주선도 수포로 돌아갔다. 적군보다도 무서운 일이다. 기막힌 세상이다. 그 옆에 권석주가 꿈에 충장공에게 화답한 시가 계속해 있다.

將軍昔托金戈

壯志中摧

奈命何

地下英靈

無限恨兮

明一曲醉旨歌[72]

이곳 충효리忠孝里는 후세에 정조正祖가 명명한 충장공의 고향이다. 추워서 정자에 더 섰을 수가 없다. 역시 현판으로 걸려 있는 장군의 「군중작軍中作」 시를 베낀다.

絃歌不是英雄事
劍舞要須玉帳遊
他日洗兵歸去後
江湖漁釣更何求[73]

강호어조갱하구江湖漁釣更何求. 그러나 원통히 죽은 장군은 시체도 돌아오지 못했다. 온 집안은 결딴났다. 논두렁 가에 있는 장군 묘는 시체도 없는 초혼묘招魂墓라 한다. 너무나 초라하다. 충장공은 그 형님 덕홍德弘과 함께 고경명高敬命•처럼 전사戰死한 편이 나았을 것이다. 퇴계退溪를 전후한 도학道學은 임진왜란으로 쑥대밭이 되고 가공할 당쟁은 깊이 뿌리를 박은 후였다. 나는 학생들을 뒤따라 환벽당環碧堂으로 간다. 「성산별곡星山別曲」에 나오는 '환벽당 용의 소 이 배 앞에 닿았나니' 가 바로 여기란다.

산천이 그간 얼마나 변했는지 모르나 과장도 이만저만이 아니다. 배는커녕 종아리만 걷어올려도 건널 만한 시냇물이다. 송강은 정치가며 예술가였다. 현판으로 붙어 있는 조자이趙子以가 지은 과송강선생구거유감지회 앙증정달부過松江先生舊居有感志懷仰贈鄭達夫[74]라는 시가 더 실감이 난다.

環碧亭空新易主

棲霞堂在古猶今

逋家小子悲吟地

老木寒波無限心[75]

산을 내려와 개울로 나왔다. 최진원 교수가 일일이 설명해준다.

「성산별곡」에 나오는 '노자암鸕鶿巖 건너보며 자미탄紫微灘 곁에 두고'의 노자암이 저 바위며 자미탄이 바로 여기지요."

"최선생도 여기 처음으로 왔다면서 어떻게 잘 아시오."

"송강을 평소 읽기 때문에 와서 보니 알겠군요."

나는 그 말에 깊이 감심했다. 우리는 돌과 돌을 옮겨 디디며 자미탄을 건너 식영정息影亭으로 올라간다. 뒷산이 성산星山이라 한다. 서하당棲霞堂은 없어졌고 식영정만 남아 있다. 현판 식영정기息影亭記에는 惟我石川先祖 勇退而終老斯亭[76]이라 씌어 있다. 석천石川 임억령林億齡 「식영정 제영息影亭題詠」의 운韻을 따라 서하• 거사棲霞居士 김성원金成遠의 「식영정 십팔영息影亭十八詠」과 송강 정철鄭澈의 「식영정 잡영息影亭雜詠」 현판이 죽 붙었다. 석천의 서녀庶女가 김성원의 측실側室이고 송강의 부인의 외척外戚이 김성원이니, 인연이라 아니할 수 없다. 송강은 양송천梁松川•, 임석천林石川•, 김하서金河西•, 송면앙宋俛仰•, 기고봉奇高峰에게 수학受學했고, 이 외에도 그 당시에 고경명, 박순朴淳•, 임형수林亨秀•, 백광훈, 임제林悌, 최경창崔慶昌• 등이 배출되었으니, 이는 호남 문학의 일대 장관이다. 오늘날도 호남에서 많은 시인이 나왔으며 또한 나오고 있으니, 그 연원淵源이 면면綿綿하다 할 것이다. 우리는 동네에 들러 송강 13대 후손 정재택鄭在澤 씨를 잠깐 찾아보고 곧 떠났다. 이곳도 6 · 25 때 피해가 막심했다고 한다.

다시 차를 타고 삼거리까지 도로 나와 순창淳昌 방면 길로 달린다. 송강교松江橋를 지나면서 소나무 사이의 송강정松江亭을 쳐다봤다. 잠깐 사이다. 정송강의 이곳 시가 생각난다.

借名三十載

非主亦非賓

茅茨纔盖屋

復作北歸人[77]

겨울이어서 그런지 물이 메말랐다. 차를 세우고 면앙정으로 가는 길을 물었다. 그럴 때마다 지방 사람은 모른다는 대답이다. 명소 고적名所古蹟과 또는 갈림길에 이수里數와 안내판이라도 세워두면 비단 그 지방 사람만이 아니라 무심히 지나는 나그네에게도 자랑이 될 것이다. 비용이 많이 들어서 못 세우는 것이 아니고 관심이 없기 때문에 이런가 보다. 그 지방 사람이 그 지방 자랑을 모르니 타관 사람이야 말할 것도 없다. 면앙정을 두고서 하는 말이 아니라 여행할 때마다 도처에서 느낀 아쉬움이다. 마침 면앙정이 있는 동네로 가는 분이 있어서 차에 모시고 줄곧 달렸다.

담양군潭陽郡 봉산면鳳山面 면사무소 앞을 지나 조그만 산을 벗어나자 한없이 뻗은 들이 나타난다. 우리는 차에서 내렸다. 광주 남원간 철로 공사가 한참이다. 몇 해 후면 열차는 바로 면앙정이 있는 산 밑을 달릴 것이다. 우리는 산 끝에 서 있는 정자보다도 넓으나 넓은 들을 감탄했다. 그래서 그런지 바람이 더 세다. 나는 산 위로 올라가다가 머플러로 복면을 했다. 고목古木들에 에워싸인 면앙정에 오르니 문자 그대로 하늘가에 선 듯하다. 사방 팔면에서 찬바람이 몰아친다. 면앙 송순宋純이 거처했던 모옥茅屋 터에 지은 정자이다. 송순의 시조는 이곳에서 지은 것이 틀림없으리라.

굽어는 땅이요 우러러는 하늘이라
두 분의 갓을 조차 내 삼겨 살아시니
계산溪山에 풍월風月 거느리며 늙은 뉘를 몰래라.

넓거나 넓은 들에 내도 길고 긴대
눈 같은 흰 모래이 구름같이 펼쳐시니
일없는 낙대 멘 사람은 해진 줄을 몰라라.

십 년十年을 경영經營하여 초려草廬 한 간 지어내니
반 간半間은 청풍淸風이요 반 간은 명월明月이라.
강산江山을 드릴 듸 없으니 둘러두고 보리라.

지난날 이 시조를 읽었을 때는 그 기상이 크고 순아純雅하다고 생각했다. 그러나 면앙정에 올라 직접 넓은 들과 아득한 산천을 바라보아야 이 시조를 제대로 감상할 수 있을 것이다. 면사무소에서 직원 두 분이 올라와 자세히 설명한다.

"저 멀리 보이는 곳이 담양이고 건너다 보이는 마을은 고하古下• 선생의 고향이지요. 물은 영산강 상류인데 저기 저쪽에서 물줄기가 합류합니다."

대나무 세공품으로 유명한 담양을 바라보니 유명한 미암 유희춘의 일기가 생각난다. 예까지 왔으나 경비와 시일 관계로 그냥 돌아가는 수밖에 없다. 면앙 송순은 성청송成聽松과 동갑이고 이퇴계李退溪와 상종했다.

송순의 가마를 메었다는 고경명, 기대승奇大升, 김인후金麟厚, 정철은 다 제자뻘 되는 후배들이다. 조그만 방으로 들어가려면 면앙정 현판 위에 '면유지俛有地 앙유천仰有天' 이라는 정가亭歌가 붙어 있고 마루 헌간에는 퇴계, 하서, 석천의 제시題詩가 둘러가며 붙었고 '정조正祖 어제御製 하여면앙정荷與俛仰亭' 현판도 있었다. 추워서 읽어볼 생각이 나지 않는다. 아득한 옛 명현名賢들을 추모하고 산에서 내려와 버스를 탔다.

송면앙을 전후하여 윤고산에 이르기까지 거개의 명현들은 정계에 부침浮沈했고 직접 간접으로 국난國難과 당쟁에 여러 가지 영향을 주기도 하고 받기도 했다. 그러나 그들의 시가詩歌는 험악한 그 시대상과 그들의 소용돌이친 생애를 충분히 반영하지 않고 대체로 음풍영월吟風咏月로써 안심입명安心立命하거나 또는 신선이라도 된 듯 굴었다. 물론 여러 가지 이유야 있겠지만, 정쟁과 도학, 이 알고도 모를 그들의 양면을 구명하지 않고는 조선 시가詩歌의 특질을 말할 수 없을 것 같다. 그러나 그 점은 전문가에게 맡길 일이고 나 같은 사람이 함부로 언급할 문제는 아니다.

오후 4시에 광주로 돌아와 점심 식사 하고 다방에 앉으니 피곤하다. 오유권에게 엽서를 쓰고, 학교로 전화를 걸어 시인 이수복李壽福•에게 연락해주기를 청했다. 연락이 잘 안 돼서 늦게야 만났다. 서로가 곧 알아보지 못할 만큼 오랜만의 상면이었다. 광주에 있는 문인 여러 분도 다 일안一安하다 한다. 몇 달 전에 박재삼朴在森•이 다녀갔다 한다. 총총히 작별하고 9시에 열차에 탔다. 올 때도 밤중이었는데 돌아가는 길도 밤중이다. 열차는 달리건만 차창 바깥은 역시 보이는 것이 없다.

작년은 도산에 가서 도학의 자취를 더듬었고, 이번은 임진, 병자 두 국란과 당쟁이 점차 고질화하기까지의 시대 격차는 있지만 송강, 고산 두 대가가 남긴 문학의 자취를 돌아봤고 북학北學, 서학西學이 들어온 근대의 대학자 정다산의 귀양살던 곳을 밟았다. 얻은 바 많다기보다도 갖가지 느낌이 교착한다. 오랜만에 신문을 사서 폈다. 파월 전몰 장병 명단이 나온다. 자야 하는데 잠이 오지 않으니 성화이다. 점점 추워진다. 열차는 북으로 북으로 서울로 달리는 중이다.

1966. 1. 14.

새벽 6시, 서울 역에 도착. 떠나던 날처럼 정여사가 나와서 강신항 교수를 영접한다. 학생들은 해산하고 최진원 교수와 나는 강신항 교수 부부와 함께 택시를 탔다. 전등불들이 호젓이 지나간다. 정여사가 나에게 말한다.

"어제 댁에 갔더니 부인이 밖에 나와서 뜰을 쓸더군요. 갓난아기도 충실하데요."

고마운 일이다.

1966. 1. 30.

어효선魚孝善• 씨가 무엇인지 신문지에 싸서 소중히 가슴에 안고 놀러 왔다. 신문지를 벗기자 굽이 높은 적토빛 분에 심은 소심란素心

蘭 세 포기가 나타났다. 처음으로 맞이하는 난초이다. 아니 내 집에 귀한 식구가 는 셈이다.

"연적硯滴이 없다기에 하나 가지고 왔지요."

어효선 씨는 또 외투 주머니에서 손아귀에 들 만한 천도天桃 연적을 내놓았다. 친한 분으로부터 받고 보니 값비싼 것보다도 내게는 청복淸福이다.

술잔을 나누며 어효선 씨로부터 난초를 기르는 법과 아도닉 촉진제와 하이포넥스 비료에 관한 설명을 들었다. 나는 씨에게 전번 여행에서 찍어온 완당 서 「노규황량사露葵黃粱社」와 「일우보편一雨普編」 서찰과 「산공목탈山空木脫」 서찰 사진을 선사했다.

내일 아침에 난초에 주려고 밤에 사기 그릇에 수돗물을 떠다 놓았다. 잠이 잘 오지 않는다.

1966. 1. 31.

새벽에 물을 한 모금 마시고 남은 물을 난초에 주었다. 무슨 소리가 들릴 듯 말 듯 들린다. 무슨 말씀인가 하고 귀를 기울였다. 화분의 모래에 물이 스며드는 소리였다. 중국 목각 관세음보살상 앞에 난초분을 놓고 대하였다. 사치하지 않아서 좋다. 옛날에 가난한 선비들이 마음의 영양을 섭취했던 난초이다.

1966. 2. 3.

나의 생각이 잘못이라면 다행이다. 서로 침체했다고 생각하고 서로 타락했다고 생각하는 것은 견디기 어려운 노릇이다.

두어 곳 출판사에 들렀다.

책상마다 화분이 없었다. 아직도 사용하는 '카이키레•' 란 말이 곤란하였다.

'내 방에 있는 난초는 사치일까' 하고 생각했다. 사원들 자체가 나뭇가지에 매달려 있는 가을 잎 같았다.

거리는 황혼도 없이 전등이 켜진다. 아자방亞字房에 들렀다. 김상옥金相沃 사백詞伯이 근작近作이라면서 먹을 갈아 태지에 시조 한 수를 써준다.

그 누군지 입춘立春 가까운 햇살은 볼 부비는 시늉
숲 속에 틈바구니에 한창 자랑스런 공사工事 그리고 또 생금生金 가루 섞인 물을 뿌린다. 고 누군지.

다방은 이태리 가요로 가득하였다. 커피에서 흑인 여자의 체취를 느꼈다. 김상옥 사백의 조선 자기磁器에 관한 지식은 황홀하였다.

버스 속은 복잡하였다. 나는 소지품에 신경을 써야만 했다. 얼굴들을 구경했다. 서로가 서로를 경계하는 무표정들이었다. 누가 나를 본다면 나도 역시 그러한 표정이었을 것이다.

1966. 2. 4.

기계가 달에 안착한 날, 땅 위엔 윤비尹妃의 일생이 있었다. 보이지 않는 장해는 어려운 문제이다.

1966. 2. 6.

R은 피곤해 있었다. 피곤한 사람의 코는 약간 날카로워 보인다.

할 수 있는 일이지만 해서는 안 될 일이라고 하자. R은 이러한 선택의 자유 앞에서 자신을 고문하고 있었다. 인간은 예의가 필요하다. 예술의 힘은 거짓에 있다. 현실은 어떤 계기가 되지만 전부는 아니었다.

1966. 3. 20.

전차 안에서 오래간만에 서예가 학남鶴南 정환섭鄭桓燮 씨와 우연히 만났다. 함께 다방에 들어가서 이런 이야기 저런 이야기를 하는데 학남이

"지난 겨울에 해남 대흥사에 갔다 왔어요."

한다.

"언제쯤 갔다 왔나요. 나도 갔었는데요."

나는 대흥사에서 학남을 만나기나 한 것처럼 반가웠다. 자연 대흥사 침계루枕溪樓에 붙어 있는 완당 필 '무량수각無量壽閣'이 화제가 됐다. 학남 말에 의하면 각刻이 좋지 못하다고 한다. 예전엔 친필이 절에 있었는데 없어졌다는 말을 들었노라고 한다.

"요사寮舍채 뒤에 붙어 있는 완당 서 '일로향실一爐香室'이라는 현판은 보셨지요. 걸작이지요."

"그런 것이 있었나요. 못 보고 왔는데요."

학남은 품속에서 치부책置簿冊을 내더니 모사해온 글씨를 보이면서

"일로一爐는 초의 대사의 별호別號라고 하더군요."

"그런가요. 다음에 가면 봐야겠군요."

나는 잠시 먼 대흥사를 생각했다.

1966. 5. 1.

신입생 환영을 위한 강화도 소풍을 가야 할 날이다. 9시에 출발한다던 버스가 12시에야 왔으니 가히 알조다. 나는 초행이었다. 마니산摩尼山, 고려 천도高麗遷都, 삼별초三別抄, 연산군燕山君, 영창대군永昌大君과 광해군光海君 부자父子, 병자호란丙子胡亂, 철종哲宗, 병인丙寅(금년이 백 년째 해다) · 신미양요辛未洋擾 등 강화는 섬이지만 이 나라 과거와 인연이 깊다. 문수 산성文殊山城은 쓸쓸하였다. 바다 저편에 바라보이는 산이 이북 땅이라고 한다. 바람이 차다. 황새 두 마리가 높이 날고 있다. 미군에게서 물려받은 듯한 상륙용 배가 버스를 싣고 섬으로 건너간다.

다리를 놓으려고 공사를 하다가 만 시멘트 교량 하나가 무슨 조각처럼 서 있었다. 버스는 섬을 달린다. 어디에 모든 유적은 있는가, 일찍이 피가 흘렀었다.

시체들이 굴렀었다. 역사책에 몽고 군대가, 청나라 군대가, 불란서 군대가, 미국 군대가 나타난다.

전등사傳燈寺에 당도한 때가 3시 반이었다. 6 · 25 때 아내가 피란했던 곳이다. 구경꾼들이 산에서 연신 내려오고 있었다. 요기를 하고 나니 춥다. 곳곳마다 춤과 노래로 난장판이었다. 한 곳에선 싸움이 붙어 피를 흘리고 있었다. 양천총헌수승전비梁千摠憲洙勝戰碑는 초라해서 미안할 지경이었다.

나는 대웅전에 절하고 이우성, 강신항 교수, 윤병로尹柄魯• 강사와 함께 사고史庫 터를 지나 삼랑 산성三郎山城에 올라가 마니산을 바라봤다. 하늘은 흐리고 바닷바람이 쌀쌀하였다. 선물로 패류貝類로 만든 브로치와 엄지손가락만한 채색 미투리 두 켤레를 샀다. 해는 저무는데 시비가 붙어 버스가 움직이지를 않다가 늦게야 떠났다. 제법 상점이 늘어선 거리를 지나가는데 옛 성문 터 같은 것이 보인다. 유복자 김만중金萬重•의 아버지가 전사한 곳은 어딘가. 연산군이 일생을 마친 곳은 섬 서쪽이라고 한다.

저편 버스 안에 오영수吳永壽 씨가 타고 있었다. 오랫동안 위장병을 앓았건만 씨는 상당히 건강해 보였다. 서로 차창을 통해 미소를 나누었을 정도였다. 씨는 낚시질을 왔다가 돌아가는 듯한 몸차림이었다. 버스에 실린 채 다시 미국제 상륙용 배를 타고 강화도를 나왔다. 서울로 돌아가는 도중에서 또 가자거니 못 가겠다거니 시비가 일어났다. 어두운 도로에서 버스는 꼼짝 않기를 두 번, 10시 반쯤 해서 시청 앞에 당도했다. 역시 강화도는 우울하였다.

1966. 5. 9.

옛날에도 글 잘한 부인夫人은 많았을 것이다. 송宋씨 부인이 남편 미암眉巖 선생에게 보낸 편지 「유문절공부인송씨 답문절공서柳文節公夫人宋氏 答文節公書」는 읽는 사람으로 하여금 미소를 자아내게 한다. 대만 정치대학에 가 있는 이명구 교수에게서 편지가 왔다.

야간 강의를 마치고 돌아오는 길이었다. 전차 안에서 제법 피곤하였다. 젊은 여인이 일어서면서 "앉으시지요" 하고 자리를 내준다. 나는 당황해서 "괜찮다"고 사양했으나 그녀는 내가 미안해할까 봐 운전대 쪽으로 가 섰다.

언젠가 본 얼굴도 같고 전혀 모를 얼굴도 같다. 지난날 내게서 배운 여인인 듯도 하고 아니면 언젠가 다방에서 무슨 기회에 한 번쯤 인사를 했는지도 모르겠고, 아니면 어디에선가 나의 이웃에서 살던 여인 같기도 했다.

다음 정거장에서 여인이 내리기에 나는 감사하다는 뜻을 전하려고 바깥을 내다봤다. 그러나 여인은 나를 거들떠보지도 않고 가버렸다. 전차는 다시 움직인다. 유리창에 내 얼굴이 명멸한다. 내 얼굴을 보아도 마음만큼 피로해 있지는 않았다.

1966. 5. 18.

나는 내 자신을 말할 필요가 없다. 어제의 나는 오늘의 내가 아닐 수도 있다. 물론 오늘의 생각은 내일의 생각과 다를 수도 있다. 우리는 차를 마시고 있었다. 독문과 윤순호尹順豪 교수가 나에게 반문한다.

"이상李箱은 정신 문제이고 카프카•는 존재 문제가 아닐까요?"

1966. 5. 19.

고정 관념은 거개가 석녀石女였다. 자기를 부정해보는 것이 창조의 실마리였다. 막연한 상태에서 나타나는 것이 비교적 정확한 수가 있었다.

인조仁祖는 대내大內에 납시어 앉는 상탑床榻에 일찍이 단청丹青이나 칠漆을 칠하게 한 일이 없었다. 인조의 검소한 덕은 이와 같았다. 선군先君 익헌공翼憲公•은 늘 불초不肖들에게 말했다. '후세 왕위에 오른 분은 멀리 요순堯舜을 배울 필요는 없다. 인조를 본받으면 족하다.'

선조宣朝 때 일이다. 입시入侍한 어떤 대관臺官이 '요즘 복식服飾은 화려하고 사치하는 경향이 있습니다' 하고 아뢰었다. 선조는 입고 있던 용포龍袍를 헤치고 속옷을 보이며 모든 신하에게 말했다. '과인은 무명옷을 입고 있다. 신하의 옷이 어찌 과인 것보다 좋단 말이냐.' 모든 신하는 얼굴을 붉히고 물러갔다. 그 후로 사치하는 습성이 없어졌다. 성인聖人의 교화가 사소한 데 있다는 것은 사실이다. 여余의 증조曾祖 좌상부군左相府君은 선조의 그 말씀을 직접 들었다면서 언제고 가정에서 그 일을 말했다.

(상략) 광해光海는 위位에 오른 후 지祬를 세자로 봉했다. 계해癸亥년에 광해가 강화로 안치된 때 세자 지도 또한 강화로 폐방廢放되어 가시 울타리 안에서 살았다. 지는 땅을 파고 가서 울타리 밖으로 나가서 달아나려다가 결국 명대로 살지를 못했다. (중략) 그는 죽음을 받자 허희嘘唏 탄식하고 시 한 수를 지어 읊었다.

塵寰飜覆似狂瀾
何必憂愁意自閑
二十六年成一夢
好隨歸去白雲間
티끌세상이란 미친 파도 같아서 엎치락뒤치락하는데
하필이면 근심할 것 있으랴, 이내 뜻 스스로 한가하네
스물여섯 해가 한바탕 꿈이었거늘
좋이 따라서 돌아가리, 저 흰구름 사이로

그는 읊기를 마치자 또 하늘을 우러러 깊이 한숨을 몰아쉬고 한참 후에 마침내 죽었다. 그때 그이 나이가 스물여섯 살이었다.

(상략) 폐세자 지는 폐빈廢嬪 박씨와 함께 강화도에서 감금을 당했다. 박씨는 윤두로 땅을 파고 구멍을 내어 폐인廢人을 바깥으로 밀어냈다. 지는 밖으로 나오기는 했으나 어디로 달아나야 할지 몰라 방황하다가 지키는 놈들에게 발각당했다. (중략) 대궐에 알려지자 대신들이 강력히 주장하는 바람에 결국 죽음을 내리고 만 것이다.

이상 『공사견문』

1966. 5. 26.

사실주의寫實主義란 것이 사실事實을 따를 수 있을까. 사실寫實은 사실事實만도 못하였다.

1966. 6. 2.

제6회 고미술古美術 전시회장에는 두 서양 여자가 통역을 데리고 관람하고 있었다.
완당 선생 필적으론 횡액橫額 하나가 나와 있었다.

善修持者 住於靜處(중략) 亦無自相 念不可得.
此是馬鳴大士的的之義 與後世話頭邪禪 盲喝瞎棒不同 舍此正路 必覓邪經 何哉 小長蘆閣雨中漫示[78]
(이상 행서行書. 낙관落款 없음.)
(계속해서 붙인 다른 종이에)

般若多羅尊者答東印度國王云 貧道出息不隨衆緣 入息不居蘊界
那迦山人書示艸衣 傳付性潭禪師[79]

(이상 해서楷書, 낙관 없음.)

비싸다고는 생각하지 않는다. 그러나 힘이 없으면 도리가 없다.

『대반야바라밀다경大般若波羅密多經』(습책拾冊, 명明 정통正統 5년간본).

나로서는 처음 보는 책이었다.

1966. 6. 3.

아침 전차 안에서 옛 ○○서점 주인과 만났다.

"우리 나라에 관한 헌 책은 말캉 해외로 빠져 나가고 있어요. 돈 있는 사람은 관심이 없고 알 만한 사람은 돈이 없고 그저 그런 거지요. 뿐인가요. 골동, 서화 할 것 없이 다 그렇지요. 찾아오기보다는 나가는 것 막기가 급한 실정이이지요. 고서점에 가보세요. 우리 나라 것이 가장 구하기가 어려우니까요. 앞으로 우리 나라를 연구하려면 외국에 가야 할 테니 두고 보시오."

새삼 진기한 이야기도 아니었다.

복도 저편에서 사동 아이는 책상 서랍을 열고 있었다. 나는 갑자기 복통이 났다. 집으로 돌아가는 동안 이마에서 땀이 흘렀다. 집에 돌아가 드러누워 눈을 감았다. 사리불, 부루나富樓那•, 목련目連, 안회顔回•, 염유冉有•가 지나간다.

1966. 6. 4.

종일 비는 온다. 올 봄에 처음으로 심은 파초가 창 밖에서 잎을 드리우고 있다. 옛사람을 생각한다. 난초 분도 뜰로 내놓았다. 약주 반 되가 왜 이리 취할까. 술이 불순한 것 같다.

1966. 6. 5.

잠이 안 온다. 자야 한다는 초조도 없다. 생각할 시간이다.

1966. 6. 17.

은행으로 갔다. 은행에 사람이 없다면 믿지 않을 것이다. 인간 계산기들은 놀랍도록 민첩하였다. 의자에 앉아 기다리는 동안 나도 서투른 기계가 되어가는 모양이다. 약간 어지러웠다. 일을 마치고 철창 밖으로 나오자 심호흡을 하였다. 공기에서 휘발유 냄새가 난다.

약속 시간보다 약 30분 가량 늦게 다방에 나온 정병희鄭秉熙 교수와 함께 국립 극장으로 갔다. 극단 자유극장 창립 공연 스칼페타 작 「따라지의 향연饗宴」을 보며 나는 오랜만에 많이 웃었다. 오랜만이어서 그런지는 몰라도 웃는다는 것은 확실히 좋은 일이다. 대사는 내 곁에 앉아 있는 정병희 교수의 번역이다. 그래 그런지 정병희 교수는 도무지 웃지를 않는다. 나는 불행한 일이라고 생각했다.

마지막 막이 내리고 복도로 나오는데 건강하고 멋진 사나이가 나에게 인사를 한다.

'누구더라?'

"선생님, 연극을 좋아하십니까?"

선생님이라는 말을 듣고 보니 언젠가 내 강의를 듣던 졸업생이고 연극 배우인데 이름이 기억나지 않는다.

미안해서 "그럼" 하고 나는 반가이 웃었다.

"오늘 보신 느낌이 어떻습니까?"

"잘하더군요. 어려운 조건에서 장한 일이지요."

"제가 출연할 때 초대장을 보내드리겠습니다."

"부디 대성하오."

하고 헤어졌다.

정병희 교수를 따라 어색스러이 무대 뒤로 갔다. 어떤 사람이 '오랜만이라' 면서 나에게 악수를 청한다.

나도 오랜만이라면서 반가이 웃고 악수를 하고 "얼마나 바쁘냐"는 말까지 했다.

연극을 보러 와서 어느새 연극을 하는 나 자신에 은근히 놀랐다.

연기演技가 없는 나는 도망치듯 복도로 나와서 정병희 교수를 기다렸다.

어떤 사람이 무대 배우와 함께 밖으로 나가면서 나를 쓱 한 번 돌아본다.

'누구더라? 문학 평론가인데, 틀림없는 평론가인데, 누구더라.'

끝내 이름이 기억나지 않았다.

국립 극장 앞에서 정병희 교수와 작별하고 나는 충무로 책집들을 둘러보며 천천히 신세계 쪽으로 걸었다.

가난한 사람은 하나도 없었다. 못난 사람은 하나도 없었다. 우리 나라에도 이런 곳이 있다니 낮인데도 믿어지지 않는다. 나는 저 으슥한 골목에서 라이터 수선쟁이나 하면 제격일 것 같았다.

나도 사람이지마는 사람이 많아서 미도파 앞에서 차를 타지 않았다. 물결에 밀리듯 시청 앞에 이르러 요행수로 급행 버스를 탔다.

탄 것이 아니다. 숙녀, 신사들에게 밀려 저절로 승리대勝利臺에 올라선 것이다. 팔이 아프다. 약간 피부가 벗겨졌지만 신기하였다.

그러나 창 밖으로 숙녀 신사들이 버스를 타려고 서로 아귀다툼을 하는 걸 내다보니 믿어지지가 않았다. 영화에 나오는 한 장면 같았다. 고층 건물이 지나가면서 하늘이 빙그르르 돌았다.

1966. 7. 23.

내가 가지고 있는 필사본 『공사견문』이 유일본인 줄로 알았는데 금서룡今西龍•이 쓴 『조선의 간朝鮮の栞』의 『광사목록廣史目錄』(제9집) 첫머리에 '정재윤鄭載崙 공사견문公私見聞' 이 나와 있었다. 지금 우리 나라에 『공사견문』 필사본이 몇이나 있는지 궁금하다.

장맛비는 언제 끝날는지. 벽 한 쪽에 곰팡이가 피었다. 그만하면 나의 시는 어릴[凝] 법도 한데 애를 먹는다.

"이 시를 쓰는 데 얼마나 시일이 걸렸는가."

하고 나는 학생들에게 물어보는 일이 있었다. 그런데 충분한 시간이 경과해도 나의 시가 잘 이루어지지 않는 것은 향상할 여유가 있거나 아니면 바닥이 드러났거나 둘 중의 하나이다. 좀 쉬어야겠다. 다시 천천히 시도하는 수밖에 없다.

밤에 이불을 펴고 자려는데 R이 고려 자기 등 일곱 점을 가지고 왔다. 그 중에 세 개는 작년에 값이 맞지 않아서 돌려보냈던 것이다. 나는 이 물건들과 인연이 있는 것일까.

1966. 7. 24.

비가 악수로 쏟아진다. 의심스러운 것 몇 점만 싸가지고 아자방亞字房에 가서 김상옥 씨에게 보였다.

일제 때 시골 부잣집에서 직접 받았다며 출처가 확실하다던 천도 연적은 내가 의심했던 그대로 가짜라 한다.

내가 조선 초기 것으로서 하품下品이라고 생각했던 주전자는 여말麗末 때 민간 요지에서 구워낸 토속품土俗品이라 한다. 아내가 '소박해서 마음에 든다'고 하던 물건이다.

김상옥 씨로부터 'C박사 소장所藏이었던 완당 선생 임서臨書 촉비蜀碑 족자가 헐값에 팔렸다'는 말을 듣고 아연하였다.

1966. 7. 26.

어젯밤 9시에 학교 학술 답사반은 일주일 예정으로 도산陶山과 하회河回를 둘러보려고 떠났다. 밤새도록 비가 악수로 쏟아졌는데 다들 무사히 갔는지. 지금쯤은 도산 서원에 가 있을 것이다. 녹음에 에워싸인 도산 서원 앞에 물은 도도히 흐르고 있을 것이다.

1966. 7. 31.

인연이 있었나 보다. R은 고려 청자 봉황문 상감 대접과 고려 순청자純青磁 연판잔蓮瓣盞을 내가 말한 값에 팔고 갔다. 문紋은 정교한 편이 아니고 빛깔도 우후청雨後晴과는 거리가 멀다. 앞으로는 옛 물건을 사들이지 않으리라. 과분한 욕심은 예의가 아니다. 즐길 줄 알면 그것으로 충분하다.

입원했다는 소문을 듣고 김장호金章湖 씨를 문병하러 수도의대 병원에 갔다. 듣기보다 많이 회복되어 있었다. 오대산五臺山으로 가다가 교통 사고로 구사일생을 했다는 것이다. 말을 들으며 우울해하는 나보다도 말을 하는 김장호 씨는 시종 미소하고 명랑하였다. 고마운 일이다. 손동인孫東仁 씨 자당慈堂께서 노환으로 입원 중이라 한다.

손동인 씨를 만나려 했으나 마침 없어서 보지 못하고 왔다. 손동인 씨도 만날 겸 김장호 씨의 명랑한 미소를 보러 한 번 더 가야겠다.

1966. 9. 1.

정래동丁來東 교수는 "누가 완서阮書를 가지고 왔는데 구경하시지요" 한다. 완당 선생은 글씨만이 아니라 편지 글까지도 다 도저하시다. 글을 베껴둔다.

遠浦別懷 可使歸雲回駐 步步南來 依然如是 未知韓之區 蘇之黎 亦作此境歟 初寒頗甚 動靖一以福晏 筇鞋及於何處 老懷消受 亦在甚事 耿耿所思 何日忘諸 質夫何日始歸 安侍無恙 種種馳神 賤行在塗間關 今初九 始抵果寓 幸不甚憊 親戚情話 如再世相見耳 因崔吏歸略申如是 他處未暇徧及 留在後便 不宣 壬子 十月 十八 老阮[80]

선생이 귀양살이에서 풀려 과천果川에 돌아와 북청北靑으로 보낸 첫번째 편지가 확실한 것 같다. 당시의 선생이 나타나 있다. '이달 초아흐렛날 비로소 과천 집에 이르렀다' 고 하였으니 그렇다면 그날이 임자壬子년 10월 9일임을 이 편지로서 알 수 있다. '친척들의 정화情話가 다시 이승에서 서로 만난 것 같다' 는 대목에 이르면 숙연해진다. '過境不提 唯太上之忘情 老錐之鎖空 不能不深 望於大人境界耳' 로 시작되는 을묘乙卯년 12월 25일자 선생 편지도 연구실에서 보았다. 세상을 떠나시기 약 10개월 전에 쓴 편지건만 필력이 맑고 높다(하기야 『추사방견기秋史訪見記』를 보면 병진丙辰년 춘하春夏간에 봉은사奉恩寺에서의 선생은 정정하다). 선생이 불과 몇 달 동안에 무슨 병환으로 하세下世하셨는지 궁금할 지경이다. 인간 세상에 남아 있는 선생 친필이 다 영인본影印本으로 출판되어야겠다. 연구하는 분들과 연구 서적들이 쏟아져 나와서 나 같은 사람에게도 정신적 영양이 되었으면 싶다.

1966. 10. 27.

시인이 말하는 꿈이란 것이 어떤 작품에서는 비인간화하고 있다. 우리는 이런 경향을 주목해야 할 것이다. 그런 작품을 보면 거개의 경우 꿈이 기계 문명 또는 도시 현실과 대결하는 모습으로 독자를 엄습한다. 이런 보수 없는 가치에 대해서 어떤 사람은 외면하며 어떤 사람은 자기의 사명으로 삼고 있다.

1966. 10. 30.

무의미와 대등한 데까지 이르지 않고는 전체를 파악할 수조차 없게 되었다. 고독이 세계와 대화할 수 있는 수화기의 구실을 한다든가 아니면 고독은 불필요하고 성가신 것이라든가 이런 따위의 양론兩論은 문제가 되지 않는다.
신을 믿는 사람도 신을 본 일은 없다. 자연自然은 암시할 뿐 우리에게 말하지 않는다. 사람은 이 세상에 몇만 번 다시 태어나도 다 읽지 못할 책이 지상에 있건만 몇 평생을 읽어도 다 읽지 못할 책이 해마다 나오고 있으며 앞으로는 더 많은 책이 나올 것이다.
여기에 만년필과 담배와 책이 있다고 써야만 할 것이다. 그러나 그것이 사실이라면 무슨 소용이 있는가. 사실은 사실만으로도 충분하다. 문제는 가능성이지 사실은 아니다.

결론이 아니라 계시인 것이다. 생각하는 것이 아니라 생각하게끔 하는 것이다.

1966. 11. 1.

신경을 쓰지 않아도 좋은, 즉 부담을 느끼지 않아도 좋은 그런 편지를 받을 때는 반갑다. 그것은 좋은 음료수처럼 나에게 휴식을 준다. 어효선 씨에게서 엽서가 왔다.

아자방亞字房에서 두 손바닥 모은 것만한 추사秋史 글씨를 보았습니다. 초정艸丁 말씀이 시초詩草한 것 같다는데, 한 20수首 중에서

淺碧細傾家釀酒
小紅初試手栽花
快日晴窓間試墨
寒泉古鼎自煎茶
一幅葛巾林下客
百壺春酒飮中仙
一窓羅月禁春愁
萬壑松風甘晝眠[81]

이 좋아 베껴왔습니다. 오는 일요일쯤 놀러 나오기를 초정도 말씀하니 거기서 뵈올 수 있다면 즐거운 오후가 되지 않으리까.

1966. 11. 6.

나는 조선 시대 그림에 별로 흥미를 느끼지 않는다. 호생관毫生館• 것이나 한 폭 가졌으면 하는 정도이다. 물론 잘 모르기 때문에 그러하겠지만 옛 그림보다는 옛 글씨를 좋아하는 편이다.

어효선 씨, 이원섭李元燮 씨와 나는 초정 김상옥 씨가 다년간 수집한 많은 조선 자기를 보았다.

나는 도자기에 대해서는 의식적으로 알려고 하지 않는다. 도자기를 좋아하는 분을 보면 두렵기 때문이었다.

김상옥 씨가 도자기에 그려진 그림을 극구 칭찬하기에 나는 씨에게 물었다.

"우리 나라 옛 그림은 중국 것에 비해서 어떠한지요."

김상옥 씨는 시종 유쾌히 말한다.

"예전 사람이 그린 범을 본 일이 있습니까. 호랑이 말입니다. 그런데 그 범은 조금도 무섭지가 않습니다. 그런 범은 세계 어느 나라 그림에도 없습니다. 중국이나 일본이나 서양 사람이 그린 범은 문자 그대로 맹호지요. 예전에 우리 나라 사람이 그린 호랑이는 사람에 대한 살기殺氣가 없습니다. 어딘지 보는 사람에게 친근감을 주지요. 보는 사람도 함께 살고 싶도록 그 범은 착합니다. 그것은 범을 그린 것이 아니고 옛사람의 마음씨에서 이루어진 범입니다. 그 화가 한 사람만의 것이 아니고 우리 나라 미술의 특징이지요. 그렇지 않고야 범을 그린 그 많은 그림이 착한 사람에겐 순종하는 범으로 보일 리가 있습니까."

1966. 11. 8.

누구나 놀기만 한다면 그것만으로도 고문이다. 그러나 수목 없는 도시를 상상해볼 필요는 있다. 나는 대부분의 미국 영화를 어떻게 생각하느냐고 물어보고 싶다. 물어볼 것 없이 스스로 대답하면 된다고 할지 모르나 물음은 나의 뜻을 표현한 것이지 대답을 기대하는 것은 아니다. 이와는 좀 다르나 확실히 대답할 수 있는 경우가 있다. 종교가들이 흔히 강조하는 기적이 바로 그것이다. 이차돈異次頓은 몸에서 흰 피가 쏟아졌고 죽은 예수는 부활했다. 누구나 이런 이야기를 과학으로 따지려는 사람은 없다. 신앙이거나 체면 유지거나 무관심이거나 이 이외의 어느 것이라도 좋다. 왜냐하면 종교가들이 강조하는 기적은 예술에 있어서는 조금도 놀라운 일이 아닌 상식에 불과하기 때문이다.

1967. 1. 16.

어효선 씨의 붓글씨 엽서가 왔다.

제번除煩하옵고 월탄月灘 선생 댁엔 초初 2일에 혼자 가 뵈었습니다. 오래 못 만나서 그리우나 친환親患 계시어 경황이 없습니다. 묵은 수첩을 뒤적이다가 Y씨 소장의 추사 서書 베껴둔 게 보이기로 또 베껴 보냅니다. 감상하십시오.

笠屐圖前共此杯 墨輪又轉大瀛來 水仙似若知人意 齋趁坡辰爛漫開[82]

'대영大瀛', '수선水仙' 등으로 미루어보아 혹시 제주 귀양 사실 때 지은 시가 아닐까 한다. 선생은 소동파蘇東坡「입극도笠屐圖」를 처소에 걸고 송 시대 문호의 생일날이면 잔에 술을 따르셨다. 선생은 제주 계실 때 자제소조自題小照에서 '胡爲乎 海天一笠 忽似元祐 罪人'[83]이라 하였으니 자기 처지로서도 동파를 생각하였을 것이다. 중국에서 작품이 이미 왔으니 거리가 없으며 서로 통하니 고금은 하나였다.

1967. 1. 24.

세상은 돈을 위해 사는 것일까. 딸린 식구가 없으면 이런 생각은 달라질 것이다. 돈은 어느 정도 필요하다. 어느 정도란 어느 정도를 말하는 것인가. 어떤 사람은 실례와 낭비를 행복으로 착각하고 있다. 당신은 할말이 너무나 많을 것이다. 그것은 누구나가 다 알고 있는 일이다.

1967. 1. 25.

눈을 뜨니 한밤중이었다. 시계는 새로 2시, 잠이 안 온다. 『벽암록碧巖錄』•을 보다. 반산 화상盤山和尙이 말하기를 삼계에 법이 없거늘 어디에서 마음을 찾으려느뇨擧盤山垂語云 三界無法 何處求心.
눈을 감았다. 어둠도 밝다. 반산 화상의 법문에 대한 설두雪竇의 송頌은 이러하였다.

三界無法
何處求心
白雲爲蓋

流泉作琴

一曲二曲無人會

雨過夜塘秋水深

삼계에 법이 없거늘

어디에서 마음을 찾으려느뇨.

흰구름은 나의 지붕

흐르는 샘물은 나의 거문고로세.

한 곡조 또 한 곡조를 알아듣는 사람이 없으니

지난 밤 내린 비에 가을 물만 깊었더라.

책을 덮고 불을 껐다.

최근덕崔根德 씨가 박동수朴東洙 씨와 함께 병풍 글씨 8폭을 가지고 왔다.

"추사 글씨라는데 한번 봅시오. 시골 사람이 가지고 와서 팔아달라는 거지요."

자기 자신에 엄격했던 추사 선생이 함부로 병풍 글씨를 많이 남겼을 리 없다. 이런 가짜를 만드는 사람을 만나 하루 저녁 술이라도 마시며 이런 이야기 저런 이야기 들어보고 싶다.

1967. 1. 26.

나는 완당阮堂 선생을 연구하는 사람은 아니다. 바깥과의 관계가 복잡하면 무엇으로든지 때를 씻어야 한다. 선생의 만년晩年은 추방당한 그대로 끝났다. 선생의 예술은 불행에서 이루어진 힘이며 아름다움이다. 선생의 서도書道와 시는 일치하였다. 그러므로 나는 선생을 연구할 필요는 없다. 선생의 작품을 내 나름대로 감상하면 그만이다. 선생의 글씨를 보면 나는 매화나무를 생각하게 된다. 그 예술은 눈 속에 핀 꽃의 향기며 불굴의 가지[枝]며 이끼 돋은 등걸[幹]의 정精이었다. 선생 작품에 '고매실古梅室', '매화옥梅花屋', '비매거比梅居', '서호한매西湖寒梅' 등 '매梅' 자가 든 목각 현판만 해도 일일이 예거할 수 없을 정도로 많지만, 선생 인장印章에도 '아념매화我念梅華'란 것이 있다.

언젠가 김동리 씨는 동대문 근처의 어느 한약방에서, 완당 선생이 쓴 '동구매신東邱梅身'이란 현판을 봤노라고 나에게 말하였다. 김동리 씨와 함께 그 한약방에 갔으나 마침 정초正初여서 문이 닫혔기 때문에 그 현판을 보지 못했다. 나는 내 방에 걸려 있는 완당 선생 글씨를 늘 보는 동안에 완당 선생이 바로 매화로구나 하고, 내 나름대로 생각했었는데, 완당 선생 작품에 '동구매신'이 있다는 말을 들은 후로 어느 정도 확신을 얻은 셈이다.

우리가 흔히 동양화에서 보는 그런 매화나무를 나는 실지로 본 일은 없다. 내가 비현실로 도피하려는 것은 아니다. 도피는 사어死語인 수가 불가능하기 때문이다. 나는 여러 번 동상凍傷한 경험이 있지만, 동상을 모르는 매화나무에 관한 지식은 없다. 나는 불행했던 완당 선생 작품에서 그런 매화나무 같은 예술을 보았다.

1967. 1. 27.

어느 때는 흰 눈 쌓인 개골산皆骨山에 가지를 뻗고 있는 수목들 같기도 하였다. 그런데 오늘 밤은 그렇지가 않았다. 불빛에 바탕은 암담하고 처량하였다. 결구結構는 형장에 끌려 나온 죄수처럼 빼대가 튀어나오고 산란하였다.

이와 반대편 것은 어떤 때는 축축한 석벽石壁에 새겨진 창고蒼古한 보살을 대하는 느낌이었는데, 오늘은 낡은 평화, 굵은 퇴색褪色으로 변한 형태가 빈곤하였다. 내 눈을 의심하다가 형광등 위치를 옮겨놓았다.

그 두 폭은 불빛의 위치 여하로 변화하였다.

1967. 1. 28.

문장은 친절할수록 생각과 빗나간다. 내가 일기를 쓰는 데 대해서 나를 경원하거나 의심하는 사람도 있는 것 같았다. 우리는 의식적으로 남에게 해를 끼치지 못한다. 이것이 약점일까. 봄은 만물을 자라나게 할 뿐 규제하지 않는다. 나의 되지못한 주견으로 더구나 어떤 개인을 침해할 수는 없는 일이다. 시대와 사람은 바뀌지만 하늘과 땅은 늙지 않는다. 남에게 혐의를 받을 수는 없는 일이다.

과학은 배우면 누구나 한다. 짐승을 길들이기는 어려운 노릇이다.

고구려 벽화에는 웅건한 신화가 있고 신라 불적佛跡에는 신앙이 있고 고려 자기에는 꿈이 있었다. 조선의 유물은 간단하지 않다. 대답이 정확히 떠오르지 않을 때는 묻는 것이 옳다.

역사 이래로 '나의 인생은 행복하였고 세상은 아름다웠다' 고 단언하거나 유언한 사람이 과연 있을까. 있다면 몇이나 있었을까. 만일 그런 말을 한 사람이 있을지라도 그 말을 그대로 받아들일 수 있을까.

1967. 1. 30.

며칠 동안 날씨가 따뜻하더니 다시 추워졌다. 다방에서 여자 졸업생을 만났다. 그녀는 한 반이었던 졸업생 아무개와 약혼했다고 나에게 말하였다.

"선생님, 어쩐지 슬퍼져요. 남들은 약혼하면 기쁘다던데…… 이제부터 고생이 시작되는구나…… 저는 그렇게만 생각되어요."

"모르는 소리."

하고 나는 가벼이 대답하였다.

"그렇지 않을까요."

"그러기에 경험 있는 선생님이 그건 모르는 소리라고 하지 않나."

그리고 축하한다고 하였다. 진정이었다.

"선생님 음력 설에 그 사람과 함께 댁으로 세배 가겠습니다. 저희들과 함께 극장 구경 가세요."

"둘이 한번 와요. 내 기다리지."

어문각에 들러 어효선 씨에게 지난날 와주어서 고마웠다는 인사를 하였다. 어효선 씨는 아버지 병환이 대단하셔서 걱정이라고 하였다.

위층 현대문학사로 올라갔다.

『새소년』• 주간 김윤성 씨가 전달치 『새소년』 잡지 두 권을 내놓으면서 나에게 묻는다.

"이거 집의 애들이 읽을 수 있을까."

"내년이라야 큰것이 학교에 들어가는데…… 글쎄……"

"그래두 갖다 줘봐, 애들이 좋아할 거야."

김윤성 씨에게서 받은 『새소년』 잡지를 옆에 끼고 동대문 쪽으로 올라가며 헌 책 집마다 들러 시골 셋째형님이 사서 보내라던 책 중에서 두 권을 구했다.

헌 책을 파는 집에 들렀다. 구경조차 하기 어렵던 『무서록無序錄』• 이 있기에 샀다. 여러 책 속에 『심훈沈熏• 전집』 새 책 세 권도 꽂혀 있었다.

"이거 얼맙니까."

"천 원만 냅시오."

"?"

믿어지지 않았다. 을유문화사에 들러 성춘복成春福• 씨에게서 돈을 꾸어 샀다. 전원 다방에 들렀더니 모某씨가 "무슨 책입니까" 하고 묻는다. 나는 "값이 싼 책인데 미안한 일이더라"고 대답하였다. 지난해는 『고려시대사高麗時代史』를 5백 원에, 『고려사절요高麗史節要』 영인본을 6백 원에, 『오주연문장전산고五洲衍文長箋散稿』 상·하권을 1천2백 원에 샀다. 금년 들어 문학 잡지가 거개 쓰러졌다. 보는 것, 보이는 것이 피차 미안하기만 하다.

1967. 2. 1.

일전에 누가 재미있으니 한번 읽으라며, 나에게 번역 소설책 한 권을 빌려주었다.

뭣이 재미있는지 모르겠다. 이야기 줄거리라면 영화를 보는 편이 경제적이다.

그녀는 조용히 말한다.

"당신이 없으면 내가 죽을 때 누가 돌봐주겠어요."

그는 대답 대신 담배에 불을 붙였다.

K는 빚을 얻어 사업을 하는 친구인데 부잣집 흉내만 낸다. K는 문화인으로서 자처한다. 그러면서도 입버릇처럼 말한다.
"뭐가 옳은지 알 수가 없단 말이야."

책 세 권 보냅니다. 받았다는 답장 줍시오. 백 년 안에 지구의 모든 생명이 하나도 남지 않고 바뀐다는 사실을 생각해보신 일이 있습니까. 누구나 아는 이런 상식에 대하여 우리는 무관심합니다. 누구나 귀찮고 외롭다고 합니다. 그러면서도 아무도 서로 사랑하려고는 않습니다. 물론 살기 위해서겠지요. 놀라운 일입니다. 그래서 위대하다는 쓸데없는 말이 생겨났는지도 모릅니다. 저는 말뿐 하등의 실천력도 없습니다. 철창 너머로 고향을 그리는 심정입니다. 요즘 형님 처지와 심경이 어떠신지도 모르면서 너무 제 말씀만 드린 것 같습니다. 용서하십시오. 웬만하면 음력 설에 서울 오십시오. 오랜만이라 뵙고 싶습니다. (시골 있는 형님에게)

내가 도와드릴 수 있는 길이 무엇일까 하고 생각해보았습니다. 수기手記 가지고 H출판사에 가셔서 C씨를 만나봅시오. 저편 말은 원고를 봐야만 가부간에 결정을 하겠다는 것이었습니다. 이 편지를 C씨에게 보이면 무슨 말이 있을 것입니다. 대자 대비하신 발원이 그대로 이루어지시기를 바랍니다. (B씨에게)

1967. 2. 2.

서재에 있는 『금강반야바라밀경金剛船若波羅密經 오가해五家解』와 신·구약 합본 『성경 전서』를 내 거처하고 있는 방으로 나란히 옮겨 꽂았다. 그 『금강반야바라밀경 오가해』는 신부가 결혼식장에서 신랑에게 선물한 것이다. 그때 내가 새사람에게 선물한 것이 그 『성경 전서』이다. 나는 불교도요 아내는 가톨릭 신자였다. 우리는 아직 종교 때문에 의견을 달리한 일은 없다. 포근한 겨울 오후의 햇살이 영창에 번진다. 두 책이 나란히 꽂혀 있다. 부처님과 하나님의 조용한 대화를 듣는다.

1967. 2. 3.

이러지도 저러지도 못하는 수가 있으며 싫어도 싫다는 말을 못한다. 간혹 인정과 책임이 어려운 고비로 몰아넣는다.

"어제 신문을 봤더니 임천臨川 종가 댁이 보물로 지정됐더군요. 그 뒤 일송一松 선생 비석은 섰나요."

하고 나는 의성義城 김씨인 강사에게 물었다.

"준비는 다 됐으나 세우지 못할 것 같습니다."

심훈沈熏은 이혼한 지 몇 년 뒤에 『직녀성織女星』을 썼을까. 그것은 중요한 일이 아니다. 작품에 나오는 남편은 변변치 못한 사람이고 아내는 훌륭한 여성으로 등장한다. 그것도 중요한 일은 아니다.

A는 남에게 불쾌감을 줌으로써 만족하였다. B는 솔직히 고백한 때문에 멸시를 당했다고 믿는다. C는 이해 타산에 밝지 못한 친구를 속으로 웃었다.

1967. 2. 6.

아이들과 함께 맹수 기록 영화를 보았다. 사람은 강식 약육하는 동물보다는 좀 기술적이었다.

이해원李海元 교수에게서 엽서가 왔다.

"말씀 드린 완당 선생 글씨 병풍 건, 월요일 오후 4시에, 다음에 적은 다방에서 만났으면 합니다."

죄악감에 사로잡히면 어쩔 줄을 모른다. 놀랍도록 점점 무능해지면서 평화한 마음이 되려고 애를 쓰지만 그런다고 되는 일은 아니다. 누구나 살아야 한다는 표정이었다. 월급만으로는 살아갈 수 없는 사람들이 근근이 살아간다. 그들은 부패라기보다는 장관이며 기적이었다. 생명의 존엄 앞에 합장한 뒷모습이었다.

수일 지나면 구정舊正일세.

집안이 다 안녕하시며 새해에는 군도 복 많이 받게. 소포로 보내준 곶감은 잘 받았네. 갖은 풍상 다 겪고 어느 하늘에서 익은 홍옥紅玉이었을까. 모양도 얌전하게 만져지고 분紛이 곱게 피기까지 그 어느 손이 정성을 기울였을까. 맛을 보기에도 조심스러웠네. 음력 설에 혹 벗님들 오시면 대접할까 하고 수정과를 담그기로 하였네. 바깥에 싸락눈이 오는군. 꾸준히 생각하고 읽고 쓰게. 시는 배우는 것이 아니고, 제각기 창조하는 것이 아닐까. 몸조심하고 잘 있다 올라오게. (S군에게 보낸 답장)

1967. 2. 7.

이해원 교수와 함께 모某씨 댁으로 갔다. 세상에 완당 선생 글씨 10폭 병풍이란 것이 어찌 이리도 흔한지 모르겠다. 흔히 완당 선생 글씨의 특색을 황荒한 것인 줄로 착각하고 있다.

경조부박한 점이 있으면 선생 친필은 아니다.

지리적으로 불행한 곳에는 과거에 신앙이 있었다. 약소 민족과 신앙이란 여러 가지로 흥미 있는 일이었다.

1967. 2. 9.

그 남자를 보았을 때 잘생긴 얼굴이라고 생각하였다. 그런데 눈은 위협하듯 날카로우면서도 사람을 의심하듯 눈치를 보곤 하였다. 오랜 버릇이 되어버린 눈이었다. 잘생긴 얼굴인데 그런 눈이었다.
전번에 아내가 정숙정鄭淑貞 여사에게서 들었다고 한다. 정여사는 독일에서도 전혜린田惠麟* 여사와 만나고 귀국한 뒤에도 우이동에서 살았기 때문에 전여사와 서로 잘 아는 터이다.
"혜린이는 수면제를 먹어야 잠을 자거든. 그날 밤에 취한 건 사실이래. 이튿날, 안 일어나기에 들어가보니까 죽어 있더라지 뭐야. 세상에선 혜린이가 자살했다고 하지만 난 그렇게 생각지 않아. 취해서 실수를 한 거야. 자기도 모르는 중에 수면제를 많이 먹은 거야. 난 혜린이가 자살할 성격이라고는 믿을 수 없어."
언젠가 신동문辛東門 씨도 나에게 그런 말을 한 일이 있었다.

방학도 얼마 남지 않았으니 앞으로 바빠질 것이다. 언제고 긴 듯하나 내게는 짧은 방학이었다. 정서하다 둔 미정고未定稿도 정리해야 할 텐데……
고난이 없으면, 정신은 기능을 발휘하지 않을 것이다. 방해가 없으면 육체는 활동하지 않을 것이다. 정신이 기능을 정지하고, 육체가 활동을 정지하면 끝난다. 끝난다면 문제는 다르지만 살아 있는 사람에게 행복이란 말은 단순하지 않았다. 자녀를 사랑하는 사람은 그 자녀가 완전 무결하기 때문에 사랑하는 것은 아니다. 부모는 자식이 못났거나 병신인 경우에 더 사랑하는 수도 있다. 서로가 사랑하기 때문에 행복한가. 반드시 그러하지도 않다면 사랑할 필요가 무엇인가. 그러나 서로가 상대의 불행을 알고 있는 것이다.

1967. 2. 12

저녁 때 고은高銀•, 김현• 씨가 작반해서 왔다. 제주도에서 올라온 지 며칠이 지났다 한다. 술잔을 권하는데 마침 서근배 씨가 왔다. 어떤 때는 심심해도 찾아오는 사람 하나 없더니 오랜만에 내 방이 활기를 띤 것 같다.

"난 아직 인사가 없지만 제주대학의 현평효玄平孝 교수를 혹 아나요. 그분이 완당 선생 글씨를 여러 폭 소장하고 있다는 걸 다른 분에게서 들은 일이 있는데 이번에 가거든 카메라로 찍어서 필름만 내게로 보내줄 수 없겠소. 그분 외에도 제주 인사들 중에 완당 선생 글씨를 가진 분이 있거든 힘닿는 데까지 찍어서 보내주면 곧 비용을 보내드리지요."

고은 씨는 현평효 교수와 아는 처지라고 하였다.

1967. 2. 23.

신문에 이런 내용이 있었다. '청마靑馬의 장례는 부산에서 처음 보는 성대한 것이었다. 그러므로 시인은 외롭지 않다.' 무슨 소리인지 도무지 알 수가 없다.

먹히지 않겠다고 잘살아보겠다고 몸부림치는 모습은 눈물겹기도 하였다. 나운규羅雲奎의 「철인도鐵人都」, 「세 동무」, 「벙어리 삼룡이」, 「아리랑」, 특히 「아리랑」 3편이 개봉되던 날 소년은 아침부터 단성사 앞에서 서성거렸다. 지금 다시 보아도 그 당시처럼 감명을 받을까.

법칙을 이용할 때 예술이 된다. 천재가 있다. 패배자는 스스로 책임을 지게 마련이다. 그래서 사람들은 보건 체조를 하고 있었다.

1967. 2. 24.

술자리에서 월탄 선생은 이런 말을 하였다.

"자고로 우리 나라는 대단한 사대事大였지. 익재益齋• 초상화를 보오. 그 옷이며 벙거지 하며 그것이 어찌 우리의 것이겠소. 고려 때 역사를 보면 일제 때 처음으로 창씨創氏를 한 것도 아니오."

1967. 3. 8.

새벽에 책을 보다가 다시 잠이 들었다. 꿈에 청마 선생이 왔다. 무명 두루마기를 깨끗이 입고 선생은 생시처럼 웃고 있었다.

골동 가게에 들러 전에 본 일이 있는 '○○○○ 칠십이七十二 구당鷗堂 편액扁額' 을 다시 보았다. 다시 보고 거듭 보아도 진짜로 믿어지지가 않았다.

1967. 3. 10.

완당 선생은 학자이고 시인이고보다 예술가였다. 선생은 선생의 독특한 서도書道에 잘 나타나 있다. 그 무엇도 선생의 예술을 예속시키거나 식민지화하지는 못하였다. 선생을 경솔히 평가하는 사람이 있다면 무의미하다. 선생은 입장立場이 아니고 새로이 개척한 경지였다. 선생은 국외 것을 받아들이고 연구하고 전무한 자기 예술 세계를 만들었다. 근역槿域이 낳은 세계인이다. 저술로는 원효 대사가 그러하였다. 원효 대사가 완당 선생과 다른 점은 국외 것을 참조하지 않고도 권위 있는 『해동소海東疏』•를 썼다는 점이다. 완당 선생의 예술은 시가 서도인지 서도가 학문인지 또는 서도가 미술인지 분간할 수 없을 만큼 혼융 일치渾融一致하고 있다. 천재가 불운과 노력에서 이루어놓은 정화精華이다.

1967. 3. 11.

A는 고민이 없는 듯하였다. B는 고민을 모르는 듯하였다. 그렇다면 A나 B나 둘 중에 하나는 바보였을 것이다. 나는 둘 중에 누가 바보인지를 아직 모르고 있다.

"흔히 영재寧齋•, 매천梅泉•, 창강滄江•을 조선말 3대 시인으로 치지요."

하고 이우성李佑成 교수가 나에게 말하였다. 그럼 강추금姜秋琴•은 제외되는가.

시멘트 제製 숲에 새[鳥]는 없었다.

1967. 3. 12.

방안의 목포 유달산 산産이라는 난초에서 꽃 두 송이가 피었다. 겨울 동안 들인 나의 미미한 정성을 대하는 듯하다.

1967. 3. 14.

12년 근속 현직 경관이 복면 강도를 하였다. 그래서 신문은 떠들썩하다. 그의 월급은 6천 원이었다. 요즘 흔히 있는 일이지만 그 경관이 가족 여섯 명을 죽이고 그 자신도 자살하였다면 신문 기사는 달라졌을 것이다. 누구는 가족을 죽이고 자기도 죽는 것이 낫다고 할 것이다. 어떤 사람은 법을 이용해서 기술적으로 부정을 해야 한다고 생각할 것이다. 혹은 여하한 곤경도 참아야 한다고 할 것이다. 정확한 대답은 일정하지 않은 데 있다. 학교 강의를 마치고 돌아왔다. 이원섭 씨가 중국판 『유마경維摩經』을 돌돌 말아 쥐고 와서 "나갑시다" 한다. 우리는 다방에서 여러 시간 '불경' 에 관해서 이야기하였다. 나는 "의상 대사義湘大師 「법성게法性偈」와 성덕왕신종聖德王神鍾의 '사詞' 는 우리 나라 고대 운문학韻文學을 대표하는 쌍벽이라" 고 평소 생각하던 바를 말하였다. 이원섭 씨는
"부처님의 일생을 서사시로 쓸 수 없을까."
하고 말하였다.
"이원섭 씨면 가능한 일이라."
고 나는 대답하였다. 진정이었다.

1967. 3. 15.

오늘이 음력으로 나의 생일이라고 한다. 저녁때 Y가 근 1년 만에 나에게 다시 여자麗磁 주전자를 팔러 왔다. 작년에 아내는 그 주전자가 고려 운봉문청자雲鳳紋青磁 대접보다 마음에 든다고 했었다. 아내 말이 생각나서 여자 주전자를 사서 안방 실경에 올려놓았다. 빛깔은 연회 황녹軟灰黃綠인 잡유雜釉이고 몸 주위는 여덟 개 줄의 골을 이루고 손잡이와 입은 대갈로 빚은 솜씨가 선명하고 뚜껑과 손잡이를 맬 수 있도록 구멍이 뚫려 있고, 파손된 곳은 없다. 귀족적인 냄

새는 없고 비교적 소박한 편이다. 전에 김상옥 씨가 여조麗祖 때 지방에서 민간용으로 만든 잡유임에 틀림없다고 감정해준 것이다.

1967. 3. 16.

글은 쓰기보다도 거절하기가 어렵다. 주어진 제목을 그대로 달기는 했다. 그만 정도야 쓰겠지 하고 청탁하는 모양이나 실상 그렇지 못한 경우가 많다. 그런 경우에 자신自身은 있으나 자신自信은 없었다. 어중간히 지식에 중독당한 나는 시에 매달려왔다. 시를 버리지도 시에서 찾지도 못했다. 이것도 서구적 사고 방식인가 하고 반성한다. 서구 문명이 동양에 침투됐다는 현실을 감안할 때 신중해진다. 같은 지구, 같은 시대에 함께 살면서 자기 세계를 지향하는 예술은 빈약한 노력이며 허무한 영광이며 거룩한 실패일지도 모른다. 한 측면에서 보았을 때 쉬르레알리즘이 기계 문명 발전과 아무런 관계가 없었다면 금세기는 용납하지 않았을 것이다. 과연 기계 문명을 미워할 수 있는가. 그것은 인간 존엄과의 관계에서 다루어질 문제이다. 일반이 사용하는 제품과 예술 작품은 아직도 한계가 분명하다. 우리는 많은 것을 얻은 대신 그만큼 잃은 것은 없었는가.

동교東喬 문태식閔泰植 교수에게 '靜者心多妙 飄然思不群'[84] 붓글씨를 청했다.

시장을 지나오다가 한 잔 마신 막걸리가 속에서 괴나 보다. 소화제를 먹고야 잠이 들었다.

1967. 3. 18.

'청마 유치환 선생 추도의 밤' 에 갔다. 하 오랜만이라 부산서 올라온 박노석朴怒石 씨를 언뜻 알아보지 못하였다. 우리가 부산 피난 시대 때, 씨의 검던 머리는 완전 그레이로 변해 있었다. 노인 한 분이 오랜만이라며 왜 부산 한번 놀러 오지 않소 한다. 나는 그분이 누구인지 기억이 나지 않아서 죄송하였다. 김성욱金聖旭 씨가 청마 선생에게 나를 인사시킨 것도 부산에서였다. 환도한 지 몇 년 뒤였다. 지금 내 곁에 앉아 있는 성춘복 씨가 졸업반 학생 때였다. 나는 그 반 학생들을 인솔하고 수학 여행차 경주에 갔었다. 청마 선생을 뵈오러 성춘복 씨를 데리고 교장 사택으로 찾아갔으나 선생은 댁에 계시지 않았다. 맑은 가을 햇빛이 퍼진 미닫이 너머로 서재를 들여다봤다. 이렇다 할 물건 하나 없고 소조하였다. 벽에 단 하나 붙어 있는 정지용鄭芝鎔• 사백詞伯 휘호揮毫 '청마 산방靑馬山房' 횡폭橫幅이 우리의 시선을 끌었다. 그 해였던가 그 이듬해였던가 기억이 나지 않는다. 서울을 다니러 올라온 청마 선생을 어느 날 문예 살롱에서 뵈었다. 청마 선생은,

"구용 씨가 내 집을 다녀간 날 밤에 술이나 함께할까 하고 경주 읍내 여관들을 찾아다녀도 없데."

하고 나에게 말하였다.

역시 언제였던가 기억이 나지 않는다. 청마 선생이 서울에 온 그날이 마침 무주무육일無酒無肉日이었다. 우리 몇 사람은 선생을 모시고 술을 몰래 파는 단골집으로 가서 대접을 하였다. 우리는 제법 취해서 나왔다. 선생은 걸음을 멈추고 고층 건물 위를 쳐다보며 웃었다. 우리도 웬일인가 하고 쳐다보았다. 그 고층 건물 위에 '청마 양복점' 이란 큰 간판이 걸려 있었다. 문예 살롱에 돌아간 지 아마 30분도 지나기 전이었을 것이다. 청마 선생은 그 집에 가서 다시 술을 하

자고 하였다. 지금 선생은 검은 리본을 두른 사진틀 안에서 우리에게 생시의 모습을 보여주고 계시다.

1967. 3. 20.

나는 누구보다도 그 이론에 어둡다. 다다와 쉬르에 관한 책 몇 권과 심지어는 바슐라르*의 저서도 몇 권 책꽂이에 있다고 하자. 알기 위해서 샀다기보다는 호기심에서 값을 지불했다. 역시 제대로 읽은 책은 하나도 없었다. 내가 그들을 충분히 이해 못한 것은 당연한 일이었다. 내 나름대로의 의문이 앞섰고 서로의 거리가 분명했다. 바꾸어 말하자면 그들이 동양을 알았다면 어느 정도 이해했을까. 그들이 충분히 이해했다면 (그럴 리도 없었지만) 나는 도리어 이상한 느낌이 들 것만 같다. 나는 그들의 문명이 동양 현실에 작용한 만큼 그들을 실감하였다. 물론 몰랐기 때문에 헛수고를 하는 예는 허다하다. 이해가 필요인 것도 확실하였다. 그러나 독서는 입학 시험 준비가 아니었다.

1967. 3. 21.

쉬르레알리즘은 획기적인 공헌을 했으나 반면 애초부터 문제점을 안고 있었다. 그래서 그 공과功過를 세분하는 일은 견딜 수 없을 만큼 혼선을 일으킨다. 불가피한 추종이었건 불가피한 경이驚異였건 불가피한 피해였건 간에 동양의 쉬르레알리즘은 서양의 쉬르레알리즘과 다르다.
학교로 가다가 시계점에 들러 일전에 수선하도록 맡겨뒀던 시계를 찾았다. 의자 위의 조간 신문에서 총소리가 다섯 번 일어났다. 고아로서 대학을 수석 졸업하였고 모범 장교였던 경력을 가진 경찰이 빚과 생활에 쪼들려 아내와 세 자녀를 쏴 죽이고 자기 가슴에 마지막 한 방을 쏘았다. 그는 못 볼 것이나 본 것처럼 신문 활자를 외면하였다.

날마다 책을 들지만 많이 읽혀지지가 않는다. 이렇게 되면 정독精讀하는 수밖에 없다. 그래서 읽다가 숫제 집어치우는 경우가 더러 있다.

1967. 3. 22.

나는 퍽 오래 전 작품들인 그들 쉬르레알리스트들의 시들을 한때 이론 서적보다는 여러 가지로 읽었다. 기억나는 쉬르레알리즘 시인들은 이제 거의 다 죽은 것으로 안다. 나는 그들을 회상할 때 외국을 무전 여행하는 한 나그네의 향수 같은 것을 느낀다. 2차 대전 전에 극장에서 감명받았던 외국 영화를 요즘 방안에서 TV로 다시 보는 그런 심정이다. 찾기 위한 거부요, 막연한 모색이 지속하였다. 완고한 도취와 값싼 배타排他에 빠질까 두려웠다. 예술 방법은 시대에 따라 구분할 수 있지만 작품 세계는 사람에 따라 각각 달랐다. 방법이 고전적 가치를 결정짓는다고는 생각하지 않았다. 이와는 반대의 경우를 유의하였다.

1967. 3. 25.

서양 미술에 동양의 먹빛과 선線과 필력筆力과 번지기가 나타나기 시작한 것은 언제부터인가. 그들이 동양의 좋은 점을 따다가 쓴 총명에 비교한다면 우리는 서양의 쉬르레알리즘에서 얼마나 좋은 점을 받아들여 우리의 것으로 만들었는가. 서양의 먹빛이 동양일 수 없듯이 동양의 쉬르레알리즘이 서양일 수는 없다. 이것이 두 개의 가치다. 쉬르레알리즘의 의식 개발은 현대에 엄청난 역할을 하였다. 동양은 예부터 현실 이상의 정신 세계와 높은 인격을 제시해왔다. 동양의 정신 문명과 서양의 현대 문명은 언제나 크게 평가될 것이다. 놀라운 전통이 새로운 파탄을 이해한 정도란 그들이 우리를 이해한 정도보다도 월등한 것일까.

1967. 3. 27.

나 개인의 독서 경향은 다다나 쉬르보다도 선종禪宗 서적이 대부분이었다. 그 이유는 읽히기 때문에 읽은 것들이다. 그러면 내 시에 선禪이 어느 정도로 반영되어 있는가. 겸손이 아니다. 대답할 말이 없다. '현대시와 선禪' 이란 원고 청탁을 여러 번 받았었다. 그럴 때마다 거절했다. 쓸 능력이 없었기 때문이다. 그 원인을 내 나름대로 짐작할 수는 있었다. 쉬르레알리즘은 어느 정도 해설이 가능하지만 선은 스스로 설명을 거부하였다. 어떤 것이 쉬르레알리스트들의 대표적 작품인지는 모르겠으나 조선에서 선禪을 작품화한 예로는 추사 한 분이 있다. 그의 문학과 글씨가 그러하다. 그는 다산과 거의 같은 현실에 살면서도 전혀 다른 면에서 과학적이었고 투철한 자아 발견의 예술가였다. 유의할 일은 그것이 선禪일지라도 어디까지나 추사 개인의 예술이었다는 점이다. 퇴계의 순수와 겸재謙齋•의 태도와 추사의 제시는 나에게 감명을 주었다. 김립金笠•은 유례없는 존재로서 기억난다. 그들은 시대도 작품도 다르다. 나에게 감명을 주었다는 점에서 같다. 과거의 쉬르레알리즘과 미래의 동양 관계도 마찬가지다. 이 두 가지는 다르면서도 영향을 주었거나 받았거나 아니면 줄 수 있을 것이다. 이런 결정적인 둘 사이에서도 나의 주제는 아무런 감동을 주지 못하고 있다.

1967. 3. 28.

박목월 씨는 "시詩란 핏줄기 같은 것이라" 하였다.

학교에서 돌아오는 길에 개천가의 고물 상점에 들러 조선 백자 팔각병과 청화용문병靑華龍紋甁을 샀다. 둘 다 입 언저리가 조금씩 깨어진 것이지만 몇푼 안 되는 원고료로 살 수 있었다. 내가 없는 동안에 햇볕을 너무 쬐서 난초 꽃은 목을 숙이고 있다. 겨울 내내 정성을 들여서 보게 된 꽃인데 불과 몇 시간 동안에 이 지경이 되었다.

고통을 시종일관 미소로 표현하기에 나의 서투른 기교는 쩔쩔 맨다.

1967. 3. 29.

쉬르레알리즘은 비판 대상이지 오늘날의 명제는 아니다. 한때 쉬르레알리스트로서 자부했던 시인들 스스로가 그 이상 타락하지 않기 위해서 생전에 여러 방면으로 전신轉身했던 사실을 우리는 알고 있다. 그들의 그런 태도를 충분히 인정해줘야 할 것이다. 숨가쁜 변동과 혼란을 싫도록 보아왔다. 발전을 기대하는 한계를 벗어나 한없이 번져나는 의구심에 휘말려들었다. 이런 허무를 극복하기 위해서라도 진정한 상호 교류에서 새로운 단계는 찾아져야 할 것이다.

1967. 4. 9.

독자가 많아야만 반드시 좋은 작품은 아니다. 이와 반대의 경우에 있어서도 그러고 말할 수 있을 것이다. 그러나 사람들은 기계의 내부 구조에 관한 지식이 없을지라도 효용성만 보고서 산다. 정신 분야는 반드시 그렇지도 못하다. 가능은 언제나 무한한 영역이어서 막연하고 중요하다. 사가지고 가는 사람이 없으면 가치가 없다고 쉽사리 말할 수 있을까. 그럼 생활이 안 되는 일을 할 수 있을까. 공간도 작용한다. 돌[石]은 변화하고 있었다.

1967. 4. 10.

심심하면 시를 쓰게 마련이다. 시를 읽기 위해서가 아니고 더구나 시를 쓰기 위해서가 아니다. 누구나 심심하면 견디기 어렵다.

1967. 4. 12.

세상에 살기 좋은 곳이 있을까. 그런 곳이 지상에 있을 수 있을까. 사람 사는 곳이면 어디고 마찬가지일까. 낮잠을 자는데 꿈에 훌륭한 글을 썼다. 꿈이기에 그 글이 훌륭하였을까. 꿈을 깨고 보아도 훌륭한 글일까. 꿈에서만 글이 잘 써진다면 무슨 때문일까. 잠을 깬 뒤에도 꿈에서 지은 글이 훌륭하였다고 생각한 일은 없었다.

1967. 5. 5.

생각하는 것도 쓰는 것도 뭐고 간에 다 새로 시작해야 한다. 막연한 자학이 나를 또 습격한다. 그러나 놀랄 것도 없다. 심심하면 언제나 그러했던 것이다. 언제나 그러할 것이다.

고대高大에 있는 정규복丁奎福• 교수가 학교에 왔기에 함께 거리로 나가 동원東苑 전시장에 들렀다. 나는 그곳에서 원충희元忠喜 씨로부터 완당 선생 예서隸書 탁본을 입수하였다. 此訥人指書 以篆隸意

運鍾王法 神妙不測[85](이하 생략) 그것은 전문全文이 아닌 후반부 같았다. 원각 현판은 어디에 있을까.
내 집에 온 남정藍丁•은 권에 못 이겨 매화, 난초, 연꽃, 국화, 네 폭을 그리고 글씨 두 폭을 썼다. 초정艸丁이 그 네 폭 묵화마다 제題를 쓰고 글씨 두 폭을 썼다. 나는 각 폭에 나의 주인朱印을 눌렀다. 초정도 남정도 약간 취하여 서로 한담하다가 통금 시간 가까운 무렵에 돌아갔다. 각기 집으로 잘 갔는지 궁금하다.

1967. 5. 6.

월탄 선생이 극장표 두 장을 보내주셨다. 아내와 함께 가서 영화 「다정불심多情佛心」을 보았다.
조홍식趙洪植 교수가 왔기에 박노수朴魯壽 화백이 그린 매화 한 폭과 글씨 한 폭과 김상옥 사백詞伯의 글씨 한 폭을 나누어주었다. 나를 찾아온 용건은 내일 봉은사로 놀러 가자는 것이었다. 권유차 길음동으로 함께 갔으나 손석린孫錫麟 교수는 내일 약속이 있어 함께 못 가겠다며 맥주를 내왔다.

1967. 5. 7.

근 10년 만에 봉은사에 갔다. 그러니까 나로서는 두번째 간 것이다. 조홍식 교수, 정규복 교수와 함께 '판전板殿' 현판을 거듭 우러러보았다. 완당 선생이 계셨던 때도 오늘날처럼 버들솜은 경내境內 가득히 날았을 것이다. 정릉靖陵에 솟은 낙락장송落落長松 한 쌍은 내가 기억했던 10년 전 모습 그대로였다. 그때는 까치 한 쌍이 와서 다정스레도 지저귀더니 오늘은 저편 그늘에 젊은 남녀가 그림 엽서처럼 앉아 있다.

1967. 5. 19.

지난번 수학 여행 때 황혼의 낙산사洛山寺 앞 바닷가에서 주웠던 돌에 석창포를 붙이고 수반에 놓았다. 오대산 월정사月精寺 새벽 계곡에서 주웠던 돌과 설악산에서 주웠던 돌도 화분의 모래 위에 올려놓았다. 모두가 평범한 돌이다. 침묵의 형태는 나에게 부담을 주지 않는다. 피곤한 도시 생활에서 한 점 만고심萬古心을 대한다. 그대로 대자 대비가 된다.

1967. 5. 20.

일요일이다. 어효선 씨가 와서 예용해芮庸海• 씨 댁에 놀러 가자는 것이었다. 우리를 기다리는 김봉룡金奉龍 옹, 김상옥 씨와 만나 동행하였다.

예용해 씨는 수년 내로 우리 나라 옛 차에 관한 것을 연구 중이다. 우리는 씨가 옛 철제 주전자로 따라주는 차를 옛 찻잔으로 받았다. 차도 우리 나라 지리산 차라 한다. 다양한 방안은 예와 이제의 거리가 없어지고 주인과 손님이 한가지로 편안하였다.

완당 선생과 초의 선사도 이러하였을 것이다. 초의 선사는 손수 만든 좋은 차를 해마다 완당 선생에게 보내주었다. 오늘날 전하고 있는 유명한 예서隷書 '명선茗禪'은 차를 받은 완당 선생이 사례하는 뜻에서 초의 선사에게 써준 것이다. 또 완당 선생이 초의 선사에게 준 시에 眼前白喫趙州茶[86]라는 구句가 있었던 것으로 기억한다. 또 해마다 차를 보내준 초의 선사에게 감사하는 완당 선생의 서찰이 있는데 그 길이가 두 발은 되더라는 말을 나는 언젠가 모씨에게서 들은 일이 있다. 원래는 J교수의 소장이었는데 지금은 ○○사 사장이 소유하고 있다는 것이었다. 나는 예용해 씨가 다시 따라주는 차를 받고 나 혼자 그 완당 선생 편지는 어떤 내용이며 그 글씨는 얼마나 훌륭한 예술일까 하고 상상하였다.

보지는 못했으나 나는 옛 선생과 선사의 마음을 알 것만 같았다.

예용해 씨는 옛 차에 관한 것을 연구하느니 만큼 초의 선사에 대한 관심도 대단하였다. 내가 연전에 전시회장에서 본 善修持者 住於靜處로 시작해서 那迦山人書示艸衣 傳付性潭禪師로 끝나는 완당 선생 글씨 횡액橫額이 씨의 방에 걸려 있는 것으로도 알 수 있지만 씨는 우리에게 초의 선사 글씨 두 점을 보여주었다. 하나가 (상결上缺) 寂性觀無礙光明佛로 시작해서 (중략) 錦巖禪伯拾四年 (중략) 同治三年 立夏前三日 艸衣意詢 書于寶蓮閣中으로 끝나는 책이고, 또 하나는 한 폭에 觀世音菩薩如意手珠(예서隸書), 그리고 威音? 畔人(전서篆書), 그리고 권인상拳印相을 그린 그림이 있고, 그리고 범서梵書 아홉 자字를 크게 쓰고, 위무위중부爲無爲中孚 밑에 '은지법신銀地法臣', '초의의순艸衣義詢' 두 인印이 분명한 족자였다. 내가 초의 선사 수적手蹟을 보기는 이번이 처음이다.

전부터 나는 예용해 씨가 조선 목공예품에 대한 안목이 높다는 말을 들어서 알고 있었다. 씨의 여러 가지 수집품도 보았다. 어떤 것은 검박儉朴하고, 어떤 것은 점잖고, 어떤 것은 고졸古拙하고, 어떤 것은 인정 있고, 어떤 것은 건전하였다. 내부 밑바닥에 복福 자가 있는 쇠가죽으로 만든 표주박이 있는가 하면, 황옥黃玉에 각刻한 천도형天桃型 표주박이 있고, 목근木根으로 만든 표주박에 추상적 물고기를 각한 것과 매화형梅花型 등 여러 가지가 있었다.

옛사람의 작품에는 어딘가 우리 나라 특수 조건과 결부된 고유의 예술성이 있을 것이다. 조상의 유품은 어디고 우리를 재인식시키는 점을 내포하고 있을 것이다. 우리의 것을 모르면 취사 선택의 기준이 흐려지고 무조건 남의 것을 흉내만 내게 마련이다. 자신을 모르는 추종은 새로운 창조를 할 수 없다.

차 한 잔을 더 들었다. 막연한 아쉬움이 근래에 없던 휴식으로 변하였다. 서두르면 사라진다. 방심하면 잃는다. 예와 이제가 하나가 되어 나타날 새로움을 위해서는 이런 휴식도 귀중하지 않을까. 주인과 손님이 다 우리 나라 문화에 일가견을 가진 분들이라, 나는 그들의 화제를 듣는 것만으로도 흐뭇하였다.

1967. 6. 11.

최열곤崔烈坤 씨가 왔다. 자기 집 뜰에 파초를 심고 싶다는 것이었다. 나는 작년생인 파초 하나를 파서 씨에게 주고 "잘 기르라" 부탁하였다.

시간이 촉박해서 옷을 서둘러 갈아입고 갈현동葛峴洞 이형기 시인에게로 갔다. 새로 이사한 이형기 씨 댁은 아담한 양옥이었다. 오랜만에 이형기 씨 자당님을 뵈오니 병환 중이고 수척해 계셔서 염려스러웠다. 이날 모인 친구는 다 시 쓰는 사람들이었다.

나는 이곳까지 온 김에 진관사津寬寺를 찾아가 보아야겠기에 부지런히 요기하고 이형기 씨에게 노정을 물었다. 바로 저편 산밑이라고 대답하며 안내할 테니 함께 가자는 것이었다. 고맙고 미안한 일이었다. 여러 친구를 두어두고 주인과 나는 길을 떠났다. 사방 산에 안개가 살포시 끼어 있어 이슬비라도 내릴 성싶었다. 자연이 있고 절이 있는 곳이라면 초행길이라도 고향을 찾는 마음이다.

진관사에 이르러 주지 진관眞觀 수좌님에게 한 번도 와보지 못한 일을 사과하였다. 봉민奉敏 수좌님은 문안에 가고 없었다.

새로 지은 대웅전은 바깥 단청도 거의 끝나고 내부 일이 한참이었다. 진관 수좌님의 안내로 새로 조성한 부처님께 예불하고 경내를 두루 보았다. 6·25 사변 때 폭격에 없어진 진관사가 진관 비구니의 원력으로 이제 중건된 것이다. 저녁 식사를 준비한다는 걸 다음 기회로 사양하였다. 봉민 수좌님은 원래 동학사東鶴寺가 본사이니 더 말할 것 없고 진관 수좌님이 동학사에 온 때가 일제 말기였으니 우리는 소싯적부터 서로 아는 터이다. 나는 별로 해놓은 것이 없는데 진관, 봉민 두 수좌는 큰일을 하고 있다.

돌아오는 길에 비가 온다. 법우法雨가 나를 씻어준다. 분명히 알 수 있었다. 두 스님의 공덕이 길이 빛날 것을 알 수 있었다.

1967. 6. 12.

어제 진관사에서 내려오며 이형기 씨로부터 조선 승병僧兵에 관한 것을 들었다. 나는 이형기 씨 집에 돌아가 고교형高橋亨•이 쓴 『조선 불교와 승병 제도』를 읽고 남한 산성을 쌓은 벽암 선사碧巖禪師•를 좀더 자세히 알 수 있었다.

그런데 오늘 내게 사진 한 장이 왔다. 남한 산성에 있는 고故 추명호秋明鎬 옹의 노부인老夫人이 나에게 보낸 것이다. 머리에 특이한 관冠을 쓰고 목에 염주를 걸고 손에 단주를 들고 앉아 있는 스님의 좌우로 고깔을 쓴 두 동승童僧이 시립侍立하고 있는 영정影幀을 찍은 사진이다. 나는 그 한가운데 앉아 있는 스님이 바로 벽암 선사로구나 하고 짐작하였다. 사진 뒷면엔 노부인이 나를 위해 쓴 '성 수축한 사람, 벽암 스님' 이란 설명이 있고 고 추명호 옹이 쓴 듯한 '1939년 11월 19일 촬영撮影' 이란 연필 글씨도 있었다.

어제 진관사에 가지 않았던들 이형기 씨 집에서 그 책을 읽지는 못했을 것이다. 나도 옛 벽암 선사처럼, 오늘날 진관, 봉민 두 수좌처럼 큰일은 못할망정 내가 하는 일을 좀더 열심히 해야 하지 않을까 하고 생각하였다. 지금 영정이 어디에 있는지 만일 없어졌다면 사진일망정 귀중한 자료라 할 것이다.

『조선 불교 통사朝鮮佛教通史』 상편에 있는 「벽암조碧巖條」와 고교형高橋亨 저 『이조 불교李朝佛教』에 있는 「벽암과 그 문인門人」을 읽고

簾外瘦影僧看月
窓外淸香鳥拂梅[87]

벽암 선사의 시게詩偈를 가만히 읊어보았다.

1967. 6. 21.

통문관通文館은 3층까지 올려져 있었다. 이겸노李謙魯 씨는 한 층만 더 올려놓으면 뼈대가 끝난다고 하였다.

오랜만에 C씨를 만나 다방에서 차를 나누었다. "직장 집어치우고 가족은 시골로 내려보내고 명산 대찰이나 돌아다니고 싶다" 한다. C씨는 또 이런 말을 하였다.

"돈은 아무나 못 법니다. 남에게 피해를 입히지 않고서 돈을 벌 줄 압니까. 우리로서는 안 됩니다."

출판사에 들러 최근덕崔根德 씨 책상 위에 있는 화분에서 접란蝶蘭 한 꼭지를 얻어왔다. 잘 자랄지 염려스럽다.

1967. 7. 7.

이봉수李奉洙 군이 동대문으로 가는 도중에다 다시 고서점을 내었다는 소문을 내가 들은 지도 오래다. 전번에 지나는 길에 찾다가 결국 찾지 못하고 말았다. 오늘은 이봉수 군과 친분 있는 고서점 주인 안내로 가보았다. 하 오랜만이라, 어떻게 하고 있나 보고 싶었던 것이다.

"혹 필요하시지나 않을까 하고 벌써 사둔 것인데 한번 가뵌다면서도 공연히 바빠서 못 갔어요."

하며 팔희八喜란 분이 붓글씨로 나무 뚜껑에 '수선화부水仙花賦' 라 제題한 서첩書帖과 간필 한 폭을 내보인다. 서첩 내용은 완당 선생의 '수선화부' 목각木刻을 탁拓한 것이고, 간필 소폭小幅은 소당小棠• 옹의 글씨인데 내용은 楷法 不可不做工 得其正鋒 尋其蹊徑[88](하략)으로서 '時年八十有三' 의 수인首印이 찍혀 있었다. 산 값에 드리겠다며 너무 헐값으로 내놓기에 마침 현대문학사에서 고료 받은 것도 있고 해서 값을 더 쳐주고 샀다. 비싸면 사지를 못하고 싸게 사면 미안한 것이 나의 실정이다. 그러니 이것은 이봉수 군이 나에 대한 우정으로 마련해준 것이다.

1967. 7. 22.

고 추명호 옹의 유품인 완당 선생 '판전板殿 칠십일과병중작七十一果病中作' 탁본을 내 거처하는 방 쪽 대청 위에 걸었다. 뒷면 구석에는 연필 글씨로 조그마하게 '소화십팔년오월이십구일묵탁昭和十八年五月二十九日墨拓' 이라 적혀 있다. 어느 분의 글에서 봉은사 대웅전 현판도 추사秋史 글씨라' 고 한 것을 읽은 일이 있다. 다시 가면 유의하여서 보겠지만 지금 기억으로는 잘 믿어지지가 않는다.

1967. 7. 24.

나는 책을 오독誤讀하는 버릇이 있다. 누구나 책을 읽는다. 그러나 내가 글을 쓸 수 있다는 것은 평소에 책을 오독한 덕분이다.

1967. 7. 25.

물론 그는 나에게 솔직한 대답을 한 것이다.

"김선생이 언제 내 작품에 대해 언급해본 일이 있소."

나는 무안하였다. 조금 전에 나는 버스 안에서 지난날 내게서 배운 여자 졸업생이 한 청년에게 거의 포옹되어 있는 걸 보았다. 그 여자 졸업생은 나에게 웃음을 던지며 인사하였다. 그뿐이었다. 그것과 이것과 무엇이 다르다는 말인가.

그와 마찬가지로 나는 곧 무안한 것이 가셨다. 솔직하다는 것은 별로 대단한 일이 아니다.

현세現世에서 나는 금강산 마하연 뒤를 병풍 치듯 에워싼 중향성衆香城을 아침저녁으로 바라본 일이 있었다. 『유마경』에 보면 중향국衆香國에 향적불香積佛이란 부처님이 계신다. 지금 책상 위의 돌을 보는 동안에 중향성이 떠오른다. 그런 중향성은 도대체 몇이나 있나? 많다는 것도 나 하나에서 시작된 것이다. 자기 자신이 향국香國일 때 어느 곳에나 향적불은 계신다.

1967. 7. 31.

손수건에 물을 적셔 싸가지고 와서 심은 접란 순에 장차 축 드리워질 줄기는 보이지 않으나 잘 자라고 있다. 작년에 새로 난 파초가 제법 자랐는데 잎이 나오는 한가운데가 썩어 들어가기에 헤쳐보니 아이들이 먹다 버렸는지 수박씨 하나가 나오고 흉한 냄새가 났다. 작년에도 큰 파초 하나가 상했을 때 어효선 씨가 와서 보고 자르면 된다기에 잘랐더니 벌써 밑동까지 속으로 썩어 있었다. 올해 거기서 잎이 나오긴 했으나 파리한 모습이 시원치 않다. 작년에 어효선 씨에게서 들은 말이 기억나서 서둘러야 한다는 생각으로 썩어 들어가는 파초의 윗부분을 잘랐다. 진물이 주르르 흐른다. 만져보니 질긴 생명처럼 끈적끈적하다. 자른 자리가 추하게 변색하였다. 아플 것이다. 살리려다가 병신을 만드는 것이나 아닌지 염려스럽다. 작년에 사서 화분 둘에 나누어 심은 소위 유달산 난蘭은 겨울을 잘 지내고 꽃을 보았는데 여름철로 접어들면서부터 잎이 하나씩 하나씩 시들고 새싹이 여러 개 나오고 있다. 원래가 그런 것인지 기르는 법을 몰라서 그런지 모르겠다. 제주 풍란風蘭은 꽃이 많이 피었다. 꼭 동화의 세상 같다. 조그만 선녀들의 우의무雨衣舞처럼 곱고도 가냘프다.
"너무 착하면 하늘에서 일찍 데려가느니라. 너무 고생을 시키지 않으려고 좋은 곳으로 데려가느니라."
그러할 리만도 없을 것이다. 너무 착하고 아름다운 사람은 이 세상에 살 적응성이 부족할지도 모른다. 나보다 문단에 늦게 나와 세상을 떠난 사람들 중에 몇 사람은 그러하였다. 입원한 시인 임인수林仁洙 씨를 돕기 위한 돈은 다방에서 모으고 있었다. 돈을 가지고 가서 주태익朱泰益 씨에게 전했더니 임인수 씨 병이 가망 없다는 것이다. 간경화증이라 한다. 내가 알기에 그는 한 번도 아쉬운 소리를 하는 일이 없었다. 언제나 얌전하였다. 풀밭을 잃은 염소며 도시에 핀 백합꽃이었다. 금년이 마흔아홉이라 한다. 가망이 없다 한다.

1967. 8. 2.

예총 회관 옆, 시인 임인수 씨 영결식에 많은 문인이 모였다. 우리는 마지막 떠나는 씨를 경건히 전송하였다. 김동리 선생이 자기 집으로 가자 한다. 선생 댁에서 서화書畵를 구경하고 김동리 선집을 받고 함께 쌍문동 오영수 씨 댁으로 갔다. 주인이 출타하고 없어서 동리 선생과 나는 우이동 계곡으로 들어가 목욕을 하고 소줏잔을 나누며 이런 이야기 저런 이야기로 반나절을 보냈다. 저녁때 내려오니까 오영수 씨가 길목에서 기다리고 있었다. 2백 평 정원이 점점 어두워진다. 상 위에 소심란素心蘭, 건란建蘭 두 분盆을 놓고 서로 술잔을 권하며 대원군 난 6폭 병풍을 감상하였다. 소문으로 듣기만 하고 보기는 처음이다. 그림 값보다도 병풍을 꾸미는 데 많은 돈이 들었다 한다. 난초를 좋아하고 잘 기르는 오영수 씨에게로 물건이 주인을 찾아온 셈이다. 6폭 중 맨 끝에 폭은 坐久不知香在室 推窓時有蝶飛來 歲癸巳 石坡七十叟[89]로 되어 있다. 난초를 좀 나누어달라고 했더니 난분蘭盆을 가지고 오면 손수 심어주겠다 한다. 각기 붓글씨 한 폭씩을 쓰고 밤늦게 돌아왔다.

1967. 8. 4.

이원섭 씨가 등기 소포로 보내 준 『시경詩經』이 왔다. 언젠가 현암사에 들렀을 때 교정 나온 것을 읽은 일이 있다. 본문보다도 번역이 더 잘 읽히는 훌륭한 업적이다. 이런 좋은 책이 얼마나 팔리느냐는 것은 흥미 있는 일이다. 중앙출판사에 들러 이근배李根培 군에게 청마 선생 서간집 『사랑했으므로 행복하였네라』를 한 권 받았다. 이영도 여사가 편지 전부를 챙겨갔다고 하니 그러면 잘 보관될 것이다. 이근배 군은 지금 형편으로는 편지 전부를 발표 않는 것이 좋을 것이라 하였다. 한 장도 누락 없이 잘 보관되었다가 고인故人의 글이 후세에 전해지기를 바란다.

조선 제기祭器 두 개를 사서 성춘복 씨와 하나씩 나누어 가졌다.

1967. 8. 5.

시인으로서 중요한 일은 침묵이다. 과실은 익기 시작할 때 신중을 기하지 않으면 안 된다.

1967. 8. 16.

몸이 아프다. 요즘도 나비가 간혹 뜰에 와서 잎들과 놀다 간다. 신기하였다.

1967. 8. 17.

집안에서 역신疫神 몰아내듯이 원고를 잡지사에 갖다 주었다.

R씨는 이런 말을 하였다.

"40대 나이는 묘하지요. 또 40대는 인생의 정점이라고 생각합니다.

모든 과거와 미래의 죽음까지를 일목요연히 굽어볼 수 있는 시기가 아니겠어요. 옛사람이 40 불혹不惑이라고 한 것은 용한 말이지요."

1967. 8. 23.

처음엔 무슨 소린가 하고 귀를 기울였다. 마치 판장을 뜯는 소리 같았다. 그러나 집 안에 판장은 없다. 해가 웬만큼 솟은 듯 모기장을 발라놓은 미닫이 너머로 뜰은 희미하고 고요하였다. 두번째 소리는 바로 뜰에서 좀더 크게 일어났다. 가만히 일어나 툇마루로 나갔다. 제일 크다는 화분을 사서 파초를 심은 그 화분 한 귀퉁이가 쩍 쪼개져 두 조각으로 굴러 있었다. 두꺼운 적토빛 화분이 깨어지리라고는 상상도 못한 일이나 깨어진 것을 보고야 그 까닭을 알았다. 어떤 신비를 느끼는 경우도 그와 마찬가지로 평소에 상상도 못한 만큼 충격이 크다. 화분 가장자리에 빠듯이 비집고 올라온 조그만 새끼 파초가, 즉 우리가 가벼이 분지를 수 있는 그 연약한 새끼 파초가 어른 주먹으로 쳐도 끄떡 않을 두꺼운 화분을 밀어내어 꼭 알맞게 떼어낸 것이다. 생명력이라는 힘은 적절한 표현이 아니다. 힘은 한없는 아름다움이었다. 외경畏敬이 아니고 기쁨이었다. 아내와 함께 돌로 화분을 쳐서 모조리 뜯어내고 뜰을 파고 물을 붓고 다시 파초 가족을 심었다.

1967. 8. 25.

돈을 겨우 구한 저녁때부터 비가 쏟아졌다. 첫번째는 백범 선생 글씨가 있다는 말만 듣고 갔으나 주인이 캐비넷에 넣고 잠그고 나가서 보지 못하였고 두번째 가서는 선생 글씨를 보았으나 주인이 없어서 값을 정하지 못하고 흥정만 하다가 돌아왔다. 오늘로 세번째 가는 것이다. 우선 자신이 없었다. 그곳 주인은 시종 난색難色을 지었다. 달라는 금액을 다 주지 못했을 뿐이지 나로서의 성의는 다 하였다. 약간의 돈으로 샀다고 생각하면 잘못이다. 돌아오는 길에도 비가 버스 창에 억수로 쏟아졌다. 나는 선생을 모시듯 경건한 마음이었다. 서재에 족자를 걸고 밤이 깊어가는 것도 모르겠다. 전예篆隷, 해楷의 뜻이 혼합된 뛰어난 작품이다. 文曰 '事有終始'.[90]

1967. 9. 1.

천연색 해저海底 기록 영화를 보았다. 상상도 못했던 여러 가지 생물의 형태는 아름다웠다. 놀라운 예술이었다. 내려갈수록 생물은 없어진다. 심층부에 이르러 서치라이트 앞에 다시 생물이 나타났다. 동굴 속에 공간이 드러났다. 생각은 이와 반대로 지상에서 날아 올라간다. 달나라를 지나 여러 별나라를 지나가면 해저의 심층부처럼 생물이 나타난다. 상상도 못한 새로운 예술일 것이다. 미움과 싸움이 없는 새로운 생명말이다. 예술가는 남이 보고 듣지 않은 것을 만들 수 있다.

1967. 9. 2.

바쁘다. 참으로 가치 없이 바쁘다.

1967. 9. 25.

강의 시간에 늦지 않으려고 급히 학교로 갔더니 오늘이 개교 기념일이라 한다. 나온 김에 통문관 신축 기념 전시에 갔다. 바로 입장 테이프를 끊기 직전이었다. '통문관 신축 기념 전시 목록'과 수건을 받고 기념 촬영에 끼여 서고 오랜만에 여러 사람과 만나 3층의 검여묵루劍如墨樓와 4층의 화랑도 둘러보았다. 앞으로 많은 선비들이 드나들고 책을 사고 훌륭한 저서가 많이 나오도록 하는 것이 통문관의 보람일 것이다. 통문관이 우리 나라 많은 학자에게 도움을 주고 길이 번영하기를 바란다.

1967. 9. 27.

오영수 씨 댁에 갔다. 새벽에 씨는 낚시질하러 가고 없었다. 일전에 갖다 둔 분에 건란 세 폭이 심겨 있었다. 부인에게 거듭 감사하고 청수한 난초를 안고 돌아왔다. 괴석怪石과 난초를 배치하는 것이 잘 어울리나 바라보기에 위치가 적당하지 않아서 목각 관세음보살상 옆에 놓았다. 몇 해 동안 원하던 귀한 건란을 구한 것이다. 번식이 잘 되면 나도 벗님들에게 나누어주리라.

1967. 10. 1.

T. S. 엘리어트•는 왜 영국으로 귀화했을까. 쉬페르비엘•은 왜 광막한 남미에서 살았을까. 프란시스 잠•이 살았다는 피레네 산맥의 농촌은 어떤 곳일까. 2차 대전 때 포로 수용소에서 쓴 로베르 데스노스•의 유시遺詩는 천사의 소리였다. 막스 자콥•은 승원僧院에서 빗자루질을 하고 있었다. 어젯밤은 새로 3시가 넘도록 잠이 안 왔다.

1967. 10. 4.

이건 새로우나 고귀한 것은 아니다. 이건 고귀하나 새로운 것은 아니다.

어효선 씨에게서 엽서가 왔다.

이리로 이사를 오고 보니 낙향한 것 같습니다. 인제 찾아보기는 좀 연치 않을 것 같습니다. 가기는 어렵지 않으나 돌아오기가 쉽지 않습니다. 그러나 아무때고 맘먹고 나서면 되지요. 내내.

1967. 10. 9.

오전 9시에 발인. 마지막 떠나는 제수씨를 보내는 울음소리들이다. 당사자와 친정 부모, 형제, 친척과 충남대학 교수 여러 분 등, 근 50명이 장의차에 탔다. 대전 수복동 공동 묘지, 햇볕 잘 드는 기슭 자좌子坐 오향午向 유택幽宅에 유해를 모신 것이 정오 무렵이었다. 유인만경노씨지구孺人萬頃盧氏之柩 붉은 명정으로 덮고 홍대를 덮자 일꾼들은 곧 봉분을 짓기 시작하였다. 남편이 왜 홀로 슬퍼해야 하는지 어린 3남매가 왜 어머니를 잃었는지 생사만은 아무도 알 수 없는 일이다. 누구나 인생 무상을 느꼈고 너무나 일찍 떠난 고인의 명복을 빌었다. 오후 2시 반 유성에서 합승을 타고 동학사로 향하였다. 차창 바깥은 오곡이 결실한 황금빛이다. 드높은 하늘에 산들이 모여든다. 이곳 가을 경치를 보는 것이 몇 해 만인지 아득하건만 어제 떠났다가 오늘 돌아오는 듯한 느낌이다. 수년 전 여름 방학에 왔을 때와도 많이 변하였다. 비가 하루만 와도 못 건넜던 냇물에 견고한 다리가 놓였고, 신작로에서 석봉石峯 동네 앞까지 길 양편으로 코스모스가 흐드러지게 핀 것도 전에 보지 못하던 광경이고, 아담한 국민학교가 섰고, 아침저녁으로 계곡을 굽어보며 산보하던 갈림길 중에서 산 중복으로 뻗은 길은 없어졌다. 밤이면 귀신이 나온다고 얼씬도 않던 성황당 앞까지 호텔, 여관, 선물 가게들이 즐비하고 자동차들, 여자들, 사내들이 득실거렸다. 미타암은 여전히 쓸쓸하고 인정仁貞 노스님은 근력이 그만하셨다. 도둑을 맞은 지 근 10년 되던, 연전에 내가 서울 어느 골동 가게에서 우연히 발견하고 기별해서 도로 찾아다가 모시게 된 옛 관세음보살상 앞에 절하고 벌써 스물다섯 살이 된 화연火蓮이를 데리고 큰 절로 올라갔다. 그간 소문으로 누차 듣던 바와 같이 옛 건물은 없어지고 시멘트로 만든 뼈대만이 웅장하게 들어서 있었다. 경비 조달이 잘 되지 않아서 공사가 중단된 것이다. 이번에 동학사에 들른 것은 중건重建 불사佛事에 약간의 돈을 내기 위해서였다. 지현智玄 수좌에게 약소해서 미안하다는 뜻을 말하였다. 금년 83세인 경봉鏡峰 조실 스님은 뽕나무 잎, 하수오何須烏 잎, 무궁화 잎, 구기자 잎(이상 손으로 각 한 주먹씩), 쑥(반 주먹)을 생즙을 내어 연복連服한 뒤로 건강을 현저히 회복하셨다면서 김선생도 꼭 장복長服해보라고 권하셨다. 이 비방秘方을 가르쳐준 노인은 금년 78세인데 50세 정도로 보이고 높은 산을 평지 다니듯 오르내리더라는 것이다. 여러 스님들도 그 말씀이 '사실이라' 하였다.

대웅전 삼성각三聖閣에 예불하고 실상암實相庵 옛터로 올라갔다. 부도浮屠도 일렬로 옮겨졌고 불도저로 밀어서 터가 넓게 닦여 있었다. 황혼이 내린 빈 터에 서서 잠시 할머니, 아버지, 어머니를 마음속으로 염念하였다. 바빠서 성묘도 못 가고 내일은 서울로 가야 한다. 삼성각 옆 낙락장송도 죽어 있었다. 예전에 알던 사람은 많지 않았고 거개가 낯모를 새사람들이었다. 큰 절에서 저녁 식사를 하고 아랫절로 내려갔다.

1967. 10. 18.

송광사松廣寺, 화엄사華嚴寺, 선암사仙岩寺, 천은사泉隱寺를 다녀온 청강晴江 김영기金永基 교수가 비碑, 탑塔, 건물 등을 찍은 사진 여덟 장을 나에게 주었다. 전번에 내가 동행하려다가 가지 못하였기 때문이다.

1967. 11. 15.

학생들이 견디기에 괴로울 만큼 추웠다. 야간 강의가 끝나고 다방으로 갔다. 안병주安炳周• 강사가 사진 한 장을 보여준다.

"경상북도 점촌店村 근처라던가요. 봉암사鳳岩寺라는 절이 있대요. 유희강柳熙綱 씨가 그 절에 갔다가 찍어온 사진인데 아직 널리 알려지지 아니한 옛 그림 같아요."

사진 밑 부분은 원화原畵에 때가 묻어서 그런지 또는 광선 부족으로 그런지 상당히 검게 나와 있었다. 분명히 알 수는 없으나 그것이 갈대 잎이라면 바다를 건너오는 달마상達摩像이다. 비록 사진이지만 필치가 옛 그림 같았다. 만일 옛 작품이라면 세상에 널리 알려져야 할 것이다.

1967. 11. 19.

빛은 그녀의 얼굴을 대각선으로 가렸다. 그늘에 물은 흐르지 않고 빛 속에 현재는 없었다. 노래가 자라나고 있었다. 사과빛깔 머플러를 목에 감은 여자가 내다보는 창 밖에 도시는 비어 있었다. 계단을 내려가는 여자 다리의 뱀 비늘이 고왔다. 문에서부터 길은 달아난다. 거리엔 개 한 마리 볼 수 없었다. 누구나 연습이 필요하였다. 연습은 혼자서 하게 마련이다. 그래서 그녀의 양장한 맵시는 무슨 선수 같기도 하였다. 그녀는 호텔을 찾아가고 있었다. 그날 밤에 그녀가 만난 것은 그녀의 그림자뿐이었다. 자신의 숲 속으로 들어서기는 어려운 일이 아니었다. 그녀는 가장 잘 걷는 제자리 걸음으로 밤을 새웠다.

1967. 11. 21.

성당 종소리에 눈을 떴다. 종소리 하나하나가 입 안에서 포도즙으로 넘어간다. 재떨이엔 담배꽁초, 쓰고 버린 성냥개비보다도 코푼 종이, 과일 껍질, 초 토막이 널려 있었다. 그녀는 아마 자고 있을 것이다. 지금쯤 죽어 있는지도 모른다. 흰 언덕 아래 숲은 감동을 모를 것이다. 바람이 일어났다. 빗방울이 성당 종소리를 하나씩 하나씩 집어삼킨다.

등대지기는 외롭지 않소. 무서운 것은 바다와 바위와 하늘이오. 흙을 찾아 미쳐 날뛰다가 죽어 자빠지는 쥐를 흔히 보오. 오늘도 그 귀여운 친구를 몇 잃었소.

1967. 11. 29.

김유정金裕貞• 작품으로 금년도 야간 강의를 끝냈다. 전번에 춘천서 김유정 비를 세우기 위한 기공식이 있다는 초청장을 받았다. 씨의 무덤은 어디 있는지. 혹설에는 화장하여 유골을 뿌렸다는 말도 있다. 춘천에서 온 이인수李仁秀 말에 의하면 이번에 김유정의 누님과 조카가 어디서 사는지도 알게 됐다 한다. "춘천에 유정로라는 거리를 두도록 추진해보시지요" 하고 나는 이인수에게 말하였다. 그렇다고 김유정에 대한 과분한 대우는 아닐 것이다. 김동인金東仁의 붓끝에서 태어난 많은 성격들 중에서도 「감자」에 등장하는 분녀의 남편은 매우 특이한 존재이다. 김유정의 작품을 읽으면 분녀의 남편이 생각나고는 하였다. 두 작가가 같다는 뜻은 아니다. 물론 김유정과 손창섭孫昌涉•도 다르다. 그러면서도 그들의 작중 인물이 동시에 떠오른다.

조홍식趙洪植 교수에게서 사진 엽서가 왔다.

예정대로 파리에 닿았소. 현대식 대도시라기보다 무한한 공원 그것이오. 조각품 그대로의 건물, 정원 그대로의 숲, 자유 그대로의 강, 청춘을 구가하는 젊은 남녀들, 나도 20대 같은 착각을 하곤 하오. 반면에 노인들의 도시는 아니오. 병들고 외롭고 소외된 그들은 아주 대조적이오.

1967. 12. 21.

내년도 일기책을 사야겠다.

1968. 1. 7.

성춘복 씨가 강아지를 안고 왔다. 성춘복 씨 애견과 박목월 씨 애견 사이에 난 잡종인데 자랑할 만한 혈통이라 한다. 발 하나에만 하얀 반점이 있는 새까만 귀여운 강아지다. 생후 두 달, 아직 이름도 없다 한다.

1968. 1. 13.

완당 선생 화제畵題가 있는 대원군 난蘭 6폭 병풍이 올 것이라는 어효선 씨 전화를 받고 통문관에 갔으나 병풍은 와 있지 않았다. 과연 그런 것이 있을까. 아자방亞字房을 경유 동양출판사에 들렀더니 정철진鄭澈鎭 씨는 자리에 없었고, 김이태金以泰 씨에게서 금년도 동양 일기東洋日記 책을 선사 받았다. 금년도 좋은 일기를 쓰리라고 그런 기대는 않는다. 간혹 생각하는 일이지만 좀 신중히 써야 할 것 같다.

1968. 1. 14.

아침 식사를 마치고 내 방으로 건너오는데 "강아지 이름을 '느와르'로 해요" 하고 아내는 말하였다. 불란서 말로 '검다'는 뜻이란다. 우리말로 '감둥이'라면 되는데 하필 남의 나라 말을 쓸 필요는 없다고 생각했으나 착한 생명을 두고 동서남북을 따질 필요도 없기에 그러기로 했다. 아이들은 벌써 강아지와 좋은 친구가 되어 놀고 있다.

1968. 1. 15.

학교에 가서 채점표를 냈다. 굉장히 춥다. 나만이 이런 것일까. 전차가 한참 만에 왔는데 초만원이었다. 타야 할 사람도 많았다. 전차에서 손님들은 가까스로 내린다. 50 남짓한 한 부인은 사람을 마구 떠다밀고 겨우 내리더니

"에이, 난리라도 나서 좀 죽어야 해."

버럭 화를 내며 지나간다. 아무도 말은 않으나 당황한 표정들이었다.

1968. 1. 16.

어효선 씨에게서 전화가 왔다.

"정구창鄭求昌• 씨 댁에 현채玄采• 선생이 기록한 3·1 독립 운동에 관한 재료가 있대요. 공부하는 학자님께 넘겨줄 생각이라는군요."

"우리가 몇 장 베껴넣기로 하고 친필을 한 장씩 얻을 수 없을까요."

"곧 전화로 교섭해보지요. 그럼 알아보고 또 걸지요."

잠시 뒤, 어효선 씨에게서 다시 전화가 왔다.

"교섭이 잘됐어요. 오늘 밤 8시에 자기 집으로 구용 형과 함께 놀러 오라는군요."

"내가 정구창 씨 댁을 모르니 어디서 만날까요."

"나도 볼일이 있어 시내로 들어가야 하니 2시에 신문회관 지하실 다방에서 만나 우선 내 집으로 갑시다."

시청 앞에서 내려줄 줄 알고 급행 버스를 탔더니 남대문 가까이 가서 내려놓는다. 급히 걸어 한참 만에 신문회관 지하실 다방으로 들어갔으나 어효선 씨는 없었다. 시계를 보니 약속 시간이 지났다. 혹시나 하고 근 한 시간 동안 앉아 있다가 나왔다.

전원 다방에 들러 한담하다가 밤늦게 돌아왔다. 어효선 씨에게서 전화가 두 번이나 왔더라 한다. 전화를 걸려는데 마침 벨이 울린다. 어효선 씨 목소리다.

"댁으로 전화를 걸어도 안 들어오셨다기에 하는 수 없이 정구창 씨 댁에 혼자 갔더니 글쎄 구용 형 온다고 음식을 장만해놓고 기다리고 있지 않겠어요. 어찌나 미안한지. 구용이 아마 '구창서옥九窓書屋'이란 글씨 한 폭 써줄 거라고 했어요. 한 폭 써두세요. 또 연락하지요."

여러 가지로 미안하였다.

1968. 1. 17.

정구창 씨에게 드리려고 '구창서옥' 횡폭을 썼다. 易曰 乾元用九 天下治. 사원辭源을 보면 창자窓者 통기투광通氣透光이라 하였다.

벨이 울린다.

"나 박노수요. 춘란에 꽃 한 송이가 피었소. 어효선 씨와 함께 꽃 보러 옵시오."

바빠도 가봐야겠다.

1968. 1. 18.

어효선 씨와 함께 박노수 씨 댁에 갔다. 남으로 난 창가에 난초 열두 분이 늘어놓인 방에서 조지겸趙之謙• 서첩書帖, 하자정何子貞 필폭筆幅, 제백석齊白石• 화첩畵帖(이상 인쇄물), 『아세아미술亞細亞美術』(영자英字 책) 오원吾園•, 근원近園 그림을 보며 잡담하고 난초꽃 보고 늦게 점심 대접 받고 나왔다.

어효선 씨와 함께 미국 대사관 긴 옛 담을 돌아 교육연합회에 가서 정구창 씨를 만나보고 현채 선생이 당시 신문에서 오려 모았다는 자료 10여 책을 보았다. 선생 친필 중에서 '대정팔년大正八年 사월四月 이십오일二十五日 시始, 신문 단편新聞斷片 오五, 무戊, 동아東亞 삼십육三十六' (이면裏面은 교과서 초고草稿인지 또는 그 당시 신식말 풀이인지 추상 관념抽象觀念, 연합聯合, 통괄統括 등에 관한 초고였다)과 '본년도本年度(양羊)에 조선朝鮮 각도各道에 농부農夫 일만 오천팔백여 명一萬五千八百餘名이 앵속자罌粟者 재배栽培했는데 기경작면적其耕作面積이 사천육백여 정보四千六百餘町步라' (이하 생략)는 초고 조각을 골라 얻었다. 현채 선생은 우리 나라에 신학문新學問을 편 선구先軀이다. 선생의 후배로서 육당六堂• 선생이 나온 것이다.

1968. 1. 19.

시詩에는 거리距離가 있어야 한다. 이 '거리' 라는 것은 매우 중요한 것으로 생각된다.

1968. 8. 15.

내가 아는 것을 쓰고 싶지 않다. 그런 것은 나보다도 일반이 더 잘 알고 있다. 우리는 독자의 공감을 얻으려는 옛 수단을 잘 알며 그렇다고 나는 남에게 내세울 만한 그 무엇도 가지지를 못했다. 침묵과 겨루며 성숙하려다 못한 찌꺼기를 조금씩 주워 모은다. 상식은 재료이지 시는 아니듯, 일반의 상식도 늘어가듯이, 나는 반대로 시를 쓸 수 있는 것 같다. 습작이란 문자 그대로 하나의 과정에 불과하다.

1969. 1. 5.

최열곤崔烈坤 씨가 9년 만에 득남했다며 아기 이름을 지어달라고 왔다. 우리는 전화로 미리 통지하고 함께 산정山丁• 서세옥徐世鈺 화백 댁으로 매화꽃을 보러 갔다.
눈 속에 매화를 찾아갔다는 옛 시제詩題나 그림은 흔히 보았지만 설한雪寒 중에 내가 직접 매화를 보러 가기는 난생 처음이다.

내가 아는 예술 하는 분들 댁 중에서 산정 집 실내는 매우 큰 편이었다. 수반水盤은 거개가 중국 것이고 기석奇石, 괴석怪石들이 자리에 놓여 있고 분재盆栽한 매梅는 별로 크지는 않으나 형태가 비범한데다가 꽃이 활짝 피어서 다소 꽃잎이 지는 중이었다.

산정은 술을 끊었다면서 권하기만 한다. 우리는 매화 앞에서 양주 한 병을 다 비웠다. 내 내부에서 훈훈한 봄 기운이 일어난다. 온몸에서 매화꽃이 피어난다. 오창석吳昌碩이 원정園丁•에게 그려준 매화, 괴석, 쌍청도雙淸圖(김용진金容鎭 진장인珍藏印이 찍혀 있다) 밑에서 저녁 식사도 대접받고 산정 그림을 인쇄한 연하장 카드에 산정이 직접 휘호揮毫하여 주는 글씨도 받았다. 우리는 동양의 미와 정취를 말하며 차를 마시며 시간 가는 줄을 몰랐다. 그러고도 부족해서 어두운 뜰에 나와 정원석庭園石 중에서 최열곤과 나는 눈을 헤치고 돌 하나씩을 골라가지고 왔다. 우리 예술계에 산정이 있다는 것은 반가운 일이다.

나 없는 사이에 최근덕 씨가 다녀갔다 한다. 전화나 걸어보고 올 것이지 허행을 하다니 미안한 일이다.

1969. 1. 12.

어젯밤 꿈이 막연한 대로 분명히 생각난다.

나는 어느 읍내 같은 곳을 지나가고 있었다. 누군가가,

“금강산 가까이 왔다” 고 나에게 일러주는 것이었다. 그러나 내 옆에는 사람이 없었다. 좀 자세히 말하자면 금강산이 멀지 않았다는 것을 내가 순간적으로 의식한 것 같았다. 그럼 여기가 이북 땅이 아닌가 하고 놀랐다.

사방을 둘러보니 산속이었다. 안개 속에 산은 숨어 있었다. 숲 사이로 창호지를 깨끗이 바른 암자庵子가 은은히 보이고, 미닫이가 열리면서 얌전한 젊은 스님 한 분이 나오더니 섬돌로 내려서고 있었다.
여기가 마하연이면 얼마나 반가울까 하고 생각하였다. '마하연' 이란 내가 일제 때 금강산에서 오래 있었던 사찰 이름이다.
또 누군가가 나에게 "여기는 표훈사表訓寺*요" 하고 일러주었다. 물론 내 곁에는 아무도 없었다.
어느 사이에 나는 절 경내境內에 서 있었다. 숲 사이로 본 그런 조그만 암자는 아니고 큰 절이었다. 전각 추녀가 옆으로 죽 뻗어 나갔는데 그 한가운데 표훈사라고 쓴 큰 현판 글씨가 희미하니 나타났다.
예전에 본 표훈사가 이러했던가 하고 부지런히 기억을 더듬었다. 그러면서도 나는 '어서 마하연으로 가야 한다' 고 생각하였다.
그 뒤는 어떻게 됐는지 알 수 없다. 그러다가 꿈을 깨었던 것이다. 참 오랜만에 금강산 꿈을 꾼 셈이다.
하동호河東鎬 씨는 『백조白潮』* 지 영인影印에 관한 일로, 채훈蔡壎 교수는 원고에 관한 일로 함께 오고 마침 오랜만에 어효선 씨가 와서 함께 점심 식사하고 놀다가 돌아들 갔다.
밤에는 이해원李海元 교수가 전화로 "누가 청송聽松 성수침成守琛 선생 글씨를 팔려고 가지고 왔는데 구용은 청송 선생 글씨를 어떻게 생각하느냐" 고 묻기에 "서書에도 도학道學이 있다면 선생 글씨의 경지라 할 것이며, 그 고졸古拙하고 꾸밈없는 필치는 계산으로 따질 수 없는 정신 세계로서, 특히 그 중에서도 체득해야지 아무나 모방할 수 없는 일품逸品을 구하라" 고 하였다.

1969. 1. 13.

『백조』지 영인본 앞에 들어갈 서문에 관한 의논을 드리러 월탄 선생 댁에 가야 할 참인데 남정藍丁 화백이 "월탄 선생 댁에 작품을 가지고 가야겠다"고 전화로 알려왔기에 그럼 동행하자고 하였다.
서문에 관한 의논은 간단히 끝났다. 월탄 선생은 남정과 나에게 족자 두 폭을 보여주셨다. 하나는 오동나무 상자에 쓴 글이 그 내용을 잘 소개하고 있다.

吾園先生 聲在樹間圖 神品 無號道人題簽 朝鮮古蹟圖譜 第14卷 2099 所載.

다음 족자가 벽에서 조용히 드리워진 순간 나는 전번 밤 꿈이 동시에 생각났다.
호생관 작 「금강산 표훈사」였다.
월탄 선생 댁에서 영조 때 화가 호생관이 그린 표훈사를 보려고 나는 미리 꿈에 표훈사를 갔었던가. 내가 꿈에 본 표훈사는 표훈사 같지가 않았는데 옛날에 호생관이 본 표훈사는 내가 직접 본 일제 때의 표훈사 그대로였다. 능파루凌波樓도 완연하다.
"구용이야 가지만 나는 다시 가볼 수 없을 거야."
월탄 선생이 말씀하시기에
"그럴 리가 있습니까. 갈 날이 있겠지요."
하고 나도 모를 소리를 그러나 자신 있게 대답하였다.

1969. 1. 18.

오전 중에는 일을 해야 하는데 손님이 넷이나 왔다. 잘 아는 사람들이 왔으니 일에 손을 댈 수 없다. 그러나 일은 휴식이 필요하다. 내일의 일에 우연한 성과를 기대하면서 휴식은 흐뭇하기만 하였다.

제 나름대로 작품에 특색이 있기를 바란다. 그 사람만이라야 만들 수 있는 세계 말이다. 그러기에 친한 문인에게도 강요는 하지 않는 것이 예의이다.

우리는 돌이 물보다 가치가 있다든가, 이런 식으로 함부로 가치 규정을 내려서는 안 된다. 그러므로 "나는 고기보다도 야채를 좋아한다"는 사람의 말을 이해할 수 있는 것이다. 개성은 다르지만 가치에 차이가 있는 것은 아니다.

누구나 여러 가지 작품을 이해해야 할 권리가 있다. 비로소 자기만의 작품을 만들어가야 할 길은 열린다. 아무개가 누구의 시를 좋아한다든가 싫어한다는 것은 사실 그 시와는 아무런 관계가 없다. 내가 완전 공감할 수 있는 시가 있다면 곤란하다. 그 시의 애독자가 될 일이지 시를 쓸 필요는 없기 때문이다.

1969. 1. 23.

앞으로 해야 할 작업은 나를 부정함으로써 벽을 열어야 한다. 아니, 실은 부정도 긍정도 아닌 빛[光]이요, 풍경인지도 모른다. 미지의 명확성과 엄연한 작용이 제시되어야 한다.

대전에서 내게로 보내온 임강빈任剛彬• 씨의 시를 월간문학사에 부탁하고 김동리 선생이 주는 『월간 문학月刊文學』• 2월호를 받고 신문회관에 가서 춘원 선생 유품 전시를 보았다. 방명첩에 붓글씨를 쓰라는데 무슨 말을 써야 할지 생각이 잘 나지 않아서 '보리심 무량수菩提心無量壽' 여섯 자만 썼다.

1969. 2. 22.

밤까지 입학 시험 답안 채점을 하고 늦게 집에 왔더니,

"어효선 선생한테서 전화가 왔는데 현동 화실에 수선水仙을 맡겨뒀으니 갖다가 길러보라 하시네요."

아내가 말한다. 여러 해 수선을 실패했다더니 성공한 것임에 틀림없다.

1969. 2. 23.

채점을 끝내고 갔더니 빌딩 문은 굳게 잠겨 있었다. 오늘이 일요일이라 한다. 길에서 3층 현동 화실을 쳐다보니 커튼이 드리워져 있다. 일요일이라 남정이 나왔을 리도 없다. 날씨가 매우 춥다. 3층 화실에서 수선이 얼지나 않는지 걱정이다.

1969. 2. 24.

전화를 받고 통문관에 가서 어효선 씨와 만나 수선에 대해 감사를 했다. 2층 고향각古香閣에는 백범 선생이 무자戊子년 원단元旦에 쓰신 「반야바라밀다심경般若波羅密多心經」 횡폭橫幅이 있었다.

어효선 씨와 함께 현동 화실에 가서 한담하다가 남정이 바깥 추위에 얼지 않도록 잘 싸서 주는 수선 두 뿌리를 받아들고 함께 나왔다. 해는 저물고 어찌나 추운지 코와 귀가 시리다 못해 맵다. 청진동 빈대떡 집에서 막걸리 한 되로 어효선 씨와 어한하고 수선이 추워할까봐

택시를 타고 돌아왔다. 백범 선생이 쓰신 「반야바라밀다심경」이 생각나서 잠이 오지 않는다.

1969. 3. 6.

고려 때 우리 나라는 몽고에게 짓밟혔다. 그 당시 문서 이전부터 외국에 의해서 역사가 늘 되풀이되어온 것이 아닌가 하고 새삼 소연하였다.

우리는 일제의 식민지 정책을 몸소 당한 경험이 있다. 사람도 강식약육強食弱肉의 투쟁에 불과하다고 단념할 것인가. 그렇지는 않을 것이다. 사람이라는 자랑으로도 단념할 수는 없을 것이다.

1969. 3. 9.

대원군 난蘭 10폭 병풍이 있다는 말을 듣고 유주현柳周鉉•, 최근덕 씨와 함께 왕십리 산 동네까지 올라갔다. 근사하지도 않은 가짜였다.

1969. 3. 11.

어효선 씨에게서 받은 수선은 그 후 꽃이 피기는커녕 노랗게 시들어 간다. 서세옥 씨 집 뜰 눈 속에서 가지고 왔던 조그만 제주도 돌에서는 죽은 줄 알았던 이끼가 파릇파릇 살아난다.

나는 이끼에 곰팡이가 핀 줄로 알았는데 그것이 이끼가 소생 번식하는 세포 작용이나 아닌가 하고 의심하였다. 습기와 온도만 맞추어주면 한겨울에도 생생한 이끼를 볼 수 있지 않을까.

충렬왕忠烈王을 전후한 고려 시대를 상상한다. 나 같은 후세 사람에게까지 심한 충격을 주는 까닭은 무엇일까?

1969. 3. 17.

가만히 혼자 앉아 있어도 심심하지가 않다. 이것이 공자孔子가 말한 '사십불혹四十不惑' 인가. 내 건강이 쇠약한 때문인가. 또는 좋은 시를 쓸 수 있는 바탕이 이루어지려는 것인가.

1969. 3. 19.

전국 시조 · 한시 백일장 예비 심사를 하고 원남동苑南洞으로 오다가 길에서 영일永一 군을 만났다.

어디 갔다 오느냐고 물었더니 심심해서 혼자 창경원을 거닐다가 가는 길이라 한다. 동생의 손은 따뜻하였다. 술기운이 있는 듯도 했다. 우리는 서로 잡았던 손을 놓고 서로 웃고 잘 가라며 헤어졌다. 고궁 담 밑 길에서 40세가 넘은 친동생을 우연히 만났다는 것뿐이다. 봄이 오는 쌀쌀한 서울 거리이다. 그런데 하루 종일 동생 생각이 나곤 했다.

1969. 4. 10.

내일이 장인 어른 진갑이라 한다. 아내는 내일 학교에 나가야 하기 때문에 하루 앞당겨 오늘 수원 친정 집으로 갔다. 잘 갔는지 모르겠다. 오늘 안으로 돌아오려면 지칠 것이다.

야간 첫번째 강의를 마치고 전화를 걸었다. "엄마 아직 안 왔으니 아버지 빨리 오라"는 수련이 대답이다. 둘째 강의를 끝내고 전화를 거니 대답은 아내 목소리였다.

집에 들어서니 뜰에 보지 못하던 나무들이 놓여 있었다. 옥매玉梅나무 하나, 포도나무가 둘, 창포菖蒲 두 덩어리이다. 옥매나무는 제법 크다. 수원서 이것들을 어떻게 가지고 왔을까. 보통 집념으로는 생각도 못할 일이다.

버스에 가까스로 실었다는 것, 고속 도로를 달려온 것까지는 괜찮았지만 역에서 택시를 잡다 못해 지게꾼에게 지워 남대문까지 왔으나 역시 실어주는 택시는 없었다는 것, 그래서 잠깐 지게꾼을 숨겨두고 마침 정릉 가는 손님이 탄 택시와 합승을 하게 됐는데 그 손님이 운전수에게 잘 말해주어서 나무를 싣고 집까지 왔다는 것이다. 뿐만 아니라 아내는 부침개니 떡이니 고기도 가지고 왔다면서 "잡숴보라" 한다. 나는 얼떨떨했다.

1969. 4. 11.

새벽 일찍이 일어나서 아내와 함께 옥매, 포도, 창포를 심고 물을 넉넉히 주었다.

아이들이 깨었을 때는 심는 일도 끝났다. 잘 자라기를 바란다.

밤에는 박정희朴貞姬 씨·시집 『내실內室』 출판 기념회에 갔다. 오랜만에 많은 벗님들을 만났다.

1969. 4. 14.

종일 봄비가 온다. 금년 들어 처음으로 난초를 다 내다가 비를 맞혔다. 망월사望月寺에서 가지고 온 이끼를 돌에 입혔다. 성공할지 모르겠다. 나무도 잎도 비에 젖는다. 나도 좁은 뜰을 거닐며 비에 젖는다. 아이들도 나와서 좋아라 비에 젖는다. 모두 모두가 묵은 때를 씻는다. 모두 모두 자라나는 소리가 들리는 듯하다.

1969. 4. 22.

박영길朴英吉 군은 노작露雀• 홍사용洪思容과 정지현鄭志鉉이 기미년 만세 났던 해에 쓴 수상隨想 『청산백운靑山白雲』 친필 원고본原稿本과 정지현 사진과 홍사용 사진을 가지고 왔다. 『청산백운』은 4백 자 원고지 14매의 친필 원고 소책자로서 표지와 비면扉面에는 같은 행서行書체로 '청산백운' 이라고 쓴 먹 글씨가 있는데 홍사용의 육필肉筆인 듯하다. 표지를 만든 속 배접 종이의 붓글씨는 전등불에 비쳐 봤더니 틀림없는 홍사용 친필이었다. 당시 휘문의숙徽文義塾 4년생 학생복 차림의 정지현 사진 겉장에는 '증贈 홍사용洪思容 정형情兄 일천구백십구년一千九百十九年 삼월三月 일일一日 이도객사李都客舍에서 정지현정鄭志鉉呈' 이란 붓글씨가 달필로 적혀 있다. 다음 홍사용 사진은 흰 두루마기를 입고 찍은 것인데 내가 전에 본 학생복 차림의 사진보다 약간 나이 들었고 미목眉目이 청수하였다. 그러면서도 총명하고 묵중하다. 다정다감했던 재사才士들, 더구나 나라 잃은 젊은이들의 우정을 짐작해본다.

1969. 4. 29.

학생들은 나에게 학교 뒷산 옥류정玉流亭에 올라가서 강의를 해달라고 청한다. 향토 예비군이 훈련을 받고 있었다. 비원 숲이 굽어보인다. 아내는 지금 아이들을 데리고 비원에서 소풍을 하고 있을 것이다. 아침에 아내는 수련이 원동이가 다니는 학교 소풍을 따라 비원으로 간 것이다. 날씨는 흐리고 춥다. 학생들은 나에게 막걸리를 권하고 나도 그들에게 권했다. 좀더 올라가면 산 위에는 아직 가본 일이 없지만 스카이웨이가 나 있을 것이다. 안개와 연기 속에 서울은 많이 변모하고 있었다.

남관南寬 화백 귀국전에 갔다. 씨는 예전보다 여위고 모발이 빠지고 했으나 미소와 음성은 여전하였다. 불란서 정부가 화실을 제공했었다는 씨는 무료인 국립 공보관에서 전시를 하는 중이다. 채광은 안 되고 전등은 약하고 장소는 좁아서 씨의 대작과 많은 작품을 전시하기에는 적당하지 못했다. 나는 씨의 옛 화첩을 사서 둔 것이 있는데

"사인이 없는 화폭도 여러 장 있으니 언제고 서명을 해줄 수 있겠습니까."

고 물었다.

"해드리지요. 뭣을 그렸던가요. 6 · 25 사변 전의 나의 작품은 거의 없어졌습니다. 어느 사람이 동대문 시장에서 내 작품을 하나 사서 둔 것이 있다는 말을 들었습니다. 과히 상하지나 않았던가요. 잘 보관해줍시오."

씨는 반색을 하며 기뻐하고 거듭 잘 보관하여달라 당부하는 것이었다. 씨는 "팔 생각으로 이번 전시를 하는 것이 아니고 외국에서 작업한 것을 보고하는 데 불과하다" 면서

"외국 것을 모방한 것은 없어요. 보잘것없지만 내 나름대로 그렸지요."

하고 그 심정을 겸허하게, 그러면서도 단적으로 나에게 말하였다.

생활이 곤궁하지나 않으냐고 염려했더니

"전에도 그러고 살았는데 앞으로도 어떻게 되겠지요."

하고 씨는

"술을 끊었다" 면서 조용히 웃었다.

씨의 그림을 내가 알 수야 없지만 한국의 고민을 세계적 현대에 제시한 느낌이었다. 진지한 중량이 감상感傷도 아첨도 극복한 대가의 태도를 보인다. 한 인간의 암담한 성실과 대담한 노력이 명상하는 결정結晶으로 빛나고 있었다. 씨가 응분한 대접을 받아야 할 텐데 하고 나는 생각하였다.

시청 앞에 서보니 그 동안에 고층 건물들이 완공돼서 사진에서 보는 외국 거리 같다. 충무로 책집에 들러 약을 사려고 준비해뒀던 돈으로 『인도의 불적佛蹟과 힌두 사원寺院 · 세계의 문화 사적 5』를 샀다. 이런 좋은 책을 보여주는 일본이 부럽기도 하고 우리 나라 문화 사적을 취급해주지 않아서 섭섭도 하였다. 미도파 앞 버스 정거장은 언제 없어졌는지 종로까지 걸어야만 했다. 나올 때마다 달라지는 서울에 정신을 차릴 수 없다.

1969. 5. 4.

이해원 교수는 "규문각奎文閣 2층엔 완당 서찰이 한 폭 나와 있고 동원 전시장엔 완당 서찰이 세 폭이나 나와 있으니 한번 가보라" 고 여러 번씩이나 권한다. 며칠을 두고 그럴 때마다 "한번 가봐야겠군" 하고 대답만 되풀이했다. 이젠 무리해서 살 형편도 못 된다. 가기가 싫은 것이 아니라 그런 데는 가지 않아야 한다고 자신을 억제하는 편이다. 안국동까지 갔으면서도 고서화상에는 들르지 않았다. 경제적으로 힘있는 분들이 우리 나라 문화재를 많이 수집해서 잘 보관해 주기 바란다. 세상에 값싸고도 좋은 것이 어디 그리 흔하겠는가. 돈이 있대도 만나기 어려운 그 어려운 것을 보고도 못 산 일은 다 말할 수도 없지만 비교적 싼 것도 무리를 해서 사놓고는 등이 휘도록 부담을 느낀다. 우리 나라이기에 외국과는 비교도 안 될 만큼 싼 옛 서화書畵지만 우리 나라이기에 그나마 살 수 없는 실정이다. 나는 더 무리를 해서는 안 된다. 전쟁설이 떠돌면 서화는 걱정거리이다. 언젠가 G교수가 내게 놀러 왔기에 그분의 고향에 좀 옮겨둘 수 있겠느냐고 상의한 일도 있었다. 내가 가진 책과 물건이 뭐 대단해서가 아니라 비록 보잘것없는 것일지라도 우리 나라의 옛것치고 버릴 것은 없기 때문이다. 좋은 것이건 나쁜 것이건 간에 내가 일단 보관하고 있는 것은 자연 애착과 오랜 정이 스며 있게 마련이어서 뒷사람에게 잘 전해주고 싶다. 그러나 더 무리를 해서는 안 된다. 무리를 할 수도 없다.

1969. 5. 5.

이동주李東柱 시집 『혼야婚夜』가 우편으로 왔다. 하동호河東鎬 씨가 두 권을 구해서 그 중 하나를 나에게 보내준 것이다. 6 · 25 사변 전에 지방에서 출판된 것으로서 말만 듣고 보기는 처음이다. 이동주 씨 자신도 가진 것이 없다는 책이다.

내 일기에는 나쁜 사람이 등장하지 않는다. 내가 사는 세상은 가장 아름다운 세상인가. 아니다. 그러나 나는 믿는다. 아무리 나쁜 사람일지라도 그를 나쁘다고 하면 듣기 좋아할 사람은 없을 정도로 누구나 착한 마음씨는 있다. 마음씨가 나빠서 나쁜 짓을 하는 사람은 없을 것이다. 나는 아무도 꾸짖을 만한 자격이 없다.

예술가는 예술을 하다가 집어치우는 경우는 있어도 예술을 하는 한 자기 나름대로 최선을 다한다. 귀중한 일이다. 그들은 존경을 받아야 마땅하지만 불행한 사람들이 많다. 고독을 견디는 것이 예술가가 지녀야 할 마땅한 자랑인지도 모른다.
중요한 문제는 막연한 데에 있다. 분명한 이유라든가 판단이 내려지면 이미 늦은 때이다. 막연한 본질에 초점을 맞추기란 어려운 일이다.

1969. 5. 9.

서로 알기만 하고 인사가 없었던 길용배吉勇培 옹을 규문각奎文閣 2층에서 처음으로 만나 그림 두 폭을 구경했다. 위창葦滄 소장所藏이던 주지번朱之蕃의 「유하차어도柳下叉魚圖」 소폭小幅과 정조경程祖慶의 「문복도捫腹圖」를 본 것은 나로서 기념할 만한 일이었다.
완당 김정희와 청조淸朝 학자 정조경은 서로 만나본 일이 없는 사이다. 그 정조경이 한 번도 본 일이 없는 완당 김정희의 초상화를 그려 보낸 것이다. 정신적으로 서로 통하고 존경하면 이럴 수도 있는가, 참으로 희귀한 일이다.
완당이 걸어오는 앞에 한 젊은 여인이 공손히 무슨 말씀이라도 듣는지 약간 허리를 굽히고 있는 장면이다. 깁에 스민 담묵淡墨이 은근하기만 하다. 정조경이 쓴 화제畵題를 베껴둔다. 글씨도 단아하다.

捫腹圖, 阮堂先生 余雖未獲謀面而學問久慕景之 因寫是圖寄呈雅鑒 或嘉其比擬不謬 當掀髯一笑 咸豐三年 秋七月 江南 程祖慶 印
문복도라, 완당 선생을 내가 만나뵈오려 해도 아직 뵙지는 못했지만 오래 전부터 선생의 학문을 크게 사모한 때문에 이 그림을 그리어 보내니 살펴보시되 혹 견주어 틀린 데가 없고 마음에 드시거든 마땅히 수염을 쓰다듬으며 한 번 웃으

시라. 함풍 삼년 가을 7월 강남 정조경

그러고 보니 완당이 그림 속에서 수염을 쓰다듬으며 웃는 듯한 표정이다. 정조경은 자字는 치형稚衡, 박학하여 고증학考證學에 정통하고 특히 금석문金石文에 조예가 깊은(일본 평범사平凡社 판版『서도 전집書道全集』제23권에 있는 말) 분이니 함풍 3년이면 이때 완당은 북청北靑 귀양살이에서 풀려 돌아온 그 다음 해로 나이 68세였다.

이 그림이 어느 인편人便에 의해서 만리 길을 건너와 완당이 언제 받았는지 알 수 없으나 근 70 노인은 감개무량하였을 것이다.

오늘날 전하는 몇 가지 완당 초상화와 비교해볼 때「문복도」는 선생 모습과 흡사한 데 놀라지 않을 수 없다. 물론 정조경이 우리 나라 사람에게 여러 가지로 물어보고 그렸겠지만 과히 크지 않은 키라든지 약간 똥똥한 몸집도 그러하려니와 이야말로 신교神交가 아니고는 이루어질 수 없는 작품이다.

정조경은「문복도」를 보낼 때 필시 간곡한 편지도 써서 함께 보냈을 것이며 완당은 반드시 정중한 답장을 보냈을 것이나 지금 어디에 있는지 알 길이 없다.

소장인所藏印인 '임온묵연林韞墨緣', '이수심정彝叟審定', '소하少荷', 도서圖書가 찍혀 있으나 '김정희씨고정지인金正喜氏考定之印'은 어느 사람이 추인追印했는지 철없는 짓을 한 셈이다.

돌아오는 길에 안경점에 들러 안경 맞춘 것을 찾아왔다. 완당 선생은 노래老來에 안경을 쓰셨을까. 몇 살 때부터 쓰셨을까. 그러고도 필법筆法이 끝내 천기 만력千氣萬力하셨던가. 선생 서찰에는 안화

眼花란 말과 병고病苦를 말씀하신 구절이 흔히 나온다. 안경을 쓰고 내 얼굴을 거울에 비추어 보니 말이 없다.

1969. 7. 4.

서화상에 고화古畵 두 폭이 걸린 지 반년이 지났건만 사가는 사람이 없다. 주인 말에 의하면 기야箕野* 이방운李昉運의 그림이 틀림없다 한다. 원래는 8폭 침병枕屛감인 듯 자기가 샀을 때는 6폭뿐이었고 그 6폭에는 낙관과 도서가 없었고, 이제 두 폭이 남았는데 좀 헐어서 흠이라 했다.

내가 알기로는 전에 그 중 한 폭이 ○○○에 걸려 있었는데 그때 내가 권해서 R교수가 구입하여 소장하고 있다. 그것은 「망천도輞川圖」로서 왕유王維의 「적우망천장작積雨輞川莊作」 시가 화제畵題로 적혀 있었다. 나는 그때 R교수가 산 가격을 알기 때문에 서화상에 걸려 있는 두 폭을 갈 때마다 보기만 하고 감히 살 생각은 못했다. 나 보기에도 이방운의 그림 같고 설사 아니라도 두 폭 그림이 마음에 드는 것을 어쩔 수 없었다.

반년이 지나도 그냥 걸려 있기에 "낙관도 도서도 없고 좀 낡았으니 과히 비싸지는 않겠지요" 하고 허허실실로 물었다. 주인은 팔리지 않아서 답답했던지 뜻밖에 싼값을 말한다. 즉시 흥정하고 두 폭을 가지고 왔다.

1969. 7. 5.

두 폭 중 하나는 土地平廣 屋舍儼然 黃髮垂髫 並怡然自樂 石花源問津[91]이란 화제畵題가 있다.

평화한 산간山間의 이상촌理想村을 그린 원경遠景이다. 요순 시대의 집들이 저러했을까, 무릉도원의 백성들이다. 흰 개, 검은 개도, 닭도, 소를 탄 목동도, 논밭 갈이 하는 농부도 바라보인다. 암수巖岫 사이에도 동리洞里가 보인다. 시내에 배가 떠 있어 은자隱者가 있는 것 같다. 산곡山谷의 솔바람소리가 들린다. 고금古今은 다르지만 평화는 언제나 소중한 것이다. 더구나 멀리 솟은 남빛 산등이 동학사 연천봉 일대와 흡사해서 반갑다. 나를 위해서 옛사람이 정성껏 '평화'를 그려준 것 같다.

또 한 폭에는 洞庭西望楚江分 水盡南天不見雲 日落長沙秋色遠 不知何處吊湘君 右洞庭寒波[92]라는 화제가 있다. 누대樓臺 밑에서부터 동정호洞庭湖가 트인다. 범선이 다섯, 어선이 하나, 유선遊船이 하나 떠 있고 왼편에 먼 산을 두고 연안沿岸 따라 누대 밑 수양버들 사이까지 돛대들이 서 있다. 대臺에는 홍기紅旗가 나부끼고, 층루層樓의 첫 층에는 걷어올린 방장房帳 사이로 안상案床이 놓인 서실書室이 보이고, 선비가 서 있고, 그 위층 다락에는 선비 셋이 앉아 한담閑談하고 하나는 서 있고, 기러기 여덟 마리가 호수 위를 난다. 수진남천水盡南天한 아득한 반공半空에 기봉奇峰이 우뚝 솟아 이채롭다. 강상이봉청江上二峰青이란 저런 것이 아닌가 싶다. 도시 생활을 하는 나에게 더위를 덜고 휴식을 줄 것이다. 자기 자신이 누구인지 모를 정도로 바쁜 시대에 휴식은 필요하다. 오래 두고 보면 기야 이방운의 거문고소리도 어디선지 들려올 법하다.

1970년대

1970. 4. 29.

우리는 우리 나라 것의 가치를 널리 선전하지 못하고, 외국 사람이 우리 나라 것의 가치를 높이 평가할 때, 비로소 재인식하는 버릇이 자고로 있다. 오늘날도 그러하다는 것은 유감천만이다. 버려야 할 것을 버리지 않으면 참다운 가치 판단이 설 수 없다.

1970. 5. 2.

최열곤이 비문을 지어왔다. 나는 그것을 붓글씨로 써서 주기로 했다. 그의 열두 살 된 맏딸이 학교에서 돌아오는 도중 자가용 차에 치여 세상을 떠났다는 것이다. 가슴 아픈 일이다. 교통 사고였다. 그 뜻을 모르겠다. 엄연한 살인이다. 그러나 살의殺意는 없었다. 여기서 문제는 끝나는 것이 아니고 시작한다.

외국에 관한 것은 책에서 읽은 것과 다녀온 사람들로부터 들은 이야기 정도이다. 영화에서 음악에서 사진에서 얻는 것도 유익한 일이다. 왠고 하니 상대에게서 미처 몰랐던 자기 자신을 발견하는 수가 있다. 우리의 여러 가지 특수성이 분명해진다. 즉, 이해理解는 우리가 그들의 입장에서 본 이해이다. 그들이 우리의 입장에서 본 이해는 아니다. 추종과 모방을 삼가는 일은 어디서나 마찬가지이다. 서로가 귀중한 가치를 찾으려고 귀를 기울인다. 진정한 노력은 서로의 이해력에서 발전한다. 좋은 점은 극력 알려야 한다. 나쁜 점을 들여와서 좋은 점을 말살해서는 안 된다. 변화와 속력에서 일어나는 부작용을 극복하려는 몸부림이나 좌절과 굴욕에서 깨닫는 고통이나 그 가치 창조에 있어서는 같은 원동력이다. 관심은 어떤 작용을 일으키느냐에 있다. 그것은 긍정과 부정을 초월한 반응 측정이다.

전화 벨이 울린다. 오영수 씨 목소리다. 꽃도 피고 일요일이니 놀러오라는 것이다. 어효선 씨에게 연락해서 함께 가겠다고 대답했더니 저편에서 자다가 일어났느냐고 묻는다. 내 목소리가 자다가 일어난 사람 같다니 모를 일이다. 어효선 씨가 왔다. 손수 그린 그림 두 폭과 석창포를 심은 조그만 분盆을 내놓는다. 석창포는 두 번을 실패하고 세 번째이다. 이번엔 잘 길러서 씨의 성의에 보답하고 싶다.

우리는 오영수 씨 댁 정원에서 난초를 보고 새로 증축한 서재 마루에 앉아 한담하였다. 돌 곁에 솟아 있는 고사리가 내 마음을 맑게 해준다. 저녁 식사까지 대접받고 늦게 일어섰다. 어두운 뜨락에서 오영수 씨 부인이 만발한 꽃나무 가지 한 다발을 들고 나와 나에게 준다. 어둠 속에서도 꽃은 선명하였다. 하늘에 달이 선명하다. 사방 산 윤곽이 분명하다. 세 사람이 다리를 건넌다. 나무들이 우리를 에워싼다. 전국 사찰마다 등불은 찬란하고 선남 선녀는 구름처럼 모여들었을 것이다. 내가 든 꽃가지가 등불이다. 오늘이 음력으로 4월 초파일. 어효선 씨와 나는 문안으로 가는 버스를 탔다.

1970. 5. 3.

어효선 씨가 한정동 아동문학상韓晶東兒童文學賞•을 받는 날이다.

택시를 타고 비바람 속을 달렸다. 우산이 뒤집어지자 고층 건물이 나타나더니 곧 안경이 흐려진다. 신문 회관에 들어섰을 때는 옷이 제법 젖었다. 나는 심사 경과를 말할 때 만장 일치로 이번 수상자 결정을 보았다는 만장 일치에 약간 음성을 높였으나 마이크는 고장이었다. 효창 국민학교 합창단 귀여운 어린이들이 어효선 작 「꽃밭에서」, 「파란 마음 하얀 마음」, 「이른 봄의 들」, 「하늘」을 계속 부른다. 노래를 부르면 언제나 그 노래를 배웠던 시절이 몇 배나 아름답게 떠오른다. 어린이는 어른이 된다. 그들은 아들딸들이 저 동요를 노래하는 것을 들을 것이다. 슬며시 엄숙한 생각이 든다. 어효선 씨는 시종 담담한 표정이었다. 밤늦게 술집에서 나왔다. 윤석중尹石重• 선생도 돌아가고 단둘이서 걸었다. 어효선 씨는 "이거나 드리는 수밖에 없군요" 하고 안주머니에서 원고지 한 장을 내준다. 씨가 수상식에서 답사했던 그 간결한 내용의 초고草稿였다.

1970. 5. 4.

밤은 내일의 창조를 살인을 사랑을 싸움을 마련한다. 그러기 위해서 지상은 잠들고 별은 찬란하다. 잠든 세상이 못 보는 하늘은 반대로 신비하고 아름답다. 이럴 때 본의 아니게 눈을 떠서 밤을 보는 사람도 있다. 생각하고 반성하는 계기를 마련해준다. 그러므로 완전히 눈을 뜨고 은하수를 건너가는 달을 보는 사람은 괜찮다. 깊이 잠들어 꿈도 꾸지 않고 아침을 맞이하는 것은 좋다. 그런데 잠을 깬 것도 아니고 잠을 자는 것도 아닌 그런 상태가 있다. 사람을 위해서도 밤을 위해서도 아무런 뜻이 없다. 나는 밤중이라는 것과 지금 내가 자고 있다는 것을 느낀다. 좋지 못한 일이다. 이 밤이 또 나를 괴롭히는

구나 하고 의식하였다. 몸을 꼼짝 못하면서도 이런 의식은 선명히 작용하였다. 처음은 혼란을 일으킨다. 자기가 어느 방향으로 누워 있는가를 알려고 애쓴다. 평소의 습성과 방 구조로 추측한다. 머리가 북쪽으로 향하고 있는지, 과연 서쪽에 서재로 통하는 문이 있는지를 따져본다. 그런데 나는 바닷속을 헤엄치고 있었다. 왜 내가 헤엄을 치느냐는 것은 생각하지도 않았다. 어떠한 빛을, 공기를 찾고 있는 것은 사실이었다. 갑자기, 아니 하늘을 날고 있는지도 모른다고 생각하였다. 한없는 깊이를 올라가는 것도 같고 내려가는 것도 같았다. 그러다가 어느 깊은 한계에서 나를 잊고 말았다. 다시 잠에서 깨어났을 때가 아침이면 더 말할 나위 없이 좋다. 그런데 나는 얼마나 잤는지 모른다. 머릿속에서 녹음 테이프가 갑자기 확 풀리는 데서 시작하였다. 꿈인지도 모른다. 나는 짙은 안개 속을 천천히 걸어가고 있었다. 어디가 어디인지 분별할 수 없었다. 곧 옛 고향집이 나타나려니 믿었다. 산도 감나무도 보이지 않았다. 나는 시계가 생각났다. 참으로 시계는 없는데도 가도가도 시계가 있다고 생각하였다. 나는 무릎을 꿇었다. 무릎을 꿇은 것이 아니고 안개 속으로 두둥실 떠다니듯이 빠져 들어가고 있었다. 조금도 불안하지 않았다. 구름에 뒹굴듯이 편안하였다. 나는 눈도 뜨지 않고 미소하였다. 시간은 과거가 없었다. 시간은 미래가 없었다. 시간은 진리라든가 1초, 1초의 변화가 바로 영원 그것이라든가 이런 주장은 거짓말이었다. 왜냐하면 내가 살아온 과거는 사실이 아니었다. 그와 마찬가지로 앞날은 아직 시간이 아니었다. 언제나 내 자신이 시간이었다.

나는 잠에서 깨어나고 있었다. 이 밤이 나를 괴롭히는구나 하고 생각하였다. 다시 잠이 들면 탐스러운 꽃송이 속에서 편안할 것만 같왔다. 닭소리가 들린다. 서울에서 닭소리가 들릴 리 없다. 여기가 농촌이면 참 좋겠다. 집 앞을 지나가는 대형 트럭 소리에 눈을 떴다. 창이 훤하다. 두 팔을 쳐들고 하품을 한다. 섧지도 않은 눈물이 흘렀다.

1970. 5. 5.

역시 인연이 있었다고 말할 수밖에 없다. 주인이 도로 찾아갔다기에 단념했었는데 이틀 뒤에 물건이 다시 왔다는 기별이다. 가서 보니 세차歲次의 간지干支는 없으나 완당 선생 만년 친필 간찰이었다. 요즘 방에 걸어놓고 한없이 바라본다. 선생의 만년 풍모가 글씨에서 약여躍如하다.

今年之旱之熱 百年內所未聞 宜吾輩之初當而喘喘不已 然不甚損稼云 天意之於下民 尙有春存 未知何以副此 允似之來 承書 今過時矣 動履卽安 雨後稚凉 有一綠生意 荳棚瓜畦之際 同此嬉否 賤疴依昔重之 暴○老氣? 下 其能支吾耶 艱艸付允歸 不宣 七月 廿四 果波.

금년 가뭄과 더위는 백 년 동안에 듣지 못한 바입니다. 우리가 처음으로 당한 때문에 연신 숨이 가쁜 것도 무리는 아닙니다. 농사에 심한 손실을 없다 하나, 하늘의 뜻은 밑에 백성들을 사랑하는 데 있거늘, 어째서 이처럼 하는지 모르겠습니다. 자제 편에 보낸 편지를 받은 지도 시일이 지났습니다. 그간 안녕한지요. 비가 온 후로 약간 시원해서 오로지 푸른 생기가 돕니다. 콩 덩굴이 기어오른 시렁과 오이 밭 일대에도 이런 기쁨은 완연한지요. 나의 병은 예전처럼 중합니다. 가혹한 더위에 늙은 몸이 지쳤습니다. 내가 능히 견뎌낼 수 있을지요. 겨우 어지러이 써서 돌아가는 자제 편에 보냅니다. 7월 24일 과파.

1970. 5. 6.

대전까지 처음으로 타는 고속 버스였다. 바로 내 옆자리에 금산錦山 출신이요 성대 졸업생이라는 신서주辛西柱 씨가 타게 된 것은 우연이었다. 그는 1학년 때 내게서 교양 국어를 들었다고 한다. 두 시간 오 분 만에 대전에 도착, 영성永聲 군에게 연락을 취하고, 유성儒城에 가서 시인 한성기 씨를 방문, 작년 가을에 함께 거닐었던 냇물 가를 걷고, 농업학교를 찾아가 김영식金永植 교사와 만났다. 내가 동학사에 있을 때 소년이었던 그는 금년 나이 44세라 한다.

밤엔 대전 '전주옥'에서 한성기, 박용래朴龍來•, 임강빈, 최원규崔元圭, 홍희표洪禧杓• 시인들과 함께 술을 마셨다. 오랜만에 만났으니 반갑고 서로 잔을 권하다가 취했다. 술자리에서 나의 셋째 사형舍兄이 공주사대 전임이 됐다는 기쁜 소식을 들었다. 야간 강의를 했다며 영성 군은 좀 늦게야 왔다.

"다음 토요일 날 군의 결혼식에 내가 내려오겠지만, 혹 못 올 일이라도 있을까 해서 얼마 안 되는 부조금이다마는 미리 가지고 왔다. 받아두어라" 하고 전했다.

시詩가 현실을 무시할 수는 없는 노릇이다. 그러나 시는 현실적 현실은 아니다. 오랜 휴식에서 시는 뜻밖에 나타나는 수가 많다. 이런 점을 유의한다면 함부로 규정 짓는 일은 삼가야 한다. 주제와 동기를 혼동해서는 안 된다. 바꾸어 말하자면 시는 매우 분명치 못한 바탕에서 출발한 오랜 시간의 성과이다. 비록 그것이 순간적인 발상일지라도 실은 따분한 동면冬眠에서 발생한 것이다. 이 애매한 본연의 바탕이 우리를 성가시게 군다. 그러나 이런 과정을 겪어야만 그 조형造型이 비로소 믿을 만한 것이 된다. 이것은 동시에 두 가지인 것이며, 두 가지가 동시에 하나로 나타나는 상태이다.

사실에서 사실을 제거했을 때, 그 사실의 생명을 파악한다. 그러므로 시는 사실이 아니로되 사실에서 생겨나는 것은 확실하다. 왜냐하면 시 활동은 불만의 연속이다. 이러한 추구가 간혹 절망으로 변질하는 것은 종이 한 장 사이보다도 간단하다. 절망에 머물거나 추구를 포기하면 그때부터 파탄이다. 체질적인 습성이건 체험적인 신념이건 간에 회의는 고통이다. 이런 위기는 시인에게 늘 따르게 마련이어서 작품에 활력소가 된다. 나는 왜 상대적인 이야기를 되풀이하는가. 이런 말을 하는 데는 매우 분명하지 못한 어떤 이유가 있을 것이다. 그러나 기본 문제는 항상 간단하다. 너무나 간단하기에 어떤 사람은 속는 수가 있다. 이런 불안과 분열은 작품이 이루어지기까지의 과정이지 결코 시 자체는 아니다. 누구나 자기 시론詩論을 필요로 하는 사람, 또는 시를 쓰는 데 유익한 점을 발견하려는 사람은 이런 의미에서 귀중한 세월을 낭비한 데에 거듭 놀랄 것이다. 그것도 오랜 시일이 지나 좌절감을 당했을 때 비로소 알게 된다. 즉 출발 직전이 도착점이라는 것을 따져본다. 물론 시와 선禪, 시와 역리易理, 시와 초현실에는 아직도 개발해야 할 여지와 더욱 발전시킬 요소가 있을 것이다. 그것은 기초적인 것이지 미래의 것은 아니다. 지식과 습성이 시의 전부는 아니다. 문제는 간단하고 양상樣相은 변하고 근본은 미지수에 있다. 변함 없는 변화란 무엇인가. 시는 큰 발전을 해왔다. 후배에게 의뢰할 수밖에 없는 많은 부작용을 남기면서 말이다. 과거의 시는 일반적으로 희喜·노怒·애哀·낙樂에 공감을 불러일으키는 데 충분한 성공을 하였다. 그러나 우리는 고전古典을 존경하지만 찬탄할 흥미마저 잃었다. 실은 식상이 되어버린 것이다. 과거에 만족하는 한 시를 쓸 필요는 없다. TV와 라디오와 영화와 사진이 젊은이들의 독서할 시간을 줄였다. 부정하기 위한 부정이 아닌 바에야 과거에 대한 부정은 새로운 면을 개척한다. 과거처럼 아니 더 큰 진통을 일으키면서 새로운 시는 나타날 것이다. 어쩔 수 없는 명제이다. 시간 문제이다. 우리는 우리가 바라던 시가 없기 때문에 쓴다. 그것이 작품 세계이다. 또한 시 세계이다. 시인의 의욕이며 임무이기도 하다. 지식과 과학에 의한 인간이 아니라, 시에 의한 지식과 과학일지도 모른다. 검진檢診적인 반응은 지속한다. 예술과 상품, 고독과 광태狂態, 가치와 대중大衆, 이 외에도 무수한 현상이 속출한다.

그러나 요는 인간의 성실한 밀도가 규준이 된다. 옛 성인聖人들은 시인은 아니었다. 종교를 믿지 않는 사람도 성인을 비판하는 일은 삼간다. 성인은 시인도 감동할 만한 말씀을 남긴 이들이다. 그래서 시성詩聖이란 말이 잘못 생겨났는지도 모른다. 그들이 초인간적超人間的으로 성스럽다거나 비인간적으로 선량하였기 때문에 우리에게 감동을 주는 것은 아니다. 그들은 누구보다도 본능과 고민과 악의 본질을 이해하였기 때문에 그 말씀이 썩지 않고 있다. 시는 반드시 신성神聖한 것도 아니며 선량한 것도 아니다. 그러나 시인도 성인聖人의 말씀에서 간혹 감명을 받는다는 그 이유만은 생각해볼 필요가 있다. 시가 감동을 주지 못하면 그것은 예술일 수 없다. 그러기 위해서는 서론, 본론, 결론부터 타파해야 한다. 그러지 않고는 본질, 비밀, 창조, 요소, 가능은 나타나기 어렵다. 영화도 돌아보지 않는 그런 이야기 구성에서 벗어나야 한다. 감정 도취와 독선적 삼단 논법을 제거하는 일이다.

1970. 5. 7.

어제 금산으로 가는 신서주 씨 편에 통지를 했으니 12시 안에 도착하면 된다. 영성 군과 함께 금산에 당도한 때가 12시 20분, 종 다방을 찾아갔다. 금산농고로 전화를 걸었더니 배인환裵仁煥• 씨는 나를 영접하러 나갔다고 한다. 다방 벽에 초대 강연이라는 벽보가 붙어 있다.

배인환, 신서주 씨가 다방에 들어선다. 처음으로 이동복李東福, 김충식金忠植 씨와도 인사했다. 금산 특산인 수삼차水蔘茶를 한 잔씩 마시고 점심 대접을 받고 금산여고 교장 김영보金永寶 여사 댁으로 안내되어 갔다.

여사의 댁 별당 마당에는 잔디가 비단 같고, 은행나무가 그늘을 드리우고, 테이블에는 난초 한 분盆이 올려 있고, 담 밑으로 돌아가며 화초가 둘러섰는데, 라일락은 지고 홍작약꽃이 한참이었다. 여사는 일견여구一見如舊로 나를 대하시고, 방안에는 수박형 옛 자기와 중국 도기가 놓여 있어, 나는 나그네가 아니라 고향집에라도 돌아온 듯 흐뭇했다.

돗자리가 깔린 대청에 나앉으니 양정자梁貞子, 변선안卞善安, 양옥선梁玉善 세 분이 정교하게 만든 다식과 단술과 각색 떡을 내오고 인삼차를 권한다. 나는 젊은 여성 세 분에게 대학생이냐고 물었더니 김여사가 국민학교 선생님들이라 소개를 해줘서 모두 다 웃었다.

나는 강연할 만한 자격이 있어 온 것이 아니고 금산 명소를 구경하고 싶은 욕심에서 왔습니다 하고 말했더니 내일 관청 차에 태워 칠백의총七百義塚, 백세청풍비百世淸風碑, 보석사寶石寺로 나를 안내할 작정이라 한다.

사치하지 않으나 격조 높은 이런 별당을 본 이상, 여관으로 가기는 싫었다. 나는 염치 불구하고 식사는 나가서 사 먹겠으니 떠날 때까지 여기서 거처하고 싶다고 청했다. 김여사는 두말 않고 허락한다. 고마운 일이다.

세수를 하니 피곤이 일시에 사라진다. 서울에서는 경험하지 못한 기적이다. 좌우에서 오려주는 화선지를 앞에 놓고 갈아주는 벼루 먹에 붓을 적셨다. 혹 내 붓글씨를 원하는 분들이 있을 것도 같아서 여러 폭 썼다. 서울 친구들이 이러한 나를 본다면 그림 속 선비라 할 것이다. 그새 친구들 생각이 난다. 피곤하지 않다. 몸과 마음이 편안하다. 내가 이번에 온 것은 금산 금요 음악회의 초청을 받은 때문이다. 배인환 씨가 적극 주선한 것이리라.

저녁 식사 후 읍내를 한눈에 바라볼 수 있다는 문화원으로 올라갔다. 그곳에서 회원 여러분과 함께 시 문학에 관한 좌담을 했다. 하늘의 별과 굽어보이는 전등불이 찬란하다.

영성 군은 담당 강의 시간이 많기 때문에 내일 일찍 대전으로 돌아가야 한다더니 벌써 잠이 들었다. 배인환 씨는 며칠 전에 부인이 해산을 하셨다고 한다. 그런데도 별당에서 늦도록 이런 이야기 저런 이야기 하다가 나와 함께 잤다.

1970. 5. 8.

아침에 영성 군은 대전으로 돌아갔다. 도청에서 높은 분이 오기 때문에 관청에서 차를 낼 수 없다는 소식이다. 나는 여비를 좀 넉넉히 가지고 왔기 때문에 배인환 씨에게 우리 둘이서 구경을 떠나자고 청했다.

택시를 타고 가다가 잠깐 내려 위성 중계 전신국을 밖에서 구경했다. 유월 초순에 완공하면 차차 우리 나라 사람 손으로 완전 운영될 것이라고 문을 지키는 순경은 설명한다. 과학 문명이 세계에 골고루 분산되는 것은 마땅한 일이다.

다시 차를 타고 조금 가니 곧 칠백의사총七百議士塚•에 이르렀다. 택시 값을 내가 내려는데 배인환 씨는 돈까지 보이며 예산이 서 있으니 걱정하지 말라며 굳이 거절한다.

사적 제105호 석표石標가 있는 취의문取義門으로 들어섰다. 일본 사람들이 부순 윤근수尹根壽• 글 김현성金玄成• 글씨인 비석이 조각이 난 채로 보관되어 있었다. 종용사從容祠에 들어가서 문렬공文烈公• 중봉重峰 조趙선생과 충렬공忠烈公• 제봉霽峰 고高선생과 좌우로 배향된 신위들께 참배했다. 나라를 위한 한 번의 죽음도 장하시려니와 그보다는 이 나라 운명이 더 서러웠다. 뒤로 올라가 큰 봉분 하나로 되어 있는 칠백의사총에 절하고 그분들이 임진왜란 당시에 옥쇄玉碎한 산천을 바라보고 중봉조선생일군순의비重峰趙先生一軍殉義碑를 한 바퀴 돌았다. 나라가 반 토막이 난 백성으로서 옛일을 상상하니 숙연하기만 하다.

택시로 왔던 길을 걷기가 싫어서 산등성을 넘어 삼포蔘圃 사이로 내려간다. 삼포의 이엉을 잇는 데 비용이 많이 들고 이엉 꼬챙이 때문에 금산 일대는 나무가 자랄 여가도 없이 결딴난다고 한다.

"그럼 이엉과 꼬챙이를 플라스틱 제품으로 대치하면 오래 쓸 수 있지 않을까요. 물론 플라스틱이 인삼에 미치는 영향이 있나 없나를 면밀히 조사하고서 말입니다."

하고 나는 말했다.

신작로까지 걸어 나왔다. 대전 택시를 타고 오는 미국 사람 기술자들이 연신 위성 중계 전신국 쪽으로 들어간다. 빈 차로 나오는 것을 얻어 타고 읍내로 돌아왔더니 이동복 씨가 문화원 총무 최성열崔成烈 씨를 소개하며 "카메라를 가지고 오토바이로 칠백의총까지 갔다 왔는데 어째서 만날 수 없었습니까" 고 묻는다. 우리가 삼포 사이로 오는 동안에 길이 어긋났던 것이 분명하다. 미안한 일이다.

점심 식사 후 택시 두 대에 우리는 나눠 타고 출발했다. 동행은 문화원장 장월근張月根 씨, 배인환 씨, 이동복 씨, 최성열 씨와 이복기李福基 여사와 양정자 양이었다.

주자朱子 글씨 백세청풍비百世淸風碑는 바로 신작로 길가에 늠름한 모습을 지니고 있었다. 내가 생각던 것보다 비각碑閣도 훌륭하고 글씨도 컸다. 역시 중국 사람 양청천楊晴川의 글씨인 지주중류비砥柱中流碑에는 유성룡柳成龍의 글이 새겨 있었다. 그 뒤 청풍사淸風祠에 들어가서 야은冶隱• 길재吉再 선생 영정과 신위神位에 절했다. 다 어려운 시국이었으나 7백 의사義士를 모신 종용사와는 너무나 대조적이다. 외국이 침략하면 일사보국一死報國이 있었고 국내가 혼란할 때는 백세청풍百世淸風이 있었다. 둘 다 어려운 일이기에 자고로 그 앞을 지나는 사람은 절을 했다. 그러나 위대하기 위해서 비극이 늘 있으라는 법은 없다. 그러면 우리는 어디에서 훌륭한 예술가나 발명자나 창조적인 학자의 고택故宅이나 유물을 더 많이 찾아뵈올 수 있을까. 시간이 촉박해서 천천히 둘러볼 여가도 없다. 택시가 재촉하듯 기다리고 있다.

다시 나눠 타고 보석사로 향했다. 오늘이 '어머니날' 이라 그런지 부녀자들이 절 밑 시냇가에서 꽹매기와 북을 치고 춤추며 노래를 불러 시끄럽기 짝이 없다. 마치 전쟁이 끝난 날이거나 아니면 새장 안에 갇혔다가 오랜만에 풀려 나온 거동들이다.

일본 사람들이 글자를 쪼아버린 것을 복원한 의병승장비義兵僧將碑는 임진왜란 때 금산에서 전사한 영규 대사靈圭大師를 추모한 것이었다. 보석사가 일제 때 31본사本寺의 하나였다는 데는 놀랐다. 사적기寺蹟記도, 연원淵源을 상고할 만한 현판懸板 하나도 없었다. 이삼만李三晩의 글씨인 '대웅전大雄殿' 건물은 매우 오래된 듯 매우 퇴락하여 시급한 보수를 요하는 문화재인 듯싶었다. 전내殿內 천장의 군학群鶴 그림이라든지 옛 빛이 짙은 안팎의 벽화가 이대로 마멸되어버릴까 걱정이다.

역시 이삼만 글씨인 기허당騎虛堂(영규 대사 법호) 현판이 걸려 있는 영각影閣 안에는 영규 대사를 비롯하여 여러 고덕古德의 영정이 모셔 있었는데 그 중 허주虛舟 스님 영影은 『동사열전東師列傳』•에 나오는 그 덕진德眞• 허주 선사일까. 요사채에 붙어 있는 창허자蒼虛子라는 이의 칠언율七言律 현판에서 허주이범풍계정虛舟已泛楓溪靜이라는 시구를 봤을 뿐 아무 도움도 되지 않았다. 영각의 고승高僧 대덕大德들을 상고하면 이 절의 옛 편린이나 짐작할 수 있을 것 같다. 소위 31본사의 하나였다는 절이 어째서 이렇게 퇴락하고 사적寺蹟 하나 찾아볼 수 없게 됐는지 참으로 알 수 없는 일이다. 현판 시구는 進樂山南寶石開 靈泉洌洌毅僧來[1] 정도이고 원래는 의병승장비의 비각 위에 걸려 있었다는 '의선각毅禪閣' 현판 글씨가 역시 요사채에 붙어 있을 뿐이었다. 이능화李能和 『조선 불교 통사朝鮮佛教通史』에 의하면 보석사는 신라 헌강왕憲康王 11년 조병 조사祖兵祖師 창건으로 소개되어 있고 현재 건물의 중건 연대는 알 수 없다.

어제 김영보 여사는 "우리 금산에 고직상高直相이라는 분이 있어 글도 잘하고 붓글씨도 잘 썼는데, 아깝게도 작년에 46세로 세상을 떠났지요. 아호를 석조石潮라고 했는데 그가 남긴 글씨들이 더러 있습니다"고 말했다. 보석사 주지실 위의 '심검당尋劍堂' 전서 목각 현판에 석조의 낙관이 반가웠다. 혜화전문 출신으로서 서정주 선생보다 후배였다고 한다. 서로 만났더라면 오늘 함께 와서 여러 가지로 자세한 것을 나에게 들려주었을 텐데 아까운 나이에 세상을 떠난 분 같다.

쓸쓸히 방치되어 있는 보석사를 떠나 다시 금산 읍내로 돌아오니 『동국여지승람』 금산제영조錦山題咏條에 있는 事簡印生綠 訟稀庭滿苔[2] 구절이 생각난다. 이젠 충청도 땅, 금산은 금산 인삼으로 바다 밖에서도 이름난 고장이다.

밤에는 금산 남녀 인사들이 모인 문화원 강당에서 한 시간 가량 강연을 했다. 나는 나의 어머님에 관한 것을 많이 말했다. 오늘이 어머니날이요, 그런 뜻에서 강연 초청을 받았기 때문이다. 밤에는 배인환 씨와 문학에 관한 의견을 나누다가 함께 잤다.

1970. 5. 13.

서울에 살면서부터 해마다 그리운 것은 수목樹木이다. 자연미自然美를 살릴 줄 모르는 도시와 근교 발전은 답답하다. 3년 동안 기른 등나무를 주고 7년 전에 우리가 심어두었던 등나무를 캐와서 심었다. 등꽃을 죄 따버리고 부담을 덜어줬는데도 나오는 잎이 활발하지 못하다. 가지와 뿌리를 많이 쳤기 때문이다. 동네에 있는 한옥이 헐리고 그 좁은 터에 2층 양옥이 가득히 들어서는 바람에 대추나무가 길거리로 쫓겨 나왔다. 요즘 주택 지대에서 뜰까지 없애고 크게 짓는 2층 양옥을 보면 그것은 사무실이지 살림집 같은 느낌이 들지 않는다. 가정家庭이란 문자 그대로 집만이 아니라 뜰이 있어야 한다.

아내는 버림받은 그 대추나무를 싼값에 사다가 심어놓고 혹시 시들지나 않을까 걱정하더니 잎이 골고루 나왔다. 아내는 정릉까지 두 번이나 가서 비교적 값싼 은행나무를 사다 심었는데 잎들이 나날이 자란다. 무궁화나무에는 이미 약을 뿌렸고, 하 마당이 좁아서 단풍나무 하나는 옮겨 심어야 했고, 또 사철나무, 라일락 묘목을 들여와 심었고, 내가 졸라서 좀 큰 파초도 사다 심었다. 새벽에 눈만 뜨면 미닫이를 열고 좁은 뜰에 빽빽하게 서 있는 나무를 본다. 향나무와 전나무와 회양목은 비싸서 아내는 사다 심을 염도 내지 않는다. 그러나 뜰이 좁아도 언젠가는 사다 심으리라고 믿는다. 밤이면 마당에 불을 밝히고 아내는 나무를 감상한다. 그리고 빈터마다 꽃을 심고 나무 상자를 셋이나 맞추어 꽃씨를 뿌려놨다. 나는 서울은 달도 별도 구름도 하늘도 없다고 버릇처럼 말했는데 좁은 뜰에 나무가 들어서면서부터 가지 끝에 흐르는 구름과 가지 사이마다 반짝이는 별과 가지에 걸려 있는 달을 바라보게 되었다. 아내는 주로 뜰을 가꾸고 나는 뜰을 감상하는 점에서 일치한다. 나무는 나날이 변한다. 우리는 그 변화를 즐긴다.

김영태金榮泰• 씨 스케치 전이 열리는 파티 초청장을 받고 갔다. 차에서 내렸다. 미리 약속했던 어효선 씨가 남산 길가를 배회하며 나를 기다리고 있었다. 독일 문화원에는 백철쭉꽃이 한참이었다. 스케치 전을 둘러보고, 김영태 씨의 자작시 낭독이 끝나자 우리는 정원으로 나갔다. 전문가의 솜씨로 멋지게 기른 소나무가 죽어 있고 또는 죽어가고 있다.

"다른 나무는 싱싱한데 소나무만 왜 이럴까요."

"참 이상하군요."

하고 어효선 씨는 연신 탄식한다. 한 10여 년 만에 만난 김대규金大圭 씨는 반갑다며 나에게 맥주를 권한다. 권옥연權玉淵• 화백은 우리가 소나무 앞에 선 것을 보고 와서 말한다.

"솔방울부터가 병들었어요. 소나무는 머지않아 멸종할 것입니다. 이상할 것 없어요. 소나무는 맑은 공기에는 강하지만 매연이나 연탄가스에는 아주 약합니다. 소나무 하면 동양을 뜻하고 우리 나라를 생각하게 마련이지만 이젠 그것도 옛이야기가 되어가고 있어요."

본격적으로 밤도 되지 않았는데 하늘은 캄캄하다. 어효선 씨와 나는 퇴계 선생, 다산 선생 동상 앞을 지나 내려오는데 번개가 번쩍하면서 우레소리가 난다. 뒤따라 굵은 빗방울이 선득 뺨을 때린다. 마침 지나가는 택시를 잡아탔다. 남대문에 이르기도 전에 비가 마구 퍼붓는다. 운전대 옆 라디오는 우리 나라와 버마의 축구 결승전 중계 방송이 한참이다. 시간은 얼마 남지 않았는데 무승부로 진행 중이다.

"소낙비군요. 오래지 않아 끝날 것입니다. 차가 닿으면 바로 들어갈 수 있는 그런 술집이라도 있거든 갑시다."

어효선 씨는 차를 사직동으로 몰라 한다.

"전에 김영태가 살던 집 근처에 술집이 있는데 내가 10여 년 전에 드나들었기 때문에 그 집 주인과 잘 알지요. 그때는 초가였는데 지금은 양옥으로 변했지요."

한다. 중앙청 앞에서 차는 공교롭게도 고장이 났다. 차창 바깥에 비가 억수로 쏟아진다. 날씨 관계로 축구는 연장전을 모레로 미루고 중계 방송은 끝났다. 지금쯤 아내는 마루에서 뜰을 보고 있을 것이다. 나무는 비를 노박 맞으며 기뻐 날뛸 것이다. 옛날에 이상적李尙迪•은 추사 선생이 귀양가 있는 머나먼 제주도를 찾아갔다. 추사 선생은 「세한도歲寒圖」를 그리고 글을 짓고 글씨를 써서 이상적에게 주었다. 오늘날 추사 선생이 있다면 어떠할까. 막연히 이런 생각을 하면서 권옥연 화백 말을 따져보았다. 그리고 학교 뒷산의 청청한 솔밭이 기억났다. 궁벽한 시골의 허름한 땅이나 사서 나무를 잔뜩 심어두고 싶다. 그러나 힘이 없으니 생각에 끝나고 만다. 더구나 관리인을 두지 않으면 뽑아가고 베어가서 남아나지 않는다는 것이다. 믿을 수 없는 사실이다. 나무가 없는 곳에 사람이 살기 어렵다. 나무가 없으면 인정도 메마르게 마련이다.

1970. 5. 15, 16.

내일 동생은 대전에서 결혼을 한다. 나는 아내와 함께 오후 서울을 떠났다. 철도와 고속 도로는 서로 어떤 영향을 미칠 것인가. 그러나 나의 지식으로는 이런 문제에 개입할 자격이 없다. 우리 부부는 흘러가는 차창 바깥 풍경을 내다보며 11년 전을 회상했다.

그 당시 처녀였던 아내는 데리러 간 나를 따라 대전에서 서울로 왔던 것이다. 요즘처럼 신록이 한참인 5월이었다. 그런데 아내는 결혼한 지 만 10년 만에 대전으로 내려가는 셈이다. 대전에 내렸을 때는 황혼이었다. 총각 처녀로 떠났던 그때처럼 역시 우리 두 사람뿐이었다. 집에 두고 온 아이들이 생각나곤 했다.

택시를 타고 유성 온천으로 신혼 부부처럼 달렸다. 그때는 대전 역 앞에서 처녀의 부모에게 들키게 된 바로 직전에 방향을 바꾸어 유성, 조치원 경유 서울로 도망을 친 것이요, 오늘은 결혼 10년을 기념하는 신혼 기분이다.

그날처럼 유성에서 버스로 갈아타고 조치원으로 빠져 달아나지 않아도 된다.

큰 호텔 현관 앞에서 우리는 택시를 내렸다. 유성이다. 신혼 부부처럼 쑥스러웠다. 이런 큰 건물, 아니 호텔이라는 데를 자의로 들어가 보기는 처음이니 말이다. 하루 숙박에 얼마냐니까 최하가 3,119원이란다. 그럼 1박 2식이냐니까, 음식은 구내 레스토랑에서 맘대로 사 먹어야 한다는 것이다. 아내 눈치를 봤다. 내가 놀랐을 바에야 아내는 얼마나 놀랄까 싶어서였다. 나만 한 번 더 놀랐다. 아내는 그 최하에 들자고 했다. 나는 아내가 이처럼 대담한 때를 보기는 처음이다. 이만 미안한 생각이 들었다.

그 당시 우리가 신혼 여행을 간 곳은 온양 온천이었다. 얼마나 싸구려 여관에 들었던지 이불에서 이가 옮았다. 호텔은 감불생심敢不生心이요, 현충사에 가려다가 왕복 택시 값을 듣고는 단념했었다.

실내에 있는 메뉴란 것을 보이며 뭘 시켜 먹을까 하고 의논했더니 아내는 저녁 식사는 나가서 사 먹자고 한다. 내 위신도 서고 뜻대로 된 셈이다.

온천 거리의 음식점에서 식사 전에 맥주를 좀 마셨다.

"시인 한성기 씨를 초청하고 함께 식사를 했으면 좋겠다."

고 제의했더니 아내는

"동학사로 가려다가 쑥스러워서 그만뒀는데 어떻게 한선생은 만나려 합니까."

하고 난처해한다.

식사를 끝내고 우리는 논밭 길을 거닐며 시원한 바람을 쏘였다.

돌아보니 밤 하늘에 거대한 호텔이 무슨 괴물처럼 솟아 있다. 오색 전등불이 찬란하다. 밴드의 음악소리가 들린다. 남녀가 쌍쌍이 빙글빙글 돌고 있을 것이다. 그들은 누구일까. 마치 외국에라도 온 듯하다. 친숙해야 할 호텔이 우리네 실정과는 거리가 멀었다.

"공연히 비싼 데 들었어. 단둘이 있기로 말하면 좀 싼 데도 괜찮은 걸."

"결혼 만 10년 기념을 한 달 남짓 앞당겨 한 셈치세요."

우리의 수입에 비해 사치한 방으로 돌아갔다.

날이 밝았다. 창 바깥은 안개가 살포시 끼어 있었다. 오늘이 동생 결혼하는 날이다. 또 불편하게도 나가서 식사를 사먹고 와서 3,119원을 지불하고 유성을 떠났다.

택시 안에서 아내가 말한다.

"잠을 제대로 못 잤어요."

"왜."

"우리 집만 못합디다."

우리는 함께 소리내어 웃었다.

대전 동생 집에는 큰형님과 공주에서 셋째형님 가족도 오시고 몇십 년 동안 못 만났던 나의 귀중한 분들도 와 있었다. 오늘 아침에 서울을 떠나왔다고 거짓말을 했다. 온천 호텔에서 자고 왔다는 말이 미안해서 나오지 않았던 것이다.

결혼식장에서 채훈 교수와 시인 임강빈 씨와 만났으나 변변히 담화도 못했다.

기념 촬영이 끝난 뒤 신랑에게 "어데로 신혼 여행을 떠나느냐" 고 물었더니 바로 "동학사로 간다"는 대답이었다.

우리 부부는 대전을 떠나 차창 밖으로 계룡산을 바라보며 동생 내외의 행복을 빌며 서울로 10년 전처럼 달리었다.

1970. 5. 18.

아내가 어쩌다가 원고 청탁을 받고 쓴 수필 「꿈의 정원」을 읽어보았다. '꿈의 정원' 을 실현해보고 싶다는 내용이었다.

늙은 영조英祖는 똥을 싸서 벽에 바른다. 세자世子는 기타를 치며 기이한 소리를 지르며 엉덩춤을 춘다. 대화가 끊어진 것이 아니다. 서로가 미워하고 있는 것이다.

기교가 필요 이상으로 지나치면 품격이 준다. 기교는 어디까지나 정확한 표현이지 기교를 위한 기교는 아니다. 시도 너무 잘 써서 감명을 줄이는 수가 있다. 마술사나 곡예사를 예술로서 평가하지 않는 데는 이유가 있는 것이다. 예술은 대중을 상대로 하는 것은 아니다. 대중이 예술을 이해하기란 아직도 멀다. 붓글씨의 경우도 너무 잘 써서 감명을 줄이는 수가 있다. 아무리 잘 써도 간판 글씨나 대서소 글씨는 예술이 아니다. 붓글씨는 서도書道라고도 하느니 만큼 역시 인간성을 반영한다. 기교는 기술과 마찬가지로 배우면 어느 정도 가능하다. 그러나 배우는 것만으로도 되지 않는 것이 있다. 그것은 동서고금을 막론하고 모든 예술이 고민한 점이다. 그것이 바로 귀중한 것이다. 심심하면 붓을 잡고 써본다. 불만이 앞선다. 불만은 매우 괴롭다. 어떤 분은 원고를 쓸 때 몸 자세부터 바로잡는다고 하였다. 몸 자세를 바로잡고 쓰지 않았기 때문에 내 글은 시시한가 보다. 붓글씨를 쓰는 자세로써 시를 써야 한다고도 생각하였다. 그래서 나의 시와 붓글씨는 서로 작용한다고 굳이 자기를 합리화한다. 내 나름대로의 해석이지만 일자관음一字觀音은 붓글씨 한 자를 쓰면서 관세음보살을 염念한다는 뜻이다. 처음은 자자관음字字觀音이라고 할까 하다가 건방지고 죄송한 생각이 들어서 고쳤다. 그 후 난정蘭丁이 '일자관음一字觀音' 수인首印을 새겨주셨다. 내 자신의 무능한 고통에서 이런 글귀가 생겨난 것이다. 부끄러운 생각이 든다.

집 안으로 새 한 마리가 날아 들어왔다. 귀한 손님을 맞이하듯 온 식구가 환성을 올린다. 나무를 보고 온 것이라고 희한해 한다. 그러나 새는 곧 날아가버렸다.

서양의 어느 시인은 구름을 천재라고 하였다. 오늘날 서울에서 구름을 감상하기란 어려운 일이다. 수목樹木은 천재다. 그러나 시는 수목이 아니다. 시가 천재를 요한다면 그런 점에서 수목과 같다.

1970. 5. 30.

월탄 선생을 모시기로 한 일요일이다. 밤부터 내리는 비가 갤 성싶지 않았다. 선생의 뜻을 받들어 파주 공릉恭陵으로 갈 작정인데 비는 억수로 쏟아진다.

최근덕崔根德이 이명휘李明徽 사장의 산장으로 가시자고 말씀 드린다. 선생은 쾌히 허락하셨다.

평론가 윤병로尹柄魯, 교수 안병주安炳周, 휘문출판사 상무 최근덕,

소년 한국일보 부장 김수남金秀男, 시인 김여정金汝貞•, 소설가 이정호李貞浩, 작년에 프랑스에서 돌아온 시인 서임환徐林煥, 합동통신 기자 조성천趙成天, 한국일보 기자 배재균裵在均, 소설가 조규일曹圭溢은 중대中大부속국민학교 버스를 타고 뒤따라 온다. 소설가 권태웅權泰雄, 시인 성춘복은 바쁜 사정이 있어 못 왔다고 한다. 나는 선생이 탄 차에 배석하고 앞을 달린다. 선생은 오늘 못 가게 된 한명회韓明澮의 딸 장순章順 왕후의 신후지지身後之地인 공릉에 관한 말씀을 하고, 화제가 단종에 이르자 탄식하고, 6 · 25 동란 때 쑥대밭이 된 공릉 장터를 회상하고, 『조선일보』에 연재 중인 『세종대왕』에까지 번졌다. 선생은 작중 인물로 등장하는 양녕대군이 숭례문을 쓰기 전에 연습한 필적도 전하고 있으니, 구용도 한번 가보오 하신다.

차창 바깥은 우후청雨後晴이다. 고려 자기의 비색秘色이다. 차는 한많은 황토 고개를 넘는다. 산중턱에 양식洋式을 겸한 절간 같은 건물이 지나간다. 차는 그 당시의 장본인인 세조의 무덤 광릉 쪽으로 가고 있는 것이다.

선생은 갑신정변과 한 · 일 합방을 말씀하고, 흥망 성쇠를 논하고, 매사를 염려하고, 앞날을 걱정한다. 그 말씀이 다 나를 교훈하시는 듯했다.

저만큼 광릉 주산主山을 왼편으로 바라보며 차는 산정으로 들어간다. 전에는 그렇지 않았는데 서울 시내에서 이곳까지의 거리가 잠깐인 것 같았다. 선생의 말씀을 더 듣고 싶었다.

비는 끝났다. 우거진 나무에서 구슬 같은 빗방울이 연신 떨어진다. 선생은 이번 온 것이 세번째라며 산장지기의 영접을 받고 도리어 나를 백록원柏鹿園으로 안내한다. 언젠가 신문에도 보도됐던 흰 사슴이 여기서 난 것이다. 애초는 네 마리였는데, 이제 스무 마리로 번식했다고 한다. 사슴들은 참으로 착하고, 푸른 나무들은 어디서 봐도 반갑기만 하다.

논밭 저편, 개울 건너 산에 안개가 슬슬 걷힌다. 어디서 뻐꾸기가 운다. 광릉 숲 속에서 우는지 모르겠다. 나 같은 사람의 가슴속에도 예와 이제가 오락가락한다.

버스가 도착하고 일행은 선생을 부축하고 녹음을 뚫듯 가파른 세심정洗心亭으로 올라갔다. 대청에 둘러앉은 일행은 최근덕이 글을 지었고 김세종金世鍾 화백이 붓글씨로 쓴 「세심정기洗心亭記」 현액縣額을 감상했다. 산장 주인은 서울에 있고 여기 없으나 제자들이 스승을 모시는 자리가 세심정을 화기和氣로 감싼다.

차에 싣고 온 술과 안주가 남아돈다. 솔가지로 불을 때서 지은 밥은 구공탄으로 지은 나일론 밥맛에 비할 바가 아니다. 모두 다 포식하고 거나하니 취했다.

우리는 마치 한집안에서 자란 형제들이 그간 분가하여 따로 살다가 오랜만에 한자리에 모여 스승을 모시는 심정이었다.

서로 지난날을 이야기하며 다시 후일의 기념이 되고자 연신 사진을 찍는다.

돌아올 때는 광릉을 경유, 선생은 제자들이 탄 버스에 탔다. 서울 시내로 접어들자 선생은 나를 자가용 차에 태워 집까지 데려다 주셨다. 식구들이 다 나와서 들어가시자고 간청했으나 선생은 피곤하다며 댁으로 돌아가신다.

세수하고 발 씻고 방에 앉아 담배 한 대를 붙여 물었다. 여러 가지 감회가 아직도 가슴속에서 오락가락한다.

1970. 6. 15.

'원각가람圓覺伽藍', '해인광중권속海印光中眷屬 육식두타肉食頭陀'는 『완로한묵첩阮老閑墨帖』 중에서 나온 추사 김정희 선생의 예서隷書 두 폭이다. 그 첩에서 뜯어낸 폭을 내가 배관拜觀한 선생 글씨로는 예서인 '기주旡住' 한 폭과 '가람伽藍' 반폭과 행서行書인

深深鳥道復淸澗 隱隱龍堂常翠峯 此可不知爲誰作 深得參禪之妙 蹊逕眞的 書奇性覃和上 那迦山人

깊은 날짐승의 길은 다시 맑은 계곡인데 은은한 용당은 항상 푸른 뫼뿌리더라. 이 시구는 누가 지었는지 모르겠으나 깊이 참선의 묘리를 터득하고 바로 진리를 지적했기에 써서 성담 화상에게 주노라. 나가산인)

한 폭이다.

그리고 계미癸未년에 준관俊寬한테서 입수했다는 사일옹四一翁의 글 반폭이 있다.

이 외에도 몇 폭이 인연 따라 어디로 흩어졌는지 모르나 불세계佛世界를 알 수 있다.

1970. 7. 3.

어젯밤 꿈이었다. 그곳이 어디인지도 모르겠고, 그 집도 기억이 나지 않는다. 어머님이 세상을 떠나셨다는 것이다. 나는 울다가 잠에서 깨어났다. 가슴이 아프다.

1970. 7. 4.

신석정辛夕汀• 선생은 "어제 세계 펜 대회가 끝났기 대문에 내일 전주로 내려간다"고 나에게 전화를 했다. 일전에 신선생으로부터 부탁받은 붓글씨를 써가지고 신선 여관으로 갔다. 비가 마구 퍼붓는다.

"귀암사龜岩寺에 추사 선생 글씨가 많이 있었지요. 6 · 25 사변 때 절과 함께 다 타버렸습니다. 전주로 한번 내려옵시요. 우리 금산사金山寺나 가서 며칠 놉시다."

여관 창 밖에 비가 마구 퍼붓는다.

1970. 7. 6.

오른쪽 팔다리가 간혹 아픈 지도 1년이 넘었다. 오른쪽 팔이 부었다 빠졌다 한다. 쉬어야 하는데 쉬지를 못한다. 가치 없는 일을 하느라고 쉬지도 못한다.

1970. 8. 18.

최남백崔南伯이 "흑양탕黑羊湯 파는 곳이 있는데 몸에 보補하다고 하니 갑시다" 하기에 따라 나섰다. 남백을 따라 우선 국립 도서관에 들러 이동환 씨와 인사하고 필사본 『선군 유권先君遺卷』 3책(도서관 카드는 고조古朝 46-P90으로 되어 있고 책마다 낭선군朗善君 인印이 찍혀 있었다)을 찾아달래서 보았다. 선조宣祖의 비妃인 정빈靜嬪 여흥驪興 민閔씨의 소생 인흥군仁興君의 저서일 것이라고 한다. 남백이 자기에게 필요한 부분을 찾아 베끼는 동안 나는 그 곁에서 무심히 책장을 넘겨보는데 다음 글귀가 나타났다.

長安 大雄寶殿 乃朴燁使祚書 甚善極壯矣[3]

그리고 책장 머리에 '조성주祚姓周' 라고 세서細書한 주註가 있었다. 내가 옛날에 금강산에 있었을 때이다. 장안사長安寺 대웅보전大雄寶殿 현판이 한석봉韓石奉 글씨라는 말을 익히 들었었다. 그 글씨가 인상 깊게 남아서 지금도 눈을 감으면 선히 보이는 듯하다. 그래서 '그 글씨는 한석봉 체가 아닌데' 하고 내 나름대로 의심해왔다. 이제 우연한 기회에 장안사 대웅보전은 주조周祚라는 분이 썼다는 것을 알게 되었다.

남백의 안내로 흑양탕으로 점심 식사를 했다. 혹 비위에 맞지 않을까 했는데 그대로 먹을 만했다. 남백과 함께 덕수궁 박물관을 둘러보고 나무 그늘에 앉아 세종대왕 동상을 처음으로 우러러뵈옵다.

1970. 8. 21.

어효선 씨와 김영태 씨가 왔다. 식사를 겸해 잔을 돌리는데 김영태 씨는 술을 못한다. 그 대신 『현대 시학現代詩學』지에 나의 서재를 소개하는 그림과 글을 만들기 위해 간단한 메모를 한다. 어효선 씨는 내 집에 오면 붓글씨를 쓰고 가기 때문에, 지紙 · 필筆 · 묵墨을 내놓고 김영태 씨에게도 몇 폭 쓰기를 권했다. 어효선 씨와 나는 씨가 붓글씨를 쓰면 시詩 · 서書 · 화畵 삼절三絶이 될 것이라고 권했다.

1970. 8. 22.

등창이 덜 아물어 날마다 고약에 고름이 묻어 나온다. 발을 헛디뎌 마루에서 뜰로 굴러 떨어졌다. 어깨, 팔, 손, 무릎, 발목에 상처가 났다. 결리고 아프고 땅겨서 일어서려면 쩔쩔 매고 병신처럼 걷는다. 이리 다치고 저리 다치면서 사는 것이 마땅하다는 느낌마저 든다.
올 여름 방학은 아무것도 못하고 마나 보다. 이미 했어야 할 가치 없는 일들이 아득히 남아 있다.

1970. 8. 24.

무서운 과학 발전에 새로운 모럴을 부여하는 길—이건 공상이 아니다. 그 다음 말이 떠오르지 않는다. 쓸모 없는 낙서와 같다는 느낌이 든다.
대전서 박용래, 임강빈 씨가 왔다. 임성숙 씨도 그들을 만나러 왔다. 함께 저녁 식사를 했다. 비 오는 밤길을 그들은 돌아간다.

1970. 8. 31.

학교에서 돌아오니 여러 해 전에 난정蘭丁(어효선)이 갖다 주신 난분蘭盆이 아이들의 실수로 깨어져 있었다. 난초는 다른 분盆에 옮겨져 있었다.
마침 난정이 남정藍丁(박노수朴魯壽)과 함께 들어오면서 "제주도 귤씨를 심었더니 묘苗폭이 나왔기에 하나 가지고 왔다"며 조그만 분盆 하나를 툇마루에 올려놓는다.
여러 해 전에 난초가 온 날은 함박눈이 내렸다. 오늘은 비바람이 몰아친다.

1970. 9. 26.

산과 숲과 물이 그리워서 아이들을 데리고 화계사華溪寺에 갔다. 석지현 씨를 찾아봤더니 반색을 한다.

"이번에 새로 발견된 한용운 스님 시에 관한 대담을 방송국으로부터 부탁받았는데 어떻게 하면 댁으로 연락을 취할까 걱정하던 참이었습니다. 참 잘 오셨습니다. 내일 4시 반에 녹음을 한다니 나와주시겠지요."

나는 두말 않고 승낙했다. 전에 최일남 씨로부터 삼성암三聖庵이 좋다는 말을 들은 일이 있어서 석지현 씨를 앞세우고 올라간다.

"화계사 뒤에 노부부가 집을 짓고 단둘이서 수십 년째 살고 계십니다. 그 안부인은 거문고 명수랍니다."

나는 『삼국유사』의 한 구절 같은 사실을 들었다. 산길을 올라가면서 석지현 씨는 계속 말한다.

"요 너머에 공초空超• 선생님 산소가 있습니다."

나는 비로소 안지라, 이후에 함께 가서 참배하자고 했다. 올라가보니 삼성암도 마음에 드는 곳이다. 석지현 씨는 바위에 나 있는 잎을 뒤집어 보이며

"이것이 고란皐蘭입니다. 1년마다 이렇게 점이 하나씩 생깁니다. 그러니 이건 6년생입니다."

한다.

해가 저문다. 화계사 입구의 산을 마구 깎아내는 불도저 소리가 점점 가까이 들린다. 서울 근교 절들 중에서 내가 좋아하는 뚝섬 너머 봉은사도 이곳 화계사도 머지않아 주택들이 들어설 것이다. 그리고 새[鳥]들은 떠나갈 것이다.

1970. 10. 2.

본느푸아* 시집詩集, 『한시 대계漢詩大系』 9권째의 『두보杜甫』, 가스통 바슐라르의 『공空과 꿈』, 청淸나라 『금동심서金冬心書 금강반야바라밀경金剛般若波羅蜜經』 영인본이 근자에 내가 입수한 책이다.

이런 책들이 나에게 무슨 도움을 줄 것인가. 시대와 처지가 다른 분의 목소리도 중요하지만 나는 나의 내부에서 일어나는 소리에 귀를 기울인다. 좀더 조용히 좀더 정확히 들어야 한다.

1970. 10. 3.

『이상李箱 전집』(단권짜리)에 수록되어 있는 「모색暮色」, 「유고遺稿5」, 「이 아해들에게 장난감을 주라」 3편은 여러 해 전에 현대문학사의 청으로 내가 번역했던 것이다. 오역이 있을지도 모른다. 편자는 일본말로 된 그 원문도 전집에 수록했어야 할 것이다.

1970. 10. 15.

덕수궁에 전시한 전국 개인 소장 서 · 화 · 전적전典籍展을 아내와 함께 보았다. 우리는 오랜만에 함께 거닐었다.

1970. 10. 21.

전화를 걸어 아내를 불러냈다. 남산 시립 도서관을 물어서 갔다. 퇴계 선생, 다산 선생 동상 앞에는 제막除幕 때의 헌화가 그대로 남아 있었다. 도서관으로 들어가서 퇴계 선생 4백 주기 기념 유적 전시를 보고 2층으로 올라가 아내는 콜라를, 나는 우동 한 그릇을 사 먹었다. 바로 남학생, 여학생이라도 된 듯싶다. 공부하는 사람들의 모습은 참으로 보기 좋았다. 우리 나라 사람의 표정이 다 저렇듯 진지하고 조용하고 어디를 가도 이런 분위기라면 남의 나라 부러울 것이 없겠다.

1970. 10. 27.

성춘복이 경영하는 우문사又文社가 잘 되어가야 할 텐데…… 최남백이 응모한 장편 소설 『식민지殖民地』가 당선돼야 할 텐데…… 천상병千祥炳•은 어디서 어떻게 하고 있나…… 손창섭을 못 본 지도 여러 해인데…… 오랜만에 박재삼 씨와 만나 서로 술잔을 권했다.

1970. 11. 26.

화초 분을 방안으로 옮겼다. 올 겨울도 한방에서 나와 함께 지낼 푸른 잎들이다. 건란建蘭은 금년에 새 촉이 세 대나 올라왔다. 그 대신 꽃을 못 봤다. 내 시도 추운 겨울에는 어느 정도의 보온이 필요하다. 되도록 쓰지 않는 것이 좋을 것이다.

1971 2. 20.

어효선과 나는 정주상鄭周相•을 소개시키려고 신석초申石艸• 씨 댁에 갔다. 정주상은 그간 영인한 추사 선생 글씨 몇 폭을 드리고 나서 서재에 있는 추사 선생 글씨 '중양세우重陽細雨' 폭을 촬영했다. 갈 때마다 본 '중양세우' 폭을 원촌대原寸大 영인으로나마 나도 가지게 될 것이다. 주인장이 만류하셔서 점심 식사도 하고 육사陸史•가 그린 묵란墨蘭과 사진도 봤다. 저녁때 돌아오다가 수유리 시장 속

음식점에서 술을 마시는데 어효선 씨가 드러눕는 바람에 당황했다. 빈혈이 아니라 좀 체했던 것 같다.

1971. 3. 25.

성 다방에서 평론가 김병익金炳翼• 씨와 만나 이 달치 각종 월간 잡지를 받았다. 밤에 여러 가지 잡지를 뒤적거리는데 『신동아』• 4월호에 '국립 공원 ②—계룡산鷄龍山' 이라는 제목으로 천연색 사진 화보가 4페이지나 나와 있었다. 눈을 감아도 생각만 하면 분명히 보이는 계룡산 산천이다. 동학사에 전에 없던 누각이 섰다는 것도 사진에서 비로소 알았다.

고향이 많다는 것은 어설픈 일인지도 모른다. 서울에는 서울 태생이 아닌 사람이 해마다 늘어나고 있다. 공해가 심각한 문제로 대두되는 요즘 대자연을 그리워하는 도시 사람은 나날이 늘어나고 있다. 나에게 계룡산은 잊을 수 없는 여러 고향 중의 하나이다. 서울에 오랫동안 자리를 잡고 사노라니 소음 속에서 벗어날 길이 없다. 전등을 껐다. 몇 시나 됐을까? 잠이 오지 않는다. 대자연으로 돌아가고 싶은 것은 마음뿐이요, 서울을 떠날 수 없는 것이 현실이다.

이 밤에 잠 못 자는 사람도 많을 것이다. 그리움이란 어디에도 계시지 않는 부모님 같고 언제나 있는 산과 같다.

1971. 3. 26.

학교 뒷산에서 파온 돌 모래로 난초를 새 분盆에 옮겨 심었다. 손을 씻으니 시리다. 난초가 추워할까봐 방안 책상에 올려놓는데 전화 벨이 울린다.

"여긴 월간지 『산』을 펴내는 곳입니다. 이번에 창간 2주년 기념 행사로 전국 산악인 신춘 친목 등산이 있는데 초청하고 싶습니다. 혹 여가가 있는지요."

만나본 일이 없는 이일동李一東 주간과 전화로 첫인사를 나누고 우선 물었다.

"시일과 행선지는 어딥니까?"

"이번 일요일인 28일날 계룡산에 갔다가 그날로 돌아옵니다."

나는 처음에 잘못 알아들었나 하고 귀를 의심했다. 초청하는 이유는 옛날에 내가 동학사에 오래 있었다는 것을 알기 때문이라고 한다. 고마운 말씀에 대해서 내일 확실한 대답을 드리기로 했다.

어젯밤, 잡지 화보에서 본 계룡산 사진이 금세 실경實景으로 바뀌어지는 듯하다. 무슨 기적 같은 느낌이 든다.

1971. 3. 27.

다른 일은 제쳐놓고 동학사에 가기로 결심했다. 아내는 갔다 온 지 11년 만이니 함께 가고 싶다 한다. 수일 안으로 번역을 해다 줘야 할 일거리를 맡은 아내가 따라가겠다는 것이다. 나만큼이나 가고 싶은 모양이다.

1971. 3. 28.

아침 식사를 서둘러 먹고 예총藝總 앞 시민 회관 뒤편으로 갔다. 평소 산에 관한 좋은 글을 쓰는 이일동 주간과 처음으로 직접 만나 다시 인사하고 감사드렸다. 성대 출신 유경이柳慶二 씨가 있어 반가웠고 홍정희洪貞姬 화백을 소개받았다. 바바리 코트까지 걸쳐 입은 우리 내외를 제외하고는 연령의 고하를 막론하고 모두가 등산복 차림의 건장한 분들이었다.
백60명이 관광 버스 4대에 분승하고 출발, 고속 도로를 달리는 차안은 한집안 식구 같은 친밀감이 감돈다. 잘생긴 소녀 삼형제가 아버지를 모시고 명랑히 웃으며 대화한다. 남이 보기에도 부러운, 장하신 아버지 같다. 어제, 라디오는 오늘 전국적으로 한때 비가 올 것이라 예보했다. 나는 아내에게 "일기 예보가 맞지 않는다" 고 자랑하듯이 말한다. 부강芙江을 건너고 대전이 가까워오는데도 안개가 끼었는지 저 멀리 계룡산은 나타나지 않는다. 대전에 잠시 내려 선물용 과일을 사느라고 허둥대다가 차가 떠나기 직전에야 다시 탔다. 앞뒤로 수많은 전세 버스가 줄을 지어 움직이고, 경찰 백차가 선두를 호위하고 바짝 그 뒤를 따르는 지프 차 위로 한 조각 기旗가 바람에 나부낀다. 서울, 대전, 대구, 전주, 부산 지방 산악회원들이 미리 약속한 대로 11시를 기해 대전 역 앞에서 합류했다는 것이다. 인원이 얼마나 되는지 모르나, 이런 장관壯觀보다도, 이처럼 마음을 단합시키는 숭고한 산에 대해서 엄숙해졌다.
우리 버스에 새로이 올라탄 젊은 남녀들에게 물었더니 그들은 대학생으로 구성된 '하리' 산악회원이라 한다. 충대忠大 학생 정태환鄭太煥 군의 설명에 의하면 '하리' 는 고대 인도 산스크리트 어로서 산을 뜻한다고 한다. 또 계룡산 이름을 풀이하되 "공주 쪽에서 바라보면 산이 닭벼슬 같고 유성 쪽에서 들어가면 산이 용처럼 보이기 때문이라고 어떤 노인에게서 들었다" 한다. 나로서도 처음 듣는 말이다. 그러나 재미있는 풀이라고 생각하였다. 대전에 있는 동생집 전화 번호를 적어둔 것이 없어서 미리 연락을 못한 것이 역시 안타까웠다. 어제나 오늘 아침에 연락만 할 수 있었더라도 지금 동생 내외와 함께 동학사로 갈 수 있는 것이다. 백정자百亭子에서 갈림길로 접어든다. 천연색 사진이 아닌 진짜 계룡산이 눈앞에 들어온다. 공주에 계시는 형님 생각이 난다. 역시 전화 연락만 할 수 있었다면 동학사에서 형님과 서로 만날 수 있는 것이다.

자작바위 동네 개울 건너에도 집이 들어서서 제법 변했다. 한적했던 고염나무 거리가 이젠 번잡한 주차장이다.

모든 버스에서 내린 근 7백 명 산악인 앞에서 산악문화사 사장 김영관金榮寬 대회장과 이민재李敏載 박사와 몇 분의 말씀이 있었고, 각 지방에서 온 대표가 나와서 소개 말씀이 있었고, 다음으로 내가 동학사에 관한 설명을 했다.

애초의 발상지인 남매탑 전설에서 시작 동계사東鷄祠, 삼은각三隱閣, 숙모전肅慕殿을 차례로 언급하고 고려 초에 신라 역대 왕을, 조선 초에 고려 역대 왕을 제사 지낸 기록을 들어 동학사는 우리 나라 과거 역사와 각별한 인연이 있는 유서 깊은 사찰임을 말했다.

근 5백 명은 예정 코스인 은선隱仙 폭포, 연천봉連天峰, 쌀개봉, 남매탑을 돌아오려고 일제히 출발한다. 누가 내 손을 덥석 잡는다. 가슴에 붙은 명찰을 보니 '대구 이윤수李潤守' 이다. 몇 해 만인지 서로가 얼굴을 알아볼 수 없다. 시인 이윤수 씨는 이번 등산에 참가하고자 대구에서 왔다는 것이다. 우연이어서 더욱 반가웠다. 시인 성춘복 씨를 만난 것도 우연이었다. 강연차 대전에 왔다가 아는 사람들을 만나 여기까지 왔다는 것이다.

나와 아내는 미타암彌陀庵으로 올라갔다. 만나뵐 줄 믿었던 이인정 노장님이 출타하고 안 계셔서 섭섭하였다. 식구가 많지 않아서 건물이 더 퇴락해 보인다. 20여 년 전에 내가 써서 붙였던 주련柱聯 글씨는 낡고 삭아서 약간의 흔적만 남아 있다. 사온 과일을 드리고 동학사로 올라갔다.

주지인 봉민 수좌를 찾았으나 역시 출타하고 없었다. 예전에 알던 스님은 한 분도 못 만나게 된 셈이다. 백20명 비구니 학인이 계시는 강원講院이라는 큰방에는 들어갈 엄조차 나지 않는다. 저번에 왔을 때와는 달리 새 건물 단청이 되어 있고 이삼만 글씨, 동학사 목각 현판도 걸렸으나 신관호申觀浩 글씨인 주련과 부동운루不動雲樓 목각 현판은 보이지 않는다. 옛 건물 그대로인 대웅전 삼성각에 들어가 내 한참 젊던 그 당시처럼 절을 했다. 아내가 나를 따라 예불한다. 나를 알아보는 두 수좌가 있어서 오늘 관음암觀音庵에 지현智玄 수좌님이 와 있다는 것을 알았다.

다시 아래 절로 내려가보니 관음암이란 옛 옥천암玉泉庵을 뜯어내고 새로 지은 건물이었다. 지현 수좌님과 조옥봉趙玉峰 수좌님을 만나 점심 식사 대접을 받고 지난날을 서로 이야기하였다. 방안에까지 계곡 물소리가 들린다. 벌써 올라온 난초 꽃대가 추운지 애처롭기만 하다. 지난날 노장님들은 다 세상을 떠나셨다. 오수좌님은 작년에 80여 세로 세상을 떠났다 한다. 감나무 밑에서 낮모를 어린이 둘이 쑥을 캐고 있다. 사람도 바뀌고 건물도 많이 변했다. 변하지 않은 것은 산과 물소리이다. 그렇다. 산과 물소리는 고금이 다르지 않나 보다. 성춘복 씨가 동행과 함께 먼저 떠난다고 찾아왔다. 나는 산山사람처럼 그를 전송하였다.

지현 수좌를 따라 다시 동학사로 올라가서 큰방도 둘러보고 지붕 밑 광까지 구경했다. 터는 예전 그 터이고 구조도 같으나 예전 건물에 비해서, 즉 절터에 비해서 너무나 대규모이다. 갖은 고생하며 이렇듯 중건한 지현, 묘관妙觀 수좌의 큰 공로는 길이 남을 것이다.
영정들이 그대로 모셔 있는 한 옆에 경봉鏡峯 강백講伯 영정도 모셔 있어서 감개무량하였다. 몇 해 전에 왔을 때만 해도 나를 반겨주시던 경봉 노장님이다.
김정희 선생 친필인 '吁嗟老虎 海印眷屬 老果作 30年後書' 라는 방서傍書가 있는 대필大筆 글씨 '호봉虎峰' 족자와 '以慈悲觀 說不二門 其福德 如四方空 舍利一粒 萬二千峰' 이라는 방서가 있는 큰 글씨 '용암대선사龍巖大禪師' 족자가 보이지 않는다. 웬일이냐고 물었더니 "주지 스님이 잘 뒀다" 고 한다.
'팔만사천조왕대신八萬四千竈王大神' 과 '좌우보처左右補處' 를 남빛 물감으로 쓴, 그 글씨는 독립 지사로서 순국하신 백초월白初月 화상和尙의 친필이었는데 부엌에 가보니 조왕단 문이 닫혀 있다. 혹 없을까 겁이 나서 열어보지 않았다. 조실祖室채로 돌아가보니 완당 선생 글씨 '자묘암慈妙庵' 목각 현판이 보이지 않는다. 아마 방안에 걸려 있겠지 하고 도로 나왔다. 누각인 줄 알았던 새 건물은 장차 종을 걸 종각鐘閣이라고 한다. 전송을 받고 동학사를 나오는데 비가 온다.
나와 아내는 주차장으로 내려갔다. 버스 안에서 비를 피한다. 산에 올라갔던 분들이 비를 맞으며 연신 내려온다. 5시까지 돌아오기에는 벅찬 코스인 것이다.
전주에서 온 분들 중에서는 신석정 선생 조카인 신준辛駿 씨 형제를 만났다. 신선생 안부를 물었더니 병환만 나시지 않았더라도 여기에 오셨을 것이라고 한다. 전주에서 온 여러 분에게 나는 여가만 넉넉하면 신선생님을 뵈러 또 아직 본 일이 없는 전주를 구경하러 가겠다고 약속하였다.

계룡산 너머 공주 봉황산鳳凰山 기슭에 계시는 부모님 산소에도 비는 내릴 것이다. 눈물 같은 비가 내릴 것이다. 저무는 계룡산을 떠난다. 아름다운 봄을 재촉하는 비가 내린다.

대전을 통과한다. 이 지방 친구들을 한 분도 만나지 못하고 지나간다. 헤드라이트에 비친 고속 도로가 유리판 같다. 차창이 얼룩진다. 캄캄한 어둠 속에서 산들이 호흡한다.

등산 경험이 많은 이봉수李鳳壽 씨는 강릉에서 멀지 않은 소금강小金剛과 안성安城에서 버스 길이 닿는 칠장사七長寺를 가보라고 나에게 권한다. 널리 알려 있지 않기 때문에 권하고 싶은 좋은 곳이라 하였다. 역시 등산 전문가인 박봉래朴鳳來 씨는 나에게 등산을 적극 권한다. 산은 모든 병을 고친다고 하였다. 옳은 말씀이다.

나는 오늘 근 5백 명의 협동 정신을 보았다. 산은 믿음과 젊음과 평화를 준다. 산 자체가 진리요, 그 진리를 가르쳐준다. 누구보다도 산을 좋아하던 내가 산을 떠난 지 오래기 때문에 이 모양이 되었나 보다.

이 나라 방방곡곡에 숲이 울창할 때에 행복은 이루어질 것이라고 평소의 생각을 되풀이한다. 나무가 우거진 산으로 돌아가고 싶다. 그러나 버스는 서울로 달린다. 일요일이면 서울 근교 산에 가서 그 평화를 경건히 우러러뵈오리라.

산이 가르쳐주는 진리를 나는 공손히 배우리라.

1971. 8. 3.

광우光雨 스님이 일본을 다녀왔다며 선물을 가지고 왔다.

'겸호장봉兼毫長鋒 청아淸雅' 붓과 '위화묵爲花墨'과 '윗부분에 염소를 새긴 인재印材' 한 벌을 내놓는다.
그 인재는 일본에서 중국 돌을 들여와 만든 것이라고 한다.
노란 빛깔이 역시 곱다. 선물을 받는다고 다 기쁜 것은 아니다. 내 마음에 맞는 물건들이어서 고마웠다. 어효선 씨에게 그 인재를 보이고 자묘암중慈妙庵中 한 방과 삼산채동三山採童 한 방을 새겨줍소사고 말씀 드렸다. 어효선 씨는 인재가 좋아서 새기고 싶다고 쾌히 승락하였다. 자묘암은 동학사 중에 걸려 있는 목각 현판인데 완당 선생 글씨이다. 내가 탁拓을 해서 마루 벽에 걸어놓고 보는 옥호屋號 겸 오랜 별호別號이다. 나는 20 미만 때 강남월姜南月에게 사주를 본 일이 있었다. 그때 그는 나를 평하기를 "論其形局하니 三山採童兒라"[4] 하였다. 이런 연유에서 인문印文을 정한 것이다.

1971. 8. 27.

"집에만 들어앉아 있으면 건강에 좋지 않으니 나옵시오. 이를 뽑아서 남을 대하기가 뭣하면 교외로 가십시다."
최남백의 권유로 어효선 씨와 함께 회사 차를 타고 진관사津寬寺로 갔다. 산속 계곡 물에 세수도 하고 괴석怪石도 줍고 절로 들어섰다. 오랜만에 진관眞觀 수좌님도 만나고 대웅전 뜰 옆에 짓는 큰 목조 건물도 둘러보았다. 해는 저물고 숲 속이 어두워진다. 물소리가 시원하다. 서로 맥주를 권하며 담談하다가 늦게야 떠났다. 자기 집에 들렀다 가라고 이끈다. 어효선 씨 서재에는 난초 10여 합盒이 다 새촉이 나와서 은은하였다. 책상 위의 조그만 까만 돌이 눈에 띈다. 여러 해 전에 신륵사神勒寺에서 주워온 돌이라 한다. 각기 붓글씨를 화선지에 한 폭씩 쓴다. 나는 광란光蘭, 신륵석神勒石이라고 썼다. 오랜만에 목욕이라도 하고 난 것처럼 상쾌하다.

1972. 4. 8.

어효선 씨가 벽오동 묘목을 싼값에 사서 유주현, 최남백, 김세종, 허영자• 제씨와 나에게 나눠주었다. 묘목이 곱게 푸르다. 아내는 그 주변에 동화 같은 서양꽃을 심고 삼나무 묘목 두 그루도 사다 심었다. 나무들은 싹이 움튼다. 방에서 함께 삼동三冬을 지낸 화분도 다 햇볕을 쪼인다. 뜰이 좁아서 더 심을 곳이 없다. 새벽마다 미닫이를 열면 뜰은 나날이 다르다. 새롭다.

1972. 4. 9.

통문관에 백월비白月碑를 탁拓한 첩帖(후결後缺)과 『원각경』 사본이 있기에 샀다. 김생 글씨는 전부터 소장하고 있는 비면대의 희미한 탁본보다도 또렷해서, 매우 웅혼하다. 신라의 건실한 기상이 풍긴다.

1972. 4. 10.

직업이 반드시 천직天職일 수는 없다. 하고 싶은 일과 생활 수입은 일치하지 않는다. 누구에게나 고독하고 따분한 시간은 있다. 그런 시간을 이용하면 평생 원하는 방면의 일가一家를 이룰 기회는 있을 것이다.

1972. 4. 17.

일전에 최인욱崔仁旭 씨가 병사病死했다. 일본 천단강성川端康成•

씨가 자살했다는 뉴스다. 소설 『산山의 음音』의 「춘春의 종鍾」 대목에 나오는 자살자의 유서가 생각난다. 일본미日本美란 무엇인가. 그들 문학의 특질은 색정色情과 자살로 요약할 수도 있지 않을까. 우리 나라에는 자살한 문인文人이 없다. 일본미란 다분히 여성적이다.

1972. 5. 7.

어효선 씨, 최남백 사장, 김영환 교수, 송해룡宋海龍 경문 서림 주인과 함께 간송澗松 미술관에서 완당 선생 유묵전遺墨展을 보았다. 날씨는 맑고, 신록은 한참이고, 새소리는 없다. 유리 한 장이 만리万里 사이다. 서첩書帖, 화첩畵帖들을 넘겨볼 수가 없다. 그런 첩帖들일수록 간송 문화文華에 수록해야 할 것이다.

1972. 5. 14.

천상병 씨 결혼식에 참석하였다. 대견해서 고마웠다. 내일이 스승의 날이다. 윤병로, 최남백, 김여정, 이정호와 함께 월탄 선생 댁에 가기로 하고 모였다. 선생이 여행 중이라고 한다.

1972. 5. 15.

최남백의 전화로 월탄 선생이 입원 중인 것을 알았다. 강의를 마치고 가봤다. 눈 수술 경과가 좋다고 하신다.

1972. 5. 18.

계정桂庭• 민영환閔泳煥(44세 때 자결)의 계사 3월 초4일자(1893

년 32세 때 글씨) 편지와 의당毅堂• 박세화朴世和(76세 때 자결)의 경국십칠조庚菊十七朝자(경庚은 경자庚子니 1900년, 64세 때 글씨) 편지와 면암勉庵• 최익현崔益鉉(73세 때 단식사斷食死)의 신축辛丑 정월 초9일자(1901년 68세 때 글씨) 편지와 의암義庵• 유인석柳麟錫(73세 때 망명지에서 졸卒)의 병인丙午 8월 9일자(1906년 63세 때 글씨) 편지를 연폭한 권축卷軸을 보았다. 네 분 어른을 한자리에 모신 것이다. 숙연하였다. 고가라도 비싼 것은 아니다. 살 힘이 없다. 누군가가 네 분 어른을 잘 모실 것이다.

1972. 5. 20.

일전에 말씀하신 졸필한 폭幅 유요광柳耀廣 군 편에 보냅니다. 웃고 받아줍시오. 함께 보내는 첩폭帖幅 10장 중에서 선생 작품에만 사인하여 유군 편에 돌려보내주시면 고맙겠습니다. 나머지 폭들은 두셨다가 언제고 김청풍金淸風 화백 사인 받아줍시오. 내내 만왕하시기 바랍니다. 남관 선생 안하案下

어효선 씨는 결혼 주례 서러 가고 남백은 친구들과 초청을 받았다며 수원에 가고 그래서 관훈동 거리를 걷다가 경문 서림에 들렀다. "예용해 씨와 이해원 씨가 조금 전에 지나갔는데 못 만났습니까" 한다. 디즈니 다방에 들렀다. 파하巴荷도 나오지 않는다. 우문사로 가다가 임영조任永祚를 만났다. 사社의 문을 닫아 걸고 퇴근하는 길이라며 성춘복은 낚시 가고 없다는 것이다. 두 곳에 전화를 걸었다. 하나는 퇴근했고 하나는 외출하고 집에 없었다. 오늘따라 말벗 하나 없다. 토요일 오후의 해가 설핏하다.

피곤해서 그냥 집으로 돌아왔다. 옷을 갈아입는데 최인훈崔仁勳• 씨가 몇 해 전에 빌려간 책 『천변풍경川邊風景』과 『대하大河』를 가지고 왔다. 함께 반주飯酒하고 담소하였다. 음력으로 4월 초파일 밤이다.

1972. 6. 1.

우리 나라 문학을 연구하는 것은 세계 어느 나라 문학과도 다른 특색이 있기 때문이다. 서구 문학의 입장에서 우열을 단정한다면 우리 나라 문학을 이해도 발전시킬 수도 없다.
비교 문학은 방법이지 성급한 결론일 수는 없다.

1972. 6. 3.

취직 자리가 있기에 오정희吳貞姬•에게 전보를 쳤더니, 화곡동 주소에 수취인이 없어서 전보를 우체국에 보관 중이라는 통지서가 왔다. 이사라도 한 것일까. 또 요양차 떠난 것일까. 오래 전에 박경리朴景利• 씨가 수술을 받고 퇴원했다는 소문을 들었다. 김상옥 씨가 갔더니 요즘도 병원에 다닌다며 집에 없더란다. 한번 문병이라도 가야 할 텐데…… 마음뿐이다.

1972. 7. 1.

이진영李振榮의 안내로 최남백, 이윤규와 함께 한기택韓基澤 박사댁에 갔다.
바로 상명여대 밑이었다. 나무 사이로 거닐며 여러 가지 정원석庭園石을 보았다. 5천 평이라 한다. 한박사가 손으로 가리킨다.

"저 밑에 기와집이 보이지요. 지난날 춘원春園이 살았던 집이지요."

지붕만 굽어보인다. 한박사 처소의 정원에서 많은 돌을 보았다. 동양화가 앞으로 개척해야 할 추상 세계를 보는 듯했다. 박사 말에 의하면 변산, 삼척 하지만 단양丹陽 돌이 제일이라 한다.

한길로 내려오다가 쳐다보니 춘원 선생이 살았던 댁이 비교적 잘 보인다. 벽을 다 뜯어냈고 재목材木에 칠을 하고 수리 중이다. 원형을 모르느니 만큼 어느 정도의 변형인지 알 수가 없다.

1972. 7. 10.

누구나 과학의 해독을 안다. 그러면서도 새로운 희망을 기대한다. 과학은 독점이 아니고 공유물로서 발전해왔다.

사람들은 그 부작용을 제거하기에 언제나 노력했다. 발전에 위기는 따르게 마련이다. 능력은 인구 폭발을 막을 것이다. 정확한 판단을 위해 사태는 미리 신호한다.

1972. 7. 18.

초복이다. 덥다. 백범 선생이 세상을 떠난 지 23년이라는데 전시된 유묵遺墨들의 상태가 말이 아니다. 상한 것, 뜯겨져 나간 것, 얼룩진 것, 표구도 제대로 안 된 것 등 가난에는 정신적 빈곤도 있다. 『백범 일지』 원본을 보았다.

노인이 원고지에 빈틈없이 어떻게 이렇듯 세서細書하셨을까. 망명 생활은 어렵고 가난하였다. 그러나 자자구구字字句句에 선생의 정신은 빛나고 있다. 어서 『백범 일지』 영인본이 나와야겠다.

1972. 7. 29.

어떤 친구에게 이런 말을 한 일이 있다.

나는 일찍이 산속 생활을 많이 했기 때문에 그 과보果報처럼 도시에서 허우적거리나 보다. 젊었을 때 산속 생활은 시간 낭비가 많았다. 이제 다시 산속 생활을 한다면 정신적으로나 육체적으로나 많은 성과를 얻을 것 같다.

그때 친구는 이런 말을 했다.

"젊었을 때 산속 생활을 했기 때문에 그런 자신도 생길 수 있을 거야."

동학사에 온 지도 24시간이 지났다. 역시 지나간 날의 나와, 많이 달라진 나를 발견한다.

도피逃避와 독선獨善과 나이 탓이 아닌가 하고 생각해본다. 좋은 의미에서의 전통은 몰락하고 나쁜 점은 그대로 남은 실정이었다. 남·여 관광객들의 유치한 성 해방과 표면적 사찰寺刹 권위는 서로 다른 듯하면서도 다 자연스럽지 못하였다. 제각기 다른 태도는 필요에서의 판단이 앞서야 한다. 서로가 다르기 때문에 서로가 이해하는 것이 힘이다. 그런데 필요한 판단은 없었다. 맹목적 모방과 자존 망상自尊妄想은 자신을 무너뜨리고 있었다.

산속인데도 고요한 근심은 피어 오른다. 아내는 혼탁한 서울에서 무더위에 허덕이고 있다. 이러고도 나는 산속에서 편안할 수 있을까. 미안한 마음이 없다면 거짓말이다. 더구나 변한 것은 나만이 아니었다. 산속에 다시 들어와서, 나 혼자만이 어떤 성과를 얻는다고 하자. 그것이 과연 믿을 만한 성과일까.

일입청산갱불환一入青山更不還이 궁극 목표는 아니다. 석가는 설산

雪山에서 도성都城으로 내려오고 있었다. 그는 무엇을 깨달았을까. 그의 입산은 필요였지, 전부는 아니었다. 그는 발우鉢盂를 들고 도시에서 도시로 걷는다. 보다 많은 사람과 만난다. 그 불변의 태도가 바로 정각正覺이었다.

나는 이 나이에 뻔한 사실을 또 착각한 것이다. 산은 나만이 필요한 것은 아니다. 산은 우리의 전부가 아니다. 그러므로 산은 누구에게나 필요하였다.

1972. 7. 30.

조반 후 선선할 때, 아이들을 데리고 남매탑으로 올라간다. 몇 해 만에, 이 산길을 걷는지 모르겠다. 계룡산이 국립 공원이 되고, 갑사甲寺 가는 길을 닦은 후로 나는 처음 가보는 것 같기도 하였다.

수목은 울창하고, 산 위에서 안개가 슬슬 퍼져 내린다. 아이들은 예전에 아버지가 살았던 산이라서 좋아한다. 6 · 25 사변 때, 나의 어머님이 온 가족을 데리고 갑사 쪽으로 넘으셨던 길이다. 우리 형제와 어머님이 여러 번 넘으셨던 그 당시 그 산이다. 남매탑에 이르렀다. 세월은 흐르고 변했다. 이인정 노장님이 빈터에 지은 계명 정사가 보인다. 일제 때 무너졌던 오빠탑을 역시 다시 쌓아, 두 남매탑은 나란히 솟아 있다. 처음 보는 것도 같고, 계명 정사도 나란히 서 있는 두 탑도 전에 본 듯한 인상이 들어서 얼떨떨했다. 내가 이처럼 정신이 흐린가 하고 심호흡을 하였다. 옛 탑에는 쌍탑雙塔이 많다. 한 형식이었을 것이다. 후세 사람들은 그런 쌍탑을 남녀로 보고, 그럴싸한 전설을 붙였다. 그러나 이곳 남매탑 전설은 사실이었으리라. 나는 나의 누이동생이 한때 와서 기도했던 계명 정사 부처님께 절하고 샘물을 떠마시고 내려가는데, 올라오고 내려가는 등산객들이 많다.
밤이다. 온 산에서 두견새들이 운다. 오던 날 밤은 달이 휘영청 밝았었다. 한밤중에 뜰에 내려가 물을 떴다. 바가지 속에서 달이 일렁거린다. 한 모금에 죽 마신다. 달이, 내 뱃속으로, 쑥 들어갔다. 이튿날 아침이었다. 산마루 위에서 달은 허옇게 껍질만 남아 있었다. 그런데 오늘 밤은 캄캄하다. 그 대신 별들이 더욱 찬란하다. 뻔한 상식인데도 너무나 신비해 보인다. 현대 사람들 중에는 이런 중요한 상식을 잃고 있다. 내 뱃속에서, 전날 삼킨 달이 빛난다. 몸과 마음이 편안하다.

1972. 8. 11.

40대에 세상을 떠나신 아버님 편지를 이제야 50대의 아들은 정리하였다. 내가 상복喪服을 입은 그 당시에 챙겨 모았던 것이다. 아버님이 고향에서 집으로 보내신 편지거나, 아니면 편지 초草를 잡으신 단편들이다. 나의 어머님에게 하신 편지와 근친覲親간 큰 자부子婦에게 하신 편지도 있다. 그나마 고리짝에 붙은 것을 물칠하여 뜯어낸 것도 있다. 상하고 구겨져 판독하기가 쉽지 않다.
아버님 글을 다시 원고지에 가능한 한 옮기는 동안에 편지 조각들의 순서는 제법 정리되었다. 붓글씨 외에도 잉크로 쓰신 것, 또는 앞뒤로 쓰신 것도 있어, 배접도 첩帖을 만들 수도 없다. 투시지透視紙가 붙은 앨범에다 어머님 편지 2통과 함께 모셨다. 때로 자상하시고 투철하시고 엄격하신 아버님 모습이 떠오른다. 목소리가 들린다.

1972. 8. 12.

아내는 아이들을 데리고 그녀가 한때 성장했던 곳, 인천으로 떠났다. 아내는 나와 함께 갈 기회를 마련할 만도 하건만 얼마 남지 않은 방학 동안에 아이들에게 바다를 보이기 위해서 간 것이다. 혼자서 집을 지키니 일은 잘 된다. 어디서 왔는지 참새가 뜰에서 논다. 내가 보는 줄도 모르는 모양이다. 아내와 아이들도 모를 것이다. 나의 생각은 아내와 아이들과 함께 행동한다. '당신이 옛날 살던 동네는 어디오.' 물론 아내는 대답이 있을 리 없다. 아이들은 처음 본 바다에서 무엇을 느꼈을까. 얼굴도 없는 괴물의 피부를, 공포를, 꿈을, 권태를, 아니면 막연한 신비를 느꼈을까. 눈을 떴다. 그새 약간 졸았던 것 같다. 사실 집 안은 고요하다. 밤처럼 말이다. 새는 먼 숲으로 돌아갔는지 없었다. 아이들이 바다에서 논다. 헤엄을 친다. 여기가 송도 해수욕장인가. 한 번도 가본 일이 없으니 알 리가 없다. 바다인 것은 확실하다. 그럼 어느 해안인가. 그런가 보다. 아내는 둑 위에 앉아 있다. 구름은 움직이지 않는다. 달려드는 파도는 아득히 뻗은 발자국을 일제히 지워버린다. 아이들은 어디로 갔는지 없었다. 다시 눈을 떴다. 약간 잠을 잔 것이 분명하였다. 어느 외국 여류 문인의 자서전이 내 손에서 떨어져 장판 바닥에 있었으니 말이다. 그녀는 결혼의 의의를 극력 부정하고 필요에 따라 동서同棲 생활만 즐긴다.

이제 그녀는 서구의 늙은 지성知性이었다. 실물보다도 유명해버린 나체裸體였다. 칼금 같은 주름살은, 찬란한 정신 분열은 어디까지 확대되고, 파고들려는 장관이다. 그녀의 문학은 날마다 주름살을 화장化粧하는 예술이었다. 일어나지 않고 담배를 붙여 물었다. 연기는 창 밖으로 빠져 나가 하늘에 사라진다. 처마 밑 거미줄에 거미는 없었다. 놈은 숨어 있는 것이다. 기회를 노리고 있는 것이다. 파도소리, 역시 움직이지 않는 구름, 고기를 덥석 물고 갈매기가 날아 오른다. 일렁이는 긴 모발, 아우성소리, 달아나는 수상 스키. 나는 눈을 감았다. 잠은 오지 않는다. 여류 문인의 자서전을 계속 읽어갔다.

상품 가치는 충분하였다. 그녀는 자동차를 몰고 국경선을 넘어 이태리로 들어간다. 한 남자가 그녀를 기다리고 있었다.

전화 벨이 울렸다.

"지금 서울 역에 내렸어요."

아내 목소리다.

"아이들이 좋아합디까."

"배 타고 작약도芍藥島까지 갔다 왔는 걸요. 재미있었어요."

"택시 타고 어서 오우."

나는 보던 책을 덮고 천천히 일어나 앉았다. 저녁때다. 밥상에 굴이 올랐다. 아내가 바다에서 사온 싱싱한 굴이다. 그러나 나는 한입에 뱉어냈다. 석유 냄새가 나서 먹을 수가 없었다.

1972. 8. 14.

작년인가, 재작년인가 분명하지 않다. 신申씨 댁에서 P화백과 동산방東山房 주인과 휘문출판사 사장과 함께 양주 대접을 받은 일이 있다. 작자 미상의 고화古畵가 벽에 붙어 있었다. 적당한 제題를 써달라는 것이다. 그 적당한 제가 생각나지 않아서 사양했더니, 한 번도 사용하지 아니한 강江·산山·여如·차此 등 양호필洋毫筆 한 벌을 보이고 알맞은 것으로 고르라며 권한다. 그래서 고화 표구表具 바탕에 적당한 옛 시구詩句를 쓰고 얻은 붓이 가료조폭加料條幅이었다.

조폭은 '족자' 라는 뜻으로 알고 있다. 한번 맛을 들인 후로 다른 붓은 손에 잡혀지지가 않았다. 족자 글씨에는 적당할지 모르나 좀더 세서細書할 만한 붓을 갖고 싶은 욕심이 자라났다.
작년이었다. 우연한 기회에 일본 정가의 3배를 주고, 장봉양호중해長鋒羊毫中楷라는 붓을 샀다. 나의 형편으로는 비싼 물건이었다.
며칠 전이었다. 최남백이 제법 큰 양호필 교嬌와 기협금란묵氣叶金蘭墨과 각화도채금서묵刻畫塗彩金書墨을 나에게 선사하고, 같은 물건을 어효선 씨에게도 선사하였다. 붓은 풀지도 못하고, 먹은 갈지도 못하고 완상품翫賞品이 되어버렸다. 해외에 나가면 우리 제품도 특색을 발휘할 것이다.

1972. 8. 17.

현대 미술관에서 선열先烈 유묵전遺墨展을 둘러보았다. 선열들의 친필은 살아 계시는 듯하였다. 서도書道와 서예書藝는 어느 정도로 다른가. 나에겐 두 가지가 별개의 것으로 거리를 지켰다. 그 차질을 막연히 연결하면서 현대 미술관을 나왔다. 노염老炎인가 보다. 나무그늘에도 바람 한 점 없었다. 내 눈에는 연못에 핀 연꽃들이 신기하였다. 이상할 것이 없는 연꽃인데도 도시에서는 신기하였다. 연꽃과 잎과 물과 공간은 서로의 관계에 지나지 않았다. 상호 관계라면 그만이며 간단하다. 그러나 석연하지가 않았다.
연못 저편에 사람들이 많이 모였다. 채색이 선명한 옛 궁중복을 입은 남자도 여자도 보인다. 천연색 영화 촬영인가 하고 가보았다. 향원정香遠亭을 배경하고, 왕과 궁녀는 사랑하고 있었다. TV극 야외 촬영이었다. 시나리오 작가 신봉승辛奉承 씨가 있기에 물어봤더니,

자기가 쓴 『사모곡思母曲』인데, 연산군을 주제로 한 작품이라고 한다. 저기 서 있는 왕은 성종成宗이며, 그 곁에 앉은 궁녀는 윤尹씨인데, 역을 맡은 이의 이름은 누구누구라는 것도 신씨의 설명으로 알았다. 촬영 진행은 더디고 같은 장면을 되풀이한다. 답답해서 볼 수가 없다. 그런데 연기인들은 갑갑해하는 티가 없었다. 많은 사람들이 구경하는 가운데서, 놀랄 만큼 열심이다. 참으로 집념이 아니고는 못할 노릇이다.

남의 일 같지가 않았다. 그들에 비교하면 글 쓰는 사람들의 원고료는 말이 아니다. 좋은 글이란 과연 어떤 것인가. 평생을 자문하면서 추구하다가 마는 것이다. 무엇 때문에 어려운 짓을 하며 골머리를 썩이느냐고 묻는다면 할말이 없다. 수입도 보람도 없는 일에 정성을 기울이는 자는 상당히 돌았거나 바보다. 변능적인 독선 또는 기형적인 이기利己라고 할 것이다. 이 땅에서 다른 적당한 표현이 있을까. 그러나 이런 말을 수긍할 예술가는 거의 없다.

실은 누구나 마찬가지다. 생명은 공통하는 점이 있다. 누구나 열중하는 일에는 타인에게 가치를 주려는 소망이 있다. 물건을 팔았을 때의 기쁨은 그 물건을 산 사람의 기쁨과 서로 통한다. 식구들이 감사할 때 주부의 노고는 풀린다. 그 무엇으로도 바꿀 수 없는 흐뭇함을 얻는다.

경회루에는 연꽃이 없었다. 인왕산 위 구름은 연꽃처럼 아름다웠다. 찬사를 들을 줄도 기쁨을 느낄 줄도 모르는 자연도 그러하였다. 며칠 뒤면 연은 내 기억에 남기 위해서 꽃이 질 것이다. 구름은 벌써 선열들처럼 없어졌다. 아무도 혼자서 행복할 수는 없다. 누구나 남을 위하는 자신의 행복을 바란다. 그것은 어느 정도로 강렬한 것인가.

자기만을 위해서 사는 생명은 없을 정도다.

사람들은 뒤에 오는 사람들을 위해서 떠난다. 계속 남자와 여자가 쌍쌍이 들어오고 나가는 문이 지구의 안팎처럼 뚫려 있었다.

1972. 8. 19.

서울 역에 아침 7시 30분까지 모여서 예산禮山 용궁리龍宮里로 가기로 했던 약속은 어제부터 계속하는 폭우로 사라졌다. 서재와 부엌 곁방도 비가 샌다. 굵은 빗발에 꺾인 파초 잎이 연신 날뛴다. 방송은 수해 보도로 시종일관이었다. 관상대가 생긴 이래 최대 강우량이라 한다. 나무가 희소한 산은 무너졌다. 한강 수위가 불어나듯이 인명과 가재家財 피해는 늘어난다. 소와 지붕이 떠내려온다. 한강은 바다 같았다. 비는 경고한다. 누구에게? 알 수가 없다.

1972. 10. 27.

낮모를 사람들은 내 방으로 들어와 나를 들것에 옮긴다. 대들보는 돌고, 추녀 끝은 돈다. 나는 내 시체가 뜰을 지나 대문 밖으로 떠메어 나가는 것을 보았다. 대문 밖에는 동네 남녀들이 가득 모여 있었다. 병원 차 안에 나를 밀어넣는다. 땅은 없고 하늘만 흐른다. 지붕이 양쪽으로 지나간다.

수술실에서 수술할 수 있는 장치를 받고 병실 침대로 옮겨지자 콧구멍으로 고무줄을 들이밀어 위에 넣는다. 몸은 철주鐵柱에 연결되어 수혈을 받는다. 영락없는 짐승이다. 의사 한 분이 들어왔다.

"나 닥터 원元입니다. 민閔박사님이 일요일에 상경한다고, 광주에서 직접 전화로 연락을 해왔어요. 마음 푹 놓으세요. 너무 쇠약해서 내일도 피 두 병은 맞아야겠어요."

이분이 원치규元致奎 박사로구나 하고 직감하였다. 나의 대답은 목안에 걸린 고무줄 때문에 짐승 같은 소리로 변했다.

1972. 10. 29.

일요일이다. 낮모를 의사가 들어온다. 그 뒤로 원박사, 조성경趙成慶 의사, 간호원이 따라 들어온다. 우리는 초면인데도 동시에 웃었다. 나는

"반갑습니다. 기다렸어요."

하고 민병철閔丙哲 박사의 손을 붙들었다. 민박사는

"저번에 부인이 가지고 오신 엑스레이 사진으로 내부부터 보고 인사는 이제 하게 됐군요."

하고 명랑히 웃는다.

"언제 도착하셨나요."

민박사는

"집에도 들르지 않고 바로 이리로 왔지요."

하더니 멋진 손짓으로 내 손을 꾹 누르며

"내일 다 고쳐드릴 테니 아무 염려 맙시오."

웃고, 돌아서서 나간다. 내가 아는 민박사의 명성에 비해 소탈하고 친근한 분이었다. 내일 10시 반에 첫번째로 나를 수술한다고 한다. 결판이 나기까지는 아무에게도 알리지 말고, 아무도 오지 않았으면 좋겠다.

1972. 10. 30.

나는 아내가 나간 틈을 보아 큰형님에게 말했다.

"한 50년 살았으니 아무 유감은 없습니다. 그저 흩어만 놓고 한 가지도 정리를 못했습니다. 이때가 수술 후에 병원에서 만일 암이라고 하거든 나의 아내에게만은 절대 비밀로 해주십시오."

큰형님은 눈물을 닦으시다가 나의 아내가 들어오자 슬며시 나간다. 아무 생각도 할 것 없다. 부축을 맡고 바퀴 달린 의자에 옮겨 타자 아래층으로 내려간다. 내 앞에 나를 따라 내려오는 분들의 구둣발이 많다.

"더 이상 못 들어옵니다."

하고, 누가 문 앞에서 말한다. 수술실로 들어가면서 손을 흔들어 보였다. 여러 분의 표정이 더 굳어 있었기 때문이다. 나를 수술대에 눕혀놓고 왼쪽 팔에 무엇을 하는 것 같다.

"이제부터 마취를 할 테니 마음 푹 놓읍시오. 조금도 불안할 것 없습니다."

내 얼굴에 무엇을 씌우는 것 같다…… 홀연 무엇이 떠오르면서 일렁거린다—내가 깨어나는구나 하고 의식하였다.

"베개를 좀 베여달라" 고 외쳤다. 형님이

"베개를 베면 나중에 뒷골이 아프단다. 참아라."

한다. 나는 "춥다" 고 말했다. 입원실 침대에 돌아온 것을 알았다.

"앞으로 살이 디룽디룽 찔 것입니다. 그러다가 시를 못 쓰게 되면 어떡하지요 하고 민박사가 말하던 것 들었지. 하하하……"

누가 민박사 말을 흉내내는 모양이다. 곁에서 따라 웃는 소리가 일어난다. 온몸이 찢어지는 듯 뜨겁다. 진통제 주사였나 보다. 스르르 잠이 온다. 눈도 뜨지 못하는 주제에 '밤이 깊어간다' 고 생각하였다. 다들 돌아가고, 지금 아내는 내 곁에 있겠지.

1972. 10. 31.

꼼짝도 할 수 없다. 밤이다. 어떻게 하면 잘 수 있을지 아득하다. 아내는 말한다.

"어제 민박사님이 수술실로 들어갈 때 시간은 1시 반이었어요. 복도에 모인 사람들은 아무도 말이 없었어요. 긴장 속에 두 시간이 지나고 시계는 3시 반이 됐어요. 민박사님이 나오더니 '안심하세요. 지금까지 한 염려는 다 버리세요' 하고 활짝 웃으셨어요. 순간, 복도는 환호성이라도 터질 듯한 축하 분위기였어요. 다음은 수술실에서 조성경 의사가 나와 '경사요. 경사났어요' 하고 언성을 높여서, 복도의 사람들은 다시 흥분했을 정도였지요. 4시 15분에 당신은 수술실에서 나왔어요."

말은 못하고, 아내만 보았다. 실은, 할말이 없었다.

1972. 11. 1.

진통제 덕분에 한숨 자고, 깨기 시작하나 보다. 비몽사몽간에 들리는 말이 "이번에 살아난 것은 부처님 덕분이지" 한다. 나는 생각하였다. '이번에 내가 죽었다면 부처님이 아무 덕도 없다는 말인가.'

나 때문에 부처님 가치가 이랬다저랬다 한다면 우스운 일이라고 나는 웃었다. 누가 자면서 웃는 나를 본다면 '저 사람 보게. 아기 배냇짓하듯 웃는군' 하고 웃었을 것이다.

민박사 뒤로 원박사, 조의사, 간호원이 따라 들어온다. 민박사는 나

에게

"원래 수술을 받으면 만 이틀간 고생이라고 합니다. 오늘만 지내면 통증이 덜어지오."

한다. 나는 민박사 손을 꼬옥 잡았다. 민박사는

"수술을 받았는데 웬 힘이 이렇게 세시오. 아파서 못 견디겠는데요."

하고, 일부러 엄살을 떨며 농담을 한다.

"손이라니요. 나에겐 하느님인데요."

하고, 나는 수술 후 처음으로 말을 했다. 뜻은 분명히 전했으나, 내 음성은 역시 짐승의 소리였다. 원박사는

"내일 아침에 코에 뀐 고무관을 빼드리지요."

한다. 귀가 번쩍 열린다. 그 말이 잊혀지지 않는다.

1972. 11. 2.

조성경 의사는 내 코에서 고무관을 빼준다. 살 것만 같다.

"우선 갈라놓고 보니 암은 아니었어요. 십이지장궤양이었어요. 그 지경이 되기까지는 한 10년 걸린 듯한데, 어때요. 이번에 깨끗이 수술했으니 앞으론 건강해집니다. 전보다 살도 찝니다."

나는 기뻐하는 아내를 보고 있었다.

1972. 11. 6.

문병 온 분들은 나의 아내에게 '큰 고생하신다' 며 위로한다. 아내는 밤에 잠도 제대로 못 자고 나를 시중하랴, 하루에 한 번씩 잠깐 집에 다녀오랴, 참 고되다. 민박사는 나에게 묻는다.

"처음에 부인이 내게 엑스레이 사진을 가지고 와서 물었을 때, 내가

해부하지 않고는 궤양인지 암인지 모른다고 대답하니까 부인 눈에서 금방 눈물이 주르르 흐릅디다. 왜 그럴까요. 어째서 그랬을까요."
일전에 민박사는 '의사가 하는 일은 의사에게 맡기라' 하더니, 오늘은 시인 같은 소리를 해서 나를 무색하게 하였다.

1972. 11. 7.

옛날 같으면 벌써 세상을 떠났을 텐데, 현대 의술 발달로 계속 활약하는 분들의 수효는 엄청날 것이다. 수술복 차림의 조의사는 내 복부를 치료하면서
"오늘 여섯 시간이나 꼬박 서 있었어요."
한다. 또 들어가야 한다고 한다. 나는
"죽어가는 분을 한 사람만 살렸대도 감히 바라지도 못했던 큰 기쁨이요 영광이겠다."
고 부러워했다. 조의사는
"그러나 권할 만한 직업은 못 된다."
고 하였다.

1972. 11. 10.

민병철 박사는 하루에 두 명 정도, 1년이면 7백 명, 그러니 미국에서 공부하고 온 후로 한 만 명 정도 수술했을 것이라고 한다. 유명한 만큼 많은 사람을 살렸을 것이다. 그러나 당자인 민박사는 나에게 말하였다.
"자기 시간을 갖는다는 것이 귀중합니다. 그런데 그럴 사이가 없어요. 나는 너무 바빠요."

하고 쓸쓸히 웃었다.

원치규 박사는 지시만 한다.

“뭐고 먹고 싶은 것이면 맘대로 잡수세요. 불고기도 괜찮습니다. 여기서 자신을 완전히 얻어가지고 나가야 합니다.”

퇴원할 날이 가까워오나 보다.

나를 재생시켜준 분들이다.

1973. 1. 3.

세배 온 사람들이 다녀간 뒤, 며칠 전 신문에 난 천연색 사진 백두산 천지天池를 다시 보다가, 밀린 연하장 답장을 썼다. 금년에 받은 연하장 중에는 누군지 기억이 나지 않는 이름이 몇 장 있었다.

그분에게 미안하였다. 그런가 하면 상대편이 주소를 쓰지 않아서, 전화 번호부에 나오는 주소를 찾아 답장을 써야 할 때도 있었다. 좋은 인쇄물 연하장일 경우에는 그 여백에다 붓글씨나 써서 두고 싶었다. 또 벨이 울린다. 누가 왔나 보다.

1973. 1. 5.

오후 3시 정주상鄭周相 씨 월정月丁 서예실에서 정병조鄭炳祖, 안병욱安秉煜 교수와 만났다. 약속 시간이 좀 지나 어효선 씨가 오고, 강두식姜斗植 교수, 최남백, 김세종 씨는 함께 나타났다. 처음은 각기 사양하고 붓을 잡지 않더니, 술과 안주가 들어온 후로 서로 필흥이 도도하였다. 도시 한복판에서 밤늦도록 부담 없이 즐길 수 있었다.

1973. 1. 7.

진눈깨비가 멎는다. 땅은 질다. 어효선 씨와 함께 연세대학교 근처인 박두진朴斗鎭• 선생 댁을 찾아갔다. 박선생이 돌을 보러 오라고 전에 청한 일이 있었기 때문이다. 집 안은 수석 열전水石列傳이었다. 좋은 돌도 많았지만 박선생의 몰입삼매경沒立三昧境을 보았다. 맥주 몇 잔에 겨울을 모르겠다.

1973. 1. 8.

저녁때 문조사文潮社에 들렀다. 전화를 여러 곳으로 걸어도 어효선 씨의 행방이 묘연하다. 최남백과 함께 유주현 씨 댁에 들러 좀 한담하다가 셋이서 문조사 차로 송추松湫에 갔다. 캄캄한 밤이다. 산골짜기는 눈에 덮였다. 공기가 차다기보다는 맑다. 겨울이어서 그런지 음식점들은 폐업 상태였다. 어느 음식점 뜨뜻한 아랫목에 앉아 장국밥을 시켜 먹었다. 떡도 좀 팔랬더니, 오늘 밤 제사에 쓸 것이라며 드릴 수 없다고 한다. 책꽂이에 문학 서적도 더러 있고, 벽에 우등상장 등이 많이 걸렸기에 그 집 아들을 불러보니 중학생이었다. 빨랫비누를 깎아서 만든 여인상이 책상에 놓여 있다. 그 조각 솜씨만큼 그 중학생 얼굴도 잘생겼다. 조상이 덕을 쌓아 좋은 자손을 두었나 보다. 돌아오는 길에 불광동 어효선 씨 댁에 들러 금동심金冬心 『행초서시책行草書詩冊』 영인판을 보았다.

石臼新丸藥

草堂時拜經

돌절구엔 새로운 환약

초당에서 때로 경전을 절하놋다.

동심冬心의 시 구절이 어째서 마음에 드는지 모르겠다. 돌아오는 길에 입 속으로 거듭 읊었다.

1973. 1. 16.

간혹 들르는 서화書畵 상점에 가서, 또다시 이윤영李胤永•의 연꽃 그림을 보았다. 내가 작년에 화첩畵帖에서 보았던 그 한 폭인 것이다. 가게 주인은 말한다.

"이 그림을 맡긴 분이 돈이 급해서, 어느 정도면 팔겠다고 합니다."

나는 그림이 낡은 흠을 들어 값을 좀 깎자고 했다. 이때 청강晴江 교수가 R씨와 함께 들어왔다. 우연히 들렀다며, 수술 후 경과가 어떠냐고 나에게 묻는다. 그러는 동안에 가게 주인은 R씨와 함께 연꽃 그림을 가리키며 수작을 한다. 알고 보니 R씨가 바로 그 그림의 원주인이었다. 나는 "그 화첩에 함께 붙었던 이인상李麟祥• 그림을 팔았느냐"고 물었다. 지난번 대경 빌딩 옆 건물에 불이 났을 때 하필이면 맡겨뒀던 그 한 폭이 타버렸다는 대답이었다. 무성한 잎이 뒤덮인 산가山家에 의연히 앉은 고사高士를 비단에 채색으로 그린 그림이었는데, 아깝고 아까운 일이다. 역시, 그 화첩에 붙었던 허주虛舟•, 겸재謙齋, 현재玄齋, 표암豹庵• 그림과 그 외 것은 팔기도 하고 더러 남아 있다고 한다. 한 화첩에 함께 있다가 이인상 그림은 타버리고 이윤영 그림만 남은 셈이다. 옛 그들의 우정友情을 생각하고 나는 추연하였다. R씨와 가격을 조정하고, 이윤영 그림을 사가지고 집으로 오는데, 비가 연신 내린다. 내 마음에 드는 서화를 산 날은 으레

비가 왔다는 기억이 되살아난다.

그 이윤영 그림은 연밥이 비죽이 내다보일 정도로 핀 연꽃 두 송이에 잎이 셋인데, 그 중 하나는 앙엽仰葉이고 하나는 부엽俯葉이다. 찾아온 범나비 한 마리가 연꽃에 날아 내리려는 참이다. 그림이 낡았다고 한 것은 두 개의 붉은 연꽃이 한 부분씩 철鐵빛으로 변했기 때문이다. 호분은 잘 썩게 마련이다. 철련鐵蓮에서 새 꽃잎이 벌어지는 느낌이다. 지기지우知己之友인 이인상에게 그려준 그림이니 그 증거로는 위원령사爲元靈寫라는 넉 자가 적혀 있다. 그 밑에 이인상의 전각篆刻인 이윤영李胤永과 윤지胤之 백문白文 두 방이 찍혀 있는데, 특히 윤지胤之 인印은 좌우에 쌍용雙龍을 배치하였다. 이 인상이 역시 지기지우를 위해 정성껏 새긴 것임을 그 뛰어난 솜씨로 알 수 있다.

한 화첩에 함께 있다가 하나는 타버리고, 하나는 하필이면 내 방에 걸릴 줄이야, 2백 년 전 그들이 어찌 생각이나 하였으리오. '능호관凌壺觀과 단릉산인丹陵山人의 우정과 작품'을 주제로 한 논문이 나오기를 바란다. 그들은 시, 서, 화를 다한 특절特絶한 선비였다. 그 당시 사람의 글을 인용한다.

李胤之 游戲毫素 好作蓮花 余識其意 名其硯曰 芙蓉池 而爲銘之曰
厥土黑壤 黎水收漸 李子耕之 厥花箫茖 出於淤泥 嚼而不染 超然濁世
將子有感(閑靜堂集)

이윤지는 종이에 붓을 휘둘러 연꽃 그리기를 좋아했다. 나는 그의 뜻을 안다.
그는 자기 벼루를 부용지라 이름 짓고, 명銘하여 가로되
흙은 검고

물을 끌어들였다.

내가 이를 밭갈이하니

꽃이 아름다워라.

진흙에서 솟아났으나

무엇에도 더럽혀지지 않는다.

탁한 세상에서 초연하니

그대여 느낀 바 있으리라.

1973. 1. 19.

흔히 말하기를 문방사우文房四友라 한다. 서재에 없어서는 안 될 네 가지 필수품이라는 뜻이다. 오늘날은 붓 · 먹 · 종이 · 벼루, 사우四友 대신에 잉크 · 만년필 · 종이, 삼우三友가 필수품이다. 타이프라이터로 친다면 문제는 또 달라진다.

그래서 나의 처지로서는 문방사우 대신에 문방사보文房四寶라는 말이 알맞다. 왜냐하면 보배는 있어도 그만 없어도 그만이다. 또 사람에 따라서는 보배에도 물적物的인 것과 심적心的인 것이 있어서, 그 가치 기준이 다르다. 나는 동양 사람인 덕분에 심심하면 사보를 벗 삼는 취미가 있다. 그래서 내 딴에는 외롭지 않다.

종이는 예나 이제나 필수품이다. 신라 때 서성書聖 김생은 나뭇잎을 따서 글씨를 익혔고, 또 나뭇가지를 꺾어 땅에 쓰기도 했다는 후세 사람의 기록이 있다. 종이가 매우 귀하던 고대 때 이야기일 것이다. 옛 우리 나라 종이가 좋다는 평은 중국 글에도 간혹 나타난다. 여기서는 펜 글씨를 위한 양지洋紙가 아닌 붓글씨를 위한 동양 종이를 말해야 할 것 같다. 고려 때 종이가 얼마나 좋았는지는 모르나, 조선 때 서적이나 필첩 등을 보면 풀다듬이질한 두꺼운 장지壯紙도 흔하지 않았다. 거개가 흔히 말하는 닥지[楮紙], 간지簡紙 정도다. 태지苔紙, 황고지黃藁紙, 색지色紙도 보기 힘들다. 한마디로 말해서 가난한 만큼 종이가 귀했다. 연대가 올라갈수록 지질은 얇고 이어 붙여서 썼을 정도였다. 원교圓嶠가 쓴 필첩에도 중국 종이가 있다. 추사秋史, 자하紫霞•가 쓴 냉금지冷金紙라든가 각종 중국 종이는 곧 알아볼 수 있을 정도로 월등하다. 왜정 때는 옥반선지玉盤宣紙도 들어왔고, 일인日人들이 말하는 반지半紙는 흔했고, 소위 색지 등 종류가 많았다.

요즘 열리는 전시장에 가보면 전시가 서도건 동양화건 간에 거개가 화선지 일색이다. 이 외는 종이가 없느냐는 느낌이 들 정도이다. 먹물을 잘 빨아들이는 것이 화선지의 특색이라면 각종 종이에 따라서 붓글씨도 무궁무진한 묘미가 나타난다는 것을 알아야 한다.

한번은 변두리 고물 가게에서 헐어빠졌으나 결이 고운 연자색 봉문지鳳紋紙, 황색 복운지蝠雲紙, 적색 세문지細紋紙가 있기에 사다가 비교적 성한 부분만 조각조각 오려서 써보았다. 부드럽기가 살결 판같아 먹이 전혀 번지지 않아서 온아한 글씨의 별취別趣가 이를 데 없었다.

친구가 글씨를 써달래도 화선지를 생각하면 홍이 나지 않는다. 화선지의 변색 변질 과정을 생각하면 붓글씨를 쓸 정이 나지 않는다.어느 분 덕분에 깁[絹]에도 생모시에도 써보았다. 호호毫가 잘 펴져서 흐뭇하였다. 근세에도 있다는 설도지薛濤紙라는 것이 그런 것인지는 몰라도, 종이일망정 글씨와 그림이 옅은색으로 찍힌 그런 특수지에 글씨를 써보았는데 남에게 주기가 아깝다.

우리 나라 궁중에서 쓰던 종이 중에는 여러 가지 빛깔도 있어 화원畵員이 가장자리에 간략한 그림과 선을 두른 것도 있다. 풀다듬이질을 정성들여 했기 때문에 매우 부드럽다. 글씨를 쓰면 윤이 난다. 나는 화선지에만 쓰는 것이 싫어서 양지(모조지)에도, 고미술을 인쇄한 사진판 여백에다 방서傍書도 하고, 전시장에서 사온 도록圖錄 여백에 글씨를 써넣기도 한다. 그 많은 호毫의 자국과 농담濃淡과 반점이 생기는 양지에서 또 다른 흥을 느낀다. 여담이지만 우리 나라 합죽선合竹扇은 의연한 기품이 있는데 반대로 종이가 나쁘다. 말이 났으니 말이지 엽서에 왜 푸른 활자를 넣고 점선까지 쳤는지 모르겠다. 애써 붓으로 써도 엽서는 태가 나지 않는다.
화선지 외에도 붓글씨에 알맞는 각종 종이를 개발하여 우리 조상이 중국에까지 명성을 떨쳤던 그 이상의 새로운 경지를 보여주기 바란다.
붓을 살 때는 불안하다. 새 붓을 사서 한 번 쓰고는 거들떠보지 않는 수가 있다. 털이 갈라지거나 뭉치거나 강하면 신경이 쓰이고 불쾌하다. 붓은 극진한 대접을 받지 못하면 버림을 당한다.
몇 해 전만 해도 붓이 크면 클수록 사기 전에 겁부터 났다. 한 번은 어떤 분이 우리 나라 양호대필羊毫大筆과 양호羊毫에 황모黃毛를 섞은 일제日製 대필을 나에게 선사하였다. 일본 붓은 강해서 펜 글씨를 쓰는 느낌인 데 비하면 우리 나라 붓은 보다 좋았다. 불과 몇 해 동안에 크게 품질이 개선된 것이다. 간필簡筆은 양호건 장호獐毫건 우리 나라 것을 사용한다. 선택만 잘 하면 안심하고 쓸 수 있다. 붓도 그 나라 국민성을 반영한다. 중국 붓을 써봐야 중국 글씨를 이해하기가 쉽다는 따위다. 붓의 수명은 쓰고서 잘 씻어두는 데 있다.

붓은 반드시 새 것이 좋다지만 경우에 따라서는 그렇지도 않다. 옛 붓을 보면 필관筆管도 여러 가지다. 털만 뽑아버리고 믿을 만한 필방에 주어 옛 필관에다 새로이 털을 매면 좋다. 한번은 붓글씨를 써 줬더니 그분이 자기 조상께서 쓰시던 붓이라며 옛 대필을 답례로 가지고 왔다. 사용할 수는 없지만 고태古態가 완연한데다가 고인古人의 손때가 묻은 것이었다. 글씨 쓰기를 좋아하는 후인으로서는 두고 보는 것만으로도 서로 통하였다.

우리 국민성의 좋은 점을 극력 반영하여 동양 모든 나라 사람들이 우리 나라 붓을 보물로 대접할 때가 와야 한다.

먹[墨]에 대해서는 추사 선생도 매우 까다로웠다. 서도만이 아니라, 취미 정도로도 그 재료에 신경을 쓰는 것은 마땅하다. 아무리 잘 쓴 글씨라도 먹빛이 나쁘거나 몇 해 뒤에 색깔이 바래버린다면 안타까운 노릇이다. 글씨를 보면 먹의 품질을 알 수가 있다. 광택이 나고 윤기가 돌아야 상품上品이다. 무더운 여름에 갈아두면 상품일지라도 악취가 난다. 어떤 분이 대만에서 먹을 사왔는데, 1년이 못 가서 균열이 지고 터서, 스카치 테이프를 감아서 썼다는 말을 들었다. 아교가 많이 들었거나 불순하였기 때문이리라.

좋은 먹으로 쓴 옛 글씨를 보면 가위 불멸의 빛을 느낄 수 있다. 옛 먹 이름은 옛 책에서나 볼 수 있기에 실물을 보지는 못했다. 그러니 비교해서 말할 수는 없지만, 오늘날 먹 중에 좀 비싼 것이면 대체로 좋은 편이 아닌가 한다. 일본 먹은 향료를 많이 넣어서 여자 화장품 냄새가 날 정도이다. 우리 나라 먹도 본받았는지 그런 냄새를 풍기는 것이 있다. 옛사람은 냄새가 없어야 한다고 기록하였듯이 중국 먹은 냄새가 없다.

조각彫刻이 좋은 오랜 것이라든가 채색을 끼운 격조 높은 그림이 있는, 그러고도 좋은 먹은 아까워서 쓰지 못할 지경이다. 좋은 먹이 닳아서 점점 줄어드는데, 그걸 대신할 만한 먹이 없을 때는 걱정이 크다.

먹은 먹으로 전하지 않고 글씨의 빛깔로 길이 남는다는 것을 생각하면 숙연해진다.

벼루도 까다롭기는 마찬가지다. 돌도 가지가지며, 모양도 여러 가지거니와 조각도 천태만상이며, 빛깔도 가지각색이다. 자칫 잘못하면, 실용품으로서의 벼루가 아니라 사치와 골동품으로 전락한다. 쓰지도 못하고 자랑이나 하고 호가呼價나 하는 그런 벼루는 벼루가 아니다. 벼루는 주인을 잘 만나 벼루 구실을 해야만 벼루인 것이다.

천하 제일이라는 단계연端溪硯과 흡주연歙州硯은 돌과 빛깔이 좋으면 좋을수록 명공名工들이 놓치지 않고 조각과 형태가 뛰어난 걸작품만 만들어놓았기 때문에 함부로 다룰 수가 없다. 뛰어난 선비가 뛰어난 벼루와 만난다면 지기지우知己之友를 얻은 셈이다.

내게는 선친 유품으로 우리 나라 점판석粘板石인 검은빛 매화연梅花硯과 반달형으로 판 연지硯池에 기러기가 날아 내리고 변두리 녹빛을 서속밭으로 처리한 검붉은 중국 단계연과 일본 제품인 듯한 팥빛 배명용연背銘龍硯이 있다. 남에게 자랑할 만한 사치품도 비싼 골동 가치도 없기 때문에 맘껏 애용한다. 옛사람이 쓰던 벼루며, 먹이 잘 갈리고 잘 마르지 않고 붓이 잘 상하지 않는 편이고, 조각과 형태와 빛깔이 천격은 면했다. 이런 부담없이 사용할 수 있는 비교적 값싼 벼루를 갖추기까지는 상당한 시일이 걸렸다. 자기 처지에 맞는 벼루를 구하기란 어려운 일이다.

먹을 가는 곳은 깨끗이 씻어서 말려야만 실지 사용할 때 먹빛이 새롭고, 연지에는 항상 물이 고여 있어야 양연養硯이 되기 때문에 벼루는 인공을 곁들인 수석水石으로서의 묘도 느낄 수 있다.

몇 해 전만 해도 우리 나라 옛 벼루는 구하기가 힘들지 않았다. 위원渭原 단계와 남포석藍浦石 중에는 소박한 것, 중후한 것, 탈속한 벼루가 있었는데, 돌이 강하고 먹이 겉도는 결점이 있어서 좀더 마음에 드는 것을 기다리다가, 그나마 놓쳤다는 아쉬움도 없지 않다. 요즘 나오는 남포 돌과 단양丹陽 돌은 어떤지 모르겠다.

그러나 필요 이상으로 많이 모으는 것은 골동 취미며 벼루에 대한 대접이 아니다. 크기의 대 · 중 · 소가 필요한데 비교적 정교한 것과 아주 점잖은 것과 빛깔이 좋은 것 등으로 갖출 수 있다면 또한 복이다.

옛사람들이 어떻게 벼루를 기르고 간직하고 씻고 볕을 쬐어주고 갑匣을 만들어주고 먹을 갈았는가는 잔소리에 가까울 지경이다. 사우 중에서도 평생을 함께하는 한 가지가 벼루니 그 지극한 우정만 터득하면 된다.

1973. 2. 11.

겨우내 방안에서 함께 지낸 난초를 밖에 내다가 잎을 닦아주는데, 낯모를 대학생이 『서정주 문학 전집』 한 벌을 가지고 왔다. 작년이었다. 시골에 사는 시인 K가

“내게 여벌이 있습니다. 서정주 선생에게 치러드려야 할 값만 줍시오.”

하기에 그러라 했더니, 그 먼 곳에서 동생 편에 책을 보내온 것이다. 금년에도 난초에 새 촉이 솟고 꽃을 보았으면 싶다.

1973. 3. 10.

김동리 선생은 언젠가 나더러 "김구용 씨는 무슨 취미로 세상을 사는지 모르겠다"고 말한 일이 있다. 나는 되도록 널리 사람을 사귀지 못하는 모양이다. 내가 서書 · 화畵를 좋아하는 것은 취미 아닌 즐거움이다. 圖書一室에 尙友千古[5]라는 뜻에서는 부담 없이 사귀는 편이면서도 현실로는 널리 교제하지 못하는 편이다. 나 혼자만의 기호嗜好이기 때문에 남들에겐 몰취미沒趣味한 것으로 보이나 보다. 그러나 어쩔 수 없는 노릇이라고, 자위하는 때가 있다.

1973. 3. 16.

어느 댁에서 퇴계 선생 글씨를 봐달라기에 갔다가, 구본웅具本雄* 화백 아드님인 구환모具桓模 씨와 초면 인사를 했다. 구씨는 나에게

"어렸을 때 이상李箱을 여러 번 봤지요. 피리를 곧잘 부셨어요."

한다. 나는 무슨 전설적 인물을 듣는 듯한 느낌이었다.

강두식 교수는 부친상을 당하더니, 전번에 박사가 됐다. 저녁때, 몇 사람이 사천泗川집에 모여 강박사를 초청하고 겸사겸사 술을 마셨다.

"친필 글씨인 『추금시고책秋琴詩稿冊』을 구했어요. 안춘근安春根 씨가 내게 줬는데, 안씨 말에 의하면 『고환당古懽堂』* 문집에 수록된 작품들이라고 하더군요. 언제고 한번 보여드리지요."

하고, 강박사는 말했다.

뭐고 없지는 않은 모양이다. 있긴 있으나 세상에 알려지지 아니한 것이 얼마나 있는지 모르겠다.

1973. 3. 17.

서근배 형이 와서, 모 대학 강당에 함께 가자고 지분덕거린다. 나로서는 그런 곳에 흥미가 없다. 그는 내가 미안할 정도로 나를 들볶다가, 그러면서도 화 한 번 내지 않고 가버렸다.

서書 · 화畵를 산다고 생각해서는 안 된다. 비싼 돈을 주고 임시로 맡아서 보관하는 데 지나지 않는다. 실은 조심스러운 일이다. 자손들까지도 서 · 화를 반드시 좋아해야 한다는 법은 없다. 그러나 일단 소장하고 있는 한 보관을 잘해야 할 의무가 있다. 알고 보면 귀찮은 노릇이다. 별로 좋아하지도 않으면서 가지고 있느니보다는, 보관 잘할 사람에게 넘기는 편이 옳다. 조금도 부끄러울 것이 없는 일이다.
골동이나 고화古畵값에 비하면 고서古書 값은 형편없다. 미美에 대한 재인식은 좋은 현상이다. 그런데 문제는 그런 것 같지가 않다.
옛 어른들에 대한 존경이 부족하고, 옛 어른들의 저서에 대한 애착이 부족하고, 옛 어른들의 글씨에 관한 식견이 부족하고서야 자기 나라 고유미固有美를 이해할 수는 없다. 가치도 모르면서 좋아하는 것은 딴 이해 속일 것이다. 그렇지 않다면야 고서가 천대받을 까닭이 없다. 어느 시대건 책을 무시하고 그 육필肉筆을 천대하고도 문화가 떨친 일은 없었다.
살 만한 힘이 있는 사람은 안목이 없고, 안목 있는 사람이 가난하다면, 민족의 문화 의식은 침체한다. 국민이 영인影印과 도록圖錄으로 마음껏 즐길 시대가 어서 와야 한다. 현대의 정밀 인쇄술을 동원하고 자유로운 참여를 권장해야 할 것이다.
책과 친필을 존중하는 일은 가치관을 얻기 위해서다. 그것을 기초로

한 내일의 발전을 위해서다. 그런 뜻에서 골동과 고화도 참다운 가치 평가를 받아야 한다. 아니면 외국 사람이 우리 문화를 먼저 이용할 것이다.

1973. 3. 22.

그가 약속을 지키지 않는 것은 일부러 그러는 것이다. 무슨 악의가 있어서 그러는 것은 아니다. 어찌 생각하면, 장난으로 그러는 것 같기도 하다. 따분한 심정을 풀기 위한 하나의 방법일까. 좀더 심각히 말한다면, 그렇게라도 해서 아무에게나 화풀이를 해보자는 것일까. 오죽이나 답답하고야 그럴까 하고 생각하면 동정도 가고 측은도 하다. 약속을 지키지 않는 사람을 동정하고 측은히 여기다니, 원 별소리를 다 듣겠다고 하겠지만 실은 그는 착한 사람인 것이다. 내가 그 사람의 처지가 되었다고 가상할 때, 쉽사리 머리를 끄덕일 수도 있다. 서로가 약속을 지키지 않으면, 아무도 약속을 지키지 않는 버릇이 생기게 마련이다.

1973. 3. 23.

김영보金永寶 선생 옥궤하玉几下. 그간 만왕하십니까. 답장이 늦어 죄송합니다. 아동 문학가 어효선 선생에게 일세삼생一世三生이라는 도장을 하나 새겨줍소사고, 요즘 청할 생각입니다. 오늘날까지 두 번 죽다가 살아난 데서 생각한 글귀입니다. 보내주신 귀중품 금삼錦蔘 1등 50편 잘 받았습니다. 하잘것없는 사람이 폐를 끼쳐 송구합니다. 어진 뜻을 받들어 부지런히 공부하겠습니다. 서울 올라오시거든 전화 한번 줍시오. 뵙고 싶습니다.

추신. 그림은 난정蘭丁 어효선 선생이 그린 것이고 족오소호완이로언足吾所好翫而老焉(나의 좋아하는 바를 만족하면서 늙다)은 졸필拙筆입니다. 거두어두시기 바랍니다.

박현朴賢에게. 편지 잘 받았네. 감사하오. 저수지, 금잔디, 호야의 석유불, 가보지 못한 그곳이 선히 나타나는 듯하오. 이 기회에 정신을 살찌게 하오. 떠날 때 나에게 준 작품, 유화油畵는 방에 잘 모셨네. 간혹 편지 하게. 그럼 안녕.

1973. 3. 24.

어학 지도를 마치고 돌아오는 아내를 다방에서 만나, 오원吾園의 기명절지器皿折枝 8폭 병풍을 구경하러 갔다. 선비에게는 그의 영모翎毛, 산수山水, 인물人物보다도 기명절지가 맞는 것 같다. 조선 말기의 천재였다는 생각을 거듭하였다.

아내와 함께 밤거리를 돌아오면서, 오원의 기명절지 8폭 병풍을 보았다는 것만으로도 흐뭇하였다.

1973. 3. 25.

"S씨가 대[竹]를 노나주겠다고 오라는군요. 함께 갑시다."

"오전 중은 집에서 일을 해야 하니, 오후에나 그리로 가겠어요."

"그런데 꼭 오전 중에 와달라는군요."

"그러면 한 시간 후에 가겠습니다."

하고 전화를 끊었다. 오늘분 일이 마침 끝나가는 중이어서, 서둘러 마쳤다.

A씨와 C씨와 함께 S씨 댁에 가보니, 재작년에 심었다는 대나무치고는 번식이 시원치 않았다. 반주飯酒해서 점심 대접까지 받고, 대나무를 하나씩 받아가지고 돌아오는 차 속에서 나는 물었다.

"S씨는 생활이 견딜 만한가요."

"웬걸요. 직장 캡틴이 갈리고 딴사람들이 들어서는 서슬에, 전前 직원들은 다 몰려났지요. 오래 근무한 직장이었지만, 그만두라는 데야 그만뒀지 별 수 있나요. 그래서 시골 가서 양계養鷄를 할까, 나무를 심어볼까 하고 여간 걱정이 아니지요."

"우리가 오늘 큰 폐를 끼쳤군요."

"워낙 사람이 착해서 그래요. 내가 우리는 곧 가야 한다고 말했는데도, 괜찮다며 기어이 붙들지 않겠어요."

차 안은 빈 차가 달리듯이 말이 없었다. '대나무와 실직이라' 나는 시구라도 읊듯, 마음속으로 거듭 뇌까렸다.

서울은 대나무가 잘 안 되는 곳이다. 그래 그런지 얻어온 대가 빈약하다. 화분에 심고 보니, 가냘프기만 하다. 아니, 애처롭기만 하다.

1973. 3. 29.

추사 선생 글씨에는 칠이구초당七二鷗艸堂이라는 붓글씨 낙관이 간혹 있다. 간지干支를 쓰지 않았기 때문에 선생이 몇 살 때 쓴 글씨인지 알 수가 없었다. 제주도 귀양살이에서 풀려온 후의 글씨라는 것만 짐작하곤 했었다. 고서화상에서 선생 편지를 봤는데 경술庚戌 지일至日, 초의 선전艸衣禪展, 칠이구초당서七二鷗艸堂書라고 뚜렷이 적혀 있었다. 오랜 궁금증이 겨우 풀리는 듯하였다.

선생이 쓴 경술 4월 19일자 편지가 전하는데, 그 내용은 산협山峽으로 또 이사를 했다는 것과 10년 귀양살이에서 돌아온 자기 모습을 말하고 봉투에는 노강사장鷺江謝狀이라 적혀 있다. 그러고 보면, 선생이 편지에서 간혹 쓴 금호사장琴湖謝狀이라든가 노강사장은 동처이칭同處異稱이었을까. 칠이구초당 또한 그 무렵의 별호別號였을까. 어떻든, 선생이 경술년 때 칠이구초당을 썼다는 것만은 분명해졌다.

경술은 제주도 귀양살이에서 풀려나온 지 3년 뒤며, 이때 선생은 65세였다.

1973. 4. 12.

조상들의 글과 글씨가 천대받아서는 안 된다. 정신적 전통이 끊어지면, 창조는 없고 모방만 일삼게 된다. 멸시받기를 좋아하는 사람은 없을 것이다.

가게 주인은 오랫동안 팔리지 않아서 그랬는지, 감지紺紙에 금니金泥로 쓴 불경佛經 조각 첩帖과 이인상 필첩을 구석에서 꺼내어, 하필이면 나에게 보였다.

사경寫經 조각은 『법화경法華經』 권4 「제바달다품提婆達多品」의 끝 부분이었다. 넘겨서 4면이요 절폭折幅으로 8면이었다.

'능호자 이인상 필筆' 첩은 4, 5년 전에 한 번 봤던 것이다. 사가는 분이 없어서 값이 내렸는지, 그 동안에 내 수입이 늘었는지 모르겠다. 고인古人의 풍風이 감도는 예서隸書였다. 그 내용을 베껴둔다.

予家深山之中 每春夏之交 苔蘚盈階 落花滿徑 門無剝啄 松影參差 禽聲上下 午睡初足 旋汲山泉 拾松枝煮苦茗啜之 隨意讀周易・國風・左

氏傳 · 離騷 · 太史公書及 陶 · 杜詩 · 韓 · 蘇文數篇 從容步山徑 撫松竹與麋犢共偃息于長林豊艸 閒坐 弄流泉漱齒濯足 旣歸竹窓下則山妻稚子作筝蕨 供麥飯 忻然一飽 弄筆窓間 隨大小作數十字 展所藏瀯書 · 墨蹟 · 卷畵 縱觀之 興到則 唫小詩 或艸玉露一兩段 再啜苦茗一杯 步出谿邊 解逅園翁谿友 問桑麻 說秔稻 量晴較雨 探節數時和與劇 譚一餉 歸而倚杖柴門之下則 夕陽在山 紫綠萬狀變幻頃刻 悅可人目 牛背邃聲 兩兩歸來而月印前谿矣 右羅景綸語 寫于北司 元靈[6]

그 밑에 이인상이라는 백문인白文印이 하나 찍혀 있다. 글씨를 알맞게 도려서 첩을 만든 것이었다. 현대 공해 속에서 더욱 귀중한 서폭임을 느꼈다.

1973. 4. 14.

미수眉叟의 과두서科斗書 척주동해비문陟州東海碑文은 『성호사설星湖僿說』에도 나와 있기 때문에 해독이 가능하다. 그러나 비석 첫머리에 있는 州古悉直氏之墟 在穢國南西去京七百里 東臨大海 都護府使 孔岩許穆書[7]를 알아보는 이는 드물다. 척주동해비의 여러 가지 탁본, 모본을 보았으나 '顯宗二年先生來守是邦撰篆東海碑 立於汀羅島爲風浪激沉 先生聞而改書 今參考兩本 大字用舊本 小字用新本 刻竪于竹串島時 上之三十五年己丑春三月也'[8]까지 찍은 탁본은 희귀하였다. 구본舊本과 신본新本이 어느 정도로 다른지는 모르겠다.

1973. 4. 27.

완당의 가필加筆은 서도사書道史에 없었던 새로운 예술이다. 자고로 가필은 금기되어왔다. 소위 개칠이라는 것과 가필을 혼용해서는 안 된다. 그러므로 완당 글씨에는 개칠이 없다. 가필의 예술성은 동양에서 기忌하는 반면 서구에서 발달했다. 오늘날에서 볼 때 완당은 동서의 예술 교류를 앞당긴 면도 없지 않다. 완당이 성달생成達生• 등을 추키는 동시

"석봉石峯으로는 따를 수 없다. 석봉은 송설체松雪體에서 벗어나지 못했다."

하고, 어째서 석봉(한호韓濩)을 깎아내렸는지 모르겠다. 석봉은 어떤 영향을 받았건 간에 그 글씨는 동국화東國化한 것이다. 말하자면 우아한 신라 곡옥曲玉 같은 우리 나라 고유미固有美의 일면을 글씨로 제시한 명필이다. 완당은 또

"이원교李圓嶠가 평생 익힌 것은 왕희지王羲之•의 위본僞本인 『유교경遺敎經』 따위였다. 실은 당唐나라 때 경생經生들이 쓴 것이다. 진체晋體가 어찌 그 모양이겠느냐."

하고 단정했다. 그러나 이원교는 수백 년 동안 내려온 송설체의 타성에서 벗어나려고 의식적으로 고심 노력한 최고의 분이다. 그의 광초狂草는 남·북 39년간의 귀양살이에 갇힌 준마駿馬의 울분이 보인다. 그런가 하면 세서細書는 일변하여(완당이 위본 『유교경』을 썼다고 말한 것이 이런 것을 지적한 것인지는 모르나) 간곡한 정성을 기울인다.

어떤 간필簡筆에서는 천리강풍千里江風을 헤치며 쾌주快走하고, 해楷는 구투舊套의 권위에서 벗어나려고 뜻을 모은다. 그러나 원교가 평생 시도한 데 비해서 그만한 성과를 거두지 못한 것은 사실이다. 하지만 완당은 원교의 시대 위치와 그 선각자로서의 실패를 높이 평

가했어도 무방하지 않았을까.

완당이 북쪽의 눌인 조광진을 인정한 것은 마땅한 일이나, 남쪽 창암 이삼만에 대해서는 일언반구도 언급하지 않았다. 창암만을 촌부시村夫視할 것은 없지 않은가. 창암은 김생처럼 긴 평생 동안 적공積功하여 중후 고기重厚古奇한 대자大字(계룡산 갑사甲寺에 붙어 있는 주련柱聯들과 동학사 현판은 대표적인 걸작이다)와 약동하는 초서草書와 격조 높은 해서楷書로써 하나의 성격을 제시한 명필이다. 완당이 그처럼 묵살할 수 있었을까. 자기 아류인 이재彝齋*, 소치小癡, 우봉又峯*, 석파石坡*, 노천老泉 등에 대해서는 수차 언급하였으면서도 말이다.

1973. 5. 3.

번암樊巖* 채제공蔡濟恭 글씨 첩帖 둘을 봤다. 연대도 과히 높지 않건만 내가 친필을 보기는 처음이다. 세 폭이 다 시였다. 그 중 한 폭은 '백규주초伯規走草'라 적혔고, 둘은 '번암樊巖' 서명이 있었다. 그 중에서도 활달한 글씨 한 폭을 골랐다. 그 내용을 소개한다.

十七夜對月 臥龍瀑上 懷公會

獨往步溪石 一笻鏗有聲 中秋無盡月 今夜又揚明 潭定孤光動 山空萬象淸 懷感病侍御 惆悵到西城

公會 病不赴中秋之約故云 樊巖[9]

뜯어낸 그 첩폭帖幅 뒤는 '서일鋤一 입入', '마포麻布 여적삼일女赤衫一 입入', '진주여적고리일珍紬女赤古里一 입入', '합죽合竹 근정

謹呈', '강희십구년구월초구일康熙十九年九月初九日 감관監官 이李(수결手訣)', '첩정牒呈' 등 글이 보이고 관인官印 비슷한 도장도 여러 개 찍힌 종이들로 배접되어 있었다. 짙은 자줏빛 비단을 둘렀고 폭을 좁히느라고 칼금이 나 있었다. 정승이라고 존경하는 것은 아니다. 정승 없는 시대는 없었다. 나는 오래 전부터 번암 친필을 보고 싶어했다.

1973. 7. 14.

오늘분 일을 마치고 나니 피곤하다. 아이들은 수유리 풀장에 수영 가서 집 안이 조용하다. 머지않아 해가 저물 것이다. 아내와 함께 버스 타고 도봉산에 갔다. 짙은 녹음, 흐르는 물소리. 일요일이라 등산객들이 계속 내려온다. 비교적 값싼 음식점에 들어가 빈대떡, 도토리묵, 맥주 한 병을 시켜놓고 아내와 대작하였다. 도토리묵은 명칭뿐, 기대했던 것과는 달랐다. 정신이 맑아진다. 온 산이 그늘에 덮인다. 만장봉萬丈峰은 하늘에 검은 윤곽을 드러낸다. 석각石刻 도봉동문道峯洞門도 송우암 선생 글씨가 아닌지? 서원書院 터도 명시해줬으면 좋겠다. 산속에 전등불이 켜졌다. 산을 내려오는데 소나무 사이로 이상한 신비가 솟았다. 나는 "저것 좀 보오" 하고 말했다. "아름답네요" 하고 아내도 걸음을 멈춘다. 적황빛 달이었다. 누구나 아는 달이다. 그 둥근 달을 보고 충격을 받다니 웃지 못할 일이다. 생각할수록 웃지 못할 일이다. "자연에서 살아야 하지 않을까요." 아내의 물음에 대답을 못했다. 사람들은 발전에 따르는 부작용을 막기에 사람 꼴이 아니다. 잘은 모르지만 사람들은 후회하기 전에 바로잡으려고 언제나 애써왔다.

1973. 7. 15.

대만에 있는 진태하陳泰夏 교수에게서 우편물이 왔다. 겉봉인즉슨 '인쇄품' 이라고 적혀 있었다. 그 속에서 옹방강翁方綱• 초상화와 그 일생을 약기略記한 복사複寫가 나왔다.

清代學者象傳 番禺葉編印 於四冊中 第三冊 中國國立中央研究院圖書館所藏 一九七三年 七月 十日 影印 陳泰夏[10]

책을 보다가 옹방강의 초상을 발견하였습니다. 혹 보시지 않으셨으면 참고하시기 바랍니다.

추사秋史 선생이 생각난다. 그 당시에 선생이 옹방강 선생을 어느 정도로 존경했는가는 다음 시구詩句로도 알 수 있다.

晝思耿耿夜仍夢
想入鬚眉幾作圖

'낮이면 생각나고 밤이면 꿈에 뵈니, 그 모습 삼삼하여 그림으로도 그릴 것 같다' 는 뜻이다.
추사 선생이 받았다면 얼마나 반가워하실까. 나는 복이 많아서 진교수를 두었을까. 옛 선생에게도 제자에게도 부끄러웠다.

1973. 7. 16.

아느니보다는 모를 일이 대부분이었다. 그러니 모르는 일을 소홀히

할 수는 없었다. 분석의 요설饒舌은 방향 감각을 잃은 느낌마저 있었다. 그런 지식은 초라한 자의식에 사로잡혀 있었다. 탄식과 현학衒學은 원점에서 맴돌았다. 나타난 부분보다 밑바닥에 깔린 문제가 더 컸던 것이다. 아는 것이 전부일 때 위험하였다. 그런 착각은 구제되기 어려웠다. 그래서 아는 것이 전부가 아니라는 반작용에 눈길을 돌렸다. 그것이 중요한 경계였다. 말하자면 기다리지 않는 희망은 없었다. 막연하기만 하였다. 실물이 아닐지라도 생명에 필요한 요소는 너무나 많았다. 아는 것을 위해서는 모르는 것과 친밀하는 수밖에 없었다.

사람들이 말하는 소위 훌륭한 글을 썼다면 뜻밖이다. 믿어서는 안될 일이다. 남들이 말하는 소위 시시꺼벙한 글을 썼다면 마땅한 일이다. 이런 말을 하는 나를 도리어 믿지 않으려는 분들이 있다면 딱한 노릇이다. 우열을 비교하던 시대는 지나갔다. 모두가 각기 자기 특질을 찾고 있었다. 원고를 쓰려면 불안하였다. 지금도 그러하다. 몇 해 전에 이런 종류의 글을 썼었는데 뜻밖에도 잡지사가 그 원고를 게재하지 않고 묵살한 일이 있었다. 처음 당한 일이었다. 원고를 쓸 때마다 그 한번 당한 경험이 되살아나곤 했다. 또 말에 혼선이 일어난다.

1973. 7. 17.

박상윤朴相允 박사가 창강滄江 김택영金澤榮 저『소호당집韶濩堂集』에서「증엄기도贈嚴幾道 3수首」를 보았다며 다음 한 수의 번역을 부탁해온 지도 10여 일이 지났다.

誰將漢宋作經師

學術如今又轉移

黃浦夜來江鬼哭

一編天演譯成時

누가 옛 문화를 스승으로 삼느냐

학술은 오늘날에 또 바뀌었네

황포 밤 강 귀신이 목놓아 우니

그대가 진화론 한 편을 번역해 마쳤던 때라

오늘날은 크게 바뀌었는데도, 『소호당집』을 살 수가 없다.

1973. 8. 16.

시골에 갔다가 1주일 만에 돌아왔다. 원고 청탁서가 와 있었다. 주어진 제목을 보니, 자신이 서지 않았다. 제목이 붙어 오거나 이러이러한 내용을 써달라는 청탁을 받으면 말이 머리에 떠오르지 않는다. 이런 경우는 안 쓰는 것이 아니다. 못 쓰고 만다.

1973. 8. 17.

비가 온다. 밀린 일을 하다가 낮잠이 들었다. 전화 벨소리에 잠이 깼다.

"원고 청탁서는 받았겠지요. 꼭 써주셔야겠어요."

일방적인 당부였다. 권에 못 이겨 승낙하고 말았다.

머리에 떠오를 성싶지도 않는 말을, 어떻게 쓰겠다고, 승낙했는지 모르겠다. 글 쓰는 사람들은 거개가 거의 무보수에 몸을 바쳐왔다.

본의 아닌 짓에서만 수입이 생겼다. 이런 일은 나만이 아니기에 엄숙해진다. 글을 써야 할 의무가 있는가. 책임이라도 있는가. 아니다. 자기가 좋아서 하는 짓이니 여건을 탓할 여유도 없다. 누구나 자유를 귀중히 여긴다. 원고지에서 자학에 가까운 자유를 누린다. 이런 방향으로 발달하다가는 반성할 날도 있을 것이다.

1973. 8. 19.

유주현, 어효선, 최남백, 김세종 제씨와 함께 북한산성으로 올라간다. 줄곧 올라가면 태고사太古寺에 나선다는 것도 알았다. 뜻밖에도 경치가 장관인데 당황하였다. 서울 생장生長인 어효선 씨도 초행이라기에, 나는 덜 무안하였다. 계곡에 둘러앉아 맥주를 마셔도 도무지 개운하지가 않았다. 써야 할 원고 제목이 머릿속에 눌어붙어서 무겁기만 하였다. 쓰고 싶은 글도 다 못 쓰는 형편이다. 미안하지만 거절하기로 결심하고 나니, 맥주 한잔에 물소리가 한없이 시원하였다.

1973. 8. 20.

"말이 떠오르지 않아서 원고를 못 쓰겠다"고 전화로 간곡히 거절했다.

1973. 9. 5.

1주일 동안 이질痢疾을 앓았다. 짐작했던 대로 학기가 시작하는 그 전날에야 완쾌하였다. 작년에도 휴교령이 내린 날 밤에 발병했었다. 그러고 보면 학기 중에 별로 앓은 일은 없었다. 감사해야 할지 탄식해야 할지 얼떨떨하다.

1973. 9. 6.

막내아이가 책상이 없어서, 내가 10여 년간 쓴 책상을 물려주기로 했다. 나는 값싼 철제 책상을 사다달라고 당부했는데, 아내는 저녁때에야 돌아왔다. 아내는 나에게 책상 하나만은 사치를 시키고 싶었던 것 같다. 철제 말고, 비교적 값싼 목제 책상을 찾아다니다가, 겨우 구해왔다고 한다. 책상을 들여놓고 보니, 크기도 빛깔도 모양도 내 마음에 들었다. 책상 앞에 앉으니 든든하고 흐뭇하였다. 점심마저 굶은 아내는 내가 좋아하는 것을 보고 하루의 피곤도 잊은 듯했다.

1973. 9. 7.

가끔 들르는 다방에 갔더니 미세스 R이 와 있었다. 지난날의 제자뻘이어서 반갑기도 하였다. 아기 엄마인 젊은 R은 담배 연기를 내뿜으며 친정살이를 한다고 했다.

"집에만 처박혀 있다가 오랜만에 외출을 하니까 동생이 어디 가느냐고 묻지 않겠어요. 그래 늙은이하고 데이트하러 간다고 했지요."

나는 당황했으나 내색하지 않았다.

"호호호 우습지 않으세요, 선생님."

나는 미세스 R의 처녀 때 모습을 찾으려고 했다. 다방 음악은 매양 젊기만 하였다. 나는 측은한 생각이 들어서 소리 없이 따라 웃었다. 미세스 R은 담배 연기만 내뿜는 것이 아니었다. 한숨이 섞여 있었다.

"선생님, 어서 늙고 싶어요. 지금이 선생님 나이라면 좋겠어요."

나는 당황하지 않았다. 그 대신 엄숙한 생각이 들었다.

1973. 9. 11.

내일이 어머님 기일忌日이자, 추석이다. 금년은 절기가 일러서 대추나무의 대추가 잘 익지 않았다. 대추를 골라 따서 싸가지고 막내놈을 데리고 큰형님 댁엘 갔다.

밤 12시 반이었다. 한가윗날로 접어들었다. 어머님께 제사를 드렸다. 용동龍東이는 6 · 25 사변 피란 당시를 말한다.

"할머니는 오전 9시 지나서 세상을 떠나셨을 겁니다. 그날 저는 나락 훑는 걸 구경하러 나갔다가, 할머니가 돌아가셨대서 돌아왔으니까요."

큰형수씨는 내가 몰랐던 일을 말해준다.

"그 전날 그렇게 앓으시고도 그날은 염불을 자꾸 하시대요. 이웃집에서 송편떡이 왔는데 그걸 아이들에게 나눠주시고 단 한 개를 잡수셨어요. 그게 마지막 요식料食이 될 줄이야 아무도 몰랐어요."

그랬던가. 그럼 내가 떠난 후의 일이었을 것이다. 도무지 기억이 나지 않는다.

1973. 9. 16.

여러 사람들 틈에 끼여 앉아 대화에 참여해야겠다고 생각은 하면서도 앉아만 있었다. 대화에 흥미를 느끼지 못한 것은 아니다. 이런 일이란 깊이 생각할 가치는 없었다. 그런 경우 자칫 잘못하면 오해를 받는 수가 있다. 그러나 솔직히 말해서 나는 쑥스럽기만 하였다.

1973. 10. 21.

인생은 예술 그 자체에 많은 도움이 된다. 그러나 막상 예술을 하기에는 아직도 많은 어려움이 있다. 우선 안심하고 전념할 만큼 수입이 보장되어 있지 않다. 허다한 예술가들이 도중에서 천분天分을 버리고 본의 아닌 딴 짓을 하거나 재능을 발휘하지 못하고 마는 경우를 들 수 있다. 문화는 한 나라의 척도며 목표인 것이다.

1973. 10. 22.

아내와 함께 수유리 경유 우이동 일대를 둘러봤다. 가을이어서 그런지 쓸쓸하였다. 인가人家들이 들어차고 많이 변해 있었다.

1974. 1. 2.

한학묵韓學默과 전구電球가 비교적 기억에 남은 편이었다. 꿈이었다. 어떤 사람이 목제 케이스 위에 달걀빛 전구 하나를 골라놓는다. 전구는 구멍도 없는 목제 케이스 속으로 용하게 빠져 들어갔다. 나는 그 사람이 전구를 잘못 선택한 것으로 알았다. 아니나다를까. 요란한 음악소리가 일어났다. 한낮의 서양 번화가 길 양쪽에서 늙은 여자 둘이 나타나 춤을 추며 오고 있었다. 길 가던 사람들은 비켜서서 놀란 눈으로 지켜보고 있었다. 늙은 두 여자는 고풍 의상을 연신 치켜 올리며 다리를 번쩍번쩍 쳐들어 보이면서 행진하였다. 둘 다 하반신은 징그럽게 살이 져 있었다. 나는 그 사람이 전구를 잘못 선택한 때문에 이런 일이 생겼다고 생각하였다. 호각소리가 날카롭게 일어났다. 힌덴부르크 식 철모를 쓴 순경들이 몽둥이를 휘두르며 쫓아와서 소리소리 질렀다.

"상영 금지다. 즉각 상영 금지하라."

유리문 쪽을 보니 그 어떤 사람은 어디로 갔는지 그새 없었다. 나는 다른 전구를 고르려고 목제 케이스 밑을 기웃거렸다. 아늑한 실내였다. 있을 것으로만 알았던 모든 전구들은 어디에도 없었다. 아무도 없는 빈 집이었다. 이런 데서 배가 고프면 어떻게 하나 하고 걱정하였다. 벽에 붙은 목제 가구 하나가 삼분의 일 정도 열려 있었다. 분홍빛과 청빛이 약간 내다보였다. 책꽂이에 똑같은 책이 몇 권 쌓여 있었다. 신간본新刊本이었다. 책마다 한학묵이란 저자 이름이 깨끗이 인쇄되어 있었다. 그 책을 펴보기도 전에 잠이 깨었다. 역시 꿈이었다.

1974. 1. 3.

오吳양이 세배 겸 와서 약혼한 청년을 소개하였다. 초면인데도 반가웠다. 이런 일이란 연초年初이니 만큼 흐뭇하였다. 세배 온 사람들을 치르는 사이에 내가 술이 취해서 그런 말을 했나 보다. 취하면 진정을 말한다고도 한다. 내 자신에게 하고 싶던 말을 그 청년에게 했는지도 모르겠다.

"제일 가까운 사이가 부부라지만 내가 알기에는 그렇지도 않더군요. 경우에 따라서 아내를 버리는 남편도 있고 남편을 버리는 아내도 있지요. 그러나 아들이 어머니를 '나의 어머니가 아니라' 고 하거나, 또는 어머니가 아들을 '나의 아들이 아니라' 고 하는 그런 예는 보지를 못했어요. 아버지 되는 사람이 갖은 난봉을 부려도, 시집간 자기 딸이 부당한 꼴을 당하면 가슴 아파하고 사위를 원망합니다. 부부 생활을 '이성지합二姓之合은 만복지원萬福之源이니' 하는 주례 축사식으로 간단히 짐작해서는 안 되지요. 서로가 세심히 여러모로 노력해야 합니다. 자녀에 대한 책임은 괴로운 공동 부담인 점에서 하나가 되지요. 사람도 완전해지면 신이 되겠지요. 그렇게 되는 날이면 지구는 천당으로 변하고, 인간은 멸망할 거요. 누가 신이 되기를 원하겠소. 천당은 교도소보다도 따분할 것이오. 두 분은 웃을지 모르나 나는 낡은 세대 사람입니다. 새로운 세대로 행세하기 위해서 가장假裝할 필요는 느끼지 않소. 선진국을 따르려고 진정을 어기는 말들을 솔직히 하는 이도 있겠지요. '금년은 아기를 낳지 않는 해로 정합시다' 하는 따위는 결국 선진국보다도 인류를 더 염려하기 때문이오. 물론 그들과 우리는 여러 가지로 다를 수밖에 없어요. 그들이 자녀를 잘 먹이고 입히고 기르는 것도 그러하오. 그러나 자녀에 대한 애정은 우리만 못합니다. 이 땅의 젊은이들은 부모가 의 · 식 · 주에 걱정이 없을지라도 선진국 노인들이 진정 부러워하리만큼, 효도를 잘하는 편이오. 젊은이들은 부모님이 나를 얼마나 풍족히 잘 키웠느냐가 아니고, 얼마나 나를 위해 고생하셨는가에 대해서 공감하고 있소. 그러기에 부모는 자녀들의 과중한 효도를 바라지는 않소. 자녀들을 자기의 분신으로 생명으로 영속할 피로 생각하는 거나 아닐까요. 웬만한 부모들은 남의 집 자녀들에 대해서도 그런 심정이랍니다. 내가 너희들 때문에 평생 괴로운 보람을 터득했는데, 그 고마움마저 모른다면 너희들이 앞으로 세상을 무슨 맛으로 살아갈 테냐는 반문적 요소로 다분히 구성되어 있소. 오랜 역사와 체험에서 이루어진 전통이겠지요. 금년 봄에 결혼을 한다니 두 분도 부모가 되고 싶겠지요. 애정이란 거부하기 전에 먼저 반성하는 일이오. 나는 새로운 세대를 말할 자격은 없소. 세상이 독신자들을 존경할 시대가 온다면 언제 올까요."

그들은 시종 듣기만 하고 돌아갔다. 그렇다면 돌아가서 무슨 말들을 했을 것이다. 그들의 말을 듣고 싶은 것이 나의 궁금증이다. 나도 믿지 못할 말을 한 것일까. 자문自問만으로는 개미 쳇바퀴 돌 듯 알 수가 없다.

1974. 1. 5.

네 곳에서 동시에 초청이 왔다. 어느 곳으로 가야 할까. 다 만나고 싶은 사람들이다. 결국은 지난날의 제자들과 그 부인들이 모인다는 반포 아파트로 갔다. 웬일인지 술이 취하지 않는다. 돌아오는 길이었다. 택시는 한강을 끼고 유료 도로를 달린다. 나는 외투 속에서 『수암필첩遂庵筆帖』을 꺼내었다. 오늘 낮에 길에서 S노인을 만났었다.
"김선생, 전에 보여드렸던 권수암權遂庵• 글씨 인수해주셔야겠소. 요즘 좀 딱해서 그러는 거요."
나는 작년에 갚았어야 할 빚도 한군데 있건만, 값도 깎지 않고 『수암필첩』을 받았다.

先生當於孝廟諱日 曉起痛哭 於巖上仍吟一絶句 其誠意至矣 後人號其巖曰泣弓巖 盖取荆湖故事也 方伯尹公謁(謁은 후인後人의 모서摸書)庙後 大書泣弓巖(巖도 후인의 모서) 三字刻石 歲丁酉 尙夏謹書[11]

선생이란 수암 권상하權尙夏 선생의 스승 송시열 선생이다. 글자를 한 자씩 오려서 개장改裝한 첩帖이라 필획이 끊어져 나간 데도 있고 후인後人이 가필加筆한 데도 있어 만신창이였다. 낡고 때묻고 붉은 반점도 돋아서 처절하였다. 택시는 한강을 뒤로하고 남산 터널을 질주하고 있었다.

1974. 1. 6.

잠은 깼으나 아직 일어나지 않고 있던 참이었다. 전화 벨이 울린다. 대낮 이외의 벨소리는 충격적이다. 수화기를 들었다.

"나 오영수요."

"새해 복 많이 받읍시오."

"좀 만났으면 하는데…… 내가 댁엘 갈까 하는데……"

"오십시오. 언제 오실랍니까. 무슨 일입니까."

"지금 곧 떠날랍니다."

더 묻기도 뭣해서 수화기를 내려놓긴 했으나 역시 궁금하였다. 미닫이를 열어보니 뜰은 컴컴하였다. 아내에게 아침 식사를 준비하도록 이르고 방안을 치웠다. 이 양반이 무슨 일이 생겼나? 웬일일까? 재작년 가을에 나는 복부 수술을 받았고 작년 정초에 오영수 씨가 복부 수술을 받았고 다시 몇 달이 지난 뒤 대구에 있는 김춘수 씨가 복부 수술을 받았는데 경과가 좋다는 소문을 듣고 안심했었다. 건강 때문일까. 건강이 괜찮기에 날이 새기도 전에 올 수 있는 것이다. 우선 안심하고 길에 나가서서 기다렸다.

오영수 씨는 첫눈에 건강이 나쁜 것 같지 않았다. 따뜻한 아랫목 자리를 권했다. 씨는 담배를 피우며

"나는 시간을 정해놓고 식사를 하기 때문에 아침은 11시라야 먹어요. 내 걱정은 아예 말고 커피나 한잔 주세요."

하고 온화한 미소를 지으며 계속 말한다.

"작년이 내게는 큰 액년厄年이었어요. 과거의 작품을 일단 정리하고 새 출발하겠다는 뜻에서 일곱 권짜리를 내게 됐는데 책 제자題字 하나 써주세요."

나도 모르는 중에 미소가 넘쳐 나왔다. 나도 깊이 경험한 바 있기 때문에 그 심정을 이해할 수 있었다.

"그거 참 잘했습니다. 반드시 내셔야지요. 언제까지 쓰면 될까요."

"오늘 오전 중으로 출판사에 갖다 주기로 약속을 했어요. 그래서 이렇게 일찍 왔으니, 김형 지금 써줘야겠어요."

나는 웃으며 새 붓을 찾아 내왔다. 글씨를 쓸 줄 알아서 붓대를 잡는 것은 아니다. 정성껏 써드릴 따름이다.

1974. 1. 7.

과작寡作인 S씨는 나더러 "뭣 때문에 많이 쓰느냐" 고 했다. "심심해서 쓴다" 고 대답했다. 대답하기에 쫓겨서 창졸간에 한 말이었다. 분명 과오였다. "잡념雜念이 시가 된다" 고 대답했어야 할 것이다. 간혹 심각하지 않을 정도로 내부의 소리에 귀를 기울인다. "이러고서야 시를 쓸 수 없지 않는가" 하는 철판鐵板 터지는 소리가 난다. 그럴 때마다 우울을 한 겹 한 겹 벗겨내야 한다. "그렇다면 쓸 수 없다는 것이 주제가 되어야 한다." 시를 쓰지 않기로 결심하지 않는 이상 씌어진다. 시가 씌어지지 않는 이유에도 여러 가지가 있을 것이다. 시를 무슨 굉장한 것이나 되는 줄로 착각하고 미리 겁을 먹는 경우다. 심한 예로는 걸작 의식에 사로잡혔기 때문이다. 그것이 유명하고 싶다는 소탐대실小貪大失이라면 귀여운 욕망이다. 자기 작품에 관한 문제는 쓴 사람의 문제다. 훼예毁譽에 우왕좌왕할 필요는 없다.

시인은 누구나 시를 못 쓰는 것이 아니다. 중요한 일은 쓰지 않는 경우다. 작품에 대한 후회는 자기 불만이다. 불만의 누적은 어떤 변화를 초래하고 세심한 탐구를 시도한다. 어떤 경우에도 변화한 결과를 원하지 않는다. 목적은 끊임없는 변화 과정에의 투사透射다. 그것은 예술이기 때문에 누구나 알고 있는 사실이다. 바꾸어 말하자면 현재는 도착이 아니고 출발한다. 간단 명료한 일인데도 흔히 착각들을 한다. 결과를 거부하지 않고는 어떤 본질도 파악할 수 없을 것만 같았다.

이런 점에서 나는 숱한 과오를 범하였다. 후회하지는 않는다. 이런 과오의 되풀이 없이는 앞으로도 작품을 쓸 수 없다. 오늘의 생각이 내일이면 과오로서 발견되지 말라는 규정은 없다. 누구나 이런 점에서 많은 경험을 하였다. 새로운 과오는 계속할지라도 시에 있어서 지난날의 과오는 되풀이되지 않는다. 귀중한 세월을 치르고서 사소한 것을 얻는 것이다.

시 「아리랑」을 계획한 지도 10여 년이 지났다. 1년에 한 편씩 「팔곡八曲」까지 썼다. 「구곡九曲」을 쓰는데 후회와 분노가 동시에 일어났다. 철없는 짓을 하고 있다는 생각이 들었다. 그래서 「아리랑」 1부는 용두사미 격으로 「구곡」이 제일 짧다. 쓰다가 집어치운 것이다. 미정고未定稿를 장 안에 넣고 거들떠보지 않은 지도 여러 해가 지났다. 소위 장시長詩에 싫증이 난 후로는 소위 연작시라는 형식에도 구애를 받기가 싫었다. 2부인 「송頌1」로서부터 1년에 365행 이상은 쓰지 않기로 하였다. 철이 좀 든 것일까. 1부에 대한 혐오감 때문에 적당히 끊어서 짧은 시로 발표하였다. 금년은 「송4」를 써야 할 차례이다. 해마다 그러했듯이 은혜로운 시간이 이럭저럭 쓰게는 할 것이다. 무엇을 써야 할지 어떻게 써야 할지는 지나고 봐야 알 일이다. 보이지 않는 시간에 맡기는 수밖에 없다. 아무런 자신도 두려움도 없다. 간혹 내게서 이런 소리를 들을 것이다. '이러고서야 시를 쓸 수 없지 않은가.' 또 늘 하는 버릇으로 나를 달래야 할 것이다. '뭐고 그 것이 주제가 되어야 한다.' 역시 잡념이 시가 될 것이다. 잡념이 시가 되려면 내 자신에게 보다 많은 기도를 드려야 할 것이다. 시를 위해서일까. 나를 위해서도 어쩔 수 없는 처지에 이른 것 같다.

1974. 1. 13.

오늘 큰형님은 큰형수씨와 함께 경주로 여행을 떠난다. 환갑 잔치를 마다하고 생일을 하루 앞둔 내외분이 함께 가는 것이다. 우리 형제는 부모님 회갑을 모셔본 적이 없다. 그 이전에 세상을 떠나신 것이다. 본인이 환갑 잔치를 사양할 때는 굳이 권하지 말라고 한다. 환갑은 액년厄年이기 때문에 매사에 조심하고 삼가야 한다는 것이다. 얼마나 불행을 겪었기에 언제부터 이 땅에 이런 불안과 미신이 자라났는지 모르겠다. 무슨 분외의 기쁨과 영화를 누렸다고 형제들이 간곡히 청하는 환갑 잔치마저 사양하고 겨울날 신라 고도古都에 가는지 모르겠다. 하기야 우리 5대조 할아버지 때까지만 해도 경주에서 살았다고 한다. 큰형님 내외분은 불국사와 석굴암에 참배하러 가는 것이다. 그들은 가서 무슨 기원을 드릴까. 과거가 미래보다도 긴 지점에서 불멸의 미소 앞에 서서 또 무슨 소원이 있을까. 그들이 살아온 과거에 비추어볼 때 자손들의 앞날을 기원하는 불안과 걱정은 좀더 심각할지도 모른다. 환갑 잔치를 마다하는 뜻은 자기 액년을 모면하기 위해서가 아니고 깊은 책임을 느낀 때문이나 아닐까.

둘째형님이 약속한 시간에 왔다. 윗대 어른으로서 단 한 분 계시는 남사들 고모님 댁에 나와 함께 가기 위해서이다. 며칠 전에 전화가 왔었다.

"단 하나 남은 고모를 잊어서는 안 된다. 너희들이 보고 싶어서 전화를 건다. 여가 있는 대로 꼭 오니라."

둘째형님에게도 그런 전화가 왔었다는 것이다. 형님과 함께 새로 이사한 고모님 댁을 찾아갔다. 주안상이 나오는데 술은 경주 법주法酒와 맥주였다. 밤늦게까지 혼음混飮하다가 취했다. 백발이 성성한 둘째형님은 택시에 나를 태워 내 집까지 부축해주셨다. 나는 혀 꼬부라진 소리로 "형님 참, 죄송합니다"를 연발했다. 형제란 무엇일까. 어려서는 서로 싸우고 젊어서는 각기 자기 주장을 고집하고 늙으면서부터 황홀한 각골刻骨의 정을 느끼니 말이다.

1974. 1. 25.

표구점을 겸한 고서화 가게에 백범 선생 친필 10폭 병풍이 나와 있었다. 그 중에 시조 일곱 수首가 있어서 나의 시선을 끌었다.

1

황량침黃粱枕 깊이 든 잠 만세성萬歲聲에 놀라 깨니 태극기 높은 깃발 반공중半空中에 나부낀다, 진실로 꿈인지 생시生時인지 아무런들.

2

삼천리三千里 금수강산錦繡江山 적막寂寞한 지 몇 해런고, 삼십육성상星霜 오늘날에 부활할 줄 어이 알니, 진실로 천운天運이 순환循環하여 무왕불복無往不復.

3

동풍東風에 쓸닌 나무 서풍西風에 일어섰다. 풍전세류風前細柳되지 말고 설중고송雪中高松되어 서라. 일후日後난 쓸 님 없이 탁연자립

卓然自立.

4

삼천만三千萬 우리 동포同胞 편당偏黨을 짓지 마소. 모래 모여 산山이 되고 시내 흘러 바다 된다. 진실로 동심합력同心合力하면 하사불성何事不成.

5

도덕道德은 근본根本이요 기능技能은 지엽枝葉이라. 근본根本이 불고不固, 지엽枝葉인들 있을소냐. 아마도 도덕道德 기능技能을 병행幷行할까.

6

건국建國 제일보第一步는 득인得人이 급무急務로다. 영위대인靈位待人할지언정 남위용인濫位用人하지 마소. 지금只今에 기인其人을 부득不得하면 기도불행其道不行.

7

반만년半萬年 깊은 역사歷史 뚜렷이 있겠만은 만고풍상萬古風霜 비바람에 몇 번이나 흔들렸나. 다시는 근본根本을 잃지 말고 튼튼하게 살고지고.

끝은 '대한민국大韓民國 삼십일년三十一年 일월팔일一月八日 이봉창의사어동경앵전문전작격일황기념李奉昌義士於東京櫻田門前炸擊日皇紀念 응김용성동지지청應金龍性同志之請하야 채근담菜根譚 이절二節과 심잠心箴 일편급一編及 만작漫作 일절一節과 해방시조解放時調 기수幾首와 미서尾書 서산대사시西山大師詩 일수一首를 서書함 칠십사세七十四歲 노부老夫 백범白凡 김구金九 인인印印' 으로 되어 있었다. 이만하면 병풍 내용은 보지 않아도 짐작할 것이다. "값을 얼마나 부르느냐"고 물었더니 "김용성金龍性 옹 자제되는 분이 다시 병풍을 꾸미려고 맡겨놓았다"는 대답이었다.

백범 선생이 지은 시조를, 그것도 일곱 수나 대했으니 병풍 앞에서 좀체 떠나지지가 않았다. 선생의 시조도, 선생이 쓴 이만 정도의 큰 국문 글씨도 처음 보았으니 말이다. 전등불 밑이라 자세한 건 모르나 금을 뿌린 색지色紙였다. 이 병풍이 잘 보관되어 전하여지기를 염하였다.

1974. 1. 27.

어느 핸가는 연하장 답장 엽서를 내면서 상대방 이름 밑에 '선생'이라고 써서 보냈더니 그 후에 알고 본즉 상대방은 졸업생이었다. 금년은 어느 졸업생에게서 온 편지인 줄 알고 그런 뜻으로 답장을 낸 일이 있었는데 그 후에 답안지 채점을 하다 보니 그는 재학 중인 학생이었다. 수술을 받은 후로 정신이 맑지 못한 것 같다. 마취 때문이었을까. 나이 때문일까. 그럼 이런 안개 속에서 언제면 벗어날 수 있을까.

1974. 2. 10.

요금이 껑충 뛴 택시를 탈 수는 없었다. 남백과 함께 버스를 타고 독립문을 지났을 때였다. 뉴스 시간인가 보다. 유치진柳致眞 씨가 세상을 떠났다는 방송을 들었다. 그제야 나는 생각이 났다. 금년 동아일보 신춘 문예에 당선한 김병준金秉俊 작 「부활절復活節」 상연을 꼭 가봐야 할 날이다. 그런데 깜박 잊고 있었다. 드라마 센터에서의 상연은 오늘로서 끝난다. 이언호李彦鎬와 김병준은 어제부터 나를 기다렸을 것이다. 오늘도 기다릴 것이다. 한 날에 두 곳에다 약속을 해버린 내 건망증이 불쾌하기만 하였다. 더구나 제자들에게까지 실언失言하기는 싫었다. 그렇다고 여기까지 와서 돌아갈 수도 없는 노릇이었다.

묵사默史 댁에는 난정蘭丁, 현포玄圃가 이미 와 있었다. 내가 못 갈 바에야 아내나마 드라마 센터로 보낼 생각으로 집에 전화를 걸었다. 신호는 연신 가는데도 받는 사람이 없다. 이건 또 웬일인가. 곁에서 오인문吳仁文•이 보다못해 전화국으로 전화를 걸더니

"선생님 댁 전화가 고장이랍니다. 오늘은 안 되겠고 내일 중으로 고쳐주겠다는군요."

하고 말한다. 별도리가 없었다. 조선 백자 대호大壺를 완상하면서도 김병준에 대한 미안한 생각 때문에 유쾌하지가 않았다. 묵사 댁에서 저녁 먹고 밤늦게까지 놀다가 돌아오는 도중이었다. 문득 "오늘이 일요일이로구나" 하는 생각이 들었다. "오늘이 일요일이 아니냐" 고 남백에게 물었다. 오늘이 일요일이라고 대답한다. 그렇다면 「부활절」은 오늘까지 상연하는 것이 아니고 어제로 끝났다는 것이 그제야 생각났다. 실은 내가 고장故障이었다. 내 집 전화가 고장이 나지 않았더라면 아내까지 허행虛行시킬 뻔했다. 어쩌다 이처럼 건망증 환자가 됐는지 모르겠다.

1974. 2. 13.

졸업생 한 사람을 겨우 취직시키고 성보당成寶堂에 갔다. 조그만 탁본인데 팔래도 팔지를 않는다. 심부름하는 아이를 시켜 탁본을 복사

해오라 했다. 복사한 것이 분명치가 않았다. 내용은

朝鮮嘉善大夫兵

曹參判兼同知

經筵春秋館事

奎章閣檢校待

教慶州金公諱正

喜字元春號秋史

墓(바로 밑에 조그만 글씨로) 乾坐 友人 原任領議政撰.

彝齋 權敦仁書丹(은 두 줄로 씌어 있다)

글씨는 예서隸書다. 원래 추사 선생 산소에 세웠던 갈碣이었을 것이다. 현재 예산 용궁리 선생 산소에는 비가 서 있다. 이 갈이 지금 어디에 남아 있을까.

1974. 2. 16.

입시 감독, 면접, 채점, 번역 재교再校 등으로 과로했나 보다. 몸살이 났다. 거간꾼은 한용운韓龍雲 선생 붓글씨 편지를 나에게 넘겨주겠다고 두 번이나 약속하고서 근 한 달 동안 슬슬 피하기만 한다. 중간에 사람을 놓아 맘대로 호가呼價하래도 응하지 않는다. 고화古畵와 교환하재도 자기가 좀더 두고 보다가 드리겠다며 꽁무니를 뺀다. 그는 내가 몸이 달기를 바라는 모양이다. 하지만 나보다는 한용운 선생을 더 좋아하는 분에게 그 편지가 가기를 나는 은근히 바라고 있다.

1974. 2. 17.

황병기黃秉驥• 씨는 곡曲으로만 전해 오는 「영산회상靈山會上」에 창唱을 붙이고 싶은데 적당한 가사歌詞가 없겠느냐고 전화로 나에게 문의해왔다. 나는 「월인천강곡月印千江曲」에서 뽑아보시라 대답하고 씨를 격려했다. 창으로 효과를 거두거든 나에게 녹음할 기회를 달라고 부탁했다.

1974. 2. 27.

요즘, 내 힘으로 살 수 있는 그나마 약간의 기회는 아직도 옛 필사본뿐이다. 옛사람은 남의 책을 베껴서 자기 책으로 만들었다. 말려든 가장자리를 펴면서 한 장 한 장 넘기노라면 글씨에서 풍기는 옛사람의 정성이 내 손을 통해 온몸에 번진다. 이런 옛 성의가 어째서 천대를 받는지 알 수가 없다. 덕분에 나 같은 사람도 가질 수 있나 보다. 비싸다고는 생각하지 않는다. 내 수입에 비해서 비쌀 따름이다.

1974. 2. 28.

반가운 두번째 편지 잘 받았네. 첫번째 아름다운 사진 엽서 받고, 연초에 연하장 겸 전번 주소로 답장 보냈었는데 못 받아본 모양이군. 이번에도 이제야 답장을 쓰니 매우 미안하네. Paris에서 바쁘고 고된 시간을 보낸다니 안심했네. 공부만이 공부가 아니고 먼 타국에서 많은 체험을 했다면 그것은 평생의 회상이 될 것이요, 앞날에 있어서 좋은 밑거름이 되지 않을까. 나의 보잘것없는 경험으로 보아도 걱정 근심이 없으면 타락하기 첩경일세. 몸이 편안하면 정신이 부패하는 경우가 있네. 세상에서 가장 아름답다는 도시 Paris 생활에서 그처럼 느낀 바가 복잡하다는 편지를 읽으니 비로소 그 나라가 믿음직스럽네 그려. 그들의 총명과 예술이 안일한 데서 이루어진 것이 아니라는 것을 가보지는 못해도 짐작이 가네. 요는 열심히 하는 결세. 그것이 최선을 다하는 길일세. 그게 공부가 아니겠나?
큰형님 환갑도 지났고 기동基東이도 결혼했고 혜자惠子도 결혼하여 남의 집으로 떠나가는 것을 나는 보았네. 다음 세대는 어른이 되고 우리 형제는 늙어가는 중일세. 무한한 지식을 다 배우겠다는 것은 유한한 인생으로서는 불가능한 일이니 자기 자신이 하는 일에만 전력을 기울이게. 이곳도 유류油類 파동으로 경제난이 심각하네. 90원 하던 택시 기본 요금이 160원으로 뛰었으니 다른 물가도 짐작이 갈 걸세. 이번 신입생 대학 등록금이 16만 원이라는 소문도 나도니 이러다가는 남의 자녀는 가르치면서도 자기 아들딸은 공부를 못 시키지나 않을까 걱정일세 그려. 우리는 지상의 걱정 근심 속에서 인류의 슬기와 지혜가 빛난다는 점만을 믿어야 하네. 나에게도 크게 도움이 될 풍부한 체험담을 귀국하거든 들려주기 바라네. 부디 몸조심하게. 건강만은 늘 유의해야 하네. 혹 김용훈金龍勳, 정병희鄭秉熙 교수 만나거든 나의 안부 전해주게. 다음날 나에게 줄 선물로서 프랑스 땅 돌 하나 주워두게. 아주 조그마하고 평범한 돌일수록 좋네.
김영성金永聲 교수 청하淸下

1974. 3. 1.

졸업생들이 마련한 이명구, 강신항 교수 박사 학위 취득 축하 파티로 교수 회관은 화기애애하였다. 일찍이 가르쳤던 제자들이라고는 믿어지지 않을 만큼 그들은 어른다웠다. 그들이 권하는 술잔이야말로 옥류천玉流泉이었다. 모두가 사師 · 제弟라는 우람한 대자연 속에 깃들인 듯하였다.

밤늦게 돌아와보니 송욱• 박사 저 『님의 침묵 전편 해설』이 책상에 놓여 있었다.

1974. 3. 2.

송욱 박사한테서 전화가 왔다.

"어젯밤에 책 가지고 이원섭 씨와 함께 댁엘 갔더니 안 계시더군요."

"귀중한 일을 하느라고 애 많이 쓰셨어요. 언제고 디즈니 다방에 나가거든 미리 전화 연락 줍시오. 우리 만나서 한잔합시다."

1974. 3. 3.

비가 올 것만 같다. 으스스 춥다. 봄은 이런 날씨로 시작한다. 혼자서 신세계 백화점에 갔다. 사임당 · 이율곡 유묵전遺墨展이 오늘로 끝나기 때문이다.

1974. 3. 8.

선생께서 하교下敎하신 시 6편 월간서예사로부터 잘 받았습니다. 그 중 '水流無彼此 地勢有西東 若識分時異 方知合處同'[12] 전문全文과 '落日下大野 江邊漁事收 小舟橫斷岸 長篴一聲秋'[13] 전문과 '倚杖臨寒水 披襟立晩風 相逢數君子 爲我說濂翁'[14] 전문과 '南溪抱山流 潤氣濕林麓 夢破午窓陰 淸風在寒竹'[15] 전문은 금년 초에 「아송雅誦」에서 찾아냈으나 남은 2편을 몰라 답답하던 차에, 선생께서 '松栢入冬靑 方能見歲寒 聲須風裏聽 色更雪中看'[16] 전문과 '虎嘯風生壑 龍藏氣

吐雲 草廬勿高臥 天地正絪縕'[17] 전문까지도 다 친히 쓰시고 「염락濂洛」에 수록되어 있다는 것까지 가르쳐주셨으니 배운 바 큽니다. 이제야 미수眉叟 과두서科斗書 6폭을 해독하게 되었습니다. 친히 월간 서예사에 오셨더라는 말씀도 들었습니다. 거듭 감사합니다.

최도열崔道烈 선생 좌하座下

1974. 3. 14.

유의해서 읽는 시는 주로 젊은 분들의 작품이다. 그런데도 잡지를 보면 모를 분들이 많다. 작품부터 먼저 안 후에 그분과 초면 인사를 할 경우에는 반가웠다. 내가 아끼는 시인들은 내 기억력에 비해서 많다. 잡지에 실린 시 1편만으로는 기억하기가 어려웠다. 시를 쓰는 사람이면 누구나 발표할 자유가 있다. 가능만 하다면 직장마다 지방마다 또는 동호인들끼리 동인지가 쏟아져 나와 이 강산이 시의 나라가 됐으면 좋겠다. 시가 한 나라 지적 문화의 척도가 된다면 다른 분야에도 해는 끼치지 않을 것 같다. 시인들의 수효가 많은 것을 조롱하는 사람도 있으나 많을수록 반가운 현상이다. 옛날에는 책줄이나 읽은 사람이면 다 시를 썼다. 독서하는 사람이면 다 시인이었다. 버려야 할 옛 것도 많지만 지켜야 할 유산도 있는 것이다. 모르는 시인들의 작품을 주로 읽는 데는 이유가 있다. 앞날의 동향을 짐작하기 위해서며 내가 못한 것을 발전시켜주기를 바라는 마음이며 내 시의 한계성을 확인하기 위해서이다. 그분들에게 외경畏敬이라는 말을 쓰지 않을 수 없다. 시를 공부하는 학생들에게 나는 간혹 털어놓는다.

"내가 육당六堂, 춘원春園, 2인 문단 시대 때 이쯤 썼더라면 한몫 보았을 걸세. 그러나 나는 한용운이나 이상만큼 가치 있는 작품은 못 쓸 거야."

내가 알기로는 시를 잘 쓰는 분들이 급격히 늘어나고 있다. 그분들이 어떻게 발전할 것인지에 대해서 짐작도 못할 정도다. 그분들의 표현 수법은 금세기의 고도 발전답게 새롭고 정확하다. 나는 그들이 부작용을 제거한 정신면에서도 차원 다른 신세계를 보여줄 것을 믿는다. 물론 혼자 힘으로 되는 일은 아니다. 많은 시인들의 노력에 의해서 몇몇 시인이 이루어줄까 말까이다.

나는 언젠가는 붓을 꺾고 독자가 되고 싶다. 누구나 편안히 즐기고 싶은 일면은 따라다닌다. 동서 고금의 명시名詩를 읽으면 내가 왜 독자가 되지 못하고 시를 쓰나 하고 회의하는 수가 있다. 『대방광불화엄경大方廣佛華嚴經』을 덮어두고 내가 왜 쓸데없는 책을 읽는지 모르겠다. 자아란 것은 자기가 알거나 생각하는 것처럼 간단하지 않은 모양이다. 그 점이 시를 쓰게 하는 근본인 것 같다. 보이지도 들리지도 않는 데 대한 무한한 의욕의 집중과 작품으로서의 가능이란 무엇일까.

그것은 도달이 아니다. 계속이며 생명일지도 모른다. 하지만 과정이 바로 길인 것만은 확실하다.

1974. 3. 15.

장만영張萬榮• 선생에게서 봉함 편지가 왔다. 서울에서는 용건이 있으면 전화로 직접 통화를 하기 때문에 편지가 귀하다.

구용님께

『심상心象』• 3월호에 실린 「백화실白華室 일기」 잘 읽었습니다. 특히 1월 13일 날짜의 일기는 여러 가지로 나를 생각하게 했습니다. 실은 환갑 잔치를 마다하시고 내외분이 여행을 떠나셨다는 이야기, 환갑은 액년厄年이라는 큰형님의 말씀 등이 그러했습니다. 실은 지난 2월 16일이 나의 환갑날이었습니다만, 나 역시 마다하고 전전날 전주全州로 석정夕汀의 병문안을 떠났었습니다(이 시인은 두 달 이상 고혈압으로 쓰러졌다가 깨어나 죽 병상에 누워 있습니다. 아직 말도 못합니다). 떠나간 것까지는 좋았으나 집에 아무 말하지 않고 내려간 것이 마음에 걸리는데다가 석정이 내 손을 잡고 연방 울기만 하는 것이 견딜 수 없어 15일날 저녁에 집으로 돌아오고 말았습니다. 그랬더니 시집간 딸들에게 장거리 전화를 걸고 시내 몇 안 되는 집안에게 연락하여 소위 환갑 잔치를 벌였습니다. 부랴부랴 서둘러서 말입니다. 거기까지는 좋았으나 밤 0시 가까이 갑자기 숨이 차지더니 숨이 멎고 말았습니다. 눈을 떠보니 고려 병원 중환자실이 아닙니까. 신경성 심장염이라고 합니다. 이제는 좀 나아서 이렇게 편지도 씁니다만, 바깥 출입을 못하고 있습니다. 그 사이 나의 친구 홍이섭洪以燮(그도 금년이 환갑입니다)이 세상을 떠났습니다. 저의 선친도 환갑 되던 해에 돌아가셨습니다. 환갑과 죽음이 무슨 관계가 정말 있는 것일까요? 일기를 읽고 느끼는 바 있어 몇 자 적어 띄웁니다. 부디 건강하십시오.

12일 아침, 장만영

(그 후 건강을 회복한 장만영 선생을 만난 것은 최영해崔暎海* 사장 회갑 잔치 자리에서였다.)

1974. 4. 9.

자주 있는 일도 아닌데 어쩌다가 원고 청탁을 받으면 곧 머리가 아프다. 이래서야 글 쓰는 사람이라고는 할 수 없다. 내가 써서 모으는 시라는 것이 과연 시가 될지도 모를 지저분한 미정고未定稿들이요, 날마다 쓰면 중도 폐지하고 만다는 신념이 서버린 내 나름대로의 일기라는 것도 실은 메모 정도의 잡동사니다. 그러니 원고 청탁이 올까 봐 겁이 나고 간곡히 거절하자니 땀이 날 노릇이다. 옛날에 K선생은 "원고 청탁을 거절하는 것은 글 쓰는 사람의 태도가 아니라" 고 말해서, 그 후로 나는 남몰래 괴로워했지만 "글이란 쓰고 싶을 때 쓰고 싶은 것을 써야 한다" 는 자기 변명에 집착해왔다.

'산문시는 왜 쓰는가' 라는 제목으로 원고를 쓰라는 분부이시다. 이런 때마다 돌발하는 실어증을 치료할 수 있을까. 환자의 소리가 신통할 리 없다.

1974. 4. 10.

나는 산문시를 집어치운 지도 오래됐다. '산문시는 왜 쓰는가' 가 아니라, '산문시는 왜 썼던가' 로 제목을 약간 고쳐야 할 것 같다. 요즘 옛날 일기책을 정리하다 보니 계미癸未년에 쓴 산문시가 있었다. 앞으로 시집을 낸다면 이런 것도 수록해야 할 것인가 하고 결정을 짓지 못했을 만큼 유치하였다. 6 · 25 사변 때 구고舊稿를 불질러버리지 않았으면 산문시를 쓰기 시작한 연대쯤은 알 수 있을 것이다. 일찍이 시작한 것은 사실이다. 언제부터 썼는지를 모르듯이 산문시에 왜 손을 댔던가는 남의 일처럼 막연하다. 이유는 모르면서도 썼다는 것만 기억한다. 이 이상 굳이 뭐고 대답한다면 도리어 과오일 것이다. 꿈을 꿀 때는 분명한지 모르나 깨고 나면 아득하다. 지난날, 나는 내가 꾼 꿈 이야기를 하다가 그 막연한 부분을 뜻밖에도 분명히 말하고 마는 내 자신에 놀란 경험이 있다. 더구나 괴상한 일은 보충을 하다 보면 그 꿈이 참으로 그랬던 것처럼 확신하기에 이른다는 엄청난 사실이다. 꿈이란 그런 것이기 때문에 그럴 수도 있지만 꿈 자체가 그런 것은 아니며 실은 매우 왜곡된 것이다.

1974. 4. 11.

독감을 2주일 동안이나 앓았다. 말인즉슨 영국에서 온 독감이라 한다. 사실이라면 과연 현대다운 속력이다. 윤병로 교수는 자기 경험에서 미루어볼 때 한 3주일은 앓을 것이라고 하더니 역시 그 말이 맞나 보다. 후유증이 대단하다. 신열 때문에 한기가 들고 기침이 계속 나서 가슴에 신신 파스를 지도처럼 붙이고 누워 있다. 아내는 학교에 가고 아이들은 학교에서 돌아오지 않았다. 집 안이 조용하다. 양약이란 것이 효능은 대단한지 모르나 기운을 빼는 데도 상당하다. 사방이 조용하다. 이럴 때는 누워서 책이나 읽는 편이 낫지만 약속한 이상 마감 안에 이 원고를 써야 한다. 갈피를 잡을 수 없는 생각들을 받아써야 한다. 책임 같은 것이 솟아오르고 매수枚數를 메워야 할 의무가 짓누른다. 신음소리가 저절로 난다. 또 쓸 수 없다고 전화를 걸까. 이건청李健淸 씨가 당황할까 봐 용기가 나지 않는다.
무슨 말을 해야 할까. 산문시를 쓰기 시작한 동기는 막연했다고 고백해야 한다. 그건 이미 말했지 않았는가. 그럼 그 당시에 산문시를 주로 읽었던가. 그렇지도 않았다. 서사시 비슷한 것을 쓰다가 실패하고 혼이 난 후로 산문시를 시작했던 것 같다. 시를 쓸 역량 부족에서 빗나간 것일까 하고 돌이켜본다. 그렇다면 내게 있어 산문시는 어떤 타개책이었을지도 모른다. 불질러버린 구고舊稿(대부분이 소위 산문시였다)도 역시 불쾌할 정도로 불만스러운 것이었다. 타개책이 못 되었을 바에야 그걸로써 끝났어야 할 것이다. 그런데 알 수 없는 일은 문단에 나온 후로도 근 10년 동안 계속 산문시를 썼다. 어떤 보람을 느껴서 골몰했을까 하고 자문해본다. 오래된 일이 아니니 할 말이 있을 법도 하다.

여기서부터 혼란이라는 말 외에는 표현할 능력이 없다. 그 기간은 해방 후로부터 6·25 사변과 환도還都와 자유당이 무너지기까지의 사이였다. 삼국 통일을 전후한 혼란과 거란, 여진, 요, 금, 몽고의 외침에 시달린 고려의 혼란과 임진, 병자의 국난을 겪고 외세들이 날뛰는 틈바구니에 끼여 망국에까지 이른 조선의 혼란 등은 읽어서 약간 짐작한 정도였고, 기미년 만세는 어른들에게서 들어서 알았고, 저자들이 말하는 소위 만주 사변은 어려서 잘 몰랐고, 2차 대전 때는 전전긍긍하였고, 내 자신이 육신으로서 직접 혼란을 체험하기는 계속 산문시를 쓴 동안이었다. 나는 재주도 남만 못한 터에 시가 없는 시대, 시를 쓸 수 없는 시대에 태어났다고 생각했다. 반대로 필요한 양식은 시라고 고집만 늘었다. 혼란은 가중되어 자의식 과잉을 헤어나지 못했다. 당해서 못 당할 일 없다지만 죽은 사람들은 고사하고 살아남는 동안 동물로서의 여러 가지 자기 변화에 당황하였다. 공포와 비참에서 산문시를 끄적거렸다. 그 당시에 쓴 산문시가 진정 산문시냐고 묻는다면 대답할 말이 없다.

그것은 악몽과 같아서 회고는 될지언정 별로 애착이 가지 않는다. 시의 세계에 태어나지도 못했고 새로운 시 세계를 창조할 만한 능력도 없는 사람에겐 그 해독이 그것으로써 끝나지 않았다. 내 시에 어둠이 그 후로도 좀체 사라지지 않으니 말이다. 어서 벗어나 따뜻한 광명에 나서고 싶은 소망에 시달렸다. 안간힘을 쓸수록 말려드는 자신에서 자기 능력의 부족을 알았다. 그러나 어두울수록 별은 찬란하며 마침내 태양은 떠오르고, 깊은 고독의 그늘에서도 산삼은 자라난다. 그렇다면 험난한 시대에 태어난 것이 아니라 가장 아름다움을 발견할 수 있는 시대에 살고 있는 셈이다. 이런 것은 생각이지 작품은 아니다. 그러고 보면 나로서 산문시를 말한다는 것은 쑥스러운 일이다.

오늘 성춘복 씨 부인이 손수 묘목을 가지고 왔다. 서양에서 온 딸기나무인데 희귀한 것이니 뜰에 심어보시라 한다. '호수 그릴' 에서 김원길金源吉• 씨 시집 『개안開眼』 출판 기념회는 시작되었을 것이다. 이러고 독감으로 누워 있는 것을 안다면 섭섭해하지는 않을 텐데……

1974. 4. 12.

'산문시를 왜 쓰는가' 를 '산문시를 왜 썼던가' 로 고치고 싶듯이 시시한 이야기는 집어치우고, '산문시를 왜 권하는가' 로 부탁 말씀이나 드려야겠다.

우리는 훌륭한 산문시를 남긴 시인들을 알고 있다. 한때 썼기 때문인지 관심만은 그대로 남아 있다. 예를 들자면 김영태金榮泰 씨의 경우는 근년에 산문시를 보여주는 편이고, 이승훈李昇勳•, 오규원吳圭原• 씨의 경우는 간혹 산문시에 여전히 집념을 보이는 편이다. 요는 세 분의 작품이 전혀 다르다는 것만으로도 산문시의 영역은 역시 무한하다. 비밀 무기 생산의 청사진이 아닌 바에야 산문시도 시인에 따라 천차만별일 수 있다는 것은 큰 매력이다. '산문시는 왜 쓰는가' 는 나 같은 사람에게 말을 시킬 것이 아니라, 현재 쓰고 있는 분들에게 부탁했어야 할 것이다. 관심은 산문시를 쓰는 분들의 의견을 듣고 싶다. 나의 산문시는 과거의 상처이기 때문에 쓸 능력마저 잃었지만, 누구에게나 써보시도록 간곡히 권하는 데는 이유가 있다.

독단일지 모르나 동양은 산문시에 대한 발달과 전통이 대단하다. 사辭, 부賦, 송頌, 표表, 기記, 서序, 전傳, 설說, 해解, 지誌, 명銘, 잠箴, 서敍 등에서도 동양의 산문시를 얼마든지 발견할 수 있다. 견강부회인 망발일까. 나는 조상들의 나아가서는 옛 동양 사람들이 남긴 보배에서 산문시를 보았다. 그러므로 동양 사람은 적합한 피를 이어받지 않았나 하고 생각한다. 기교에 대한 불신이란 말이 성립될 수 있는지는 모르겠으나 혹시 이와 비슷한 회의를 느낀 분이 있다면 권하는 뜻을 짐작할 것이다. 기계 문명의 반성이라면 좀더 명확해질 것도 같다. '당신은 만족하는가' 식의 반문이라고 해두자.

1974. 4. 13.

강신항 박사에게 전화를 걸어 대강代講을 해줍소사고 부탁드렸다. 가래에 피가 섞여 나왔다. 그래야 이번 감기는 낫는다고 위로한다. 감기치고는 너무 심하다. 산문시에 관한 거나 끝내야겠다.

젊을수록 대부분의 소설을 읽고 나이 들수록 약간의 소설을 정선해서 읽게 된다. 과거 소설식 이야기 줄거리를 알기 위해서 시간을 낭비하기에는 우리네 생활이 너무나 바쁘다. 또 짧은 시간에 그런 것쯤은 얼마든지 만족시킬 수 있는 가지가지 분야가 서로 경쟁을 해서 일반이 독서를 잘 않는 편이다. 소설도 반성하고 시도 많은 독자를 가져야 할 필요가 있다면 새로운 문학 장르가 나타날 법하다. 산문이 요하는 시간을 단축하고 고도의 내용을 담으려면 시가 적극 참여해야 할 것이다. 그것이 어떤 유형이며 어떤 성과인가를 구체적으로 말할 자격은 없지만 새로운 산문시가 나타나서 새로운 주목과 관심을 불러일으켜야 할 것 같다. 물론 종래의 시와 소설을 개척해 나갈 분에겐 그 신념을 절대로 보장하고 새로운 장르로서 산문시를 개척하려는 분에게 그 자유를 극력 성원하자는 것이다. 문학은 설명보다도 작품이 근본인 만큼 산문시에서 손을 뗀 사람으로서는 이러쿵저러쿵 떠들 처지가 아니다. 누구나 쉽사리 할 수 있는 말, '기대한다'는 부탁을 거듭한다.

1974. 4. 15.

우리 나라의 옛 안빈낙도安貧樂道 기상과 중국의 옛 부귀富貴 취미와 일본의 옛 애정愛情 오락은 각기 전통 형성의 요소가 되었다. 서로의 문화가 다른 데서 막연하게나마 느낄 수 있는 점이라고나 할까. 그러나 왜 이런 생각을 하게끔 되었는지를 도리어 내 자신에게 반문하고 싶다. 전통은 단순한 계승이 아니라는 말을 하고 싶기 때문이다. 계승은 요인要因에 지나지 않으며 전통은 다분히 그 유동流動에서 찾아야 할 것 같다. 예술이란 주문이나 배수拜受하는 무소불능無所不能이거나 숙련공은 아니다. 기상천외의 착상만도 아닌 인간성이 허용되어 있다. 그 까닭은 잘 모른다 할지라도 예술이 그 실물實物의 물질보다도 높이 평가되는 것은 누구나 아는 일이다.

최종채崔鍾彩 과장이 『활인심방活人心方 퇴계선생유묵退溪先生遺

墨』이라는 책을 찍은 영인본과 역시 영인본인 『해서 일기海西日記』를 주고 갔다. 옛 책이란 이젠 단일본만도 아니다. 옛사람들의 생활을 생생히 보는 듯해서 숙연하였다. 함께 주고 간 국내 극상품 화선지와 태지苔紙도 소중하게만 느껴졌다.

1974. 4. 21.

"이민을 가는 사람이 『김유정金裕貞 전집』이나 청전靑田 산수화山水畵를 가지고 간다면 말려야 하오."

"왜요?"

"조국 강산이 그리워서 못 배길 거요."

하고 김영재金榮載 씨를 돌아보며 웃었다.

돌아오는 길에 의과대학 김영환金榮煥 교수 연구실에 들렀다. 김교수가 현일玄鎰•의 『교정시집皎亭詩集』 한 대목을 펴보인다. '題 秋史侍郎詩集後' 라는 시가 있었다.

字從金石句蘇黃 萬里烏雲一瓣香

筆果墨因渾是佛 壁書能作白毫光[18]

글씨는 흔히 가짜가 있어도 글은 진짜인 경우가 많다. 추사 선생 가짜 글씨 간찰이나 사진을 찍어 모아뒀다가 누가 『완당 선생 전집』을 보완補完한다면 제공해도 좋을 것이다.

1974. 5. 2.

잠이 깨었다. 통행 금지 시간이 지났나 보다. 자동차 지나가는 소리가 들린다. 시는 타락할 길마저 없다. 시인들은 이런 것을 자랑해도 좋으랴.

어제 디즈니 다방에 들러 이원섭 씨와 김경성金庚星 교수에게 "송욱 박사에게 책 잘 받았다는 감사를 해야겠는데 연락할 길이 없다" 고 했더니 오늘 밤에 이원섭, 송욱 두 분이 내 집에 왔다. 무료하던 참이라 반가웠다.

1974. 5. 8.

내리는 비에 등나무 꽃이 질까 두렵다. 난초 분盆 내어 비 맞히며 큰 책상은 마루방으로 옮기고 안상案床을 들여놓았다. 삼동三冬 내 분위기를 말짱 몰아냈다. 좁은 방이 다소 넓어 보인다. 구공탄 재를 떠서 담아뒀던 향합香盒에 선향線香을 피웠더니 아내는 향내가 어디서 나느냐고 묻는다.

하나는 박카스 한 상자를, 둘은 각기 맥주 한 병씩을 들고 들어온다. 웬일이냐고 물었더니 "오늘이 어버이날이라 저금한 돈에서 사왔다" 한다. 비는 오며 종일 챙받이에 흐르는 물소리, 신록은 새롭기만 하다. 잠깐일지라도 귀중하기는 마찬가지다. 잠시나마 시름을 잊겠다.

1974. 5. 10.

고대 갑골문 중에는 공포의 광명이 기록되어 있는 듯하였다. 약한 자의 영광은 아니었다.

옛 문집과 대하여 앉는다. 가기만 하면 그 어른을 뵈올 듯도 싶다. 현재 살아 계시며 평소 잘 아는 분 같기만 하다.

어떤 손금쟁이가 말하기를 "노력보다는 수입이 적구려" 하고 웃었다. "노력하고도 더 못사는 사람이 있지요" 하고 따라 웃었다.

이해 못할 일이 한두 가지가 아니다. 이성異性 관계만 해도 그러하다. 여성이 남성을 사랑한다는 것은 이해가 가지 않는다. 내가 여성이라면 어떤 남성과도 결혼을 못할 것 같다. 더구나 나 같은 남자가 가까이 온다면 몸서리칠 것이다. 단독으로는 구제할 수도 구제될 수도 없다. 서로의 부족한 점을 도와줘야만 하나의 좋은 점이 된다는 것쯤은 누구나 아는 일이다. 그러나 여자가 어째서 남자를 사랑할 수 있는지 내가 여자가 아닌 이상, 알 도리가 없다.

1974. 5. 11.

"돈은 부족하고 좋은 물건을 보았을 때는 미칠 것만 같습니다. 그런 경우 선생님은 어떻게 참습니까."

"욕심이란 한이 있나요? 그래서 그런 경우가 별로 없습니다. 크고 깨끗하고 소위 비싼 걸작보다는 낡고 조그마하고 싼 진적眞蹟이면 족합니다. 내가 존경하는 옛 어른의 친필이면 갖고 싶어하지만 실은 그 수효가 몇 분 안 됩니다. 그런 글씨는 희귀한 편이며 존경하는 정도로 비싸지는 않더군요. 돈 있는 사람들이 글씨를 알아주지 않기 때문에 기회가 있나 보지요. 옛 어른들의 필적을 이젠 비싸서 못 사는 것이 아니라 구경조차 할 수가 없어서 다행이지요. 잘들 보관하고 있는 모양이야요. 세상 사람들이 유명하다느니 걸작이니 하는 물건들은 사진판이면 족합니다. 실물대實物大, 원색原色에 충실한 인쇄물이 없어서 좀 유감이긴 하지요. 나는 물건을 사러 다니지는 않습니다. 견학을 겸한 산책이며 건강을 위한 휴식입니다. 천대받던 필사본도 요즘은 없더군요. 모은 분들이 많다면 좋겠어요. 대부분이

휴지로, 또는 표구점 배접지로 없어졌을 것입니다."

1974. 5. 12.

그 무엇이 감동을 줄지라도 미미한 생명보다는 귀중하지 않았다. 그러나 그가 가보지도 못한 금강산을 그린 그림에서 내가 대자연을 즐긴다.

K씨는 시가 잘 씌어지지 않는다며 걱정조였다. "잘 쓸 생각을 하지 말라" 고 위로하였다. 자기 자신이라는 인력권引力圈에서 벗어나기는 어렵다. 자기 초극自己超克이 현대 예술에서의 효용이란 무엇일까. 글이란 일생을 써도 한 인간의 체취가 날까 말까다.

조급할 필요는 없다.

1974. 5. 17.

「마태복음」에 '화평케 하는 자는 복이 있나니 저희가 하나님의 아들이라' 하셨다. 그렇다면 항하사수恒河沙數 같은 예수님이 계실 것이다. 또 가라사대 '마음이 가난한 자는 복이 있나니 천국이 저희 것이라' 하셨다. 누구나 마음이 가난한 자는 하나님이실 것이다.

1974. 5. 23.

박노수 화백이 자기 집에 가잔다. 옥인동으로 이사한 댁을 가보기는 처음이다. 집안과 정원도 구경하고 반주하여 저녁 식사하고 소장품도 보며 한담하였다. 화초 두 종류를 얻어왔다. 잘 기를지 염려스럽다.

1974. 5. 27.

지나간 일인데 생각이 나지 않는다. 누가 배 위에서 내 목을 누른다. 사람들은 구경만 하고 있었다. 나는 용서해달라고 빌었다. 누군가가 이곳은 너의 친척들이 사는 동네라고 하였다. 역시 캄캄하였다. 목이 뻐근하다. 그런데 내 손에서 피가 흐른다. "입이 백이라도 할말이 없는 짓을 했나 봅니다" 하고 사과했더니, 누군가가 나더러 "술을 끊으라" 고 명령하였다. 깨고 나니 악몽이었다.

1974. 6. 5.

완당 선생은 별호가 얼마나 있는지 또는 그것을 어느 정도로 인각印刻 사용했는지 알 수가 없다. 선생의 낙관에 '삼십육구초당三十六鷗艸堂' 과 '칠십이구초당七十二鷗艸堂' 이 있음은 누구나 아는 일이다. 어떤 분은 나에게 "육육은 삼십육이니 66세를 뜻한 것이 아니냐" 고 하였다. 그러면 칠십이도 나이로서 풀이할 수 있어야 할 텐데 그렇지가 못하다. 언젠가 선생의 경술庚戌년(제주 귀양에서 풀려 돌아온 지 3년인 65세) 간찰에 '삼십육구초당三十六鷗艸堂' 이라고 씌어 있는 것을 본 적이 있다. 다른 분은 어떤지 모르나 나는 삼십육구초당三十六鷗艸堂을 볼 때면 '청량산淸凉山 육육봉六六峰을 아느니 나와 백구百鷗' 구절이 머리에 떠오른다.

명현名賢들은 호불好佛하는 것을 큰 체면 손상으로 알았다. 완당 선생 별호에는 등각경지登覺境地가 나타나 있다. '노가老迦', '시불詩佛', '나가산인那迦山人', '노연老蓮', '염가髥迦' 등이 그러하고 승僧·속俗 일여一如의 차원에서 '병거사病居士', '천축고선생天竺古先生', '승연거사勝蓮居士', '찬제거사羼提居士', '육식두타肉

食頭陀' 등이 있는데 이런 별호에서도 우리는 『유마경』을 연상하게 된다. '만향曼香', '만화曼華'는 여의주와 같은 만다라화曼陀羅華 꽃이며 '나무삼보南無三寶' 인문印文은 도저한 신심이다.

선생의 별호를 잘 알지 못하는 터라, 우선 불교적인 것만 예로 들었다. 그러나 선생의 진면목을 간단히 이해하려면 별호들을 훑어보는 것도 첩경이다. 나는 '아념매화我念梅華' 인문印文에서, '청구매신靑邱梅身' 등 구句에서 선생을 뵈옵는 듯하고 인문印文 '불계공졸不計工拙' 등에 이르러 선생의 서도書道의 깊이를 엿볼 수 있을 것만 같았기 때문이다.

1974. 6. 6.

내가 궁금히 여기는 것은 선생이 거처하셨던 곳이 지금 과천 어느 지점이냐는 것이다. 예산 용궁리를 재방再訪하면 평소 궁금히 여기던 몇 가지를 알아오려 했었는데 근자에 김석환金石煥 옹이 세상을 떠났다는 소문을 듣고 아연하였다. 우리는 선생의 만년 간찰 피봉에서 수차 '금호사장琴湖謝狀' 또는 '노강사장鷺江謝狀'을 보아왔다. 둘 다 전혀 다른 곳인지 또는 동처 이칭同處異稱인지 역시 모르겠다. 그럴 때마다 선생의 별호라는 '금강琴江', '금미琴蘼', '금상琴上'이 동시에 생각나고는 한다.

내가 알기로는 선생의 경술년 4월 10일자 간찰이 있는데 그 피봉에 '삼협로강사장三峽鷺江謝狀'이라 하였고 내용에는 김생원金生員이라는 이에게 호어湖魚를 보내줘서 고맙다는 사연이 있다. 그럼 선생은 과천 땅에서도 한곳에 살지 않고 이사한 일이 있었던가. 혹 아시는 분이 있어 그 지점을 가르쳐준다면 가서 둘러보고 싶은 심정이다.

1974. 6. 7.

일제 때, 윤희중尹希重 씨 소장인 선생의 「묵매도墨梅圖」 족자에 '오산노초烏山老樵' 별호가 있음을 보았다. '오산독화루烏山讀畵樓' 인印을 직접 만져보기는 오석산烏石山 밑 선생의 고택故宅에서였다. 어떤 분은 선생의 별호에 '노천老泉'이 있는 줄로 아는데 그것은 방윤명方允明의 아호雅號이다. 선면扇面 「지란지도芝蘭之圖」에 나오는 별호에 대해서 이설異說이 있는 모양이나 전문가들에 의해서 언젠가는 밝혀지리라 믿는다. 내가 선생의 진적眞蹟에서 처음으로 본 별호로는 '천지당天池堂', '육식두타肉食頭陀', '천우天宇', '좌청사장左靑謝狀' 정도이다.

1974. 6. 18.

사진 작가 주명덕朱明德 씨가 박병래朴秉來 옹의 부탁을 받고 조선왕조 자기 명품들을 촬영 중이라는 소문을 나는 들은 적이 있었다. 전용종田瑢種 씨 편에 주명덕 씨가 이번에 그 제본용製本用 사진 한 벌을 나에게 보내왔다. 그런가 하면 김영환 교수는 완당 선생 대폭간찰大幅簡札 7월 21일자 이안흥령李安興令 연즉전蓮卽展을 찍은 사진이 나왔다며 나에게 몇 장을 준다. 우리 나라 옛 문화를 담은 사진 작품을 보며 '몇 사람을 위한 정신 영양이지 말고 누구나 즐길 수 있는 기회가 되어야 한다'고 생각하였다. 예술의 힘은 불에 얼음을 박아넣는 지극한 경지다. 그 얼음은 불에서 녹지 않고 언제까지나 함께 빛나게 마련이다.

1974. 6. 25.

최원규崔元圭•, 손기섭孫基燮• 두 시인이 내 집에 들렀기에 밥 반주하며 한가히 담소하였다. 난정도 심심하면 간혹 나를 생각하실까. 나처럼 간혹…… 해방되던 해가 내 나이 스물네 살이었다. 금년은 6 · 25 사변이 난 지 24돌이라 한다. 그저 어수선하기만 하다.

1974. 6. 26.

형제들은 큰형님 댁에 모여 자정이 넘자 제사를 지냈다. 아내는 낮에 다녀갔다고 한다. 아버님 기제사忌祭祀인 것이다. 부모님 밑에서 함께 컸던 모습과 성격들이 제각기 남아 있으면서도 해가 갈수록 만나면 서로 반갑다. 부모님도 이처럼 모여서 이야기하는 형제들을 보시면 기뻐하시리라.

1974. 7. 3.

개성이 형식일 수는 없다. 어떤 상실이거나 위기여서는 안 된다. 피가 전류일 수는 없다. 정신은 정밀 기계와도 다르다. 가능성의 비정을 억제해야 한다. 눈에 잘 띄지 않을 정도로 단순한 행복이 우롱당하는 경우가 있다. 하늘에 감사해야 한다. 감사하고 있는가. 비교적 돈이 안 생기는 가치 있는 일에도 열중할 수 있다면 그것은 당신의 기적이다. 누구나 하고 싶은 일에 열중할 수는 없는가. 그러기 위해서는 나는 아무것도 아니어야 한다. 더구나 무엇일 수는 없다. 이런 생각은 허무할 정도로 부담만 는다. 아무도 미워할 수는 없다. 남을 존중하는 일이 우선 자신에 대한 요구일 때 말이다.

김포 공항은 비가 내리고 있었다. 프랑스에서 동생이 돌아왔다. 돈

번 티를 내는 일본 사람들보다도 우리는 문학적이다. 우리는 세계의 참다운 독자를 가질 수 있는 여러 가지로 뜻 있는 서적들이다. 보다 많은 내용이 있다.

1974. 7. 4.

학과 종강 파티 자리에 월탄, 도남 선생도 모셨다. 이제는 없는 청천聽川, 수주樹州, 연포蓮圃* 선생에 관한 회고담들도 하였다. 나는 앞으로 일기 따위는 쓰지 않아야 한다고 또 생각하였다. 그만둬야 할 이유가 없기 때문인지도 모른다. 본격적인 일에 좀더 힘써야 한다는 욕망일지도 모른다. 생맥주가 취하지 않아서인지 이런 생각 저런 생각이 들었다.

1974. 7. 6.

태풍이 몰려온다는 뉴스다. 지금 제주도는 비바람이 분다는 것이다. 뉴스는 일변하여 '우리 나라 대표적 시인 신석정 씨가 향년 67세로 세상을 떠났다' 고 한다. 잠시 후에 아침밥을 계속 먹었다. "한번 놀러와요" 하고 누차 말씀하셨는데 그분 생전에 전주를 못 가고 만 셈이다.

1974. 7. 8.

『옥봉집玉峰集』 친필 첩帖(내용은 일기를 세서細書한 초고草稿 27장)과 『옥봉 서첩玉峰書帖』(그 중에는 한호韓濩 글씨도 한 폭 있었다)과 『유서경 서첩柳西坰書帖』(내용은 옥봉 시집玉峰詩集 서序)을 누가 가지고 왔기에 한동안 보았다. 옥봉이란 4백여 년 전에 시와 서로 유명했던 백광훈 선생이다.

옥봉의 해楷는 엄격하고 초草는 청수淸秀하여 옛사람의 기품을 대할 수 있었다. 문공부는 귀중한 옛 서화를 실물대로 영인하여 계속 펴내는 일이 시급하다. 우리는 조상들의 유산 중에서 무엇이 없어졌으며 어느 정도 남아 있는지조차 모른다.

1974. 7. 21.

문화공보부 최종채 과장 주선으로 양수리에 가게 됐다. 박재삼, 송영택 씨는 최종채 과장 지프 차에 탔다. 이영준李英俊 상무가 차를 가지고 와서 김영환 교수와 나와 아내가 타고 출발, 날씨는 쾌청이다. 차는 나란히 교외로 빠져 나간다. 바람은 시원하고 만목 녹음滿目綠陰이다.

수차 지나면서 바라만 봤던 금곡릉金谷陵에 들어가 일자각一字閣도 처음 보고 의민懿愍 황태자 영원英園까지 소요하였다. 노인층과 우리 나이와 젊은 패들은 세대에 따라 감회가 다를 것이다. 관리하는 분 말에 의하면 예산 관계로 제수祭需가 사가私家집 제물만도 못하고 제주祭酒는 일본술 정종(우리말로 소위 청주)을 쓴다는 것이었다.

6 · 25 사변 전 해 여름에 서세민과 내가 김강녕金康寧을 따라 걸었던 먼지 나는 신작로는 기억으로만 남았고, 그 태고연하던 곳에 이제 아스팔트 길을 질주하는 차들, 가지가지 원색 차림의 청춘 남녀들, 팔당 댐 등, 어디가 어딘지 얼떨떨하다. 강 건너 산기슭에 그때 우리가 일박했던 김강녕의 처가는 지금도 있다는 말을 들었었는데 초가 지붕이 없어져서 짐작도 못하겠다. 달밤에 목선木船을 타고 놀

왔던 그때가 마치 옛날인 듯하였다.

일행 중에서 이영준 상무만이 초행이 아니어서, 우리가 탄 차가 앞을 안내하여 다산 선생 고향 마을에 당도했다. 서울에 살면서 오늘에야 최종채 과장 덕분으로 좋은 벗님들과 함께 선생을 찾아온 것이다. 물어볼 것도 없이 이영준 상무 안내로 다산 선생 산소에 올라가 우리 일행이 구두 벗고 엎드려 절했을 때였다. 이마에 빗방울이 선득 내려앉는다. 쳐다보니 하늘은 어느새 일변! 빗발이 돋는다. 산소 앞에서 서둘러 사진 찍고 그 아래 선생 고택지故宅址 뒤쪽으로 내려가 선생 자찬自撰 비문碑文을 훑어보는데, 굵은 빗방울이 비석에 점점이 번진다. 선생이 우리 일행을 반기시는 듯하다. 논두렁길을 걸어 나와 주막에서 강물 고기 매운탕으로 반주하여 점심하는 동안에 비는 씻은 듯이 개었다.

다시 선생 산소에 올라가 궐련 한 대 피워 올리고 둘러보니 우후청雨後晴 산수가 그 옛날과 별로 다를 것이 없을 것만 같았다. 강진 적거謫居 생활에서 선생이 몽매에도 잊지 못하셨던 바로 그 산천이 아닌가. 어떻게 하면 이 나라 빈곤을 씻어볼까의 대염원大念願이 바로 이곳에서 나셨고 그 불행이 이곳에서 떠나신 것이다. 묘비와 비석은 해방 후에야 세운 것이니 그나마 없었다면 지나는 나그네로서 누가 선생 산소인 줄 알기나 하랴. 하기야 우리가 머무는 동안에 자가용차도 서너 번 지나가고 심지어 관광 버스도 한 대 지나갔다. 선생 산소에 참배하러 올라오는 사람은 아무도 없었다.

양수兩水가 합치는 곳으로 차를 몰았다. 수백 년도 더 된 듯한 큰 나무가 그늘을 펴고 있다. 다산 선생이 기억하실 큰 나무인 것이다. 쾌속정이 젊은 남녀를 태우고 경치를 질주한다. 박두진, 유주현, 박노수 씨가 간혹 돌을 주으러 간다던 곳이 바로 여기 어디일까.

두 강물이 합치기 전의 저 한쪽 강물을 가리키며 나는 아내에게 말했다.

"금강산에서 오는 물이라오."

금강산 마하연이, 강진 다산 초당이 겹치어 눈앞에 떠오른다. 해가 저문다.

1974. 7. 27.

작년에도 금년에도 윤정근尹亭根 화백으로부터 김환기 화백이 귀국할 것이라는 소식만 들었다. 그런데 신문을 보니 김환기 화백이 별세했다는 보도가 나 있었다. 어제 저녁 때 코너 하우스에서

"수화樹話 화백이 척추 수술을 받으러 입원했다는 먼 소식을 들었어요."

박재삼 씨가 하던 말이 언뜻 생각난다. 수화 화백은 막걸리 집에서 얼큰히 취하면, 그 유난히 크고 긴 손가락에 젓가락을 끼운 다음에 벽에 배 젓는 그림자를 만들어 보이고, 연신 요동시키면서 곧잘 노래를 했었다. 그 소탈한 웃음소리를 들을까 했더니 다시 만나지도 못하게 됐다. 고국을 떠나 먼 다른 나라에서 오랜 세월을 두고 놀라운 집념으로 추구한다더니, 그 새로운 추상의 세계를 우리에게 충분히 보여주지도 않고 세상을 떠난 것이다. 지난 봄이었다. 간송 미술관 전시에서 R교수를 만나 그 댁에를 갔었다. 가서 보니, 그 당시 수화 화백이 살았던 성북동 바로 그 집이었다. 환도還都 후 초청되어 문인들이 대접을 받았던 마루도, 언젠가 봤던 화실도 찾을 길이 없었다. 집은 뼈대만 남고 내부는 양식으로 바뀌어 안마당도 온실 모

양으로 되어 있었다.

1974. 7. 28.

이영준 상무와 김영환 교수와 함께 봉은사로 떠났다. 내가 서울에서 좋아하는 절은 동쪽 화계사와 서쪽 진관사와 남쪽 봉은사다. 그런 삼림 지대가 점점 좀먹어가는 모습은 딱한 일이었다. 뚝섬에서 배로 건너지 않고 새로 놓인 다리를 처음으로 경쾌히 지나 지난날의 감개를 되새겼다. 몇 해 만인가. 소문에 듣던 것보다도 변해 있었다. 완당 선생 글씨 대웅전과 판전板殿 현판은 그대로였다. 셋이서 참배를 마치고 도량을 거닐었다. 몇백 년이 걸려서 이루어진 경치가 기계에 의해서 하루 아침에 변한 것이다. 하필이면 봉은사 바로 위에 학교 건물이 들어서고 있었다. 비가 온다. 능으로 가려던 계획을 중지하고 주막집에서 반주하여 저녁을 먹는다. 세찬 비가 쏟아진다.

1974. 7. 30.

집중 폭우는 끝난 것일까. 가다가 못 가면 예산이나 온양에서 하루 쉬고 오면 그만 아닌가. 서부 역에서 김영환 교수와 만나 예정대로 떠났다. 여러 해를 두고 벼르기만 하다가 결국 함께 못 가는 친구들이 생각나서 언짢았다.

오후 1시경 예산에 내려 점심 식사하고 예산여고를 물었더니 바로 그 근처였다. 김영보 교장님을 만나니 반갑기만 하였다. "완당 선생 고택故宅에 함께 가십이다" 하고 청했더니 곧 전화로 연락해서 예산중학교 전병호全炳浩 교장님이 왔다. 전교장님은 나의 셋째 형님과 막역한 사이다. 예산여고 한철웅韓哲雄 서무과장님도 동행이 되어줘서 우리는 택시를 잡아타고 떠났다.
나는 두번째 가는 길이건만 지난날이 잘 기억나지 않을 정도로 제법 달라졌다. 전에 못 본 신안중학교가 서 있고, 무슨 농장이라면서 서구식 양옥도 있었다. 전에 논두렁을 한참 걸어서 들어갔던 때와는 딴판으로 완당 선생 고택 앞에서 차를 내렸다. 비로소 전에 본 용궁리 광경이었다. 그때는 이른 봄이었는데 이젠 녹음이 무성해서 부드러운 산야가 한없이 아늑하였다. 서울에서 들었던 소문대로 김석환옹은 올봄에 작고하였고 김성기金聲基 씨는 온양에 가고 없어서 선생 유물을 볼 수가 없게 됐다. 우리는 하룻밤 잘 작정으로 왔지만 두 교장님은 예산으로 돌아가야 하기 때문에 월성위月城尉 산소를 들러 완당 선생 산소에 가서 절했다. 이번은 천천히 비문碑文을 훑어볼 수 있었으나 별로 도움이 될 만한 구절은 없었다. 선생이 병진丙辰년 시월에 이곳에서 세상을 떠나사 이곳에 묻히셨다면 내가 지난날 인사동 고서화 가게에서 탁본으로 본 권돈인權敦仁 예서隸書인 완당 선생 묘갈墓碣은 애초에 어디 있었으며 언제 걷어치운 것일까.
선생 산소에서 아랫길로 내려와 어느 퇴락한 기와집 바깥채 마당을 지나는데 김영환 교수가 가리킨다.
"저게 뭡니까. 완당 선생 글씨 같은데요."
그 바깥채에는 방문이 보이지 않을 정도로 밀짚이 잔뜩 쌓였다. 서까래 밑으로 남향한 글씨 두 폭은 알아볼 수 없게 뜯겨나가 자국만 겨우 남았고 동향한 글씨 예서 '유대복有大福' 이 비교적 분명한 편이고, 남은 '양수量壽 승??인勝??人' 은 고택 현판 '무량수無量壽' 와 혹사酷似한데 '무無' 자와 그 외는 뜯겨져 없었다. 그 옆은 전서篆書 비슷하건만 알아볼 도리조차 없었다. 김영환 교수는 좀 물어봐야겠다며 개가 짖어쌓는데도 안채로 들어가더니 곧 도로 나와서 들어오라 한다.
허술한 외관과는 달리 들어가보니 퇴락은 하였을망정 완연한 고가古家의 내당內堂이었다. 그 좋은 목재가 옻칠보다도 새까맣게 변해 있었다. 마루에서 두 사람이 막걸리를 마시다 말고 우리가 인사를 청하자 반가이 맞이하며 술을 권한다. 시골 막걸리 맛은 서울과는 천양지간이어서 누룩 냄새가 향기로웠다. 주인 현범구玄範九 씨와 이야기를 하다 보니 그 댁 딸 현남진玄南眞 양이 예산여고 학생이어서 주인은 뜻밖에 김영보 교장님도 맞이한 셈이었다. 주인은 더욱 우리 일행을 반가워하며 설명한다.
"바깥채 그 글씨 말입니까. 뭇사람들이 와서는 벗겨낸다며 물칠해서 뜯다가 실패하고 그 꼴로 만들어놨답니다. 이 연목 윗벽에도 글씨가 있어요."
요행 비는 오지 않으나 날씨가 흐린데다 글씨가 오래되어서 보이지 않는다. 김영환 교수가 받침대를 놓고 올라서서 성냥불을 그어보더니 해서楷書가 있다고 한다. 잘 보이지는 않으나 '정正???', '존기첨시尊其瞻視'였다. 그렇다면 마멸磨滅한 세 자는 '기의관其衣冠'일 것이다. 좌측도 뜯어내면 글씨가 있을 것만 같았다. 현구범 씨가 "오늘 밤은 꼭 우리 집에서 주무셔야 한다"며 간청하기에 고마워서 화엄사에서 자기로 하고 온 예정을 변경, 그럼 오석산烏石山을 해 지기 전에 다녀와야겠다며 총총히 떠났다.
도중 동네 아이들을 앞장세워 가니 화엄사는 과히 멀지 않았다. 약사전藥師殿 석불石佛과 소탑小塔은 언제 때 조성일까. 광무연간光武年間에 이루어진 정화幀畵들이었다. 사寺라기보다는 퇴락한 원당

願堂이란 느낌이 들었다. 제주 적지謫地에서 완당 선생이 써보내신 '무량수각無量壽閣', '시경루詩境樓' 목각 현판을 보고 중수기重修記 현판은 읽어볼 여가도 없어 김영환 교수가 사진을 찍었는데, 날이 흐리고 저물어서 잘 나올는지 모르겠다. 어필御筆 하사품이란 '화엄사華嚴寺' 현판일까. '백얼百蘖' 현판은 낙관이 없었다. 절 뒷산으로 오르는 도중 선생의 글씨 '천축고선생天竺古先生'과 '시경詩境' 석각은 보았으나 '소봉래小蓬萊'가 없어서 두루 찾는데, 소주를 사가지고 뒤따라온 현범구 씨 말에 의하면 산 너머 어디에 있다는데 자기도 잘 모른다는 것이었다. 저녁 예불을 드리는 염불소리가 난다. 약사여래께 절하고 큰길로 나왔다. 자동차가 8시 반에 오기로 되어 있어 전병호 교장 선생님과 작별하고 완당 선생 산소 앞을 지나 돌아오는데 무슨 고향 길이라도 걷는 성싶었다. 현범구 씨 댁에 먼저 가서 우리에게 각별히 잘하도록 부탁하고 나오는 김영보 교장 선생님을 도중에서 만나 다시 솔밭 언덕 너머까지, 나는 전송했다. 구름이 흩어지는 사이로 제법 둥근 달이 높이 떴다. 세수하고 발 씻고 석유 등불 아래서 저녁 식사를 마치고 대청에 앉아 이야기에 시간가는 줄을 모르겠다.

"내가 살고 있는 이 집은 실은 완당 선생 고택으로서 단 하나 남은 옛 건물입니다. 다 타버렸고 노른자만 남은 셈이지요. 지금은 없지만 이 대청 뒤에 사당祠堂이 있었습니다."

현범구 씨 부인이 어느새 토종닭을 통째로 삶아다 놓는다. 내당內堂 대청에서 안주 삼아 서로 잔을 권하며 불과 백 수십 년 사이가 이처럼 다를까 싶었다. 마른 번개가 수차 번쩍이더니 밤비가 억수로 쏟아진다. 대청의 석유 등불은 꼼짝도 않는다. 모기장 밖에서 모기 떼가 울어쌓는다.

1974. 7. 31.

밀짚으로 아궁이에 불을 때는 소리가 총소리 같다. 아침 식사 마치고 옛날 안마당이었다는 데에서 '석년石年 수옹당須翁堂' 석각石刻을 보았다. 선생 양아들인 수산須山의 글씨인지도 모른다. 바깥채 중간 마당을 지나 초가집들이 들어서 있는 일대가 옛날은 바깥 마당이었으며 연못이 있었던 데라 한다.

선생 고택으로 갔다. 주인 김성기 씨는 아직 돌아오지 않았다는 것이다. 그 길로 곧장 가서 선생의 고조부인 영의정 산소 앞 백송白松을 보고 돌아왔다. 주인은 아직도 오지 않아서 방에 앉아 무작정 기다렸다. 어제 한철웅韓哲雄 과장이 예산에 돌아가는 길로 온양으로 전화 연락하겠다고 했으니 연락은 했을 텐데 바빠서 못 오는 것 같다. 선생 유물들을 보관한 철제 캐비넷 앞에 앉아 '월성가승月城家乘', '문정공가장부연보文貞公家狀附年譜'(필본筆本)가 있기에 뒤져보는데 점심 밥상이 들어왔다. 연락을 받았다며 예산에서 김완호金阮鎬 씨가 와주어서 매우 고마웠다. 서둘러서 선생 유물들을 보는데 이번에도 시간 여유는 없었다.

"완당 선생 필적과 진영眞影과 인보印譜 등 유물을 다루는 실물대實物大로 원색原色 정인精印해서 팔도록 하시지요. 오는 사람마다 일일이 만지고 펴서야 어디 견뎌나겠습니까. 그리고 유물을 전시할 건물을 시급히 세우도록 요로要路에 청합시오. 더 이상 훼손되는 일이 없도록 모든 것에 손을 써야 합니다."

하고 개인 의견을 말했다. 시간 관계상 김영환 교수는 겨우 선생 인장印章 한 벌을 찍었고, 나는 총총히 선생 친필 묵적墨跡만 보았지만 우리 나라 백과 사전에 나오는 완당 선생 고택 유물 품목을 새로이 조사해서 수정해야 할 것 같다. 한때 잃었다가 되찾은 선생 진영에 절하고 권돈인 근술謹述인 '추사선생진상찬병서秋史先生眞像贊幷叙' 만 베꼈다. 김완호 씨와 그 자당慈堂께 거듭 감사하고 떠나는데 빗방울이 뚝뚝 떨어진다. 준비해온 우산을 폈으나 도중에서 비는 끝났고 신예원新禮院까지 걸어나와 막걸리로 목을 축였다.

1970년 금산錦山 갔을 때 썼던 졸필拙筆을 8폭 병풍으로 꾸며뒀다기에 한번 볼 겸 예산 김영보 교장님 댁에 들렀더니, 우리를 기다리다 못해 김재연金在連 씨를 용궁리龍宮里로 마주 보냈다는 것이다. 된장찌개 잘 끓인다는 일등 한식집에 안내되어 저녁 식사 대접을 받고 피곤을 말끔히 씻었다.

1974. 8. 1.

김영보 교장님 댁에서 조반을 마친 다음 작별하고 김영환 교수는 학생들 하계 봉사를 둘러보러 당진唐津으로 떠나고, 나는 온양 가는 버스를 탔다. 멀리 지나가는 신라 원술랑의 사당을 바라만 보았다. 삼국 통일의 후유증을 도맡아 외군을 몰아내기에 무진 애를 썼던 김유신金庾信 장군의 불쌍한 아드님이다. 오늘에 있어 보다 아득한 옛날을 생각하지 않을 수 없었다.

1974. 8. 7.

오늘따라 피곤하고 따분하다. 육교 위에서는 거지아이가 지나다니는 사람들에게 비를 노박이로 맞으며 절하는 자세로 엎드려 있었다.

걱정 근심 없기는 거지가 제일이라지만 거멓게 찢어진 옷 사이로 드러난 살을 보자 나의 피곤과 우울은 일시에 사라졌다.
시장 구석 조그만 판잣집에 들어가 감자국과 막걸리를 먹고 나서 얼마냐고 물었더니 90원만 내란다. 최고로 싼 집인 듯싶었다. 골목 건너 한 평에 수십만 원씩 하는 빈터에서 노인이 오줌을 깔긴다. 아기가 나자빠져 아파서 울건만 술집 내외는 웃기만 한다.

1974. 8. 18.

제자題字 사진 뜨거든 내게 한 장 보내주오. 그리고 나서 졸필拙筆은 표구하여 서재에 걸어두오. 우리는 멀리 떨어져 있으나 나 보듯이 보시오. 요즘 고향 경주는 부러울 정도로 아름답겠지요. 시집 낸다니 거듭 축하하오. 늘 정진하기를 바라며 내내.
정민호鄭旼浩• 대아大雅. 구용丘庸

아내와 함께 모처럼 외출하였다. 시를 쓴다는 짓이 이처럼 미안하기는 처음이다.

1974. 8. 19.

아내와 함께 아이 데리고 의정부 가는 버스를 탔다. 의정부에서 간단한 음식 사 먹고 푸른 산과 저녁노을 아끼다가 돌아왔다. 머리가 개운하다.

1974. 9. 18.

소문에 듣던 아름 화랑 찾아갔다가 오랜만에 김영태 씨를 만났다.

오는 길에 골동 가게가 있기에 들어갔더니 완당 선생 예서隸書인 목각 현판 '무량수각無量壽閣' 이 있었다.
원각原刻은 완당 선생 윗대부터 원찰願刹이던 예산 오석산 화엄사에 지금도 걸려 있다. 골동 가게에서 본 현판은 일정 때 복각覆刻인 듯하나 원각에 핍진逼眞한 정각精刻이었다.
이튿날 가서 '무량수각' 목각 현판을 사왔다. 나무결이 나기까지 페이퍼로 양각陽刻 글씨의 때를 말짱 벗겨냈다. 기름칠을 끝내고 마루에 걸었다. 이 글씨는 완당 선생이 제주도에서 귀양살 때 '시경루詩境樓' 와 함께 써서 보내신 것이다. 특히 각閣 자는 대자비大慈悲에 귀의하는 중생고衆生苦의 표현처럼 일그러졌다. 진해형극塵海荊棘에서 선생은 과연 그런 심정이었을까. 아니면 나의 삐뚤어진 안목일까. 선생의 개결介潔한 인격도 그때만은 감개무량하셨을 것이다.

1974. 10. 6.

언젠가 허영자許英子 씨가 난정과 나를 초대하겠다기에 폐가 될 것 같아서 그만두시라 했다. 남백 댁에서 난정과 나는 여러 달 만에 만났다. 서로 반갑기가 이를 데 있으랴. 주안상이 나오고 서로들 잔을 권하다가 문방사보文房四寶가 차려지자 난정은

文濤萬里天風驅

墨痕一縷水仙影[19]

완당 선생 시구와

日月兩輪天地眼

詩書萬卷聖賢心[20]

을 각각 대연對聯으로 써서 나에게 준다. 나도 덩달아 그 글귀를 써서 드렸다. 현포玄圃가 오고 다음에 묵사默史도 왔다. 점심 먹고 서로들 한담하며 각기 흥나는 대로 붓글씨 쓰다가 이만 저녁 식사까지 하고 다시 술 한 차례하고 밤늦게야 헤어졌다. 남백의 과용이 이만저만 아니었으리라.

1974. 10. 8.

비록 어릴망정 형제간이 싸우는 것을 보면 화가 난다. 다른 짓은 다 보아도, 왜 그 꼴만은 참을 수 없는지 나도 모르겠다. 좋은 작품을 쓰는 것과 명예는 별개이다. 명성을 얻고 싶대서 좋은 글이 씌어지는 것은 아니다. 그러므로 이름을 남긴다는 것은 어리석은 짓이다. 사람들이 아무리 칭송하여보아라. 옛 성인聖人들도 아실 리 없다.

1974. 10. 24.

버스에서 내렸을 때는 제법 어두웠다. 위쪽 길 대신 아랫길로 들어서서 집으로 가는데 막걸리 집에서 김교수가 뛰어나오며 나를 불렀다.

"낮에 전화로 말씀 드렸던 유산 정학연(유산酉山 정학연丁學淵은 다산 정약용 선생 아드님이다) 글씨를 샀습니다. 한번 봐줍시오. 댁에 갔더니 안 계시기에 여기서 40분이나 기다렸지요."

내 동네에 온 김교수를 대접할 겸 술집 '은정'으로 갔다. 방안에 들어앉아 술을 시키고서 펴보니 병풍에서 뜯어낸 7폭 유산酉山 글씨였다. 시내 변두리 고서화상에서 형편없이 싼값에 샀다는 것이다. 유산 글씨를 전에 본 적도 없다면서 옛사람의 서풍書風을 알아본 김 교수의 총명에 나는 감심하였다. 김교수는

"첫째 장 한 폭이 빠졌으니, 7폭 병풍은 꾸밀 수 없고, 그래서 불에 약간 탄 자국이 있는 이 칠七자 번호 한 장은 드리겠습니다."

며, 나에게 한 폭을 주었다. 고마운 일이었다.

"하루만 다 빌려주오. 감상하고 돌려드리겠소."

했더니, 김교수는 며칠이건 두고 보시라며 쾌락하였다. 한 폭을 얻었으니 감사하는 뜻에서도 충분히 대작對酌하고 싶으나 감기 기미가 있어서 주로 잔을 권하기만 하였다.

1974. 10. 25.

유산 글씨 7폭 내용을 베껴둔다. 서폭 끝마다 번호 숫자가 있어서 그 순서에 따른다.

二. 嘉蓮頂上御天風 一點壬羅碧海中 獨倚高松時大笑 人間萬事摠成空
鈔鑼潭釣徒

三. 十笏南盦臘雪晴 縞衣宗釋見人情 蘑菰淨飯青蓮鉢 贏得山窓半日淸
雅谷道人

四. 縹緲頭輪挽日庵 白雪茅屋午眠酣 縞衣不入緇衣去 四十年來是善男
碧花吟舫書

五. 艸衣開士舊詩交 新縛禪房飮虎跑 一別兩皆雙鬢雪 此生何日對揮毫
鐵馬山學人

六. 藏公上院石蹊斜 千樹油茶鶴頂花 當日聞笙歸寂處 空山流水是誰家

品石散人

七. 小苾蒻擔穀雨茶 春風千里到漁家 斜封手展便多感 勝似恒河妙德沙 苔上烟波館

八. 襆鉢跏趺守一窩 年來我赤老頭陀 司空詩壙今將就 入地之時已無多 無當作不 己酉閏夏 鐵馬山 掃落花頭陀 題八絶

유산이 시우詩友인 두륜산頭輪山 대흥사大興寺 초의 선사를 생각하며 고향인 양수리兩水里에서 쓴 자작시 자필이 분명하였다. 유산은 귀양사는 아버지를 뵈오러 다산 초당에 갔을 때 초의 선사와 더욱 두터운 친분을 맺었을 것이다. 그 후 다산 선생은 세상을 떠났고, 승僧·속俗은 다르지만 시와 글씨가 그들의 간곡한 정분을 오늘날 내 방에까지 전하며 있다. 특히 폭마다 가지가지 별호別號가 있고, 문자인文字印, 수인首印 또는 성명인姓名印이 찍혀 있어서 은근하나, 옛사람의 뜻에 비해 후세 사람의 소홀로 좀 낡은 편이었다. 김교수가 입수했으니 앞으로는 잘 보관될 것이다.

1974. 10. 29.

근자의 일이다. 김영호 교수는 『석파만음石坡漫吟』에서 보았다며 다음 시를 나에게 베껴다 주었다.

果川行中 聯翩笻屐出京城十里江湖野色晴 試看清波閒鷺夢 更聞遙寺夢鍾聲 雨餘穲稏成秋事 境外雲林摠盡情 熟路輕車重到此 永懷老阮古先生.[21]

대원군이 완당 선생과 과천 처소를 길이 잊지 못했던 것만은 분명하다. 한시로서 실경實景을 짐작할 바는 아니지만 완당 선생이 거처했던 과천 지점을 노상 짐작 못할 바도 아니다. 선생 묘비에 '과천에서는 아버지 김노경金魯敬 공 산소 밑에서 살았다' 고 적혀 있으니 족보를 보면 그 산소의 소재처가 나올 법도 한 일이다. 여기까지 일기를 쓰는데 마침 벨이 울리기에 전화를 받았다.

"나는 예산 용궁리의 김성기인데 서울 온 김에 전화를 겁니다."

고 한다. 나는 반가워서

"댁에 가거든 김노경 공 산소가 있었던 지명을 족보에 있는 그대로 적어서 보내줍시오."

하고 부탁했다.

"내달에 올라올 테니 그때 적어다 드리지요."

하는 대답이었다. 완당 선생이 과천 어느 곳에 사셨던가를 이번에야 알게 될까.

1974. 11. 6.

이상무에게서 전화가 왔다. 미술 전시장에 함께 가자는 것이었다. 나도 가보고 싶던 참이어서

"오늘은 여가가 없으니 내일 오후 5시에, 전시장이 가까운 편인 이상무 사무실로 내가 가지요. 그러니 김교수에게도 전화 연락을 해둡시오."

하고 약속하였다.

1974. 11. 7.

약속한 5시에 이상무 사무실로 갔더니 김교수는 와 있지 않았다. 기다리는데, 이상무가 나더러

"전화 받읍시오."

하였다. 김교수 목소리였다.

"학교에서 나가려는데 형사가 왔어요. 유산 선생 글씨를 찾으러 왔다는 겁니다. 글쎄, 장물 취득이라는군요. 7시에 다방에서 다시 만나기로 했어요. 그러니 미술 전시장에는 이상무와 함께 가십시오. 난 못 가겠습니다."

"아직도 시간이 두 시간이나 있으니 충분하지 않을까요. 곧 이리로 옵시오. 자세한 이야기나 들어봅시다."

하고 권했다. 이상무는 내게서 전화 내용을 듣고는 말하였다.

"어젯밤에 꾼 꿈 이야기 좀 들어봅시오. 하루 내내 신경이 쓰여서 못 견딜 지경입니다."

무슨 징조일까 해서 조심이 된다는 그 꿈 이야기는 이러하였다.

어렸을 때 곧잘 놀던 고향 바닷가였는데 천박하게 생긴 접대부 비슷한 여자가 낚시질을 하고 있더란다. 이상무가 대신 받아서 낚시질을 하는데 무엇이 걸려 올라오기에 본즉, 새끼줄에 죽어서 매달린 분홍빛 도미가 여러 마리더란다. 그런데 그 여자는 도미가 다 제 것이라며 빼앗아가더라는 것이다.

꿈에 본 여자가 어찌나 징그럽고 흉한 상이던지, 오늘은 무슨 뜻밖의 일이라고 생기지 않으려나 하고 전전긍긍했다는 것이다. 이상무는 말을 계속하였다.

"그런데 오늘 인천에 볼일이 생겨서 가기 싫은 걸 갔습니다. 인천서

에 갔더니 담당 경관이 한참 바쁘다며 다방에서 기다리라는 것이 아니겠습니까. 한 시간을 기다려서 일을 마치고 돌아왔습니다만 왜 공연히 불안한지 모르겠어요. 아마 김교수 이야기를 들으려고 그런 꿈을 꾸었을까요."

아마 과로해서 그런 꿈을 꾸었을 것이라고 위로하는데, 김교수가 들어왔다.

"어찌 된 겁니까."

하고 물었더니, 김교수는

"그 유산 글씨가 대흥사 사중寺中 물건인데 오래 전에 여러 가지 물건과 함께 도둑을 맞은 거라지 뭡니까."

이때였다. 이상무가 일어서며 소리를 질렀다.

"맞았어. 바로 그거다. 그거야! 김교수 찾아온 형사가 빨간 잠바 차림에 금빛 배지를 단 사람이 아니던가."

김교수는 완연히 놀라는 상이었다.

"이상무가 그걸 어떻게 알지?"

이상무는 연신 웃으면서 나에게 말하였다.

"인천에서 경관과 작별하던 참이었는데 서에서 빨간 잠바 차림의 사람이 나옵디다. 그 경관이 '어디 가' 하고 물으니까 빨간 잠바 차림의 사람이 가다 말고 돌아보더니 '대흥산가 뭔가 때문에 귀찮아서 못 견디겠어. 또 바쁜 걸음 해야겠는걸' 하고 가버립디다. 이제야 그게 퍼뜩 생각나는군요."

나도 우연한 확률에 얼떨떨하였다.

"경찰에서는 김교수가 유산 글씨 산 걸 어떻게 알았답디까."

"그날 서화상 주인에게 좋은 물건이 나오거든 연락해달라고 내 명함을 줬거든요. 난 집에 가서 유산 글씨를 갖다줘야 합니다. 이건 대홍사 부처님이 내게 맡겼다가 찾아가는 건데 안 내줄 수 있습니까."

하며 과학자인 김교수는 좀 섭섭한 듯이 웃었다.

나는 따라 웃으며

"김교수, 그럼 내 집에 있는 그 한 폭은 어떡하지요."

하고 물었다. 김교수는 그제야 무릎을 탁 치며

"그렇군요. 온 이런 정신 봤나."

하고 눈을 깜박깜박하더니

"시간이 없으니 자, 일어서시지요."

하였다. 실은 내가 그러고 말하기를 김교수는 기다렸는지도 모른다. 나와 이상무가 크게 웃으니까 김교수도 크게 웃었다. 이상무는 우리에게 문을 열어주며

"나도 7시에 그 다방으로 가겠습니다. 꿈 땜을 했으니 인사동에서 한잔 해야겠습니다."

하였다. 김교수도

"오늘밤은 한잔 해야겠어. 그 꿈 이야기를 난 못 들었으니까 이따 술자리에서 해달란 말이야."

하고 나왔다. 우리는 인사동 휘앙세 다방에서 다시 만나기로 하고 동·서로 헤어졌다. 장물과 꿈이라? 차가 깊은 안개 속을 달리듯 바깥은 아리숭하기만 하였다.

나중에 안 일이지만 범인을 아직 잡지 못했다는 이야기였다.

1974. 11. 25.

상경한 김성기 씨와 초면 인사를 했다. 족보에 의하면 김노경 공 산

소가 있었던 곳은 과천 준리蹲里라 한다.

"그럼 준리가 현재 어디인지를 알아봐야겠군요."

했더니

"전에 성균관에 있었던 김익환金翊煥 옹이 면례緬禮 때 참석했다고 합니다. 그리로 알아보시지요."

한다. 그렇다면 완당 선생이 계셨던 과천 집 문 앞까지 온 셈이다.

1974. 11. 28.

첫번째는 통화중이었다. 두번째 건 전화로 김익환 옹과 통화가 되었다.

"과천 준리란 곳이 지금 어딥니까."

"지금은 주암리注岩里라고 해요. 다 없어지고 아무것도 없지요. 남은 거라곤 우물이 있어요."

"주암리로 가자면 어디로 해서 가야 합니까."

"내일 내가 명륜당明倫堂으로 나갑니다. 내일 오후 2시 반에서 3시 사이에 성균관에서 만납시다. 다른 건 몰라도 추사공이라면 나만큼 아는 사람이 없지요."

등잔 밑이 어둡다는 격이었다. 알 수 있는 길이 바로 학교 곁에 있었건만 지금까지 방황한 셈이다.

1974. 11. 29.

성균관에서 김익환 옹과 인사는 처음 했으나 전에 더러 본 분이었다.

"과천읍에서 약 10리쯤 가면 주암리인데 속칭 돌무께라 하지요. 그곳은 귀양살이에서 풀려온 추사공의, 요샛말로 말하자면 거주 제한

지역이었지요. 그러니 수난과 가난으로 집안이 오죽했겠습니까. 어떻든 추사 어른은 결국 주암리에서 세상을 떠나셨고 운구運柩된 첫 장지葬地가 예산 신안新安입니다. 주암리엔 가봐야 동네에 우물이 둘 있는데 텃밭 아래 우물이 그 당시 사랑채 뜰 아래 있었던 것이라고 합니다. 물론 그 당시를 말해줄 사람도 없으려니와 물었댔자 대답해줄 나 같은 노인도 없지요. 그저 불운과 가난과 적막한 생활이었다고 들었어요. 다 손孫이 끊어지고 집안 중에서 상相 자 희喜 자 하는 어른이 겨우 자손을 두어 내가 대를 이었지요. 사람들은 흔히 추사 선생 예산 고택故宅이라고들 말합디다만은 그곳은 조상 때 마련된 전성 시대였지 추사공과는 연고가 크게 없는 걸로 압니다. 추사공은 서울 적선동積善洞에서 출생하여 벼슬 사셨고 그 후로 줄곧 귀양만 사시다가 세상을 떠났는데 어느 여가에 예산에서 오래 계셨겠소."

예산 용궁리 선생 산소의 비석은 일본 사람 등총린藤塚隣 교수가 세운 것이라 한다. 기막힌 말이었다. 김익환 옹에게 감사하고 나오다가 보니 성대전成大殿 보수가 한참이었다.

1974. 12. 4.

심심하면 남관南寬 화백의 유화를 보는 동안에 작품 주제인 두 형태가 점점 한산寒山• · 습득拾得으로 변하였다. 남화백이 뒷면에 써서 준 '사양斜陽' 이라는 제목이 화면畵面에서 '서방정토西方淨土' 로 탈바꿈하면서부터였다. 이런 변화에 당황할 필요는 없었다.

그날 남화백은 나에게

"이 그림은 제목을 '대화對話' 라고 해도 괜찮을 것입니다."

하고 웃었다. 대화라면 무슨 대화일까.

대화는 단절의 반대말이다. 남녀의 대화? 죄인들의 대화, 팔고 사는 대화? 더구나 음모陰謀, 밀회密會, 정상 회담, 우주인의 통화는 아닐 것이다.

왜냐하면, 두 형태는 소위 난해한 추상이어서 인체를 충분히 연상할 수는 있으나 육체만도 아니며, 세계 시각에 어떤 이미지를 주는 새로운 문자 같기도 하였다. 남화백의 '대화' 라는 말이 무엇이건 간에 이 추상에다 대화의 뜻을 정착시키는 일은 나의 자유였다. 기왕 한산 · 습득에까지 이르렀으니, 그럼 아득한 옛날 천태산天台山 국청사國淸寺에서의 그들의 대화일까. 옛 그곳의 종소리와 며칠 전에 월식月蝕했던 밤의 대화일까. 그런 따위도 아닐 것이다. 나는 대화의 설정에 대해서 며칠 동안 방황하였다.

그 후로도 남화백의 그림을 보는 동안에 머릿속에서 다시 변화가 일어났다. 방향도 없이 확산하던 대화의 뜻이 두 갈래로 점점 집중하였다. 하나는 보현보살행원품普賢菩薩行願品에 나타나는 보현보살과 부처님의 대화이다. 또 하나는 문수보살文殊菩薩과 유마維摩 거사와의 대화이다.

나는 대화를 내 나름대로 발견한 것이다. 따라서 한산 · 습득으로만 보이던 그림의 두 형상은 문수보살, 보현보살로 나타나 나왔다. 문수 · 보현보살상을 남화백의 한 유화에서 발견했다는 것은 지난번에 남화백 부부가 우리 집에 왔을 때, 이젠 타버리고 없는 일본 법륭사法隆寺 금당 벽화金堂壁畵와 그 모사模寫에 관한 이야기를 우연히 하였고 들었기 때문만은 아니다.

해방 후로 내가 중국 목각 관세음보살상과 대세지보살상大勢至菩薩

像을 책상에 모신 데서 연유를 찾는 편이 보다 가까울 듯하다. 그래서 과분한 욕심인지는 몰라도 문수 · 보현보살상도 구했으면 하고 원했던 오랜 심층 의식이 이번 기회에 발로된 것이나 아닐까.

그때 남화백은 자기 작품인 그 현대 추상 유화를 내주면서(여러 점 중에서 그 작품을 고른 것은 나였다)

"고대古代 잉카 예술을 상상해도 괜찮을 것입니다."

했다. 고대건 현대건 관계는 없다. 말하자면 노화백의 명수名手에 의해서 이루어진, 작가 자신의 말마따나 동양의 작품이며 우리 나라의 작품이다.

언제나 동서고금과 미래와의 동시성이 바로 본질에의 길이 아니겠는가. 1972년도 작인 한 현대 추상 유화를 문수 · 보현보살상으로 본 것은 나의 자유지만, 나를 한산 · 습득으로까지 도입해준 남관 화백의 예도藝道에 감사한다.

우리는 문수 · 보현보살을, 한산 · 습득을, 복동이나 순이에게서도 찾아야 할 때가 왔다.

1975.(날짜는 알 수가 없다)

원고 청탁에 시작詩作 노트가 언제부터 어째서 끼여들게 되었는지는 알 수 없으나, 그런 경우를 당할 때마다 곤란하였다. 말이란 떠오르고 하고 싶어야 하게 되지, 생각도 떠오르지 않고 하고 싶은 말도 없는데 억지로 할 수는 없는 노릇이다. 시작 노트가 왜 필요한지, 써야만 하는지 모르겠다. 원고료를 좀더 보태주기 위한 선심이라면, 그러나 원고료를 위해서 시를 쓰는 직업은 아직 없다. 읽는 분에게 시를 이해시키기 위한 친절이라면 이건 자작시 해설을 쓰라는 권유이다. 되지 못한 내 나름대로의 생각인지는 모르나 시는 그 자신에게 엄밀할지언정 독자에게 아첨하지 않는, 말하자면 그런 것이다. 시는 사람과 같아서 기계 같은 완성품일 수도 없고 그렇다고 꿈이 없는 현실만도 아니다. 언제면 시작 노트를 쓸 수 있을지 나로서도 답답한 일이다.

1975. 1. 12.

김영성金永聲 학장이 오랜만에 왔다. 따라온 서동瑞東이가 주머니 속에서 종이뭉치를 내놓는다. 펴보니 조그만 돌이 두 개 나온다.
"이 남빛 돌은 프랑스 어느 시골에서 2프랑 주고 산 것입니다. 이 화강암 비슷한 돌은 알프스 산 지방에서 주운 것입니다."
"그들도 돌을 팔던가, 돌을 사랑하던가."
"좋고도 웬만한 것은 비싸서 살 수가 있어야지요. 지중해 근처 돌은 안 가지고 왔군요. 형님을 생각하면서 주웠던 돌이 집에 많습니다. 한번 내려오셔서 골라 가십시오."
아내는 나도 한번 피워봅시다 하며 프랑스 담배 GITANS을 받아 한 모금 살짝 피우더니 이맛살을 찌푸리며 웃는다. 주먹 안에서도 돌은 형태와 촉감을 나타냈다.
늙은 내외가 세느 강물 건너 노트르 담 사원이 보이는 잔디밭에서 나란히 앉아 손을 잡고 햇빛을 쬘 어느 날이 있을 것인가.
현실보다는 생각이 자유로울 것이다.

1975. 1. 15.

『주간 한국』을 산 것은 졸작이 실렸기 때문이었다. 방인근方仁根•

선생이 1월 1일 새벽에 별세하셨다는 것을 『주간 한국』을 보고서야 비로소 알았다. 내가 매사에 등한한 때문인지 아니면 세사世事가 외면한 탓일 게다.

오래 전 일이었다. 이번 공로상은 가난한 방인근 선생에게 주자고 모씨에게 권했다가 코웃음을 당한 일이 있었다. 그래도 '방선생이 세상을 떠나면 그때는 『조선 문단朝鮮文壇』•지의 공로에 대해서 서로가 다투어 찬사를 늘어놓겠지' 하고 생각했었다. 그 당시의 생각이 맞지 않았다는 것도 이제야 알았다. 어느 해였던가. 선생은 병든 몸을 비틀거리며 인사동을 그림자처럼 지나가고 있었다.

내가 마지막 뵈었던 노선생의 모습이 선히 떠오른다. 이러고서야 오늘날 글 쓰는 사람들도 외로운 것이 당연하다.

1975. 1. 16.

감정이 방향을 제시할지는 모르나 노상 정확하지는 않았다. 지나친 찬사나 비난에 흔들린 지 오래였다. 그러면서도 사람이 기계에 먹혀 기계가 되는 것은 견디기 어려운 노릇이었다. 자신을, 사람을 재확인하려는 듯이 어디서나 살인과 섹스가 범람하였다.

1975. 1. 18.

어느 아버지는 어린 자녀들에게 물었다.

"우리 집 보물은 뭐게?"

어린 자녀들은 우연히도 함께 대답했다.

"아버지가 아끼는 물건들!"

아버지는 머리를 설레설레 흔들었다.

"아니다. 우리 집 보물은 너희들이다. 그럼 아버지의 보물은 뭐게?"

어린 자녀들은 다투듯 대답했다.

"우리들이다……"

아버지는 껄껄 웃었다.

"아버지의 보물은 나의 엄마란다."

"할머니는 없잖아?"

"……"

1975. 2. 17.

정진규鄭鎭圭• 씨가 나에게 준 선물은 뜻밖의 것이었다. 이런 시집을 받아보기는 처음이다. 『정진규 자필 시선 · 기일其壹, 조율調律』은 손수 태지苔紙로 맨 책으로서 자서自序와 요 몇 해 동안에 발표한 시들이 담겨 있었다. 붓글씨로 또박또박 쓴 수택본手澤本이다. "이런 정성을 어째서 나에게 주시오" 하고 물었다. 씨는 몇 분에게 주려고 한 파트씩 썼다는 대답이었다.

인쇄물이야 구하면 된다. 이런 유일본은 써달랜대서 써주는 것도 아니요, 돈으로도 살 수 없는 것이다. 옛날엔 필사본이 흔하였지만, 오늘날 바쁜 나날에 자작시를 붓글씨로 써서 책을 매어, 더구나 남에게 준다는 것은 상상도 못할 일이다. 이런 정성은 받기가 뭣해서 돌려주고 싶었으나

"그럼 내가 보관하지요. 언제고 영인影印해서 출판하기로 합시다. 그래야만 이 원본을 가져도 마음이 편할 것 같소."

하고 감사하였다.

1975. 2. 24.

국립 중앙 박물관에서 98호 고분古墳 천연색 기록 영화를 보았다. 영혼이 있다면 도굴盜掘이라며 분노할까. 사람들은 옛 문화를 알기 위한 일이라고 대답할 것이다. 그러나 그런 것을 생각할 필요는 없었다. 발굴하는 현대식 작업에는 능을 쌓아 올리던 옛 백성들이 우글거리었다. 한 여자는 왕과 결혼하였다는 단순한 사실 때문에 여러 가지 황금 장신구와 부장품副葬品을 남기었다. 오늘날 여성 중에는 남성이 속박한대서 반발하고 있다. 그럴 수밖에 없는 것이 옛날에도 왕비보다 행복한 여성은 있었을 것이다. 행복이란 기정 상식이 아닌 것이다.

1975. 3. 5.

늙으면 그저 쉰다는 것이 아니고, 참으로 생각할 때라는 뜻일 게다. 그러나 생각하는 일이란 어렵기만 하다.

보아서 느꼈거나 선입관에서 보았거나 간에 연쇄 작용이 일어난다. 정신 없이 확산하다가 이만 산화해버린다. 대낮의 달처럼 희멀건 껍질로서 사라진다. 피곤은 다시 일어설 수 있지만 허탈감은 곤란하다. 가만히 생각해보면 생각이 자리를 잡지 못하는 것은 당연한 것도 같다. 휴식이 없는데도 생각이 가능하다면 그야말로 우스운 일이다. 그렇다고 휴식을 찾아서 헤매다가 보면 생각은 더욱 멀어만진다.

앞에 가는 버스는 연신 매연을 내뿜었다. 그는 시계를 보았다. 택시 운전사에게 더 이상 빨리 가잘 수는 없었다. 서로가 같은 속력으로 달리니 암만 가야 거리는 그냥 그대로였다.

검은 매연이 창을 가리면서 택시에 인화引火되었다. 지난날 그에게 시계를 사줬던 여자의 손이 이때 택시 문을 연 그의 손처럼 방문을 여는 참이었다. 탁상 시계에서 낡은 음악소리가 났다. 예정했던 시간은 지나가는 중이며 그들은 약속보다 늦는 것이 정상이었다.
이야기는 무엇이건 맘대로다. 어디서 끝나도 좋다. 어디서 시작해도 괜찮은 것이다. 늙으면 편안해야 한다는 말이 있다. 누구의 말인지 기억이 나지 않는다. 그런 말이 왜 생각나는 것일까. 참으로 늙은이는 없는 것일까. 생각해야 할 휴식이 없기 때문인가. 생각하는 내가 없기 때문인가. 뭣 때문인지도 모르면서 바쁘기만 하다.

1975. 3. 6.

존경하는 남관 화백께
'감지금니사경紺紙金泥寫經' 은 고려에서 조선 초 사이에 씌어졌다고들 합니다. 이런 말을 뒷받침하는 것은 책 모양의 변천 과정으로 미루어볼지라도 우선 옛 체제인 절첩折帖이며 이를 증명할 만한 충분한 유물들이 있기 때문입니다. 그래서 절첩으로 된 금니金泥 · 은니사경銀泥寫經하면 고려 때 것이라고들 합니다.
내가 보내드리는 이 한 폭은『실상묘법연화경實相妙法蓮華經』「제바달다품提婆達多品」의 한 부분으로서 '삼천대천세계三千大千世界 내지무유乃至無有 여개자허如芥子許' 로부터 '비시법기非是法器 운하云何' 까지가 들어 있습니다. 자세히 보면 윗부분에 먹글씨 '왕의王義' 두 자가 있는 걸 아실 것입니다. 입수했을 때도 상결上缺 잔첩殘帖으로서 이제 내게는 그 다음 부분인 세 폭이 남아 있습니다.
증빙할 만한 문자가 없느니 만큼 보내드리는 사경 한 폭이 조선초 것이 아니며 고려 때 것이기를 바랄 뿐입니다. 오랜 우리 조상들의 깊은 신심이 스며 있습니다. 벽에 걸어 모시고 보시기 바랍니다.

부암동付岩洞에도 봄이 찾아들면 바위들과 먼 산이 유리창에 다가와서 새로운 합창들을 하겠지요. 전번에는 시간 관계상 더 놀지 못하고 온 것이 아쉽습니다. 부인께 안부 전하여주십시오.

1975. 3. 8.

약속한 시간에 안동림安東林 씨와 만나 보연각寶蓮閣으로 데리고 가서 이봉수 사장과 초면 인사를 시켰다. 이사장이 겨우 구했다는 오대산 상원사上院寺 장판藏版 『금강반야바라밀경 오가해』 초간본을 안동림 씨는 받자 오랫동안 구하려던 책인 만큼 매우 기뻐하였다. 그 초판본에서 기뻐하는 안동림 씨 모습에서 나의 먼 과거가 떠올랐다. 30여 년 전이다. 당시 내가 애독한 불경이 바로 오대산 상원사 장판 『금강반야바라밀경 오가해』 초간본이었다. 명문名文으로서 『동문선東文選』에도 수록되어 있다지만, 우리 나라 함허 선사涵虛禪師의 『금강반야바라밀경 오가해 서설序說』부터가 나를 잡고 놓지 않았다. 형님들에게 읽기를 권했더니 둘째형님과 셋째 형님은 마침내 붓글씨로 여러 벌 사경寫經해서 나에게까지 한 벌씩 주었고 어머님은 한문 뜻도 모르시면서 경문經文 전부를 외우셨으니 우리 집안이 『금강반야바라밀경』을 애독한 셈이다. 불경을 보겠다는 분이 있으면 나는 언제나 『금강반야바라밀경 오가해』를 추천했다. 우선 읽기에 양이 많지 않은 단권單卷이며 불교를 이해하기에 간명한 대승 경전大乘經典이기 때문이다. 더구나 오가五家의 해설은 큰 도움이 될 것이다.

그러나 나는 불경을 말할 자격이 없다. 솔직히 말해서 내가 아는 것이 전부가 아니기 때문이다. 누구나 『금강반야바라밀경』을 직접 읽어보시면, 내 말이 비교적 솔직하다는 것을 아실 것이다. 누가 불교를 묻는다면 나는 모른다고 대답할 수밖에 없다. 거듭 묻는다면 "사실 모른다" 고 대답할 수밖에 없다. 그래도 또 묻는다면 "아무도 모른다" 고 대답할 수밖에 없다. 내가 안다면, 내가 안 정도에 불과하기 때문이다. 한 번 읽고서 다 알았다면 애독하기는커녕 두 번 보지도 않았을 것이다. 불경을 애독했다는 사람의 대답이 고작 그거냐고 해도 할말이 없다. 내 마음속의 불경은 시간보다도 무한하다. 그래서 언제나 이제부터 모든 경전도 읽어야지 읽어야지 하는 생각만은 끝이 없다.

안동림 씨와 헤어지면서 나는 책을 여러 권 받았다. 내가 전번에 빌려달라고 부탁했던 책들을 씨가 오늘 가지고 나온 것이다. 『반야심경般若心經』과 『금강반야바라밀경』을 합본合本한 일본 암파문고岩波文庫가 그 중에 들어 있었다. 나는 집으로 돌아와서 안동림 씨 덕분에 오랜만에 『금강반야바라밀경』을 읽게 되었다. 오대산 상원사 장판 초간본初刊本은 누이동생이 시집갈 때 가지고 가서 없지만 재판본 외에도 몇 가지를 두고 있는 처지이다. 그러나 암파 문고에는 한역漢譯과 일역日譯 외에도 산스크리트 원본 번역이 대조되어 실려 있었던 것이다. 산스크리트 원본 번역을 읽는 동안, 건망증이 심한 나에게도 마음속에 한역이 남아 있는 것을 확인한 것만 같아서 반가웠다. 원본 번역이나 한문 번역이 얼마나 뛰어난 불경인가를 새삼 알 것도 같았다. 우리 나라에서도 더 좋은 번역과 가지가지 해설이 나와서 많은 독자가 읽었으면 싶다. 그러면 이런 글을 쓰지 않아도 될 것이다.

불경은 내게 있어 고향이다. 어디를 가나 잊을 수가 없다. 누구나 그럴 것이다. 강물처럼 자라나는 생명들은 세계 어디에나 있다. 내일과 출발과 추억과 과거가 동시에 있다. 누구나 책은 읽게 마련이며 애독할 책도 있게 마련이다. 어떤 책을 읽느냐가 일생에 영향을 준다면 과언일까. 불경을 좋아하였기에 내 나름대로의 나를 안다. 후회하지 않고 늘 감사를 드린다.

나의 주선으로 안동림 씨는 오대산 장판 『금강반야바라밀경 오가해』를 입수하였고, 나는 안동림 씨 덕분으로 이제야 산스크리트 원본 번역을 언제나 읽게 되었다. 몇 달 전만 해도 우리는 이런 일이 있을 줄은 몰랐다. 앞으로 『금강반야바라밀경』에 대한 안동림 씨의 견해와 나의 견해는 같지 않을 것이다. 견해가 같다면 이미 불경이라고는 할 수 없다. 그러므로 불경을 애독하는 사람은 다 가르침을 받는 것이다.

1975. 3. 9.

어제 신석초申石艸 선생이 세상을 떠나셨다고 한다. 박희진朴喜璡 씨한테서 전화가 왔다. 문상을 가려는데 댁을 모른다는 것이다. 그럼 함께 가자고 하였다 상가喪家에 들어가니 입관入棺 중이었다. 선생 방에 선생은 없고 문상 온 분들로 가득하였다. 성춘복 씨 말에 의하면,

"어제 오후에 신선생님이 좀 이상하다며 어깨를 주물러달라시더래요. 따님이 주물러드리는데 어느새 세상을 떠나셨더랍니다."

개결介潔한 선비의 풍도風度가 새삼 그리워진다. 분향 예배焚香禮拜하고 박희진, 이성교李姓教• 씨와 함께 물러 나왔다. 아침부터 내

리는 비가 춥지 않다.

"여기까지 온 김에 화계사나 들러봅시다."

하고 권했다. 그러자고들 해서 함께 갔다. 박희진 씨 말에 의해서 큰 방에 모신 보살 입상立像이, 미국에서 사는 이계향李桂香 씨가 지난날 맡겨두고 간 중국 보살상임을 비로소 알았다. 큰방 문을 살며시 열었더니 중 · 고등학교 학생들이 불교 강연을 듣고 있어서 자세히 보지도 못하고 도로 닫았다. 비는 연신 내리는데 관광 버스를 두 대나 타고 온 여신도들이 들이닥친다. 그들 사이에 섞여 대웅전에 예불하고 경내를 한바퀴 돌았다. 봄물이 오르는 검은 나무들을 우러러보았다. 사슴이 맹수를 닮을 수 있을까. 학이 늑대에게 먹힐 리는 없다.

1975. 3. 17.

아내는 미국으로 이민 가게 된 동창 집에 가서 중고품 전기 기구를 싼값에 사왔다. 미닫이에 햇볕이 곱게 퍼졌다. 오늘이 음력으로 내 생일이라 한다. 전번 문인 서 · 화 전시 때 학생들이 축하하는 뜻으로 갖다준 군자란은 방에서 꽃이 한참이다. 통문관에 갔다가 정다산丁茶山 선생 병술丙戌 3월 1일자 수찰手札을 우연히 입수하였다. '쓸데없는 일로 수고로이 세월을 허송하지 말고 힘써 성誠과 근勤을 쌓으라'는 구절이 있다. 나를 위해서 보내신 내용 같기만 하다.

1975. 3. 19.

같은 낱말이 몇 번씩 되풀이되어도 괜찮다고 생각하였다. 요는 생각이 상대에게 잘 전달되면 그만인 것이다. 문체나 문법이나 더구나 기교 따위는 글을 쓰는 데 방해가 된다는 생각이 들었다. 이런 것들을 무시하고도 표현할 수 있는 생각이란 무엇일까. 그것은 어느 정도 가능하다는 체험이지, 가능하였다는 경험은 아니었다. 시 문학은 놀라운 기억력과 일정한 정답을 바라지는 않는다. 이와는 다른 경우일 것이다.

1975. 3. 23.

문화 사업이 얼마나 어려운 줄도 모르고 한때는 잡지를 해보겠다는 욕망이 간절했다. 그래서 잡지사 기자 노릇을 한 것이 첫 출발이었다. 그 당시 경험을 후회한 적은 없으나 잡지를 하려면 상당한 독자가 있어야 한다는 것쯤은 절실히 알고 나온 셈이다. 자신 있게 펴낼 만한 잡지, 말하자면 많은 독자가 있는 잡지는 무엇일까 하고 생각했을 때 대답은 간단하였다. 그것은 불교 잡지였다.

불교 인구가 월등 많다는 통계를 알고 있었기 때문이다. 그래서 불교 잡지가 나올 때마다 그 발전을 기대했다. 일정 때에도 불교 잡지는 상당히 지속한 걸로 아는데 해방 후는 뜻밖에도 그렇지가 못했다. 나타났다가는 제대로 자라나지 못하고 사라지기가 일쑤였다. 왜 그럴까. 암만 생각해야 모를 일이다.

누구나 직업은 갖게 마련이다. 새삼 들먹일 필요도 없이 먹고 입는 일이 인생의 전부는 아니었다. 그래서 직업에 만족하지 못하는 인구 증가에 따라 취미 생활이나 종교 정신이 날로 늘어가는 것이 현대 현상이다. 이러다가는 직업은 괴로운 의무인 동시 밥벌이에 불과하며 종교나 취미를 살리는 것이 인생의 참뜻이 될 날도 올지 모른다. 한때는 상상도 못했던 '산', '낚시', '바둑' 등 잡지들도 나와 그 방면의 동호인同好人들 간에서 자라고 있다.

우리 나라 문화를 독차지하다시피 형성한 오랜 과거 전통과 어느 방면보다도 불교 인구가 많은 현재에 있어서 불교 잡지가 튼튼한 기반을 이루지 못하는 이유는 무엇인지, 좁은 소견으로는 알 수가 없다.

1975. 3. 24.

오늘날도 '임제할臨濟喝', '덕산봉德山棒'을 휘두르며 '불야타佛也打', '조야타祖也打' 하는 분이 계시는지 모르겠다. 좁은 소견으로 볼 때 동양의 선禪은 옛 중국에서 발달한 중국 불교의 대표이다. 그분들이 사갈시蛇蝎視하는 문자를 보면 '여하시如何是 조사서래의祖師西來意'를 되풀이하며 달마 대사를 제1조祖로 내세우지만 실은 선이 중국에 의한 불교 제일 의제第一義諦임을 명확히 밝히고 있다. 불교는 불가사량不可思量의 세계이어서 물론 중국식 선의 특색도 내포되어 있다. 하지만 불경의 선정禪定과 비교해볼 때 중국의 선은 시대 변천에 따라 마땅히 나타난 셈이다.
기언 기행奇言奇行 같기도 한 가풍家風들을 보면 옛 조사들은 불경에 나오시는 부처님들이나 보살님들을 반드시 닮은 것 같지는 않다. 그것도 시대에 따라서는 마땅한 일이었다.
그렇다면 옛 조사 스님들이 살던 시대와 오늘날이 다르다는 것도 마땅한 일이다. 그러기에 동양의 선을 이해하기 위해서는 무가외無可畏, 보살행菩薩行을 쌓으신 석가모니불께로 거슬러 올라가서 귀의하는 것이다. 여래에게 예불하는 것이다. 불성佛性은 시대에 따라 변해야 한다든가, 변해서는 안 된다든가, 그런 사고력의 테두리 속에 소속하지는 않기 때문이다.
옛 조사 스님하면 흔히 무슨 보살의 후신이라고들 하니, 오늘날에 석가모니불께서 나오사 설법하신다면 뭐라고 말씀하실까를 각자는 반성해볼 일이다. 부처님이 다르다는 것은 아니다. 옛 조사 스님들도 그러하였듯이 그 표현과 행적은 불경과 반드시 같지는 않을 것이다. 우리는 석가모니가 부처님이 되기까지 닦으신 보살도를 검토해야 하며 그 말씀을 연구해야 하며 그 자비 원만慈悲圓滿에 들어서야만 생生 · 사死의 초탈이 결판날 것이다. 동양 선이 속성과速成科가 아닌 바에야 자존自尊하거나 독선獨善하는 계층일 수는 없다. 기계문명을 하시下視하지 말며 대자 대비로 과학을 구제해야 할 것이다. 어느 시대고 부처님은 차별을 두지 않으셨다. 오늘날도 할喝, 봉棒하는 독보적 분이 계시는가. 현대는 당唐, 송宋 시대가 아니며 자리自利가 이타利他이어야 함은 언제나 마찬가지인 기초 과제이다.

1975. 3. 25.

어디서나 누구나 세상의 양서良書를 다 읽을 수는 없다. 그래서 선택의 자유와 전문가가 생겨났겠지만 역시 직업과 마찬가지로 지식의 일방적 편중은 불구자에 가까운 부작용도 일어난다. 독서를 하는 것은 참으로 자기 자신에게 알맞는 몇 권의 책을 찾기 위해서인지 모른다. 일생을 두고 읽을 만한 책을 몇 가지 얻었다면 매우 다행한 일이다.

그런 중에서도 『팔만대장경』을 다 읽으려면 이런 바쁜 세상에서는 몇 생이 걸려야 할 것이다. 그러므로 법보法寶라는 말이 있다. 장경각 앞 대웅전에 불상을 모시지 아니한 옛 뜻을 알 것만 같다. 경전 앞에 오체투지五體投地하는 것은 당연한 일이다. 불제자라면 거사도 집안에 축쇄縮刷『대장경』 한 벌은 모시고 싶을 것이다. 읽으려는 것이 아니며 모시기 위해서이다.

『대장경』 중에서 반드시 읽어야만 할 몇 권을 고른다는 것은 일생에 양서 몇 가지를 찾는 것보다도 몇 갑절이나 어려운 일이다. 그러나 옛 우리 나라 스님들은 사교四敎, 대교大敎라는 코스를 분명히 제시해주셨다. 누구나 뜻만 있다면 충분히 읽고 또 선택할 수 있는 양量이다. 뭣보다 사교, 대교의 한문 불경의 우리말 번역은 시급한 일이다. 그러나 보다 시급한 일이 있다.

불경을 못 읽는 이유가 한문 때문이라면 옛날 중국에서 불경을 번역했듯이 우리도 가능한 한 산스크리트 원전을 번역할 수는 있을 것이다. 중국, 일본, 서장西藏, 몽고 역譯 등 그 외라도 교감하여 원전 번역 한글 불경을 집대성하는 일이다. 이런 성업聖業을 완수할 학자님들은 계실 것이며 그래도 부족하다면 그런 학자님들을 길러야 할 것이다. 옛날의 시간과 현대의 시간은 거리도 사뭇 달라졌다. 금생에 이루지 못하면 몇 생을 두고 이루겠다는 보살행, 대자비심도 다시 나타날 것이다. 그런 시주施主들의 대발원과 그런 학자님들의 번역과 그런 문인들의 윤문潤文이 힘을 합친다면 한글 불경 집대성은 금생에 이루어지고도 오히려 무량 공덕은 고려 때 온 민족이 남겨준 전통 못지 아니하게 세계적으로 영원히 빛날 것이다.

불교 인구가 많은데도 제대로 되는 일이 많지 않다면 어딘가 시정할 점이 있는 모양이다. 그 막힌 데가 무엇인지, 한 개인으로서는 알 도리가 없다. 알 수 없을 바에야 개인의 소재 구복消災求福을 벗어나 중생 제도를 위해, 누구나 부처님 말씀을 읽게끔 기회를 마련해주는 것이 급선무가 아닐까.

그러면 산간 고찰에 모방식 양옥도 서지 않을 것이며 신심 깊은 땅의 예술가들에 의해서, 세계가 배워야 할 새로운 불교 문화도 일어날 것이다.

1975. 3. 26.

경제 사정이 좋지 못해서 자고로 수모도 당하고 종합적인 발전을 이루지 못한 것은 사실이나 생활이 풍족해서 성현들이 쏟아져 나온 것은 아니다. 필요 이상의 사치와 만족 추구가 위기를 초래했던 역사는 얼마든지 있다. 인간 정신은 지상의 모순에서 모색되었듯이 석가모니는 사고四苦에서 성불하신 것이다.
그러고 보면 우리는 말세 중생이 아니라, 역시 불토에 살고 있는 셈이다. 더구나 세계는 뭔가 버려야 하며 뭔가 새로이 찾아야만 할 어느 한계에 육박한 실정이다. 인간 상실에 대해서 무엇을 일러줄 것인가는 불교도만큼 아는 이가 없을 것이다. 낡은 권위 의식을 버리고 의사처럼 진찰하며 약을 연구하는 사람들 중에는 이미 보살도에 들어선 분들도 있으리라 믿는다.
이런 글을 왜 끄적거리는 것일까. 낙오자임을 자인自認한 푸념이라면 신심은 빛나야 한다. 그러나 신심으로도 벗어나지 못하는 중생은 침묵에 간혹 귀를 기울이는 때도 있나 보다.

1975. 3. 29.

오랫동안 가물더니 비가 나린다. 난초와 석창포石菖蒲 토분들을 내놨더니 함초롬이 젖어서 빛이 한결 새롭다. 선향線香을 사르고 보온병 물로 엽차를 데워 마신다. 창 밖에 나리는 비는 분명한 시 낭송인데, 한 말씀도 잡혀지지가 않는다.

1975. 4. 20.

전화 신호가 울린다. 황극선黃克善 씨 목소리였다.

"선친先親 책들을 정리 중입니다. 좀 봐주셨으면 고맙겠습니다."

프랑스 문학을 전공한 황극선 씨 댁에 가서 우청又淸 황성하黃成河 선생 유물을 다 봤다. 많은 소묘책素描冊은 뇌락한 편이고 수필본手筆本들은 꼼꼼한 편이었다. 책들 중에는 불서佛書가 상당히 있었다. 본고장 프랑스 샴페인 한 병을 비웠으나, 내가 중신을 선 제자의 맞선 볼 시간이 임박했기 때문에, 부인이 "저녁 식사 준비가 다 됐습니다"며 만류하는데도 나왔다. 택시를 잡아타고 명동 로얄 호텔 다방으로 가는데, 밤비가 뿌린다. 새싹들이 잘 자라날 것이다.

1975. 4. 21.

어제 황극선 씨가 나에게 선사한 씨의 선친 작품을 감상한다.

1. 편화片畵 '노송老松'의 화제畵題가 재미있다. 번역하면 대충 이러하다.

이 소나무는 천년 전 일존고불一尊古佛의 골骨이다. 수미지須彌志를 고考하면 이런 이야기가 있다. 고승考僧이 암중巖中에 앉은 지 삼백 년에 하루는 해탈解脫하여 홀연 천년송千年松으로 화하였는데 그 소나무 곁의 돌은 생전에 쓰던 발우[鉢]와 흡사하였다. 모든 제자들이 늘어서서 소나무에 절하는데 이때 사리舍利의 광명이 있었으니 그것이 바로 이 소나무였을까.

2. 민충정공閔忠正公께서 자결한 후에 난 대나무 사총四叢, 구간九幹, 삼십이엽三十二葉을 그림으로 그리고 황매천黃梅泉 선생 시를 쓴 화선지 반절의 묵화墨畵.

3.『계산무진溪山無盡』 소묘책 한 권. 필치가 자유분방하여 꾸민 데가 없다.
과중한 선물을 받은 것 같다.

1975. 7. 15.

전화로 목소리만 듣고서는 그가 누군지 몰랐다. 그는 졸업생 아무개라고 하였다.
기억이 나지 않는다고는 차마 말할 수가 없었다. 졸업생 음성은 이러하였다.
"어젯밤 꿈에 선생님을 뵈었어요. 출근 도중 버스 안에서도 선생님 생각이 나더군요. 학교에서 전화를 드립니다."
어느 학교에 나가느냐고 물었더니 무슨 중 · 고등학교에서 교편을 잡는다는 것이었다. 하 학교가 많아서 분명히 들었건만 학교 이름도 알 수가 없었다. 나는 한 졸업생인 어느 학교 선생님이 영등포에서 전화를 건다는 것만 알았다. 요점은 이러하였다.
"혹 몸이 편치나 않으신가 하고 궁금해서 전화로 문안을 드린다"는 것이었다.
나는 고맙다는 뜻과 함께 건강하다고 대답하였다. 실은 여름 감기로 며칠째 어린아이마냥 콧물을 질질 흘리는 중이었다. 그러면서도 "과히 바쁘지나 않은가, 댁내가 안녕들 하신가"고 안부를 물었다.
"염려해주시는 덕분으로 잘 있다"는 대답이었다.
감기 약에 지쳐서 다시 누워야만 했다. 졸업생에 대해서 내 자신이 미안하게만 느껴졌다.
그러나 생각은 점점 달라졌다. 나 같은 자가 꿈에 보이도록 마음이 약해서야 어떡허누. 그 사람이 혹시 과로한 탓이나 아닐까. 이제 이름도 알았고 여가가 있으면 한번 놀러 온댔으니 "몸과 마음이 튼튼한 사람은 자면서 꿈을 꾸지 않는다"는 것을 일러줘야겠다.

1975. 7. 16.

장맛비가 시작하나 보다. 오후는 멎었다.

아내는 바깥바람을 좀 쐬라는 것이었다. 오랜만이라 돈을 좀 넉넉히 넣고 아내에게 함께 나가자고 하였다. 생맥주를 사주겠다는 걸로 미루어 아내도 핸드백 속에 좀 준비했나 보다. 나는 깨끗이 차려입은 아내가 돋보였다. 아내는 남방 셔츠만 걸친 내가 싫지 않은 상이었다. 화신 앞에서 내려 뒷골목으로 디즈니 다방 근처까지 빠져 나가 삼일 빌딩으로 방향을 전환, 무교동武橋洞을 경유 청진동清進洞으로 돌아 다시 서울 예식장 앞에 나섰다. 무작정 걷는 것이 목적인 듯싶었지만 개미 쳇바퀴 돌듯 돌아 결국 인사동으로 들어섰다. 주머니는 넉넉하고 술집은 많기도 하건만 마음에 맞는 데를 찾기는 어려운가 보다. 역시 자주 다니던 낙원동樂園洞 근처 생맥주 집으로 안내했다. 크지 않고 (주인에겐 미안한 말이나) 깨끗하고 조용해서 좋다고 설명했더니 아내는 수긍하였다. 서로 알맞게 마셨다. 영화나 하나 보자고 의견이 일치하였다.

별로 기대는 않았지만 불이 꺼지고 프랑스 영화가 시작된 지 얼마 안 되어서 가엾이도 우리는 그 내용을 미리 짐작하고 말았다. 덕분에 소위 극한 상황과 인간성과 반성적인 의문점을 실감나게 감상하는커녕 (제작자에겐 미안한 말이나) 웃으면서 보았다. 짐작한대로 영화는 끝나버렸다. 그들의 야심에 어이가 없었다. 2층에서 내려오면서 "그저 한번 볼 만한 영화라"고 했더니 아내는 웃기만 하였다. 바깥은 비가 억수로 퍼붓고 있었다. 전등불들 때문에 도리어 길이 잘 보이지 않았다.

암만 손을 들어야 택시는 계속 빗물만 튀기며 그냥 지나가버렸다. 버스를 탔다. 뜻밖에도 손님이 적어서 앉아 왔다.

1975. 7. 18.

비석碑石하면 종류도 많고 흔히 보았지만 잊혀지지 않는 비가 있다. 하나는 다산 선생 비석이다. 해방 후 미국 사람이 세운 것이다. 또 하나는 완당 선생 산소 비석이다. 일정 때 일본 사람이 세운 것이다. 들은 바에 의하면 단재丹齋 선생 갈碣은 가난한 만해萬海 선생이 비용을 내고 위창葦滄 선생이 글씨를 썼다고 한다. 세계에서 무엇으로는 몇째라는 서울에 웬만한 고서점이 몇이나 있는지 모르겠다. 내가 알기로는 수효가 많지 않기로도 몇째 안 갈 것이다. 그나마 문을 닫는 가게가 있어 엄숙하였다.

1975. 7. 20.

우울한 이야기를 들으면 금세 상처가 되살아나는 것 같다. 근심이 없으면 참 심심할 것이다. 말은 우리의 재산인 것이다.

1975. 7. 21.

무더운 날이다. 차창 바깥으로 개소주, 보신탕 간판이 지나간다. 언젠가 R씨 댁에서 본 벼루가 생각났다. 단계연端溪硯의 구욕안鸜鵒眼을 사진으론 본 일이 있지만 실물을 보기는 처음이었다. 필경筆耕

이라는 말이 있듯이 벼루를 옛사람은 양전良田이라고 하였다. 벼루를 귀중히 여기는 마음씨가 여기에 있을 것이다.
그 벼루는 주인이 몇 번이나 바뀌었을까. 그들은 아끼는 벼루에서 자세를 가다듬고 얼마나 좋은 양식糧食을 거두었을까. 마침 벼루를 애호하는 학자님이 서재 이름을 지어달라기에 '양전재良田齋' 가 어떻겠느냐고 물어보았다.

1975. 8. 20.

G씨의 긴 일생은 병자였다. 그런 뜻에서 G씨는 지상의 생명다웠다. 윈저 공 부부의 만년을 쓴 책이 있는지 모르겠다. 그런 책이 있으면 읽어보고 싶은 날씨였다. 길거리는 따분한 날씨였다. 도시 확장 계획에 따라서, 먼 사가四佳• 서거정徐居正 선생 산소가 이장되었다는 말을 들었다. 산소를 보기 좋게 개수하고 그 일대를 공원으로 꾸며도 좋지 않을까.

1975. 8. 23.

그는 머리로 만들고 말로 쓰지는 않았다. 그래서 낭비하지 않는 미덕이 있었다. 그의 두 다리는 경주용이 못 되었다. 그래야만 자빠지지 않고 걸을 정도였다. 미술과 사진에는 사람이 없을 때가 있었다. 돌[石]은 생명으로 집결하였다. 돌의 태도를 책임으로 돌릴 수는 없었다. 가냘픈 바람에도 불은 창백해지면서 머리카락이 나부끼었다. 결국 눈으로 보고 귀로 듣는 것은 생각하는 데 그쳤다. 그러나 예술의 세계는 생각의 반대쪽에 있었다.

1975. 9. 28.

김영환 교수, 이영준 상무와 함께 버스로 출발 안양에서 점심 식사하고 다시 버스로 떠나 과천으로 간다. 오늘에야 완당 선생 계시던 곳을 찾아가는 길이다. 버스 안 손님에게

"과천서 서울로 직접 가는 버스가 있는지요."

"15분 간격마다 있어요. 그걸 타면 시청 앞에서 내릴 수도 탈 수도 있어요."

한다. 우리는 모르고 둘러 온 셈이다. 차창에 비가 뿌린다. 양수리兩水里 다산 선생 산소에 참배했을 때도 예산 용궁리에 갔을 때도 비가 뿌리던 기억이 난다. 과천읍에 내렸을 때는 비가 개었다. 돌무께[注岩里]로 10리 길을 걷는다. 벼는 수그러졌는데 고추는 빨갛다. 하늘은 우울하고 사방이 가을빛이다. 도중에서 사 마신 막걸리는 맛이 불쾌하였다. 가까운 관악산이 거칠기만 하고 멀지도 않은데 장안長安은 아득한 것만 같았다. 논일 하는 사람에게 물었더니 거대한 석유 탱크들이 자리잡은 산 중복 안쪽이 주암리라 한다. 실개천으로 들어섰다. 다행히도 석유 탱크가 보이지 않는 위치로서 두 다리[脚] 사이 같은 좁은 골에 감나무 우거진 몇몇 집들이 소위 동네를 이루고 있었다. 바가지에 알밤을 따 담은 아이에게 우물 있는 곳이 어디냐고 물었더니 바로 저기라며 안내한다. 벼에 가려 보이지는 않으나 우물인 것만은 확실하였다. 그렇다면 완당 선생이 거처하셨던 집터가 여기일 것이다. 쪼그리고 앉아 둘러보니 거친 관악산을 그나마 효과 있이 바라볼 수 있는 지점이었다.

건너편에 뻗은 언덕 위 나무들이 보기 거슬리는 관악산 부분을 가리고 그 윗부분만 살려놓았다. 선생의 기품에 비해 터가 메마르고 적

막하였다. 선생 서찰에 흔히 나오는 완치성頑癡性, 안화증眼花症 따위 공포에 겨운 탄식이 노상 없지 않았으리라. 선생의 서구書句인 '청구매신靑邱梅身'이 생각난다. 그러나 이 우리 안에서 선생은 동양의 큰 매화였다. 선생을 미워한 층보다는 존경하는 분이 온 나라에 많아서 서신과 선물을 보내거나 직접 찾아뵈옵고서 또는 글을 받아가는 사람이 그치지 않았다. 멀리로는 그 당시 중국의 명사들로부터 오늘날에는 우리가 선생을 흠앙欽仰하며 있다. 앞으로도 선생의 학덕學德은 불멸로서 빛날 것이다. 우물 뒤편인 집으로 들어가 이영안李英安 옹과 인사를 나누었다.

"어떻게 알고 오셨나요. 이곳은 아무도 찾아오는 사람이 없습니다. 이 집도 완당 선생이 사셨던 터지요. 이 동네 땅도 다 모씨의 소유며 이 일대가 녹지대로 묶여 있어요. 선생 유물이나 필적은 동네에 없습니다."

고 한다. 언제면 이곳에 선생 서비書碑라도 설까. 누가 선생의 옛터를 복원이나 할까. 시흥군 과천면 주암리를 떠나는데 이옹과 그 자제 이연원李連元 씨가 앞을 안내한다. 10리만 가면 말죽거리로 나서게 되며 거기서 239번 시내 버스를 타면 을지로 6가에 내릴 수 있다고 친절히 일러준다. 동네를 하나 지나자 거대한 석유 탱크가 나타나고 안계는 일변, 저편에 장난감 같은 차들이 연신 질주 왕래한다. 이젠 어디까지가 서울인지 모르겠다. 저녁노을이 우중충하다.

1975. 10. 14.

내일 미제美製 고급 자동차로 안내할 테니 이리裡里를 경유 전주를 다녀오자는 신연철申延澈* 교수의 청을 거절할 수는 없었다. 이리

어느 골동 가게에 이광사李匡師 대폭 글씨가 있다는 것이다. 한번 가보고 싶은 곳이다. 계속 여행을 하게 되다니 세상일이란 고르지 않다.

1975. 10. 15.

두계豆溪를 지나며 계룡산을 바라보다. 6·25 사변 때가 생각난다. 호남 고속 도로 풍경은 어디가 어디인지 알 수가 없었다. 이리는 생각던 것보다 큰 곳이었다. 이광사 글씨 같지가 않았다. 점심 식사하고 원광대학에 가서 신교수의 제자인 조동원趙東元 교수와 오랜만에 만나 함께 전주로 갔다. 왜정 말기 때 일이다. 어머님은 내 둘째형님 학병 신체 검사 일로 전주를 다녀오셔서 "기와집이 들어찬 참으로 좋은 곳이더라"고 칭찬하셨다. 터가 넓으니 구시가舊市街는 그대로 두고 신시가가 따로 섰어야 하지 않을까. 인상은 서울과 별로 다를 것이 없었다. 고서화 가게들부터 둘러보는데 이삼만 글씨가 서울보다 월등 비싸서 감탄하였다. 우리 나라에서는 인사동 거리가 제일 좋은 데로구나 싶었다. 보잘것없는 고물상이 있기에 들어갔더니 주인은 친구와 화투를 치느라 우리를 거들떠보지도 않는다. 벽에는 족자가 단 하나, 보현보살이 백상白象을 타고 앉아 계신다. 일본의 국보인 작가 미상의 명화인 것이다. 해방 전 일본 정인판精印版을 여기서 구할 줄이야 몰랐다. 이번에 경주에서 문수보살을, 전주에서 보현보살을 불과 며칠 사이에 나의 것으로 삼게 되었다. 오랜 소망을 이룬 셈이다. 호남제일루湖南第一樓 풍남문豊南門 옆 과자 가게에서 최승범崔勝範* 교수에게로 전화를 걸어 6시에 경기 여관에서 만나기로 약속했다. 약속 시간이 되자 뜻밖에도 최승범 교수가 야석

也石• 박희선朴喜宣, 신정식申正植 씨와 함께 들어온다. 야석也石은 웃는다.

"그러지 않아도 오늘 전주로 내려오는 도중에서 신정식에게 구용 말을 했었지. 구용이 전주를 늘 보고 싶어했는데 구용 생각이 나는구먼 하고."

최교수 안내로 한국관이란 데를 가서 우리는 전주 음식을 만끽했다. 나는 위가 작아서 많이 먹지를 못해 유감이었다. 한약재漢藥材 냄새가 나는 술은 간장 빛깔이었다. 나는 이태백李太白의 시구를 따서 술 이름을 울금향鬱金香•이라고 붙여줬다.

1975. 10. 16.

식전에 남노송동南老松洞으로 문상問喪을 갔다. 모든 것이 지난날 그대로라는데, 정작 나를 반겨주실 신석정辛夕汀 선생은 계시지 않았다. 선생 서재에서 나는 서울서 가지고 온 일본 선향線香 한 갑을 신효영申孝永 씨에게 부의하였다. 사모님도 뵈었다. 사모님은 청초 안온하시었다. 인사를 하는데 불교식으로 합장을 하시었다. 선생이 가정에 충실하셨던 일생을 알 것만 같았다. 선생이 가꾸며 아끼신 뜨락의 나무들, 태산목泰山木 호랑가시에 가을빛만 완연하였다. 다 함께 다가 공원多佳公園에 올라가 가람 선생 시비詩碑 앞에서 사진을 찍었다. 경기전慶基殿으로 가서 박물관과 이태조 어영御影을 보고, 유주현 씨에게서 익히 들은 황녀皇女는 시간 관계상 뒷모습만 보았다. 곧장 전북대학교로 갔다. 나는 여기까지 온 김에 금산사金山寺를 가려 남았다. 신교수와 조교수는 서울로 떠났다. 신석정 선생께서 "전주 좀 내려오오. 우리 금산사 가서 하룻밤 놉시다"고 하시던 절이다. 최교수에게 안내해줄 여대생 하나를 소개해달랬더니 아주 귀여운 전북대생 조연옥曺年玉 양을 나에게 인사시킨다.

조연옥 양을 따라 출발.

"선생님 저것 좀 보세요. 꼭 사자 머리 같지요."

그러고 보니 차창 밖으로 지나가는 노적가리 볏단 무더기들이 황금 사자머리 같았다. 내가 심심해할까 봐 조양은 명랑하였다. 원평이라는 데서 다시 버스를 갈아타고 금산사로 들어갔다. 익히 소문으로만 들었던 미륵전彌勒殿과 경내의 모든 불보살께 예불하였다. 더구나 미륵전은 10월 7일에 보수 공사가 끝났다니 때맞추어 온 셈이다. 지금은 잃어서 없지만, 왜정 때였다. 남무불南無佛 스님이 금산사 미륵전 화재 때 부처님 복장腹藏에서 나온 책이라며 나에게 주셨던 『화엄경』 한 권이 생각난다. 책 가장자리가 약간 탄 80권 중 하나였다. 진표• 율사眞表律師의 창건 이래 견훤甄萱, 처영處英 등 다난했던 일과는 반대로 무악산毋岳山은 부드러웠다. 조양이 성문城門 가에서 관람권 파는 사람과 무엇인지 말하고 있다. 조양은 내색을 않건만 그 사람이 나에게

"아까 관람권 사고 지갑을 여기 둔 것 같다는데 주웠으면 왜 안 드리겠어요."

한다. 도토리묵에 막걸리 맛을 보며 나는 조양에게 다시 명랑하라고 권했다.

해가 기울어서야 전주에 돌아왔다. 다방에서 조양에게 차 대접을 하며, 그 지갑에 용돈이 얼마나 있었느냐, 내가 주겠다고 했더니 조양 대답은 뜻밖이었다.

"선생님께 전주 비빔밥 대접하려던 것이 이루어지지 않아서 그러지

돈 때문은 아니예요."

나는 미안한 생각이 고마운 생각으로 변했다. 조연옥 양을 보내고 전화를 걸어 최형崔炯• 씨와 다방에서 만났다. 서로가 초면이었다. 얼굴이나 한번 보고 떠날 작정이었는데 최형 씨는 천이두千二斗• 교수가 집에 오기로 약속이 되어서 주안상이 차려 있으니 따로 폐될 것 없다며 권유하는지라, 또한 천교수도 만나보고 싶어서 따라갔다. 최형 씨 댁 정원 평상에 앉아 소나무 사이로 달을 보았다. 내가 오기 전에 마련한 주안상이라서 덜 미안하였다. 나는 굳이 전주 막걸리를 사오래서 마셨다. 천이두 교수는 나를 노인인 줄 알았는데, 생각던 것보다 젊어서 혹 딴 분인가 했다며 잔을 권한다. 10년 구면처럼 서로 담소하다가, 내일 아침에 폐를 끼쳐서는 안 되겠다는 생각이 들어서 도망쳐 여관으로 돌아왔다.

1975. 10. 17.

최형 씨가 일찍 여관에 왔다. 두번째로 전주 비빔밥을 먹었으나, 첫 번째로 먹은 것과 각기 달라서 어느 쪽이 진짜 전주 비빔밥인지 알 도리가 없었다. 재래식 개성은 없어지고 나일론화하는 것이나 아닐까. 최씨는 학교 시간이 임박했는데도 떠나는 나를 보겠다며 굳이 말을 듣지 않았다.

고속 버스로 서울에 도착, 전화를 걸었더니 학교에서 아내가 아직 돌아오지 않았다는 대답이다. 시청 앞까지 일부러 천천히 걸어가서 버스를 탔다. 아니나다를까. 아내는 그 동안에 집에 돌아와서 있었다. 급한 원고 쓰고 난초에 물을 주다. 일거리가 좀 밀렸다.

1975. 10. 21.

저녁 무렵 인사동에서 모씨를 우연히 만나 함께 차를 마시는데 옹담계翁覃溪 글씨 「애련설愛蓮說」을 말한다. 나는 그 글씨 폭幅을 잡지에서 사진으로 본 적이 있었기 때문에 반색을 했다. 뜻밖에도 모씨는 "내가 진장珍藏하고 있으니 내 집으로 갑시다" 한다.

그 댁엘 갔다. 옹담계는 주국인周菊人을 위해 애연설을 쓰고 하서웅何瑞熊은 연꽃을 그리고 장유병張維屛은 시를 지은 바로 그 횡폭橫幅이 나타난다. 옛날에 중국에서 보내온 정성이다. 완당 선생과 주국인의 신교神交가 떠오른다. 아니라면 옛 어른들의 마음씨를 우리가 이처럼 직접 대할 수는 없을 것이다. 사진으로 본 지 근 40년 만에 모씨의 호의로 실체를 뵈었다.

1975. 11. 16.

책이란 이상한 것이어서 가지고 있으면 읽지 않아도 내용을 짐작한 것만 같다. 책이 없으면 읽었던 내용도 다 잊어버린 듯하니 말이다. 등총린藤塚隣 박사의 논문들을 지난날 빌려서 읽었기 때문에, 내게는 가진 것이 없다. 등총린 박사의 논문을 한데 묶은 책이 일본에서 출판되었다기에 애써서 한 권을 구했다. 머리말에 의하면 저자의 원제목原題目인 '이조李朝에 있어서 청조 문화淸朝文化의 이입移入과 김완당金阮堂'을 이번에 '청조 문화 동전淸朝文化東傳의 연구研究'로 개제改題했다는 것이다. 구체적인 설명은 없고—가경嘉慶·도광학단道光學壇과 이조李朝의 김완당金阮堂—이 면지에만 부제 비슷이 나와 있었다. 나로서는 암만 생각해도 왜 이처럼 개제를 해야만 했는지 알 수가 없다.

가등상현加藤常賢• 박사의 발문跋文에 의하면, 고故등총린 박사는 옛 조선학朝鮮學 학자가 아니었다는 점을 강조하고 있다. 나로서는 암만 생각해도 왜 이런 말을 하는지 알 수가 없다.
등총린 박사 자제의 후기 중 '가장家藏의 원적原蹟은 소화昭和 20년 3월 10일 소개疏開 전에 공습이 있어 거의 소실燒失하였다(다행히 복제 사진판은 잔존殘存)' 에 이르러 나는 다시 책을 덮었다. 옛날에 석묵루石墨樓 소장所藏은 상인商人들의 손으로 옮겨갔다지만 '완당 선생 문집' 은 재료가 흩어지고 없어져서 앞으로 완간完刊을 보기 어려운 실정이며, 아직 선생에 관한 연구마저 제대로 나온 책들이 없는데 그나마 귀중한 재료 원적原蹟들이 일본에서 불타버린 사실을 비로소 알았으니 말이다.
나로서는 암만 생각해도 이 사실이 믿어지지가 않는다.
조선, 청조淸朝 간에 서로의 문물 존중과 연구는 물론이요 중국 학자들이 완당 선생을 존경한 마음과 완당 선생이 중국 학자들을 존경한 마음은 『청조 문화 동전의 연구』를 보면 알 것이다. 완당 선생은 생사生死를 겪고 오랜 귀양살이를 하며 도저한 정진精進으로서 사표師表가 된 어른이다. 하늘이 돕지 않아도 사람은 사람을 존경하였다. 1976년은 선생이 떠나신 지 이갑주년二甲周年(120년)이 되는 해다.

1975. 11. 20.

교통 사고로 입원한 신연철 교수는 의사의 말마따나 기적이었다. 남의 일 같지가 않다. 누구나 교통 사고하면 남의 일 같지가 않을 것이다. 오랜만에 경문 서림에 들렀더니 "보연각에서 좀 뵈었으면 하던 대요" 하고 `송해룡宋海龍 씨가 일러준다.

1975. 11. 21.

정음사 박대희朴大熙 씨가 왔기에 용건 마치고 한담하다. 비가 낙엽에 연신 내린다. 저녁 무렵 보연각으로 갔다. 귀중한 책을 세 권이나 얻었다.

하나는 신라 법사法師 의상義相 제製 『백화도장 발원문약해白花道場發願文略解』 영인본이다. 처음으로 친견하는 책이다. '의상 법사가 낙산洛山에 가셔서 관음굴에 절하시고 발원하사 이 글을 지으셨다' 가 책 첫 장에 나타나는데 각자刻字가 고박古樸하기에 맨 뒷장을 상고했더니 뜻밖에도 치화致和 원년元年(고려 충숙왕忠肅王 15년, 서기 1328년) 무진戊辰 9월에 해인산사海印山寺에서 집해集解하고 원통元統 이년二年(고려 충숙왕 복위復位 3년인 서기 1334년) 갑술甲戌 7월에 계림부鷄林府에서 개판開板한 판본板本이었다. 영인이지만 신라 의상 법사의 말씀을 고려 판본으로 모시게 되었으니 보배가 아닐 수 없다.

다음은 정유산丁酉山 제자題字가 붙은 사십국각사초본四十驢閣四鈔本 『초의금호艸衣唫蒿』 필사본 영인이다. 다산 선생, 완당 선생을 중심한 문화권에 있어 초의 대사는 인연이 깊다. 이 책이 있다는 말은 들었으나 보기는 역시 처음이었다.

다음은 한용운 스님의 한시漢詩 친필본親筆本 『만해 선생 시집卍海先生詩集 전前』 영인이다. 이 책은 영인되기 전에 원본을 빌려다가 며칠 음미한 일이 있었기 때문에 반가웠다. 만해 스님의 '님' 은 부처님인 동시에 잃은 조국이었다. 부처님과 중생을 하나로 본 보살안

菩薩眼이다. 일찍부터 노장老莊의 문자文字를 가진 중국에서 옛날에 중국화한 불교의 오랜 권위 아래서 만해 스님은 고독하였을지도 모른다. 이런 희귀한 책들을 널리 펴내는 이사장李社長의 노력이 보기에도 아프기만 하였다.

1975. 11. 22.

인생을 제외하고 종교가 따로 있는 것은 아닐 게다. 불교가 바로 인생이라 해도 별 대과大過는 없을 줄 안다. 불교는 종교라는 테두리에서 벗어난 것으로 나는 짐작해왔다.
무無는 유有를 배격하라는 뜻이 아닐 것이다. 무가 유를 사갈시蛇蝎視한다면 실은 도피에 지나지 않는다. 명산 고찰에 갈 적마다 울적하였다. 창건創建하지도 못하는 옛 문화재가 퇴락해가고 있다. 각처에 있는 불찰佛刹을 부흥하는 것이 무의 진면목이 아닐까. 중생에 대해서 차별을 두어서는 안 될 것 같다. 인생을 제외하고 불교가 따로 없다면 중생을 제도하는 것으로 안다. 무가 독선일 수는 없다. 대자 대비의 바탕이 무가 아닌가 싶다.

1976. 1. 17.

어느 외국에서 새로운 소설 수법이 한참 시도되더니 우리 나라 시에서도 추상 명사를 몰아내는 언어 조립이 나타났다. 젊은 시인들에게 "작품은 계속 써지는데 발표할 지면이 부족하지나 않느냐"고 물었더니 그 중 한 시인은 "그렇지도 않다"는 대답이었다. "요즘 신설新說들은 매우 신중한 편이냐"고 물었더니, 뜻밖에도 그들은 일제히 웃었다.

우편 배달에 이상이 있나 보다. 김영태金榮泰 시집 『초개수첩草芥手帖』, 이건청李健淸 시집 『둘째의 공간』도 나에게 보냈다는 데 받지 못하였다. 그래서 간청해서 다시 받았다. 그러고 보면 우편물이 중간에서 없어지는 일은 이 외에도 있을 것 같았다.

박재삼 씨는 곧잘 우리를 웃게 한다.

"박희진 씨 말이 한용운 시집 초판본을 가지고 있다기에 이중섭 씨 소품과 바꾸기로 약속하고 며칠 후 갔더니 한용운 시집이 아니라 한하운 시집 초판본이었어요. 도로 가지고 나올 수도 없고 해서 결국 그림만 날려버렸어요."

박재삼 씨의 웃음에서 나는 숲 속의 새를 본다. 어디서나 고독하지 않았다. 한하운이 한용운으로 들렸을 정도라면 씨의 순도純度가 짐작될 것이다.

1976. 2. 3.

젊은 자명慈明 스님, 시와 편지 잘 받았습니다. 우리는 얻은 것이 무엇이며, 잃은 것이 무엇인가가 문제입니다. 서양의 현대 문명은 신을 회의한 데서 시작하였다고 들었습니다. 우리는, 그들이 잃은 대가로 이루어놓은 발전과 반성을 떠맡게 되었습니다. 그러나 개인은 그렇게 단순히 규정지어지지는 않습니다. 어떤 사람은 머리에 흰 털이 늘면서부터 종교를 거듭 생각하기에 이릅니다. 종교보다 더한 것이 있다면, 즉 불교는 자명 스님이 더 잘 알아야 할 일입니다. 우리는 여기에서 아픈 만큼 새로이 찾아야겠다는 믿음을 얻나 봅니다. 물론 이해 관계나 목적 의식과는 다릅니다. 그런 것은 어느 시대나 누구나 인간이면 실컷 겪는 일입니다. 내가 말하는 믿음이란 모르기 때문에 알아야겠다는 신념입니다. 부처님의 말씀을 오늘날까지 들어왔지만, 신앙은 멀기만 하였습니다. 그러나 믿음 없이는 나를 유지할 수가 없었습니다. 시인이라면 다소나마 종교적 기질이 있나 봅니다. 고어古語에는 시성詩聖이란 말도 있듯이 동양에서는 시를 말씀[言]의 절[寺]로서 표현한 것도, 우연한 일이 아닙니다. 석가모니불께서는 한량없는 부처님을 설說하셨습니다. 한량없는 게송偈頌이란 무엇일까요. 사람의 한량없는 잘못과 괴로움을 염려할 필요는 없습니다. 인간을 버리고 부처님이 될 수는 없습니다. 사고四苦가 연화좌蓮花座이기에 대자 대비는 방광放光하며 늘 육종진동六種震動• 합니다. 그렇다면 시와 과학도 별개의 것은 아닐 것입니다. 불교와 창조 예술도 불이법문不二法門이라면 망발일까요. 이런 점은 시를 쓰는 젊은 자명 스님이 잘 연구해서 나를 깨우쳐줘야 합니다. 부처님 명호를 한 번만 불러도 언젠가는 반드시 성불한다는, 이와 같음을 나는 경전에서 들었습니다. 그러므로 시인 자명 스님을 기대하기에 앞서 믿습니다. 부처님과 시가 하나인 경지를 자명慈明하기 바랍니다. 두율암兜率庵에도 비가 내리는지요. 오탁五濁• 중에서 이만 줄입니다.

1976. 3. 17.

경찰에 대해서 두 가지 견해가 있다. 하나는 일정 때 경찰이요, 하나는 해방 후 경찰이다. 우리는 일정 때 사람과 해방 후에 태어난 세대가 함께 사는 시대이다. 일정 때 경찰이 어떤 것이었는가는 들어서 다 알지만, 직접 경험한 사람만큼은 모를 것이다.

나의 조모님은 풍신이 좋으셨으나 풍으로 하반신을 못 쓰셨다. 그래도 오래 사셨기 때문에 우리 대大 · 소가小家 중에서 제일 나이 많으신 어른이었다. 행동이 자유롭지 못하므로 뜨락도 거닐지 못하였다. 나이 많으시기 때문에 모두가 존대하였다. 그런데도 할머님은 세상에서 제일 무서운 것이 있었다. "순사(순경)가 왔습니다" 하면 할머님은 겁에 질려 어쩔 줄을 몰라하셨다. 죄 없는 노인들도 무서워하는 경찰이었다. 그래서 젊은 사람들은 말할 것도 없고 점잖은 분들까지도 수모를 당하였다. 왜냐하면 그들은 사람의 눈이 아니었던 것이다. 누구나 비굴한 웃음을 지으며 화를 피해야만 했다. 그들은 사람의 입이 아니었다. 누구에게나 욕질이요, 불호령이었다. 그러니 그들을 슬슬 피해서 다닌 것은 마땅한 일이었다. 그러다가 일본에 가본 적이 있었다. 일본 사람들은 일본 사람들인 순사와 상인商人에게 하대하는 말을 쓰고 있었다. 처음으로 본 광경이기에 어리둥절할 지경이었다. 이제 생각하니 우리 나라에 왔던 일본인들은 인정人情을 버린 자라야만 살 수 있었던 것 같다. 아니, 자기 자신의 인간성을 없애느라고 귀신처럼 미쳐 날뛰었던 것이나 아닌가 생각된다. 듣기만 해도 몸서리쳐진다는 말이 있다. 일정 때 경찰이 바로 그런 것이었다.

미안한 말이나 요즘도 일본 관광객들을 흔히 보게 되는데 해방 전 경찰이 생각나는 것을 낡은 세대로서는 어쩔 수가 없다. 나의 세대가 그들을 미워하는 것은 아니다. 그들이 나의 세대를 짓밟았던 것이다. 나는 해방 후 태생인 일본 여자와 서로 말을 해본 적이 있었다. 불국사佛國寺에서 우리말을 몰라 쩔쩔매기에 도와준 것뿐이다. 그곳이 부처님 도량이었는데도 어떤 손님이 "우린 일본 애들과는 말 안 합니다" 하고 나에게 핀잔을 줬었다. 나는 그분을 이해할 수가 있었다.
8·15 해방이 됐을 때 우리가 몰려간 곳은 경찰서였다. 일본 서장은 벌벌 떨면서 죽어가는 시늉을 하였다.
그 후로 우리의 경찰이 시작되었다. 우리의 경찰에 대해서는 해방 후 태생들이 잘 알 것이다. 젊은 분들은 일제 때 경찰을 모르기 때문에 나의 말을 이해하지 못할 것이다. 나는 무심히 경찰관과 스쳐 지나가거나 파출소 앞을 지나다가도 홀연 신기한 생각이 드는 때가 있다. 더구나 경찰관이 거수 경례를 붙이고 공대하는 말을 하는 것을 보면 이게 꿈이 아닌가 하고 착각을 일으키는 때도 있다. 언젠가 어느 분이 말하기를 "고급 차를 타고 가면 교통 순경이 거수 경례를 한다"며 자랑 비슷이 웃기에, 나는 역시 낡은 세대로구나 하고 쓴웃음을 웃은 적이 있다.
'우리들' 이라는 말에는 민중과 경찰이 나눠어지지 않는다. 우리들 하면 거기에는 뭔가 서로가 함께 하도록 되어 있다. 말하자면 민중의 기쁨이 경찰의 기쁨이요, 경찰의 고민이 민중의 고민인 것이다.
요즘도 신문을 보면 강력범들이 출몰한다. 강력죄가 증가 일로에 있다는 것이다. 그래서 일정 때와는 정반대로 툭하면 경찰관들을 탓한다. 그러나 경찰만을 탓하기에는 허무한 생각이 드는 때도 있다. 온 국민에 비해 경찰의 예산과 수효는 한정되어 있을 것이다. 격무와 과로를 알아주지 않아서 야속하다고도 할 것이다. 이런 실정을 잘 알면서도 탓하는 처지와 참아야 하는 처지와 잇달아 일어나는 사건들을 어떻게 할 것인가. 딱하기만 하다.
그러나 일정 때 경찰을 생각하면 우리 경찰이 당면한 문제는 아무것도 아니다. 선량한 민중은 경찰을 무서워하지 않기 때문이다. 젊은 세대들은 마땅한 일이 아니냐고 할 것이다. 그러나 한때 나라를 잃었던 세대는 그 서러움을 잊지 못하는 것이다. 우리란 온 국민이다. 우리가 우리를 위한 우리의 문제일 때 우리는 서로가 그 노고에 감사할 줄 알아야 한다.

1976. 4. 7.

어느 해였던가는 기억이 나지 않는다. 우리 나라 공휴일을 늘릴 것인지 줄일 것인지에 관해서 상세한 문의 서신을 받은 적이 있다. 그런 문의 서신에 대해서는 평소 답장을 내지 않는 편이었다. 대답할 만한 판단력이 없었기 때문이다. 그런데 공휴일에 관한 문의 서신을 받고는 곧 의견을 기입해서 보냈다. 음력 사월 초파일 부처님 오신 날이 공휴일이 되기를 바랐던 만큼 기회를 놓쳐서는 안 된다고 판단한 것이다.

세계적인 여러 가지 좋은 행사를 보면 서양만이 뜻 있는 일을 해놓은 것처럼 보인다. 동양이라고 그만 못할 리는 없으니, 여러 가지 좋은 점을 되찾고 자유로이 의견을 반영하면 세계에 도움이 되는 여러 가지 행사를 얼마든지 제공할 수 있을 것이다. 부처님과 예수님이 어떻게 다른지는 전문가들에게 맡길 일이요, 나 같은 존재로서는 그저 우러러볼 수밖에 없는 성인聖人이시다. 성인은 차별을 않으셨는데 중생이 성인을 차별할 수는 없다. 늦기는 하였지만 마침내 작년부터 부처님 오신 날도 크리스마스와 마찬가지로 공휴일이 되었다. 그러나 부처님 오신 날로서 첫번째 공휴일이었던 작년 음력 사월 초파일은 하필이면 일요일이었다. 일요일도 휴일이며 공휴일도 휴일이기는 마찬가지건만 중생심이라고나 할까 좀 서운했던 것도 사실이다. 그런데 금년 부처님 오신 날은 5월 5일 어린이날 다음날이어서 연휴가 된다. 다행한 일이다.

1976. 4. 8.

오늘은 양력으로 4월 8일이다. 부처님 오신 날인 음력 4월 8일은 약 한 달 후가 된다. 법시사法施舍에서 원고 청탁이 때맞추어 왔다. 나 같은 중생으로서는 역시 부처님을 염念하는 일대사인연一大事因緣이라고 하겠다. 왜냐하면 공휴일과 일요일이 휴일임에는 틀림없듯이 음력 4월 8일과 양력 4월 8일은 날만 다를 뿐 명칭은 같다. 한량이 없고 가이없는 모든 부처님과 모든 보살님의 생일은 다 4월 8일일 리도 없듯이 오늘날 40억 인구의 생일은 12개월 365일에서 벗어나지 못하고 있다. 어떤 것이 크고 어떤 것이 작다는 비교 따위는 쉬기로 하자. 그래야만 도솔천에서 흰 코끼리를 타시고 내려오시는 보살을 따를 수 있으며 무우수無憂樹 아래서 탄생하신 아기가 천상천하天上天下에 유아독존唯我獨尊이라고 하신 말씀을 우리는 들을 수 있다. 그러므로 사월 초파일 연등과 관등觀燈에서 우리는 보다 본질적인 데로 관심을 모은다.

연등불燃燈佛(또는 연작불燃作佛로도 기록되어 있었다)이 석가에게 '그대는 성불成佛한다' 고 수기授記를 주시는 오랜 과거세過去世의 장면이 불전佛傳에 있다. 사월 초파일의 연등과 연등불이 학적學的으로 어떤 관계가 있는지 없는지는 나로서는 모른다. 석가가 부처님이 되실 본성이 비로소 연등불에 의해서 확인된 것이다.

사월 초파일이 되어 관등할 때면 자문하는 버릇이 생겼다. 석가가 연등불에게서 수기를 받으셨듯이, 부처님 오신 날인 연등에서 나도 언젠가는 반드시 성불할까. 나 같은 사람도 성불할 수 있다면, 온 인류는 틀림없이 부처님이 될 것이다. 사월 초파일은 미래의 불국토佛國土까지도 보여준다. 부처님에 의해서 중생들은 그처럼 엄청난 힘을 얻는다. 그런 원력願力은 물질 현실이 아니기 때문에 아무 가치도 없는 것인가. 그럼 우리의 정신 세계를 무엇으로 실증할 수 있는가. 증명할 수 없는 것은 증명하지 않아도 괜찮은가. 인간이 제신諸神에게 굴복 당했던 시대는 지나갔다. 과학만을 믿는 미신이야말로 반성해야 할 단계이다.

1976. 8. 10.

출판협회 건물 지하 다방에서 약속한 시간에 김영호 교수와 만났다. 며칠 전에 나왔다는 『추사명품첩秋史名品帖』(영인판) 광고용 인쇄물도 다방에서 우연히 보게 되었다. 차를 한 잔씩 들고는 함께 국립박물관으로 갔다. 일본에서 전시했던 '한국 미술 5000년 전' 귀국 전시를 보기 위해서이다.

'황복사탑사리함皇福寺塔舍利函' 글씨 탁본 앞에서 발이 떨어지지 않았다. 글씨가 어찌나 아정雅精하고 창고蒼古한지 기쁜 자랑을 느꼈다. 백월비白月碑와 대조적인 쌍벽雙璧이란 느낌마저 들었다. 자고로 중국 글씨를 숭상했지만 내가 알기로는 중국 글씨를 많이 모방하면서부터 우리의 귀중한 면을 잃은 듯싶다. 왜냐하면 고대古代 글씨에서 우리의 마음씨를 왕왕往往이 뵈올 수 있기 때문이다. 완당 선생은 동국적東國的 글씨를 싫어하고 중국 글씨를 흠모했었다. 그러나 우리가 완당 선생을 존경하는 이유인즉 선생의 글씨가 중국 글씨와 다르기 때문이다. '황복사탑 사리함' 탁본을 찍은 사진이 있다면 사고 싶었다.

해가 저문다. 문화공보부 최종채 과장이 퇴근하기를 기다려 박대성朴大成 화백과 함께 우리는 김영호 교수를 따라 우이동 댁으로 갔다. 얼마 전에 호남에서 서울로 옮겨진 완당 선생 횡액橫額을 뵈옵기 위해서이다. 사진으로만 익히 봤던 '文字般若(큰 글씨다) 此蘇齋句也 余甚好之 每欲薦作一圖 今書示小癡 髯題'[22] 실물을 배관拜觀하였다. 작금昨今에 『소치실록小癡實錄』을 번역해서 세상에 널리 펴준 인연에 보답하고저 남농南農 옹翁이 김영호 교수에게 전수한 것이다. 덕분에 우리는 직접 『문자반야文字般若』의 묵향墨香에서 법열法悅을 느꼈다. 그 당시 문화권에 관한 이야기가 무르녹자 다산 선생, 초의 대사의 유묵遺墨도 나왔다. 그 당시 분들이 한 자리에 모이신 거나 다를 바 없었다. '다산 선생과 초의 대사' 와 '완당 선생과 백파白坡 대사' 에 관한 이야기를 들으면서 나는 '경학經學과 젊은 완당 선생' 이 아니라 '불교와 노완老阮 선생' 을 막연히나마 생각하였다. 내가 자세히 모르느니 만큼 평소 관심이 있었기 때문이다. 누가 연구해서 이런 관심사를 풀어줬으면 고맙겠다. 우리의 이야기는 통금 시간 임박으로 중단되었다. 십오야十五夜 둥근 달이 솔밭 위에 솟아 있었다. 오늘이 음력으로 칠월七月 백종百種이라고 한다. 우리가 아는 선인先人들만이 아니라, 우리가 모르는 미래의 사람들도 생각하게 하는 밤이었다.

1976. 8. 13.

자당님 환후는 그간 어떠신지 궁금하오. 차도 계시는 대로 편지 한 번 주오.

시「초토焦土」 잘 읽었소. 그대가 나를 기대하는 것보다 나는 그대를 믿소. 서로 노력합시다. (김종성金鍾成에게 보낸 엽서)

어떤 때 시는 잘 써지는지. 취미가 없으면 뭣으로 유지하려나.
시화전 준비는 다 됐는지. 제자題字가 마음에 들지 모르겠네. (학생에게 보낸 쪽지)

1976. 8. 15.

김영호 교수는 김충열金忠烈 교수와 함께 왔다. 김충열 교수와는 초면이다. 방학 동안에 산청군山淸郡 덕산德山을 다녀왔다고 한다. 김충열 교수의 한시漢詩「알남명선생사우謁南冥先生祠宇」를 베껴 둔다.

千里晋陽半日路
朝辭漢北暮山淸
雲藏地理隱眞面
水激兩端洗俗情
處士村深杏院邃
哲人碑古石花靑
而今靈氣無歸宿
寂寞先生待後生[23]

언제고 조남명曺南冥 선생 유적遺跡에 가서 절하리라.

1976. 8. 22.

택시를 기다리다가 우연히 뒤돌아보았다. 골목에서 민동선閔東宣 옹과 황금찬黃錦燦• 씨가 나오더니 나를 못 보고 그냥 가버린다. 오늘이 일요일이기는 하지만 일찌감치 윤오영尹五榮• 옹을 문병하고 가는구나 싶었다.

택시를 잡아타고 지나면서 골목 안을 보니 근조謹弔 초롱이 내걸려 있었다. 전번에 수척한 모습을 뵈온 때가 생각난다. 필시 지난밤에 작고하셨을 텐데 그새 어떻게 알고 다녀들 가는 것일까.

김영환 교수와 이영준 상무와 약속한 시간에 만나 인천행 전철로 떠났다. 이상무 소유지 근처에 이승훈李承薰• 선생 산소가 있대서 안내를 받아 가는 길이다. '동암' 에서 하차, 다시 인천 시내 버스로 바꿔 탔다. 그 일대는 도로 공사가 한창이었다. 수원으로 통하는 도로라고 한다.

동네에서 비를 피하며 막걸리를 사 마시고 비가 뜸하기에 산으로 올라갔다. 구두와 아랫도리가 다 젖었다. 1968년에야 세운 비석이 서 있었다. 우리 나라 최초의 천주교 영세 신자가 된 이승훈 선생은 어떤 분이었을까. 세 번을 배교背教하고 증손曾孫에 이르기까지 4대를 순교하였다. 그런 신앙이란 믿기 어려운 만큼 놀랍기만 하다. 더구나 선생은 다산 선생의 매부이다. 비가 또 와서 곧 내려와야만 했다.

동네에서 쉬며 가묘假墓가 아니냐고 물었더니 두頭만 모셨다느니 몸만 모셨다느니 한다. 짧은 일생을 마친 이승훈 선생의 산소는 초라하였다.

1976. 8. 25.

사명당泗溟堂 대사를 중심한 시를 본 적이 있다. 사명당 대사의 시부터 소개한다.

茅屋臨湍各背巖

眼中山市富青嵐

生涯理釣敲鍼子

時事書空倚手談

坐弄碧流波散百

行隨白月影成三

逍遙象外人誰健

此老方知此味甘

松雲

띠집이 물가에 있어

각기 바위를 뒤했는데

보이느니 산속은

푸른 이내 많아라.

생애는 낚시를 다스려

바늘을 두드린 자요.

시사時事가 다 공空으로 돌아가서

손을 짚고 말하네.

앉아서 푸른 흐름을 희롱하니

물결은 백百으로 흩어지며

가서 흰 달을 따르니

그림자는 셋이로다.

형상形象 밖에 거닐어

그 누가 건전하뇨.

이 늙은 것이 비로소

이 좋은 맛을 알았네.

송운松雲은 누구나 아시다시피 사명당 대사의 별호別號이다. 산속으로 대사大師를 찾아갔던 인물 중의 하나인 이춘원李春元의 그날 시를 소개한다.

小築茅齋面翠巖

百年心事托出嵐

留僧雪榻終宵奕

邀客風櫺盡日談

對峽芙蓉抽六六

鳴溪瑜玦曲三三

滿林芝朮長生餌

投紱歸來與子甘

九畹

조그만 띠집의 방이

푸른 바위와 맞바라보는데

백년 심사心事를

산속 이내에 맡겼더라.

스님은 눈 내리는 평상에 앉아

밤이 새도록 바둑을 두고

바람 부는 난간에 손들을 맞이하여

해가 저물도록 말하네.

산골짜기를 대하여

부용꽃은 육육六六으로 솟았으며

계곡물은 흘러서

환패環佩소리가 삼삼三三의 곡조로다.

숨에 가득한 지초芝草와 창출蒼朮이

장수長壽의 요식이니

벼슬을 버리고 와서

그대와 함께 즐기리.

구원九畹은 이춘원의 호다(선조 4년~인조 12년). 정유 재란 때 참전, 광해군 때 지돈령부사知敦寧府事로 등용되었으나 사직, 인조 반정 후 기용되었으나 사양하고 은퇴하였다.
그날 같은 운韻으로 함께 지었던 작자 미상의 시 반쪽을 소개한다.

山客來從水上巖

蒼顔白髮帶雲嵐

曾於戊子楡中見

莫以壬辰年後談

산속 나그네들이

물 위 바위를 따라서 와보니

푸른 얼굴 흰 머리가

구름과 이내를 띠었네.

일찍 무자년에

유호사楡岾寺에서 봤었지요.

이제 임진년 이후

이야길랑 하지 맙시다.

아랫부분 반이 없어서 내용을 더는 알 수가 없었다. 그러나 이 시들을 읽으면 만년의 사명당 대사가 보이는 듯하다. 보제군생普濟群生하신 대사大師이다. 보살이 따로 있을 리 없다.

번역도 서투르지만 오역誤讀이 있을지 모른다. 혜안慧眼으로써 바로 잡아주기 바란다.

1976. 9. 1.

올 여름에 가족들과 함께 대천 해수욕장으로 가던 도중이었다. 차창밖을 보니 수덕사修德寺 역이었다. 전에 듣도 보도 못했던 역 이름이요 단청丹靑 건물임에 당황한 것이 아니다. 혜암慧庵 스님이 생각났기 때문이다. 나는 스님들을 만나면 수덕사 혜암 스님 안부를 묻고는 한다. 내가 처음으로 혜암 스님을 뵙기는 그 당시는 법명이 현문玄門 스님이셨다. 반세기 전이었다. 내가 이 세상에서 처음으로 글자를 배우기는 혜암 스님에게서였다. 부산에서 환도還都 후였다. 선학원禪學院에 가서 혜암 스님을 셋방으로 모셔와 국수 대접을 해드리고는 그 후로 만나 뵙지를 못했다. 스님의 기대였던 그 대오 견성大悟見性을 못한 내 꼴을 보이기가 싫어서 찾아뵙지를 않았던 것이다. 내가 어렸을 때부터 뵈온 이화응李華應 스님, 묵언默言 스님,

현의룡玄懿龍 스님은 생존하시는지 간혹 스님들에게 물어도 아는 이가 없었다. 팔순八旬이 훨씬 넘으셨을 혜암 스님을 생각하며 마음속으로 합장하였다. 대천서 돌아오다가 수덕사 역을 지날 때도 부처님께 하듯이 혜암 스님을 생각하며 합장하였다. 내가 어렸을 때 뵈온 스님들은 문자 그대로 다 고덕古德이셨다. 그런 의미에서 나는 복 있는 사람인지도 모른다.

1976. 9. 6.

명절 제사를 마치고 형제들은 기억을 더듬어 부모님을 이야기한다. 늙은 형제들은 부모님의 자정慈情을 잊지 못하는 모양이다.
오정희 씨가 그녀의 발표된 작품들을 가지고 왔다. 내가 아직 못 읽은 작품들이 있어서 전에 부탁했기 때문이다.

1976. 9. 11.

화계사에서 가을을 느낀다. 이명구 교수가 귀여운 개들을 데리고 올라온다.
집이 이 근처라고 한다. 나더러 웬일이냐고 한다. 나 역시 자연을 찾아왔다고 하였다. 동대東大기숙사에 들렀으나 자명慈明은 설악산에 가고 없었다.

1976. 9. 26.

아이들이 대추 따는 것을 보며 히히닥거리다가 K씨가 초대한 출판기념회를 이만 잊었다. 점심 식사를 겸한다며 짤막한 축사까지 부탁받았는데 밤에야 기억이 났으니 이를 어쩐담.

1976. 9. 28.

밤에 친구와 얼근히 취했다. 중심가 큰 다방에 들러 화장실에서 소피를 본다. 눈앞에 플라스틱 통이 근사하게 걸려 있었다. 백 원짜리 주화를 넣으면 자동으로 콘돔이 나온다고 적혀 있었다. 약방에서 사기란 면구스런 물건이다. 화장실은 보는 사람이 없으니 좋은 아이디어다. 호기심도 나고 인구 문제도 생각나고 해서 백 원짜리 주화를 넣었더니 잘도 들어간다. 그러나 다음은 깜깜 소식이었다. 흔들어도 두드려도 콘돔은 돈은 나오지 않는다. 통 밑바닥엔 불알만한 자물쇠가 달려 있었다.

그야말로 완전 무결이었다. 취한 나는 당한 일을 친구에게 털어놓았다. 취한 친구는 신이 나서 레지를 불러 따진다.

레지는 빨개지더니 "S에서 설치한 것이라 다방과는 관계가 없다" 며 가버린다. 친구는 무엇이 그리도 유쾌한지 싱글벙글 웃는다.

1976. 10. 16.

늦새벽이지만 김천金泉 날씨는 좋았다. 대전행 버스를 타고 추풍령을 지나 황간에서 내렸다. 수봉리(상주군尙州郡 연동면年東面 수봉리壽峯里) 방면으로 가는 버스는 30분 전에 떠나고 없었다. 다음 버스는 10시 10분에나 있다는 것이다. 아내에게

"어머님 말씀이 '황간에서 20리 길이라' 고 하셨으니 우리도 걸읍시다."

하고 떠났다. 자전거포 주인이 지나가는 우리를 부른다.

"어델 갑니까."

"수봉리로 갑니다."

"큰 고개를 둘이나 넘어야 하는데 걸어서는 못 갑니다. 20리가 뭡니까. 40리는 실히 됩니다. 반도 못 가서 버스가 먼저 갈 낀데 기다렸다가 타고 가십시오."

음식점이 단 하나 있기에 들어갔더니 아침 식사 중이었다. 자장면이 된다더니 그나마 없단다. 다시 넓은 개천 다리를 건너 옛날 같은 두 갈래 길로 돌아와 1인당 95원 하는 수봉리까지의 버스표 2장을 샀다. 둘러보니 산골 길거리는 새삼 가난하였다. 그 당시는 오죽하였을까. 오늘날 버스표 값이 95원이나 하는 길을 그 당시 어머님께서 만삭의 몸으로 걸으셨단 말인가. 하기야 시골길은 가도가도 10리라고 했었다.

"우찌나 찬바람이 불던지 갓이 벗어질 때마다 갓끈이 너의 아버지 목에 감기더라. 너의 아버지 모습이 지금도 눈에 선하다. 난 추워서 이가 꽉꽉 다물려지데."

어머님 말씀이 눈에 보이는 듯하다. 꾀죄죄한 음식점에 들어가서 추어탕으로 아침 요기를 하는데, 눈시울이 자꾸 뜨거워서 아내를 대하기조차 면구스러웠다. 기차로 황간을 지날 적마다 유심히 봤던 누각과 기와집은 향교라고 한다.

10시 10분 출발, 버스는 촌길을 덜거덕거리며 달린다. 산골 가을은 예나 이제나 마찬가지일 것이다. 구름도 쉬는 고개를 한겨울에 어떻게 넘으셨단 말인가. 영동군을 지나 여기서부터 경상북도라고 한다. 상주군인가 보다. 승객들 중에는 갓난아기를 안은 여인이 있었다. 갓난아기는 잘도 잔다. 편안히 타고 가는 나 자신이 죄스러워서 몸은 자꾸 죄어든다. 앞이 훤히 트이더니 여차장은 우리더러 여기가 수봉리니 내리란다.

"옥산 서원玉山書院이 어딥니까."
그곳 분은 손으로 가리킨다. 저편에 서원 기와 지붕이 보인다. 『여성 동아』에서 사진(전용종田溶種 기자 촬영)으로 봤던 백화산白華山 밑 백옥정白玉亭도 선뜻 나타난다. 간단하였다. 옥산 서원 바로 옆집이 내가 출생한 곳이기 때문이다. 아니나다를까. 서원 바로 옆에 집은 있었다. 함석 지붕만 바꾸면 옛 초가일 것도 같다. 그럼 이 댁에서 방을 얻어 사셨단 말인가. 혹 황탁연黃卓淵 옹 댁이 아니냐고 물었더니 마당에 나온 중년 부인은 그렇다고 한다(『여성 동아』 게재 황정자黃貞子 기자 글, 황석연黃石淵은 황탁연黃卓淵의 오자였다). 좀 뵙자고 청했더니 오늘 아침에 버스로 멀리 출타하셨다고 한다.
"언제 오십니까."
"대개 며칠씩 걸리십니더."
내외가 심한 경상도인지라 계속 묻기도 뭣했다.
"서원에 참배하고 싶습니다."
"서원 옆에 고지기 집이 있으니 가보입시오."
회보문懷寶門 앞 조그만 하마석下馬石을 지나 돌아가 보니 고지기 집이란 것이 또한 서원 바로 옆이었다. 서원 좌우에 각각 집이 있고 보니 얼떨떨하였다. 이나저나 간에 여기가 어디라고 부모님은 오셨더란 말인가. 강상철姜相澈 씨는
"어디서 무슨 일로 오셨습니까."
하며 의아해한다.
"옥산 서원 옆집에서 내가 낳아서 두 달 만에 떠났다고 합니다. 55년 만에 찾아왔으니 우선 서원 참배나 시켜주십시오."
강씨는 도포 입고 유건 쓰고 옆 담으로 들어서서 안내한다. 회보문

루懷寶門樓 안마당이었다. 대청 위, 처마 밑에 옥산 서원 현판이 걸려 있었다. 뒤로 돌아 들어가니 경덕사景德祠 건물이었다. 강씨는 마당에 돗자리를 펴준다. 우리 내외는 황희黃喜 선생께 하정배下庭拜를 드렸다. 건물들이 퇴락해서 보기에 민망할 지경인데 예절은 한참 당시를 상기시킨다. 사당 안은 폐가의 창고 속 같았다. 익성공翼成公 방촌厖村 황희 선생 영정은 사모홍포紗帽紅袍의 비교적 젊은 얼굴이시었다. 선생 독櫝만 아니라 좌배향左配享 일위와 우배향 이위 독도 쇠가 잠겨 있어 열어볼 수가 없었다. 조그만 함 속의 낡은 문서 조각들을 보고야 전사서全沙西(이름은 식湜이니 상주 출신으로서 관은 이조 판서)와 황축옹黃畜翁(이름은 효헌孝獻이며 선생 5대손이니 옥산 서원을 창건하고 교육을 한 분)과 반간槃澗(이름은 유紐. 역시 선생 후손)이 추배되었음을 알았다. 어떤 문서 조각에는 '堅作牧圉 無令虎咬'[24]라는 구절이 있어 옛 이곳을 짐작할 만도 하였다. 굳게 잠겨진 캐비넷 안에는 황희 선생 초상 옛 원본과 유물들이 들어 있다고 한다. 하필이면 오늘에야 출타하고 없는 황탁연 옹이 원망스럽기조차 하였다. '暘額時 致祭文正宗大王御製 大嶺橫宵 屹如巨人 迤爲道溪 院于枕濱 翼成之亨 受得其地(하략)'[25] 현판만 쳐다보았다. 한 쌍 은행나무는 멀쩡해서 서원의 퇴락이 감회를 자아낸다. 그날 미명未明에 영정影幀 황희 선생은 바로 옆집에서 일어나는 고고의 울음을 들으셨을 것이다. 어머님은 말씀하시기를 "갓 낳아서 날마다 어찌나 우는지 감당하기 어려웠다"고 하셨다. "그곳까지 가봤더니 아랫목에 누워 있는데 살결이 검고 키가 길고 여위었더라"고 하시던 고모부 윤기호 옹의 회고담도 기억난다. 들은 바에 의하면 수일간 고생 끝에 낳은 난산이었다. 아버님은 고향에 가시어서 계시지 않았으며 삼마(유모)가 삼을 가르고 뒷바라지를 하셨다.

마루에 앉아 막걸리로 점심 요기를 하는데 황탁연 옹 자제 황인목黃仁穆 씨가 왔다. 서로 인사를 나눈 후에 들어보니 황탁연 옹은 금년 77세라 한다. 그 집에서 내가 났다면 황옹은 그 당시 20여 세의 청년이었으니 그때 일을 기억할지 모른다. 백화산의 한낮은 맑고 밝다. 어쩌다가 낯설고 산 선 이런 데로 오셨더란 말인가. 나로서는 알 도리가 없다. 세심석洗心石은 위쪽에 있다고 한다. 황희 선생 둘째아드님 홍선洪善이 이곳으로 와서 보신한 것이 이곳 황씨의 시초라 한다. 해마다 음력으로 3월 9월 첫번째 정丁 자가 드는 일진을 골라 서원에 제사를 드린다는 것이다. 마당에는 고추와 팥이 널렸고 콩깍지, 들깨깍지가 쌓였다. 장독대의 코스모스는 한산하였다. 울타리가 없는 동네 집들이다. 개는 낮잠을 즐기며 그새 닭은 어디로 갔는지 보이지 않는다. 태고연한 적막이라기에는 가난하였다. "점심도 못 해드려서 미안합니다" 고들 하기에 "아이들에게 뭐나 사주라" 며 약간금을 주었더니 황인목 씨 부인은 감이 조랑조랑 달린 감나무 가지 여러 개를 준다. 회보문 앞을 지나 황탁연 옹 집 앞에 묵묵히 섰다가 한길로 나오면서 아내에게 "출생지가 따로 있나? 어디나 다 이 나라 강산이지" 하고 웃었다.

버스를 타고 수봉리를 떠나면서 차창 밖으로 다시 백화산을 우러러 보았다. 다음 세대는 자가용차를 몰며 이곳을 지나다가 옥산 서원에 들러 참배나 할지?

1976. 10. 25.

과科의 교수들은 다 보직補職을 맡아 있어 하는 수 없이 내가 학생들을 인솔하고 떠나야 했다.

대관령을 넘어 굽어보니 반갑다. 차는 고속 도로를 따라 유유히 내려간다. 강릉시는 현대화되어 서울 근교에나 온 것 같았다. 구시가舊市街는 그냥 두고 신시가新市街를 따로 세웠더라면 좋았을 걸 싶었다. 한국시인협회 강릉 세미나는 끝났으니 시인들은 어제 이곳을 떠난 셈이다. 누가누가 다녀갔을까. 내일 오죽헌烏竹軒 제15회 율곡제栗谷祭에서 다시 만나기로 하고 최진원 교수와 작별한 다음 완행버스로 강릉을 떠나 다시 대관령을 넘어 진부면珍富面 경유 오대산까지 가는 데 두 시간 반이 걸렸다. 대만에 교환 교수로 가 있는 강신항 교수 생각이 난다. 전에 함께 역시 학생들을 인솔하고 20리를 걸어서 월정사月精寺에 갔던 일이 있었기 때문이다. 그런데 이젠 월정사 문턱에서 차를 내리게 됐다. 해는 저물어서 어두웠다. 그 당시 뼈대만 섰던 적광전寂光殿은 이제 단청이 화려하였다. 들어가 석굴암 대불을 본뜬 부처님께 예불하고 나서 보니 밤이어서 그렇게 보이는 것일까. 석고상인 듯싶었다. 전에 갔던 여관인데 관광객들은 들끓고 있었다. 방은 추웠다. 별들이 어찌나 많고 큰지 딴 세상 같다.

1976. 10. 26.

춥다. 살얼음이 얼어 있었다. 아침에 출발하여 숙원이던 상원사上院寺로 간다. 산의 나무들은 잎이 다 지고 메마른 계곡 위마다 이제는 다리가 놓여 있는 신작로 길이었다. 고대高大 불교부 학생들이 여름비에 불어난 물을 건너다가 떼죽음을 당했던 계곡은 어느 곳인가. 당시 지도 교수의 한 분이었던 나의 형님은 상원사에서 그 놀라운 소식을 들었을 때 자기 자신도 가서 물에 몸을 던져 학생들의 뒤를 따르고 싶은 심정이었다고 나에게 말씀한 적이 있다.
쉬지 않고 걸어서 상원사까지 두 시간이 걸렸으니 20리는 되는 성싶었다. 생각던 것보다 부드럽고 아늑한 곳이었다. 우선 종각鐘閣에서 우리 나라 최고종最古鍾의 비천상飛天像을 보았다. 도리어 나의 집 마루에 걸려 있는 이 비천상의 탁본이 생각났다. 청량 선원淸凉禪院에 들어가서 문수보살, 문수동자께 절하였다. 이처럼 상호相好가 훌륭하신 문수상은 난생 처음 보았다. 그러나 내 마음은 적멸보궁寂滅寶宮에 가 있었다. 용상방龍象榜에 주지住持 혜암慧庵이 적혀 있기에 반가웠다. 그러나 주지 혜암 스님은 생각보다도 젊은 분이었다(나는 지금까지 혜암惠庵 스님을 혜암慧庵스님으로 착각하고 있었던 것이다). 세조어첩世祖御牒은 어디에 있는지요 하고 물었더니 저 건물 안에 있다는 대답이었다. 그 건물의 문을 열었더니 나한상羅漢像들이 나를 못마땅하다는 듯이 째려본다. 문수동자께서 세조世祖도 제도濟度하셨는데 무얼 그렇게 노여워하십니까 하고 나는 웃었다. 방한암方漢岩 스님 비碑, 탑塔은 어디에 있는지요 하고 스님에게 물었더니 부도浮屠로 모셨다는 대답이었다. 뜻밖이었다. 사리가 나와야만 탑을 세운다는 뜻인 듯싶었다. 살아 있는 사람이 죽은 고승高僧을 차별하다니 모를 일이다. 사리란 골骨에 불과하다. 골이 불법에 있어 뭣이 그리 대단하다는 말인가. 적멸보궁을 행하여 절하는 것은 정골頂骨에 절하는 것이 아니다. 직접 석가모니불께 절한 것이다.
학생들은 시간이 없다며 떠나야 한다고 한다. 떠나기가 싫었다. 다음엔 가족들과 함께 오리라. 적멸보궁에 아내와 함께 올라가서 절하리라.
마침 논산 산악회 여러분의 호의로 해서 관광 버스를 타고 월정사

주차장까지 내려왔다. 아마 지금쯤 최진원 교수는 오죽헌에서 우리가 보이지 않아 궁금해할 것이다.

강릉에 돌아왔다. 서울로 돌아가는 최진원 교수와 우연히 만났다. 유정동柳正東 학장도 와서 율곡제에 참석했는데 지금 어디에 있는지 모르겠다고 한다.

아담했던 오죽헌은 박물관 흡사히 변해 있었다. 제일강산루帝一江山樓에 잠깐 올랐다가 시내로 오면서 순후淳厚란 무엇일까 생각하였다.

강릉을 출발 한 시간 반 만에 낙산사 아래에 도착하였다. 전과는 달리 휘황한 전등불들이다. 내가 잘못 온 거나 아닌가 하고 의심했다. 학생들과 함께 민박을 하는데 방 하나에 5백 원이란다. 너무나 싸다. 외부내빈外富內貧이란 무엇일까. 실정과는 달리 낭비하는 것 같다. 깜깜한 어둠에서 동해는 소리친다. 신라는 외침을 두려워했다.

1976. 10. 27.

어제 추운 산길 20리를 걸은 때문일까 약간 피곤하다. 의상대義相台에 올라가서 동해에 솟아오르는 해를 보았다. 홍연암紅蓮庵으로 내려가서 관세음보살님께 절하였다. 민가로 내려와서 아침 식사를 끝냈다. 안노인은 식구가 다 감자를 캐러 밭에 가니 짐들은 그냥 두고 문만 닫아두란다. 민가들은 울타리가 없다. 마당이 바로 길이다. 이곳은 집을 비워도 물건이 없어지지 않는단다. 장담한다. 내가 딴 세상에 온 것만 같았다. 학생들을 설악산으로 떠나 보내고 나만 남았다. 상원사에서 못 푼 고독을 낙산사에서 풀 작정이다. 관광이 목적이 아닌 바에야 성역聖域에서 쉬고 싶었다.

주차장에서는 연신 관광 버스가 들이닿는다. 학생들을, 관광객들을 쏟아놓는다. 낙산사는 관광객들로 붐비었다. 겨우 법당에 들어가서 찰불札佛하였다. 봉향각奉香閣의 중건기重建記 현판에 주지 원허圓虛 스님 이름이 있었다. 오랜 과거가 현재로 나타나서 감개무량하였다. 저처럼 바쁘게 쏘다니는 것이 관광인가, 현대의 관광이란 것이 무엇인지 의심스러웠다. 산 위의 관세음보살 석상은 가목架木이 걷히지 않은 것으로 보아 조성 중인 듯싶었다. 관광객들에게서 도망치듯 산으로 올라간다. 관세음보살 석상과 함께 동해를 바라보고 싶어서다. '외인 금지' 계시가 앞을 가로막는다. 내뺄 곳도 없다. 내려와서 다시 바쁜 관광객들에게 사로잡혔다. 관광객들은 나의 느린 걸음걸이를 환자 보듯이 본다. 그래 나는 환자다. 그대들처럼 바쁘게 쏘다니다가 환자가 되었다. 그대들도 환자가 되지 않으려거든 성역에서 뛰지를 말라.

어딜 가나 스님들은 초연해서 나 같은 업보로는 접근하기가 어려웠다. 스님들은 중생고衆生苦를 모른다. 나는 고독을 풀 길이 없다. 원허 스님의 자비상慈悲相이 기억난다. 그러나 스님은 성불하셔서 이 세상에 없다. 환자들은 기를 쓰고 달아난다. 세상에는 요양지療養地가 없다. 그래서 어딜 가나 바쁜가 보다. 하는 수 없이 망각에 매달린다. 소위 무심無心한 데로 도피한다. 그러나 무심은 문자처럼 쉬운 노릇이 아니다. 딱하기조차하다.

나는 인간 이상도 이하도 아닌 나를 확인하였다. 인간을 외면할 수는 없었다. 관광객들에 휩쓸려 내려간다. 도처마다 가난에 찌든 여인들이 나더러 선물을 사가라며 애원한다. 내가 불 · 보살님께 애원하는 것과 다를 것이 없었다. 백옥 목걸이가 5백 원, 수정 목걸이가 천 원, 미역뿌리로 만든 브로치가 백 원이란다. 천하에 이처럼 싼 곳이 어느 나라에 있을까. 세상에서 나를 가장 아껴주는 여성을 위해서 세 가지를 다 샀다. 놀랐다. 나에게 물건을 판 여인이 그처럼 돌변할 줄은 몰랐다. 얼굴 가득히 넘치는 기쁨, 그 귀중한 웃음, 한량없는 광명을 그 여인에게서 보았다. 내가 약간의 물건을 사주었기 때문에 불쌍한 여인이 그처럼 변하는가. 나는 내게 없는 것을 갑자기 발견한 듯 아득하였다. 그제야 나는 그 여인보다도 내가 초라한 것을 느꼈다.

해변 따라 모두가 횟집이었다. 허전하도록 배가 고팠다. 관광객들 속에서 회 한 접시와 매운탕과 막걸리를 시켰다. 막걸리 맛은 어디나 역시 마찬가지였다. 업보는 자기 자신을 위로하듯 씹고 마신다. 점점 취해 오른다. 어디선지 목탁소리가 들리기 시작하였다. 의상스님은 기도를 드리고 있었다.

우리 염원도 통일이라는 생각이 들었다. 내 눈에도 해상관세음보살海上觀世音菩薩님이 나타나실까 하고 바라보았다. 등뒤에서 울부짖는 소리가 난다. 돌아보았다. 성역 경내는 바닷고기들의 도살장이며 탕형장湯刑場이었다.

저녁때 학생들은 돌아왔다. 그들은 나를 데리고 낙산사를 떠나 밤에 강릉에 도착 여관에 들다.

1976. 10. 28.

중앙 국립 박물관 덕분에 처용무處容舞를 보았다. 그림으로만 봤던 가면이 천년 저편에서 살아서 나온다. 섬뜩하리만큼 답답한 감동을 안겨다 준다. 외국 사람들도 나처럼 느꼈을까.

1976. 11. 15.

전번에 김영환 교수와 함께 유길준兪吉濬• 유품전遺品展을 보러 고대高大 박물관에 간 적이 있었다. 박물관에서 일본 수야방애狩野芳涯의 「자모관음상慈母觀音像」 원본 이래로 과언이 아닐 정도의 우리 나라 고화古畵 관음상을 보았다. 설명 표지에는 이상좌李上佐• 그림으로 되어 있었다. 언젠가 국립 중앙 박물관에서도 이런 우리 나라 고화 관음상을 본 적이 있었다. 수야방애는 우리나라 고화 관음상을 보았기에 자모관음상을 그릴 수 있었던 것이다. 우리의 이 고화 관음상을 정쇄精刷해서 세계에 널리 편다면 우선 일본 사람들부터가 내 말을 수긍할 것이다. 우리의 보물은 모르고 그 모작模作을 진품으로 아니 안타까운 노릇이다. 윤세영尹世英 교수로부터 귀한 인니印泥를 받았다. 이런 좋은 인니를 쓰게 되기는 처음이다.

1976. 12. 21.

그날 그 다방을 찾아갔더니 시계는 12시 10분이었습니다. 약속 시간보다 10분을 지각했는데 레지 말이 나가셨다고 하더군요. 혹시나 하고 12시 30분까지 기다리다가 나왔습니다. 음악소리에 견딜 수가 없었던 것입니다. 난 음치입니다만 그런 소란한 음향은 피하는 것이 좋을 것 같습니다. 건강하시기를 빕니다. 새해에 복 많이 받으십시오.
(천상병 사백詞伯)

1977. 1. 1.

하례식 마치고 월탄 선생 댁, 동리 선생 댁 경유하다. 오후 4시에 윤병로 씨, 김동호金東壺 씨가 온대서 집으로 돌아왔다. 새해마다 갔었던 도남 선생 댁이 생각난다.

1977. 1. 2.

『구곡九曲』 원고가 없어졌다. 아직 미정고未定稿인데 없을 리가 없다. 찾아도 없다. 혹시나 하고 일전에 내 집에 와서 취해 갔던 모씨에게로 전화를 걸었더니 "조속한 시일 내에 갖다드리겠다"는 대답이다. 향방을 알고 나니 취하면 그럴 수도 있지 하고 마음이 놓였다.

1977. 1. 3.

김영태 씨는 내게로 보낸 씨의 자필自筆 그림 연하장이 1976년 세말歲末이 아니라 1967년으로 오기誤記되었음을 발견하고, 정신이 없다면서 웃는다. 정신이 없기로는 내가 씨보다 선배 격인지라, 위로하기 겸 내 심한 건망증의 예를 들어 함께 웃었다. 박재삼, 박성룡, 남천南天 화백도 예고 없이 왔다. 박재삼 씨가 부르는 유행가는 언제 들어도 정겹다. 육성 예술肉聲藝術을 듣는 술자리가 어디 그리 흔한 일인가. 이해 관계로 오는 손님은 반갑지 않다. 피차 늘 바쁘기에 심심해서 찾아오는 친구를 대하면 휴식이 되나 보다.

1977. 1. 7.

산문집은 '내키지 않는 글' 이라고 제목을 붙일까. 산문 원고 청탁은 거개의 경우 제목이 붙어 온다. 때문에 쓰기 싫은 글을 쓴 셈이다. 말이 머리에 떠오르지 않으니 못 쓰겠다고 하면 이러 이러히 쓰면 되지 않느냐고 일러까지 준다. 오죽 기일에 몰리고야 그러겠나 하고 기자 양반들의 고충이 짐작간다. 결국 거절하는 경우가 생긴다. 그러면 원고 청탁이 없어서 홀가분하기도 하고 때로는 기다려지기도 한다. 그래서 청탁도 없는 일기를 때로는 끄적거린다.

1977. 1. 11.

최귀동崔貴童•, 김양식金良植 여사 초대로 성춘복 씨와 걷는 중이었다.

"목월 선생이 한양대 병원에 입원하셨답니다."

"정초에 온 분들로부터 들었는데 초하룻날은 목월 선생이 건강상 세배객들을 피하셨고 3일날 갔던 사람들은 만나뵈었다던데요. 그럼 언제 입원을 하셨나요."

"4일날 입원하셨답니다."

1977. 1. 15.

옛사람들의 필첩筆帖『전고篆故 지地』를 본 지 5, 6년 만에『전고篆故 천天』을 보았다. 상하 두 권일 경우에는 대개 건乾 · 곤坤이라고 붙이니 그럼 언젠가는『전고篆故 인人』도 볼 수 있을지.

전번에 전화 주셔서 감사합니다. 김종성金鍾成 군 시 두 편 보냅니다. 지금까지 내 이름으로 추천한 단 하나의 시인인데 꾸준히 작품을 써서 보내옵니다. 발표할 데가 없어서 그런가 봅니다. 나는 그의 뒷바라지를 못해줘서 자책감에 잡혀 있습니다.『시와 의식』지에 게재해주시고 앞으로도 키워주시기 바랍니다. 일기는 약속대로 기일 안에 보내드리겠습니다.

(소한진蘇漢津 사백詞伯에게 보낸 편지)

1977. 1. 19.

아내와 함께 수원에 갔다. 수원여고 졸업식 날이어서 장인 어른은 초대받아 출타 중이었다. 기다리는 동안 장인 어른이 쓴 『나의 회고록』을 읽다. 아내도 유리창 옆 의자에서 읽고 있다. 하고 싶은 일을 소신껏 했으니 행복한 어른이다. 황혼에 돌아온 장인 어른은 신관이 괜찮아 보였다.

1977. 1. 25.

시 낭송과 독자의 모임에 나가 여러 시인들과 만났다.

"솔직히 말씀 드려서 나는 시를 쓸 수 없게 됐습니다. 왜냐하면 시가 어디에도 없기 때문입니다. 그래서 우리가 시를 쓰는 실정이라고 나는 생각합니다."

하고 몇 마디 하였다. 음식점에서 함께들 반주飯酒하고 헤어졌다. 몹시 추운 밤이다.

1977. 2. 2.

수험생들을 보니 측은하기만 하였다. 한참 나이에 표정들은 말이 아니었다. 어쩌다가 저 지경이 되었는지 모르겠다. 기억하는 힘은 되도록 기계에게 맡길 일이다. 기계를 발전시키면서 올바르게 사용하는 사고력이 아쉽다.

걸작을 의식하면서 쓰지는 못한다. 힘껏 쓰는 도리밖에 없다. 나와는 다른 사람일수록 나는 존경한다. 뭐고 다 그렇다는 것은 아니다. 나의 작품을 나는 별로 좋아하지 않는다는 뜻이다. 싫기 때문에 또 쓰는 경우가 많다. 싫증을 버리면 끝날 수 있다. 그런 천재도 초인도 될 수 없는 것이 결론이곤 하였다. 과연 그럴 필요가 없기 때문이다. 우리 나라 문학을 찬탄한다. 어느 나라 문학보다도 애착이 간다. 문화를 자랑할 줄 모르면 부끄러운 줄이나 알아야겠기에 말이다.

1977. 2. 17.

"뭐고 할 일이 없으면 문학을 하려 든다."

"아무런 다른 재주가 없는 사람이 문학을 하는 것이다."

언젠가 이와 비슷한 말을 들은 것도 같고 읽은 것도 같다. 그러나 이런 정도로 왜 문학을 선택했는가의 대답은 되지 않는다. 이런 식의 자문자답은 되풀이해봤자 만족한 해답을 얻지는 못할 것이다. 그럴 수밖에 없는 것이 그 대답을 찾으려는 노력이 바로 문학이 아닌가고 생각되었다. 그것을 알았다면 그것은 할 필요도 없이 끝나버린 것이다. 그래서 문학이 무엇인가를 알고 싶기보다는 주저하는 편이었다. 글을 쓰기 위해서는 그런 점이 바로 매력인지도 모른다.

그러나 이런 평범한 대답은 할 수 있다. 누구나 하기 싫은 일은 고통이다. 그저 매우 하고 싶어서 한 것뿐이다. 하고 싶은 일을 하는 나는 문학에 늘 감사를 드린다. 그러므로 왜 문학을 선택했는가는 문제가 되지 않는다.

내가 문학을 하지 않았다면 무엇이 되었을까가 문제다. 하지만 그런 일은 없었기 때문에 문제가 되지 않는다.

그렇다고 나의 문학을 자부할 가치는 없다. 위에서도 말한 바와 같이 문학을 알고 싶기보다는 주저하는 편이다. 구체적으로 설명한다면 말이란 것도 점점 고성능화함에 따라서 여러 가지로 혼란과 위험을 안게 되었다. 하지만 글은 어떤 경우에도 악의가 없어서 글쓰는 사람 자신에게는 소중한 편이다. 어떤 작품도 다소간에 인간 고통을 고통하는 선의로써 바탕을 이루고 있다.
보편적으로 작품의 모태는 회의懷疑며 창조의 기쁨은 진통에 있는 것 같다.
아시다시피 사십불혹四十不惑이란 말이 있다. 40대가 되도록 해온 일은 평생 하게 마련이라는 뜻으로 나는 내 나름대로 풀이한다. 나는 책상 아닌 밥상에서 글을 쓰는 버릇을 길러왔다. 식사하는 것과 글을 쓰는 것은 다르지만 어느 편으로나 밥상은 나에게 중요하다. 만년필을 잡으면 문학 청년 때처럼 새로워진다.
이 어렵고 귀찮은 일이 나의 시간을 치료해주는 것이다.

1977. 3. 1.

반가운 편지 감사합니다. 박사님께서 한양대학교 의과대학 부속 병원 외과 교수로 전임轉任하심을 축하합니다. 병고病苦를 구제하며 미래를 기르시니 이보다 더한 염원이 있겠습니까. 졸필을 원하시니 나로서는 영광입니다. 마음에 어느 정도 드는 서폭書幅이 되면 연락 드리겠습니다. 박사님의 앞날을 빕니다.
(원치규元致奎 박사님께 보낸 답장)

1977. 3. 5.

언젠가 김영호 교수에게 "신석초 선생 산문 유고집을 내도록 출판사에 주선해줍시오" 하고 청한 일이 있었다. "S출판사 사장이 유고遺稿를 보내달란다"는 김교수의 기별이 왔다. 성춘복 씨더러 유가족에게 연락해서 유고를 S출판사에 보내도록 부탁했었는데 그 후로 소식이 없다. 궁금하다.

1977. 3. 24.

김지견金知見 박사가 건 전화였다. 일본으로 가기 전에 『균여 대사均如大師 화엄학華嚴學 전서全書 별쇄別刷』를 보내드려야겠는데 댁 주소를 알려달라는 것이었다.

"일본 가시거든 암파 문고 『반야심경 금강경 역주』를 한 권 사다줍시오. 대금은 오신 후에 드리겠습니다."

산스크리트 원전原典 번역도 들어 있는 그 소책자를 안동림安東林 씨에게서 빌린 지가 벌써 여러 해 전이다. 돌려주기 전에 한 권 구하려는 참이었다.

"역주자譯註者의 한 분인 중촌원中村元• 선생이 내게 준 그 책이 두 권 있으니 그럼 오늘 이리로 놀러오시면 어떻겠습니까."

나는 두말 않고 그러기로 하였다. 성산동 대한 불교 연구원은 내게서 먼 곳이었다.

"멀리까지 오시래서 미안합니다."

며, 김박사는 펜글씨로 '김지견양金知見樣 중촌원中村元' 이라고 쓴 기증본 두 권 중에서 비교적 깨끗한 새 책을 나에게 준다.

"구법求法하려 오천축五天竺까지 간 옛 고승高僧을 생각하면 너무나 가까운 거리입니다."

하고 웃었더니 김박사는

"중촌원中村元 선생이 나에게 두 권을 준 것은 김선생에게 한 권을 전하라는 인연이었던 것 같습니다."

하기에 함께 웃었다.

1977. 4. 5.

문학 서클 학생들이 안내하는 대로 삼양동 버스 종점에서부터 걸어 올라갔다. 처음 가는 길이다. 공초空超 오상순吳相淳 선생 산소에 주과酒果를 차려놓고 다 함께 절하였다. 내가 아는 선생 생전을 말하는데 목탁소리가 들린다. 아마 삼성암三聖庵의 목탁소리리라. 아침 저녁으로 화계사 종소리와 예불소리를 들으시리라. 선생이 생전에 잡으신 신후지지身後之地며 시유지市有地인데 월탄 선생이 공항에까지 가서 대통령의 허락을 받아 모실 수 있었다고 들었다. 선생이 살아 계신다면 우리를 반가워하실 것이다. 어떻게 좋아하실까가 보이는 듯하다. 공초 시비詩碑의

흐름 위에
보금자리 친
오 흐름 위에
보금자리 친
나의 혼魂

을 읽는다. 「방랑의 마음」 첫 연이라고 한다. 이원우李元雨, 김태일金泰鎰, 정지용鄭址瑢, 조대현曺大鉉, 장종권張鐘權, 김효임金孝任, 나영옥羅英玉, 이미령李美玲은 삽질을 하며 물을 떠오며 산소 좌우에 은행 묘목 한 쌍을 심느라 정성이 대단하다. 두 은행나무가 잘 자라기를 바라는 마음은 마찬가지다.

1977. 4. 10.

연일 모임에 나가 오랜만에 많은 분들을 만났다. 6일은 연민淵民 박사의 회갑 날, 7일은 조연현 전집 출판 기념회 날, 9일은 터만 남은 서울대의 유일 건물인 문예 진흥원에서 도남 학회 제1회 시상식 날, 10일인 오늘은 파주군坡州郡 월용면月龍面 음덕리陰德里 도남 선생 묘비 제막식에 다녀왔다.

1977. 4. 19.

실험 극장 소극장에서 「대머리 여자 가수」를 원작자原作者는 보았다. 연극이 끝난 후 우리는 으젠느 이오네스코• 부처夫妻에게 많은 박수를 했다. 이어 코리아 하우스 파티에 참석, 이오네스코 부처는 우리 나라 인형극을 보기에 열중하였다. 이어령李御寧• 교수의 주선, 민희식閔憙植 박사의 통역으로 노부부는 불편이 없을 것이다. 얼근히 취한 김에 돌아오다가 돈암동에서 김종길金宗吉 교수와 또 맥주를 하였다.

1977. 4. 21.

시론詩論을 쓰라는 원고 청탁을 받을 때가 있다. 그럴 때마다 딱한 처지에 놓이곤 한다. 실상 할말이 없기 때문이다. 하긴 공연히 말이 하고 싶어서 좀이 쑤시던 때도 있긴 있었다. 말을 하고 나면 새로운 제시도 뾰족한 무엇도 없어서 불쾌하였다. 스스로 미안한 짓만 한 것 같았다. 그러기에 나의 시론이란 누구나 다 아는 상식이거나 지식 정도이다. 언제부터인지 말하는 것이 귀찮아지기 시작하였다. 그러나 글 쓸 자격을 잃었다고는 생각하지 않는다. 생각과 말이란 별개의 문제이기 때문이다. 왜냐하면 말씀이란 일단 말하고 보면 물질인 것이다. 한도 있는 물질이 무한 생각을 만족시킬 수는 없는 노릇이다. 그렇다면 내가 나의 시에 불만인 것은 마땅한 일이다. 그러는 동안에 이상한 일이 생겼다. 불만이 마땅하다고 생각하면서부터 불만은 점점 사라지기 시작하였다. 나는 이런 현상을 구체적으로 분석할 능력이 없다. 궤변이라고 해도 할말은 없다. 따져봐야 이런 따위는 노력도 지속도 극복도 아니었다. 그래 정확히 말할 수 있을까. 어떻든 시를 쓰는 일이 전처럼 힘들지 않아서 새로운 의욕을 느끼곤 한다.

1977. 4. 22.

말을 아끼다 보면 주저하게 된다. 주저하다 보면 방황하고 있는 것이다. 방황은 일종의 열중이기도 때로는 소요逍遙일 수도 있었다. 이런 것들이란 필요 불가결한 것이다. 물질인 언어가 과연 정신 우주를 만들 수 있을까. 나의 시작詩作 체험으로서는 그런 경지에 이르지 못하였다. 막연한 유혹이 앞설 따름이다. 언제나 앞서는 유혹이 확실한 믿음으로 변하기를 믿는다.

1977. 4. 23.

시는 돈이 되지 않는다. 시인은 유명할 필요가 없다. 그러므로 세상은 시 쓰는 사람들을 웃을지 모른다. 그러나 예술가들처럼 자기 일에 몰두하는 세상은 그리 흔하지 않다. 예술을 창조를 존경하거나 사랑하거나 즐길 줄 모른다면 다른 무엇을 더 바라야 할까.

1977. 4. 24.

이사 온 지 10여 년 만에 서재 마루 구석은 찌그러졌다. 서가書架가 벽을 뚫고 넘어박힐 정도는 아니었다. 아내는 일꾼들을 데려다 서재를 수리하는 데 여러 날이 걸렸다. 나는 손끝 하나 움직이지 않는 주제에 신경질이 나고는 했다. 아내는 내 눈치를 보면서도 할 일은 다 하는 성미이다. 아내의 이런 성미는 나 때문에 생긴 것이다. 일요일이다. 종일 비가 온다. 낮인데도 서재에 전등을 밝혔다. 그랬더니 빗소리가 무슨 자장가처럼 들린다. 돌들은 깨끗이 목욕을 한다. 없던 잎들이 많이 돋아나와서 나를 반긴다.

1977. 4. 25.

인간은 자연에서 벗어난 줄로 알고들 있다. 그래서 인간적 과학 표현이 아니라 과학적 인간 표현이 현대인 줄로 착각한 때가 있었다. 그런 시기는 바람직한 미래상이 아니며 다행히도 그런 것들을 대신해서 반성해야 할 단계에 왔다. 여러 가지 상처를 치료하는 작품이 여러 가지로 시도되어야 할 것 같다.

1977. 4. 26.

이한직李漢稷 시집을 다시 읽다. 그가 생각난다. 왜 계속 시를 쓰지 않았는지를 비로소 알 것만 같다. 그가 오만한 전위前衛였던 비밀을 알 것만 같다. 이상李箱, 윤동주尹東柱, 이한직의 발상 방식은 각기 다르지만 그들이 세상을 떠났던 곳은 일본이다. 옛날은 창천蒼天이란 말을 흔히들 썼다. 하늘이 왜 푸른지를 알 것만 같다. 문인들과 극진히 교우하면서도 시를 왜 쓰지 않았던가를 알 것만 같다.

1977. 4. 27.

이론은 시작詩作과 일치하지 않는 특수 분야이다. 방해가 되는 수도 있다. 문제는 미지未知 편에 있는 것으로 기울어진다. 적어도 백 년 후의 시는 어떤 것일까. 궁금해진다. 상상해본다. 어떤 염려도 적중하지 말아야 한다. 그런 예언자는 없는 편이 좋았다.

완당 선생 초草 · 난고亂稿는 상당히 전해진 것으로 안다. 묵향墨香 '백화수악白華朱蕚' (내內 · 외外, 아홉 자도 시호試毫되어 있다)은 내가 본 그 중의 일편一片이다.

1977. 4. 30.

아내와 함께 창고극장을 찾아갔다. 아내는 관람권을 사기로 하고 나와 함께 온 것이다. 김영태 씨는 우리를 그냥 안으로 안내해주었다. 내부는 창고라기보다도 지하실이란 느낌이 들었다. 무대가 면적을 거의 차지하고 있었다. 그 주위에 둘러놓은 결코 많지 않은 의자에 앉아 있는 관람객들. 대학생인 듯한 젊은 남녀들은 몇이 있었다. 초라한 만큼 솔직한 분위기였다. 연극과 관람이 체취를 함께하는 추구는 절실하기조차 하였다. 젊은 정열들이 믿음직스럽기만 하였다. 「이화 부부異化夫婦」는 시인이 쓴 극이며 나로서는 처음 보는 공연인 만큼 시종 긴장하였다. 과거의 연극이 스토리를 위한 대사臺詞였다면 실례일까. 「이화 부부」는 직접 대사에 더 유의하게끔 대담히 나를 이끌어갔다. 우리말의 다양한 가능을 확인할 수가 있어서 흐뭇하였다. 나는 아내에게

"김영태 씨와 비교하면 장 콕토는 구세대지."

하고 말했더니 아내는

"참 멋있었어요."

하고 대답하였다. 연극을 함께 본 나로서는 아내의 대답에 저속低俗의 반대 뜻이 있음을 알 수가 있었다.

1977. 5. 28.

간송 미술관 선면전扇面展에 갔을 때였다. 무슨 말끝에 "우리가 아는 원효, 의상과는 다른 고승高僧이 당시에 있었으리라고 상상할 수 있지 않느냐"며 평소 생각던 바를 말하였다. 최완수崔完秀 원장은 "그런 고승의 일파一派들이 왕건王建의 사상과 고려 불교의 근본이 되었다"고 대답하였다. 나는 내 나름대로 깊은 흥미를 느꼈을 뿐, 그것을 충분히 알아들을 만큼 역사 지식이 부족해서 최완수 원장에게 논문을 쓰도록 간곡히 부탁하였다.

1977. 6. 19.

국립 중앙 박물관 고적 답사 안내 초청을 번번이 받았으면서도 참가하기는 이번이 처음이었다.

첫째는 행선지가 안성安城 칠장사七長寺이고 둘째는 과히 멀지 않기 때문에 마음이 내키었다. 칠장사를 알기는 소설 『임꺽정』을 읽은 때였으니 꽤 오래된 셈이다. 그러지 않아도 몇 해 전에 아내와 함께 가볼까 하다가 그만둔 적이 있었다.

8시 무렵 출발. 관광 버스 안내양에게 물었더니 안성은 읍邑이라 한다. 말만 듣고 처음 보는 안성은 내 소싯적에 흔히 본 거리 같은 데가 있었다.

안성읍에서 진천鎭川 방면으로 가다가 고개 밑 낚시터에서 휘어들어 좀 들어가니 청룡사青龍寺였다. 고려 원종元宗 때에 명본明本 스님이라는 대덕大德이 계셔서 절 이름이 명본암明本庵이었는데 나옹懶翁 스님은 이 절에 와서 꿈에 청룡青龍을 보았다. 잠을 깨자 산에 서운瑞雲이 어리어 있었다. 이로 인해 서운산瑞雲山 청룡사青龍寺라고 했다는 것이다.

건물은 손볼 곳이 많건만 단청丹青빛이 천해서 무슨 당집 같기도 했다. 청룡도 서운도 다 어디로 가버렸는지 고려 석물高麗石物은 무색해 보였다.

다시 안성읍으로 돌아와 칠장사로 향하였다. 누런 먼지를 날리며 덜거덕거리면서 신작로를 가고 간다. 어디까지 가야 하는지 지루하였다. 안성 칠장사라기에 안성서 가까운 줄로 알았던 만큼 뜻밖이었다. 신작로에서 다시 갈려 들어가는데 피곤하기조차 하였다. 정기버스도 안 다니는 산골이었다. 몇 해 전에 아내와 함께 왔더라면 곤경을 겪었을 것이 분명하다. 그때 무슨 일로 중지했는지 기억은 나지 않으나 다행이었다는 생각이 들고는 했다. 이만하면 사실이건 아니건 간에 임꺽정 의형제가 생각날 만하였다.

칠장사는 짐작했던 것보다 작은 절이었다. 수석水石이 없어서 경내境內가 쓸쓸하였다. 녹음에 퍼지는 유유한 흰 구름만으로는 고금古今을 분별하기조차 어려웠다.

나는 김영환 교수가 싸온 김밥과 시인 김영태 씨 부부가 권하는 반찬으로 식사하고 혜소 국사慧炤國師 비각碑閣으로 올라갔다. 남은 옛 문자와 측면에 새겨진 여의주와 쌍용에서 숙연한 느낌이 들어 내 자신의 타락 같은 것을 생각하지 않을 수 없었다.

김영상金永上 옹, 조용만趙容萬 선생이 술을 권하셔서 나와 김영환 교수는 해갈했는데, 부산 피란 시절에 학생들을 데리고 소풍갔던 일이 생각났다. 그 당시 제자였던 정연순鄭然順, 안문숙安文叔이 동석하였기 때문이다. 그렇다면 고금도 일순一瞬에 불과할 것이다.

대웅전 좌우 석사자石獅子 중에 하나는 자취만 남고 고려 석탑은 방치 상태였다. 천수관음千手觀音 탱화와 인목 대비仁穆大妃 친필 글씨는 주지 스님이 출타 중이어서 보여줄 수가 없단다. 그러지 말고 사진을 찍어서 팔도록 하라고 당부했다.

칠현산七賢山 칠장사는 옛날에 일곱 악한이 이 산속에서 살았는데 어떤 고승의 지도로 칠현七賢이 된 데서 생긴 명칭이라고 한다. 칠장사나 청룡사나 언제면 청정 도량의 향기가 속세俗世의 공해와 오염을 씻어줄지 아득한 것만 같다. 그러나 김여정金汝貞 씨 말에 의하면 이난영李蘭映 씨는 피곤이 말끔히 가셨다는 것이다.

국립 중앙 박물관 덕분에 좀체 오기 어려운 곳을 본 셈이다. 이겸노李謙魯 옹, 최영림崔榮林* 화백은 몇 번째 버스에 탔는지 보이지 않는다. 버스 3대는 계속 떠난다. 서울이 먼 것만 같다.

1977. 6. 25.

영인본을 내겠대서 책을 빌려준 일이 몇 번 있었다. 책이란 혼자만의 것이 아니니 원하는 분에게 널리 펴는 것이 좋은 일이라고 믿었기 때문이다.

그러나 영인한 후에 돌아온 책을 대할 때마다 불쾌하였다. 지난날의 나의 책인가 믿어지지 않을 정도로 마구 뜯고 함부로 풀칠을 해서 엉망이 되어 돌아왔기 때문이다. 책만도 아니다. 잡지사에서 사진을 찍겠대서 재료를 빌려준 일도 있었다. 돌아온 재료는 더럽혀졌거나 상해져 있었다. 빌려갈 때는 극진하고 가져가서는 못하는 짓이 없고 돌려줄 때는 영인본까지 하나 더 주니 감사하라는 식이다.
나에게는 『금강반야바라밀경』이 몇 종류 있었다. 『금강반야바라밀경』과 나는 여러 가지로 인연이 깊은 편이다. 그 중에는 동국대학교에서 낸 『금강반야바라밀경 오가해』가 있었는데 비록 영인본이지만 나에게는 각별히 소중한 책이었다.
요즘은 간소화되어 생략하지만 그 당시만 해도 결혼식에서는 신랑 신부 물물 교환이란 수속이 있었다. 대개의 경우 신랑은 귀금속을 신부에게, 신부는 고급 시계나 만년필을 신랑에게 주었다. 신랑인 나는 불교도였다. 신부인 그녀는 가톨릭 신자였다. 결혼식에서 나는 간이 국한문 『성경 전서』를 신부에게 주었고, 신부는 동국대학교판 『금강반야바라밀경 오가해』 영인본을 나에게 주었던 것이다. 월탄 선생께서도 주례사에서 이런 물물 교환은 처음 본다며 흐뭇해 하였다.
그 후로 동국대학교판 『금강반야바라밀경 오가해』 영인본도 차차 귀해졌던지 어떤 출판사가 영인을 하겠다고 내게 왔었다. 두말 않고 책을 빌려주었다. 사장과 나는 친숙한 사이며 여러 가지 책도 기증 받았던 처지이지만 뭣보다도 신부가 내게 줬던 결혼 선물 불경佛經이 불사佛事에 도움이 된다는 것만으로써 기뻤던 것이다. 그러나 그 후에 돌아온 불경 책은 책장이 잘 넘겨지지 않을 정도로 변해 있었다. 그러나 나의 소중한 책이 좋은 일을 했다는 것만으로써 나는 어떤 내색도 하지 않았다.
작년이었다. 그 출판사 사장은 또 영인을 해야겠다면서 한 번 더 책을 빌려달라고 왔다. 내심으론 싫으면서도 언제 좋은 일을 해서 보불 공덕報佛功德하겠느냐 하는 마음으로 또 빌려줬었다.

그 후로 아무런 소식이 없었다. 언젠가 그 출판사에 들러 책을 돌려 달랬더니 아직 영인을 못했은즉 좀더 기다리라는 대답이었다.
요즘은 간혹 이런 생각을 하고는 한다. 그 책은 다시 돌아올 수 없을 만큼 결딴이 난 거나 아닐까. 부처님 말씀이면 그만이지 책이 뭐 그리 대단하다는 말인가.
그러노라면 『금강반야바라밀경』 말씀이 가슴에서 방광放光하기 시작한다.
'수보리須菩提야 무주상보시無住相布施하는 복덕福德도 역부여시亦復如是하야 불가사량不可思量이니라.'
'약견제상비상若見諸相非相하면 즉견여래卽見如來니라.'
'약부유인若復有人이 어차경중於此經中에 수지내지사구게등受持乃至四句偈等하야 위타인설爲他人說하면 기복其福이 심다甚多니라.'
'아어왕석절절지해시我於往昔節節支解時에 약유아상인상중생상수자상若有我相人相衆生相壽者相이면 응생신한應生嗔恨일러니라.'
'수보리須菩提야 어의운하於意云何오 가이신상可以身相으로 견여래부見如來不아 불야不也니이다 세존世尊하 불가이신상不可以身相으로 득견여래得見如來니 하이고何以故오 여래소설신상如來所說身相은 즉비신상卽非身相이니라.'
나의 소중한 책 『금강반야바라밀경』이 떠났기 때문에 부처님 말씀이 좀더 분명해지는 듯하다. 아내에게 미안할 것도 없다. 이제야 아내는 『금강반야바라밀경』을 내 마음에 심어준 것이다. 이보다 더한 보시가 있을까.

1977. 7. 5.

이영호李英護• 시집 출판 기념회를 그린 파크에서 한다는 초대장이 왔다. 도시에서 농촌 같은 생활을 하고 싶은 것이 소원 중의 하나이다. 철없는 소원이기에 자연을 보기 겸 나섰다. 아이들에게서 들은 대로 찾아갔다. 우이동牛耳洞께가 초행이 아니건만 산들 외에는 낯설기만 하였다. 집들도 늘고 길이 넓어져서 어디가 어딘지 기억이 나지 않는다. 산들은 이내가 자욱하였다. 장맛비로 계곡 물이 불어난 듯하였다. 해 저물기 전 숲 사이 길을 거니니 고향에 온 것 같았다. 이원수李元壽• 선생, 이원섭, 김종문金宗文, 최귀동崔貴童, 조병무曺秉武 씨 등 여러 분과 함께 냇물가에서 2차까지 하였다. 밤이어서 산천은 보이지 않으나 시원하다. 이원섭 씨는 "시인은 다 이 근처에 이사와서 살아야 한다"고 권한다. 일찍부터 이 근처에 보금자리를 잡은 안목이어서 그런지 이원섭 씨는 언제 보아도 유연하고 초연하다.

1977. 7. 6.

아이들이 싸우면 나는 이성을 잃고 만다. "보이지 않는 곳에 가서 싸워라. 싸움이라면 진저리가 난다." 꼴이 우습도록 창피한 줄도 모르고서, 내가 왜 이러는지를 모르겠다.

1977. 7. 7.

이 세상 시가 다른 위성인衛星人에게 자랑할 수 있는 것은 무엇일까. 그야 다른 위성을 모르느니 만큼 대답하기는 곤란하다. 그러나 어떤 가상은 할 수 있다. 정신의 자원은 무진장하다. 약소 국가도 없다. 가상의 경우가 아니라도 괜찮다. 당면한 현대 시의 과제課題에 서 각자의 시는 각기 다른 제 나름대로의 발견을 하고 있다.

장원壯元, 차상次上, 차하次下 따위는 옛말이다. 우선 풍요로운 시 세계에 찬탄을 금하지 못할 것이다.

그러므로 시상詩想은 다소간에 분열을 체험하는 듯하다. 분열에서 혼란을 극복하기란 쉬운 일이 아니다. 시의 어려움이란 두려운 존재가 아니다. 시를 위해서는 불가피한 것인 듯싶다. 그러므로 당연한 것으로서 받아들여야 하지 않을까. 풍경에서 없는 풍경을 볼 수 있다는 말이다. 우리가 체험하듯이 실제 체험이 그대로 작품일 수는 없는 노릇이다. 그저 아는 것과 그 아는 것을 확인하기에는 몇 생生이 걸릴지 모른다. 시상과 시는 그처럼 밀접하면서도 이루어지기까지 사이가 있는 듯하다. 시인이란 시간으로 잴 수 없는 사이를 걷는 사람들이나 아닌지.

1977. 7. 23.

30도가 넘는 무더운 날씨에 들어앉아 한 40년 전 가을 일을 쓴다. 『법시法施』지의 원고 청탁 덕분이다. 지난 일이란 꿈 같기만 하다. 현대의 10년은 옛날 백년 이상으로 격심히 변한다. 그러므로 40년 전 일이란 전생처럼 불투명한 것이다. 간혹 펴보는 소화 7년판 『금강산 사진첩』에도 나와 있지 않는 곳이니 그저 '금강산과 가을' 이라고만 상상하시기 바란다.

우리 일행이 세 사람이었는지 몇 사람이었는지, 도중 영원암靈源庵에서 하룻밤 잤는지 그냥 지났는지조차 아리송하다. 나는 스님들을 따라 미륵봉彌勒峯을 향해 올라가는 중이었다. 풀 냄새가 물씬 나는 숲 사이로 올라갔다면 그게 어찌 가을이냐고 하시겠지만 금강산은 높은 곳에서부터 단풍이 물들기 때문에 더욱 장관인 것이다. 올라갈수록 먼 향수鄕愁를 가로막듯 기봉괴만奇峰怪巒이 일어서면서 웅장한 골짜기는 점점 깊어진다. 바로 눈앞에 삼지 오엽三枝五葉의 붉은 열매들이 달린 산삼이라도 나타날 것만 같아서 생각났는지 스님 한 분이 이런 이야기를 하였다.

"지금도 장안사長安寺에서 범패를 가르치는 금묵(?) 노장님의 은사 스님이 실지로 겪었다니 백년도 안 된 일이지. 그 스님이 중내원中內院에서 장안사로, 즉 우리가 올라가는 바로 이 일대를 그 당시 내려가던 중이었는데 밑을 보니 수목 사이에서 웬 동승 하나가 고깔을 쓰고 먹 장삼에 가사를 수하고 춤을 추고 있더래. 그때는 요즘보다 더 무인지경이었겠지. 이상한 생각이 들어서 그곳으로 가봤다는 거야. 그런데 동승은 없고, 그 자리에 빨간 열매가 달린 삼지 오엽 산삼이 있더래."

누군가가 말참견을 하였다.

"산삼이 몇 년씩 잠만 자다가 동자童子로 화한다는 이야기는 흔히들 하지. 산삼은 하나만이 아니고 몇 뿌리씩 집생集生한다던데 그럼 큰 횡재하셨겠구먼."

"아니야, 한 뿌리뿐이더래. 그 스님은 장안사에 내려오자 소문낼 것 없이 산삼을 생으로 씹어 먹고는 이만 약 기운에 취해서 며칠 동안 산송장이 됐다가 깨어났다더군. 그 후로는 한여름에 솜옷을 입어도 시원하기만 하고, 한겨울에 홑바지 적삼만 입어도 춥지가 않았다는 거야. 그런데 수壽와는 관계가 없더라지 뭔가. 그리 오래 살지는 못하고 열반했는데, 글쎄 아홉 번씩 죽었다가는 깨어나더래. 사람들

말에 의하면 산삼 기운 때문에 열반에 들기가 그처럼 어려웠다는 거야."

산삼 이야기로, 내 눈에만 산삼이 보이지나 않을까 하고 요행을 바라면서 올라가느라 필시 힘드는 줄 몰랐을 것이다.

그러나 산삼 대신, 가을 하늘에서 핏빛 단풍이 우리를 내리누르기 시작하더니 홀연 하늘을 찌르는 백색 거암巨岩이 솟아오르기 시작하였다. 나의 기억은 분명하지 않으나 굽어보이는 연봉連峰, 불타는 단풍 빛깔, 옥보다 영롱한 하늘이 지금 몽환夢幻처럼 눈앞에 나타나는 것만은 사실이다. 중내원 건물은 조그만 암자였던 것 같다. 날씨가 차서 세수도 못하고 점심 공양을 했다. 간장에 담은 산초 맛과 향기를 잊을 수가 없다.

나는 많은 바위를 건너간 것 같다. 하늘에 높이 솟은 백색 거암 밑에 올랐다. 멀리 엷은 비단 조각만한 동해를 굽어본 듯한데 사실이 아니라면 보았노라고 우기고 싶은 심정이다. 세계는 내 발밑에 있었다. 인류 역사는 저 아래 있었다. 백색 거암은 내가 몇 겁劫을 올라가도 못 오를 높이로 솟아 있었다.

그 백색 거암은 무엇일까. 한 40년이 지난 내 앞에 미륵보살로서 나타난다. 『화엄경華嚴經』 중 미륵게彌勒偈에 '제불대원해諸佛大願海' 라는 구句가 있다고 들은 듯하다. 한 국토인데도 갈 수 없는 금강산이지만 미륵봉의 백색 거암은 그대로이다. 따라서 우리의 발원은 거리가 없다.

1977. 8. 11.

금년처럼 더운 여름은 집에 있는 것이 피서라고 생각하였다. 바다야 시원하겠지만 사람들이 많아서 낭비일 것 같았다. 더워도 고개를 숙였다. 밀렸던 일도 대충 끝났기에 아내와 함께 막내를 데리고 떠났다.
전주 이남은 난생 초행이지만 신연철申延澈 교수에게서 자세한 노순路順을 들었기 때문에 서툴 것이 없었다. 정읍井邑 역에 내리자 마침 지나가는 고창高敞행 버스가 있어서 정읍을 둘러볼 여가도 없이 올라탔다. 우리에게 앉을 자리를 내주는 손님들이 있어서, 나는 어리둥절하였다. 도중에서 내려야 하니 서서 가도 좋다는 것이었다. 각박한 세상에 인심이 이런 데도 있나 싶었다.
고창은 생각던 것보다 쓸쓸한 곳이었다. 지난날 학생복 차림의 서정주 선생이 불쑥 나타날 것만 같았다. 택시가 가기를 싫어해서 옛 성터는 바라만 보고 말았다. 아내와 막내는 고창 비빔밥 맛을 나는 막걸리 맛을 찬탄하였다. 철길이 언제 놓일지 모르지만 교통은 편리해서 곧 선운사禪雲寺행 버스로 떠났다.
선운사 동구에 내리니 동백 여관은 한옥과 양옥으로 되어 있었다. 동백 여관 안 주인에게 "신연철 교수의 소개로 왔다"고 했더니 "김구용 선생님 아니세요" 하며 반가워한다. 박희숙朴姬淑 여사는 시인 허영자 여사와 동기로서 숙대 다녔을 때 내 강의를 들은 적이 있었다고 한다. 그제서야 겨우 옛 모습을 찾아내는데 박여사는 단번에 나를 알아보았던 것이다. 내가 부끄러울 지경이었다.
양옥 2층에서 내다본다. 산에 해가 저문다. 9시에 서울을 출발했으니 참 먼 곳에 왔구나 싶었다. 오래 전부터 말로만 익히 듣다가 오고 싶던 곳에 온 것이다.
아주 저물기 전에 다녀올 생각으로 경내境內에 들어섰다. 여러 비석과 부도浮屠가 보이기에 가까이 갔다. 짐작한 대로 추사 선생 글씨 백파비白坡碑가 있어서 반가웠다. 반석盤石도 없이 잔잔히 흐르는 물에 우거진 녹음, 온 산이 숲이어서 큰 뜨락을 거니는 듯했다.

이광사 글씨 천왕문天王門 목각 현판을 보고 만세루萬歲樓를 지나 대웅보전大雄寶殿(보물)을 우러러본다. 규모는 작을망정 금강산 장안사 대웅보전 목각 현판 글씨와 비슷한 데가 있어서, 걸음을 멈추었다. 예불하고 아기 부처님들도 창견하였다. 도량道場은 너그럽기만 하다. 문에 쇠가 채여 있어서 유리 조각을 통해 보살 조상彫像을 창견했으나 분명히 보이지가 않았다. 그러나 영산전靈山殿 십육 나한十六羅漢과 명부전冥府殿 제대왕諸大王은 조각彫刻이 뛰어나고 설채設彩가 정묘하였다. 산이 바로 동백 숲이었다. 따라서 한층 중후한 느낌이 드는 건물들은 옛 빛이 무르녹아 옷깃을 여미게 하였다. 그러면서도 낡은 옛 단청 빛을 어떻게 길이 보존해야 할지 걱정스럽기만 하였다.

명부전에 있는 병풍 글씨가 석전石顚 스님 친필이 아니냐는 물음으로써 스님에게 말을 걸었다. 인사를 했다. 백파白坡 대사 영정이 있다기에 한 번 뵙기를 청했더니 주지 스님이 열쇠를 가지고 출타했기 때문에 안 된다는 대답이었다. 사진이라도 찍어서 누구나 볼 수 있도록 했으면 좋겠다는 뜻을 말씀 드렸다. 궁금해서 거듭 물었더니 백파 대사는 몸집이 뚱뚱하고 큰 편이라고 하였다.

아득한 옛 노래 「선운산가禪雲山歌」는 어떤 내용이었을까. 듣지는 못했지만 산을 보니 알 듯도 하다. 왔던 길로 되돌아오면서

"시멘트의 침범이 없는 편이어서 다행하다."

고 했더니 아내는 동문서답식으로 대답한다.

"속리산俗離山이 남성적이라면 이곳은 여성적인 느낌이 들어요."
나는 머리를 끄덕이었다.
물어서 서정주 선생 시비詩碑를 찾아가보았다. 흰 칠이 벗어지는 날에는 글씨가 보일지 의심스러웠다. 기왕이면 안정감이 나도록 세웠어야 할 것이다.
자다가 추워서 눈을 떴다. 밤 하늘에는 주먹만한 보석이 수없이 뿌려져 있었다.

1977. 8. 12.

조반이 아직 안 됐대서 우선 다녀오기로 했다. 아내와 막내아이와 함께 동백 여관을 떠났다.
도솔암兜率庵까지의 3킬로 경치는 청마靑馬 선생 산문散文(?)에선가 읽은 적이 있다. 좁은 길 사이로 숲이 빽빽히 우거졌다. 큰 나무는 없는 편이었다. 뜻밖에 나타난 현대 건물을 지나 걷는데, 두 시골 부인네가 보따리를 머리에 이고 뒤따라온다. 덕분에 우리는 찾을 필요없이 가르쳐주는 대로 진흥굴眞興窟을 보았다. 선운사는 그 당시 진흥왕이 왕위를 버리고 삭발하여 입산한 절인데, 이 굴에서 수도하였다. "왕으로 있느니보다는 많은 중생을 제도하기가 소원이라"는 말을 남기고 이 산에서 왕비(도솔)와 공주(중애)와 함께 도를 닦았다. 세계 제왕들이 들으면 웃을 일이다.
앞에 돌 봉우리와 절벽이 하늘을 깎았다. 돌아보니, 도솔암은 산 중복에 자리를 잡고 있었다. 지장보살상地藏菩薩像(보물)을 참배하러 왔다고 했더니, 저쪽으로 1백50 계단을 올라가면, 중내원中內院에 모셔 있다는 대답이었다. 이곳에서 중내원이란 처음 듣는 말이었다.

나는 어리둥절했다. 지장보살상 때문에 도솔암까지 왔으니, 올라가는 수밖에 없다. 나한전羅漢殿이 있었다. 돌아나가니, 신연철 교수에게서 들었던 대로 깎아지른 절벽에 마애석불이 우러러보였다. 나한전 곁으로 난 좁은 바위 사이로 돌 계단을 하나씩하나씩 밟아 올라갔다.

올라서니 별다른 천지였다. 건너편은 거대한 석벽石壁이 병풍처럼 둘렀다. 밑이 보이지 않는다. 바람이 솟아오른다. 바로 앞 좁은 터전에 도솔천兜率天 중내원中內院 목각 현판이 걸려 있는 건물이 있었다. 미당未堂 선생 시구詩句가 생각난다.

소년은 산에 올라/맨 높은 데 낭떠러지에 절을 지어 지성을 드리다 돌아가고/소녀는 할 수 없이 여러 군데 후살이가 되었다가 돌아간 뒤……

그러나 나는 반게사신半偈捨身과 백척간두百尺竿頭 경진일보更進一步를 실감하면서 쇠가 채워 있는 문짝의 조각 유리로 안을 들여다보았다. 보살 좌상은 화관花冠이 없어서 어찌 보면 지장보살상 같기도 하였다. 그러나 도솔천 중내원이라면 미륵보살일 것이다. 사진으로만 보았던 그 여의륜如意輪을 들고 계셨다. 바로 이 보살님이었구나. 갇혀 있는 옛 보살 좌상은 태평하기가 그지없었다. 수미산須彌山 꼭대기 십이만유순十二萬由旬이 바로 여기였다. 도솔산 선운사禪雲寺라는 뜻을 알 것만 같았다. 보살의 지족知足이 온 산의 복장腹藏이었다. 옆 바위로 기어 올라갔다. 넓은 반석인 만월대滿月臺에 서니, 온 산이 다 보인다. 폭음이 산속을 휩쓴다. 최신형 전투기 네 대가 기수를 숙이면서 비스듬히 산등성을 넘어간다. 도솔천 중내원에 절하고 내려오면서 종교와 과학을 막연히 생각했다. 물질적 약소 민족의 정신적 긍지를 찾아 헤매었다. 도솔천 중내원에 참배하지 않았다면 선운사를 헛볼 뻔했다.

선운사에 들러 예불했다. 스님 말씀에 의하면 신라 때 선운사 창건주創建主인 검단黔丹, 의운義雲 대사는 두 보살의 협시協侍를 받으며 부처님이 동호冬湖 앞 바다에 오신 꿈을 꾸었다. 이튿날 두 대사가 바다로 갔더니, 한 불상과 두 보살상이 배를 타고 와 있었다. 두 보살상은 선운사와 중내원에 각각 모시어 전하지만 아직 본존 불상을 찾지 못했다는 것이다. 어쨌거나 본존불本尊佛은 중생들이 제각기 자신에서 찾는 수밖에 없을 것이다.

동백 여관에서 점심 식사 했다. 12시 동호 해수욕장 가는 버스를 기다리는데 출발 시간 전이었는데도 조금 전에 왔다가 그냥 가버렸다는 것이다. 그러나 마침 둘러가는 버스가 있어서 곧 타고 떠났다. 도중에서 두 번 갈아타고 동호 해수욕장에 이르렀다. 이 지방 여성들은 몸이 크고 건장했다. 관광객들 중에 나를 알아보는 타과他科 졸업생 부부가 와 있어서 함께 막걸리를 했다. 아이는 누런빛 바다가 내키지 않는다면서 수영을 않는다.

올 때는 선운사 직행 버스를 탔다. 해가 저무는 만灣을 달린다. 도솔산을 일주한 셈이다. 피곤했나 보다. 동백 여관에서 저녁 식사 하고 쓰러지자 이내 잠이 들었다. 꿈도 없었다.

1977. 8. 29.

화계사에 산책을 갔더니 불공 손님들이 많았다. 오늘이 칠월 칠석이란다. 내려오다가 황원장 집에 들러 전날 감정하여줬던 추사 선생 간찰 글씨와 잘 핀 건란建蘭 꽃들을 보았다. 어느새 하이얀 반달이 제법 밝아온다. 황원장이 정교수 댁을 안내서 갔다. 정교수가 남색 치마에 흰 저고리 차림으로 학교 다녔던 시절을 나는 제자뻘인 황원장에게 들려주며 맥주를 마셨다. 도무지 남의 집이 아니라, 일가 친척 집에 온 것 같았다.

1977. 8. 30.

"아버지 미키(개 이름)가 죽었어요."

자다가 벌떡 일어났다. 새벽이었다.

"어찌 된 일이냐."

"쥐약 먹은 쥐를 먹었어요. 밤중에 죽었어요."

이웃집에서 쥐약을 놓은 모양이다.

한참 만에야 겨우 말했다.

"어쩔 도리가 없구나."

제 명대로 못 살고 비명횡사한 사람들의 유족들을 생각하여보았다.

큰아이와 둘째아이가 미키를 산에 묻으러 간다. 대문 밖에 나서서 안 보일 때까지 바라만 보았다.

"다시는 개를 기르지 말아야지."

아내의 말이었다.

집에 돌아왔건만 미키는 쫓아나오지 않는다. 참새들이 왔다. 그러나 개밥 그릇은 비어 있다.

1977. 8. 31.

함구령이라도 내린 듯, 식구들은 아무도 미키를 말하지 않는다. 서로가 아픈 데를 건드릴까 봐 그럴 수밖에 없을 것이다.
영문학을 강의하던 이여사가 영국으로 간 지 한 달이 가깝다. 존 키츠•의 초상화를 찍은 그림 엽서가 왔다.

마트록에서 섬머 스쿨에 참석하고 있어요. 세계 28개국에서 온 55명의 영문학 교수들과 생활하며 강의, 토론, 강연, 시 낭독회, 영화, 장거리 여행, 파티, 피크닉 등으로 어지럽고 황홀한 흥분 속에서 모든 것을 탐욕스레 흡수하면서 있어요. 워즈워드•의 호반에도 갔어요. 로렌스•의 소설의 배경을 보았어요. 몇몇 저명한 소설가와 시인들이 초빙되어 함께 깊은 문학 얘기를 나누기도 했어요.
지순至純한 정열을 불태우는 영혼들의 교감을 누리며 드넓고 푸르고 깊은 초원을 달리어 춤추며 노래해요. 햇빛과 바람을 사랑하며 꽤 싸늘한 이곳 풍토에 익숙해가는 중이에요. 괴롭고 아름답고 잡히지 않는 본질에의 회귀回歸에 대하여 저는 아늑한 예감과 빛나는 영감을 이곳에서 준비하여요.
서울은 몹시 덥겠죠. 늘 건강하시고 늘 괴로워하시고 늘 아름다우시기를 빌겠어요. 안녕히 계세요.

편지를 읽는 동안에 못 가본 영국을 둘러보았다. 때맞추어 온 머나먼 소식이다.

1977. 9. 1.

금년은 건란建蘭에서 새 촉이 셋이나 솟았다. 한 10년도 더 전이었을까. 오영수 씨 댁에서 얻어와 기르는 난蘭이다. 꽃대에 꽃이 피었다. 보세報歲도 새 촉이 둘이나 나왔다. 며칠 전에 천지원天地園에서 관음소심란觀音素心蘭을 한 분盆 들여왔다. 내 촉까지 합쳐 여섯 촉이나 된다.

전번에 졸업생 서양이 붓글씨를 써달라며 맡기고 간 합죽선合竹扇을 폈다. 먹을 갈아 예문당藝文堂 새 붓을 풀어 축복하는 글귀를 썼다. 난초꽃 향기에 집 안이 적막하다.

1977. 9. 2.

산속 절 방을 얻어 독서 생활 하던 시절이었다. 거의 누비 비단 이불로만 지냈다. 장작만 때던 시대니, 절간 방은 누비 비단 이불만으로도 웬만하면 춥지가 않았다. 그러니까 그보다도 전 일이다.

요즘 같은 어느 가을날이었다. 읍내 우리 집에 누비 이불을 행상하는 여인이 왔다. 마루에 펴 보이는 누비 이불은 다채로운 꽃무늬의 초록색 비단 머리깃에 역시 다채로운 꽃무늬의 붉은 비단 이불 껍데기였다. 한마디로 휘황찬란했다. 검소 절박하신 어머님 성격이 아닐지라도 우리에게는 고급 사치품이었다. 어머님이 이리 보시고 저리 보시더니 흥정을 해서 그 비싼 누비 비단 이불을 사시는 데는 놀랐다.

그 오랜 누비 비단 이불을 금년에도 덮었다. 언제나 제철이 되면 덮을 것이다. 이제는 천이 삭을 대로 삭고 빛이 낡을 대로 낡아서 마치 밀가루를 뿌린 듯하다. 내다 버려도 주워갈 사람도 없을 정도지만 나에게는 귀중품이다.

금년 초였다. 아내가 이불 한 채를 사왔다. 꼭 그 누비 비단 이불 크기의 조각 이불이었다. 격세隔世의 느낌이 들었다. 선연한 꽃이 약간씩 수놓여 있는 조각들을 적당히 배치한 이불로서 상감마마나 공주마마나 덮을 일이지, 나에게는 가당치도 않는 사치품이었다.

"이처럼 아름다운 이불도 세상에 있느냐."

고 했더니 아내는

"요새로는 고급품도 아니며, 덮는 누비 비단 이불이 너무 남루해서 샀다."

는 대답이었다.

아내는 필시 나의 어머님이 누비 비단 이불을 사셨을 때의 그런 심정으로서 샀을 것이다. 그래서 금년은 두 가지 이불을 다 덮었다.

결국은 이와 비슷한 이불이 또 한 채 있다. 그럼 그건 어떤 것인가. 또한 누비 이불이다.

역시 산속 절간 방에서 독서 생활 하던 어느 해였다. 아마도 첫겨울철이 아니었던가 기억한다. 읍내 집에를 갔었다. 어머님은 재봉틀로 열심히 무엇을 누비고 계셨다. 며느리를 얻으면 주려고 너의 누비 이불을 만든다는 말씀이었다. 손수 명주에 짙은 남빛을 물들인 머리깃에 역시 손수 명주에 자줏빛을 물들인 이불 껍데기였다.

어머님은 그것을 다 누비시기에 상당한 시일이 걸렸을 것이다. 그 누비 명주 이불은 커서 산속 생활을 하는 동안에 거의 덮지를 않았다. 결혼 후에도 좁은 방에 비해서 좀 컸기 때문에 별로 쓰지를 않았다. 그래서 그런지 지금도 어제 누빈 명주 이불처럼 말짱하다.

어머님이 사주셨던 누비 비단 이불을 덮으면 어머님 품에서 자는 아기처럼 편안하다. 어머님이 손수 만들어주셨던 누비 명주 이불을 보면, 며느리를 못 보고 세상을 떠나셨지만, 우리를 아끼실 어머님의 자상한 모습이 선히 떠오른다.

금년에 아내가 사온 조각 수 이불을 덮으면 웬일인지, 성장하는 아이들이 생각나서 흐뭇하다.

1977. 9. 3.

우리 집에서 가장 가까운 단 하나의 가겟집은 조그만 편이다. 간혹 담배나 아니면 술을 사러 간다. 여러 해 지나는 동안에, 그 가겟집 부부를 행복하다고 생각하게 됐다. 바깥주인은 늘 웃는 얼굴이요, 부인은 덕성스러웠다.

어느 해였다. 나는 우연한 기회에, 가겟집 주인이 일찍이 프랑스에 가서 유학까지 하고 온 경력을 알았다. 나에게 이 사실을 귀띔하여 준 분에게 물었다.

"그런데 하필이면 식료품 가게를 할까요."

"나도 그러구 물어본 일이 있어요. 그랬더니 대답하기를 '다른 건 해서 뭘합니까' 하고 웃더군요."

그런 후로 더 유의하게 됐다. 보기에 돈을 버는 재미로 생활하는 살림은 아니었다. 차라리 옹색한 편이었다. 황혼에 술을 사러 가도 취한 얼굴을 본 적이 없으니, 술은 입에 대지도 않는 성싶다. 어찌나 평범한지 근심 걱정을 모르는 상이다. 명예욕이 붙을 여지도 없다. 결혼을 늦게 했는지 나이에 비해서 어린 자녀들도 있다는 것이다. 이 이상 남의 사생활을 알 필요는 없었다.

세월이 흘러감으로써 서서히 알 것만 같았다. 우선, 가겟집 주인은 별로 부러운 것이 없는 표정이다. 그렇다고 오만하거나 또는 아주

초탈했거나 물론 성직자도 아니다. 그의 웃음은 천성天性이거나 또는 습성에 의해서 착하였다. 행동은 가게 주인으로서 적합하리만큼 인간다웠다. 그 부인은 환경에 비해서 옹색한 데가 없다.

그들 부부를 보거나 그 가겟집을 바라보느라면 행복이란 것을 새삼 생각하게 된다. 행복은 주거나 얻는 것이 아니다. 스스로 만족할 줄 아는 사람의 것이라고 듣기는 들었다.

누구나 할 수 있는 말이로되, 아무나 할 수 없는, 현실에서 엄연한 사실로써 직접 보니 신기한 느낌마저 든다.

1977. 9. 4.

화계사 백상원白象院에서 약속 시간에 신씨와 김씨를 만났다. 백상원 뒷등성에 올라서면, 바라보이는 도봉道峰, 삼각三角의 연봉連峰이 문자 그대로 절승絶勝이다. 키를 넘는 잡목림 오솔길은 걸어본 사람만이 아는 서울이다.

이 달 안으로 떠나갈 신씨와 김씨를 환송하려다가 풀밭에 자리잡고 앉아 도리어 대접을 받았다.

저녁노을을 보며, 거나하니 취하자 양관삼곡陽關三曲•을 흥얼거리다.

1977. 9. 10.

윤용구尹用求•(1853~1939)의 호는 석촌石村, 해관海觀 또는 수헌睡軒, 역수헌亦睡軒이라고 했다. 그러나 서화書畵에는 해관우인解綰耰人, 장위산인獐位山人, 장위경수莊位耕叟 등 낙관이 있으며 호 밑에 초수樵叟, 초로樵老, 노초老樵, 퇴초退樵 등을 달아서 쓰기도

했다. 이름은 어른이 지어주지만 아호는 거개가 자의로 짓느니 만큼 그 인물의 성품을 나타내는 편이다.

선생은 예조 판서, 이조 판서를 역임하였으나 을미乙未 이후는 법부法部, 도지부度支部, 내무內務 등 대신大臣에 10여 차례 임명되었지만 다 거절하였다. 서울 교외의 장위산獐位山 밑에서 은거하였다. 선생은 일인日人의 작위를 끝내 받지 않았으니 돈세遯世의 은사隱士가 아니라, 두문杜門의 고절高節이라 하겠다. 나라를 잃은 한은 세사世事를 떠나 서화로써 자적하였다.

그러므로 선생의 서화는 고아한 지조가 근본이다. 말하자면 시문가나 서가나 화가는 아니다. 다시 바꾸어 말하면 뜻 깊은 시문이며 개결介潔한 글씨며 난蘭·죽竹을 그린 것이 아니라 난·죽이 자성自性을 나타낸 것이다.

「재죽도栽竹圖」만 해도 그러하다. 「재죽도」는 선생이 특히 종손자(현 윤길섭尹吉燮 옹)에게 그려준 작품으로서 비록 소폭이지만 시·서·화가 혼연히 정신 세계를 담아 있다. 화제畵題의 시는 이러하다.

一頃小園經濟大
但栽修竹不栽花[26]

그리고 석촌퇴초정제石村退樵井題라 했으니 자작시가 분명하다. 읽으면 읽을수록 깊은 뜻이 나타난다. 화제가 세필이기는 하지만 선생 대필大筆 글씨에 이르면 자획이 바로 대 잎사귀다. 때로는 검劍으로 보인다. 개연한 기상에서 연유한 필력이라 하겠다.

그림을 살펴보면 「재죽도」는 한겨울이다. 우선 여름이면 무성하고 겨울이면 가지들만 남는 잡목 따위는 구석에 밀려나 있다. 하늘과 땅이 백설인데 수묵水墨은 죽림과 바위와 엄연한 한계에서 끝난다. 여기서 우리는 한 화중畵中 인물이 아닌 선생과 바로 만나는 것이다. 볼수록 싫증이 나지 않는 경지다. 왜냐하면 기교는 배우면 된다. 선생에게 있어서는 당시의 허다한 재주가 진실의 적이었다. "조그만 땅이로되 생활하는 데 크다. 대나무를 재배하되 꽃은 재배하지 않는다"는 화제를 다시 읽기에 이른다. 그래서 세상 고민이 모색하면서도 따르지 못하는 무기교의 높은 격조를 믿게 된다.

그러므로 선생의 난이나 죽이나 석石은 천연색 사진과는 다르다. 선생의 그림보다 잘 그린 가짜는 나올 수 있다. 그러나 사람들은 선생의 진품을 자랑할 것이다.

석촌石村 선생과 위창葦滄 선생은 일제하에서 필묵으로 맑은 바람을 일으켜 답답한 가슴들을 씻어준 쌍벽이다. 맑은 바람은 작품들에 의해서 전한다. 동양에서 흔히 말하는 바 '서書'와 '문인화文人畵'란 무엇일까. 석촌 선생 시 두 편을 소개한다.

題蘭

獨保幽貞送我年

任他百卉妬芳姸

深山絶壁潛光久

摸寫請君莫浪傳[27]

提竹

瀟湘秋意入毫端

相得千尋興未闌

亂葉鳴窓寒雨灑

挑燈摸寫兩三竿[28]

1977. 10. 12.

학생이 말하기를 "회재晦齋 선생 옥산 서원玉山書院 목각 현판은 추사 선생 글씨였습니다" 하기에 "그곳을 다녀온 몇 분으로부터 그런 말을 들은 적이 없었는데 그래 확실히 보았나" 했더니 "찍어온 사진이 있으니 한 장 뽑아서 갖다드리겠습니다" 하는 것이었다.

궁금하던 차에 학생이 사진을 가지고 왔다. 천연색 사진이었다. 추사 선생이 옥산 서원을 쓰던 그때의 태도가 선명히 나타나 있었다. 대필 해자大筆楷字는 회재 선생에 대한 존경심으로써 단정, 온화하여 수려하기까지 하였다. 추사 선생 해서楷書로서는 대표작인 하나가 아닌가 싶었다.

책상 위에 사진을 놓고 바라보았다. 마음가짐이 예술에 끼치는 작용을 음미해보고는 하였다.

1977. 11. 22.

김영환 교수가 왔다. 골동상에서 불화佛畵를 보았다고 한다.

"고화古畵던가요?"

"불기佛紀로 적혀 있던데요."

"좋은 옛 불화를 구하기는 여러 가지로 어려운 일입니다."

"그래도 구하고 싶습니다."

"차라리 변상도變相圖•가 있는 옛 본판本版 불경佛經을 구해서 모시는 것이 좋을 것입니다."

하고 말하는데 우편물들이 왔다.

그 중에는 H사寺에서 G스님이 보낸 소포가 있었다. 그 규격으로 보아 범상한 물건이 아닌 듯한 느낌이 들었다. 혹시나 하고 곧 뜯어보았다. 아니나다를까. 근자에 새로 찍은 진본晋本 화엄변상도華嚴變相圖 판화版畵 12폭幅이었다. 환희심歡喜心이 온 가슴에서 광명을 뿜는다. 한량없는 환희심을 독차지하기가 죄송스러웠다.

"김교수와 함께 변상도를 말하는 참에 변상도가 오셨군요. 내 한 폭을 드릴 테니 잘 봉안奉安하십시오."

김교수의 기뻐함이란 나만 못하지 않았다.

1977. 11. 28.

R노장님이 졸도하셨다는 기별을 받은 지도 3일이나 지났다. 어제는 일요일인데도 자질구레한 일들 때문에 떠나지 못했다. 나머지 일은 제쳐놓고 우선 아내와 함께 오늘 아침 일찍이 떠났다. 서쪽 열차 창에 허연 달이 걸렸다. 금년 들어 제일 추운 날이란다.

노장님이 위독하신 거나 아닐까. 자꾸 불안하였다. 천안天安 일대는 언제 눈이 내렸는지 설경雪景이 삭막하였다.

대전 역에서 내려 역 광장으로 나오자 저편에 연기가 끓어오르고 있었다. 소방차가 불을 끄느라 야단들이다. 어쩐지 추위가 더 심하게 느껴졌다. 마침 떠나는 버스가 있어 동생에게 전화도 못 걸고 동학사로 직행하였다. 석봉石峯 동네에도 양옥집들이 서는 중이었다. 자작바위에서 내려 걸어 들어가는데 나목림裸木林이 유난히 검게 보였다. 미타암彌陀庵으로 들어서니 생전 처음 보는 2층 건물이 늠름하였다. 아래채 옛 건물은 흔적도 없었다.

그러나 R노장님은 말은 못하시나 우리를 알아보셨다. 덕분에 나는 일시에 긴장이 풀렸다. 안색이 그늘진 곳이 없으셨다. 소생에의 먼동이 트는 모습이었다.

큰절에는 아는 스님 한 분 없지만 올라가서 대웅전, 삼성각에 절하고 상순이 엄마가 와서 기도 중이라는 남매탑 쪽을 잠시 우러러보았다.

"옛 건물은 몇 남지 않았다. 머지않아서 새로운 건물로 바뀔 것이오. 그럴수록 노장님께서 오래 사셔야만, 나에게 이 산천은 낯설지가 않을 텐데."

우리는 일단 안심하고서 호젓이 동학사를 떠났다. 오후건만 날씨도 많이 풀린 듯싶었다.

대전 동생 집을 찾아가 저녁 식사를 하고 역까지 두 내외의 전송을 받았다.

깜깜한 어둠 속을 열차는 달린다. 동쪽 열차 창에 희미하나마 붉은 것이 둥그렇게 떠오른다.

날씨가 흐린가 보다. 달이 소생하는 R노장님 같았다.

서울 역에 내리니 싸락눈이 내리고 있었다.

1978. 3. 20.

월간문학사에 들렀다가 참 오랜만에 천상병 씨와 만났다. 씨는 아무도 없는 착한 섬[島] 같았다. 곽학송郭鶴松 씨는 문학이 험난한 기상일 수 있다는 점을 지적하였다. 이동주李東柱 씨는 요즈음 서울 길거리에서 파는 춘란春蘭이 해남 대흥사 산에서 나는 난초라고, 나에게 가르쳐주었다. 이인석李仁石, 김시철金時哲, 이덕진李德珍 씨와도 오랜만에 차를 마셨다. 대학원 교재로 마땅한 책이 있나 하고 성춘복 씨와 함께 종로 일대 서점들을 둘러봤다. 서점마다 젊은이들이 들끓었다. 대학의 문을 좀 넓혀만 줘도 독서 인구는 엄청나게 불어날 텐데…… 한참 나이에 교과서 인간으로만 굳어버려야 하니, 어느 여가에 독서하며 각기 자기 소질을 발견하며 꿈을 실현시킨단 말인가. 이러다가는 예술의 앞날이 걱정이다. 이러는 일이 오늘날이라면 문화는 정상적인 발전일까.

1978. 3. 24.

최남백 씨 초청으로 유주현, 어효선, 김세종 씨와 함께 잠실 현대 아파트로 가는 길이었다. 박목월 선생이 오늘 아침에 작고하셨다는 말을 듣고 비로소 알았다. 아파트 군群은 바로 낯선 외국 풍경 같기만 하였다.

1978. 3. 26.

전화를 걸었더니 김여정 씨는 발을 삐어서 누워 있다는 대답이었다. 성춘복 씨에게 전화를 걸어 서울 역 구내 다방에서 만나기로 약속이 됐다. 그래서 말로만 듣던 원효로 댁에 가서 박목월 선생을 문상하였다. 『심상心象』지를 계속 내고 시협상詩協賞을 목월상木月賞으로 제정하면 좋지 않겠느냐고 김종해金鍾海 씨에게 제의했다. 한국 시인 협회 총회 전날에 세상을 떠나신데다 오늘이 마침 일요일이어서 지방에서 문상 온 시인 여러분을 만났다. 성춘복 씨의 호의로 임강빈, 범대순范大錞•, 조재훈趙載勳• 씨와 함께 동부이촌동 아파트까지 걸어가서 양주와 점심 대접을 받았다.

1978. 3. 28.

작년 겨울이었다. 처가댁 일가 되는 안노인의 49재가 창신동 안양암安養庵에서 거행됐다. 택시 운전사에게 안양암으로 가자고 했더니 안양암을 모른다는 대답이었다. 그럼 창신 국민학교 교문 앞에 내려 달라고 했다. 좀 이상한 말 같지만 차는 40여 년 전으로 거슬러 달린다. 30분도 못 되어 창신 국민학교 교문이라는 데에 내려놓았다. 그 당시 창신 보통학교 교문일 리가 없다. 안양암을 물어 물어서 갔다. 내가 안양암 일대를 떠난 지가 지금으로부터 40여 년 전이다. 기억과는 반대로 절문[寺門]이 너무나 작아서 의심이 날 지경이었다.

경내 건물들을 보니 기억이 되살아나기도 했다. 내가 한때 세들어 살았던 단발 할머니 댁 쪽으로 가봤다. 모두가 양옥이었다. 개가 나를 보자 몹시 짖는다. 잔디밭도 보이지 않는다. 툭하면 철조망 사이로 창신 보통학교에 드나들었던 그 당시 한계마저 짐작이 안 간다. 내게 재미나는 동화를 들려주고는 원고지에 써오라시던 그 담임 선생님이 사셨던 2층집도 없었다. 작업 시간에 못을 치며 대패질도 배웠던 옛 기와집도, 운동회 때 달음박질에서 1등 한 번 못했던 운동장도 교사校舍도, 어쨌든 40여 년 전 것은 하나도 보이지가 않았다. 내가 타잔 흉내를 내던 그 당시 나무들인지? 빈약한 나무가 몇 그루 있긴 있었다. 높이 올라가 먼 산바라기를 했던 뒷산은 금세 쏟아져 내려올 듯한 양옥집들로 가득했다.

옛 추억 하나 건지지 못하고 다시 돌아와 법당에 들어가 보니 재齋가 한참이었다. 꼭 전생에 봤던 부처님들 같았다. 아내 옆에 서서 예불하는데 지난 40여 년이 내게는 4백여 년쯤으로 생각되었다. 재가 끝난 다음 자신 있게 법당 뒤로 돌아가보았다. 돌 틈 사이 그 아름답던 약수藥水는 엉망이었다. 더러워서 얼른 돌아서서 나왔다. 석벽의 석각石刻 보살님만이 비록 작아지기는 했지만 나를 반겨주셨다.

뜻밖에도 큰방에 들어가서야 40여 년 전으로 돌아왔다. 입적하신 이태준李泰俊 주지 스님 사진을 뵈올 수 있었다. 음식이 비교적 그 당시 음식 맛이었다. 나는 다시 10여 세 아이가 되어 있었다.

아내에게는 재가 다 끝난 다음에 오라 하고 혼자서 안양암을 나와 골목을 내려오는데 그 당시 골목 같기도 하였다. 창신 보통학교 때의 한식韓式 교문은 없어졌지만 골목길은 그대로였다. 그 당시 유치원이었던 건물은 빛깔만 변해 있었다. 군것질했던 구멍가게들이 없어졌지만 딱지 치기, 딱총 쏘기, 칼 치기, 다마 치기, 돈 치기, 정월 대보름날 제웅 달라며 다녔던 그 일대였다. 세브란스 병원 차를 운전하신다는 그분은 그 당시 자손이 없어서 나를 무척 귀여워해주셨는데, 그 예쁘장한 부인은 고종 황제께서 왜놈에게 독살됐다는 이야기를 친히 본 듯이 들려주셔서 나는 그때 분해 울었었는데, 그 내외분은 아직도 어디서 생존해 계실까.

동덕여고 본관을 짓던 광경이 떠오른다. 공사 중에 사람이 간혹 죽어나갔었다. 꽃상여가 내려가는 것을 바라봤었다. 나보다 아래 학년인 여학생에게 첫 사랑도 느꼈었다. 그 당시 아이들 간에 유행어는 '이왕이면 창덕궁' 이었다. 열 살서부터 만 4년 동안 자랐던 곳 그 짧은 세월이 내게는 길게만 느껴지는 중요 시절이었다.

동덕여고 교문 수위 양반은 나에게 구경서具慶書, 이훈李薰, 김순자金順子, 조병무曺秉武, 조상기趙商箕 교사도 다 퇴근하고 없다는 대답이었다. 오랜만에 그분들과 만나 술이나 한잔 할까 했더니 그나마 허사였다. 수위 양반은 저자가 누구기에 우리 학교 선생님들을 많이 아나 하는 눈치였다.

1978. 3. 31.

조묘연趙妙衍 여사의 전화 목소리였다. 감기에 걸려서 함께 못 가겠다는 것이다. 그래서 아내와 둘이서 삼청동 칠보사七寶寺를 찾아갔다. 강석주 스님과 초면 인사를 했다. 여러 가지로 물어서 그간 궁금했던 일들을 알게 되었다.

"이화응李華應 스님과 원보산元寶山 스님과 묵언 스님도 열반하셨어요. 장안사 주지 현의룡玄懿龍 스님은 월남하지 않았으나 아마 열반하셨을 것입니다. 혜암惠庵 스님은 노익장老益壯하십니다."

왜정 때 현의룡 스님은 서슴없이

"난 현의룡인데 유현덕劉玄德이란 현 자字와 사마의司馬懿라는 의 자와 조자룡趙子龍이란 용 자요."

하고 말해서 왜경倭警을 얼떨떨하게 한 일화로도 유명하지만 실은 매우 자상한 스님이셨다. 이 외에도 내가 알았던 금강산 스님들로서 김백운金白雲 스님, 설석우薛石友 스님, 김명모金明眸 스님, 최원허崔圓虛 스님이 다 다른 곳에서 열반하셨음은 그때마다 안 일이다.

해는 저물어 강연할 시간이 되었다. 수일 전에 송병욱宋炳旭 법사님이 나에게 청한 강연 제목은 '불교와 문학'이었다. 수락은 했으나 벅찬 제목이다. 좀 쌀쌀한 법당에서 대략 다음과 같은 말을 했다.

불교는 문학이 아니다. 하지만 문자를 떠나서 불교를 생각할 수는 없다. 불립문자不立文字란 말이 전해지기는 문자에 의해서였다. 『대장경大藏經』은 어느 종교 경전보다도 방대하다. 인도에서는 부처님이 설하신 원전이 이루어졌다. 중국은 중국 불교인 선종을 수립했다. 『염송拈頌』에 수록된 중국 불교 문학은 그들 스스로를 제도시켰다. 달마를 일조一祖로 내세웠을 뿐, 실은 그들의 불교를 달성한 것이다. 노老, 장莊적인 전통은 선禪을 중국화하였다. 불교는 큰 영향을 끼쳐 그들 유교의 차원을 높였다.

그럼 우리 나라는 어떠했는가. 신라 때 원효 스님은 혼자서 세계적인 논論, 소疏를 썼다. 의상 스님은 짧은 「법성게法性偈」를 지어 화엄무진해회華嚴無盡海會를 남김없이 표현했다. 그러므로 법성게는 대반야大般若 경전을 다 표현한 『반야심경』과 비교할 만하다. 그처럼 우리 나라 옛 불교는 굉장하였다. 봉덕사奉德寺 신종명神鐘銘과 사詞는 불교 문학으로서 뛰어난 빛이다. 향가에서도 불교의 비중은 크다. 향가집 『삼대목三代目』•이 고스란히 전해졌더라면 신라 불교 문학은 우리가 상상도 못할 만큼 엄청난 것이었으리라.

고려 때는 두 번씩이나 '대장경판'을 새겼고 『염송』을 편찬했으니 불교 문학이 대단했을 텐데 전하는 고려 가요에는 불교 문학이랄 것이 없다. 조선조가 수록하지 않았기 때문일까. 균여均如• 스님 「보현십원가普賢十願歌」만 보아도 우리말 고려 불교 문학이 없지는 않았을 것이다.

세종대왕께서 한글을 창제하사 비로소 우리 나라 최고 최대 서사시인 『월인천강지곡』이 나왔으니 누구나가 다 아는 일대 불교 문학이다. 그러다가 겨우 『심청전』에서 불교 흔적을 약간 남기고 황진이와 송도松都 망석亡釋 중의 각본이 연출될 정도로 불교는 배척을 당했다. 엄격한 현실주의는 신앙을 잃었다. 준엄한 제도는 꿈을 잃었다.

지나친 관존민비와 당쟁 갈등으로 나라는 쇠퇴했다.

경허 스님의 「참선곡」과 그 일련의 작품이 육당 선생 신체시보다 앞서 지어졌음이 확실하다면 이는 불교 문학일 뿐만 아니라 근대시의 선구적인 역할을 한 것이다.

자고 이래의 국난으로, 또 세종대왕에 이르러서야 한글이 창제되었기에 고대 우리말 불교 문학은 거개가 인멸하였다. 그러하대서 면면한 전통이 끊어질 리는 없다.

한용운 스님의 「님의 침묵」과 서정주 선생의 「동천冬天」은 우리 나라 대표적 시 문학인 동시에 또한 불교 문학이다. 언제나 우리의 훌륭한 점을 발견, 발전시킬 능력이 있어야겠다.

1978. 4. 2.

비가 온다. 뜨락의 나무들이 비를 흡수하는 소리가 들린다. 또 잎은 돋아나고 꽃이 피겠지. 점점 불면증이 심해지나 보다 했더니 내 나이면 하루 여섯 시간 수면이 정상이라 한다. 오늘도 정확히 밤 2시 반에 잠이 깨어 5시 반까지 심심하지 않게 일을 했다. 다시 8시 반까지 잤다. 일요일인 덕분에 아이들과 함께 아침 식사를 했다. 점심 식사 때까지 일을 하고 식구들과 함께 냉면을 먹었다. 내게는 너무 냉冷했던지 배가 쌀쌀하였다. 오후 2시 반까지 일을 하고 냉한 배를 덥히려 청수 한 잔을 따끈히 데워 마셨다. 피곤도 풀렸지만 효과가 있었다. 봄비가 세차게 내린다. 밤은 깊어가건만 잠이 안 온다. TV 영화로 체호프의 희곡 「세 자매」를 본다. 대사가 시 낭독 같아서 잠이 안 와도 편안하였다.

1978. 6. 6.

몇 해 전이었는지 기억이 나지 않는다. 옹방강의 다섯째 사위인 과보수戈寶樹가 추사 김정희에게 보낸 친필 편지를 우연한 인연으로 본 적이 있다. 사진을 찍었으나 나타난 글씨가 잘아서 잘 알아볼 수가 없었다. 다시 몇 해가 지나서 그 친필 편지를 우연한 기회에 또 보게 되었다. 추사에 관한 어느 논문에도 이 편지를 이용한 대문은 없는 것으로 짐작한다. 어떻든 그다지 알려진 편지가 아닌 듯하기에 베껴둔다.

戈寶樹頓首言

秋史進士足下 十月廿四日 由蘇齋 捧到惠書 盥誦回環 如親顏色 蓋自李心葊齋舍 醉中一晤 忽忽不覺數年矣 滄海東望 似隔蓬瀛 帛書未將反勞致問 過承推奬 所不敢當 星原之墓 宿草已離離矣 足下悲之切 慮之周 隱隱簡端 聲淚俱下 所謂一死一生 乃見交情者也 欽欽服服 覃翁丈人 學術與道力 俱深 雖老境 若此而處之澹然 星原之子 命名引達 頭角峥嵘 英物也 今春已出天花 可望成立 此皆足下 所樂聞者 蘇齋筆記十六冊 覃翁信中 已封寄清玩 承詢王予中先生 白由襍著 此書 向無刻本 樹 昔在協揆河間紀文達公家 嘗見鈔本 以所作辨證之文 合爲一帙與黃霄賓 東關餘論 體例略同 先生於紫陽之書用力最深 如易本義 九圖論 家禮巧 皆定爲後人所依託 確有所見也 文達公令孫 今出守湖北之宜昌府 此書携在行笥 他日入都 當借錄一通 覓便寄去或於鑑藏家 購得亦必抄寄 第未可限以時日耳 至所謂白田草堂集者 乃其後人所刻 合詩門十二卷 都爲一集 轉嫌其失於間汰 盖王氏之學 精於攷證 而詩文非所長也 近日坊間 亦無此書 樹 學殖淺簿 孜孜焉 唯經傳是務 猶懼力之不

足 金石一門 表裏史傳 間甞涉獵 未敢謂其已知之也 貴邦所來 各榻本今皆什襲於石墨樓 及葉東卿之平安館中 可無虞遺失 東卿名誌銑 其尊人 以戶部員外郎 爲軍機 章京東卿 侍官東華 廿餘年 未會他出 足下 如有所商確或由樹處 或由蘇齋 聞可致之渠亦覃翁門下士也 星原神聯 情見乎辭 當卽裝揭于神几之傍 命引達 東向泥首叩謝矣 覃翁高年 日需東參服養 此物都中 菩無佳者 覃翁家人 屬樹轉達 以足下與星原至交 必能代致也 晤趙雲石 爲道相思 石麟墮地否念念 人便忽忽 不及專函 候冬使來時 再當拜書 奉答 洪顯山近況奚似 亦祈致意 承惠紙筆大佳 置之坐側 令人有雲濤之想 感感謝謝 乘便旋 特泐申復 諸希雅鑒 曷盡欲言 丙子 十一月 初四日 寶樹上
秋史進士足下[29]

오독誤讀한 곳이 있을 줄로 안다. '奉答'의 答과 '亦祈致意'의 祈는 초서草書 모양으로 미루어 내 짐작으로 적어넣은 것이다. 번역, 주해注解, 해설解說은 능력 밖의 것이므로 손을 대지 않았다.

1978. 6. 7.

과보수 편지를 보기 훨씬 전이었다. 이재彝齋 권돈인權敦仁이 쓴 서첩書帖을 인사동에서 본 적이 있다. 세상을 떠난 추사를 읊은 시 7편이었다.

寂寂思君喚奈何 經堂畵室舊般阿 千秋萬古無窮事 都付夢騰一刹那

寸心斜日肯年愁 况復相思碧海秋 大易微言音學恉 滿箱書幅淚中收 秋

史在海中 硏窮易義 又發明音學 與余往復中多論 今合成一冊

山海崇深攷古門 窮經覈實復誰子存 藝林自此無津逮 惆帳天涯舊贈言 覃溪書實事求是箴 贈秋史 攷古證今 山海崇深 覈實在書 窮理在心 皆箴句 今存彝齋

東坡赤壁一坡翁 嬉文章意自雄體 道生前皆六殺生 前元不煖姝三笑

寃業終天衆所欷 靑山埋骨弟兄弟 不知泉下冥冥者 能讀君王綍出辭 秋史下世之八朝 有雪其家寃之命

銀河洗筆錦裳披 尒雅文章一發之 零落珠花春去盡 賸香無處蜨蜂知 秋史 不以所記著吟詠一紙留篋故 皆零落無餘

十里沽山墨瀋零 古文留得吉金靑 幾時虹月孤舟夜 獨立烟江疊嶂亭 彝齋多秋史所寫扇額 齋之東偏小樓 尤多手蹟 烟江疊嶂扁 又卽其筆 每登其亭 未甞不黯然揮涕

此卽 餘夏間 哭秋史筵几 歸路 所紓懷作也 時或吟風 不覺黯然流涕 石秋 却有深情於秋史者 欲書此詩 以爲巾衍之藏率此應之 盖嘉其有云爾 丁巳 至月之小晦 雪後 退思老人書於如此 石下

잘못 베껴서 오자誤字가 났는지도 모른다.

1978. 6. 8.

외국 사람 과보수의 편지를 받았을 때는 추사가 시퍼런 나이였다. 친구인 권돈인 시詩는 추사의 죽음을 울고 있다. 이상 두 가지 글을 대할 때 독자 나름대로 추사의 일생은 떠오를 것이다.

과보수의 글에 의하면 추사는 친구 성원星原을 세상에서 잃었으나 스승 담계覃溪는 아직도 살아 있었다. 추사를 잃은 생전의 친구 권돈인의 시를 읽으면 후세의 스승은 누구일까.

옛 글과 시에는 그들의 간곡한 마음이 흐른다. 없는 것 중에도 소중한 것이 있다면 망발일까. 오늘날 사람들이 보지도 못한 추사를 선생이라고 부르는 것은 망발이 아닐 것이다.

불운 때문에 추사는 더욱 빛난 듯하다. 옛 학문은 필요 이상으로 어렵기만 하다. 고도의 예술은 고독하기만 하다.

생명이 느낄 줄 아는 감성만은 예나 이제나 마찬가지다.

1978. 6. 18.

국립 박물관 주최 고적 답사 전세 관광 버스 편으로 시종 아스팔트 길을 달려 강화도에 갔다. 유적 보수 보완이 끝난 뒤였다. 처음으로 왕궁지王宮趾도 보았다. 39년간 몽고군에 항거했던 곳이다. 삼별초는 떠나간다. 서양 글 식으로 썼으니 누송진樓松鎭이요, 동양식으로 바로잡아 읽으면 진송루鎭松樓였다. 그런 현판이 붙은 성에도 올라가서 바라보았다. 날씨가 흐려서 북한 땅 산이 그림자 같았다. 고금이 다르다지만 강산은 분단되었다. 이제는 병자 호란도 신미 양요辛未洋擾도 옛 일이다. 그 당시를 생각한다. 후세 사람들도 이곳에서 오늘날을 말할 것이다. 무슨 일이 있어도 불행한 역사는 되풀이되지 말아야만 한다.

가서 사적史蹟 제137호 지석묘支石墓를 둘러보고 정수사淨水寺에 올라가서 점심 식사들을 했다. 안평대군이 금니金泥로 쓴 불경이 있다기에 기대하고 왔는데 스님들 말에 의하면 본 일조차 없다 한다. 보물 제161호 법당에 예불하고 돌아오는 길에 사기리沙器里에 들렀으나 영재寧齋 이건창李建昌 선생 후손을 만나보지 못했다.

해는 저문다. 용두보龍頭堡에서 파도소리를 들으며 삼랑성三郎城을 바라본다. 고려 대장경을 새겼다는 절터는 어디쯤에 있을까. 연산군이 있었던 곳은 어디인가.

일행 중에는 이겸로李謙魯 옹, 최영림崔榮林, 최종채崔鍾彩, 조남순趙南舜, 안병주安炳周, 김영환金榮煥 등 아는 분들이 있어서 심심하지가 않았다.

1978. 7. 18.

전화 벨이 울린다. 동학사란다. 이인정 노장님이 어제 열반하셨다는 목소리가 분명하였다. 병세를 낙관했던 만큼 충격적이었다. 보연각寶蓮閣 이태수李泰洙 사장이 전화 번호를 일러줘서 이제사 알린다는 것이다. 내일 10시에 발인한다는 대답이었다. 서울 역에 가서 내일 첫번째 출발 특급 열차 차표 두 장을 샀다.

1978. 7. 19.

8시 30분 정각에 아내와 함께 대전에 도착 영성永聲이에게 전화를 걸었더니 "학교에 볼일이 있으니 먼저 가셔요. 급히 서둘러 뒤따라 오겠다"는 대답이었다. 비가 억수로 쏟아진다. 다비荼毘에 지장이 있을까 걱정이다. 택시로 달려 자작바위 주차장에 이르러 급하니 곧장 절까지 가자고 사정했으나 운전 기사는 법에 의해서 안 된다는 거절이었다.
그러나 비가 멎어서 고마웠다. 사온 우산을 펼 필요도 없이 고염나무 거리까지 갔을 때였다. 승수좌님 두 분이 나와 있었다.
"발인할 시간이 임박했는데 어째서 이런 데 나와 계십니까."
"큰절에서 영결식을 올리는 중입니다. 곧 내려오실 테니 여기서 기다립시오."
"이리로 내려오시다니요? 어디로 가신단 말씀입니까."
"여기가 국립 공원이라 다비를 해서는 안 된다나요. 허가가 나지 않아서 대전으로 가십니다."
뜻밖의 대답이었다. 그러고 보니 대형차들이 서 있었다. 급히 걸었다. 다비장茶毘場으로 올라가는 길목을 지나 규목나무 거리(옛 성황터) 앞에 이르렀을 때였다. 벌써 선두 차가 내려오지 않는가. 위패를 연輦에 모시고 나무대성南無大聖 인로왕보살引路王菩薩• 번旛과 대소大小 가지가지 번旛을 휘날리며 청정한 염불소리에 호위되어 천천히 내려오는 성불하신 영가靈駕를 맞이하려던 상식은 일시에 사라졌다.
곧 뒤이어 장의차가 내 앞을 지나간다. 정신 없이 뒤따라 내려오니 뿌리치듯이 속력에 실려 점점 앞서 가버리신다. 따를 도리가 없어서 기가 막혔다. 17세에 동학사 미타암에서 득도하사 78세로 미타암에서 열반하신 스님에 대한 대접이 이럴 수가 있느냐 말이다.
사찰寺刹의 제규濟規는 우리 나라의 가장 오랜 순수 전통이다. 미풍양속도 가능한 한 보호해야 할 판국이다. 이 산에 왔다가 동학사까지 못 가고 쫓겨나듯이 규목나무 거리에서 돌아서서 나오기는 처음이다. 대형차가 떠나기 직전에 영성이가 와서 우리 형제는 함께 탔다. 지척의 동학사가 점점 멀어만 간다.

스님을 모시고 서대전을 지나 과수원 화장소에를 올 줄이야 몰랐다. 비로소 우리 세 사람도 절할 기회를 받았다. 장삼 수하시고 앉은 자세로 염을 해서 모신 채독이 아니었다. 하얀 꽃으로 싼, 문자 그대로의 영구였다. 장소가 좁아서 염불소리도 답답하였다. 속인에는 속인에 대한 예법이 있듯이 스님에겐 스님에 대한 의식이 있다.

새도 울지 않는 산속이다. 청솔 가지에 덮여 옥빛보다 고운 연기가 산자락에 번진다. 다비茶毘 둘레를 함께 돌면서 목탁소리, 요령소리, 다비 염불을 들은 사람이라면 누구나 생사일여生死一如를 깨달을 것이다. 밤에는 다비가 완연한 한 송이 불빛 연꽃으로 나타난다. 성불에는 승속僧俗이 없지만 중생은 이런 때에 부처님을 뵙는 것이다.

이튿날이다. 땅에 꽂으면 다시 살아난다는 버들가지 젓가락으로 습골拾骨하면 죽음의 허무 삶의 번뇌도 잊는다. 청정해진다. 대자 대비해진다.

화장소 특유의 냄새가 난다. 스님 밑에서 자란 상좌 지현智玄 수좌님 봉민奉敏 수좌님도 벌써 당당한 노장님 격이다. 동학에 와서 스님의 상좌가 된 후로 줄곧 선방禪房을 다니며 정진한 성우惺牛 수좌님과는 몇 해 만인지 서로가 못 알아볼 정도였다. 역시 스님 상좌인 지관 수좌님과 서화가이기도 한 조옥봉趙玉峰 수좌님은 더러 만난 터인데도 지난날에 비해서 많이 변했다. 돌이켜 볼수록 늙기는 서로가 마찬가지이다. 손상좌 적조寂照(구명은 지인智印)는 왔는데 손상좌 화연火蓮은 어디에 가 있기에 보이지 않나. 차순, 일선도 스님이 떠나신 것을 안다면 목이 메리라. 먼저 간 홍식이도 노스님을 만나서 반가워 울리라.

참 오랜만에 마곡사麻谷寺 주지 일현一玄 스님, 묵默 스님, 진관사津寬寺 주지 진관眞觀 승수좌님도 만났다. 원○ 어머니, 득주 아버지는 노인이었다. 봉두리 엄마가 마흔여덟 살이란다. 나를 오빠라고 불렀던 때가 열두 살 무렵이라 한다. 이동희李東熙, 이봉수李奉洙 형제분은 서울서 간혹 만나는 터라, 새삼 지난 일들을 회고했다. 얼굴은 기억나나 이름을 모를 스님들도 더러 있었다. 그러나 거개가 모를 스님들이었다. 이인정 스님은 떠나시고 우리는 모였지만 백년 안에 사람이 다 바뀌는 지구이니 새삼 슬플 거야 없다. 서로가 남남 사이로되 나의 어머님은 생전에 인정 스님을 아우님이라 불렀다. 인정 스님은 나의 어머님을 형님이라 불렀다. 그 어려운 시대에 받은 많은 은혜는 고사하고라도 나에게는 또한 자모관음慈母觀音이나 다름없는 이인정 스님이었다.

1978. 8. 6.

아이들은 학교와 학원에까지 다닌다. 날마다 밤 10시 반이라야 돌아온다. 그 나이에 벌써부터 치열한 경쟁이다. 많은 패자 위에 딛고 일어서야만 성공한다는 태도들이다. 그렇다면 강식 약육과 다를 바가 없다. 내년 여름 방학에는 대학 입시 준비 때문에 형제가 함께 놀러 갈 수도 없다는 것이다.

덕분에 나 혼자서 집을 지키기로 했다. 아내가 아이들을 데리고 몽산포 해수욕장으로 떠나는데 각기 짐들이 대단하였다. 텐트와 버너에 쌀, 반찬 등이란다.

혼자 남으면 일이 잘될 줄 알았다. 우선 당장 불편하였다. 약속이 있어 외출을 해야겠는데 오기로 된 파출부가 오지 않으니 당황할 수밖에, 늦게나마 천행으로 파출부가 와서 종로 태을 다방으로 급히 갔다.
J군도 B양도 와 있었다. 둘 다 나의 제자이다. 서로 인사를 시켰다. 선을 보인 것이다. 나는 중매해서 한 번도 성사한 일이 없다. 그래서 이번만은 하고 또 기대를 건다.

1978. 8. 7.

종일 혼자서 집을 지켜야 한다. 아침과 점심은 겉절이를 숭숭 썰어 고추장과 참기름을 치고 밥을 비벼 먹었다. 좀 과식을 했나 보다. 누워 있어야만 했다. 바닷가에서 뛰노는 아이들을 지켜보는 아내를 생각해본다. 몽산포란 도대체 어떤 곳일까. 처제에게 집을 맡기고 함께 갔어야 할 것이다. 당장 가보고 싶다. 일손을 멈추고 창 밖을 내다본다. 날씨가 좋다. 걱정이 덜 된다.
전화 벨이 울린다. 김영분 사장이 불고기 잡수러 저녁에 나오시란다.
"내가 지금 무인 고도無人孤島에 갇혀 있으니 함께 와서 구원해주오."
하고 도리어 사정하였다. 저녁 식사를 혼자서 않기로 했다.
해가 저문다. 김여사가 이상일李相日, 이태주李泰柱 교수, 이영숙李英淑 기자와 함께 자가용차로 왔다. 차에서 고기와 술과 과일을 내려 부엌으로 들어가더니 요리를 만든다.
방안이 비좁도록 앉아 서로 음식을 들며 담소하였다. 아내와 아이들은 내가 혼자 있는 줄로 알 것이다.

1978. 8. 8.

대만에 갔던 신연철 교수가 왔다. 어제 돌아왔단다. 대만 산 보세란報歲蘭 두 촉과 채색묵彩色墨 다섯 자루들이 한 갑과 집사람에게도 선물한다며 대만 향목선香木扇을 두고 갔다.

대문 바깥 길은 완전 포장이 되어서 흙 한 점 없다. 뜨락의 굵은 모래를 긁어모아 깨끗이 헹구어 보세난초를 화분에 심었다. 흐뭇해서 이리저리 보느라 한낮이 지났다. 잘만 하면 흰 눈이 펑펑 내리는 내년 정초에 난초꽃을 볼 것이다.

저녁 8시면 서울에 도착한댔는데 웬일일까. 몽산포를 떠나기로 된 2시부터 간혹 시계를 보며 기다리는 중이었다. 8시 반에야 전화가 왔다. 용산龍山에서 건다는 목소리였다. 9시가 넘어서야 아내와 아이들이 들이닥쳤다. 집 안이 떠들썩하다. 몽산포는 대천 해수욕장보다 훨씬 좋더란다. 안면도安眠島는 생각던 것보다 못하더란다.

1978. 8. 15.

건국 30주년이란다. 3년 뒤 해방 33돌이면 통일이 될까.

김광림金光林* 사백이 왔다. 함께 맥주를 하며 일본 시단 근황에 대해서 물었다. 씨는 나에게 여러 가지로 설명해주었다. 중국 시단 근황은 어떤 것일까.

1978. 8. 16.

오랜만에 영화를 봤다. 초대장이 생겨서 아내와 함께 간 것이다. 외화外畵는 엄청난 사치와 낭비의 장면만이었다. 불쾌하다 못해서 우스웠다.

1978. 8. 17.

화학 전공 김영환 교수가 옛 수학자 남병철南秉哲• 선생 글씨를 구하려 애쓴 지도 여러 해가 지났다. 저만 정성이면 설마 구하려니 믿었었는데 실은 그렇지가 못했다. 김교수가 왔기에 남병철 선생 편지 한 폭을 드렸다. 물건이란 진정 좋아하는 분에게 가야 한다. 조금도 아깝지가 않았다. 덩달아 기뻤다.

1978. 8. 20.

의자 생활만이 건강 조건은 아니다. 아버님이 온돌방 생활에서 어떤 자세를 하였던가를 나는 보아서 알고 있다. 왼쪽 무릎을 꿇는다. 그리고는 오른쪽 무릎을 세워서 앉는다. 그러면 허리가 꼿꼿이 펴진다. 겸허 단정한 선비의 태도가 된다. 가정에서의 한복의 아름다움도 알게 된다.

1978. 8. 24.

한국 불상佛像과 일본 불상 비교 연구를 발표한대서 들으러 갔다. 일본 사람은 옛 중국 동銅 생산량과 한국 동 생산량이 어쩌고저쩌고 늘어놓더니 일본은 뛰어난 동 생산량 때문에 뛰어난 옛 불상을 이루었다는 것이다. 무슨 상사商社의 자료 선전 같아서 듣다못해 나왔다. 신중히 알아보고서 발표를 시켰어야 할 것이다.

1978. 8. 25.

신도회 초청으로 「의상 대사 화엄일승법성게義湘大師華嚴一乘法性偈」를 강講했다. 청중을 위해서라기보다는 나 자신을 위해서 강했다.「법성게」 안에 『화엄경』이 다 들어 있다니 『반야심경』 안에 『반야부般若部』가 다 들어 있는 거나 같다. 신라 문학의 백미白眉라 하겠다.

1978. 12. 18.

반목이 수교修交한단다. 변화는 왔나 보다. 기회가 올까. 언론을 조심히 펴야 한다. 구한말의 경험을 되풀이할 수는 없다.
연하장을 써놓고 부치려는데 또 먼저 받고야 말았다.

승련 거사勝蓮居士 진적을 모摸하신 획력이 절승해서 승련 거사님도 쾌히 웃으시리이다. 감사합니다. 졸필拙筆을 앙정仰呈하나이다.
석정石丁 대덕大德 연하蓮下

1979. 1. 19.

『화엄경』 영인본을 7권까지 내고서 보연각은 한때 재정난으로 이 대불사大佛事를 중단했었다. 여러 해 만에 원력願力에 의해서 마침내 전질全帙이 완간되었다. 제자題字를 썼기 때문인지 오랜 인연 때문인지 간에 이봉수 사장이 손수 가지고 왔다. 사야 할 경전이기에 책값을 치르겠다는데도 막무가내였다. 오늘에사 80권 『화엄경』 청량 국사淸凉國師 주 · 소 완질을 서실에 모시었다.

1979. 1. 20.

간판은 '흑산도黑山島' 그대로인데 경영주가 바뀌어 딴 사람이었다. 다방에 들렀더니 건장한 사람이 인사를 한다. 김재홍金宰弘이란다. 그렇다면 동리 선생 큰 자제이다. 그제야 겨우 알아보았다. 서른 여덟 살이란다. 반가웠다. 밤늦게 집에 돌아왔다. 항아리에 수선화가 잔뜩 피어 있었다. 제주도 수선화란다. 김영호金泳鎬 교수가 두고 갔다는 것이다. 완당 선생을 뵙는 듯하다.

1979. 1. 21.

김교수 댁에 전화를 걸었다. "제주도 분에게 요즘 한참 필 그곳 수선화가 생각난다고 편지를 했더니 그분이 세 묶음을 가져왔기에 한 묶음을 드린 것입니다. 대정大靜 것인지는 모르겠으나 어떻든 제주도 수선입니다." 방안이 밝다.

1979. 1. 23.

조계사曹溪寺에서 아내와 함께 사리舍利를 친견하였다. 줄을 지어 선 선남 선녀들 중에는 머리를 깎고 누비 두루마기를 입은 서양 사람도 있어서 대견했다.

1979. 1. 26.

간혹 나에게 오는 자명慈明, 황청원黃淸圓, 박진관 수좌의 삼인三人 시집 『귀향歸鄕』 출판 기념회가 화계사에서 있었다. 김동호金東壺 교수를 오래서 여러 분과 서로 인사를 시켰다. 김교수는 김우창金禹昌 교수와 나를 인사시켜주었다. 역시 처음 뵙는 분도 더러 있었다.
"속리산에서 온 장이두張二斗입니다. 고대에 계시는 중씨와 공주사대에 계시는 형님과 충대에 있는 제씨와는 전부터 잘 아는 사입니다."

"그러세요. 전번 시집 감사합니다. 그런데 이제야 만나뵙네요."
미리 전화로 약속을 했던지라, 시집 『심법心法』을 박제천朴堤千• 씨로부터 직접 받았다. 정진규鄭鎭圭 씨 사회로 미당 선생, 이원섭 씨, 김운학金雲學• 박사가 그리고 내가 몇 마디 축사를 했다. 큰방의 스님들과 문우文友들이 전생에 나와 법석法席을 함께했던 분들만 같았다. 신부님과 수녀님도 정장하고 참석해서 시집을 낭송했다. 축사도 하였다. 흐뭇한 일이다. 어두워서 산과 수목은 보이지 않으나 공기가 맑다. 석성우 스님은 내일 파계사把溪寺로 내려간단다. 기회가 있으면 파계사 도량을 한번 찾아가야겠다.

1979. 2. 8.

이른 아침이다. 창 바깥에서 반가운 소리가 들린다. 어디서 나를 찾아온 새들일까. 그러나 공해와 소음 때문인지 귀여운 새들은 곧 떠나가버렸다.

원고지 10매를 쓰라는 원고 청탁이었다. 『법시法施』에 실을 만한 것이 있나 하고 일기책을 뒤져 원고에 옮겼다. 그래도 원고 매수가 약간 모자란다. 과거에 발표했던 산문을 정리하면서 보면 글이 형편없었다. 편집하시는 분이 정해준 원고지 매수 때문이다. 정해진 원고지 매수를 채우느라 된 소리 안 된 소리를 늘어놓았던 것이다. 앞으로는 조심해야 할 일이다.

1979. 2. 17.

이원양李源洋 씨 부부가 초청한 날이다. 아내와 함께 한강변 아파트로 갔다. 강두식 교수 내외분은 이미 와 있었다. 독일 분으로서 전각篆刻을 잘하는 설림雪林(아호) 씨가 독일 여성인 부인 난해蘭海 여사와 김광규金光圭 교수 부인과 함께 왔다. 초청 인사가 다 모였다. 곧 정갈한 음식을 들며 담소하였다. 통역하여 주는 분들이 많아서 불편하지가 않았다. 이원양 씨는 6개월 예정으로 독일로 떠난단다. 두번째로 가는 것이다. 강교수는 단 하나 남은 딸을 결혼시켜 내보내면 집을 건사할 수가 없어서 수목에 싸인 좋은 집을 팔기로 내놨단다. 도리 없이 아파트 생활을 하는 수밖에 없지 않느냐며 웃었다. 밤은 몇 시나 됐을까. 그들 사제의 정이 보기에도 흐뭇하였다.

1979. 2. 25.

새벽 6시면 기다려진다. 날마다 이맘때면 소프라노가 지나간다. 아마 음악 대학 여대생일 것이다. 오늘도 한길 한가운데를 지나면서 부르는지, 노랫소리는 누구에게도 수면 방해가 안 될 정도였다. 노래가 사라지면 나도 일을 계속한다.

1979. 3. 7.

중국 유학생으로서 석사 과정을 밟는 소민장蕭敏嶂이 방학 동안 대만을 다녀왔다면서 인사차 왔기에 차를 권했다.

"어느 나라에도 문인들은 있으며 여러 가지 작품들을 쓰고 있을 것이다. 아세아 사람들이 서구 문학을 아는 데 비해서 아세아 문학을 전혀 모르는 실정이다. 이처럼 깜깜해서야 취약 지대를 면할 수 없는 일이 아닌가. 서로가 알려면 다른 나라 문학 작품을 읽는 것이 가장 친밀할 수 있는 첩경이다. 유학하는 동안 열심히 공부해서 앞으로 우리 나라 문학 작품을 많이 번역하여주기 바란다. 서로의 이해를 돕게 하라."

소경처럼 간곡히 당부했다.

1979. 3. 22.

연세 대학 병원 706호실로 유주현 씨를 문병했다. 부인과 따님들이 명랑히 말하면서 서로들 웃는다. 나는 절로 안심이 되었다.

돌아오는 길에 현대 화랑에 들러 남관 화백 개인전을 천천히 감상하였다. 전번은 초대날이어서 제대로 보지를 못했었다.

1979. 3. 23.

내가 결혼 주례를 섰던 제자 연경락延京樂이 약속 시간에 왔기에 붓글씨를 써서 주었다.

연혜주延惠珠야, 네 이름을 지어 아빠 편에 보낸다.

1979년 봄 백화실인白華室人

1979. 5. 27.

요행히 택시를 잡아타고 남관 화백 댁으로 갔다. 약속 시간에 대어간 셈이다. 전번의 낡은 집을 헐어 그 터에 신축한 양옥이었다. 창에는 높은 하늘과 삼각 연봉과 북한산 뒤까지가 한눈에 다 들어왔다. 밤이면 달과 별들이 쏟아져 들어와서 심심하지가 않다는 것이다. 금년 중에 화실을 새로 지을 예정이라는 그 화실은 전에 보았던 그대로 한 창고였다. 이제는 비가 샌다는 것이다. 남관 화백은 근작 서너 점을 보이며 자기 비평을 한다.

"남선생의 60년대 작품이 내게는 없습니다. 블랙 시대 작품을 하나만 양도하시지요."

김진옥 여사가 구석에서 유화 한 폭을 내보인다.

"여기 하나 있는데 보세요."

남관 화백은 순간 난색을 표한다.

"그건 집에 보관하기로 한 건데."

나는 선뜻 나섰다.

"내가 잘 보관하겠습니다."

김진옥 여사 덕분에 1964년 작품을 구한 셈이다. 내가 떠날 때 남관 화백은 말했다.

"간혹 오세요. 서로 좋은 이야기나 합시다. 화방에 맡길 테니 액자가 되거든 찾아가세요. 여가 나는 대로 수채화 한 폭도 화방에 맡기겠으니 찾아가세요."

고마운 말씀이었다.

1979. 9. 1.

지난 여름 어느 일요일이었다. 김태일의 초청으로 수원행 전동차를 탔다. 가는 도중 비가 억수로 쏟아진다. 수원 역에서 아내는 친정으로 가고, 나는 약속 장소에서 김태일을 만나 승용차로 방화수류정, 북문, 서문, 화령전을 둘러보았다. 옛 성은 아니었다. 새로운 성이어서, 처음 보는 곳 같았다. 신풍동 일대는 완전히 변해서, 우리 형제가 부모님 슬하에서 살았던 초가집 위치를 짐작조차 할 수 없었다. 점심 식사를 대접하여 굳이 승용차는 돌려보냈다. 김태일과 함께 시장을 돌아다녔으나, 물론 내가 어머님을 따라다녔던 그 당시 시장은 아니었다. 시장 바닥 허름한 막걸리 집만 들러 잔술로 마시고, 이슬비를 맞으며 발길 닿는 대로 동네 골목들을 거닐었다. 아기가 길에서 변을 본다. 조금만 걸으면 산과 논이 바라보여서 그나마 정다웠다. 그러나 산천도 변한다는 말을 실감하였다. 조상들의 일생에 비하면 우리는 몇백 년도 더 사나 보다. 날로 격변하는 시대에 적응하기가 힘들다는 것을 김태일에게 푸념하였다.

1979. 9. 9.

화계사 요사채 툇마루에 앉아 가을을 느꼈다. 불과 며칠 사이에 나뭇잎이 변한 것이다. 내려오는데 꼭 김운학金雲學 스님 비슷한 분이 온다. 김운학 스님이었다. 서로의 첫 인사가 "웬일로 여길 오셨습니까" 였다. 김운학 스님은 학생들을 보러 왔다며 백상원白象院에 가서 저녁 공양이나 함께 하잔다. 나는 사양한 다음 그간 좋은 책(원효元曉 저著, 『유심안락도遊心安樂道』, 김운학 역, 삼성문화 문고판)을 받고도 편지를 못 드려서 미안하다는 뜻을 말하고 거듭 감사했다.

1979. 9. 10.

황청원 수좌에게서 전화가 왔다. 경국사慶國寺로 이사 와서 사중 정리도 일단락 됐으니 놀러 오시란다. 즉시 가겠노라 대답한 데는 내 나름대로 그만한 과거가 있었다. 6 · 25 사변 전이었다. 경국사 법당에는 정화幀畵 대신으로 목각 불보살님들이 봉안되어 계시다는 말을 일찍부터 들어서 알고 있었다. 그래서 친견하러 갔다가 도량에 들어서기는커녕 한 노장님에게 어서 나가라는 호통을 받아 쫓겨난 일이 있었다. 그 노장님이 공교롭게도 동학사로 피난을 오셔서 함께 있게 되어 경국사 주지 보경寶鏡 스님임을 알았다. 그때만 해도 보경 스님이 김어金魚(불화가佛畵家)며 단청의 명수인 줄은 몰랐다. 환도還都 후로 몇 번 정릉에 갔었지만 의식적으로 경국사에는 들르지 않았다. 보경 스님이 나를 못 알아보면 또 내쫓기지나 않을까 신경이 쓰였기 때문이다. 그런데 경국사에서 오라니 감개가 무량했다. 버스에서 내렸다. 어디가 어딘지 낯설었다. 청원 수좌를 따라 돌다리를 건너서야 옛길이 희미하니 생각났다. 7시인데도 해가 져서 나무 잎사귀의 종류를 분별 못할 만큼 어두웠다. 숲 속 길을 걸어 올라가는데 우산이 필요 없을 정도로 이슬비가 내린다. 어찌나 상쾌한지 법우法雨 감로甘露가 이 아닌가 싶었다.

우선 극락보전極樂寶殿에 들어가 옛 목각 불보살님께 정례頂禮했다. 실은 지척이 천리였던 것이다. 큰방에도 들어가 보았다. 군데군데 전등이 켜 있을 뿐 건물들을 자세히 볼 수가 없었으나 옛 원형질原形質을 반가이 직감할 수 있었다. 7세 때 이곳에서 삭발하여 90세 가깝도록 경국사를 수호하다가 열반한 보경 스님 체취가 남아 있었다. 동대 교수인 지관智冠 스님과 처음으로 인사를 나누었다.

지관 스님 말에 의하면 경국사는 고려 때의 창건으로서 7백 년의 역사를 겪은 절이라 한다. 토끼와 꿩들이 숲 속과 경내를 자유로이 돌아다닌다니 여기가 서울인 것 같지가 않다. 토끼 새끼를 사중에서 거두어 살쾡이 등에게 당장 피해를 입지 않도록 보호한다니 대자 대비한 일이다. 화계사보다도 가까운 거리인 경국사를 알았으니 역시 나는 따분하지 않을 것이다.

세계가 점점 일률화하여 어느 나라를 가도 빌딩이나 상품이 다를 바가 없다면 유흥이나 교섭을 제외한 여행은 별로 뜻이 없을 것이다. 그럴수록 각국 사람들은 고유한 민족적 유형, 무형의 옛 문화재가 얼마나 귀중하냐는 것을 절실히 알 것이다. 왜정 때 일본 사람들이 경국사 수목을 베려다가 보경 스님이 한사코 대항해서 끝내 지킨 숲이 옛 절을 에워싸서 있다. 율장律藏의 대가인 지관 스님이 경국사를 맡은 것은 경하할 일이다.

별채 집들도 고풍古風이어서 방 하나 얻어 거처하면 일이 잘 될 것만 같았다. 청원 수좌의 방에 앉아 바깥을 내다보았다. 지나간 산방생활이 슬며시 생각나서 내가 못한 바를 젊은 분들에게 기대하기로 했다.

깜깜해서 걸을 수가 없었다. 플래시를 가지러 간 청원 수좌가 법조法照 수좌를 데려와 인사를 시켜주어서 기대해야 할 두 수좌의 전송을 받으며 대자연 숲 속 길을 걸어 나왔다. 우산이 필요 없을 정도로 계속 이슬비가 내린다. 경국사에 오지 않았던들 이 이슬비가 법우, 감로임을 어찌 알기나 하였으랴.

1980년대

1980. 1. 1.

출판사 사장이 왔다. 번역물을 맡겠다는 것이다. 구체적인 것은 다시 만나서 하기로 미루었다. 그 사장의 승용차로 월탄 선생 댁 앞까지 편히 갔다. 변명 삼아 말씀드렸다.

"세배꾼들이 와서 이만 늦었습니다."

올해 팔순이신 선생은 대답한다.

"천하의 영재들을 길러 세배를 받으니 그 아니 좋소."

나를 생각하는 제자들에 비해서 제자들에게 보답을 못하는 나로서는 부끄러운 생각이 들었다. 김수남 국장 내외가 승용차를 제공해주어서, 김동리 선생 댁까지도 편히 갔다. 월탄 선생 댁에서 한 말을 그대로 했더니 동리 선생은 얼굴 가득히 웃는다.

"제대除隊 된 줄로 아는데요. 이젠 제대하세요."

세배 다니지 말고 집에서 세배를 받으라는 뜻이다. 오후인지라 여러 패가 다녀갔다는 데도 오랜만에 여러 문우들을 만났다. 생각은 하면서도 찾아뵙지 못해서 죄송하다기에, 생각하는 것은 피차가 일반이며 찾아뵙지 못하는 것은 서로가 이해할 수 있는 일이 아니냐고 대답했다. 외국에 이민 간 친구들은 정월 초하룻날을 어떻게 지낼까. 문득 생각이 난다. 그래서 잔을 권하는 동안에 나도 취했다. 해가 저물어서야 동리 선생 댁에서 나왔다. 젊은 문우들이 택시를 잡아주어서 집까지 편히 왔다.

1980. 2. 18.

배울 바가 있으면 존경할 일이다. 배울 바가 없으면 굳이 언급할 필요가 없다. 왜냐하면 배울 바가 없는데도 따지고 들면 상대보다도 제가 잘난 체한다는 오해를 받기 쉽다. 정 할말이 있을 경우를 제외하고는 자기 자신이 하는 일에나 정성을 바치는 편이 옳지 않을까. 이런 생각이 들고는 한다.
허나 퇴계退溪 선생 시조에서 볼 수 있듯이 어리석은 지아비도 배우니 그 아니 쉬우며 성인聖人도 다 못하셨으니 그 아니 어려운가이다. 고금古今을 막론하고 배울 바 존경할 대상이 없다면 세상은 너무나 황량할 것이다.

신정新正에 전용종田溶種씨가 와서 이런 말을 했다.
"목각木刻 하도록 맡기고 싶은 작품이 있습니까."
"그런 게 없는데요."
"그럴 기회가 있으니 하나 하시지요."
없다는데도 씨는 연신 권한다. 그러나 폐를 끼치기가 싫어서 대답만 했다.
"그럼 생각해봅시다."

그 후 또 전화가 왔다. 폐를 끼치기 싫었던 생각이 권勸 바람에 누그러졌다. 왜정 때 구하여 둔 추사秋史 선생 글씨 탁본이 있는데 그 원각原刻 현판이 어느 곳에 있는지 지금도 전하는지 없어졌는지조차 모르기에 나로서는 소중한 소장품이다. 비백飛白이 거의 없어서 각刻하기 어렵지 않을 뿐더러 탁본인 만큼 재현하기로 했다. 전용종 씨에게 탁본을 내주던 날 신신당부했다.

"복사해서 하나는 가지시고 하나는 오옥진吳玉鎭• 씨에게 전하고 나에게는 두 벌만 주되 그 이상은 복사하지 말며, 탁본이 훼손되지 않도록 각별 주의하오."

한 벌은 김영환 교수에게 주기 위해서였다.

그 탁본은 추사 선생 글씨로서 '비린거比隣居'와 '완당阮堂' 낱인 뿐이다. 더구나 隣 자는 예隸와 전篆을 섞어서 쓰신 때문에 매우 인상적이다. 그러나 '比隣居'가 무슨 뜻인지를 알 수가 없어서 숙제가 되어 왔었다.

부산서 환도한 지도 여러 해가 지난 어느 날이었다. 오랜 숙제가 홀연히 내 나름대로 풀렸다. 秋水芙蓉皆隣居[1]라는 시구詩句가 홀연히 생각났던 것이다. 완연한 '比隣居'가 분명한 '皆隣居'로서 나타났을 때 쑥스러운 말이지만 마치 견성見性이나 한 듯싶었다. '皆' 자를 '比' 자로 쓰신 추사 선생의 가르치심에 압도당한 것이다. 눈으로만 보는 사람은 알지를 못한다. 마음으로 보는 사람에게는 서로가 통한다. "설명만 바라는 후학後學을 위해서는 이렇듯 친절히 정확히 지도하는 수밖에 없다"는 말씀이 역력히 들리었다. 그런 후로 추수부용秋水芙蓉은 사라지고 세세생생世世生生이 개린거皆隣居라는 나대로의 오독誤讀이 성립하였다. 이런 가르치심을 받아서 선생을 존경하기에 이르렀다. 선생을 떠나 간혹 자립하고 싶은 생각이 왜 없겠는가. 심심하면 묻고는 한다.

"선생이 오늘날 나라면 어떻게 하시겠습니까."

여기서부터 대화는 끊어진다. 그래서 간혹 적막한 때가 있다. 그러나 배운 바에 의하면 누구도 선생의 일생을 되풀이해서는 안 된다는 것이다. 그래서 존경이란 잊지 못하는 일이다. 선생을 배우려면 선생을 모방하지 말아야 한다.

전화가 왔다.

"각刻이 다 됐는데 무슨 색깔을 칠해야 좋을지요."

"고동색 바탕에다 동록銅綠빛이 어떨까요."

그나마 사치스러운 과욕이 아닌가 해서 잊기로 했다.

그런 후로 기별이 있을 듯한데 소식이 없다. 모두가 바쁜데 누구라 바쁘지 않겠는가.

그러면서도 이제는 皆隣居가 比隣居로서 방에 걸릴 날을 은근히 기다린다. 탁본이 본각本刻으로 재현되어 좀더 실감나게 보노라면 또 배울 바가 있을 것만 같다.

1980. 12. 9.

작년만 해도 화계사에 자주 갔다. 경국사慶國寺에도 수차 갔다. 부처님은 어디나 계신다. 더구나 마음에 계시니 일부러 찾아가서 뵙지 않아도 된다. 되도록 시내로 들어가지 않으면서부터 반대로 자주 교외에 나갔으니 실은 자연을 찾은 셈이다.

다행히도 화계사와 경국사는 나의 집에서 멀지 않다. 경내境內 도량으로 들어서면 수억만 겁 전 고향을 찾아드는 느낌이다. 어디나 그러하듯이 부처님이 계시기에 예불禮佛한다. 설법을 듣듯이 풀과 나무와 구름과 하늘을 마음껏 본다. 나를 잊도록 공간을 확대한다. 가게에 새로이 나온 과일들이나 여성들의 옷차림에서나 알아채던 계절을 자연에서 실감하는 것이다.

혹 절 도량에서 비를 만나기라도 하면 호젓한 마루에 앉는다. 유현한 계곡물 소리가 나를 말끔히 씻어준다. 가을은 우수수 나뭇잎들이 지면서 자비한 마음을 일으킨다. 설경雪景 때는 따뜻한 사중寺中 방에 들어앉아 불경佛經을 보다가 집으로 돌아갔으면 싶다. 꽃이 피면 달밤에 와야겠다는 생각이 든다.

그러나 여러 해 전만 해도 그렇지가 않았다. 서울 생활이 답답하면 생각났다. 금강산 마하연에도 다녀올 수 없을 바에야 만년에는 동학사로 돌아가야지 하고 짜증 비슷이 푸념했다. 불가능할 것만 같아서 더욱 간절했는지도 모른다. 도시 생활에서 벗어나지 못하는 몸이 쇠사슬에 묶인 것 같았다.

그래서 명산 대천이 생각나고는 했다. 그러다가 어느새 단념을 해버렸는지 아니면 제물에 면역이 됐는지 답답증이 좀 사라진 듯하다. 언제나 절망은 없었다. 아니라면 불경佛經을 잘못 읽었기 때문이다. 화계사나 경국사에 갔을 때도 나 자신이었다. 시내에 갔을 때도 역시 나 자신이었다. 당시 석가모니불께서는 오늘날 나처럼 자연에 집착하지 않으셨다. 평생 동안 많은 여행을 하셨다. 부처님은 주로 번잡한 도시 가까이, 오늘날로 말하면 서울 화계사나 경국사쯤에 계셨다. 부처님은 큰 도시인 왕사성이나 사위성에 들어가셔서 차례로 밥을 얻어 잡수시고 돌아오셔서는 설법하였다. 그렇다면 나의 집에서 화계사와 경국사는 멀지 않으니 도시와 자연을 차별해서 무엇을 하자는 것일까.

그런데 금년은 화계사에 몇 번밖에 못 갔다. 경국사에는 단 한 번 갔다. 바빴던 탓일까. 이상 기온 때문일까. 아니면 딴 일이 있었던가. 이것도 저것도 아니다. 금년도 며칠 안 남았는데 알 수가 없다. 어디에 있건 나 자신일 바에야 말씀을 찾아 헤매기란 마찬가지다.

1980. 12. 15.

이런 되지 못한 글을 쓰게끔 하고야 만 법륜사法輪社 여기자님은 누구일까. 얼굴도 이름도 모른다. 전화로 음성만 들었다. 거절했더니 세번째라면서 계속 쓰게끔 만들어놓고야 말았다. 그 여기자님을 보고 싶다.

산문은 되도록 쓰지 않기로 결심했다. 물론 결심대로 되지는 않았다. 지난날의 산문을 정리하다 보니 쓸데없는 말이 많아서 시시하기만 했다. 그럴 수밖에 없는 것이 정해주는 원고지 매수에 제약된 제재題材를 써야만 했으니 무슨 글이 되겠느냐고 변명할 수 있을까. 변명도 할 수가 없다. 그래서 산문 원고 청탁일 경우에는 되도록 거절했다. 더구나 쓰기 싫은 글을 불교지佛教誌에 쓴다는 것은 죄스런 일이다. 우선 조심스럽기 때문이다. 술이나 담배나 여자에 관한 일을 써서는 안 된다. 그렇다고 모르는 것을 잘 아는 체 쓸 수는 없다. 전혀 모르지도 않으니 그럼 좀 안다고나 하자. 나보다 부처님 말씀을 실제로 체험하신 분이 한량없이 계신다. 자연 기가 질린다. 끼여들어서 이러쿵저러쿵할 데가 아니다. 그러한 나에게 이런 글을 쓰게끔 한 여기자는 어떤 보살님일까.

나이 그쯤 됐으면 정신 차리라는 보현보살님 말씀이 들린다. 계속 들리어온다.

"욕심만으로 만족하려 들지 말아라."

"몇 평생을 읽어도 다 읽지 못할 팔만대장경이 있으니 좀더 읽어라."

"좀더 부지런하여라. 불교지에서 원고를 청했으니 글을 써라. 잘 안 되어도 너의 탓이니 지금이라도 늦지 않다는 좋은 기회인 줄로 알아라."

"네가 인욕을 했으면 얼마나 했겠니. 그런 건방진 소릴랑 말아라."

나에 대한 불보살님의 말씀을 다 쓸 수는 없는 노릇이다. 아니다. 이건 내가 딱한 나에게 타이르는 말씀이다.

1981. 1. 6.

아내는 원래가 가톨릭 신자였다. 그는 불교로 전환하도록 아내에게 권한 적이 없다. 기회 있을 때면 불교에 관해서 말은 했다. 아내는 듣고 나서 "불교는 어렵다" 고만 했다. 그가 어쩌다가 남을 위해서 불경을 강하거나 불교에 관한 강연을 하게 되면 아내는 반드시 따라와서 열심히 들었다. 언젠가 아내는 절에 다니겠다고 했다. 그는 집에 부처님도 불경도 있으니 절에 다니지 않아도 된다고 했다.

다시 세월이 흘러 아내는 일요일마다 집에서 가까운 성당에 다니기 시작했다. 그는 말리지 않았다. 그러다가 아내는 다시 성당에도 다니지 않았다. 그의 종교 자유관自由觀이 아내를 무종교無宗敎로 몰아넣지 않았나 하고 생각하였다. 그는 종교를 믿지 않느니보다는 어떤 종교라도 믿는 것이 좋다는 편이어서 아내에게 무슨 말을 해야 할지 알 수가 없었다. 그래서 종교에 관한 말은 하지 않게 되었다. 어느 날이었다. 아내는 오늘 절에 갔다 오겠다고 말했다. 그는 의아한 표정으로 물었다.

"절에는 왜 가려 하오."

아내의 친구들 중에 절에 다니는 부인이 있는데 기도를 잘 드려서 그 댁 아들이 일류 대학에 들어갔다는 것이다. 그래서 그 부인과 함께 절에 가기로 전번에 약속을 했다는 것이다. 이미 약속을 했다는 데야 가지 말랄 수는 없었다.

"그 절에 가면 이런 고적古蹟이 있으니 간 김에 보고 오우."

아내가 가서 옛 우리 나라 문화는 불교 문화였다는 점을 알아주기를 그는 바랐다.

"제불보살마하살, 소원 성취되게 하여주소서."

"하나님, 저를 도와주소서."

어리석은 그는 이상의 두 가지 말이 어느 정도로 뜻이 다른지를 모른다. 제불보살님을 찾건 하나님을 찾건 간에 믿는 사람의 믿는 마음이 중요하지 않을까.

아내는 절에 가서 열심히 기도할 것이다. 왜냐하면 간절한 소원이 있어서 갔기 때문이다. 불교의 교리를 알아서 절에 간 것은 아니다. 신학을 알아서 성당에 다녔을 리도 없다. 그것이 개인주의건 범세계주의건 간에 다를 바가 없다. 간곡한 염원이야말로 종교는 통하는 길이다.

1981. 1. 7.

모씨의 아버님이 세상을 떠났을 때였다. 문상을 다녀온 친구가 그에게 말하였다.

"갔다가 어리둥절했네. 신부님은 와서 하느님께 고인故人을 부탁하고 목사님은 와서 하나님께 고인을 부탁하고 스님은 와서 부처님께 고인을 부탁하데. 그러니 고인은 어느 쪽으로 가야 한단 말인가. 어디로 가야 할지를 몰라서 방황하지나 않을까 걱정이야."

그는 말하기가 난처해서 따라 웃고만 말았다. 그때 친구에게 그는 하고 싶은 말을 왜 하지 않았을까. 그것은 친구가 직접 보았던 사실이기에 사실을 부정할 수는 없는 노릇이었다. 그러나 문제는 사실이 전부가 아니었다. 말하자면 우리가 이승의 일을 잘 안다고 해서 저승의 일까지도 안다 할 수는 없다. 우리가 모르는 것을 자기가 아는 것으로서 설명한다면 틀리게 마련이다. 사람들은 자유로이 말할 권리가 있다. 회교, 불교, 힌두교, 기독교는 어떻고 어떻다는 식이다. 이런 식으로 말한다면 종교는 성립되지가 않는다. 다 알아버렸으니 종교는 필요 없게 된다.

그래서 현실에서는 종교란 몹시 배타적이란 말도 한다. 어리석은 그로서는 이해할 수가 없는 말이었다. 왜냐하면 부처님이 배타적이라고는 꿈에도 생각해본 적이 없다. '고송枯頌' 에 의하면 부처님은 자기를 살해하려 했던 제바달다提婆達多•에게도 수기授記를 내리신 것으로 안다. 잘못 알아차렸든 어떻든 간에 그는 그렇게 알고 있음으로써 나 같은 업고業苦도 성불成佛할 때가 있으려니 믿게 된 것이다. 부처님과 제바달다에 관한 이야기가 사실이 아니라도 괜찮다. 사실이라면 반드시 부처님이 그렇게 하셨을 것이다. 아니라면 그는 종교에 관심을 두지 않았을지도 모른다. 터득한 한 대자대비는 차별이 없는 것으로 전한다. 이승의 아는 것만으로서 모르는 것을 말하고 현실만으로서 종교를 따진다면 아무런 소용이 없다. 종교로서 고인故人까지 염려하지는 말아야 한다. 고인은 방황하지 않고 인연 따라 갔을 것이다.

1981. 1. 8.

신라 불상佛像인지 아닌지는 전문가가 아닌 만큼 정확히 말할 수 없으나 어떻든 우리 나라 옛 불상과 그는 별로 인연이 없는 듯하다.
왜정 때 구했던 옛 철불鐵佛은 엄지손가락 길이만한 금동불金銅佛이었는데 6 · 25 전란 때 품에 모시고 다니다가 어느 날 아침에 일어나 보니 어디로 가셨는지 없었다. 다음은 성춘복 시인이 학생 때였으니 역시 오래 전 일이다. 학생들을 데리고 경주에 수학 여행을 갔다가 끝에 손가락 길이만한 옛 불상을 구했는데 그 후 출가한 누이 동생이 달래서 주었다.
아무래도 우리 나라 옛 불상과는 별로 인연이 없는 듯해서 자주 인사동 일대를 다니던 때도 불상만은 구하지 않았다. 구한댔자 또 누가 달랄 것만 같고 결국은 남에게 주고야 말 것만 같아서 마음이 내키지 않았던 것이다.
그런데 둘째 형님은 오래 전부터 참으로 좋은 보살상을 모시고 있었다. 과히 크지 않은 반가상半跏像이었다. 만일 그가 그런 반가상을 모셨더라면 누가 달래도 결코 주지 않았을 것이다. 부산서 환도還都한 후였다. 둘째 형수씨가 해산할 날이 가까웠다. 형님은 해산하는 집에 반가상을 모시기가 죄송해서 어느 절에다 맡겼다는 것이다. 그 후 반가상을 도로 모셔 오려고 갔더니 절에서 하는 말이 어느 날 도둑을 맞아서 없더라는 것이다. 그가 아는 그 불상들은 어디어디에 가서 계실까. 제발 수장가收藏家들의 기호품嗜好品이나 되지 마시기를 바랄 따름이다.

1983. 1. 2.

이등룡 씨는 말한다.

"몇 해만 참으시지요. 한글과 한자도 나오고 교정, 신축伸縮, 제본까지도 다 되는 전자 타자기가 나옵니다."

그렇다면 원고 정리에 큰 도움이 되겠다. 전번에 어느 출판사 사장은 이러한 말을 했다.

"내년이면 하루에 원고지 4천 매를 처리할 수 있는 전자 기계를 들여옵니다."

놀라운 일이나 어떤 부작용이나 일어나지 않을까. 그들은 말한다.

"염려 맙시오. 아무리 발달한대도 기계가 시작詩作은 못합니다."

1983. 1. 3.

3일 동안 손님을 겪고 나니 몸살이 날 것 같다.

1983. 1. 4.

김영태 씨가 오더니 나와 아내의 초상肖像을 그려주고 갔다.

1983. 1. 23.

황철 씨의 초청을 받고 김영환 교수와 함께 장수원으로 갔다. 완연한 산간 촌락이다. 오랜만에 보는 황씨 댁 부인과 아이들이다. 우선 세 곳, 온실의 난초와 분재盆栽를 보고 집으로 들어갔다. 햇볕이 잘 드는 유리창 바깥에는 「세한도歲寒圖」 비슷하게 소나무 두 그루가 서 있었다. 나뭇가지들 사이로 먼 보랏빛 산을 바라본다. 따뜻한 온돌방에는 두 분盆의 백보세란白報歲蘭 꽃대가 힘차게 솟아 있었다.

매화를 보러 오래서 왔는데 분재盆栽의 매梅는 꽃이 활짝 피기 직전이었다. 주안상은 순 산채山菜요, 고기는 없었다. 일부러 포천抱川까지 가서 사왔다는 막걸리를 동이로 들여놓는다. 매화를 띄워주기로 포천 막걸리는 향기가 고왔다. 서로 권커니 작커니 거나하게 취하는데 김용 아나운서가 왔다. 몇 해 만에 만나는지 모르겠다. 4 · 19를 앞뒤 한 학교 신문사 시절로까지 화제는 오르락내리락했다. 낮닭소리가 산골을 더욱 한적하게 했다.

"여기서 이렇게 오래 살았으면 좋겠는데 국립 공원이 된다는 말이 있으니 걱정입니다."

"녹지대로 묶였는데 지금 있는 집들이야 괜찮겠지요."

"아닙니다. 국립 공원이 되면 싹 쓸어낼지도 모릅니다."

이 일대에 조그만 집이나 하나 마련했으면 좋겠다던 환상幻想이 사라졌다.

1983. 2. 3.

오옥진 씨가 대추나무 목재에 다산 선생 사경첩四景帖 시구詩句를 새기고 노란 봉채鋒彩로 상감한 한 쌍 문진文鎭이다. 더구나 한가운데를 뚫고 심을 납으로 박았기에 보기보다 무거웠다. 표주박은 돌배나무 목재로써 양잿물에 삶고 6개월간 땅에 묻었다가 물에 6개월간 울거내고 다시 삶은 뒤에 오옥진 씨가 판 것이다. 종이 노끈으로 만든 상자는 부자父子분의 합작인데 춘장 오영균 어른이 노를 꽈서 떴는가 하면 오옥진 씨가 형태型態를 잡고 옻을 칠한 것이다. 이러한 정성어린 명품들과 비교할 때 졸필拙筆을 내놓기가 면구스러웠다.

1983. 2. 7.

묵형에게 답장을 썼다.

그날 오실 줄로 믿었는데 그간 좀 어떠신지요. 편지대로 추사 선생 붓글씨 영인첩影印帖『반야심경般若心經』 복사 세 벌을 부탁했건만 두 벌만 해왔기에 그냥 보냅니다. 한 번 내려가 봐야 할 텐데 한중망閑中忙이라 생각뿐입니다. 귀는 먹어가고 불면증이 더해 술을 못 끊는 실정입니다. 계해년을 맞이하사 복 많이 받으시기 빕니다.

나태주• 씨에게 답장을 썼다.

보내주신 편지 다 잘 읽었습니다. 달마다『현대 시학』지에서 '변방邊方'과 함께하다가 먼저 마무리를 지으셨기로 허전합니다. 발돋움해도 보이지 않으니 무슨 수로 해미海味에 보답할지요. 해마다 복을 더 받으시기 바랍니다.

박양규 교수에게 답장을 썼다.

새해에 복 많이 받으십시오. 보내주신 대만 불화佛畵 그림 엽서는 내 책갈피에 꽂혀 있어 날마다 만납니다. 잘 계시다가 어서 돌아오십시오. 편조법계遍照法界 하소서.

1983. 4. 17.

환절기라 그러할까. 오른팔이 붓고 아파서 낙서를 정리하기도 거북하다.

1983. 5. 24.

전자 타자기가 복사기처럼 보급되어 나의 지저분한 산문散文을 정리할 때가 왔으면 좋겠다.

1983. 6. 8.

학교의 경사진 길을 내려가다가 아래를 굽어보니 감나무 밑에서 젊은 서양 여자가 좌선坐禪 중이었다. 왜 눈을 감고 코를 손가락으로 쥐고 있는지 모르겠다. 요가가 아닌가 싶었다.

1984. 1. 1.

일일시호일日日是好日이라는 말이 있다. 나날이 이 좋은 날이라는 뜻이다. 그러니 작년이나 금년이나 내년이나 다 마찬가지라는 생각이 든다. 과거에 했던 일을 현재에도 미래에도 하고 언제나 해야 한다. 밤이면 자다가 해가 뜨면 눈을 뜨듯이 문제와 시련이, 해야 할 일은 무궁무진하니 이만하면 풍족한 편이다.
요는 누구나 하는 말을 어떻게 말하느냐에 달려 있다. 누구나 아는 말을 하는 데도 말하기가 귀찮을 때가 있다. 말이 싫어서가 아니다. 말다운 말을 해보고 싶은 욕심에서였다. 말도 체험이라면 체험도 변한다. 무리해서 욕심대로 한다고 되는 일이 아닌가 보다. 남보다 잘하겠다면 남이란 누구인가. 천하가 다 남인데 어쩌자는 것인가.
그러니 이러한 쓸데없는 생각은 쉬어야 한다. 혼자서 하는 말보다도 남의 말을 들어보면 즐거울 때가 있다. 그러니 즐거움이란 유익한 것이다. 남에게서 얻은 바를 남에게 전하듯이 남이 할 수 있는 말을 말하면 된다. 남의 말을 들을 줄 알아야 말할 수가 있다.

세월 탓인가. 너무 말을 많이 했기 때문인가. 옳고 그르고는 고사하고 이러한 변화에 감사한다. 감사를 감사해야만 일일시호일이 될 것 같다. 그러나 말처럼 쉬운 것이 없듯이 말처럼 하기는 어렵다. 되거나 안 되거나 간에 말은 하게 마련이다. 혼자서는 감사할 수 없으니 상대가 있어야 한다. 어떻든 서로가 나날이 이 좋은 날이기를 바란다.

편집자 주 1*

* 편집자 주 1은 독자들의 이해를 돕기 위해 편집자가 임의로 가려 뽑고 정리한 것임을 밝혀둔다.

〖ㄱ〗

- 가등상현 —— (1894~1978) 가토 조우켄加藤常賢. 철학자.
- 가람 —— 승려들이 살면서 도를 닦는 집. 절의 건물을 통틀어 이르는 말이다.
- 간뼁 —— かんびん. 술 데우는 그릇.
- 강신항 —— (1930~) 국어학자. 저서로는 『국어학사』, 『사성통해 연구四聲通解硏究』, 『훈민정음 연구』 등이 있다.
- 강추금 —— (1820~1884) 조선 말 시인 강위姜瑋. 추금은 호. 가난한 선비 집안에서 태어났으나 각 방면의 학문을 닦았으며 추사 김정희를 찾아가 많은 감화를 받았다. 당대의 대시인으로 전국을 방랑하며 시주詩酒로 세월을 보내기도 했으며, 우리 나라 최초의 신문인 『한성순보』를 간행, 국한문 혼용의 기틀을 세웠다. 김택영, 황현과 함께 한말韓末 3대 시인으로 불렸으며 비분 강개 어린 격조 높은 율시를 잘 썼다.
- 강희 · 건륭제 —— 중국 청나라의 강희제, 옹정제, 건륭제로 이어지는 3대 130년 간의 치세로 청나라 전성 시대였다.
- 겸재 —— (1676~1759) 정선鄭敾. 조선 화가. 한국 산수화의 독자적 특징을 살린 산수 사생山水寫生의 진경화를 그렸다. 현재玄齋 심사정, 공재恭齋 윤두서와 함께 삼재三齋로 일컬어졌다.
- 경교장 —— 백범 선생이 암살된 곳. 현 강북 삼성병원 본관.
- 경허 —— (1849~1912) 조선 승려 성우惺牛의 호. 생사의 허망함을 깨닫고 홀로 좌선하여 묘지妙旨를 크게 깨달았다. 도처에서 선풍禪風을 떨치며 해인사, 범어사, 마하연 등 여러 절을 돌아다녔다. 만년에는 자취를 감추고 머리를 기르고 갓을 쓰고 다니며 스스로 난주蘭州라고 이름하였다.
- 계정 민영환 —— (1861~1905) 조선 문신. 순국지사. 빈번한 해외 여행으로 새 문물에 눈을 떠 개화 사상을 실현하고자 여러 제도를 건의, 시행토록 하였으며

독립협회를 적극 후원하여 시정의 개혁을 시도하다가 파직되기도 하였다. 친일 각료들과 대립하여 일본의 내정 간섭을 성토하였으며 을사 보호 조약을 반대하다가 대세가 기울자 자결하였다.

- 고경명 —— (1533~1592) 조선 문인, 의병장. 호는 제봉霽峰. 당파에 밀려 낙향해 있다가 임진왜란 때 의병을 모집, 왜군과 싸우다 전사했다. 시, 글씨, 그림에도 뛰어나 이름을 떨쳤다.
- 고교형 —— (1878~1967) 다카하시 도오루高橋亨. 일제 시대 관학자로 식민 철학을 주도했다.
- 『고려시대사』 —— 김상기가 지은 고려 역사에 관한 개설서. 구체적 사실 파악에 힘쓰고, 광범위한 사료를 망라하여 이해와 비판을 독자에게 맡겼으며, 원전인 『관선 고려사』를 풀어 설명했다는 점에서 높이 평가받는다.
- 고봉 기공 —— (1527~1572) 조선 성리학자 기대승. 고봉은 호다. 어려서부터 재주가 특출하여 문학에 이름을 떨쳤으며, 독학으로 고금古今에 통달하였다. 이황의 문인으로 선학들이 생각지 못한 학설을 제시한 바가 많았다. 이황과 '사단칠정四端七情' 논쟁이 유명하다. 서예에도 능했다.
- 고불 맹사성 —— (1360~1438) 고려, 조선 때의 명상名相. 황희와 함께 조선 초기 문화를 이룩하는 데 크게 기여했으며, 청렴하기로 이름이 높았다. 시문에 능하고 음률에도 밝아 향악을 정리하고 스스로 악기를 제작했다.
- 고운 최치원 —— (857~?) 신라의 대학자. 호는 고운孤雲, 해운海雲. 학문이 깊고 문장이 뛰어나 당시의 격문, 표장表狀, 서계書啓는 모두 그의 손으로 지어졌으며 특히 「토황소격문討黃巢檄文」은 명문으로 알려져 있다. 여러 벼슬을 거쳤으나 만년에는 난세를 비관하며 각지를 유랑하다가 생을 마쳤다. 글씨를 잘 썼으며 그가 쓴 「난랑비서문鸞郎碑序文」은 신라 시대의 화랑도를 설명하는 귀중한 자료이다.
- 고은 —— (1933~) 시인. 본명 고은태高銀泰. 법명 일초一超. 『현대 문학』에 「봄밤의 말씀」, 「눈길」, 「천은사운」 등이 추천되어 등단했다. 시집으로 『피안감성彼岸感性』, 『조국의 별』, 『백두산』, 『만인보』 등 다수가 있으며, 소설집으로 『화엄경』 등이 있다.
- 고지 —— 시코쿠 남부의 현縣 코치高知.

- 고하 —— (1890~1945) 정치가이자 독립 운동가인 송진우宋鎭禹의 호. 일생을 독립을 위해 헌신했으며, 해방이 되자 한국민주당을 조직, 민족 진영의 단결과 정부 수립을 위해 활동했으나 암살당했다.
- 『고환당 문집』 —— 조선 말기의 문인 추금秋琴 강위姜瑋의 시문집. 『고환당수초』에 4권 2책을 합본한 것으로 『추금집』이라고도 한다. 당대 석학인 이건창李建昌이 교정하고 정만조鄭萬朝가 편집하였다. 시고詩稿에는 정건조鄭建朝, 이건창의 서序와 저자의 자서가 있으며, 문고文稿에는 김홍집金弘集의 서가 있다.
- 『공사견문』 —— 조선 효종 때 부마 정재륜鄭載崙이 궁중에 출입하면서 공적, 사적으로 견문한 것을 기록한 책. 효종, 현종, 숙종, 경종 4대에 걸쳐 복 받을 만한 가언선행嘉言善行과 경계해야 할 사패거事悖擧를 적었다.
- 공재 윤두서 —— (1668~?) 조선 문인. 화가. 시문에 능했고, 동식물 · 인물 등을 잘 그렸다. 현재玄齋, 겸재謙齋와 함께 조선의 삼재三齋로 불린다.
- 공초 —— (1893~1963) 시인 오상순吳相淳의 호. 1920년 『폐허』 동인으로 문단에 나와 초창기 시단의 선구자가 되었다. 「허무혼虛無魂의 선언」, 「아시아의 마지막 밤」 등 장시를 발표, 당시의 신시新詩에 사상성을 불어넣었다. 방랑과 참선, 애연愛煙으로 독신 생활을 하였고, '청동문집靑銅文集' 이란 서명첩署名帖을 195권이나 남겼다.
- 곽종원 —— (1917~) 평론가. 『매일신보』를 통하여 등단했다. 저서로는 『문학의 함축성』, 『신인간형의 탐구』, 『사색의 반려』, 『문학 개론』, 『사색과 행동의 세월』, 『마음의 거리와 우주의 거리』 등이 있다.
- 구본웅 —— (1906~1953) 서양화가. 호는 서산西山. 토쿄에서 열린 이과전二科展과 독립전 등 전위적인 전람회에 출품했고, 귀국 후에는 서화협회 전람회에 출품했다. 미술지 『청색靑色』을 발간하는 한편 정판사를 경영하기도 했고, 서울신문의 촉탁으로 언론계에도 종사했다. 입체파의 영향을 받아 지적이고 분석적인 작품을 남겼다.
- 권돈인 —— (1783~1859) 조선 문신. 호는 이재彛齋. 서화에 능하여 일생을 절친하게 지냈던 김정희에게 뜻과 생각이 뛰어나다는 평을 들었다. 필법筆法이 김정희에게 거의 근접하였다고 하며, 특히 예서隷書를 잘 써서 신합神合의 경지라 일컬어졌다. 유작으로 「세한도歲寒圖」가 전한다.

• 권석주 —— (1569~1612) 조선 문인 권필權韠. 석주는 호. 정철의 문인으로 과거에 뜻이 없어 시주詩酒를 낙으로 삼고 가난하게 살았다. 대문장가로 알려져 명나라 사신을 맞을 문사로 뽑혀 문명을 떨쳤으며, 김직재金直哉의 무옥誣獄에 연루되어 유배가던 중 죽었다.

• 권수암 —— (1641~1721) 조선 학자 권상하. 송시열의 수제자이다. 송시열이 유배되고 남인들이 득세하자 벼슬을 버리고 학문에 힘쓰며 제자를 길러 기호학파의 지도자가 되었다. 글씨에도 뛰어났다.

• 권옥연 —— (1923~) 서양화가. 1950년대 파리 유학을 통해 유럽 미술의 최신 경향들을 직접 체험하고 개성적인 추상 양식을 구축하였다.

• 균여 —— (923~973) 고려 승려. 『보현십종원생가』라는 11수의 향가를 지어 노래 속에 불교의 교리를 쉽게 풀어넣음으로써 불교 대중화에 기여했다. 불교계의 종파 통합에도 힘을 기울였다.

• 근원近園 —— (1904~1967) 서양화가이자 문인화풍의 동양화가, 미술평론가, 미술사가 김용준金瑢俊의 호. 품위 있는 문체로 『근원 수필』을 펴낸 당대의 문사였다. 저서로 모더니즘과 리얼리즘을 아우른 『조선 미술 대요』와 『고구려 고분 벽화 연구』 등이 있으며 서울대 미대 교수를 지내다 국대안國大案 반대 운동으로 교수직을 버리고 6 · 25 때 월북하였다. 그의 최고 명작이라고 할 수 있는 「승무」 등을 통하여 1950년대 조선화의 새로운 가능성을 모색하였다.

• 금서룡 —— (1875~1931) 일본의 동양사학자 이마니시 료今西龍. 『신라사 연구』, 『고려사 연구』, 『조선 고대사 연구』 등을 저술하는 등 우리 나라 고대사 연구에 힘썼다.

• 금성대군 —— (1426~1457) 조선 세종의 여섯째 아들. 이름은 유瑜. 단종의 숙부이자 세조의 동생이다. 세조 즉위 후 사육신의 단종 복위 운동이 실패하자 유배되었으며 유배지에서도 단종의 복위를 꾀하다가 사사賜死되었다.

• 기야 이방운 —— (생몰 연도 미상) 조선 화가. 심재心齋라는 호도 썼다. 중국 남화南畵의 영향을 받아 온화하고 섬세한 그림을 그렸는데 특히 산수화와 인물화에 뛰어났다. 거문고에도 능했다.

• 김광림 —— (1929~) 시인. 『연합신문』에 「문풍지」를 발표하여 등단하였으며, 김종삼, 전봉건과 함께 3인 공동 시집 『전쟁과 음악과 희망과』를 발간하여

본격적인 작품 활동 시작하였다. 『상심하는 접목』, 『심상의 밝은 그림자』, 『말의 사막에서』 등의 시집과 『존재의 향수』 등 시문집이 있다.

- 김광주 —— (1910~1973) 소설가. 필명 김평. 단편 「밤이 깊어갈 때」를 『신동아』에 발표하면서 소설을 쓰기 시작. 창작 활동을 계속하면서 중국 문학을 소개하였다. 광복 후 『문화 시보』, 『예술 조선』을 창간하고 장편 『석방인』 외 많은 장편과 단편을 썼다. 번역 소설에 『삼국지』 등이 있다.
- 김극기 —— (생몰 연도 미상) 고려 시인. 호는 노봉老峰. 젊어서부터 문명文名이 높았고 관직에 뜻이 없어 초야에서 시를 즐겼다.
- 김내성 —— (1909~1957) 소설가. 『조선일보』에 『마인魔人』을 발표하면서 등단하였다. 『백가면』, 『태풍』, 『진주탑』, 『비밀의 문』 등 외국 탐정 소설을 번안한 일련의 탐정 소설을 발표하여 우리 나라 유일의 탐정 소설가가 되었다. 대표작 『청춘 극장』과 『인생 화보』는 그 대중성으로 인해 당시 많은 독자를 끌었다.
- 김동리 —— (1913~1995) 소설가, 시인. 순수 문학과 신인간주의의 문학 사상으로 일관하였다. 『무녀도』, 『황토기』, 『귀환장정』, 『사반의 십자가』, 『등신불』 등의 소설과 평론집 『문학과 인간』, 수필집 『자연과 인간』 등이 있다.
- 김동명 —— (1900~1968) 시인, 정치 평론가. 호는 초허超虛. 「파초」 등 전원적이고 목가적인 시에서 점점 정치와 사회 문제에 관심을 표명한 시를 썼다. 시집 『나의 거문고』, 『목격자』, 정치 평론을 모은 『적과 동지』, 『역사의 배후에서』, 수필집 『세대의 삽화』 등이 있으며 사후에 사화집 『내 마음』이 발간되었다.
- 김립 —— (1807~1863) 조선의 방랑 시인 김병연의 별칭. 홍경래의 난 때 조부 김익순이 홍경래에게 항복한 죄로 폐족廢族되었다. 뒤에 사면을 받고 고향으로 돌아왔으나 폐족자에 대한 천대가 심하고 벼슬길도 막혀 20세 무렵부터 방랑 생활을 시작했다. 얼굴을 큰 삿갓으로 가리고 다녀 김삿갓이라는 별명을 얻었으며 전국을 돌며 즉흥시를 남겼다. 권력자와 부자를 풍자하고 조롱한 시가 많아 민중 시인으로 불린다.
- 김만중 —— (1637~1692) 조선 문신, 소설가. 호는 서포西浦. 『구운몽』 집필. 효성이 지극하여 귀양갈 때 외에는 노모 곁을 떠난 적이 없었으며 『구운몽』도 어머니를 위로하기 위하여 지은 것으로 알려져 있다. 전문이 국문으로 되어 있다. 김만중은 숙종 당시 소설 문학의 선구자였으며 한글로 쓴 문학이라야 진정한 국

문학이라는 문학관을 피력하였다..

- 김말봉 —— (1901~1962) 소설가. 『찔레꽃』 등 신문 연재 통속 소설 작가로 인기를 끌었다. 대부분 작품에서 애욕의 문제를 다루었으나 해방 후에는 사회성을 띤 작품을 썼다. 대표작으로는 『생명』을 꼽는다.
- 김병익 —— (1938~) 문학 평론가. 최근까지 문학과지성사 대표로 재직했다. 저서로 『들린 시대의 문학』, 『지성과 문학』 등 다수가 있다.
- 김상억 —— (1923~) 시인. 『현대 문학』을 통해 등단했다. 시집으로는 『우리를 포옹한』, 『흑요석』 등이 있으며, 『향가 연구』, 『도원계 향가에 대하여』 등의 저서가 있다.
- 김생 —— (711~791) 신라 때의 명필. 일생을 서예에 바쳤으며, 예隸, 행行, 초草에 능했다. 해동海東의 서성書聖이라 일컬어졌다. 송나라에서도 왕희지를 능가하는 명필로 알려졌다.
- 김수증 —— (1624~1701) 조선 시대 문신. 호는 곡운谷雲. 당쟁에 휩쓸려 동생과 형이 유배되었다가 배소에서 죽자 관직을 버리고 은거하였다.
- 김여정 —— (1933~) 『현대 문학』에 시 「화음」, 「편지」, 「남해도」를 발표하면서 등단하였다. 시집으로 『바다에 내린 햇살』, 『사과들이 사는 집』 등이 있다.
- 김영랑 —— (1903~1950) 시인. 본명 윤식. 부유한 가정에서 한학을 배우며 자랐고, 3 · 1 운동 당시 의거하려다가 체포되어 옥고를 치르기도 했다. 1930년 정지용, 박용철 등과 함께 『시 문학』 동인지에 참가하여 서정시를 발표하며 본격적인 시작詩作 활동을 전개하였다. 잘 다듬어진 언어로 섬세하고 영롱한 서정을 노래하여 순수 서정시의 새로운 경지를 개척하였다. 일제 말기 신사 참배와 창씨 개명을 반대하였고, 광복 후에는 민족 운동에 참가하는 등 자신의 시 세계와는 달리 실천가의 일면을 지니고 있었다. 『영랑 시집』, 『모란이 피기까지는』 등의 작품집이 있다.
- 김영태 —— (1936~) 홍익대학교 서양학과를 졸업했다. 1959년 『사상계』에 시 「설경」 등이 추천되어 등단했으며, 삽화가로 유명하다.
- 김완당 —— (1786~1856) 조선 시대 서화가이자 문인, 금석학자金石學者 김정희. 완당은 그의 여러 가지 호 중 하나. 추사秋史라는 호가 널리 알려져 있다. 중국의 석학 옹방강, 완원 등과 교유하여 북학파의 고증학을 집대성하였다. 학문에

서는 실사구시를 주장하였으며, 서예에서는 독특한 추사체를 대성하였다.

- 김운학 —— (1934~1981) 승려, 불교학자, 평론가. 평론 「삼매론」으로 『현대문학』에서 추천을 받았으며 승려 출신으로 불교 사상을 주제로 한 비평 활동을 계속하였다. 또한 신라 향가에 비친 불교 사상의 토착화를 설명하였고, 균여의 문학성을 재조명하는 등 불교 문학 연구에 탁월한 업적을 남겼다. 저서로 『삼매의 언어』, 『향가에 나타난 불교 사상』 등이 있으며, 번역서로는 『금강경 오가해』, 『유심안락도』 등이 있다.
- 김원길 —— (1942~) 시인. 『월간 문학』, 『시 문학』을 통하여 등단하였다. 시집으로는 『들꽃다발』 등이 있다.
- 김유정 —— (1908~1937) 소설가. 「소낙비」가 『조선일보』에, 「노다지」가 『중앙일보』에 당선되면서 등단하였으며 후기 구인회九人會의 일원으로 이상, 김문집 등과 교류하며 창작 활동을 하였다. 「금 따는 콩밭」, 「봄봄」, 「동백꽃」, 「땡볕」 등 2년 남짓한 작가 생활을 통해 30여 편 내외의 단편과 1편의 미완성 장편, 번역 소설 1편을 남겼다. 그의 문학 세계는 따뜻하고 인간미가 넘쳐흐르며 우직하고 순진한 등장 인물, 의외의 전개와 엉뚱한 반전을 보이는 사건, 육담적肉談的인 속어의 구사 등 독특한 개성을 보이고 있다.
- 김윤성 —— (1926~) 시인. 작품으로 「예감」, 「깨어나지 않는 꿈」 등이 있다.
- 김응남 —— (1546~1598) 조선 문신. 호는 두암斗巖. 당시 병조판서이던 이이를 모함했다는 혐의로 제좌천되었으나 선정을 베풀고 백성들을 구휼해 칭송을 받았다. 이후 선조를 보필하며 두 차례의 왜란을 치렀다.
- 김인승 —— (1910~) 화가. 이화여자대학교 미술대학 학장을 역임했다.
- 김종길 —— (1926~) 시인, 문학 평론가. 저서 『시론詩論』, 『진실과 언어』와 시집 『성탄제』, 『하구河回에서』 등이 있다.
- 김창숙 —— (1879~1962) 유학자, 독립 운동가, 정치인. 독립 운동을 하다가 복역 중 해방을 맞이했으며, 이승만 정권 당시에는 반독재 호헌 구국 선언을 하기도 했다.
- 김춘수 —— (1922~) 시인. 1946년 『해방 1주년 기념 사화집』에 시 「애가哀歌」를 발표하면서 등단했다. 시집으로 『구름과 장미』, 『부다페스트에서의 소녀의 죽음』, 『처용處容』 등이 있다.

• 김하서 —— (1510~1560) 조선 문신, 유학자 김인후金麟厚. 하서는 호. 을사 사화 이후 고향으로 돌아가 성리학 연구에 전념했으며, 성경誠敬의 실천을 학문의 목표로 삼았다. 천문, 지리, 의학, 산수 등에도 정통했다.
• 김현 —— (1942~1990) 불문학자. 문학 평론가. 불문학자로서 『프랑스 비평사』, 『제네바 학파 연구』, 『시칠리아의 암소』 등 주요한 업적을 남겼으며 또한 1962년 이후 문학 평론가로서 열정적인 활동을 펼쳤다. 그의 비평은 우리 문학의 새로운 넓이와 깊이를 창출해내었다고 평가받고 있으며 그 성과는 작고 후 16권의 『김현 문학 전집』으로 정리되었다.
• 김현성 —— (1542~1621) 조선 문인. 호는 남창南窓. 광해군 당시 폐모론廢母論의 정청庭請에 불참하여 면직된 후 청빈하게 여생을 마쳤다. 시 · 서에 뛰어났고, 필법은 송설체를 따랐으며 그림에도 능했다.
• 김환기 —— (1913~1974) 서양화가. 「새」, 「영혼의 노래」 등과 제목을 붙이지 않은 다수의 작품들이 있다.

【ㄴ】

• 나태주 —— (1945~) 서울신문 신춘 문예를 통해 등단하였다. 시집으로는 『대숲 아래서』, 『누님의 가을』, 『우리 젊은 날의 사랑아』 등이 있다.
• 남관 —— (1911~1990) 한국 추상 미술의 거장. 김환기, 유영국 등과 함께 한국 추상 회화의 선각자로 꼽힌다. 해방 전까지 일본서 작품 활동을 했다. 그의 작품은 파리 국립 현대 미술관, 시립 현대 미술관, 룩셈부르크 국립 미술관, 프랑스 문화성 등이 소장하고 있을 만큼 국제적인 가치를 인정받으며 시적, 서정적 이미지를 통해 인간 중심의 생명력 있는 휴머니즘과 신비로움을 느끼게 한다는 평을 듣는다.
• 남병철 —— (1817~1863) 조선 문신, 과학자. 호는 규재圭齋, 구당鷗堂 등. 수학과 천문학에 뛰어나 수륜水輪, 지구의地球儀, 사시의四時儀 등을 제작했다. 글씨를 잘 썼다.
• 남정 —— (1927~) 한국화가 박노수의 호. 독자적인 채색과 여백의 미를 화면에 구현해 제4회 국전에서 「선소운」이란 인물화로 대통령상을 수상. 북화北畵적인 큰 스케일과 남화南畵적인 정신 세계가 잘 어울려 새로운 한국화를 만들어

냈다는 평가를 받았다.

• 노수신 —— (1515~1590) 조선 문신, 학자. 문장과 서예에 능했고 양명학을 깊이 연구했다. 휴정 등과 교제가 있어 학문에 불교 영향을 받기도 했다.

• 노작 홍사용 —— (1900~1947) 시인. 나도향, 현진건 등과 동인지 『백조』를 창간, 「백조는 흐르는데」, 「별 하나 나 하나」, 「나는 왕이로소이다」 등 감상적이고 향토적인 서정시를 발표했다. 토월회의 동인으로서 신극운동에도 참가, 희곡을 썼으나 『백조』 간행과 극단 운영으로 가산을 탕진하고 병사했다.

• 노천명 —— (1912~1957) 시인. 「밤의 찬미」를 『신동아』에 발표하여 등단하였다. 조선문학가동맹에 관여한 혐의로 9·28 수복 후 투옥되었다가 이듬해 석방되었다. 시집으로 『산호림珊瑚林』, 『창변窓邊』, 『별을 쳐다보며』 등과 수필집 『산딸기』, 『나의 생활백서』 등이 있다.

• 농암 이현보 —— (1467~1555) 조선 문신. 관직에 있으면서 선정을 베풀어 왕의 표리表裏를 하사받기도 했다. 자연을 노래한 많은 시조를 남겼으며, 10장으로 전하던 「어부사」를 5장으로 고쳐 지은 것이 전한다.

• 뇌묵 —— (생몰 연도 미상) 조선 중기의 승려, 승병장 처영의 호. 임진왜란 때 호남 지방에서 1천여 명의 의승군義僧軍을 모아 권율과 함께 금산에서 크게 전공을 세웠으며, 행주산성에서도 7백 승병을 이끌고 적병 3만과 대전하여 임진왜란 개전 이후 최대의 승첩을 거뒀다. 도원수 권율의 명으로 의령宜寧에서 군사를 이끌었으며, 남원의 교룡산성蛟龍山城을 쌓기도 했다.

〖ㄷ〗

• 다찌노미 —— たちのみ. 술이나 음료를 서서 마시는 것.

• 단원 —— (1745~?) 조선 시대 화가 김홍도의 호. 강렬한 개성으로 독특한 경지를 개척하여, 한국적인 풍토와 감각을 밝게 표현하였다. 주로 해학과 풍자가 넘치는 서민풍의 그림을 그렸으며, 그가 그린 용주사 「삼세여래후불탱화三世如來後佛幀畵」는 우리 나라에서 최초로 운염暈染 기법을 구사하고 채색의 농담으로 형체의 원근과 높낮이를 표현한 작품이다. 당시 화단에 고착된 중국의 북화北畵 양식을 탈피하여 대담하게 남화南畵 양식을 시도하였고 신선한 조형미를 완성했다.

• 대치도인 황공망 —— (1269~1354) 원대元代의 산수화가. 호는 대치도인, 일봉一峯 등 여러 가지를 사용하였다. 오진吳鎭, 예찬倪瓚, 왕몽王蒙과 함께 원말元末 사대가四大家의 한 사람으로서, 담백한 문인화풍의 산수화를 그려 후대 화가들에게 많은 영향을 미쳤다. 대표작 「부춘산거도富春山居圖」는 간략하면서도 그만의 필법의 특징을 잘 살려 대담하게 구성한 것으로, 많은 화가들에 의해 임모臨摹가 거듭될 만큼 영향력 있는 그림이다.

• 덕진 —— (?~1888) 조선 승려. 호는 허주. 조계사에서 중이 되어 교리와 참선에 통달했다. 대원군의 청으로 철원 보개사에서 기도 불사를 올렸다.

• 데스노스 —— (1900~1945) Robert Desnos. 프랑스 시인. 당시 다다이스트들의 영향으로 장난기 어린 시를 썼으며, 초현실주의의 새 문학 운동에 열성적으로 가담하여 선구자이자 실천가로 활약했다. 그러나 차츰 서정과 애수, 환상과 유머를 담은 좀더 정적이며 평이한 시를 썼다. 후에는 방송계에 들어가 '라디오 시'라는 새로운 시를 시도하기도 하고 영화 시나리오 작가로 일하기도 했다. 2차 세계 대전 때 독일군의 전시 포로가 되었다가 석방되었으며 독일군 점령하의 파리에서 레지스탕스 운동에 가담였다. 나치 비밀 경찰에 체포되어 여러 수용소를 전전하다가 사망했다. 주요 시집으로는 『상喪을 위한 상』, 『재산』이 있으며 자서전적인 소설 『일반적 영역』과 어린이들을 위한 작품 『이야기 노래와 꽃 노래』도 있다.

• 도미에 —— (1808~1879) Honor Victorin Doumier. 프랑스의 화가, 판화가. 사회 풍속 만화를 그리기도 했으며 분노와 고통을 호소하는 민중의 모습을 풍자적인 유머를 담아 그렸다. 서민들의 일상을 담은 유화 · 수채화 연작이 그의 사후에 널리 알려졌다.

• 『도산급문제현록』 —— 조선 시대 퇴계 이황과 그의 문인門人들을 기록한 책. 5권 2책으로 권두경이 간행한 후 후손들이 추가로 자료를 수집해 260여 명의 기록을 실어 재간행했다.

• 도선 국사 —— (827~898) 신라 말의 승려이며 풍수설의 대가. 15세에 출가하여 월유산 화엄사에서 중이 되었다. 유명한 사찰을 다니면서 수행하다가, 곡성 동리산桐裏山의 혜철惠徹에게서 무설설無說說 무법법無法法의 법문을 듣고 오묘한 이치를 깨달았다. 전라남도 광양 백계산 옥룡사玉龍寺에 자리를 잡고 후학

들을 지도하였는데, 언제나 수백 명의 제자들이 모여들었다고 한다.

- 도연명 —— (365~427) 중국 진晋, 송宋 때 시인. 그의 시는 민간 생활을 노래하여 인간미가 있으며 고담枯淡한 풍이 어려 있다. 「귀거래사」는 관직을 버리며 쓴 일종의 퇴관 성명서라 할 수 있다. '호불귀' 는 「귀거래사」의 한 구절로 '어찌 돌아가지 않고 있을 수 있으리요' 라는 뜻이다.
- 동기창 —— (1555~1636) 중국 명나라 말기의 문인, 화가, 서예가. 관리로서 명성과 더불어 문명文名도 높았으며 명말 화단에 큰 영향을 끼쳤다.
- 『동사열전』 —— 우리 나라 역대 고승들의 전기집. 조선 철종 때의 승려 각안覺岸의 저작으로 모두 6권에 걸쳐 「아도화상전阿道和尙傳」, 「원효국사전元曉國師傳」 등 불교사에 큰 자취를 남긴 고승들의 행적을 그려 좋은 연구 자료가 되고 있다.
- 동인 —— (1900~1951) 소설가 김동인. 1919년 우리 나라 최초의 문학 동인지 『창조』 발간하였으며 「배따라기」, 「감자」, 「발가락이 닮았다」 등 단편 소설을 통해 간결하고 현대적인 문체로 문장 혁신에 공헌했다. 이광수의 계몽주의에 맞서 사실주의를 주장했고, 프로 문학에 반대하여 예술지상주의를 표방, 순수 문학 운동을 벌였다. 『광화사』, 『젊은 그들』, 『광염 소나타』, 『운현궁의 봄』 등의 작품이 있으며 6 · 25 사변 중 숙환으로 사망했다.

【ㄹ】

- 로렌스 —— (1885~1930) David Herbert Richards Lawrence. 영국의 작가. 서구 물질 문명의 불모성과 반생명성을 비판하는 작품 경향으로 다양한 평가와 관심의 대상이 되었으며, 문학이 다룰 수 있는 성적 표현의 범위가 어디까지인지 논란을 불러일으키곤 했다. 장편 『채털리 부인의 사랑』, 『아들과 연인』, 『무지개』, 『연애하는 여인들』 외 여러 편의 단편들과 시집, 평론들이 있다.
- 루이 주베 —— (1887~1951) Louis Jouvet. 프랑스의 배우이자 연출가, 무대장치가.
- 릴케 —— (1875~1926) Rainer Maria Rilke. 오스트리아의 시인. 현대 서정시의 빛나는 금자탑이라고 할 수 있는 「두이노의 비가」, 「올포이스에게 바치는 소네트」 등의 작품이 있으며, 독일 산문의 한 전형을 이룩했다고 평가되는 산문

『말테의 수기』가 유명하다.

【ㅁ】

• 마하남 —— 이교도였으나 개종한 석가의 제자.
• 매월당 김시습 —— (1435~1493) 조선조 생육신의 한 사람. 신동으로 이름이 높았으나 세조 즉위 소식을 듣자 승려가 되어 방랑하며 『탕유관서록후지宕遊關西錄後志』, 『산거백영山居百詠』 많은 저술을 남겼다. 후에 환속하였으나 불교·유교 경전을 아우르는 사상과 탁월한 문장으로 일세를 풍미했다.
• 매천 —— (1855~1910) 조선 학자이자 우국지사인 황현黃玹의 호. 어릴 때부터 시문을 잘 지었으며 생원시에 장원했으나 시국을 개탄하고 은거했다. 1910년 한일 합방이 이루어지자 통분하며 절명시絶命詩 네 편을 남기고 자결했다. 사후에 영호남 선비들이 뜻을 모아 『매천집』을 간행했으며, 한말의 역사를 기록한 『매천야록梅泉野錄』은 한국 최근세사 연구에 귀중한 사료가 되고 있다.
• 면암 최익현 —— (1833~1906) 조선 문신, 학자, 의병장. 당백전 발행, 토목 공사로 인한 국민 부담의 가중 등을 들어 대원군에게 상소하였다가 노여움을 사자 은거했다. 이후 다시 등용되었으나 서원 철폐 문제 등 대원군의 정책을 비판하여 대립하다가 유배되기도 했다. 일본과의 통상 반대, 단발령 반대 등 국내외 대소 사건이 있을 때마다 죽음을 무릅쓰고 상소하여 여러 차례 체포, 구금되었다. 1905년 을사 조약이 체결되자 4백여 명의 의병을 이끌고 관군, 일본군에 대항하여 싸우다가 대마도에 유배되어 단식하다가 절명하였다.
• 목련 —— 목건련. 석가의 10대 제자 중 하나. 사리불과 함께 바리사바波離闍婆의 도인에게 도를 배우다가 불교에 귀의하여 부처를 도왔고, 신통神通 제일이라는 명성을 얻었다.
• 『무서록』 —— 소설가이자 수필가인 상허尙虛 이태준李泰俊이 1941년 출간한 수필집. 작가는 1946년 월북하였다.
• 문경공(허조) —— (1369~1439) 조선 문신. 경사經史에 정통했으며 검소한 생활로 신망을 얻었다.
• 문렬공 중봉 조선생 —— (1544~1592) 조선 문신, 의병장인 조헌趙憲. 임진왜란이 일어나자 의병을 일으켜 청주를 수복했으나 그들의 전공을 시기하는 관군

의 방해로 뿔뿔이 흩어지고, 겨우 7백여 명의 의병들과 금산에서 응전했으나 함께 전사했다. 이이李珥의 문인門人 중 가장 뛰어난 학자로 이이의 학문을 계승, 발전시켰다.

• 문성공 —— (1243~1306) 고려 때 명신이자 학자인 안유安裕의 시호. 안향安珦으로 더 잘 알려져 있다. 우리 나라에 유학이 크게 떨치게 된 계기를 만들었으며, 우리 나라 최초의 주자학자로 지칭된다.

• 『문예』 —— 1949년 8월 1일 창간된 순수 문예지. 발행인 모윤숙, 편집인 김동리. 출발부터 순수 문학을 옹호했고 민족 문학 확립을 지향했다. 6·25 전후 유일한 문예지로 각광받았으나 1954년 종간했다.

• 미불 —— (1051~1107) 중국 북송의 서예가 화가. 수묵화뿐만 아니라 서書·시詩·고미술에 대한 조예도 깊었고, 채양蔡襄·소식蘇軾·황정견黃庭堅과 함께 송의 4대가로 불리며 왕희지의 서풍書風을 이었다.

• 미암 유희춘 —— (1513~1577) 조선 문신. 경사經史에 밝고 성리학에 조예가 깊었다. 저서 『미암 일기』에 기록한 1568~1577년의 공사公私 경력은 귀중한 사료史料가 되고 있다.

〖ㅂ〗

• 바슐라르 —— (1884~1962) Gaston Bachelard. 프랑스의 철학자. 물리학 교수를 거쳐 오랫동안 소르본에서 역사와 과학을 강의했다. 비판적, 합리주의적 시도와 일련의 '상상의 형이상학' 의 시도 등 독자적이며 정신분석적 방법에 의한 진리 탐구로 젊은 시인들과 비평가들에게 많은 영향을 주었다. 후년에는 시적 이미지의 현상학적 주해를 주축으로 하여 '시인의 창조적 의식과 교류' 를 밝혀내려 애썼다.

• 박경리 —— (1926~) 소설가. 1969년 민족의 역사를 관통하는 장대한 소설 『토지』를 집필하기 시작, 1994년 전5부 16권으로 탈고하였다. 『김약국의 딸들』, 『파시』, 『내 마음은 호수』 등의 작품이 있다.

• 박두진 —— (1916~1998) 시인. 호는 혜산兮山. 정지용의 추천으로 『문장』에 「향현香峴」, 「묘지송」, 「낙엽송」, 「의蟻」, 「들국화」 등을 발표하면서 등단했다. 조지훈, 박목월과 함께 청록파의 일원이었으며 『청록집』, 『해』, 『사도행전』, 『수

석열전』, 『예레미야의 노래』, 『돌과의 사랑』 등의 시집이 있다.

• 박목월 —— (1917~1978) 시인. 『문장』에 시가 추천되어 등단하였다. 저서로 『문학의 기술』, 『실용 문장 대백과』 등이 있으며, 시집으로는 『청록집』, 『무순』 등이 있다.

• 박성룡 —— (1932~) 시인. 『문학 예술』에 「화병정경花瓶情景」, 「교외郊外」 등이 추천되어 등단하였으며 박희진, 박재삼 등과 함께 『60년대 사화집』 동인으로 활동하였다. 시집 『가을에 잃어버린 것들』, 『춘하추동』, 『동백꽃』, 『휘파람새』 등이 있다.

• 박순 —— (1523~1589) 조선 문신, 학자. 호는 사암思菴. 시 · 문 · 서에 뛰어났으며 송설체松雪體를 잘 썼다. 저서로 『사암집』이 있다.

• 박연암 —— (1737~1805) 조선 실학자, 소설가 박지원朴趾源. 그의 『열하 일기』는 당시 보수 세력에게 비난을 받았으나 정치 · 경제 · 천문 · 문학 등 각 방면에 걸쳐 청나라 문물을 소개한 대표작이다.

• 박용래 —— (1925~1981) 시인. 시 「가을의 노래」, 「황토길」, 「땅」 등이 『현대 문학』에 추천되어 등단하였다. 「엉겅퀴」, 「코스모스」, 「저녁 눈」, 「울타리 밖에서」 등 많은 작품을 발표하였으며 향토적인 정서를 시적 여과를 통하여 간결하고 섬세하게 표현함으로써 한국 현대 시의 한 갈래를 형성하였다.

• 박재삼 —— (1933~1997) 시인. 『문예』에 시조 「강물에서」가 추천, 『현대 문학』에 시 「정적靜寂」, 시조 「섭리攝理」가 추천되어 등단하였다. 시집으로는 『춘향이 마음』, 『햇빛 속에서』, 『천년의 바람』, 『어린것들 옆에서』, 등이 있다.

• 박제천 —— (1945~) 시인. 『현대 문학』을 통하여 등단했다. 시집으로는 『장자시』, 『심법』, 『어둠보다 멀리』, 『달은 즈믄 가람에』 등이 있다.

• 박희진 —— (1931~) 시인. 『문학 예술』을 통해 등단했다. 작품으로는 『허』, 「실내악」, 「청동 시대」, 「미소하는 침묵」, 「서울의 로빈슨 크루소」 등이 있다.

• 발레리 —— (1871~1945) Paul Valéry. 프랑스의 시인, 비평가, 사상가. 말라르메의 순수시 지향을 계승하고, 전통적 시법의 고전적 규칙을 엄수하여 영감보다 의식을 상위에 놓고 완벽을 추구하는 작품을 썼다. 시구의 음악성을 중시하고 교치巧緻를 궁극까지 끌어올린 예술가이자, 지성의 시인, 근대 상징주의 시인으로, 20세기 서정시의 정점을 이루었다는 평가를 받는다. 장시 「젊은 파르크」, 시

집 『매혹』 등의 작품이 있다.

• 방인근 —— (1898~1975) 소설가. 호는 춘해春海. 종합 문예 월간지 『조선 문단』을 간행하여 문단 육성에 기여하였다. 초기에 「하늘과 바다」 같은 시와 「분투」 등 창작 단편, 평론 등도 썼으나 30년대에 대중 작가로 인기를 끌게 되자 통속으로 흘러 뚜렷한 작품을 내지 못하였다. 장편 작품으로 『마도魔都의 향불』, 『인생 극장』 등이 있다.

• 배인환 —— (1940~　) 시인. 『현대 시학』을 통하여 등단했다. 작품으로는 「먼지」, 「길잡이」, 「외눈 안경알」, 「하늘에서 숲에 비를 뿌리듯」 등이 있다.

• 백농 최규동 —— (1882~1950) 교육자. 교사로 활동하다가 1918년 중동中東학교를 설립하였고, 1947년 조선 전기공업중학교를 설립하였다. 1949년 서울대 총장에 취임하였으며 6 · 25 때 납북되어 사망하였다.

• 백영수 —— 1947년 7월에 창립한 서양화가 단체 신사실파新寫實派의 한 사람. 당시로서는 비교적 혁신적인 화풍을 드러내었을 뿐만 아니라 오늘날도 추상 회화를 포함한 우리 나라 현대 미술의 전개에 크게 영향을 미쳤다는 평가를 받고 있다.

• 『백조』 —— 1922년 1월 9일에 창간된 순문학 동인지. 편집인 홍사용, 발행인 아펜셀러. 박종화, 현진건, 이상화, 나도향 등이 동인으로 참가했다. 이 잡지는 통권 3호로 끝났으며, 망국한과 애수, 자포자기적인 영탄의 경향이 강했다.

• 백파 —— (1767~1852) 조선 말기의 승려. 속세의 이름은 이긍선. 12세 때 선운사에 들어가 승려가 되었으며 귀암사에서 회정懷淨의 법통을 이어받았다. 백암산 운문암에서 당을 열자 학인學人이 100여 명에 이르렀다고 한다. 당시 불교계에서는 그를 선문禪門 중흥의 종주로 추앙하였으며, 현재 선운사에 김정희가 쓴 비가 남아 있다.

• 번암 채제공 —— (1720~1799) 조선 문신. 신서파信西派의 영수로 천주교 신봉의 묵인을 주장했으며, 공서파功西派에 의해 여러 번 삭직, 유배 등의 처벌을 받았으나 정조의 특별한 신임으로 다시 등용되었다. 천주교 처리 문제를 위임받아 온건책을 유지하였다.

• 범대순 —— (1930~　) 시인. 작품으로는 「흑인 고수 루이의 북」, 「이방에서 노자를 읽다」 등이 있으며 역서 『현대 영미 시론』, 『오든 시집』, 『스펜더 시집』 등

이 있다.

• 범부 선생 —— (1897~1966) 동양 철학자이자 한학자인 김범부. 본명은 김정설金鼎卨. 소설가 김동리의 형. 일본에서 동양 철학을 전공하고 동서양 철학을 비교 연구하였다. 귀국한 후 광복까지 산사에서 불교 철학 연구에 몰두하였으며 제2대 국회 의원에 당선되기도 했다. 계림대학, 동방사상연구소를 세워 동양 철학, 한학 등을 강의하였다. 시주詩酒를 즐기고 청백淸白했다.

• 벽암 —— (1575~1660) 조선의 승병장, 선승 각성覺性의 호. 임진왜란 때 해전에 참여하였으며, 남한산성을 쌓을 때 승군을 이끌고 3년 만에 성을 완성하였다. 수행에 통달하였고, 한국 불교의 정통성을 깊이 익혀 정혜쌍수定慧雙修, 교관겸수敎觀兼修를 실천하여 많은 사람들을 교화하였다. 저서로 『선원집도중결의禪源集圖中決疑』, 『간화결의看話決疑』, 『석문상의초釋門尙儀抄』가 있다.

• 『벽암록』 —— 중국 송대의 불서佛書. 정확하게는 『불과환오선사벽암록佛果圜悟禪師壁巖錄』이라고 한다. 선종의 공안집公案集으로 10권으로 되어 있으며 설두중현雪竇重顯이 『전등록』 1700칙 가운데서 100칙을 골라 하나하나 게송을 달고, 또한 불과환오佛果圜悟가 각칙에 수시垂示 · 착어著語 · 평창評唱을 덧붙여 이루어졌다. 환오의 제자에 의해 편찬 간행된 뒤 중국과 우리 나라, 일본에서 여러 차례 간행되었으며, 선종에서 가장 중요한 전적典籍으로 받들어진다.

• 변상도 —— 석존 등의 불교 설화, 정토, 지옥의 모습 등을 주제로 한 그림. 중생을 제도하기 위하여 진상을 변화시켜 그렸기 때문에 변상도라고 한다.

• 보들레르 —— (1821~1867) Charles Baudelaire. 프랑스 시인. 낭만주의 시대의 한복판에서 자라나, 그 모든 투쟁의 갈피를 샅샅이 살아온 보들레르는, 사치스러운 독백을 통해 자기들의 불안을 발산시킨 낭만파 시인들과는 달리 '마음의 참회소' 를 마련하고 거기서 자기의 내심의 왕국을 탐구했다. 대표작 『악의 꽃』 외에 날카로운 비평 감각을 보여준 『낭만파 예술』, 『심미적 호기심』 등의 저서가 있다.

• 보재 이상설 —— (1871~1917) 독립 운동가. 을사 조약 폐기를 주장, 헤이그 만국 평의회 참석을 노렸으나 거부당했다. 한일 합방 후에는 일제의 부당성을 알리는 성명서를 각국에 발송하다가 투옥되었다. 해외에서 교포의 계몽과 산업 발전에 공헌했다.

• 본느푸아 —— (1913~) Yves Bonnefoy. 프랑스의 시인. 서정적이고 바로크식인 그의 시에는 보들레르, 말라르메, 발레리 등의 영향이 많이 나타나 있으며, 장중한 어조와 죽음에 대한 집념, 고전적 선율감 등이 그의 시의 특징을 이루고 있다. 시집 『두브 강의 운동과 부동』, 수필집 『있음직하지 않은 것』 등이 있다.
• 부루나 —— 석가의 10대 제자 중 하나. 설법 제일로 일컬어졌다.
• 북지 사변 —— 1939년 7월 7일 화북에서 중국군과 일본군 사이에 시작된 전쟁.
• 비로전 —— 지덕의 빛으로 온 세상을 두루 비춘다는 비로자나불毘盧遮那佛을 모신 법당.

【ㅅ】

• 사가 서거정 —— (1420~1488) 조선 문신, 학자. 문장과 글씨에 능했으며 성리학을 비롯하여 천문, 지리, 의학에 이르기까지 정통하였다. 또한 시화詩話의 백미인 『동인시화』와 『동문선』 등을 통해 신라 이래 조선 초기에 이르는 시문을 선집, 한문학을 대성했다.
• 사루마다 —— さるまた. 남자용 속옷. 팬츠.
• 사명 —— (1544~1610) 조선 시대의 승병장 유정. 서산 대사의 법을 이어 받았으며 임진왜란 당시 승병을 이끌고 각지에서 왜군을 격파했다. 후에 일본으로 건너가 토쿠가와 이에야스를 만나 강화를 맺었다.
• 사천하 —— 불교에서, 수미산 사방에 있다고 하는 4개의 대주大洲.
• 산정 서세옥 —— (1929~) 해방 이후 제1세대의 대표적인 동양화가. 1960년 기성 동양화단에 대한 도전으로 그룹 묵림회를 창립하여 동양화의 현대화 작업을 모색했다.
• 삼구외 —— (1862~1922) 모리 오가이森鷗外. 소설가이며 군의관. 나츠메 소세키와 함께 메이지 문학의 쌍벽을 이룬다. 많은 부하를 죽게 한 죄책감을 이기지 못하고 메이지 천황을 뒤따라 죽은 노기 장군 부처의 사건에 영향을 받아 역사 소설을 썼으며 그중 유명한 것이 『아베 일족阿部一族』이다.
• 『삼대목』 —— 신라 제51대 진성여왕 때 각간角干 위홍魏弘과 대구大矩 화상이 엮은 향가집. 『삼국사기』 「신라본기」에 이 책에 대한 기록만 실려 있고 지금은

전하지 않는다.

• 삼마 —— 글쓴이의 유모로, 경상도식으로 싸마라고 부르곤 했다.

• 『새소년』 —— '꿈과 용기와 실력을 키워주는 잡지' 라는 슬로건을 내걸고 출간된 어린이 잡지. 1964년 5월 새소년사에서 창간하였다.

• 서산 —— (1520~1604) 조선 시대의 승려, 승병장 휴정. 임진왜란이 일어나자 노구를 이끌고 승병을 모집, 한양 수복에 공을 세웠다. 이후 유정에게 승병을 맡기고 묘향산에서 여생을 보냈다. 유 · 불 · 선이 궁극적으로 일치한다고 주장하여 삼교 통합론의 기초를 이루었다.

• 서애 유공 —— (1542~1607) 조선 문신, 학자 유성룡. 임진왜란 당시 군무를 총괄, 이순신 · 권율 등을 등용했으며, 군대 양성을 역설하여 훈련도감을 설치, 운용하기도 했다. 도학, 문장, 덕행, 글씨로 이름을 떨쳤다.

• 서정주 —— (1915~) 시인. 호는 미당未堂, 궁발窮髮. 1936년 동아일보 신춘문예에 시 「벽」이 당선되어 등단하였다. 시집으로 『화사집』, 『귀촉도』, 『신라초』, 『동천』, 『질마재 신화』, 『늙은 떠돌이의 시』, 『국화 옆에서』, 『이런 나라를 아시나요』 등 다수의 시집이 있다.

• 서하 거사 김성원 —— 조선 선조 때의 학자. 『서하당 전집』이라는 유고집이 있으며 부록으로 '식영정십이영', 정철의 『성산별곡』과 단가들이 수록되어 있다.

• 서화담 —— (1489~1546) 조선 학자 서경덕. 화담은 호. 이기일원론理氣一元論을 주장했으며, 성리학 · 수학 · 역학 · 도학 연구로 일생을 보냈다. 박연 폭포, 황진이와 더불어 송도 삼절로 불린다.

• 석봉 한공 수 —— (1514~1588) 조선 학자. 이황의 문인. 조식, 이항 등과 치국의 도리와 학문의 진흥을 건의하여 왕의 예우를 받았다. 시문집이 있었으나 소실되고, 시 20여 수만이 전한다.

• 석전 —— (1870~1984) 승려 정호鼎鎬의 호. 성은 박朴. 한용운, 진진응 등과 함께 일본 조동종曹洞宗과 연합하는 것을 막았다. 시문에 능했다. 화엄종주華嚴宗主로 불린다.

• 석파 —— (1820~1898) 조선 말기의 정치가이자 서화가였던 흥선대원군 이하응李昰應을 말한다. 서화는 스승인 추사의 필풍筆風에 버금가는 실력을 보였으며, 특히 난蘭을 전사專寫하여 석파란石坡蘭으로 이름을 날렸다. 서書는 예서隷

書에 뛰어나 난과 더불어 쌍미雙美하다고 알려져 있다.

- 선묘 여인 —— 의상 조사에게 지고지순한 사랑을 바쳤다는 당나라 여인이다. 용이 되어 줄곧 의상을 호위하고 다니다가 바위로 변하여 절을 세울 수 있도록 도둑 무리를 몰아냈다고 한다. 의상은 그 일을 기려 절 이름을 부석사浮石寺로 지었으며 현재 부석사 무량수전 뒤에 있는 부석이라는 바위가 당시의 바위라고 전해진다.
- 성달생 —— (1376~1444) 조선 무신. 태종의 잠저潛邸 때부터 총애를 받았으며 그가 세자에 책봉되자 중히 등용되었고 잦은 왜구의 침략을 격퇴하는 등 공을 세웠다. 서찰을 특히 잘 썼다.
- 성찬경 —— (1930~) 시인. 『문학 예술』을 통하여 등단했다. 『반투명』, 『묵극』 등의 시집을 펴냈다
- 성청송 —— (1493~1564) 조선 학자 성수침. 청송은 호. 글씨를 잘 써 이름이 높았으며 문하에서 많은 석학이 배출되었다.
- 성춘복 —— (1936~) 시인. 『현대 문학』을 통해 등단했다. 작품으로는 「나를 떠나보내는 강가엔」, 「오지행」, 「그리운 죄 하나만으로도 나는」 등이 있다.
- 세잔느 —— (1839~1906) 프랑스의 화가. 어린 시절 에밀 졸라를 만나 많은 영향을 받았다. 초기에는 인상파 운동에 적극 참여하였으나 곧 거친 터치로 독자적인 화풍을 개척, 후일 야수파와 입체파에 큰 영향을 끼쳤다.
- 소당 —— (1831~1915) 서도가 김석준金奭準. 북조풍北朝風 예서를 잘 썼고 지두서指頭書에 뛰어났다.
- 소동파 —— (1036~1101) 중국 송나라 때 시인. 문장도 당송 팔대가唐宋八大家의 한 사람이다. 시문서화에 훌륭한 작품을 남겼으며 『적벽부赤壁賦』는 불후의 명작으로 남아 있다.
- 소치 —— (1809~1892) 조선 서화가 허유許維의 호. 후에 연鍊으로 개명하였다. 글, 그림, 글씨를 모두 잘 하여 삼절三絶이라 지칭되었다. 완당을 사사하고 원법元法을 비롯한 전대 명인들의 진적眞蹟을 익혔으며, 산수山水, 화훼花卉, 석죽石竹 등 다양한 소재를 그렸다.
- 소한진 —— (1936~) 시인. 작품으로 「비영상의 미학」, 「아이」, 「부챗살 속의 바다」, 「기억의 바다로 떠나는 겨울 여행」 등이 있다.

• 손기섭 —— (1928~) 의학 박사이자 시인. 『한국 문학』을 통하여 등단하였다. 작품으로는 「현신」, 「화병의 꽃」, 「고개 위에서」 등이 있다.

• 손소희 —— (1917~1986) 소설가. 초기 작품들은 애정 문제와 일제 치하의 민족 의식 등을 주로 다루었다. 창작집으로는 『이라기』, 『창포 필 무렵』, 장편 『태양의 계곡』, 『태양의 시』 등이 있다. 임옥인林玉仁, 최정희崔貞熙와 함께 여성 수난의 주제를 심화시킨 중요한 작가로 자리매김 되고 있다. 작가 김동리의 부인이다.

• 손창섭 —— (1922~) 소설가. 사실적 필치로 이상異常 인격의 인간형을 그려내 1950년대의 불안한 상황을 드러냈다. 주요 작품에 단편 「미해결의 장」, 「인간동물원초」, 장편 『낙서족』 등이 있다.

• 송면앙 —— (1493~1583) 조선 문신. 강호가도江湖歌道의 선구자로 황진이와 함께 시조 문학의 정수를 계승하여 명작을 남겼다. 저서에 『기촌집企村集』, 『면앙집俛仰集』이 있고 작품으로 「면앙정가」가 있다.

• 송시열 —— (1607~1689) 조선 학자. 호는 우암尤庵. 노론老論의 영수. 일생을 주자학 연구에 몰두했으며 이이의 학통을 계승, 기호학파의 주류를 이루었다. 뛰어난 학식으로 많은 학자를 길러냈다.

• 송욱 —— (1925~1980) 시인, 영문학자. 시 「장미」, 「비 오는 창」이 『문예』에 추천되면서 등단했다. 영미 주지주의의 영향을 받은 문제시 「하여지향何如之鄕」으로 주목받았으며, 시집 『하여지향』, 『월정가月精歌』와 『시학 평전』, 『문학평전』 등의 저서가 있다.

• 송준길 —— (1606~1672) 조선 문신. 학자. 호는 동춘당同春堂. 예학에 밝았고, 이이의 학설을 지지했다. 문장과 글씨에도 능했다. 시호는 문정文正.

• 수경 선생 —— 은사隱士 사마휘司馬徽. 유비가 군사軍師를 천거해달라고 청했을 때 방통과 제갈공명을 추천해주었다.

• 수보리 —— 석가의 10대 제자 중 하나. 사위성의 장자. 천성이 자비하였으며 출가해서 선업을 쌓았다. 반야의 공리空理를 설법하여 해공解空 제일이라 평을 얻었다.

• 수주 변영로 —— (1898~1961) 시인. 신문학 초창기에 『폐허』 동인으로 등단하였다. 『개벽』을 통해 해학이 넘치는 수필과 발자크 작품 번역 등을 발표했다.

「논개」, 「사벽송四壁頌」, 「조선의 마음」 등이 잘 알려져 있다. 대주호大酒豪로 유명했다.

- 쉬페르비엘 —— (1884~1960) Jules Supervielle. 프랑스의 시인. 남미 우루과이의 수도 몬테비데오에서 출생. 파리에서 학교를 마쳤으나 2차 대전 중에 우루과이로 돌아가 작품을 발표하였다. 「슬픈 유머」로 주목받기 시작하였으며 쉬르레알리즘의 영향을 받았으나 항상 우주적이고 신화적인 자기 입장을 고수했다. 「불행한 프랑스」 외에 「밤에게 바친다」, 「잊기 쉬운 기억」 등의 작품을 발표했으며, 희곡 『숲의 미녀』, 소설 『노아의 방주』 등을 썼다.
- 『신동아』 —— 1931년 11월에 동아일보사에서 창간한 종합 월간지. '일장기 말살 사건' 으로 폐간되었으나 1964년 9월 복간, 하였다.
- 신석정 —— (1907~1974) 시인. 『조선일보』에 시 「기우는 해」를, 『시 문학』에 시 「선물」을 발표한 이후 『시 문학』 동인으로 본격적인 작품 활동을 시작했다. 시집으로 『촛불』, 『슬픈 목가』, 『빙하』 등이 있다.
- 신석초 —— (1915~1975) 시인. 카프에 가입한 적도 있으나 곧 탈퇴하였다. 『신조선』을 편집하기도 했으며 김광균, 이육사, 윤곤강 등과 함께 『자오선』 동인으로 활동하였다. 시집으로 『석초 시집』, 『바라춤』, 『폭풍의 노래』, 『처용은 말한다』, 『수유동운水踰洞韻』 등이 있다.
- 신연철 —— (1930~) 성균관대 명예 교수. 중국 근세사를 전공했다.
- 신재 주세붕 —— (1495~1554) 조선 문신, 학자. 우리 나라 최초의 서원인 백운동 서원(소수 서원)을 세웠다. 청백리로 인정받았으며 「태평곡太平曲」 등의 장가長歌와 「군자가君子歌」 등의 단가 8수가 전해진다.
- 『신천지』 —— 1946년 1월 15일 서울신문사 출판국이 발행한 종합 월간지. 1949년부터는 발행인이 박종화로 바뀌었으며, 6 · 25 때는 김동리 주재로 발간되었다가 1954년 종간됐다.
- 신헌 —— (1810~1888) 조선 무신. 초명은 관호觀浩. 글씨에 뛰어나 예서를 잘 썼으며, 문장에 뛰어났고 묵란墨蘭을 잘 그렸다.
- 『심상』 —— 1973년 10월에 창간된 시 전문지. 초기 편집인 겸 발행인은 박목월. 박남수, 김종길, 이형기, 김광림 등이 기획에 참여했다.
- 심훈 —— (1901~1936) 본명 심대섭沈大燮. 시인, 소설가. 『동아일보』에 「탈

춤」을 발표. 『동아일보』 창간 15주년 기념 현상 공모에서 『상록수』가 당선되었다. 시집으로 『그날이 오면』이 있다.

• 쓰메에리 —— つめえり. 스탠드 칼라의 학생복처럼 생긴 양복을 이른다.

【ㅇ】

• 아사타 —— 인도의 선인. 석가모니가 태어났을 때 속세에 있으면 전륜성왕이 되고 출가하면 부처가 될 것이라고 예언했다고 한다.
• 아승 겁 —— 무량겁無量劫. 무한한 시간을 이름.
• 안병주 —— (1933~) 성균관대 명예 교수. 동양 철학 전공.
• 안재홍 —— (1891~1965) 정치가, 독립 운동가. 해방 후 미 군정청 민정 장관을 역임했으며 제2대 국회 의원에 당선되었으나 6 · 25 때 납북되어 평양에서 죽었다.
• 안진경 —— (709~784) 중국 당나라 때 서예의 대가. 남성적 박력 속에 균제미均齊美를 발휘한 글씨로 당대 이후 중국 서도를 지배했다.
• 안평대군 —— (1418~1453) 조선조 세종의 3남. 서예가. 시문에 뛰어난 당대 명필로 그림과 가야금에도 일가를 이루었다.
• 안회 —— 공자의 제자. 자는 연淵. 공자가 가장 신임했던 제자로, 학문과 도덕이 높아 공자도 그 뛰어남을 칭송했다. 또 가난한 생활을 이겨내고 도道를 즐겼으므로 장자와 같은 도가에서도 높이 평가되었다. 『논어』에 '안연 편'이 있다.
• 암서헌 —— 도산 서원에서 퇴계가 학문을 연구한 방은 완락재이며 제자를 가르쳤던 마루가 암서헌이다. 바위에 기대어 조그마한 효험이라도 바란다는, 학문에 대한 겸손의 뜻이 담겨져 있다고 한다.
• 암파문고 —— 일본의 출판인 이와나미 시게오岩波茂雄(1881~1946)가 만든 출판사이자 유명한 기획 시리즈 물인 이와나미 문고. 나츠메 소세키의 『마음』을 첫 출간하였다.
• 야석 박희선 —— (1923~1998) 원로 시인이자 독립 운동가. 후학을 지도하는 한편, 『선의 탐구』, 『에세이 반야심경』, 『금강경』 등 많은 불교 서적을 펴내며 수행에 몰두했다.
• 야은 길재 —— (1353~1419) 고려 말, 조선 초의 학자. 포은 정몽주, 목은 이색

과 함께 삼은三隱으로 일컬어진다. 조선 건국 뒤에 친교가 있던 이방원의 천거로 태상 박사가 되었으나 두 왕조를 섬길 수 없다 하여 거절하고 후진 양성에만 전념했다. 특히 김숙자金叔滋에게 성리학을 사사, 김종직, 김굉필, 조광조를 잇는 학통을 이루었다.

• 약천 남공 —— (1629~1711) 조선 문신 남구만南九萬. 약천은 호. 문사文詞, 서화에 뛰어났으며, 시조 「동창이 밝았느냐」가 전한다.

• 양관삼곡 —— 원이元二가 안서安西 지방의 사신이 되어 떠날 때 왕유王維가 지어서 부른 시로, 전轉하여 송별의 시로 불린다.

• 양봉래 —— (1517~1584) 조선 시대 문인, 서예가 양사언楊士彥. 자연을 사랑하여 지방관을 자청하여 두루 역임하였으며, 금강산 만폭동에 '봉래풍악 원화동천' 이 새겨진 바위가 남아 있다. 초서와 큰 글자에 능하였고, 안평대군 · 김구金絿 · 한호와 더불어 조선 전기 4대 서예가로 불렸다.

• 양송천 —— (1519~?) 조선 문인 양응정梁應鼎. 송천은 호. 시문에 뛰어났고, 효행으로 정문旌門이 세워졌다.

• 어효선 —— (1925~) 아동 문학가. 호는 난정蘭丁. 작품으로는 「어린이 노래」, 「봄 오는 소리」, 「우리들이 모여서」, 「인형의 눈물」, 「조그만 꽃씨」, 「파란 마음 하얀 마음」 등이 있다.

• 엘리어트 —— (1888 ~ 1965) Thomas Stearns Eliot. 시인이자 평론가이며 극작가. 문학 석사 학위를 취득한 뒤 프랑스 문학과 철학, 형이상학, 논리학, 심리학, 종교학 등을 연구했다. 1927년 영국으로 귀화했고, 1948년 노벨 문학상을 수상했다. 작품으로는 뮤지컬 「캐츠」의 모태가 된 「실용적인 고양이들에 대한 늙은 주머니쥐의 책」 외에 「프루프록의 사랑 노래」, 「황무지」 등이 있으며 수필집 『랜슬롯 앤드루즈를 위해』, 시집 『네 개의 사중주』, 드라마 「성당의 살인」, 「가족 재회」, 「칵테일 파티」 등이 있다.

• 여운형 —— (1885~1947) 독립 운동가, 정치가. 일생을 독립을 위해 헌신했다. 해방 후 좌익 단체 연합을 결성하였으나 지나친 좌경을 반대하고, 탈퇴하여 좌파 온건 세력을 규합 정치 활동을 하다가 암살되었다.

• 연담 유일 —— (1720~1799) 조선 승려. 동문同門의 상언尙彥과 함께 선교禪敎의 대장大匠이다.

• 연포 —— (1906~1974) 시인이자 영문학자인 이하윤異河潤의 호. 정인섭, 김진섭 등과 해외문학연구회를 만들어 동인으로 활동했으며 김진섭, 서항석, 유치진 등과 극예술연구회를 만들어 활동했다. 저서로는 시집 『물레방아』, 번역 시집 『실향失鄕의 화원』, 『불란서 시선』, 시화집 『현대 서정시선』 등이 있다.

• 『염송』 —— 『선문염송집禪門拈頌集』. 고려 때 승려 무의자無衣子 혜심慧諶이 편집한 불서. 우리 나라 선적禪籍 중 가장 오래되고 규모가 큰 것으로 알려져 있다.

• 염유 —— 공자의 제자 염구冉求. 자는 자유子有. 성품이 온순하고 재예才藝가 있었다. 공문孔門 십철로 불린다.

• 영규 —— (?~1592) 조선 중기의 승병장. 임진왜란 당시 500명의 승병을 모아 의병장 조헌과 함께 청주를 수복하고, 금산에서 왜군과 격전 끝에 순국했다.

• 영재 —— (1852~1898) 조선 문신이자 학자인 이건창李建昌의 호. 청나라에 갔을 때 문장으로 이름을 떨쳤으며, 글씨에 뛰어났고 고문古文에 능했다. 그의 저서 『당의통략黨議通略』은 공정한 입장에서 당쟁의 원인과 전개 과정을 그린 것으로 당쟁사 연구에 많은 자료를 제공하고 있다.

• 예용해 —— (1929~1995) 언론인이자 문화재위원 역임.

• 오규원 —— (1941~) 시인. 『현대 문학』에 「우계雨季의 시詩」, 「몇 개의 현상現像」 등이 추천되어 등단했다. 시집으로 『분명한 사건』, 『순례』, 『사랑의 기교』, 『왕자가 아닌 한 아이에게』 등이 있다.

• 오시이레 —— おしいれ. 큰방에 붙여 물건을 넣어두게 만든 방. 반침.

• 오영수 —— (1914~1980) 소설가. 호는 월주月洲. 『백민』, 『신천지』에 시와 소설을 발표하면서 작품 활동을 시작, 1950년 서울신문에 단편 「머루」가 당선되면서 본격적으로 활동했다. 서민층 생활의 애환을 애정을 가지고 다루었으며 인간성 회복과 따사로운 인정을 강조하였다. 창작집 『갯마을』, 『메아리』 등을 비롯 다수의 작품이 있다.

• 오옥진 —— 무형문화재 각자장 예능 보유자.

• 오원 —— (1843~1897) 조선 화가 장승업張承業의 호. 어깨 너머로 그림을 배워 조선 말기를 대표하는 뛰어난 화가가 되었다. 절지折枝, 기완器玩, 산수, 인물 등을 주로 그렸으며 필치가 호방하고 대담하면서도 소탈하였다. 안견, 김홍도와

함께 조선의 3대 화가로 일컬어진다.

- 오유권 —— (1928~) 소설가. 단편 「두 나그네」가 『현대 문학』에 추천되어 등단하였다. 농촌의 생리와 토속적인 세계를 주로 다루고 있는 작가로 『황량한 촌락』, 『대지의 학대』, 『너와 나의 정점』, 『공황』, 『민촌 마을』 등의 작품이 있다.
- 오정희 —— (1947~) 소설가. 「완구점 여인」이 중앙일보 신춘 문예에 당선되면서 등단하였다. 섬뜩함과 아름다움이라는 두 단어가 오정희의 작품 세계를 이룬다는 평을 받는다. 『불의 강』, 『유년의 뜰』, 『바람의 넋』 등의 작품집이 있다.
- 오창석 —— (1844~1927) 청대 말기부터 민국에 걸쳐서 중국의 서화 전각계에서 제1인자로 존중되고 나아가서 한국에도 많은 신봉자를 갖고 있는 작가. 최초에 이름을 준俊이라 했고 69세 때에 자인 창석昌碩을 이름으로 바꾸었다. 전각은 독학으로 익혔으며, 서삼경, 오양지 등의 선인들을 모방했다. 고인古印, 봉니封泥, 금문金文 등을 비롯해서 모든 자료를 찾아다니며 수학하였다.
- 오탁 —— 불교에서 말하는 세상의 다섯 가지 더러움. 명탁命濁, 중생탁衆生濁, 견탁見濁, 겁탁劫濁, 번뇌탁煩惱濁.
- 옥봉 백광훈 —— (1537~1582) 조선 시인. 어려서부터 시재詩才가 있었으며 벼슬에 뜻이 없어 산수를 즐기며 시서詩書에 열중했다. 최경창崔慶昌, 이달李達 등과 함께 조선에서는 처음으로 성당盛唐의 시풍에 들었다 하여 삼당三唐으로 불렸다. 명필로 유명했는데, 특히 영화체永和體에 빼어났다.
- 옹방강 —— (1733~1818) 호는 소재蘇齋. 중국의 대학자. 추사 김정희가 아버지를 따라 연경에 갔을 때 교류가 돈독했다.
- 와리쓰께 —— わりつけ. 인쇄물의 완성 후를 생각해서 미리 글자 크기, 자수, 사진 위치 등을 지정하는 일. 레이아웃.
- 왕소군 —— (생몰 연도 미상) 중국 전한前漢 시대 원제元帝(재위 BC 49~33)의 후궁. 황제의 사랑을 받지 못하고 흉노와의 정략 결혼의 제물이 되었다. 후한後漢의 『서경잡기西京雜記』에 의하면 후궁들이 화공畵工에게 뇌물을 주고 아름답게 초상을 그려 황제에게 바쳐 총애를 구하였으나 왕소군은 뇌물을 바치지 않았기에 얼굴이 추하게 그려졌고, 그 때문에 오랑캐와 정략 결혼할 사람으로 뽑혔다고 한다. 왕소군이 떠나는 날 원제가 보니 천하의 절색이라 후회하였으나 이미 돌이킬 수 없는 일이었으며, 이에 원제가 크게 노하여 그림을 그려 바친 화공을

참형에 처했다는 유명한 일화가 전한다.

- 왕탁 —— (1592~1652) 중국 명말 청초의 문인, 화가. 특히 서書 중에서도 초서에 뛰어나 정열, 의기에 넘치는 글씨를 남겼다.
- 왕헌지 —— (344~388) 중국 진晋나라 때의 서가書家. 명필 왕희지의 일곱째 아들이며 부친의 서법書法을 전수받아 호기 있는 서풍을 완성했다. 부친을 대왕, 아들을 소왕으로 부르고, 이왕二王 또는 희헌으로 병칭하여 서書의 표준으로 받든다.
- 왕희지 —— (307~365) 중국 동진東晋의 서가. 중국 고금의 첫째 가는 서성書聖으로 추앙받는다. 초서, 해서, 행서의 각 서체를 완성하여 예술로서의 서예의 지위를 확립하였다.
- 우봉 —— (1797~1859) 조선 서화가 조희룡趙熙龍의 호. 시문에 뛰어났으며 박태성 등 41인의 전기를 수록한 『호산외사壺山外史』를 편찬했다. 김정희의 추사체에 능했다. 추사의 필법을 배워 서와 난은 흡사하나 매죽梅竹과 산수는 뛰어난 자기 세계를 개척하였다. 특히 매화의 그림을 잘 그렸다.
- 우탁 —— (1263~1342) 고려 학자. 민심을 현혹하는 요신妖神의 사당을 폐하고 충선왕의 허물을 극간하는 등 강직한 성품을 지녔으며, 경사經史와 역학, 복서卜筮에도 통했다.
- 운곡 원천석 —— (생몰 연도 미상) 고려 때 은사隱士. 고려 말 정계가 문란함을 보고 치악산에 들어가 농사를 지으며 부모를 봉양하는 한편, 이색 등과 교제하면서 시사時事를 한탄했다. 일찍이 이방원을 가르친 일이 있어 조선 건국 이후 태종이 즉위하자 자주 등용되었으나 응하지 않았다. 망국 고려를 회고한 시조 1수가 전하며, 야사野史 6권을 집필했으나 증손 때 국사와 저촉되는 점이 많아 화를 입을까 두려워 불살랐다고 한다.
- 운천 김공 —— (1557~1620) 조선 문신 김용金涌. 임진왜란 때 의병을 이끌었으며 『선조 실록』 편찬에 참여했다.
- 울금향 —— 이백의 시 「객중행客中行」에 '蘭陵美酒鬱金香 玉碗盛來琥珀光(난릉의 미주 울금향 옥잔에 따르니 호박 빛깔이로구나)' 이라는 구절이 있다.
- 워즈워드 —— (1770~1850) William Wordsworth. 영국을 대표하는 낭만파 시인이다. 1798년 동료 코울리지와 함께 『서정적 담시』라는 작은 시집을 발간하

여 세계의 시 조류를 바꾸어놓았다. 「초원의 빛」, 「무지개」, 「불멸의 송가」, 「틴턴 성당의 시」 등의 작품이 있다.

• 원묘 —— (생몰 연도 미상) 고려 승려 요세了世. 만덕사 옛터에 절을 지었으며 남원의 백련사에 수년간 머물렀다. 후에 국사에 추증되어 원묘라는 시호를 받았다.

• 원정 —— (1860~1914) 조선 말기 정치가이자 서화가인 민영익閔泳翊의 호. 안진경과 유용劉墉 등 여러 서화가 필법으로 일가를 이루었으며, 그림은 난蘭과 죽竹을 주로 그렸다. 그의 난은 석파石坡의 난과 비교가 되는 특성이 있어 예란藝蘭이라 불렸다.

• 『월간 문학』 —— 한국문인협회가 발간하는 월간 문예지. 1968년 10월에 창간했다.

• 월천 조공 —— (1524~1606) 조선 학자 조목趙穆. 이황의 문인門人. 집안이 가난했으나 일생을 학문에만 뜻을 두어 대학자로 존경받았다. 문장과 글쓰기에 뛰어났다.

• 월탄 —— (1901~1981) 시인이자 소설가인 박종화의 호. 최초의 시 전문지 『장미촌』에 「오뇌의 청춘」 발표하며 등단하였고, 『백조』지를 창간하여 한국 문단에 새로운 흐름을 만들었다. 시집 『흑방비곡黑房秘曲』, 『청자부』, 『월탄 시선』이 있으며 장편으로 『금삼錦衫의 피』, 『다정불심』, 『세종대왕』 등이 있다.

• 위창 오세창 —— (1864~1953) 독립 운동가. 독립 선언 33인의 한 사람. 언론인이자 서예가이기도 했다.

• 유검필 —— (?~941) 고려 때의 무장. 10여 년에 걸쳐 고려의 영토로 침입한 후백제 군을 수차례 격퇴하였으며, 결국 태조를 따라 후백제를 쳐서 멸망시켰다.

• 유길준 —— (1856~1914) 정치가, 개화 운동가. 일본, 미국으로 다니며 수학했으며, 귀국 후 개화파로서 구금되어 있는 동안 『서유견문』을 집필하기 시작했다. 흥사단에 참여하고 국민경제회를 설립하였으며, 교육계教育禊를 조직, 계산학교를 설립하였다.

• 『유마경』 —— 유마 거사가 신통력으로 병을 가장하고 문병 오는 사람에게 대승을 설법하는 내용의 불경.

• 유주현 —— (1912~1982) 소설가. 호는 묵사默史. 『백민』에 단편 「번요의 거

리」를 발표하여 등단하였으며 『백민』 편집 동인이었다. 주요 작품으로는 『자매 계보』, 『태양의 유산』, 『파천무』, 『조선 총독부』 등이 있다.

• 유치환 —— (1908~1967) 시인. 호는 청마靑馬. 시 「정적」을 『문예 월간』에 발표하면서 등단했다. 문예 동인지 『생리』를 발행했으며, 시집으로 『청마 시초』, 『생명의 서』, 『울릉도』, 『유치환 시선』, 『뜨거운 노래는 땅에 묻는다』, 『미루나무와 남풍』 등이 있다.

• 육당 —— (1890~1957) 국학자 최남선의 호. 이 외에도 대몽최大夢崔, 공륙公六, 일람각주인一覽閣主人, 한샘 등의 호를 썼다. 종합 월간지 『소년』, 『청춘』을 창간하였으며, 3 · 1 운동 때 '독립 선언서'를 기초했다. 해방 후 친일 반민족 행위로 기소, 수감되기도 했다. 저서로는 『백팔번뇌』, 『단군론』, 『조선 역사』, 『조선 독립 운동사』 등 다수가 있다.

• 육사 —— (1904~1944) 시인 이육사. 본명 이원록李源祿. 형제들과 함께 대구에서 의열단에 가입하였고 조선은행 대구 지점 폭파 사건에 연루, 투옥되었다. 이때의 수인囚人 번호 64를 자신의 아호로 삼았다. 1943년 피검되어 북경으로 압송되었다가 북경 감옥에서 사망했다. 유고 시집으로 『육사 시집』이 해방 후 발행되었다.

• 육종진동 —— 부처의 설법이나 신력 따위에 의하여 대지가 감응하여 진동하는 여섯 가지의 서상瑞相. 동動, 진震, 기起, 용踊, 후吼, 격擊을 일컫는다.

• 윤고산 —— (1587~1671) 조선 시인, 문신 윤선도. 고산은 호. 치열한 당쟁으로 일생을 거의 벽지 유배지에서 보냈으며 그의 작품은 『고산 유고』에 기록되어 있다. 「어부사시사」 등 우리말의 새로운 뜻을 창조해 활용한 서정적 작품을 썼으며, 정철의 가사와 더불어 조선 시가의 쌍벽을 이루고 있다.

• 윤근수 —— (1537~1616) 조선 문신, 학자. 호는 월정月汀, 외암畏菴. 성리학에 밝아 이황, 조식을 찾아 주자와 육구연陸九淵의 학문을 토론했으며 성혼, 이이와도 막역한 사이였다. 문장과 글씨에 뛰어나 당대의 거장으로 일컬어졌으며 특히 그의 글씨는 영화체永和體라고 하여 격찬을 받았다.

• 윤병로 —— (1936~) 평론가. 『현대 문학』을 통하여 등단했다. 저서로는 『한국 근현대 문학사』, 『한국 근대 작가 작품 연구』 등이 있다.

• 윤석중 —— (1911~) 아동 문학가. 새싹회를 창립했다. 주요 작품으로는 동

요집 『윤석중 동요집』, 『잃어버린 댕기』, 『어깨동무』, 동화집 『열 손가락 이야기』, 『어깨동무 쌍둥이』, 『멍청이 명칠이』, 『열두 대문』, 전집 『새싹의 벗 윤석중 전집』 등이 있다.

- 윤오영 —— (1907~1976) 수필가. 호는 치옹痴翁, 동매실 주인楝梅室主人. 수필집에 『고독의 반추』, 『방망이 깎던 노인』 등이 있다.
- 윤용구 —— (1853~1939) 조선 문신이자 서화가. 글씨와 그림에 모두 뛰어났고, 해서, 행서, 금석문을 많이 썼으며, 죽란竹欄을 특히 잘 그렸다.
- 윤의사 —— (1908~1932) 일본 천황의 생일과 겸하여 상하이 사변 전승식을 겸하는 훙코우 공원에 들어가 투폭한 윤봉길 의사를 말한다. 거사 직후 현장에서 체포되어 사형 선고를 받고 순국했다.
- 윤희구 —— (1867~1926) 한문학자. 호는 우당于堂. 한학을 공부하다가 조정에서 설치한 사례소史禮所에 장지연과 함께 들어가 『대한예전大韓禮典』을 편찬했다. 그 후 참상參上이 되어 『문헌비고文獻備考』를 증수하고, 규장각에 보직되어 『양조보감兩朝寶鑑』을 편찬했다. 한일 합방 후 총독부 중추원 촉탁이 되어 경학원 부제학을 겸했으며, 장지연, 오세창 등과 『대동시선大東詩選』을 편찬했다.
- 의당 박세화 —— (1834~1910) 조선 의병. 1895년 명성황후 시해 사건이 일어나자 도사都事 윤응선과 함께 의병을 일으켜 일본군에 대항하다가 체포되었다. 그 후 석방되었다가 1910년 한일 합방이 되자 자결했다.
- 의상 —— (625~702) 신라 시대의 승려. 당나라에 가서 화엄종을 연구하였으며, 귀국하여 왕명으로 부석사를 창건하고 화엄종을 강론하여 해동 화엄종의 창시자가 되었다. 그의 문하에서 10 대덕 고승이 나왔다.
- 의암 유인석 —— (1841~1915) 조선 학자, 의병장. 병자 수호 조약이 체결되자 문하의 유생들을 이끌고 상소하여 이를 반대했고, 김홍집의 친일 내각에 대항하여 의병을 일으켰다. 한일 합방이 이루어지자 독립 운동에 힘을 쏟았다. 한말의 거유巨儒인 이항로의 학통을 계승한 학자로, 문하에서 많은 제자를 배출하였다.
- 이가원 —— (1917~) 국문학자, 학문학자. 한문학 회장을 역임했다. 저서로 『춘향전春香傳』, 『한국 명인 소전韓國名人小傳』, 『한문학 연구』, 『연암 소설 연구』 등이 있다.
- 이광사 —— (1705~1777) 조선 시대 서예가, 양명학자. 호는 원교圓嶠, 수북壽

北. 진眞, 초草, 전篆, 예隸에 모두 능했고, 원교체圓嶠體라는 특유의 필체를 이룩했다. 여러 저술들을 통해 후진들을 위한 귀중한 자료를 남겼으며 조선 서예 중흥에 크게 공헌했다. 산수, 인물화에도 정통하였다.

- 이광수 —— (1892~?) 호는 춘원春園. 소설가. 우리 나라 최초의 장편 소설 『무정無情』을 썼다. 일제 초기에 독립 운동에 몸담았으나 이후 변절, 해방 후 은거하다가 6 · 25 때 납북되었다. 우리 나라 신문학사상 계몽적 · 인도주의적인 영향을 끼쳤다.
- 이담 —— (1370~1405) 조선 문신. 글씨를 잘 써서 항상 상서사尙瑞司의 벼슬을 지냈으며, 직예문관直藝文館으로 사은사의 서장관書狀官이 되어 명나라에 다녀왔다. 그 후 장령掌令, 우부대언右副代言 등을 지내고, 자기 집 광견에게 물려 죽었다.
- 이동주 —— (1920~1979) 시인. 1946년 4인 합동 시집 『네 동무』를 발간하였으며 『문예』에 「황혼」 등이 추천되어 등단했다. 시집으로 『네 동무』, 『혼야婚夜』 등이 있다.
- 이만도 —— (1842~1910) 조선 문신. 대사성 휘준의 아들. 일본과의 수호 조약을 반대하여 화를 당한 최익현을 변호하였으며 이후 사직하고 고향에 내려가 학문을 닦았다. 을미 사변이 일어나 명성황후가 시해되자 안동에서 의병을 모집, 일본의 침략에 항거했다. 을사 조약이 체결되자 조약에 찬성한 적신을 처형하자는 상소를 하였으며, 한일 합방 소식을 듣고 자결하였다.
- 이상 —— (1910~1937) 시인, 소설가. 본명은 김해경金海卿. 『조선』에 「12월 12일」을 발표하여 등단했다. 조선 미전에 「자화상」이 입선하기도 했으며 '구인회' 회원이었다. 『조선중앙일보』에 난해시 「오감도」를 발표하여 당시 문단에 충격을 던졌다. 「건축무한육면각체의 비밀」, 「지주회시」 등의 시와 단편 「날개」, 「종생기」 등의 작품이 있다.
- 이상적 —— (1804~1865) 조선 시인. 역관譯官을 지낸 집안의 서얼 출신으로, 스스로도 역관이 되어 수차례 중국을 왕래, 오숭량 ,유희해, 옹방강 등 중국 문인들과 교우를 맺고, 중국에서 시문집까지 간행했다. 그의 시는 서곤체시西崑體詩에 능하여 섬세하고 화려했으며, 특히 헌종도 애송했으므로 그의 문집을 『은송당집恩誦堂集』이라고 이름했다. 이 밖에도 고완古玩, 묵적墨滴, 금석金石에도 조

예가 깊었다.

• 이상좌 —— (생몰 연도 미상) 조선 화가. 호는 학포學圃. 본래 어느 선비의 노복이었으나 그림에 뛰어나 중종의 특명으로 도화서에 보직되었다. 산수와 인물에 뛰어났고, 북종화풍北宗畵風의 그림을 그렸다.

• 이서구 —— (1754~1825) 조선 문신, 학자. 명문장가로 시명이 높았으며 특히 오언고시五言古詩에 능했다.

• 이성교 —— (1932~) 시인. 『현대 문학』을 통하여 등단하였다. 작품으로는 「강원도 바람」, 「남행길」, 「영혼의 닻」, 「눈 온 날 저녁」, 「보리 필 무렵」, 「윤회」, 「산음가」 등이 있다.

• 이수복 —— (1924~1986) 시인. 『현대 문학』에 「실솔」, 「봄비」 등이 추천되어 등단했다. 시집으로 『봄비』가 있다.

• 이승훈 —— (1756~1801) 우리 나라 최초로 영세를 받은 천주교인. 학문에 전심하다가 천주교인 이벽을 만나 입교를 결심하였다. 청나라에서 교리를 익힌 뒤 영세를 받고, 교리 서적과 십자고상을 가지고 귀국하였으며, 조선 교회를 건립하였다. 1801년 신유 박해로 취조를 받고 사형되었다. 1868년 아들 신규身逵와 손자 재의在誼가 순교, 1871년에 증손 연귀蓮龜, 균귀筠龜가 각각 순교하여 4대에 걸쳐 순교자를 내었다.

• 이승훈 —— (1942~) 시인. 『현대 문학』에 「바다」 등이 추천되어 등단했다. 시집으로는 『사물 A』, 『환상의 다리』, 『당신들의 초상』 등이 있으며 평론집으로 『반인간』, 『시론』 등이 있다.

• 이시영 —— (1868~1953) 독립 운동가, 정치가. 상해 임시 정부에서 활동하다가 해방 후 귀국, 1948년 초대 부통령에 당선되었으나 이승만의 비민주적 통치에 반대하여 1951년 사퇴했다. 글씨를 잘 썼다.

• 이어령 —— (1934~) 평론가. 『문학 예술』을 통하여 등단하였다. 저서로는 『신한국인』, 『축소지향의 일본인』, 『이어령 전작집』 등이 있다.

• 이영호 —— (1937~) 시인. 『시 문학』을 통하여 등단하였다. 작품으로는 「바다 연가」, 「휘경탑」, 「바람 연가」 등이 있다.

• 이오네스코 —— (1912~19) Eugene Ionesco. 프랑스의 극작가. 그의 처녀작 「대머리 여가수」는 '반희곡'의 부제가 붙어 앙티 테아트르의 효시가 되었으나

이후에 이어진 「레슨」, 「의무의 희생자」 등 모두가 흥행에는 성공하지 못했다. 그의 작품은 종래 희곡의 형식을 벗어난 해체적인 언어로 이루어졌으며, 「하늘의 보행자」, 「빈사瀕死의 왕」 등 작품이 있다.

- 이우성 —— (1925~) 한문학자. 성균관대 교수, 역사학회장을 역임했다.
- 이원수 —— (1911~1981) 아동 문학가. 초등학교 때 지은 동시 「고향의 봄」이 방정환에 의해 『어린이』지에 실림으로써 문단에 나와 윤석중 등과 '기쁨사' 동인이 되어 작품 활동을 시작하였다. 내재율 중심의 자유 동시 형태를 확립했으며, 장편 동화와 아동 소설을 쓰는 등 아동 문학계에 선구적 업적을 남겼다. 1948년에 발표한 『숲 속의 나라』는 우리 나라 최초의 장편 동화이다. 또한 아동 문학 평론도 겸해 비평 부재의 아동 문학계에 비평 문화를 정착시키는 데 기여하기도 했다.
- 이원익 —— (1547~1634) 조선 문신. 문장에 뛰어났으며, 성품이 원만하여 정적들에게도 호감을 받았다. 서민적인 성품을 지녀 존경을 받았으며, 오리 대감이라는 이름으로 많은 일화가 전한다.
- 이윤영 —— (1714~1759) 조선 서화가. 자는 윤지, 호는 단릉. 문장에 뛰어났고 글씨는 예서 · 전서를 잘 썼으며, 그림은 산수 · 인물에 빼어났다.
- 이인상 —— (1710~1760) 조선 서화가. 호는 능호관凌壺觀 또는 능호. 시문, 그림, 글씨 모두 뛰어나 삼절이라 일컬어졌으며, 특히 그림에는 산수, 글씨는 전서, 예서에 뛰어났다.
- 이재 —— (1783~1859) 권돈인權敦仁. 글씨에 능하던 조선 문인.
- 이창암 —— (생몰 연도 미상) 조선 시대의 서예가 이삼만李三晩. 창암은 호. 어려서부터 글씨 쓰기에 몰두해 벼루를 세 개나 구멍냈다고 하며 글쓰기를 배우러 오는 사람에게 한 자 한 획을 가르치는 데 한 달이나 걸렸다. 원래 이름이 알려지지 않았으나 한 상인이 그의 글씨를 얻어 감정을 의뢰함으로써 영 · 정조 때 명성을 떨쳤다.
- 이한직 —— (1921~1976) 시인. 호는 목남木南, 율아당栗雅堂. 『문장』에 정지용의 추천을 받아 시 「온실」, 「낙타」, 「북극권」 등을 발표하여 등단했다. 종합지 『전망』을 주재하기도 했다. 시집으로는 사후에 발행된 『이한직 시집』이 있다.
- 이형기 —— (1933~) 시인. 중학생 시절 『문예』의 추천으로 시단에 등단 하

였다. 『적막강산寂寞江山』, 『꿈꾸는 한발旱魃』, 『보물섬의 지도』, 『그해 겨울의 눈』 등의 시집과 비평집 『감성의 논리』, 『한국 문학의 반성』, 『시와 언어』 등 10여 권의 저서를 냈다.

• 이회재 —— (1491~1553) 조선 문신, 학자 이언적李彥迪. 회재는 호. 벼슬을 살다가 숙청된 후 은거하며 성리학 연구에 전심했다. 이황의 사상에 많은 영향을 주었으며, 글씨를 잘 썼다.

• 익재 —— (1287~1367) 고려 때 문신이자 학자, 시인인 이제현李齊賢의 호. 당대의 명문장가로 외교 문서에 뛰어났고, 정주학의 기초를 확립했으며, 원나라 조맹부의 서체를 고려에 도입하여 널리 유행시켰다. 『익재난고益齋亂藁』에 17수의 고려 민간 가요를 한시 칠언절구로 번역하여 오늘날 고려 가요 연구의 귀중한 자료가 되고 있다.

• 인로왕보살 —— 죽은 사람의 넋을 맞아 극락 세계로 인도하는 보살.

• 일송 —— (1878~1937) 독립 운동가 김동삼金東三의 호. 남만주에서 이시영, 이동녕 등과 함께 교포의 안정책과 교육 문제에 관한 계획을 세웠다. 군인을 둔전제屯田制로 훈련하기 위하여 백서 농장을 설립하고, 3 · 1 운동 때는 한족회, 서로군정서를 조직하여 군사적 활동을 전개하였다. 1931년 만주 사변 때 일본 경찰에게 붙잡혀 본국에 송환되었다가 옥사했다.

• 임강빈 —— (1931~) 시인. 『현대 문학』을 통하여 등단하였다. 작품으로는 「조금은 쓸쓸하고 싶다」, 「등나무 아래서」, 「매듭을 풀며」, 「당신의 손」 등이 있다.

• 임백호 —— (1549~1587) 조선 문신 임제林悌. 백호는 호. 당파 싸움을 개탄하고 명산을 찾아다니며 여생을 마쳤다. 당대 문장가로 이름을 날렸고, 호방하고 쾌활한 시풍 때문에 그의 작품이 널리 애송되었다.

• 임석천 —— (1496~1568) 조선 문신 임억령. 석천은 호. 동생이 소윤小尹에 가담, 대윤大尹의 선비들을 축출하자 가책을 느껴 은거하였으나 뒤에 다시 등용되었다.

• 임형수 —— (1504~1547) 조선 문신. 대윤大尹 윤임尹任의 일파로 몰려 사사되었다. 학문과 문장에 뛰어났다.

【ㅈ】

- 자장 —— (생몰 연도 미상) 신라 때 승려. 진골 출신으로 부모를 여의자 원녕사를 지어 고골관古骨觀을 닦았다. 황룡사 9층 석탑을 짓도록 건의하여 완성하고 통도사를 지었다.
- 자콥 —— (1876~1944) Max Jacob. 프랑스 시인. 아폴리네르, 살몽 등과 교유하면서 큐비즘, 쉬르레알리즘 탄생에 큰 영향을 끼쳤다. 날카로운 조소와 유쾌하고 역설적인 유머로 일상성에 잠긴 비속한 현실에서 탈출하여 새로운 현실의 창을 열었다. 만년에는 신앙과 시작詩作에 몰두하는 조용한 여생을 보냈으나 독일군에 체포되어 수용소에서 병사했다. 작품으로 「성마르트르」, 산문시 「타르튀프의 옹호」 등과 시집으로 『중앙 실험실』 등이 있다.
- 자하 —— (1769~1847) 조선의 문신, 시인, 서화가인 신위申緯의 호. 애국 애족적인 작품을 많이 썼으며, 국산품 애용, 양반 배척, 서얼의 차별 대우 철폐, 당쟁 배격 등이 그의 작품 면면에 흐르고 있다. 시서화의 삼절로 일컬어졌다.
- 잠 —— (1868~1938) Francis Jammes. 프랑스의 시인. 로마 시대의 『농경 시편』의 작가 베르질리우스와 비교될 정도로 평화로운 마을에서 일어나는 서민들의 생활을 자유로운 형식으로 소박하게 묘사했다. 『새벽 앙젤뤼스에서 저녁 앙젤뤼스까지』, 『산토끼 이야기』, 『클라라 델레브즈』, 『시인의 변덕』 등 시집과 중편 소설, 산문집, 회상록 등을 남겼다.
- 장만영 —— (1914~1975) 『동광』에 「봄 노래」가 김억에 의해 추천되어 등단했다. 『신천지』를 주재하기도 했으며. 시집으로 『양』, 『축제, 『장만영 시선집』 등이 있다.
- 전륜성왕 —— 불교에서, 정법正法으로 온 세상을 다스린다고 하는 왕.
- 전혜린 —— (1934~1965) 독문학자. 32세를 일기로 짧은 생을 마감했으며 사인은 자살로 추정되고 있다. 주요 역서로 『어떤 미소』(F.사강), 『압록강은 흐른다』(이미륵), 『생의 한 가운데』(루이제 린저), 『데미안』(H. 헤세)』 『그리고 아무 말도 하지 않았다』(하인리히 뵐) 등이 있으며, 유고집으로 수필집 『그리고 아무 말도 하지 않았다』, 일기 서간집 『미래 완료의 시간 속에』가 출간되었다.
- 정구창 —— (1926~) 소설가. 『현대 문학』을 통하여 등단했다. 작품으로는 「떠 있는 산판」, 「그대들의 솔밭」, 「개의 웃음」, 「사십 미터 도로」, 「고모님」, 「화

침」 등이 있다.

- 정민호 —— (1939~) 시인. 『사상계』를 통하여 등단했다. 작품으로는 「눈부신 아침」, 「새로 태어남의 이유」, 「넉넉한 밤을 위하여」 등이 있다.
- 정반왕 —— 석가모니의 아버지. 인도 가비나迦毘羅 성의 석가족 왕.
- 정인보 —— (1892~?) 한학자. 일제 치하에서 독립 운동과 동포들의 계몽 운동에 힘썼다. 국문학사, 한문학, 국사학 등 국학 전반에 걸쳐 광범위한 연구를 쌓았으며 시조 · 한시에도 일가를 이루었다.
- 정재 박공 —— (1654~1689) 조선 문신 박태보朴泰輔. 정재는 호. 기사 환국 때 인현왕후 폐위를 반대하여 유배되었다가 죽었다. 학문과 문장에 능하고 글씨에도 뛰어났다.
- 정주상 —— (1925~) 소설가. 한국일보 신춘 문예를 통하여 등단하였다. 작품으로는 『새끼 오리 고오리』, 『사람 없는 구멍 가게』, 『경재와 하모니카』 등이 있다.
- 정지용 —— (1903~?) 시인. 휘문고보 재학 중 박팔양 등과 함께 동인지 『요람』을 발간했으며, 『시 문학』 동인이다. 문학 친목 단체 '구인회'를 결성했으며 『문장』지 추천 위원으로서 조지훈, 박두진, 박목월, 김종한, 이한직, 박남수를 추천하기도 했다. 1950년 납북되었다. 시집으로 『정지용 시집』. 『백록담』, 『지용 시선』과 『정지용 전집』이 있다.
- 정진규 —— (1939~) 시인. 동아일보 신춘 문예를 통해 등단했다. 시집으로 『마른 수수깡의 평화』, 『연필로 쓰기』, 『들판의 비인 집이로다』, 『몸 시詩』 등이 있다.
- 정철 —— (1536~1593) 호는 송강松江. 조선 시대 문신. 시인. 「관동별곡」, 「사미인곡」, 「성산별곡」 등 수많은 가사와 단가를 지었다. 당대 가사 문학의 대가로, 시조의 고산 윤선도와 더불어 한국 시가사상 쌍벽으로 일컬어진다.
- 정충신 —— (1576~1636) 조선 무신. 임진왜란 때 권율 휘하에서 종군. 병판 이항복의 주선으로 학문과 무예를 닦았다. 이괄의 난 때 공을 세워 금남군에 봉해졌다. 천문, 지리, 의술 등 다방면에 능통했으며 청렴하기로 이름 높았다.
- 정탁 —— (1526~1605) 조선 문신. 임진왜란 당시 곽재우, 이순신, 김덕령 등의 명장을 발굴했다.

- 정훈 —— (1911~1992) 시조 시인. 시조 「머들령」이 『가톨릭 청년』에 추천되어 문단에 나왔다. 광복과 더불어 발간된 대전의 향토 문예지 『향토』, 1946년 2월에 창간된 『동백』의 동인으로 참여하였으며, 민족적 서정을 직유적 방법으로 주로 노래하였다.
- 제미니 6호 —— 미국의 우주 개발 계획, 제미니 계획의 일환으로 발사된 여섯 번째 로켓. 1964년 4월 제1호를 시작으로 1966년 11월 제12호를 발사함으로 이 계획은 완료되었다.
- 제바달다 —— 석가의 제자. 제바, 조달로도 불렸다. 10대 제자 아난의 형이자 석가의 사촌 동생이다. 신통을 배워 온갖 나쁜 죄를 지어 산채로 무간지옥으로 떨어졌으나 본래 지위가 높았던 보살로서 악인의 성불을 보여준다.
- 제백석 —— (1860~1957) 중국 청나라 말기부터 활약한 화가. 이름은 황璜, 백석은 호다. 초기에는 생활을 위해서 그림을 그려 팔았으며, 화훼나 가금류, 초충류의 명수가 되었다. 송, 원 시대의 그림에 자극을 받아 시, 서, 화를 함께 배웠으며, 전각에도 능했다. 그의 그림은 차츰 자유롭게 감흥을 표현하는 중국 문인화의 양식을 따르게 되었으며 「화훼화책」, 「하엽도荷葉圖」, 「남과도南瓜圖」 등의 작품이 있다.
- 『조광』 —— 1935년 11월 1일 조선일보사에서 창간한 종합 잡지. 시사, 사회, 경제 문제 등을 다루며 문화면에 역점을 두어 많은 작품을 발표했다. 일제 탄압이 가중되면서 훼절했으며 1944년 종간되었다. 해방 후 속간되었으나 곧 다시 종간되었다. 『월간 조선』의 전신.
- 조남명 —— (1501~1572) 조선 학자 조식. 남명은 호. 지리산에 은거하며 성리학을 연구, 독특한 학문을 이룩했으며, 유학계의 대학자로 추앙되었다.
- 조눌인 —— (1772~1840) 조선 시대의 서예가 조광진曺匡振. 눌인은 호. 이광사의 글씨를 배우고 만년에는 안진경의 서체를 터득했다. 행서와 초서는 청나라의 유용劉墉을 따르고, 예서는 장도악張道渥을 따랐다. 당시의 명필 신위, 김정희 등과 교분이 두터웠다.
- 조만식 —— (1882~?) 민족 운동가, 정치가. 호는 고당古堂. 3 · 1 운동에 참가 독립 운동을 지휘하다가 수감되기도 하였으며 조선 물산 장려 운동을 펼치기도 했다. 이후 연정회, 신간회 등을 발기, 민족 운동에 앞장섰으며 조선일보사 사장

으로서 민족 언론 창달에 공헌했다. 해방 후에는 평안남도 건국준비위원회와 인민정치위원회의 의장이 되어 질서 유지와 국민의 지도에 앞장을 섰다. 소련 군정청의 한국 공산화 정책을 간파하고 이에 반대, 반공 노선을 앞세운 조선 민주당을 창당하여 반탁 운동을 벌였으며, 월남을 종용하는 제자들의 간청에도 동포들을 남겨두고 홀로 자유를 누릴 수 없다고 거부하였다. 6 · 25 사변 때 공산당에게 학살된 것으로 알려져 있다.

- 조병화 —— (1921~) 시인. 시집 『버리고 싶은 유산』을 발간하며 등단했다. 『버리고 싶은 유산』, 『하루만의 위안』 외 50여 권의 시집을 출간하였다.
- 『조선 문단』 —— 1924년 10월 창간한 월간 문학 잡지. 편집인 겸 발행인은 방인근이고, 이광수가 주재하였다. 김동인의 「감자」, 전영택의 「화수분」, 염상섭의 「B사감과 러브레터」, 최서해의 「탈출기」, 나도향의 「물레방아」 등 우리 나라 초창기의 문제작들을 게재하는 등 문학사에 끼친 공로가 컸다. 1927년 4월 제4권 3호를 내고 일시 중단하였다가 1935년 이성로가 편집 겸 발행인이 되어 제5권 제1호로 속간하였으나 같은 해 12월 통권 제26호로 종간하였다.
- 조연현 —— (1920~1981) 문학 평론가. 『문예』, 『현대 문학』 주간을 역임했으며, 『월간 문학』을 발행했다. 저서로는 『한국 현대 문학사』, 『한국 현대 작가론』, 『문학과 생활』 등이 있다.
- 조윤제 —— (1904~1976) 국문학자, 문학 박사. 호는 도남陶南. 민족 사관에 입각한 저술로 일제하 황무지와 같았던 국문학 연구에 개척자 역할을 하였으며, 광복 후에는 국문학 연구의 출발점을 이루었다. 저서는 『조선 시가 강의』, 『교주 춘향전』, 『조선 시가의 연구』, 『국문학사』, 『국문학 개설』, 『한국 문학사』 등 20여 권에 이른다.
- 조재훈 —— (1937~) 시인. 『한국 문학』을 통하여 등단했다. 작품으로는 「물로 또는 불로」, 「저문 날 빈 들의 노래」, 「겨울의 꿈」 등이 있다.
- 조정암 —— (1482~1519) 조선 학자이자 문신인 조광조. 정암은 호. 어린 시절 유배 중인 김굉필金宏弼에게 수학, 성리학 연구에 힘써 김종직金宗直의 학통을 이은 사림파의 영수가 되었다. 유교를 정치와 교화의 근본으로 삼아 왕도 정치를 실현해야 한다는 지치주의至治主義를 주장했다. 향촌의 상호 부조를 위하여 여씨향약을 실시케 하였으며, 미신 타파를 위해 소격서昭格署의 폐지를 주청, 이를

이루었다. 30대의 소장학자를 등용하고 훈구파勳舊派를 외지로 몰아냈으며, 정국 공신의 삭훈을 주장하는 등 급진적인 개혁을 단행하였다. 이러한 일들이 훈구파의 반발을 사 조광조 일파가 당파를 조직하여 조정을 문란케 한다는 무고를 하게 했다. 결국 투옥되었다가 훈구파의 끈질긴 공격으로 사사되었다.

- 조지겸 —— (1639~1685) 조선 문신. 서인西人이었으나 같은 서인인 김익훈이 남인南人의 모반 사건을 조작하려 하자 이를 저지하였고, 김익훈을 두둔하는 송시열을 논척論斥, 노소론으로 분당하게 되는 계기를 만들었다. 윤증과 함께 소론少論의 거두였다.
- 조지훈 —— (1920~1968) 시인. 본명 조동탁趙東卓. 정지용의 추천으로 『문장』에 「고풍 의상」, 「승무」, 「봉황수鳳凰愁」를 발표하여 등단했다. 시집으로 『청록집』, 『풀잎 단장斷章』, 『역사 앞에서』, 『여운餘韻』 등이 있다. 그의 사후에 『조지훈 전집』이 발간되었다.
- 졸라 —— (1840~1902) Emile Zola. 프랑스 작가. 자연주의 문학의 중심적 대작가로 『목로 주점』, 『나나』, 『제르미날』 등이 잘 알려져 있다.
- 주지번 —— (1610 전후) 중국 명나라 때의 문인. 조선에 사신으로 온 적도 있다. 『조선고朝鮮稿』, 『기승시紀勝詩』, 『남환잡저南還雜著』 등의 저서가 전한다.
- 『죽계별곡』 —— 고려 충숙왕 때 안축安軸이 지은 경기체가. 작자의 고향인 풍기 죽계의 경치를 읊은 것.
- 중촌원 —— (1912~) 나카무라 하지메中村元. 철학자.
- 지장 —— 석가의 부탁을 받아 석가가 입멸한 뒤 미륵불이 출세出世하기까지 부처 없는 세상에서 중생을 제도한다는 보살.
- 진진응 —— (1873~1941) 혜찬慧燦. 진응은 호. 화엄사에서 승려가 되었으며 1910년 원종종무원圓宗宗務院의 종정 회광晦光이 일본의 조동종曹洞宗과 연합하려 하자 석전 박한영, 한용운과 함께 이를 저지했다.
- 진표 율사 —— (생몰 연도 미상) 신라의 승려. 금산사를 창건, 미륵장륙상彌勒丈六像을 안치하였다.

【ㅊ】

- 창강 —— (1850~1927) 조선 학자 김택영金澤榮의 호. 소호당주인韶濩堂主人

이라는 호도 썼다. 고종 때 처음 관직에 올랐으며 을사 조약이 맺어지자 국가의 장래를 통탄하다가 중국으로 망명, 학문과 문장 수업으로 여생을 보냈다. 특히 고시古詩에 뛰어났으며 문장과 학문으로 중국의 강유위, 정효서와 어깨를 나란히 했다.

- 천단강성 —— (1899~1972) 가와바타 야스나리天端康成. 『설국』으로 일본인 최초로 노벨 문학상을 받았다.
- 천상병 —— (1930~1993) 시인. 『문예』에 시 「강물」, 「갈매기」가 추천되어 등단했다. 『현대 문학』에 평론 「나는 거부하고 저항할 것이다」가 추천되었다. 시집으로 『새』, 『주막에서』, 『저승 가는 데도 여비가 든다면』 등이 있다.
- 천이두 —— (1930~) 평론가, 국문학 박사. 저서로 『문학 시대』, 『한국 소설의 관점』, 『한국 현대 소설론』, 『명창 임방울』 등이 있다.
- 청천 김진섭 —— (1906~?) 수필가, 독문학자. 해외문학연구회를 조직하여 국내에 해외 문학을 소개하는 데 공헌했다. 서구 수필의 영향을 받았으며 삶에 대한 깊은 사색적 비판과 애착을 보여 우리 나라 수필 문학의 수준을 향상시켰으나 6 · 25 때 납북되었다. 『인생 예찬』, 『생활인의 철학』, 『교양의 문학』 등의 수필집과 유작들을 수록한 『청천 수필 평론집』이 있다.
- 초의 —— (1786~1866) 조선 승려. 범자梵字와 신상神像을 잘 했고 정약용에게 유학과 시문을 배웠다. 신위, 김정희 등과 친교, 두륜산에 일지암一枝庵을 짓고 40년간 지관止觀을 닦았다.
- 최경창 —— (1539~1583) 조선 시인. 문장과 학문에 능해 이이 등과 함께 8문장으로 일컬어졌으며, 당시唐詩에 뛰어나 백광훈, 이달과 함께 삼당三唐 시인으로 불렸다. 서화에도 뛰어났다.
- 최귀동 —— (1927~) 시인, 불문학 박사. 작품으로는 「젤뜨루도의 사랑」, 「인생」, 「이국의 향기」. 「장미의 숲」 등이 있다.
- 최승범 —— (1931~) 국문학 박사. 저서로 『이 한 점 아쉬움을』, 『난록기』 등이 있다.
- 최영림 —— (1916~1985) 서양화가. 일생 동안 설화풍의 작품으로 일관하였다. 오노 다타아키小野忠明로부터 목판화를 배우게 된 것을 계기로 미술에 입문하였으며, 일본으로 건너가 전설의 화가로 추앙받는 무나카타 시코棟方志功로

부터 본격적인 목판화 수업을 받았다. 거칠고 굵은 검은 선으로 그린 해변 풍경이나 인물을 시작으로 의식의 깊은 곳의 문학적 충동을 조형으로 형상화하여 특유의 환상 세계를 펼쳐보였다.

- 최영해 —— 당시 정음사 사장.
- 최원규 —— (1933~) 시인. 『자유 문학』을 통하여 등단했다. 작품으로 「어둠은 가고 밝음만 있게 하소서」, 「바다와 새」, 「불타는 달」 등이 있다.
- 최인훈 —— (1936~) 소설가. 1955년 시 「수정」이 『새벽』에, 1959년 단편 「그레이 구락부 전말기」와 「라울전」이 『자유 문학』에 추천되어 등단하였다. 주요 작품으로는 『구운몽』, 『열하 일기』, 『회색인』, 『태풍』, 『달과 소년병』, 『소설가 구보 씨의 일일』, 『우상의 집』, 『가면고』 등이 있다.
- 최형 —— (1928~) 시인. 작품으로 「이런 풀빛」, 「강풀」, 「해와 강의 숲」, 「두빛살」, 「푸른 황지」 등이 있다.
- 춘곡 —— (1886~1965) 동양화가 고희동高羲東의 호. 전통적인 남화南畵의 산수화법을 서양화의 색채감이나 명암법과 접목시켜 감각적인 새로운 회화를 시도했다.
- 충렬공 제봉 고선생 —— 조선 의병장 고경명.
- 충장공 김덕령 —— (1567~1596) 조선 의병장. 임진왜란 당시 의병을 일으켜 권율 휘하에서 활약했으며, 의병장 곽재우와 함께 수차에 걸쳐 적의 대군을 물리쳤다. 후에 반란을 일으킨 무리와 내통했다는 혐의로 국문을 받고 억울하게 옥사했다.
- 칠백의사총 —— 충청남도 금산군 금성면에 있는 사적. 임진왜란 때 순절한 의병장 조헌 등 7백 의사의 유골이 안치되어 있다.

〚 ㅋ 〛

- 카로사 —— (1878~1956) Hans Carossa. 독일의 시인, 소설가. 자전적 색채가 농후한 소설과 시를 남겼다. 괴테의 영향을 받아 정밀하고 종교적인 작풍을 보였으며, 문학적인 어떤 유파에도 속하지 않고 절도와 중용으로 서구 전통의 길을 걸었다. 『유년 시대』, 『지도指導와 종복』, 『젊은 의사 시절』 등의 작품을 남겼다.
- 카이키레 —— かいきれ. 매절. 원고 등을 인세로 계산하지 않고 한꺼번에 원고

료를 주고 사버리는 것을 말한다.

• 카프카 —— (1883~1924) Franz Kafka. 오스트리아 작가. 제임스 조이스, 마르셀 프루스트와 함께 20세기 문학의 중요한 개척자로 손꼽힌다. 예리한 통찰력으로 시대적 위기 상황을 심도 있게 파헤친 20세기를 여는 가장 중요한 작가 중 한 사람이지만 불운하게도 오랫동안 정당한 평가를 받지 못하였다. 『변신』, 『성』, 『심판』 등 작품이 있다.

• 콕토 —— (1889~1963) Jean Cocteau. 프랑스 시인. 시집 『희망봉』, 『평조곡』, 『진혼곡』, 『포엠』 등과 그리스 신화를 주제로 한 희곡 『오르페』, 소설 『사기꾼 토마』, 『무서운 아이들』 등 있으며 「지붕 위의 황소」 등 발레의 각본을 써서 큰 반향을 일으키기도 했다.

• 키츠 —— (1795~1821) John Keats. 영국의 시인. 낭만파의 시 운동을 대표하는 한 사람. 「그리스 항아리의 노래」, 「우울의 노래」, 「가을에 부쳐」 등의 지성과 감성의 융합을 보이는 시와 미완성 서사시 「히페리언」 등을 남겼다.

【 ㅍ 】

• 표암 —— (1712~1791) 조선 서화가이자 문신인 강세황姜世晃의 호. 시서화에 뛰어났다. 전서 · 예서를 비롯한 각체 모두 신묘했으며, 산수 사군자를 잘 그렸다. 중국의 전통적인 남종화법南宗畵法을 자유롭게 개성적으로 구사하였으며 조선 후기의 진경 산수眞景山水에도 많은 업적을 남겼다.

• 표훈사 —— 표훈은 신라 중기 의산 법사의 10대 제자 중 하나. 훗날 신라 10성聖의 한 사람으로 일컫는다. 표훈사는 금강산의 4대 사찰 중 하나로, 신라 문무왕 10년에 그가 창건한 고찰.

• 피천득 —— (1910~) 영문학자, 수필가, 시인. 호는 금아琴兒. 생활을 통한 주관적, 명상적 소재로 쓴 수필들은 섬세한 문체로 수필 문학의 정수를 보여준다. 주요 수필로 「봄」, 「여성의 미」, 「인연」 등이 있으며, 시집으로는 『서정시집』이 있다

【 ㅎ 】

• 학봉 김공 성일 —— (1538~1593) 이황의 문인門人. 일본의 침략을 경고한 서

인西人 황윤길의 보고를 반대하였다. 임진왜란이 일어나자 처벌이 논의되었으나 화를 모면하고 싸움에 나섰으며 진주에서 병사했다. 성리학에 조예가 깊었다.

• 한무숙 —— (1918~1993) 장편 『등불 드는 여인』이 『신세대』 현상 모집에 당선되어 등단하였다. 장인 의식을 통한 삶의 고통과 허무의 세계를 전아한 문체로 깊이 있게 탐구했다는 평가를 받는다. 주요 작품으로는 『역사는 흐른다』, 『감정이 있는 심연』, 『빛의 계단』, 『유수암流水庵』, 『어둠 속에 갇힌 불꽃들』, 『만남』 등이 있다.

• 한산 · 습득 —— 당나라 정관貞觀 시대의 두 승려를 이른다. 두 사람 다 천태산天台山 국청사國淸寺의 풍간 선사豐干禪師의 제자로 대단히 사이가 좋았으며, 한산은 문수文殊, 습득은 보현普賢의 화신이라고 한다. 후세에 이 두 사람은 선화禪畵의 제재로 많이 다루어졌다.

• 한석봉 —— (1543~1605) 조선 시대의 서예가 한호韓濩. 석봉은 호. 그때까지 중국 서체와 서풍을 모방하던 분위기에서 벗어나 독창적인 경지를 확립했다. 김정희와 함께 조선 서예계의 쌍벽을 이룬다.

• 한성기 —— (1923~ 1984) 시인. 『현대 문학』에 시 「꽃병」이 추천되어 등단했다. 시집으로 『산에서』, 『낙향 이후』, 『실향』, 『실험실』 등이 있다.

• 한암 —— (1876~1951) 중원重遠. 한암은 호. 금강산에 입산하여 승려가 되었으며 오랫동안 참선을 하며 법을 탐구하다가 도를 깨치고 전국을 돌며 법을 강론했다. 1951년 국군이 북한으로 진격할 때 공비의 소굴이 된다 하여 상원사를 소각하려 하자 이를 저지, 절을 지킨 유명한 일화가 남아 있다.

• 한용운 —— (1879~1944) 독립 운동가, 시인. 퇴폐적 서정성을 배격하고 불교적 '님' 을 자연으로 형상화, 고도의 은유법을 구사하여 일제에 저항하는 민족 정신과 불교에 대한 중생 제도를 노래했다. 시집으로 『님의 침묵』이 있다.

• 한정동아동문학상 —— 아동 문학 발전에 기여한 동요 시인 한정동의 업적을 기념하기 위하여 1968년에 제정된 아동 문학상. 소천아동문학상이 주로 동화 부문을 대상으로 하는 데 비해 이 상은 주로 동요, 동시 부문에 치중한다.

• 한하운 —— (1920~1975) 시인. 나병을 앓으면서 자신의 병고를 읊은 시로 많은 사람의 심금을 울렸다. 「보리피리」 등이 유명하다.

• 한훤당 김굉필 —— (1454~1504) 조선 학자. 대경大經 연구에 전심하여 성리

학에 통달했고, 그 문하에서 조광조, 이장곤, 김안국 등의 학자가 나왔다.

• 함허 —— (생몰 연도 미상) 조선 선조 때의 승병장 기허騎虛. 임진왜란 때 수백의 승병을 거느리고 청주에서 왜적과 싸웠다. 의병장 조헌과 금산에서 싸우다 전사했다.

• 『해동소』 —— 원효 대사가 쓴 『대승기신론』. 중국의 고승들이 '해동소'라 일컬었다.

• 허미수 —— (1592~1682) 조선 시대 문신 학자 허목許穆. 미수는 호. 50여 세가 되도록 세상에 나오지 않고 경서 연구에 전심하여 예학에 일가를 이루었다. 전篆서에 능하여 동방의 일인자라는 찬사를 받았으며, 그림과 문장도 뛰어났다.

• 허영자 —— (1938~) 시인. 『현대 문학』에 「도정연가道程戀歌」 등이 추천되어 등단했다. 시집으로 『가슴엔 듯 눈엔 듯』, 『친전親展』, 『어여쁨이야 어찌 꽃뿐이랴』 등이 있다.

• 허윤석 —— (1915~) 소설가. 「사라지는 무지개와 오뉘」로 등단했다. 주요 작품으로는 『실낙원』, 『해녀』, 『조사釣師와 기러기』, 『구관조』, 『초인』 등이 있다.

• 허주 —— (1581~?) 조선 화가 이징李澄. 안견安堅풍의 청록 산수青綠山水와 금벽 산수金碧山水 등 착색화를 많이 그렸다.

• 현일 —— (1807~1876) 조선 문신. 호는 교정皎亭. 시문에 뛰어난 재주를 가졌다. 저서로 『교정 시집皎亭詩集』이 전한다.

• 현재 —— (1707~1769) 조선 화가 심사정沈師正의 호. 일찍부터 정선鄭敾 문하에서 그림을 공부, 중국 남화 · 북화를 종합한 새로운 화풍을 이루어 김홍도와 함께 조선 중기 대표적 화가로 일컬어진다.

• 현채 —— (1856~1925) 학자, 서예가. 호는 백당白堂. 1906년 국민교육회에 가입하여 계몽 운동을 벌였고, 1910년에는 장지연 등과 함께 광문회光文會 편집원으로 고전을 간행, 우리 문화 보급에 힘썼다. 안진경체를 잘 썼으며 국사國史에도 조예가 깊었다.

• 혜장 —— (1772~1811) 조선 승려. 호는 연파蓮坡 · 아암兒庵. 30세에 대둔사 강석講席을 맡았으며 변려문騈儷文을 잘 했다. 뒤에 언급한 이들도 조선 중후기의 고승들이다.

• 호봉 —— (생몰 연도 미상) 조선 승려. 법명은 응규應奎이고 호봉은 법호이다.

경기도 광주 봉은사에 거주하며 사경과 경전 간행에 공헌했다. 조선 고종 7년(1870)에 호남 표충사 총섭을 지낸 인물로서 문장과 글씨가 뛰어나고 재능과 덕망을 아울러 갖추었다. 직접 『화엄경』 1부(80권)를 베껴 쓴 뒤 인쇄 간행하는 한편, 경판을 제작 판전에 봉안했다.

- 호생관 —— 조선 영조 때의 화가. 작품으로 「금강산 표훈사」가 유명하다.
- 호암 —— (1888~1939) 언론인, 사학자인 문일평文一平의 호. 중학교에서 교편을 잡기도 했으며 중외일보 기자로 있다가 조선일보 편집 고문으로 취임, 7년간 논설을 집필하며 국사 연구에도 정진하여 많은 논문을 남겼다.
- 홍구범 —— (1923~?) 소설가. 해방 후 『백민白民』지를 통하여 단편 「봄이 오면」으로 등단, 많은 작품을 발표하며 『문예』지의 편집을 맡고 있다가 6 · 25 때 납북되었다.
- 홍양호 —— (1724~1802) 조선 문신. 학자. 호는 이계耳谿. 동지부사冬至副使로 청나라에 다녀오면서 그곳 학자들과 교류, 귀국 후 고증학 발전에 크게 기여했다. 치산治山, 식수植樹에 주력했으며 진晋체, 당唐체 등 글씨에도 뛰어났다.
- 홍희표 —— (1946~) 시인, 작품으로 「어군의 지름길」, 「청와집」, 「한 방울의 물에도」 등이 있다.
- 화택 자부의 방편설 —— 화택은 속세, 자부는 부처를 뜻하며, 방편설이란 부처가 중생을 구도하는 방법을 말한다.
- 황금찬 —— (1918~) 시인. 『문예』로 등단하였다. 수필집 『기다림은 늘 황홀하다』, 『행복과 불행 사이』, 『사랑과 죽음을 바라보며』, 시집으로 『분수와 나비』, 『오렌지 향기는 바람에 날리고』, 『옛날과 물푸레나무』 등이 있다.
- 황병기 —— (1936~) 가야금 명인. 다양한 가야금 음악을 작곡하여 국악계를 풍성하게 만들었으며 국악기를 위한 영화 음악, 무용 음악 등을 작곡하여 국악이 대중에게 다가서는 데 공헌했다.
- 황석공 —— 한나라의 창업 공신인 장량에게 『황석공삼략黃石公三略』이라는 강태공의 병법서를 주어 한나라를 세우는 데 지대한 공헌을 하게 했다는 선인이다.
- 황순원 —— (1915~) 소설가. 『동광』에 시 「나의 꿈」을 발표하며 등단했다. 첫 시집 『방가放歌』를 내놓으며 본격적으로 활동하였고 『삼사 문학』 동인으로 시와 소설을 함께 발표하였다. 단편 소설집 『늪』을 간행하면서부터는 소설에 전

념하였다. 「독 짓는 늙은이」, 「곡예사」, 「학」 등의 단편과 장편 『별과 같이 살다』, 『카인의 후예』, 『인간 접목』 등이 있다.

- 회향 —— 불교에서, 미타彌陀의 공덕을 돌려 중생의 극락 왕생에 이바지하는 일.
- 후수마 —— ふすま. 햇빛 따위를 막기 위해 안팎으로 두꺼운 종이를 바른 장지를 이르는 일본말.

편집자 주 2*

* 편집자 주 2는 이 책에 인용되었거나 서술된 한시 · 한문 등 원문을 역주譯註한 것이다. 와병臥病 중인 저자를 대신하여, 한학자 조수익趙洙翼 선생님께서 소략疏略하게 번역하고 주를 달았음을 밝혀둔다.

1940년대

1 —— 꽃은 지면 열매가 열리지만, 달은 가도 흔적이 없네.

2 —— 산은 아름답고 물은 맑으니 어느 곳을 가리킬 것인가

3 —— 산과 바다는 깊이를 숭상한다.

4 —— 애석하게도 이 화본畵本은 세상에 전하는 것이 드물어 거의 없어지게 되었으니, 참으로 크게 한탄할 일이다. 완당

5 —— 인내로 참고 올바르게 자신에게 노력하는 자는 지상의 승자가 되리라.

6 —— 하나가 되고 2전이 되고 12원 57전이 되고……

7 —— 키플링의 『언덕 담화』는 스물일곱 먹은 청년의 작품으로 보는 이로 하여금 경탄을 금치 못하게 한다. (중략) 만약 그의 나이에 장편 소설 손을 댔다면 어떻게 되었을까. 독서계는 그 유치함을 비웃으며 돌아보려고도 하지 않을 것이다. 어린 작가에게는 광범위한 인생을 전반적으로 둘러보며 서로 얽혀 있는 그 상관 관계를 구현해 보일 만한 재능은 없다. (중략) 세계의 유명한 장편 소설은 대개 그 작가가 마흔 이상이 되고 나서 쓴다.

8 —— 형形이 대은大恩인가,/영影이 대은인가?/화엄법계에는/남녀의 상相이 없다.

9 —— 여기에 한 물건이 있으니, 천지보다 앞서며 그 시작이 없다/병술 봄 김구/석월 거사 정지

10 —— 봉래여! 풍악이여! 조화로움이 하늘에 이어진다.

11 —— 노과老果 지음 30년 후 씀.

12 —— 자비관으로써 불이문을 설법하니 그 복덕이 사방처럼 넓네.

13 —— 사리 한 알 일만이천봉.

14 —— 「유감」

해가 다시 환갑還甲이 되니/마음이 전보다 더 새롭네/효우孝友와 선대의 일 계술

하지 못했으니/부끄러워 사람 같지 못하네.

15 ── 「술회」

끝없이 외로운 생각에 스스로 눈물 지으며/백두白頭에 제대로 한 일 없으니 어디로 돌아갈까/지난 잘못 속죄하기 어려운데 새로 어리석으니/조심하고 경계해 어기지 말기 바라네.

16 ── 「조상을 추모함」

훌륭한 할아버지의 덕업 원만하여/집안에 전해오는 오래된 보물이네/영원히 그 덕업 더럽히지 않아서/복을 이어 자손들 대대로 현명하네.

17 ── 「어버이를 그리워함」

부모님 내 몸을 낳으셨는데/슬프게도 그 노고 갚지 못했네/새 새끼 갖고 놀고 색동옷 입고 춤추는 재롱 어떻게 하리/남산 향해 호소해보지만 바람소리만 쌩쌩하네.

18 ── 「동생을 생각함」

십 년 동안 체화시棣華詩 읽지 못해서/밤중에 외기러기 슬피 우는 소리 못 듣겠네/저 할미새의 홀로 외로운 정 생각하니/내 회포 이때에 더욱 간절해지네.

19 ── 아들을 경계함/회갑을 맞아 부모님 먼저 돌아가셨는데/너희가 기꺼이 내 수연壽宴 베풀었구나/술잔 올리는 것 자식으로 마땅한 일이지만/네 아비의 슬픔은 배나 더해서 감당하기 어렵네.

20 ── 「나라의 앞날을 축복함」

나라가 망하고 임금이 없은 지 이미 삼십 년/폭풍우 몰아치니 참으로 슬픔 감당 못하겠네/원컨대 성덕聖德이 따르고 천명天命이 아름다워져/우리 나라에서 다시 좋은 날 오래된 것 보았으면.

21 ── 움직이면 미혹되고 움직이지 않으면 죽네. 이러한 때 언제리요.

22 ── 내가 너의 입을 부수리라고 말하지 말라.

23 ── 혼자서 한가로이 살면서 왕래 않으니/명월만이 외롭게 차가운 빛 비추네/원컨대 그대는 내 생애의 일 묻지 마오/몇 마지기 농사에 안개 낀 첩첩 산이라네.

24 ── 꾸불꾸불한 한 가닥 길 환히 나 있는데/여러 골짜기마다 소나무 삼나무에 물소리 들리네/여기서부터 근원이 멀지 않음 알겠는데/계룡산 바라보니 온통 푸른색이네.

25 ── 동학사는 깊은 곳에 자리잡고 있는데/남쪽 고향 바라보니 꿈조차 어수선

하네/절간에 속객俗客이 무슨 일로 왔나/말없이 기도하며 부처님께 절 올리네.

26 —— 동생 생각하니 빈 산의 날씨 어두워지고/할미새 같은 나, 눈물이 마구 쏟아지네/가련하다 외로운 기러기 남북으로 날아가는데/흰머리 날리며 하염없이 동생 생각한다오.

27 —— 소성 2년 3월 4일 첨사군이 나를 맞이하여 백수산 불적사를 유람하였다.

28 —— 쇠락한 절의 종소리 뜸한데 구름이 벽을 지나가고/맑은 강가에 피리소리 긴데 달이 공중을 벗겨 가네.

29 —— 처음 신심信心을 발하여 문득 큰 깨달음을 이루었다.

30 —— 하루종일 바장이니 생각이 많이 나는데/당년의 국난을 안정시킨 공 배나 생각나네.

31 —— 진괘晉卦는 인상여가 진晉나라에 가서 구슬을 온전하게 가지고 온 것이요, 박괘剝卦란 여러 음陰이 양陽을 빼앗고 음이 다하여 양이 오는 것이다. 진지박괘晉之剝卦는 추운 골짜기에 봄이 돌아와 만물이 비로소 생기는 것이다. 군자의 마음은 물처럼 담담하여 예禮가 아니면 행하지 않고 말 같지 않은 말에는 대답을 하지 않으며 마음에 나무를 심어 만년에야 결실을 본다. 군자는 가난을 편안히 여기고 옛것을 지키며 때를 기다리고, 달인은 명命을 알고 기미機微를 보고 나간다.

1950년대

1. 그대와 보자마자 서로 친해져서/그대의 집 맹진에 있다는 말 들었네/재차 지금은 어디에 있느냐 물으니/나그네로 지금은 낙양 사람이라 하네.

1960년대

1 —— 항상 시비是非의 소리가 귀에 들릴까 두려워 흐르는 물로 하여금 온 산을 휘돌아 흐르게 한다.

2 —— 밝은 밤 여강의 달 뜬 근처에 배를 댔으나/죽령이 하늘에 가로놓여 그대는 보이지 않네.

3 —— 인종人種은 영풍(영주와 풍귀)의 사이에서 구한다.

4 —— 태어나면서부터 기품이 빼어나고/그 생김새가 비범하였으며

5 —— 굳세고 호탕하여 얽매임이 없었고/사냥을 좋아하였으며/학업에 전력하

지 않다가

6 —— 충과 효가 모두 완벽하고 나이와 덕이 모두 빼어나니/천하의 대로大老이며/당세의 원귀元龜로다.

7 —— 우리 농암 선생의 나이가 70이 넘음에 벼슬을 버리는 뜻이 고매하여 물러나니 분수의 굽이에 한가로이 거처하며 거듭 (나라의) 부름에도 나아가지 않아, 귀함을 뜬구름처럼 여겼다. 물외에 아름다운 뜻을 부치고 항상 작은 배와 짧은 노로 안개와 물결 사이에서 노니시고, 낚시로 배회하셨다. 새들과 친하게 지내며 시기를 잊으시고 물고기를 바라보며 즐거움을 알게 되니 그 강호에서의 즐거움이야말로 진실된 즐거움을 얻었다 말할 수 있도다.

8 —— 벽 위에 귀거래도를 그리시고 전원으로 돌아갈 뜻을 나타내셨다.

9 —— 만사에 무심하여 낚싯대 하나뿐이요, 삼공 벼슬을 주어도 이 강산과 바꾸지 않으리라.

10 —— 당은 집 동쪽 1리에 있으며 농암 위에 있는데 강산의 경치가 빼어나다. 선생의 선대부터 항상 정자를 짓고자 하였으나 이루지 못하고 선생의 대에 이르러 부모의 나이가 점점 많아지매 기쁘고도 두려운 마음(부모의 나이가 많아지면 오래 사시는구나 하고 기쁘면서도 빨리 돌아가시지나 않을까 하고 두려워지는 마음을 말한다)을 이기지 못하여 마침내 이 당을 짓고 애일이라 편액하였다.

11 —— 바위는 집 동쪽 1리쯤에 있는데, 높이가 여러 길이며 20명 정도가 앉을 수 있다. 앞으로는 큰 내의 물결 부딪는 소리에 임하니 메아리소리가 사람의 귀를 시끄럽게 하여 서로의 말소리가 들리지 않는다. 농암이라 한 것은 여기서 이름을 얻은 것이다.

12 —— 명묘께서 누차 부르셨으나 선생이 굳이 사양하시고 오지 않는지라. 신하에게 어진 분을 불러도 오지 않는다는 시를 짓게 하시고 화공에게 도산을 그림으로 그려 바치라 하셨으니 선생을 존경하심이 이러하였다.

13 —— 못 가득히 풍월이 담겼건만 술잔에는 아무런 연고가 없고/시와 서를 공부하나 얼굴 빛은 누렇구나.

14 —— 거처하시는 방이 겨우 비바람을 가릴 정도였다.

15 —— 암서헌 지붕은 근자에 기와로 바꾸었다. 자못 선생의 본 뜻은 아니었다.

16 —— 영천군수 허씨가 찾아와 뵙고 말했다. "이렇듯 좁고 누추한 곳에서 어떻

게 견디십니까." 선생이 천천히 답하되 "오랫동안 습관이 돼서 그런 줄 모르겠소."

17 —— 날이 새기 전에 일어나 (중략) 종일 책을 보시고, 혹은 향을 사르며 고요히 앉아 항상 마음을 살피시되, 해가 처음 떠오를 때와 같으셨다.

18 —— 만년에 도산에 터를 잡고 집을 짓고 책을 보관하셨다. 겨울은 매우 추워서 거처할 수 없었지만 봄여름에는 항상 그곳에 계셨다. 꽃 피는 아침, 달 뜨는 저녁이면, 홀로 조그만 배를 타고 강물을 따라 오르내리다가 흥취가 다하면 돌아와서 경적經籍에 몰두하셨다. 흥을 산수에 붙이니 퇴연하사 세상일에 생각이 없으신 듯하였다.

19 —— 시 한 수를 지어 읊을지라도 한 글자와 한 글귀도 반드시 깊이 생각하고 다시 고치고, 사람들에게 경솔히 보이지 않으셨다.

20 —— 손님이 오면 비록 그 손님이 어릴지라도 반드시 섬돌에서 내려와 영접하였고, 보낼 때에도 또한 그처럼 하셨다.

21 —— 1, 예장禮葬을 하지 마라. 나라에서 한대도, 나의 유언이라 하고 굳이 사양하여라.

22 —— 1, 유밀과를 쓰지 마라.

23 —— 1, 비석은 세우지 말고 조그만 돌에 '퇴도만은진성이공지묘'라 쓰고, 나의 고향과 가계와 뜻과 행동의 출처를 대략 밝히되 대개 가례에 말하였듯이 써라. 이 일을 기고봉 같은 사람에게 시키면 필시 사실에도 없는 과장을 하여 세상에 웃음거리가 될 것이다. 그래서 내가 나의 비문을 쓴다면서도 우선 비명만 지어두었고, 아직 써놓지를 못했다. 내가 지은 비명은 원고들 속에 묻혀 있으니, 찾아서 새기도록 하여라.

24 —— 이해에 퇴계 아래 몇 리 되는 동쪽 바위 옆에 작은 암자를 짓고 양진암이라 이름하였다.

25 —— 만약 후사後嗣를 세우지 못하면 죽어서도 남편을 볼 수 없다 하여 단지 곡식 즙汁만 마시고 알곡식을 먹지 않았으며 머리를 빗지 않고 띠를 풀지 않은 채 22년을 살다가 죽었는데, 만력 임진년 일이 조정에 알려져 정려가 내려졌다.

26 —— 경오년 11월 9일 선생께서 시향時享의 일로 온계재溫溪齋에 올라가 종가에서 자다가 비로소 감기에 걸렸음을 느꼈다.

27 —— 부인은 아들은 많은데 일찍 과부가 되어 장차 문호를 지탱해가기 어려울

것을 생각하여 더욱 농사와 누에치기에 부지런하셨다.

28 —— 제목은 「야당野塘」이다/이슬 달린 풀은 파릇파릇 물가에 둘렀는데/조그만 못은 맑고 생생하고 깨끗하여 모래마저 없고나/구름이 날고 새가 지나가도 원래 서로 통하는 것이거니/다만 때때로 저 제비가 물결을 찰까 봐 두렵도다.

29 —— 제목은 「영회詠懷」이다/홀로 숲 속 오두막집의 만 권 책을 사랑한 지/한결같은 심사로 십 년이 넘었도다/요즘 근원의 자체와 더불어 안 것 같기로나/오로지 내 맘을 잡아 태허를 보노라.

30 —— 12월 3일 설사를 하시었다. 그때 선생 곁에 매화 분盆이 있었는데 선생은 다른 곳으로 그것을 옮기라 하시고 "매화꽃 형님[梅兄]이 이런 불결한 곳에 있다는 것은 나의 미안한 바로다" 하고 말씀하시었다.

31 —— 4일 오후 제생을 보고자 하니, 자제들이 만류하였다. 광생光生이 말하기를 "사생이 갈리는 길에 만나 보지 않을 수 없다" 하고는 드디어 웃옷을 걸치고 제생들에게 말을 꺼내기를 "평시에 나의 잘못된 견해로 제군과 종일토록 강론하였는데 이 역시 쉬운 일이 아니었다" 하였다.

32 —— 12월 8일 아침에 선생은 매화 분에다 물을 주라 분부하시었다. 이날 일기는 맑았으나 저녁때부터 구름이 집 위에 몰려들었다. 이윽고 흰 눈이 한 치 가량 내렸다. 선생은 이부자리를 정리케 하시고 부축하여 일으키게 한 후 앉아서 세상을 떠나셨다. 그제야 구름은 흩어지고 내리던 흰 눈도 멈추었다.

33 —— 태어나면서부터 자질이 특이하였는데 일찍부터 선생의 문하에서 배웠다.

34 —— 만폭동 반석 사이에서 이것을 얻었는데 혹 기대기도 하고 혹은 베기도 한다.

35 —— 벽을 뚫고 푸른 난간에 정자 지어/강산의 아름다운 모습에 눈이 휘둥그래지네/날마다 거울 같은 물가에서 고기 노니는 물결 구경하니/구름이 쓸고 간 하늘에는 기러기가 가득하네/백 리의 놀이 노래는 물색을 더하고/한구석의 화초 역시 아름답고 빛이 나네/술통 앞에는 무궁한 즐거움 있음 알겠는데/단지 두려운 건 자손이 유령劉伶처럼 취하는 것이네.

36 —— (시호를 주는 법이) 도덕이 있고 박문博文한 것을 문文이라 하고/정사를 하여 백성을 편안하게 하는 것을 성成이라 한다.

37 —— 순흥부의 사람들이 많이들 연좌되어 죽었는데 (당시) 죽계의 물이 다 붉

어질 정도였다.

38 —— 이에 대신大神으로 현신하여 허공 중에서 성신석으로 변했다.

39 —— 지팡이 앞에 조계수曹溪水가 나오는데/천지는 우로를 내리는 은혜 아끼지 않았네.

40 —— 손님이 오면 항상 집안 사람들에게 주식을 미리 준비시켜놓고 대접하게 했으나 손님과 대화를 하지 않았으며, 음식은 아침과 저녁만 드시고, 손님이 오지 않을 때에는 비록 배가 고프고 목이 마르더라도 때 아닌 음식을 들지 않으셨다. 손님을 대접할 때면 반드시 술과 음식을 마련하여 종일 담론하면서 피곤한 기색 없이 좋아하시어 오는 손이 끊어지지 않았다. 한 번도 이렇게 하기를 게을리 하지 않아 한 해의 경비가 자주 모자라 공채公債에 의지함이 많았다.

41 —— 4월 11일, 신미, 맑음. 새벽녘에 꿈자리가 아주 어지러워 마음이 극도로 나쁘고 병중에 계신 아버지를 생각하니 모르는 사이에 눈물이 나온다. 하인을 시켜 소식을 염탐하였다. 도사都事가 온양溫陽으로 돌아갔다.

42 —— 4월 13일. 홍백興伯의 집에 이르렀다. 얼마 후 하인 순화順花가 배로부터 이르러 천지天只의 부음訃音을 알린다. 달려나가 가슴을 치며 뛰니, 하늘의 해가 어두컴컴해진다. 즉시 상복을 갖추어 입고 해암蟹巖으로 가니, 배가 이미 와 있었다. 찢어지는 듯한 마음을 다 기록할 수가 없다.

43 —— 삼척三尺의 글로 하늘에 맹세하니/산천도 색깔을 바꾸네/한번 휘둘러 소탕하면/피가 산하를 물들이리.

44 —— 4월 16일, 병자. 궂은비가 내림. 배를 이끌고 중방포中方浦로 옮겨 정박했다. 영구靈柩를 상여에 싣고 본가本家로 돌아가는데 마을을 바라보니 찢어지는 마음을 어떻게 다 말하겠는가? 집에 이르러 빈殯을 하니 내리던 비의 기세가 더 세차다. 남쪽으로 갈 날 역시 임박해 그저 통곡만 나오니, 어서 죽기만을 기다릴 뿐이다.

45 —— 4월 19일. 일찍 출발하여 길을 떠나면서 영위靈位에 곡을 하며 작별하였는데, 천지간에 어찌 나의 일과 같은 경우가 있겠는가? 일찍 죽는 것만 못하다.

46 —— 정유 10월 14일, 신미일, 맑음. 목이 메이도록 통곡하고 통곡하였다. 하늘은 어찌 이처럼 모진 일을 하는가? 내가 죽고 네가 사는 것이 당연한 이치인데 네가 죽고 내가 살았으니 어찌 이처럼 어긋난 이치가 있는가? 천지가 어두워지고 하

늘의 색이 변한다. 불쌍한 나의 아들아 나를 버리고 어디로 갔느냐? 영기英氣가 남달라서 이 세상에 남아 있을 수 없었더냐, 내가 지은 죄가 네 몸에 미친 것이냐? 이제 나만 이 세상에 있게 되었는데 장차 누구를 의지하고 살아가랴? 그저 통곡할 뿐이다. 하룻밤을 1년처럼 지냈다.

47 —— 수산 만공 선사에게 줌/구름과 달, 시내와 산은 곳곳마다 다 같은데/수산 선사는 대가의 기풍이 있네/은근히 문인文印을 두지 말라고 분부하는데/일단의 기권機權이 두 눈동자에 번뜩이네/갑진 2월 11일 천장선실에서 경허 씀.

48 —— 차별이 있음을 가지고서/둘이 아닌 물에 들어갔네/흐르는 물은 오늘이라면/밝은 달은 전신이로세.

49 —— 울긋불긋한 절벽은 만 길이나 솟아 있고

50 —— 홍이 난 손 기이함 좋아하여 험난함을 잊네.

51 —— 해상 백 명이 전에 바다를 건너와/산 위의 신광을 멀리서 바라보았네.

52 —— 재산을 잘 늘려 부유함으로는 나라의 으뜸이다.

53 —— 스스로 백운과 함께 환계에 와서/마음은 밝은 달은 따르니 어디를 향하는가/살고 죽는 것 오직 구름과 달과 같아서/구름 흩어지면 달은 저절로 밝아지네.

54 —— 장춘동 안의 옛 신선 동네에/십이경루에 사람 자취 드무네/시냇물은 얕고 맑아 흰 돌이 드러나고/대나무숲 길은 붉은 잎이 휘날리네/차가운 산 바람에 계수나무 열매 지고/쓸쓸한 바다 비는 초의를 적시네/두륜봉 꼭대기는 팔천 길인데/낭떠러지엔 마고의 피리소리에 학이 날아가네.

55 —— 서산 대사가 임종 때 제자들에게 부탁하기를 '내가 죽거든 내 의발衣鉢은 반드시 해남海南으로 돌아가 부탁하거라. 그곳에 두륜산이란 산이 있고 그 산에 대둔사大芚寺(대흥사의 옛 이름)란 절이 있으니, 남쪽으로는 달마산이 보이고 북쪽으로는 월출산이 바라보이며, 동쪽에는 천관산, 서쪽에는 선은산이 있어 내가 매우 좋아하던 곳이다. 또 해남은 황폐한 먼 고장이어서 임금의 교화敎化가 미치지 않아 어리석은 백성들이 우매하다. 내가 이를 위하여 그들이 보고 느낀 바가 있어 충섬심을 일으키기를 바라노라.

56 —— 강진 고을 영감들 진기한 걸 좋아하여/포구도 호수처럼 물이 맑다 말을 하네/조수가 앞에 밀려와 가득 차면 천지가 열리는 듯하고/살랑거리는 바람에 푸른 거울이 부서지네.

57 —— 11월 6일. 다산茶山 동암 청재에서 혼자 자는데 꿈에 한 누이 같은 소녀가 와 장난을 걸었다. 나 역시 마음이 동했지만 조금 후 하직하므로 보내면서 절구絶句를 지어주었는데 깨어나서도 생생하다. 그 시는 다음과 같다.
눈 덮인 깊은 곳에 핀 한 가지 꽃송이/붉은 복사꽃이 비단과 아름다움 다투네/이 마음은 이미 금강철처럼 단단하니/혹시 풍로가 있은들 그대가 어떻게 하리.
58 —— 산에 사는 병든 몸/쓸쓸한 초당 한 칸/약 화로는 씨불이 놓였고/책은 새로 장정을 꾸몄네/눈[雪]을 사랑하나 쉬 녹아 걱정이고/예쁜 솔은 왜 그리 안 자랄까/이 언덕에서 늙어갈 만하니/하필 고향으로 돌아가기 바라랴.
59 —— 가끔 이방李房을 만나는데 병든 조카의 참상이 정리상 다른 사람과 다르다. 늙어서 죽지 않아 또 이런 차마 보지 못할 정경을 보게 되니, 곧장 꺼꾸러져 먼저 죽고만 싶다. 두 둥근 고물은 탑 속에 보관한 물건들과 다름이 없다. 마음이 없지 않으나 좌우가 이러하니 어떻게 얻을 수 있겠는가? 절감하고 절감할 뿐이다.
60 —— 사社란, 두 사람이 한 마음이 되는 것을 사라 한다.
61 —— 망건은 1년에 겨우 세 번만 쓰고, 신발은 3년에 한 번 바꾸어 신었다.
62 —— 나는 조선 사람이니, 기꺼이 조선의 시를 짓겠다.
63 —— 노전의 젊은 아낙 우는 소리 기네.
64 —— 아이를 낳아 곤궁함을 스스로 한하네.
65 —— 만 권의 서적 독파했으니 아내는 무얼 먹고 살았나/두 뙈기 밭이 있는데 여종의 차림이 깨끗하네.
66 —— 궂은비 궂은비 그치지 않아/밥 짓는 불 꺼져서 동네 사람 근심하네/부엌에 물이 한 자나 차서/어린아이 배 띄우고 노네.
67 —— 당쟁의 화가 오랫동안 그치지 않으니, 이 일이 매우 통탄스럽다. (중략) 양은 죽을 때에도 울부짖지 않지만 호랑이나 표범은 오히려 눈을 부릅뜬다. (중략) 천 항아리 술을 빚고 만 마리 소를 잡아 고기를 만든다.
68 —— 연담이 나에게 말하기를 "밥을 많이 먹은 위령공"이라고 했다.
69 —— 껍질이 얇으면 칼이 소용없고 고기가 잘 익으면 씹지 않아도 된다.
70 —— 백련사 누대 앞에 둥그렇게 비친 물결/봄이면 눈 같은 조수 문중방까지 오른다네.
71 —— 「취시가」

이 곡조는 들은 사람 없다네/나는 꽃과 달빛에 취하지 않으리/나는 공로도 세우고 싶지 않으니/공로를 세움은 마치 뜬구름 같고/꽃과 달빛에 취함도 뜬구름 같다네/취시가/이 곡조는 아는 사람 없다네/내 마음은 긴 칼로써 임금 은혜 갚고 싶다네.

72 —— 장군께서는 일찍이 군대 일에 종사했건만/장한 그 뜻 중도에서 꺾였네/운명인 걸 어떻게 하나/지하의 영령께서/무한히 한탄하리/명일곡에 취지가이네.

73 —— 악기 타며 낭송함은 영웅의 일 아니요/검무만이 병영兵營의 놀이이네/후일 무기 씻고 돌아온 후에는/강호에서 고기 낚으리니 다시 무얼 바라리.

74 —— 송강 선생의 옛집을 지나며 감회가 있어 지어 정달부에게 줌.

75 —— 환벽정은 공연히 새 주인 맞았는데/서하당은 지금도 예전 그대로네/주인 없는 집 어린 자식 울음소리 슬픈데/늙은 나무 차가운 바람에 마음이 무한하네.

76 —— 우리 석천 선조께서 벼슬에서 용퇴하여 이 정자에서 노년을 마쳤다.

77 —— 삼십 년 동안 헛 이름으로 살았는데/주인도 아니요 손님도 아니었다네/초가 지붕은 이제 막 이엉 덮었는데/다시 북쪽으로 가야 할 사람이라네.

78 —— 수지修持를 잘 하는 자는 조용한 곳에 거처하고 (중략) 또 스스로 상相이 없어 생각해도 얻을 수 없다.

이는 마명 대사의 분명한 뜻이어서 후세의 화두나 사선邪禪, 맹갈盲喝 할봉轄棒과 같지 않다. 이런 바른 길을 버리고 반드시 사경邪經을 찾으니 어떻게 하랴. 비 오는 소장로각에서 아무렇게나 써서 보여주다.

79 —— 반야다라존자가 동인도국왕에게 답하기를, "빈도貧道는 출식出息도 중연衆緣을 따르지 않고 입식入息도 온계蘊界에 거하지 않습니다" 라고 하였다.

나가산인이 써서 초의艸衣에게 보여주고 성담 선사에게 전해주도록 했다.

80 —— 먼 포구에서 이별한 회포가 떠 있는 구름이라도 머무르게 할 정도입니다. 걷고 걸어서 남쪽으로 내려왔는데. 모르겠지만 한지구나 소지려 역시 이런 경지를 겪었을까요? 첫 추위가 제법 심한데 동정이 한결같이 평안하시며 어느 곳을 다녀오셨습니까? 늙은이의 마음이 사그러지니 무슨 일 때문이며 간절한 심사는 언제나 잊게 될까요. 질부質夫는 언제 돌아왔으며 편안히 모시고 무양한지 종종 마음이 쓰입니다. 저는 아직 변방 도중途中에 있으며 이달 초아흐레에나 과천 집에 도착할 것 같습니다. 다행히 그리 피곤하지는 않으며 친척과 정담을 나누니 마치 이승에서 서로 만난 듯합니다. 최씨 아전이 돌아가는 편에 이처럼 대략만 말씀

드리며 다른 것은 미처 언급하지 못하니 다음 편으로 미루겠습니다. 임자년 10월 18일 노완.

81 —— 집에서 빚은 푸르스름한 술 기울이고/시험삼아 연분홍 꽃 손수 재배하네/쾌청한 밝은 창가에서 시묵詩墨을 감상하고/시원한 샘물로 낡은 솥에다 차를 끓이네/한 폭의 갈건을 쓴 나무 아래의 나그네요/백 병의 봄 술을 마신 취한 신선이네/창 틈으로 비친 달빛은 봄 시름을 없애고/온 골짜기에서 부는 바람에 낮잠이 달콤하네.

82 —— 입극도 앞에서 함께 술잔을 들고/묵륜이 또 제주濟州로 굴러왔네/수선水仙은 마치 사람의 뜻 아는 듯/집에는 꽃이 만발했네.

83 —— 어찌하여 바다와 하늘을 하나의 갓처럼 써서 원우元祐 때의 죄인처럼 되었는가?

84 —— 고요한 자는 마음에 묘妙함이 많아서 표연히 평범하지 않네.

85 —— 이 눌인訥人(조광진)의 지서指書는 전서篆書와 예서隷書의 뜻이 있는데 종왕鍾王의 운필법을 사용해 신묘함이 헤아리기가 어렵다.

86 —— 눈앞의 조주차를 공짜로 마셔대다.

87 —— 주렴 밖 수척한 그림자의 스님은 달 구경하고/창 밖에 새가 매화나무 건드려 향기가 진동하네.

88 —— 해서법楷書法은 공을 들이지 않으면 안 된다. 정봉正鋒으로 그 길을 찾아야 한다.

89 —— 오래 앉아 있어 향香이 방에 있는 줄 몰랐는데, 창을 밀어 열자 나비가 날아온다. 계사년 70세 된 늙은이 석파.

90 —— 글에 이르기를 "일에는 처음과 끝이 있다"라고 하였다.

91 —— 토지가 평평하고 넓으며 집이 또렷하다. 노란 머리에 수염이 늘어지고 태연하고 스스로 즐거운 모습이다. 석화원에서 나루를 묻다.

92 —— 동정호에서 서쪽으로 초강을 바라보니/ 물이 끝난 남쪽 하늘에 구름이 안 보이네/해지는 장사의 가을빛이 아득하고/어느 곳에서 상군을 조상弔喪할지 모르겠네/이상은 동정호의 찬 파도이다.

1970년대

1 ——— 진락산 남쪽에 보석사가 있으니/맑디맑은 영천에 굳센 스님 오는도다.

2 ——— 일이 간결하니 도장에 푸른 기운 돌고/송사가 드무니 뜰에 이끼가 가득하네.

3 ——— 장안사의 대웅보전大雄寶殿은 박엽朴燁이 주조周祚를 시켜 쓰게 했는데 매우 훌륭하고 웅장하다.

4 ——— 그 형국을 논하니 삼산에서 나물 캐는 아이이다.

5 ——— 도서가 한 방 가득하여 옛사람을 벗삼네.

6 ——— 집이 깊은 산속에 있어 매년 봄과 여름이 바뀔 즈음이면 이끼가 계단에 가득하고 낙화가 소롯길에 가득하게 된다. 문 밖에는 나무를 쪼는 새가 없고 소나무 그림자는 들쭉날쭉, 새 지저귀는 소리가 요란하다. 낮잠을 실컷 자고 나서 산의 샘에서 물을 길어다가 소나무 가지를 주워 차를 끓여 마신다. 그리고는 마음내키는 대로 『주역』, 『국풍』, 『좌씨전』, 『이소경』, 태사공서 및 도연명陶淵明과 두보杜甫의 시, 한유韓愈와 소식蘇軾의 글 몇 편을 읽는다. 조용히 산길을 걸으며 소나무나 대나무를 어루만지고 숲 속 풀밭에서 송아지와 함께 뒹군다. 한가로이 앉아서 흐르는 물에서 물장난을 치다가 발을 씻고 양치질을 한다. 집의 죽창竹窓 아래로 돌아오면 아내와 어린 아들이 고사리 반찬에 보리밥을 지어 올리는데 그걸 달게 먹고 나서는 창 아래서 붓을 놀려 크고 작은 글씨 몇십 자를 쓴다. 그리고는 집에 소장하고 있는 법서法書, 글씨와 그림을 펼쳐놓고 감상하다가 흥이 일면 짤막한 시를 읊조리거나 혹은 풀잎에 고인 물을 받아다가 차를 달여 한 잔 마시기도 한다. 걸어서 시냇가로 나가 농사짓는 벗이나 고기 낚는 벗을 만나 상마桑麻와 벼농사 형편에 대해 이야기를 나누었다. 맑았다가 비가 왔다 한다. 한나절 동안 이야기를 하다가 돌아와 사립문에 기대고 서니, 석양의 해가 산마루에 걸쳐 있는데 경각간에 붉고 푸른빛으로 갖가지 형상으로 변하여 사람의 눈을 즐겁게 해준다.

7 ——— 고을은 실직씨悉直氏의 유허遺墟로 예국穢國의 서남쪽에 있는데 서울에서 7백 리 떨어져 있으며 동쪽으로는 큰 바다와 접해 있다. 도호부사 공암 허목 씀.

8 ——— 현종 2년 선생이 이곳의 부사로 와 동해비東海碑를 전서篆書로 써서 정라도에 세웠는데 풍랑에 휩쓸려 침몰되었다. 선생이 그 말을 듣고 고쳐 썼다. 이제 두 본本을 참고해서 대자大字는 구본舊本에 쓰고 소자는 신본新本에 써서 새겨 죽

관도에 세우니, 때는 금상今上 35년 기축 봄 3월이다.

9 ——「17일 밤에 달을 구경하며 와룡폭포 위에 누워서 공회公會의 일을 생각함」 혼자서 시냇가 바위로 가자니/지팡이 소리가 쟁쟁하게 나네/중추中秋에 다하지 않은 달이/오늘 밤에 또 밝은 빛을 비추누나/고요한 못에 외로운 달빛 움직이고/산은 텅 비고 만상萬象은 맑네/병든 시어侍御를 생각하니/슬픈 마음이 서성西城에 이르네.

공회가 병 때문에 중추의 약속에 가지 못한다고 하므로 이렇게 말한 것이다. 번암

10 —— 청대의 학자 상전象傳과 번우엽番禹葉이 편하여 인출印出한 네 책 가운데 제3책은 중국 국립 중앙연구원 도서관에 소장되어 있으며 1973년 7월 10일 영인影印하였습니다. 진태하陳泰夏

11 —— 선생은 효종孝宗의 기일忌日을 당하면 새벽에 일어나 바위에 올라가 통곡하고는 인하여 절구絶句 한 수를 읊었으니, 그 성의가 지극하였다. 후세 사람들이 그 바위를 읍궁암泣弓巖이라 불렀는데, 대개 형호荊湖의 고사를 취한 것이다. 방백 윤공尹公이 사당에 참배한 후, 큰 글씨로 읍궁암이란 석 자를 바위에 새겼다. 정유년 상하尙夏 삼가 씀.

12 —— 흐르는 물은 피차가 없으나/지세는 동서가 있네/만약 때가 달리 갈라짐을 안다면/바야흐로 같은 곳으로 합침도 알리라.

13 —— 넓은 들판으로 해는 지고/강가에는 고기잡이 거두네/작은 배는 해안을 가로지르고/긴 피리소리에 가을이 깊네.

14 —— 지팡이 짚고 차가운 물가에 서니/늦바람이 옷깃을 펄럭이네/몇몇 군자 서로 만나니/나에게 염옹을 이야기해주네.

15 —— 남쪽 시냇물은 산을 감싸고 흐르고/습기 찬 산기슭은 윤기가 나네/꿈을 깨니 정오의 창 어둡고/맑은 바람 차가운 대숲에서 이네.

16 —— 소나무 잣나무 겨울에도 푸르니/바야흐로 추운 날씨 견딤을 보네/소리는 바람 속에서 들리고/빛은 눈 속에서 보네.

17 —— 호랑이 포효하니 골짜기에 바람 일고/용이 숨으니 구름 기운을 토하네/초가집에서 높이 누워 있지 말라/천지는 바로 음양이 서로 작용함이네.

18 —— 글씨는 금석을 따르고 글은 소식과 황정견을 따랐네/만리의 오운烏雲은 한 줄기 향불 같네/과감하게 휘두른 글씨는 모두 부처요/벽에 잘 쓴 글씨 백호白毫

가 빛을 내네.

19 —— 만리의 문장은 천풍天風을 몰아오고 /한 줄기 묵흔墨痕에는 수선水仙이 그림자지네.

20 —— 해와 달 두 바퀴는 하늘의 눈이요/시서 만 권은 성현의 마음이네.

21 —— 과천 가는 도중에 연신 지팡이와 나막신을 번득이며 경성에서 십 리를 벗어나니 강호의 들판 색이 푸르다. 푸른 파도에서 한가로이 꿈꾸는 갈매기를 구경하는데, 먼 절에서 종소리가 꿈결처럼 들려온다. 비 온 뒤 벼가 가을 일을 이루었고, 경내 밖 구름 낀 숲이 모두 정을 다한다. 익숙한 길에 수레가 빨리 달려 이곳에 도착하니, 노완老阮 선생이 생각난다.

22 —— 이는 소재의 글이다. 내가 매우 좋아하여 매양 하나의 그림으로 그려보고 싶었는데 이제 써서 소치小癡에게 보여준다. 염제

23 —— 천리 진양 한나절 길을/아침 한북에서 하직했는데 산청에 이르니 저물녘이네/구름이 땅을 감추어 진면목을 숨기고/물이 세차게 흘러 갈래져 속된 마음 씻어주네/처사의 행원杏院은 깊숙한 데 있고/철인의 오래된 비석은 푸른 이끼 끼었네/그런데 지금의 영기로는 가서 잘 곳 없으니/선생은 적막하게 후생을 맞아주네.

24 —— 굳게 울타리를 만들어 호랑이가 물지 못하게 하라.

25 —— 사액賜額할 때 치제문은 정조대왕의 어제이다. 큰 고개가 하늘을 가르고 있는데, 거인처럼 우뚝 서 있네. 비스듬히 뻗쳐서 길과 시내가 되고 서원은 물가를 베고 있네. 익성공으로 배향하고 땅을 하사하셨다.

26 —— 한뙈기 작은 정원에서 경영함은 커서/다만 대나무만 기르고 꽃은 재배하지 않았네.

27 ——「난초에 대하여」

혼자 그윽한 정절지키며 여생을 보내고/다른 모든 꽃들이 질투하도록 내버려두네/깊은 산 절벽에 숨긴 빛 오래가는구나/그대에게 청하노니 베껴서 함부로 전하지 마오.

28 ——「대나무에 대하여」

소상강의 가을 경치가 붓으로 그려지니/서로 천 길 되는 곳 찾지만 흥興이 일지 않네/어지러운 잎은 창문을 울리고 차가운 비가 뿌리니/등잔 심지 돋우고 두세 개 대나무 그리네.

29 —— 과보수戈寶樹는 머리 숙이고 말씀드립니다.

추사 진사 어른. 10월 24일 소재蘇齋를 거쳐왔는데 혜서惠書를 잘 받아 손을 씻고 읽으니 마치 얼굴을 마주한 것과 같습니다. 대개 이심암의 집에서 취중에 한 번 만나뵌 후, 모르는 사이에 몇 년이 흘렀습니다. 푸른 동쪽을 바라보니 마치 봉래蓬萊와 영주瀛洲를 사이에 둔 듯합니다. 편지를 올리지 못했는데 도리어 안부를 물어주고 지나치게 추장推奬해주시니 감당할 수 없습니다. 성원星原의 묘소는 이미 묵은 풀이 쓸쓸하여 족하의 슬픔이 간절하고 생각의 두루 미침이 은은 간단하여 울음소리와 눈물이 함께 나오는데 이른바 한 번 죽고 한 번 사는 것은 정이 서로 엇갈리는 것이니 흠복欽服하고 흠복합니다. 담옹覃翁 어른은 학문과 도덕이 다 깊어서 비록 노경老境에도 이처럼 담담하신 것입니다. 성원星原의 아들은 인달引達이라고 명명하였는데 두각頭角이 쟁쟁한 영물英物입니다. 올 봄에 이미 천화天花가 나와 성립할 가망이 있으니, 이는 모두 족하께도 기쁜 소식이 될 것입니다.

소재필기 16책은 담옹의 서신 가운데 이미 언급하여 보셨을 것인데 왕여중 선생에게 물어서 자유로이 편집한 것입니다. 이 책은 전에는 각본刻本이 없었는데 제가 옛날 협규協揆 하간河間 기문달紀文達 공의 집에서 초본抄本을 본 적이 있습니다. 변증하여 지은 글이 모두 한 질帙인데 황소빈黃霄賓의 『관동여론』과 체재가 대략 같습니다. 선생께서는 자양紫陽의 글에 아주 힘을 깊이 쏟으시는데 「역본의易本義」, 「구도론九圖論」, 「가례고家禮攷」 등에 후인들이 의지할 만하게 정하니 보신 바가 확고하게 있습니다. 문달공의 손자가 지금 호북 선창부宣昌府에 수령으로 나가 있는데 이 책을 가지고 갔습니다. 후일 도성에 들어오면 마땅히 빌려서 한 통을 베껴 보내거나 혹은 가지고 있는 집에서 사서라도 반드시 보낼 것이데 다만 그 시일을 한정할 수는 없습니다. 이른바 『백전초당집白田草堂集』이란 그 후세 사람이 판각한 것으로 시문詩門이 모두 12권으로 한 집集을 만들었는데, 너무 빼버린 실수가 있습니다. 대개 왕씨의 학문은 고증이 정밀하지만 시문은 그의 잘하는 바가 아닙니다. 근래 여염에 이 책도 없는데, 저는 학식이 천박하여 부지런히 경전에 힘을 쓰는 것도 오히려 힘이 부족할까 염려가 되어 금석문金石文은 사전史傳과 안팎이 되므로 이따금 섭렵하고 있지만 감히 잘 안다고 말할 수 없습니다. 귀국에서 온 탑본은 모두 석묵루石墨樓와 섭동경葉東卿의 평안관平安館에 보관하고 있어 유실될 염려가 없습니다. 섭동경의 이름은 지선誌銑인데 그의 아버지는 호부패

외랑으로 군기장경이 되어 동경이 동화東華에서 보좌한 지 20여 년이 되어 다른 곳에 나갈 기회가 없었습니다. 족하께서 만약 잘 생각하여 혹 저를 거치거나 혹은 소재를 통하면 서로 알고 지내게 될 것이며 그 역시 담옹의 문하생입니다.
성원星原의 훌륭한 시는 정이 말 가운데 나타나 있으니 마땅히 장정하여 신위神位 옆에 걸어두고 그 아들 인달에게 명하여 동쪽을 향하여 절하여 사례하도록 하겠습니다. 담옹은 나이가 많아서 날마다 조선의 인삼을 복용하고 있는데 도성 안에 품질 좋은 인삼이 없어 담옹의 집사람이 저에게 부탁하여 전달하고 있습니다. 족하께서는 성원과 교분이 지극하였으니 반드시 대신 이르게 할 것입니다. 조운석과는 도道로써 서로 생각하고 있으며 석린石麟은 땅에 떨어졌는지, 아닌지 생각이 간절합니다. 인편에 급히 쓰느라 오로지 하지 못합니다. 동지사冬至使가 올 때를 기다려 다시 편지를 보내 답장을 받들겠습니다. 홍과산洪顆山의 근황은 어떤지요. 역시 마음을 써주어 지필紙筆을 받았는데 아주 좋기에 자리 옆에다 두니, 사람으로 하여금 구름 밖을 생각하게 합니다. 감사하고 감사한 일입니다. 인편이 돌아가는 편에 부치오니 거듭 바라건대 잘 받아보시기 바랍니다. 하고 싶은 말을 어찌 다하겠습니까? 병자년 11월 초4일 보수寶樹 올림
추사 진사 족하께

1980년대

1. 가을 물과 부용은 서로 이웃해 사네.

연보

1922. 2. 5.(음력)	경상북도 상주군尙州郡 모동면牟東面 수봉리壽峰里에서 부父 김창석金昌錫, 모母 이병李炳의 6남 1녀 중 4남으로 출생.
1925	몸이 허약한 구용은 철원군 월정 역에서 멀지 않은 어느 마을에서 유모 싸마와 그 해 겨울을 보내다. 싸마는 일찍이 그의 탯줄을 잘라낸 안노인이다.
1926~1930	금강산 마하연에서 싸마와 함께 불보살님께 지심 정례至心頂禮를 드리기 시작하다.
1931	경남 대구 복명보통학교에 입학. 그 해 다시 철원군 보개산 심원사 지장암에서 병 치료를 위해 요양하다.
1932	서울 창신보통학교에 2학년으로 전학, 5학년까지 수학.
1936	수원 신풍보통학교 6학년으로 전학.
1937	서울 보성고등보통학교에 입학.
1938	금강산 마하연에서 다시 병 치료를 위해 요양.
1939	충남 공주公州 집에서 부친 세상 떠나다.
1940~1962	부친 대상大喪을 마치고 공주군 동학사東鶴寺에서 일제 시대의 징병, 징용을 피해 은둔, 독서와 습작을 계속하다. 이후 동학사에 수시로 기거하면서 경전 및 수많은 동서 고전을 섭렵하고, 시작詩作에 깊은 관심을 보였으며, 한편으론 동양 고전 번역에 관심을 갖게 되다.
1949	『신천지新天地』에 시 「산중야山中夜」, 「백탑송白塔頌」 발표. 성균관대학교 입학.
1950	6 · 25 발발, 전쟁의 와중에 비명횡사를 면하고 구사일생하였으나 천애 고아가 되다. 시인의 '부산 시절' 이 시작되다.

1951	부산에서 『사랑의 세계』지 기자.
1952~1954	부산 상명여자중고등학교 교사.
1953	성균관대학교 국문과 졸업.
1955~1956	『현대 문학』지 기자. 육군사관학교 시간 강사. 현대 문학 신인 문학상 수상.
1956~1987	성균관대학교 문과대학 강사, 조교수, 부교수, 교수 역임.
1956~1973	서라벌예술대학교 강사.
1957~1958	건국대학교 강사.
1958~1959	숙명여자대학교 강사.
1958~1961	숙명여자중고등학교 강사.
1960	능성綾城 구具씨와 결혼.
1960~1961	성균관대학교 성대신문 주간.
1962	동학東鶴 산방山房을 떠나 책들과 짐을 서울 성북동 집으로 옮기다.
1987	성균관대학교 정년 퇴임.

저서

1969	시집 『시집詩集 · I』 삼애사三愛社
1976	시집 『시詩』 조광출판사朝光出版社
1978	장시 『구곡九曲』 어문각語文閣
1982	연작시 『송頌 백팔百八』 정법문화사正法文化社

번역서

1955	『채근담採根譚』 정음사正音社
1957	『옥루몽玉樓夢』 정음사正音社

1974	『삼국지三國志』 일조각一潮閣
1979	『노자老子』 정음사正音社
1981	『수호전水滸傳』 삼덕문화사三德出版社
1995	『열국지列國志』 민음사民音社